D1116975

SÜDOSTEUROPA-HANDBUCH

Band III

HANDBOOK ON SOUTH EASTERN EUROPE

Volume III

GREECE

Edited by
Klaus-Detlev Grothusen

in co-operation with the Committee
of South-East-European Studies
of the German Science Foundation

With 154 Tables, Diagrams and Maps
and one Coloured Map

VANDENHOECK & RUPRECHT IN GÖTTINGEN

CE

SÜDOSTEUROPA-HANDBUCH
Band III

GRIECHENLAND

Herausgegeben von
Klaus-Detlev Grothusen

in Verbindung mit
dem Südosteuropa-Arbeitskreis
der Deutschen Forschungsgemeinschaft

Mit 154 Tabellen, Schaubildern und Karten
und einer farbigen Übersichtskarte

VANDENHOECK & RUPRECHT IN GÖTTINGEN

472.268
5/0

Der Südosteuropa-Arbeitskreis der Deutschen Forschungsgemeinschaft

Byzantinistik: Prof. Dr. Armin Hohlweg, München; *Byzantinische Kunstgeschichte:* Prof. Dr. Lic. Klaus Wessel, München; *Geographie:* Prof. Dr. Arnold Beuermann, Braunschweig; *Geschichte:* Prof. Dr. Matthias Bernath, München; Prof. Dr. Klaus-Detlev Grothusen, Hamburg; *Kirchengeschichte und Theologie:* Prof. Dr. Fairy v. Lilienfeld, Erlangen; *Literaturwissenschaft:* Prof. Dr. Reinhard Lauer, Göttingen; *Politik- und Kommunikationswissenschaft:* Prof. Dr. Franz Ronneberger, Nürnberg; *Rechtswissenschaft:* Prof. Dr. Friedrich-Christian Schroeder, Regensburg; *Sprachwissenschaft:* Prof. Dr. Norbert Reiter, Berlin; *Turkologie:* Prof. Dr. Hans Joachim Kissling, München; *Volkskunde:* Prof. Dr. Rolf Wilhelm Brednich, Freiburg i. Br.; *Vor- und Frühgeschichte:* Prof. Dr. Bernhard Hänsel, Kiel; *Wirtschaftswissenschaft:* Prof. Dr. Hermann Gross, Gauting b. München; Prof. Dr. Werner Gumpel, München; *Deutsche Forschungsgemeinschaft:* Dr. Wolfgang Treue, Bonn-Bad Godesberg; *Deutsche UNESCO-Kommission:* Prof. Dr. Otto v. Simson, Berlin, Bonn; *Verwaltung und Organisation:* Dr. Wolfgang Höpken, Hamburg.

DF
717
.G74
1980

CIP-Kurztitelaufnahme der Deutschen Bibliothek

Südosteuropa-Handbuch / hrsg. von Klaus-Detlev Grothusen in Verbindung mit d. Südosteuropa-Arbeitskreis d. Dt. Forschungsgemeinschaft.
Parallelt.: Handbook on the South Eastern Europe.

Bd. 3. – Griechenland

Griechenland / hrsg. von Klaus-Detlev Grothusen in Verbindung mit d. Südosteuropa-Arbeitskreis d. Dt. Forschungsgemeinschaft. – Göttingen:
(Südosteuropa-Handbuch; Bd. 3)
Parallelt.: Greece.

ISBN 3-525-36202-1

NE: Grothusen, Klaus-Detlev [Hrsg.]; Deutsche Forschungsgemeinschaft / Südosteuropa-Arbeitskreis; PT

© Vandenhoeck & Ruprecht in Göttingen 1980 – Printed in Germany –
Ohne ausdrückliche Genehmigung des Verlages ist es nicht gestattet,
das Buch oder Teile daraus auf foto- oder akustomechanischem Wege zu vervielfältigen.
Druck: C. W. Niemeyer, Hameln

Inhaltsverzeichnis

Vorwort

Das Erscheinen des dritten Bandes des Südosteuropa-Handbuchs legt einen Moment der Besinnung und der Rückschau, aber auch einen Blick auf die weitere Planung nahe. Es sind nunmehr acht Jahre vergangen, seit der Südosteuropa-Arbeitskreis der Deutschen Forschungsgemeinschaft nach einer gründlichen Diskussion dem Plan zustimmte, ein Handbuch der Entwicklung aller südeuropäischen Länder seit dem Zweiten Weltkrieg erarbeiten zu lassen. Damit wurde nicht nur der äußere Umfang des Projekts festgelegt, sondern vor allem auch seine Konzeption und Zielsetzung. Beides ergab sich unmittelbar aus Funktion und Aufgabe des Südosteuropa-Arbeitskreises als Nationalkomitee der Bundesrepublik Deutschland in der Regionalkommission der UNESCO für Südosteuropa, der „Association Internationale d'Études du Sud-Est Européen" (AIESEE). Ziel des Handbuches mußte es dementsprechend sein, zum ersten Mal ein möglichst umfassendes Informationsinstrument über Südosteuropa auf der Basis um vorurteilslose Objektivität bemühter wissenschaftlicher Forschung zu schaffen und damit zugleich einen Beitrag zur weiteren überregionalen, interdisziplinären und internationalen Südosteuropa-Forschung zu leisten, wie dies das Ziel der AIESEE im ganzen seit ihrer Gründung 1963 im Sinne wohlverstandener UNESCO-Arbeit ist. Jeder Band, der das Ergebnis intensiver Kooperation eines Teams für das jeweilige Land international ausgewiesener Experten ist, lernt dabei aus den Fehlern, die bei seinen Vorgängern unterlaufen sind und ist um jeweils noch vollständigere Information bemüht. Grenzen sind der letzteren allerdings allein schon durch den feststehenden Umfang jedes Bandes gesetzt. Das Ergebnis sollte trotzdem eine weitgehende Annäherung an das Ziel sein, in sich geschlossene und systematisch aufgebaute Darstellungen eines südosteuropäischen Landes nach dem anderen vorzulegen.

Damit sind im übrigen der regionale Umfang und der zeitliche Rahmen der Bearbeitung des Handbuchs angesprochen, wie sie 1972 vom Südosteuropa-Arbeitskreis der DFG klar umschrieben worden sind. Was den regionalen Umfang betrifft, so war dieser durch das Verständnis des geographischen Raumes Südosteuropa in der UNESCO und der AIESEE vorgegeben. Südosteuropa bedeutet demzufolge den Bereich der Länder Albanien, Bulgarien, Griechenland, Jugoslawien, Rumänien, Ungarn und die Türkei sowie – im Sinne einer logischen Ergänzung – Zypern. Aufgrund organisationstechnischer Möglichkeiten vorgegeben war von Anfang an auch der zeitliche Rahmen der Arbeit am Handbuch, insofern nur jeweils ein Band auf einmal bearbeitet werden kann. Als notwendige Bearbeitungszeit für jeden Band haben sich drei Jahre erwiesen. Das Ergebnis ist, daß das Handbuch in der Abfolge folgender Bände erscheinen wird: Jugoslawien, Rumänien, Griechenland, die Türkei, Ungarn, Bulgarien, Albanien und Zypern. Wenn nunmehr Griechenland als Band III erscheint, so bedeutet dies, daß die Vorarbeiten am Band IV bereits begonnen haben, der die Türkei behandeln wird.

Was den hiermit vorzulegenden Griechenland-Band betrifft, so ist als erstes auf sein günstiges Erscheinungsdatum hinzuweisen: er erscheint unmittelbar vor der Aufnahme Griechenlands als Vollmitglied in die EG. Dies Ereignis des Jahres 1981 ist für die EG von großer Wichtigkeit, bedeutet vor allem aber auch einen gravierenden Einschnitt in der Nachkriegsgeschichte Griechenlands und den erfolgreichen Abschluß von Bemühungen, die bereits Ende der fünfziger Jahre ihren Anfang genommen hatten. Die Nachkriegsgeschichte Griechenlands ist zwar vom Abzug der deutschen Truppen aus Athen und der Rückkehr einer freien Regierung im Oktober 1944 an mit Ausnahme der Jahre der Militär-Junta 1967–1974 stets im Rahmen der westlichen Demokratien verlaufen, wozu 1952 noch der Eintritt in die NATO kam, dennoch bedeutet die Aufnahme als Vollmitglied in die EG für diese selbst wie für Griechenland eine grundlegende Zäsur, deren Konsequenzen für beide Seiten noch kaum voll abzusehen sind. Eine wesentliche Aufgabe des Handbuchs soll es sein, gerade auch in dieser Hinsicht zuverlässige Informationen für eine vertiefte Kenntnis Griechenlands und seiner Probleme zu ermöglichen.

Der Systematik im Aufbau aller Bände des Südosteuropa-Handbuchs folgend beginnt auch der Griechenland-Band mit dem Bereich „Staat und Politik". Am Anfang steht eine Analyse des griechischen Staats- und Verfassungsaufbaus, wobei es für jeden Benutzer des Handbuchs nützlich sein dürfte, daß eine vollständige Übersetzung der heute gültigen Verfassung von 1975 im „Dokumentarischen Anhang" beigefügt ist, außerdem eine detaillierte Zusammenstellung der obersten Staatsorgane Griechenlands. Auf den staats- und verfassungsrechtlichen Teil folgt als notwendige Ergänzung aus politikwissenschaftlicher Sicht eine Darstellung des „Politischen Systems" Griechenlands. Wie in allen anderen Kapiteln wird auch hier Wert darauf gelegt, die Analyse des heutigen Zustandes nicht nur im Zusammenhang der Entwicklung seit dem Herbst 1944 vorzunehmen, sondern stets auch unter Berücksichtigung der historischen Voraussetzungen von der Gründung des neugriechischen Staates 1830/32 an. Aus dem „Dokumentarischen Anhang" ist hier vor allem auf die Zusammenstellung der Ergebnisse der Parlamentswahlen von 1946 an hinzuweisen. An das „Politische System" schließen sich Zusammenfassungen des griechischen Zivil- und Strafrechts an. Beiden kommt unter dem Aspekt der Aufnahme Griechenlands in die EG besondere Bedeutung zu: es sei nur an den Bereich des Vertragsrechts erinnert. Es folgt die Außenpolitik, die eine Fülle international bedeutsamer Probleme einschließt und unabdingbar für die Systematik des Handbuchs ist. Ausgehend von der geopolitisch eminent exponierten geographischen Lage Griechenlands im östlichen Mittelmeer und dem zeitlich frühesten Zusammenprall zwischen Ost und West nach dem Ende des Zweiten Weltkriegs im griechischen Bürgerkrieg der Jahre 1944 bis 1949 bilden das Zypern-Problem, das Verhältnis zu Großbritannien, den USA, der NATO, dem Ostblock und vor allem zur Türkei Fragen von nicht nachlassender Bedeutung für die Europa- und Weltpolitik unserer Tage. Das den Bereich „Staat und Politik" abschließende Kapitel über die Landesverteidigung ist dem militärpolitischen Aspekt gewidmet, der allein schon durch die Probleme „Südostflanke der NATO" und „Gegensatz Griechenland-Türkei" genügend charakterisiert sein dürfte.

Der zweite Hauptteil ist der Wirtschaft Griechenlands gewidmet. Seine Aufgabe soll es im engeren Sinn sein, zuverlässige Informationen über den neuen Partner in der EG zu geben. Wie in allen Bänden des Handbuchs beginnt er auch in diesem Fall mit einem Kapitel über die geographische Struktur des Landes. Es folgt eine Analyse des griechischen Wirtschaftssystems im ganzen, woran sich Einzeluntersuchungen von Industrie, Handwerk und Tourismus, Land- und Forstwirtschaft, Außenwirtschaft sowie Verkehrswesen und Infrastruktur anschließen.

Eine notwendige Ergänzung der beiden ersten Hauptteile bildet der Teil III über die Gesellschafts- und Sozialstruktur. Er beginnt mit zwei aufeinander abgestimmten, eingehenden Analysen der Bevölkerungs- und der Sozialstruktur. Es folgt eine Untersuchung der Massenmedien, deren Bedeutung in unseren heutigen Gesellschaftssystemen unbestreitbar sein dürfte. Dasselbe gilt für das den Teil III abschließende Kapitel über „Kirchen und Religionsgemeinschaften".

Wie notwendig schließlich der letzte Hauptteil „Bildungswesen und Kultur" im Rahmen der Zielsetzung einer zuverlässigen Information über den neuen EG-Partner Griechenland ist, mag allein schon der Hinweis auf die beiden dem griechischen Bildungssystem gewidmeten Kapitel zeigen: das Schulsystem und die Volksbildung auf der einen Seite, der tertiäre Bildungssektor – vor allem also die Hochschulen – und die Wissenschaft auf der anderen. Wie wichtig schließlich zur Abrundung des Bildes die beiden Kapitel über Literatur und Bildende Kunst, Musik, Theater sind, dürfte spätestens seit der Verleihung des Literatur-Nobelpreises an O. Elytis allgemein bekannt geworden sein.

Der „Dokumentarische Anhang" dient dazu, in präziser Form Ergänzungen und Informationsmaterial zu den darstellenden Teilen zu geben. Auf den Abdruck einer Übersetzung der heute in kraft befindlichen griechischen Verfassung wurde bereits hingewiesen, ebenso auf die „Obersten Organe" und die Ergebnisse der Parlamentswahlen. Nicht weniger nützlich dürften aber auch die sich anschließende Zeittafel, die Zusammenstellung der wichtigsten internationalen Verträge, die Griechenland abgeschlossen hat und die geltendes Recht sind, die Daten zu den Biographien führender Persönlichkeiten aus dem politischen Leben Griechenlands, die umfangreiche Bibliographie sowie abschließend das ausführliche Kreuzregister sein.

Auf ein Problem besonderer Art muß an dieser Stelle noch ausführlicher eingegangen werden, das ebenfalls im Zusammenhang des Eintritts Griechenlands in die EG von zunehmender Bedeutung sein wird: die Transkription des Griechischen mit lateinischen Buchstaben. Auszugehen ist davon, daß sich dies Problem bei der Redaktion des Handbuchs vor allem in Hinsicht auf Personen- und Ortsnamen ständig gestellt hat, weil es keine allen Anforderungen gerecht werdende, international anerkannte Transkription gibt. Als Richtlinie ist daraufhin von den Herren Dr. G. St. Henrich und W. Voigt vom Arbeitsbereich Byzantinistik und Neugriechische Philologie des Instituts für Griechische und Lateinische Philologie der Universität Hamburg sowie Herrn Dr. M. Esche von der Abteilung Moderne osteuropäische Geschichte des Historischen Seminars der Universität Hamburg folgende Transkriptionstabelle erarbeitet worden, die eine Verfeinerung bei der UNO und griechischen Behörden angewandter Transkriptionen darstellt:

α	a – z. B. Ἀλατᾶς: Alatas
αη	aï – Ἀηδονόπουλος: Aïdonopoulos
αι	ai (trotz der Aussprache [ε]) – αἱ συναλλαγαί: ai synallagai
αϊ, άι, άι, άι	aï – Καραϊσκάκης, Ἀιτόπουλος, Νεράιδα: Karaïskakis, Aïtopoulos, Neraïda
αυ	av – Αὐγή, αὐτός: Avgi, avtos (auch bei Ausspr. [af])
αϋ, άυ, άυ	ay – Ταΰγετος, ἀυπνία, ἄυλος: Taygetos, aypnia, aylos
β	v – Βύρων, Ἐλισάβετ: Vyron, Elisavet
γ	g – Γαβριήλ Γεωργίου Γιαννόπουλος: Gavriil Georgiou Giannopoulos (also bei Aussprache [γ] und [j])
γγ	ng – Ἐγγονόπουλος: Engonopoulos
γκ	1. g am Wortanfang und im Inlaut dort, wo es zweifelsfrei nur [g] gesprochen wird – Γκαντώνας, ἀργκό: Gantonas, argo
	2. nk sonst im Inlaut (obwohl meist [ng] gesprochen) – ἀνάγκη: ananki
γξ	nx – ἤλεγξε: ilenxe
γχ	nch – ἔλεγχος: elenchos
δ	d (trotz spirant. Aussprache wie in engl. the) – Δεληγιάννης: Deligiannis
ε	e – Ἑλλάς: Ellas
εη	eï – Φιλοθέη: Filotheï
εϊ, έι	eï – ὀστέινος: osteïnos
ευ	ev – Εὐάγγελος, Εὐθύμιος: Evangelos, Evthymios (auch bei Ausspr. [ef])
εϋ, έυ	ey – Ἐϋνάρδος/Ἐυνάρδος: Eynardos
ζ	z – Δελμοῦζος: Delmouzos
η	i – Ἠλιάδης, Πολίτης: Iliadis, Politis
ηι, ηϊ	ii – Θησηίδα, Χατζηϊωάννου: Thisiida, Chatziioannou
ηυ	iv – ηὖρα, διηύθυνε: ivra, diivthyne (auch wenn [if] gesprochen)
θ	th – Θεοδωρίδης: Theodoridis (wie in engl. thorn)
ι	i – ἰδεολογία, παιδιά, Γιαννάκης: ideologia, paidia, Giannakis
κ	k – Καβάφης, Κεσίσογλου, Κλαυδία: Kavafis, Kesisoglou, Klavdia
λ	l – Λουλουδόπουλος: Louloudopoulos
μ	m – Μέμιλας: Memilas
μπ	1. b am Wortanfang und im Inlaut dort, wo zweifelsfrei allein [b] gesprochen wird – Μπαμπινιώτης: Babiniotis
	2. mb sonst im Inlaut (außer 3.) – Καμπάνης: Kambanis
	3. mp nur vor t – σύμπτωμα, ἄκαμπτος: symptoma, akamptos
ν	n – Ἄννινος: Anninos
ντ	1. d am Wortanfang und im Inlaut dort, wo zweifelsfrei allein [d] gespr. wird – Ντελόπουλος, ἀντίο: Delopoulos, adio
	2. nt sonst im Inlaut (obwohl meist [nd] gespr.) – ἀντί: anti
ξ	x – Ξενίδης, Ἀξελός: Xenidis, Axelos
ο	o – Βόλος: Volos
οη	oï – Ροηλίδης, ὀγδόη/ὄγδοη: Roïlidis, ogdoï

οι	oi – οἱ εὐρωπαϊκοί λαοί: oi evropaïkoi laoi (trotz Aussprache [i])
οϊ, όι	oï – Βοϊδομάτης, ροΐόι:Voïdomatis, roloï
ου	ou – Μπουμπουλίδου: Bouboulidou (trotz Aussprache [u])
οϋ	oy – ἐμποροϋπάλληλος: emboroypallilos
π	p – Παπαπέτρου: Papapetrou
ϱ	r – Ράλλης, Παπαρρηγόπουλος: Rallis, Paparrigopoulos (also nie rh)
σ, ς	s – Σωσίδης: Sosidis (also nicht -ss- für einfaches -σ), Κοσμᾶς: Kosmas (also auch dort s, wo σ [z] gesprochen wird)
τ	t – Τυπάλδος: Typaldos
τζ	tz – Χατζίνης: Chatzinis (trotz der Aussprache [dz])
τσ	ts – Τσαντσάνογλου: Tsantsanoglou
υ	y (trotz der Aussprache [i]) – Ὑπουργεῖον: Ypourgeion
υι	yi – Μονογυιός: Monogyios
υϊ	yï – εὐφυϊα: evfyïa
φ	f – Φιλίππου: Filippou
χ	ch – Χατζιδάκις/Χατζηδάκης: Chatzidakis (nie nur h)
ψ	ps – Ψάλτης: Psaltis
ω	o – Ὡρολογᾶς: Orologas
ωη	oï – πρώην: proïn
ωι, ωϊ	oï – πρωί oder πρωΐ: proi
ωυ, ωϋ	oy – Μωυσῆς/Μωϋσῆς: Moysis

Man kann diesem System sicher manche Inkonsequenz vorwerfen, doch bietet es zumindest folgende Vorzüge: es ermöglicht über eine Annäherung an die Schreibung der international bekannten altgriechischen Begriffe und Namen Zugang zum Neugriechischen; es erleichtert dem Benutzer des Handbuchs rein optisch eine Rücktranskription ins griechische Alphabet; es kommt mit den normalen lateinischen Buchstaben aus, benötigt also keine diakritischen Zeichen mit Ausnahme des Trema; es gibt einen griechischen Buchstaben in der Regel mit einem lateinischen wieder.

Eine Ausnahme von diesem System ist nur für den Beitrag von Frau Prof. Dr. I. Rosenthal-Kamarinea über die Literatur samt dem zugehörigen Teil der Bibliographie gemacht worden. Die Begründung liegt in einem ausdrücklichen Wunsch der Verfasserin, auf die eingeführten Besonderheiten neugriechischer Übersetzungsliteratur Rücksicht zu nehmen. Im Register wird durch Verweisungen hierauf Bezug genommen, um Irrtümern vorzubeugen. Im einzelnen handelt es sich um folgendes:

αι = e	ζ im Wortinnern = s
αυ vor stimml. Konson. = af	ηυ (selten) vor stimml. Konson. = if
γ vor e, i = j	ου = u
γι vor Vokalen = j	σ zwischen Vokalen = ss
γκ im Wortinnern = g	υι (selten) = y
ει = i	φ zum Teil = ph
ευ vor stimml. Konson. = ef	

Und schließlich dürfte es selbstverständlich sein, daß Namen und Personen aus der antiken griechischen oder byzantinischen Geschichte in der im Deutschen oder Englischen geläufigen Form gebracht werden. Dasselbe gilt für bei uns eingeführte, besonders bekannte Schreibungen geographischer Bezeichnungen. In allen Zweifelsfällen wird auch hier im Register verwiesen. Dies gilt auch für die nicht seltenen Fälle von Doppelbezeichnungen.

Als letztes ist es dem Herausgeber eine ehrenvolle Pflicht, Worte des Dankes zu sagen. Dieser Dank gilt als erstes dem Südosteuropa-Arbeitskreis der Deutschen Forschungsgemeinschaft, in dessen Namen das Projekt Südosteuropa-Handbuch herausgegeben wird. Der Dank gilt weiter der DFG selbst – und hier im besonderen Herrn Dr. W. Treue – sowie dem Verlag Vandenhoeck & Ruprecht, die das Handbuch von Anfang an in großzügiger Weise finanzielle und beratend unterstützt haben. Zu danken ist weiter den Autoren des nunmehr vorliegenden Bandes III, die ein Musterbeispiel internationaler und interdisziplinärer Kooperation gegeben haben, handelt es sich doch um Wissenschaftler aus der Bundesrepublik Deutschland, Griechenland, Kanada und den USA. Und nicht zum wenigsten ist den Mitarbeitern und Helfern von der Universität Hamburg zu danken: einerseits vom Arbeitsbereich Byzantinistik und Neugriechische Philologie des Instituts für Griechische und Lateinische Philologie den Herren Dr. G. St. Henrich und W. Voigt, und andererseits von der Abteilung Moderne osteuropäische Geschichte des Historischen Seminars Frau G. Westermann sowie den Herren H. Bünz, Dr. W. Höpken, R. Kunze und B. Oehler.

Hamburg, den 1. Juli 1980   K.-D. Grothusen

Verfassung und Verwaltung

Prodromos Dagtoglou, Athen

A. Entstehung und Entwicklung des griechischen Staates
I. Entstehung, Staatsform und Verfassung: 1. Entstehung des neugriechischen Staates – 2. Die Einführung des Königtums – 3. Vom Absolutismus zur „gekrönten Demokratie" und zum parlamentarischen System – 4. Die „nationale Spaltung" – 5. Republik, Restauration, Diktatur – 6. Bürgerkrieg, Wiederaufbau, Verfassungsstreit, Diktatur, Abschaffung der Monarchie – 7. Die Wiederherstellung der Demokratie und die neue Verfassung – 8. Verfassungsänderung, Notverfassung – 9. Verfassung und Völkerrechtsordnung – 10. Verfassung und Europäische Gemeinschaften, der Beitritt Griechenlands – II. Staatsgebiet und Gliederung: 1. Die Entwicklung des Staatsgebiets – 2. Gliederung – III. Staatsangehörigkeit: 1. Rechtliche Bedeutung und Regelung – 2. Erwerb – 3. Verlust – IV. Staat und Kirche

B. Grundrechte
I. Die Gewährleistung der Grundrechte: 1. Die Gewährleistung durch die Verfassung – 2. Die Gewährleistung durch die Europäische Menschenrechtskonvention – II. Die Hauptprobleme des Grundrechtsschutzes in der neuen Verfassung: 1. Von der individualistischen zur humanen Orientierung – 2. Besonderer Konflikt- und Synthesebereich: privates Eigentum und private wirtschaftliche Tätigkeit – 3. Zusammenfassung, rechtliche Bindung – III. Gerichtlicher Grundrechtsschutz.

C. Struktur und Teilung der Staatsgewalt
I. Die Strukturprinzipien der verfassungsmäßigen Ordnung: 1. Republik – 2. Demokratie – 3. Repräsentatives System – 4. Parlamentarisches System – 5. Rechtsstaat – 6. Sozialstaat – II. Teilung der Staatsgewalt: 1. Gewaltentrennung, Verbindungen zwischen Legislative und Exekutive – 2. Verschiebung des politischen Machtzentrums zugunsten des Präsidenten der Republik – 3. Gesetzgebung – 4. Finanzwesen – 5. Vollziehende Gewalt – 6. Rechtsprechung

D. Die obersten Staatsorgane
I. Das Parlament: 1. Zusammensetzung, Wahl – 2. Politische Parteien – 3. Rechtsstellung der Abgeordneten – 4. Gesetzgeberische Arbeit und Parlamentarische Kontrolle – 5. Auflösung des Parlaments – II. Der Präsident der Republik: 1. Stellung in der Verfassung – 2. Der Rat der Republik – III. Die Regierung: 1. Stellung in der Verfassung – 2. Zusammensetzung – 3. „Kleine Kabinette"

E. Die Verwaltung
I. Die staatliche Verwaltung: 1. Zentrale Staatsverwaltung: Ministerien, Minister, Staatsminister, Staatssekretäre – 2. Dekonzentration: Nomoi, Nomarchen – II. Örtliche Selbstverwaltung: 1. Dezentralisation: örtliche Selbstverwaltungskörperschaften: Städte und Gemeinden – 2. Örtliche und staatliche Angelegenheiten – 3. Organisation – 4. Finanzen – 5. Staatsaufsicht – III. Besondere Selbstverwaltung: 1. Juristische Personen des öffentlichen Rechts – 2. Öffentliche Unternehmungen – IV. Grundprinzipien der Verwaltungstätigkeit: 1. Gesetzmäßigkeit der Verwaltung – 2. Verwaltungsermessen – 3. Der Begriff des Verwaltungsaktes – 4. Begründungs- und Anhörungszwang – 5. Nichtige und aufhebbare Verwaltungsakte – 6. Rücknahme und Widerruf – 7. Der öffentliche Vertrag – 8. Staatshaftung – 9. Enteignung – V. Der öffentliche Dienst: 1. Beamte und Beamtenrecht – 2. Beamtenernennung – 3. Beamtenpflichten – 4. Unwählbarkeit und Einschränkung der politischen Tätigkeit der Beamten – 5. Beamtenrechte – 6. Veränderung und Beendigung des Beamtenverhältnisses – 7. Rechtsschutz der Beamten

F. Kontrolle der Verwaltung und Rechtsschutz
I. Verwaltungsselbstkontrolle: 1. Hierarchische Kontrolle – 2. Rechtsmittelähnliche Verwaltungsbeschwerden – 3. Verwaltungsaufsicht – 4. Finanzkontrolle – II. Parlamentarische Kontrolle – III. Gerichtliche Kontrolle: 1. Verwaltungsgerichtsbarkeit, Gerichtsschutzgeneralklausel – 2. Rechtsmittel vor dem Staatsrat, insbesondere: der „Aufhebungsantrag"

Für den Wortlaut der im Folgenden zitierten Artikel der Verfassung von 1975 vgl. den Text im Dokumentarischen Anhang. Artikel ohne Gesetzesangabe beziehen sich auf die Verfassung von 1975.

A. Entstehung und Entwicklung des griechischen Staates

I. Entstehung, Staatsform und Verfassung

1. Entstehung des neugriechischen Staates

Nach dem Fall Konstantinopels am 29. Mai 1453, mit dem die Auflösung des by-zantinischen Reiches ihren Höhepunkt erreichte, blieb Griechenland vier Jahrhun-derte lang unter osmanischer Herrschaft.

Der am 25. März 1821 begonnene *Unabhängigkeitskampf* gegen die Türken führte nach acht blutigen Kriegsjahren und der zögernden Intervention Großbritan-niens, Frankreichs und Rußlands (Höhepunkt: Vernichtung der ägyptischen Flotte am 20. Oktober 1828 bei Navarino) zum Londoner Protokoll vom 22. März 1829. In diesem Protokoll wurde ein Teil Griechenlands (s. unten unter Staatsgebiet) zu ei-nem dem Sultan tributpflichtigen Fürstentum erklärt. Ein halbes Jahr später wurde durch das Londoner Protokoll vom 22. Januar 1830 derselbe Teil Griechenlands als *unabhängige Monarchie* errichtet und durch die Londoner Konvention vom 7. Mai 1832 unter den Schutz der drei Großmächte gestellt.

2. Die Einführung des Königtums

Die *monarchische Staatsform* wurde somit Griechenland von den Großmächten oktroyiert. Die Griechen haben in sämtlichen Verfassungstexten stets die republika-nische Staatsform vorgezogen. Das gilt nicht nur für den bereits 1797 in Anlehnung an die französische Verfassung von 1793 von Rigas Velestinlis zusammengestellten Verfassungsentwurf (der die politische Vereinigung aller unter der osmanischen Despotie lebenden Völker ins Auge faßte), sondern auch für alle von Volksver-sammlungen beschlossenen Verfassungsvorlagen: Die ,,Vorläufige Verfassung von Epidavros" von 1822 sah eine Legislative und eine Exekutive von gleicher Stärke, aber kein Staatsoberhaupt vor; der ,,Nomos von Epidavros" (Verfassung von Astros) kannte ebenso kein Staatsoberhaupt. Grund dafür war wahrscheinlich die Sorge, daß eine sich nicht nur aus dem Zusammenhang stillschweigend ergebende, sondern auch ausdrücklich proklamierte Republik die Heilige Allianz provozieren könnte. 1827 beschloß jedoch die III. Nationalversammlung in Troizin die Betrau-ung einer einzelnen Person (des Kyvernitis) mit der Exekutiven Gewalt und die Be-rufung des Grafen Ioannis Kapodistrias, der früher Außenminister des Zaren gewe-sen war, zu diesem höchsten Amt.

Dessen ungeachtet erklärten die drei Großmächte Griechenland 1829 zu einer Monarchie und boten durch ein neues Londoner Protokoll vom 3. Februar 1830 Prinz Leopold von Sachsen-Coburg, dem späteren belgischen König, die Würde ei-nes griechischen Fürsten an. Leopold lehnte aber am 4. Juni 1830 unter Berufung auf das unzureichende Gebiet des neuen Königreiches ab.

Auf Vorschlag von Kapodistrias setzte 1828 das Parlament die Verfassung von 1827 außer Kraft und beschloß eine vorübergehende Staatsform. Kapodistrias, ein aufgeklärter Konservativer (Freund und Gesinnungsgenosse des Freiherrn vom Stein), regierte mit Aufopferung und Engagement, aber autokratisch. Als Kapodi-strias 1831 ermordet wurde, war es außenpolitisch für den kleinen und zerbrechlichen Staat unmöglich, auf einer republikanischen Staatsform zu bestehen. Die von der V. Nationalversammlung am 15. März 1832 beschlossene sog. „Fürstenverfassung" sah zum ersten Mal ein erbliches, wenn auch „konstitutionelles" Staatsoberhaupt vor. Kurz darauf einigten sich am 7. Mai 1832 die drei Großmächte in London auf Prinz Otto, den zweiten Sohn des bayerischen Königs Ludwig I., als König Griechenlands. Diese Wahl wurde von der Nationalversammlung nachträglich (am 27. Juli 1832) bestätigt. Die von ihr beschlossene Verfassung wurde aber nicht angewandt, und Otto regierte (während seiner Minderjährigkeit durch eine dreigliedrige, aus Bayern zusammengesetzte Regentschaft) wie ein *absoluter Monarch*.

3. Vom Absolutismus zur „gekrönten Demokratie" und zum parlamentarischen System

Der Einführung einer Verfassung stimmte Otto erst nach dem Aufstand vom 3. September 1843 zu. Die am 18. März 1844 von einer eigens zu diesem Zweck gewählten Nationalversammlung beschlossene Verfassung wurde als „Vertrag" zwischen der Nation und dem nunmehr *konstitutionellen König* verstanden. Dieser „Vertrag" wurde nicht eingehalten. Dazu kamen auch Mißerfolge und Enttäuschungen in der Außenpolitik. Infolge eines Aufstandes wurde König Otto am 11. Oktober 1862 durch eine provisorische Regierung abgesetzt. Das Volk wollte überwiegend, wenn schon eine Monarchie, dann eine englischen Typs. Durch einen Volksentscheid wurde Prinz Alfred von England gewählt. Da jedoch die drei Großmächte ihre eigenen Königshäuser vom griechischen Thron ausgeschlossen hatten, wählte die Nationalversammlung 1863 den von der englischen Regierung vorgeschlagenen Prinzen Georg-Wilhelm von Schleswig-Holstein-Sonderburg-Glücksburg mit dem Titel „Georg I., König der Hellenen". Der Dynastiewechsel wurde von den drei Mächten durch den Londoner Vertrag vom 13. Juli 1863 bestätigt. König Georg I. mußte im darauffolgenden Jahr eine von der Nationalversammlung vorbereitete Verfassung und damit die Staatsform der später – sogenannten – „*gekrönten Demokratie*" (Vasilevomeni Dimokratia) akzeptieren.

Die Verfassung von 1864 blieb für fast 60 Jahre in ihrem Wortlaut im wesentlichen unverändert. 1875 wurde jedoch das *parlamentarische Regierungssystem* durch Charilaos Trikoupis, den bedeutendsten griechischen Staatsmann des 19. Jahrhunderts, gefordert und im Prinzip akzeptiert. Zu einer formellen Verfassungsänderung kam es erst 1911, infolge des sich zu einer liberalen Bewegung entwickelnden Militäraufstandes von 1909 in Goudi bei Athen.

4. Die „nationale Spaltung"

Dem 1913 durch einen Geisteskranken ermordeten Georg I. folgte sein Sohn Konstantin I. Nach Ausbruch des Ersten Weltkrieges entwickelte sich im Frühjahr 1915 ein außenpolitischer Streit zwischen dem neuen König und dem Ministerpräsidenten Eleftherios Venizelos, dem Führer der Liberalen Partei, der bald zum Verfassungsstreit wurde. Der König forderte einen neutralen Kurs für Griechenland, während der Ministerpräsident für eine Unterstützung der Entente eintrat. Der darauf folgende Rücktritt von Venizelos und die Ersetzung seiner Mehrheits- durch eine Minderheitsregierung leitete die sog. „nationale Spaltung" (ethnikos dichasmos) ein, die für Griechenland schwerwiegende Folgen haben sollte.

Die Spaltung weitete sich unaufhaltsam aus. Der nach dem erneuten Wahlsieg der Liberalen Partei im Juni 1915 zum Ministerpräsidenten wiederernannte Venizelos wurde infolge des außenpolitischen Streits ein weiteres Mal zum Rücktritt gezwungen. Er boykottierte danach die Wahlen vom Dezember 1915. Die Auseinandersetzung zwischen den „Venizelisten" und den (königsfreundlichen) „Antivenizelisten", die neben der Außenpolitik auch die liberale Reformpolitik im Inneren betraf und von der Kriegsentwicklung auf dem Balkan beeinflußt wurde, entwickelte sich zu einer bürgerkriegsähnlichen Situation, vor allem, nachdem Venizelos im Oktober 1916 in Saloniki eine Gegenregierung („Provisorische Regierung") errichtete. Britische und französische Interventionen zwangen im Juni 1917 König Konstantin I., ins Exil zu gehen. Den formell nicht zurückgetretenen König ersetzte sein zweitältester Sohn Alexander (der 1920 Opfer eines tödlichen Bisses seines eigenen Affen wurde). Die Provisorische Regierung Venizelos' zog von Saloniki nach Athen um. Es folgten weitreichende „Bereinigungsmaßnahmen" – eine Taktik, die nach der Wahlniederlage Venizelos' 1920 und der darauffolgenden Rückkehr Konstantins I. auch von den „Antivenizelisten" angewandt wurde und überhaupt Schule machte. Dieser bittere nationale Konflikt erreichte 1922 in der Kleinasienkatastrophe seinen tragischen Höhepunkt, als die von den Türken besiegte griechische Armee und ca. 1,4 Mio. griechischer Flüchtlinge nach Griechenland zurückkehrten.

Konstantin wurde 1922 gezwungen, zugunsten seines Sohnes Georg zurückzutreten, der jedoch gleichfalls – am 25. März 1924 – abgesetzt wurde.

5. Republik, Restauration, Diktatur

Im Jahre 1924 wurde die *Republik* ausgerufen. Ein darauffolgender Volksentscheid bestätigte die Änderung der Staatsform. Diese Änderung brachte jedoch zunächst weder inneren Frieden noch politische Stabilität. Die Jahre 1925 und 1926 wurden durch militärische Aufstände und kurzlebige Diktaturen gekennzeichnet. Eine Konsolidierung der republikanischen Staatsform wurde erst mit der in vielen Punkten an die Weimarer Verfassung angelehnten Verfassung vom 3. Juni 1927 erreicht.

Diese Verfassung wurde aber in der Sache bereits im Zusammenhang mit der Niederschlagung des Militäraufstandes vom 1. März 1935 beseitigt und am 10. Oktober desselben Jahres durch die ältere Verfassung von 1911 ersetzt. Die Republik wurde abgeschafft und die Monarchie restauriert. Eine anomale Periode begann. Am 4. August 1936 wurde mit Zustimmung des Königs eine Diktatur errichtet, die bis zur Besetzung des Landes durch deutsche und italienische Truppen im April 1941 dauerte.

Die durch die Diktatur angeordnete Suspendierung der Grundrechte wurde am 4. Februar 1942 durch die griechische Exilregierung widerrufen.

6. Bürgerkrieg, Wiederaufbau, Verfassungsstreit, Diktatur,
Abschaffung der Monarchie

Nach der Befreiung Griechenlands im Oktober 1944 regierte bis 1946 die „Regierung der nationalen Einheit" unter Georg Papandreou, während der König im Ausland blieb. Nachdem der kommunistische Aufstand von Dezember 1944 unterdrückt worden war, wurden am 31. März 1946 Parlamentswahlen und am 1.September 1946 ein Volksentscheid durchgeführt. Aufgrund des Ergebnisses des Volksentscheids kehrte König Georg II. nach Griechenland zurück. Auf ihn folgte 1947 sein Bruder Paul und 1964 dessen Sohn Konstantin II.

Das 1946 gewählte Parlament sowie z.T. die Parlamente von 1950 und 1951 wurden als Verfassungsversammlungen tätig. Der Bürgerkrieg von 1946–1949 verhinderte die Vorbereitung der Verfassung, die erst am 1.Januar 1952 veröffentlicht und in Kraft gesetzt wurde. Es folgte eine Periode des Wiederaufbaus, wirtschaftlichen Wachstums und politischer Stabilität.

Dem im Juli 1965 entstandenen Streit zwischen dem jungen König Konstantin II. und Ministerpräsident G. Papandreou, der zum Rücktritt gezwungen wurde, folgte eine Periode von Minderheitsregierungen, politischer Instabilität und persönlicher Einmischungen des Königs in die Politik. Dieser Zustand führte schließlich zum Militärputsch vom 21. April 1967, zur faktischen Beseitigung der Verfassung von 1952 und einer siebenjährigen Diktatur.

Die Diktatur verabschiedete zwei Verfassungstexte (1968 und 1973), die sie jedoch in großen und wichtigen Teilen sogleich suspendierte bzw. gar nicht erst vollzog oder anwandte. Am 1.Januar 1973 wurde die Monarchie abgeschafft.

7. Die Wiederherstellung der Demokratie und die neue Verfassung

Am 23./24. Juli 1974 brach die Diktatur zusammen. Die „Regierung der nationalen Einheit" von K. Karamanlis setzte die Verfassung von 1952, mit Ausnahme der Bestimmung der Staatsform, wieder in Kraft, führte Parlamentswahlen und am 8.Dezember 1974 eine Volksabstimmung durch, in der sich eine Mehrheit von 69% gegen die Monarchie aussprach. Am 11. Juni 1975 wurde die *geltende Verfassung* in Kraft gesetzt.

Diese Verfassung stellt eine Mischung von herkömmlichen Bestimmungen (die nicht immer nach ausreichend kritischer Analyse und Prüfung ihrer heutigen Bedeutung und Wirksamkeit übernommen wurden) und Bestimmungen dar, die den Umständen unserer Zeit entsprechen und zum Teil auf der Erfahrung mit der Diktatur beruhen. Unwesentliches wurde noch einmal mit Wesentlichem gemischt. Gesetzestechnisch läßt die neue Verfassung viel zu wünschen übrig. Im allgemeinen stellt sie jedoch ohne Zweifel einen Fortschritt im Vergleich zur Verfassung von 1952 dar: Sie steht der täglichen Wirklichkeit von Politik und Verwaltung näher, bietet dem einzelnen einen vollständigeren Schutz und schafft bestimmte, freilich z.T. strittige Voraussetzungen für ein wirksameres und zugleich schnelleres Funktionieren des Staatsmechanismus.

8. Verfassungsänderung, Notverfassung

Auch die neue Verfassung ist eine „unbiegsame" Verfassung. Die Änderung einiger ihrer Bestimmungen (über die Staatsform als „republikanische, parlamentarische Demokratie" und die Volkssouveränität sowie über die Achtung der Menschenwürde, den Gleichheitssatz, den freien Zugang zum öffentlichen Amt, das Verbot von Adelstiteln, die freie Entfaltung der Persönlichkeit, die persönliche Freiheit, die Religionsfreiheit und die Gewaltentrennung) ist unzulässig.

Für die sonstigen Bestimmungen sind Änderungen über ein zweistufiges Verfahren zulässig, wobei das Bedürfnis der *Verfassungsänderung* und die zu ändernden Bestimmungen in einer Parlamentsperiode festgestellt und die Verfassungsänderung in der nächsten Parlamentsperiode mit qualifizierter Mehrheit beschlossen wird (Art. 110 Verf.). Dieses Verfahren ist wesentlich einfacher als alle früheren Verfassungsänderungsverfahren, die auch niemals beachtet wurden.

Im Notfall hat der Präsident der Republik weitgehende, aber zeitlich begrenzte Befugnisse zur *Suspendierung* mehrerer Bestimmungen der Verfassung (Art. 48 Verf. und Gesetz 566/1977).

9. Verfassung und Völkerrechtsordnung

Gegenüber der *Völkerrechtsordnung* ist die neue Verfassung besonders aufgeschlossen. Einmal erklärt sie, daß „Griechenland … bestrebt" ist, „unter Beachtung der allgemein anerkannten Regeln des Völkerrechts den Frieden, die Gerechtigkeit und die Entwicklung freundschaftlicher Beziehungen zwischen den Völkern und Staaten zu fördern" (Art. 2 Abs. 2). Praktisch wichtiger ist aber die Vorschrift des Art. 28, Abs. 1, die über Art. 25 GG hinausgeht, indem sie bestimmt: „Die allgemein anerkannten Regeln des Völkerrechts sowie die internationalen Verträge nach ihrer gesetzlichen Ratifizierung und ihrer in ihnen geregelten Inkraftsetzung sind Bestandteile des inneren griechischen Rechts und gehen jeder entgegenstehenden Gesetzesbestimmung vor. Die Anwendung der Regeln des Völkerrechts und der internationalen Verträge gegenüber Ausländern erfolgt stets unter der Bedingung der Gegenseitigkeit".

In der griechischen Normenhierarchie nehmen also die „allgemein anerkannten Regeln des Völkerrechts" und die von Griechenland ratifizierten Verträge eine Stellung zwischen der Verfassung und den formellen Gesetzen ein.

10. Verfassung und Europäische Gemeinschaften, der Beitritt Griechenlands

Die Verfassung sieht die Möglichkeit einer noch bedeutenderen *Öffnung der griechischen Staatlichkeit* vor. Unter bestimmten formellen und materiellen Voraussetzungen ist die „Zuerkennung von verfassungsmäßigen Zuständigkeiten an Organe internationaler Organisationen" (Art. 28 Abs. 2) sowie die „Einschränkung der Ausübung seiner (Griechenlands) Souveränität" zulässig (Art. 28 Abs. 3). Damit wird vor allem der *Beitritt Griechenlands in die Europäischen Gemeinschaften* verfassungsmäßig ermöglicht. Der Beitrittsvertrag ist tatsächlich am 28. Mai 1979 unterzeichnet und am 29. Juni 1979 vom griechischen Parlament mit 193 von 300 Stimmen ratifiziert worden.

II. Staatsgebiet und Gliederung

1. Die Entwicklung des Staatsgebiets

Der durch das erste Londoner Protokoll von 1829 errichtete griechische Staat umfaßte die Peloponnes mit den Kykladen sowie einen Teil des Festlandes bis zur Linie, die von der Bucht von Arta zur Bucht von Volos verläuft. Diese Nordgrenze wurde durch den Vertrag von Adrianopel von 1829 bestätigt. Das zweite Londoner Protokoll von 1830 verlegte die Nordgrenze nach Süden am Aspropotamos, Spercheios und an der Bucht von Lamia. Drei Jahre später wurde durch die Vereinbarung von Istanbul von 1832 die Grenze an der Linie zwischen den Buchten von Arta und Lamia festgelegt. Das Staatsgebiet umfaßte damit nur einen Teil der seit alters von Griechen bewohnten Gebiete. Hauptzweck der griechischen Außenpolitik blieb also, das Staatsgebiet auf das gesamte von Griechen bewohnte Gebiet auszudehnen.

Als Georg I. 1863 den Thron bestieg, trat Großbritannien wenig später die unter seinem Protektorat befindlichen Ionischen Inseln an Griechenland ab. Infolge des russisch-türkischen Krieges von 1877/1878 und des Berliner Kongresses erhielt Griechenland Thessalien und einen großen Teil von Epirus. Infolge der Balkankriege von 1912 und 1913 dehnte sich das griechische Staatsgebiet auf einen weiteren Teil von Epirus, auf Makedonien und auf Kreta sowie auf eine Anzahl von Inseln in der Ägäis aus. Nach dem Vertrag von Sèvres (1920) sollte Griechenland praktisch den ganzen europäischen Teil der Türkei sowie den Dodekanes von Italien erwerben. Als Ergebnis des mißglückten kleinasiatischen Feldzuges mußte Griechenland jedoch Gebiete räumen, die es mit Zustimmung der Alliierten nach dem Ersten Weltkrieg besetzt hatte. Nach dem Vertrag von Lausanne von 1923 mußte es auch auf die Inseln Imvros und Tenedos zugunsten der Türkei verzichten. Nach dem Zweiten Weltkrieg trat Italien durch den Pariser Friedensvertrag von 1947 den Dodekanes an Griechenland ab.

Bestrebungen, das zu über 80 % von Griechen bewohnte Zypern nach Beendigung der britischen Herrschaft mit Griechenland zu vereinigen (Enosis), wurden schließlich im Interesse des Friedens aufgegeben. Zypern wurde im August 1960 aufgrund der Abkommen von Zürich und London von 1959 zu einer unabhängigen Republik. Die tragische Weiterentwicklung des Inselstaates, die in der türkischen Invasion vom August 1974 und dem Exodus von über 170 000 griechisch-zyprischen Flüchtlingen ihren Höhepunkt fand, blieb aber eine zentrale Frage für die griechische Außenpolitik.

Eine Änderung der Staatsgrenzen ist nur durch ein Gesetz möglich, das von der absoluten Mehrheit des Parlaments verabschiedet wird.

2. Gliederung

Das griechische Staatsgebiet (132 000 km²) ist durch *Gebirge* und *Inseln* gekennzeichnet; die Hauptlandmasse bildet eine Halbinsel. Fast 20 % der Gesamtfläche entfallen auf Inseln. Zwischen hohen Gebirgsketten liegen kleinere, geschlossene Ebenen und Beckenlandschaften. Diese natürlichen Gegebenheiten waren für die politische Entwicklung Griechenlands bereits in der Antike von großer Bedeutung. Heute sind sie wichtige Faktoren u. a. für die *Verwaltungsgliederung* (siehe Art. 101 Abs. 2 Verf.) sowie die Verkehrspolitik des Landes. Griechenland ist zwar ein *unitarischer* Staat; seine geographische Lage hat jedoch zu einer wohl übermäßigen Verwaltungsgliederung geführt: Mit Ausnahme des Heiligen Berges (Athos), dessen besonderer Rechtsstatus durch Art. 105 Verf. und seine Charta geregelt ist, gliedert sich das griechische Staatsgebiet in 51 (nicht rechtsfähige) Regionen, die sog. Nomoi, und über 6000 (rechtsfähige) Städte (Dimoi) und Dorfgemeinden (Koinotites).

III. Staatsangehörigkeit

1. Rechtliche Bedeutung und Regelung

Bestimmte bedeutende Rechte und Pflichten stehen nach griechischem Recht nur griechischen Staatsangehörigen zu. Zu diesen Rechten gehören vor allem die politischen Bürgerrechte. Auch werden bestimmte Grundrechte verfassungsrechtlich nur für Griechen gewährleistet; allerdings behandelt der einfache Gesetzgeber oft Ausländer gleich Griechen.

Insbesondere haben nur Griechen das unbeschränkte Recht zur *Einreise,* zum *Aufenthalt* und zur *Arbeitsaufnahme* in Griechenland, allerdings mit wesentlichen Ausnahmen zugunsten von Angehörigen der EG-Mitgliedsstaaten vom Zeitpunkt des griechischen Beitritts (1.Januar 1981) bzw. des Ablaufs der Übergangsfrist an (s. Beitrittsakte).

Der Grundsatz jedoch, daß „nur griechische Staatsbürger ... zu allen öffentlichen Ämtern zugelassen" sind (Art. 4 Abs. 4 Verf.; Art. 18 Beamtengesetz), ist mit dem Gemeinschaftsrecht (Art. 48 Abs. 4 EWGV; vgl. Art. 55 Abs. 1 GG) vereinbar. Die Regelung des Staatsangehörigkeitsgesetzes überläßt die Verfassung (Art. 4 Abs. 3) mit Ausnahme des Entzugs der Staatsangehörigkeit dem Gesetzgeber. Sie ist hauptsächlich in der Gesetzesverordnung 3370/1955 enthalten.

2. Erwerb

Die griechische Staatsangehörigkeit wird im Regelfall durch Geburt, Legitimation, Annahme als Kind, Eheschließung und Einbürgerung erworben.

Durch die *Geburt* erwirbt, unabhängig vom Geburtsort, die Staatsangehörigkeit (a) das eheliche Kind, wenn der Vater Grieche ist; (b) das eheliche Kind, wenn die Mutter Griechin und der Vater staatenlos ist; (c) das nichteheliche Kind einer Griechin. Von diesem ius sanguinis ist eine Ausnahme zugunsten des ius soli vorgesehen: Die griechische Staatsangehörigkeit erwirbt jeder in Griechenland Geborene, sofern er nicht durch Geburt eine fremde Staatsangehörigkeit erwirbt. Die *Legitimation* durch einen Griechen begründet die griechische Staatsangehörigkeit für das Kind, das das 21. Lebensjahr noch nicht vollendet hat. Gleiches gilt für die freiwillige oder volle gerichtliche *Anerkennung* sowie für die *Annahme als Kind.*

Durch die *Eheschließung* mit einem Griechen erwirbt eine Ausländerin in der Regel die griechische Staatsangehörigkeit, es sei denn, sie erklärt vor der Eheschließung ihren Willen, die ausländische Staatsangehörigkeit beizubehalten und die griechische nicht zu erwerben. Die Staatsangehörigkeit kann auch durch *Einbürgerung* eines Ausländers erworben werden. Die Einbürgerung erfolgt unter bestimmten Voraussetzungen, vor allem unter Berücksichtigung des Lebensalters und des Aufenthaltes in Griechenland. Der Eingebürgerte übernimmt mit der Vollendung der Einbürgerung sämtliche Rechte und Pflichten eines geborenen Griechen, mit Ausnahme der Wählbarkeit zum Präsidenten der Republik (Art. 31 Verf.). Die Bestimmung des Art. 18 Abs. 2 des griechischen Beamtengesetzes (Fassung der PräsidialVO 611/1977), daß eine Ernennung zum Beamten erst fünf Jahre nach der Einbürgerung zulässig ist, läßt sich wohl mit dem verfassungsrechtlichen Grundsatz der

Gleichheit aller Griechen, in Verbindung mit der Bestimmung, daß griechischer Staatsbürger ist, „wer die gesetzlich bestimmten Voraussetzungen erfüllt" (Art. 4 Abs. 1 und 3), nicht vereinbaren.

Außer den erwähnten kennt das griechische Recht einen weiteren, eigentümlichen Erwerbsgrund: Nach Art. 105 Abs. 1 erwirbt jeder, der sich auf den Heiligen Berg Athos zurückzieht, mit seiner Zulassung als Novize oder Mönch ohne weitere Formalitäten die griechische Staatsangehörigkeit.

Schließlich ist die griechische Staatsangehörigkeit in der Vergangenheit auch *gruppenweise* (also ohne besonderen Antrag) an die Bewohner von annektierten Gebieten oder an Flüchtlinge *verliehen* worden (so zuletzt an die Bewohner des Dodekanes durch das Gesetz 517/1948).

3. Verlust

Die Staatsangehörigkeit geht verloren durch Erwerb einer ausländischen Staatsangehörigkeit, durch Eheschließung mit einem Ausländer, durch Verzicht oder durch Entzug.

Der *Erwerb einer ausländischen Staatsangehörigkeit* kann den Verlust der griechischen Staatsangehörigkeit zur Folge haben, jedoch nur wenn er freiwillig geschieht (Art. 4 Abs. 3 S. 2 Verf.). Das ist der Fall beim Erwerb einer ausländischen Staatsangehörigkeit durch Einbürgerung auf Antrag oder wenn ein Ausländer einen noch nicht 21jährigen Griechen als Kind annimmt. Der Gesetzgeber verlangt jedoch für diesen Fall zusätzlich die Genehmigung des Innenministers.

Durch *Eheschließung* mit einem Ausländer verliert eine Griechin die griechische Staatsangehörigkeit nur, wenn sie dadurch die Staatsangehörigkeit ihres Ehemannes erwirbt und nicht vor der Eheschließung ihre Absicht erklärt hat, die griechische Staatsangehörigkeit beizubehalten.

Den *Verzicht* auf die griechische Staatsangehörigkeit kennt das griechische Recht nur im Fall der Frau, die durch Eheschließung mit einem Griechen die griechische Staatsangehörigkeit erworben hat und innerhalb eines Jahres nach der Eheschließung oder nach Lösung der Ehe durch Tod oder Scheidung darauf verzichtet. Bei Verzicht wegen Lösung der Ehe ist die Genehmigung des Innenministers erforderlich.

Ein *Entzug* der Staatsangehörigkeit ist nach Art. 4 Abs. 3 S. 2 Verf. (außer im Fall des freiwilligen Erwerbs einer ausländischen Staatsangehörigkeit) nur zulässig, wenn der Betroffene einen Dienst in einem fremden Land aufgenommen hat, der den nationalen Interessen Griechenlands widerspricht. Vorläufig bleibt jedoch nach Art. 111 Abs. 6 Verf. die Gesetzesbestimmung in Kraft, die den Entzug der griechischen Staatsangehörigkeit von nicht volkszugehörigen Griechen zuläßt, die Griechenland ohne Rückkehrabsicht verlassen haben oder im Ausland geboren sind und wohnen und gleichfalls keine Rückkehrabsicht haben. Die Ausnahmeregelung kann jedoch durch einfaches Gesetz außer Kraft gesetzt werden.

Griechen, deren Staatsangehörigkeit bis zum Inkrafttreten der geltenden Verfassung (hauptsächlich während der Diktatur) entzogen worden ist, erwerben sie nach Art. 11 Abs. 5 Verf. nach Entscheidung von besonderen, aus richterlichen Amtsträgern bestehenden Ausschüssen wieder.

IV. Staat und Kirche

Die Beziehungen zwischen Staat und Kirche in Griechenland sind eigentümlich. Weder besteht eine „Staatskirche", noch besteht eine völlige „Trennung" von Staat und Kirche. Wenn nach Art. 3 Abs. 1 S. 1 Verf. „vorherrschende Religion in Griechenland ... die der Östlich-Orthodoxen Kirche Christi" ist, so ist damit nach einhelliger Meinung keine Vorherrschaft über andere Religionen oder Kirchen gemeint. Noch unter der Verfassung von 1952 mußte der König bei der Thronbesteigung den Eid leisten, daß er „die vorherrschende Religion der Griechen" „schützt" (Art. 43 Abs. 3); der Kronprinz, der Regent und der Vormund des minderjährigen Königs mußten orthodox sein (Art. 47, 51, 52). Die geltende Verfassung kennt keine solchen Vorschriften, ein Umstand, der nicht nur durch ihren republikanischen Charakter zu erklären ist. Die Zugehörigkeit zur orthodoxen Kirche wird für keinen der höchsten Würdenträger mehr verlangt. Zwar muß der Präsident der Republik (Art. 33, Abs. 2) einen Eid „im Namen der Heiligen, Wesensgleichen und Unteilbaren Dreifaltigkeit" leisten (eine Formel, mit der auch die griechischen Verfassungen herkömmlicherweise beginnen). Wenn sich daraus auch ergibt (vgl. im Gegensatz dazu die Eidesformel für die Abgeordneten lt. Art. 59 Abs. 1), daß der Präsident der Republik Christ sein muß, so doch nicht die Notwendigkeit des orthodoxen Bekenntnisses, da die Dreifaltigkeit Gottes von den meisten christlichen Konfessionen angenommen wird. Mehr noch als das: Anders als der König (Art. 43 Abs. 3 Verf. 1952) schwört der Präsident der Republik nicht mehr, „die vorherrschende Religion der Griechen zu schützen". Während Art. 1 der Verfassung von 1952 den „Proselytismus und jeden anderen Eingriff in die vorherrschende Religion" unter Verbot stellte, verbietet nun Art. 13 Abs. 2 S. 3 Verf. 1975 den Proselytismus im allgemeinen. Die Formel „vorherrschende Religion der Griechen" enthält zum einen die Feststellung, daß sich tatsächlich fast alle Griechen zur orthodoxen Kirche bekennen; zum anderen bedeutet sie die Fortführung einer Tradition, wonach die dogmatische Einheit der Griechisch-Orthodoxen Kirche mit dem Ökumenischen Patriarchat in Konstantinopel, aber auch ihre Selbstverwaltung („Autokephalie") verfassungsrechtlich gewährleistet werden. Die „Grundsatzung der Kirche Griechenlands", die im Art. 3 Abs. 1 der Verfassung vorgesehen ist, wurde in ihrer geltenden Fassung als Gesetz 590/1977 erlassen.

B. Grundrechte

I. Die Gewährleistung der Grundrechte

1. Die Gewährleistung durch die Verfassung

Während die *Verfassung* in ihrem ersten Teil (Art. 2 Abs. 1) dem Staat die Grundverpflichtung auferlegt, die Würde des Menschen zu achten und zu schützen, gewährleistet sie in ihrem zweiten Teil (Art. 4–25) die individuellen und sozialen Rechte, insbesondere die Gleichheit, die freie Entfaltung der Persönlichkeit, die Freiheit der Person, das Recht auf Leben und körperliche Unversehrtheit, die Freizügigkeit, das Recht auf den gesetzlichen Richter, die Unverletzlichkeit der Woh-

Corrigenda
zu Südosteuropa-Handbuch. Band III: Griechenland

S.55	Anm.3	Z.2:	Ἱστορία τοῦ Ἑλληνικοῦ Ἔθνους
	Anm.5	Z.1:	τῆς Ἑλλάδος
	Anm.6	Z.2:	πρίν
S.56	Anm.14	Z.4:	Ἐρανιστής ... διοικητική
S.57	Anm.17	Z.1:	Ἔθνους
	Anm.18	Z.1:	Ὁ κυβερνήτης Ἰω. Καποδίστριας καί οἱ Μαυρομιχαλαῖοι
S.58	Anm.25	Z.1:	τῆς Ἑλλάδος ἐπί Ὄθωνος μέχρι
	Anm.25	Z.3 und Anm.27 Z.4: Ἐπιστημονική Ἐπετηρίς ... Ἐπιστημῶν
S.59	Anm.32	Z.1:	πολιτικῆς
	Anm.32	Z.2:	ἐκλογές
	Anm.35	Z.3:	Ἐκδόσεις
	Anm.36	Z.1:	Ἰακωβᾶτος ... ριζοσπαστισμός
	Anm.36	Z.3:	ἐπίδρασή
S.61	Anm.49	Z.2:	Πουρνάρας
S.68	Anm.92	Z.3f.:	Großbritannien brachte 1944–46 220.3 Mill.$ auf, davon 152 Mill.$ für Militärhilfe.
S.76	Anm.147	Z.2:	Γεωργαλᾶς
S.346	Anm.46	Z.1:	Καίριο
S.387	Anm.20	Z.1:	προοπτικαί
S.563	Anm.9	Z.3:	Ἕνας
S.678,		7.Titel:	καθεστῶτος
S.722	r.Sp.	8.Titel:	ὁλοκλήρωσης
S.728	r.Sp.	1.Titel:	Δυτικῆς
S.731	r.Sp.	2.Titel:	Γραμμές

nung, das Petitionsrecht, die Versammlungsfreiheit, die Vereinigungsfreiheit, die Religionsfreiheit, die Meinungs- und Pressefreiheit, die Freiheit von Kunst, Wissenschaft, Forschung und Lehre, die Selbstverwaltung der Hochschulen, den Eigentumsschutz, das Brief- und Fernmeldegeheimnis, das Recht auf den Rechtsschutz, den Schutz der Familie, der Ehe, der Mutterschaft, des Kindesalters, der Kinderreichen, der Unbemittelten und Obdachlosen, das Recht auf Arbeit, die Koalitions- und Streikfreiheit. Grundrechte, vor allem jüngeren Datums, werden auch außerhalb dieses Kataloges in anderen Teilen der Verfassung garantiert, so vor allem die freie Gründung von politischen Parteien sowie die freie Parteizugehörigkeit (Art. 29).

2. Die Gewährleistung durch die Europäische Menschenrechtskonvention

Die Grundrechte genießen auch den Schutz der *Europäischen Menschenrechtskonvention* und ihres Zusatzprotokolls, die Griechenland durch das Gesetz 2329/1953 und erneut (nach Wiederherstellung der Demokratie) durch die Gesetzesverordnung 215/1974 ratifiziert hat. Durch die Gesetzesverordnung 215/1974 wurden auch die Protokolle 2, 3 und 5 ratifiziert. Diese Ratifikationsgesetze sind nach Art. 28 Abs. 1 Verf. „Bestandteil des inneren griechischen Rechts und gehen jeder entgegenstehenden Gesetzesbestimmung vor". – Dem Internationalen Pakt über bürgerliche und politische Rechte ist Griechenland noch nicht beigetreten.

II. Die Hauptprobleme des Grundrechtsschutzes in der neuen Verfassung

1. Von der individualistischen zur humanen Orientierung

Es ist hier nicht möglich, auf die einzelnen Grundrechte einzugehen. Die folgenden Ausführungen beziehen sich auf die allgemeine Struktur und die neuen Züge des Grundrechtsschutzes durch die neue Verfassung.

Es ist von besonderer Bedeutung, daß in der Verfassung von 1975 der Mensch mehr im Mittelpunkt steht als in der Verfassung von 1952; zugleich ist aber die geltende Verfassung weniger individualistisch ausgerichtet als ihre Vorgängerin. Die *humane Orientierung* der geltenden Verfassung („der Mensch im Mittelpunkt") kommt hauptsächlich in der neuen (unabänderbaren) Bestimmung des Art. 2 Abs. 1 zum Ausdruck, wo es heißt: „Grundverpflichtung des Staates ist es, die Würde des Menschen zu achten und zu schützen". Die gleichfalls neue Vorschrift des Art. 7 Abs. 2 verbietet die Verletzung der Menschenwürde und sieht ihre gesetzliche Bestrafung vor. „Mensch" ist gewiß nicht nur ein abstrakter Begriff, noch bezieht er sich allein auf das anonyme „Volk", sondern ist auch das konkrete Individuum. Während jedoch die Verfassung die Menschenwürde schützt, lehnt sie zugleich in einer Reihe von Bestimmungen die *individualistische Orientierung* ab, die für die Verfassung von 1952 noch bezeichnend war. Zum ersten Mal enthält die Verfassung eine Bestimmung (Art. 25 Abs. 3), die den Rechtsmißbrauch verbietet. Aus dem Gegenstand des Art. 25 ergibt sich zweifelsfrei, daß die Verfassung den Mißbrauch von Grundrechten meint. Darüber hinaus bestimmt Art. 25 Abs. 4 ausdrücklich, daß der Staat berechtigt ist, „von allen Bürgern die Erfüllung ihrer Pflicht zur gesellschaftlichen und sozialen Solidarität zu fordern".

2. *Besonderer Konflikt- und Synthesebereich: privates Eigentum und privatwirt- schaftliche Tätigkeit*

Die Verfassung lehnt die individualistische Orientierung zugunsten einer *sozialen Auffassung vom Recht und der Förderung des Sozialstaates* ab. Es bleibt freilich eine empirisch nachgewiesene Tatsache, daß eine Rechtsordnung, die das Individuum zugunsten des Ganzen in den Hintergrund rücken läßt, früher oder später den Menschen dem Staat aufopfern wird. Aus diesem Grund strebt die griechische Verfassung eine *Synthese* an, die das humane Element voranstellt und eine individualistische Ausrichtung ablehnt. In Art. 25 Abs. 1 und 2 ist die Rede von den „Rechten des Menschen als einzelnem und als Mitglied der Gesellschaft"; „die Anerkennung und der Schutz der ... Menschenrechte durch den Staat ist auf die Verwirklichung des gesellschaftlichen Fortschritts in Freiheit und Gerechtigkeit gerichtet". Die Verfassung setzt nicht das Ganze an die Stelle des Individuums. In den Bereichen jedoch, in denen der Konflikt wahrscheinlich ist, schränkt sie ausdrücklich (ohne es aufzuheben) das individuelle Recht zugunsten der Menschenwürde und des allgemeinen Interesses ein.

Die Bereiche, in denen dieser Konflikt stets *dynamisch* besteht, sind das private Eigentum und die private wirtschaftliche Tätigkeit. Die Verfassung schützt beide – die wirtschaftliche Tätigkeit sogar zum ersten Mal ausdrücklich (Art. 5 Abs. 1) und ohne die Möglichkeit der Verfassungsänderung (Art. 110 Abs. 1). Gleichzeitig betont sie jedoch zum ersten Mal die *Schranken* dieser Rechte. Gemäß Art. 17 Abs. 1 dürfen die sich aus dem Eigentum ergebenden Rechte „nicht dem allgemeinen Interesse zuwider ausgeübt werden". Ebenso zum ersten Mal sieht die Verfassung in Art. 24 eine Reihe von Einschränkungen zugunsten der natürlichen und kulturellen Umgebung, der neuen Raumordnung des Landes, der städtebaulichen Nutzung und Neugestaltung vor. Die neue Verfassung *erweitert* gleichzeitig den Inhalt des geschützten „Eigentums" und die Möglichkeiten des staatlichen Eingriffs. Die Regelung des (Zwangs-)Kaufs von Unternehmen oder der Zwangsbeteiligung an ihnen durch den Staat in Art. 106 Abs. 3–5 veranschaulicht beide Richtungen. Zum ersten Male erkennt die Verfassung insbesondere den sozialen Gehalt des Eigentums an, indem sie die Befugnisse des Eigentümers einschränkt (z.B. Art. 18, 24 Abs. 1 S. 2 und Art. 3, 117 Abs. 3) und zum anderen Pflichten zur Duldung bestimmter, sozial erforderlicher, jedoch belastender oder wirtschaftlich schädlicher Eingriffe in das Eigentum dem Eigentümer auferlegt (z.B. Art 17 Abs. 7; Art. 24 Abs. 3). Im allgemeinen betont die neue Verfassung die Sozialbindung des Eigentums, indem sie den sozialen Rahmen einschränkt, innerhalb dessen sie ihm Schutz gewährt. Diese Einschränkung des individualistischen Elements wird entweder unmittelbar durch die Verfassung verwirklicht oder wird (in der Regel) dem Gesetzgeber überlassen (Gesetzesvorbehalt). Der verfassungsrechtlich geschützte Bereich des Eigentums wird also in bedeutendem Maße eingeschränkt und kann durch den Gesetzgeber in den durch die Verfassung vorgezeichneten Bereichen (z.B. Art. 25 Abs. 4) weiter eingeschränkt werden.

Die Verfassung verbindet den Schutz der *privaten wirtschaftlichen Tätigkeit* mit dem Recht der Persönlichkeitsentfaltung, jedoch soweit (so fügt Art. 5 Abs. 1 in leichter Modifizierung des Art. 2 Abs. 1 GG hinzu) der einzelne „nicht gegen die

Rechte anderer, die Verfassung oder die guten Sitten verstößt". Ebenso bedeutend und bezeichnend für die Ablehnung einer individualistischen Orientierung ist die Bestimmung des Art. 106 Abs. 2, wonach „die private wirtschaftliche Initiative ... nicht zu Lasten der Freiheit und der Menschenwürde oder zum Schaden der Volkswirtschaft entfaltet werden" darf.

3. Zusammenfassung, rechtliche Bindung

Aus dem Gesagten ergibt sich, daß die Verfassung von 1975 auf dem Gebiet der Grundrechte im Vergleich zur Verfassung von 1952 zwei Hauptunterschiede aufweist: Erstens (im Hinblick auf die Erfahrungen mit der Diktatur) *gewährleistet* die Verfassung ausdrücklich die Menschenwürde und betont noch mehr die Freiheit des Menschen gegenüber dem Staat; zweitens (im Hinblick auf die sozialen Ideen unserer Zeit) sieht die Verfassung ausdrücklich die *Sozialbindung* der Grundrechte und vor allem des Eigentums und der Wirtschaftsfreiheit vor. Sowohl die Gewährleistung als auch die Sozialbindung der Grundrechte sind rechtlich verbindlich. Dies gilt nach einhelliger Meinung in der Lehre und der Rechtsprechung auch für den Gleichheitssatz.

III. Gerichtlicher Grundrechtsschutz

Die rechtliche Verbindlichkeit der Grundrechte kommt am stärksten in deren *gerichtlichem Schutz* zum Ausdruck. Die griechischen Gerichte sind berechtigt, die Verfassungsmäßigkeit von Gesetzen sowie die Verfassungsmäßigkeit und Gesetzesmäßigkeit der sonstigen Rechtsakte zu prüfen. Rechtsakte der Verwaltung (Rechtsverordnungen und Verwaltungsakte) dürfen von den Verwaltungsgerichten u.a. wegen „Gesetzesverletzung" aufgehoben werden (Art. 95 Abs. 1 Buchst. a). Mit Gesetzesverletzung ist auch die Verfassungsverletzung gemeint, die damit zur Aufhebung von Rechtsakten der Verwaltung durch Verwaltungsgerichte führen kann. Formelle Gesetze können indessen nicht unmittelbar angefochten werden, ihre Verfassungswidrigkeit kann aber geltend gemacht werden und zu ihrer Nichtanwendung führen. Nach der Verfassung (Art. 87 Abs. 2) dürfen sich die Gerichte in keinem Fall „Bestimmungen fügen, die in Auflösung der Verfassung erlassen wurden". Aber auch im Normalfall dürfen die Gerichte „ein Gesetz, dessen Inhalt gegen die Verfassung verstößt, nicht anwenden". Sie dürfen es jedoch nicht aufheben. Es ist auch nicht vorgesehen, daß die Gerichte die Frage der Verfassungsmäßigkeit eines Gesetzes an ein oberstes Gericht verweisen. Der neue Oberste Sondergerichtshof (siehe unten) hat kein sog. Verwerfungsmonopol, sondern ist nur für „Streitigkeiten über die materielle Verfassungsmäßigkeit oder den Sinn von Bestimmungen eines formellen Gesetzes" zuständig, und zwar *nur, wenn* „darüber widersprechende Entscheidungen des Staatsrats, des Areopags oder des Rechnungshofs ergangen sind" (Art. 100 Abs. 1 Buchst. e).

Griechenland hat nach Art. 46 der Europäischen Menschenrechtskonvention mit Wirkung vom 31. 1. 1979 die Zuständigkeit des *Gerichtshofs für Menschenrechte* für drei Jahre anerkannt. Individualgesuche an die Europäische Kommission für Menschenrechte nach Art. 25 sind jedoch nicht zugelassen, da Griechenland die Zuständigkeit der Kommission noch nicht anerkannt hat.

C. Struktur und Teilung der Staatsgewalt

I. Die Strukturprinzipien der verfassungsmäßigen Ordnung

1. Republik

Griechenland ist seit der Volksabstimmung vom 8. Dezember 1974 eine *Republik*. Eine Änderung dieser in Art. 1 Abs. 1 Verf. festgelegten Staatsform ist nach Art. 110 Abs. 1 Verf. nicht zulässig. Aus diesem Grunde sind royalistische Vereine nicht eingetragen bzw. aufgelöst worden (Oberlandesgericht Athen 7286/76, 7716/77, 299/78, 2493/78; ebenso neuerdings der Areopag in seiner Entscheidung 928/79).

2. Demokratie

Griechenland ist eine *Demokratie,* die auf der Volkssouveränität beruht (Art. 1 Verf.). Unter Demokratie ist hier etwa das gleiche zu verstehen, wie in der Rechtsprechung des Bundesverfassungsgerichts (z. B. in BVerf. GE 2,1 (12f) (Da die griechische Sprache das Wort „Republik" nicht kennt und dem Wort „Demokratie" die doppelte Bedeutung von Demokratie und Republik gibt, spricht die Verfassung von „Präsidialdemokratie" im Sinne der „republikanischen Demokratie" und im Gegensatz zur „gekrönten Demokratie" der Verfassung von 1952 (Art. 21 Abs. 1).

3. Repräsentatives System

Griechenland ist eine *repräsentative* Demokratie (Art. 51 Abs. 2 Verf.). Keine der Staatsgewalten wird unmittelbar vom Volke ausgeübt, sondern von dessen gewählten und frei handelnden Repräsentanten (Art. 51 und 60 Abs. 1 Verf.), sowie denen, die diese ernennen (Art. 26 Verf.). Ausnahmsweise kann (aber muß nicht) der Präsident der Republik die Durchführung einer „Volksabstimmung über dringende nationale Fragen" anordnen (Art. 44 Abs. 2). Das Volksabstimmungsverfahren ist im Gesetz 35/1976 geregelt.

4. Parlamentarisches System

Das nach Art. 110 Abs. 1 Verf. irreversible *parlamentarische System* ist ein weiteres Staatsstrukturprinzip (Art. 1 Abs. 1 Verf.), das in Griechenland vor etwa 100 Jahren eingeführt wurde. Seine besondere Ausgestaltung erfährt es vor allem in den Verfassungsbestimmungen über die Ernennung des Führers der Mehrheitspartei im Parlament zum Ministerpräsidenten, über die Abhängigkeit der Regierung vom Vertrauen des Parlaments, über die parlamentarische Kontrolle und über das weitgehende Recht des Präsidenten der Republik, das Parlament aufzulösen (Art. 38, 41, 70 Abs. 6, 84). Das parlamentarische System der Verfassung von 1975 weicht allerdings vom klassischen Parlamentarismus nicht unerheblich ab. Denn die Regierung hängt vom Vertrauen nicht nur des Parlaments, sondern auch des Präsidenten der Republik ab, der sie zu jeder Zeit entlassen kann, wenn auch ihre Nachfolgerin des Vertrauens des Parlaments ebenso bedarf (Art. 38 Abs. 2). Überhaupt führt die nach der neuen Verfassung besonders starke Stellung des Präsidenten einige wichtige Züge des Präsidialsystems in das griechische Regierungssystem ein, die allerdings bisher nicht aktiviert worden sind. Auf diese Problematik ist unten zurückzukommen.

5. Rechtsstaat

Griechenland ist ein *Rechtsstaat*. Dieses Wort findet sich zwar nicht in der Verfassung; in ihr sind aber sowohl die materiellen als auch die organisatorischen Grundlagen des Rechtsstaates gewährleistet, also einerseits die Menschenwürde und die Grundrechte, und andererseits die Gewaltentrennung und die Rechtsgebundenheit der Staatsgewalten, insbesondere die Verfassungsmäßigkeit und teilweise Kontrollierbarkeit der Legislative, die Gesetzmäßigkeit und Kontrollierbarkeit der Verwaltung sowie die Unabhängigkeit der Justiz und die Rechtsweggarantie (Art. 2,4–25, 26, 29, 49, 50, 87–100).

6. Sozialstaat

Griechenland ist schließlich ein *Sozialstaat*. Auch diese Bezeichnung findet sich nicht wörtlich in der Verfassung, jedoch trägt die Verfassung von 1975 stärkere soziale Züge als die von 1952. Einerseits kennt sie die Sozialbindung der Grundrechte (Art. 25 Abs. 3 und 4, 17 Abs. 1, 106 Abs. 2); andererseits stellt sie die Familie, die Mutterschaft, das Kindesalter, die Schwachen, die Armen und die Jungen sowie die Arbeit unter den Schutz des Staates (Art. 21, 22). Auf das soziale Element der neuen Verfassung wurde bereits oben (unter B) eingegangen.

II. Teilung der Staatsgewalt

1. Gewaltentrennung, Verbindungen zwischen Legislative und Exekutive

Die Verfassung teilt die Staatsgewalt in die herkömmlichen drei Gewalten („Funktionen") ein und betraut mit diesen verschiedene Staatsorgane (Art. 26).

Die *Trennung* ist aber nur für die Gerichte (mit Ausnahme der Besetzung der höchsten richterlichen Ämter) vollständig. Zwischen Legislative und Exekutive bestehen dagegen vielfache *Verbindungen*. Sie beziehen sich zunächst einmal auf das parlamentarische System: politische Parteien, die Regierung, die aus der Mitte des Parlaments stammt und von dessen Vertrauen abhängt, parlamentarische Kontrolle, Exekutive, die das Parlament auflösen kann. Sie beziehen sich ferner auf die Rechtssetzung durch die Exekutive auf Ermächtigung der Legislative. Im *Eilfall* kann sogar die Exekutive ohne Ermächtigung durch Gesetz Recht setzen; ihre „gesetzgeberischen Akte" bedürfen nur der nachträglichen parlamentarischen Genehmigung (Art. 44). Im *Notfall* ist nicht einmal diese Genehmigung erforderlich, sondern die gesetzgebende Funktion wird von der Exekutive auf Zeit ausgeübt (Art. 48). Jedoch ist diese „legale Diktatur des Präsidenten" zeitlich begrenzt. Sie endet mit Beendigung des Kriegszustandes oder, in anderen Fällen, nach dreißig Tagen, es sei denn, daß das Parlament die Erlaubnis zu ihrer Verlängerung erteilt. Die Verbindung zwischen Legislative und Exekutive zeigt sich besonders deutlich in der *Doppelstellung* des Präsidenten der Republik, der mit dem Parlament die gesetzgebende und mit der Regierung die vollziehende Funktion teilt.

2. Verschiebung des Machtzentrums zugunsten des Präsidenten der Republik

In der Stellung des Präsidenten nach der Verfassung von 1975 liegt auch eine *erhebliche Verschiebung des politischen Machtzentrums* vom Ministerpräsidenten und der Regierung weg und hin zum Präsidenten der Republik und damit eine bedeutende Abschwächung des parlamentarischen zugunsten des Präsidialsystems. Die griechische Verfassung schafft in der Tat einen *politischen Bizentrismus,* wobei die beiden Zentren der Präsident der Republik und die Regierung (nicht aber das Parlament) sind.

Der Präsident der Republik hat das selbständige (also von der ministeriellen Gegenzeichnung unabhängige) Recht, das Parlament aufzulösen und die Regierung zu entlassen. Zur Auflösung des Parlaments ist er berechtigt, wenn dieses (nach Meinung des Präsidenten der Republik) mit der Stimmung im Volke offensichtlich nicht übereinstimmt oder wenn seine Zusammensetzung die Stabilität der Regierung nicht sichert (Art. 41 Abs. 1). Zur Entlassung der Regierung braucht sich der Präsident nicht einmal auf solche weit formulierten Umstände zu beziehen (Art. 38 Abs. 2). Die Regierung bedarf also des Vertrauens nicht nur das Parlaments, sondern auch des Präsidenten. Dadurch wird der Machtzuwachs der Exekutive zum Machtzuwachs des Präsidenten der Republik, der vor allem im Notfall Diktaturgewalten auf sich vereinigt. – In der bisherigen Praxis der griechischen Demokratie ist jedoch von einer Verschiebung des politischen Machtzentrums auf das Staatsoberhaupt nichts zu merken. Bisher ist das einzige politische Machtzentrum die Regierung, wobei der Ministerpräsident eine herausragende Stellung einnimmt. Dieser, mit den amtierenden Persönlichkeiten zusammenhängende Zustand kann sich allerdings aufgrund des im Mai 1980 erfolgten Personenwechsels schlagartig ändern.

3. Gesetzgebung

Die *Gesetzgebung* ist in der Hauptsache dem Parlament anvertraut. Im Rahmen der äußersten Grenzen der Verfassung (vor allem der Grundrechte) sind dem Parlament keine Schranken zugunsten der Exekutive auferlegt. Im *Normalfall* bleibt die Zuständigkeit des Präsidenten der Republik auf Sanktionierung, Ausfertigung und Veröffentlichung beschränkt, wobei er allerdings ein bedeutsames Zurückverweisungsrecht besitzt, das nur mit der Mehrheit der Gesamtzahl der Abgeordneten überstimmt werden kann (Art. 42). Mit der neuen, nicht sehr wichtigen Ausnahme der sog. organisatorischen Verordnungen, kann der Präsident nur (a) aufgrund einer (speziellen) *Gesetzesermächtigung* oder (b) eines (neu eingeführten) *Rahmengesetzes* Rechtsverordnungen erlassen (Art. 43, 78 Abs. 5). Im übrigen kann das weitgehende Recht des Präsidenten der Republik zur Auflösung des Parlaments das letztere unter Umständen zur Verabschiedung eines Gesetzes bewegen.

Im *Eilfall* gehen aber die Befugnisse des Präsidenten noch weiter: er darf „gesetzgeberische Akte" ohne gesetzliche Ermächtigung auf Vorschlag des Ministerrats erlassen. Sie müssen zwar innerhalb von vierzig Tagen nach ihrem Erlaß oder innerhalb von vierzig Tagen nach Einberufung des Parlaments zur Genehmigung vorgelegt werden. Von dieser Genehmigung hängt aber nur ihre Fortgeltung in der Zukunft ab, nicht ihre Geltung ex tunc, selbst wenn sie dem Parlament überhaupt nicht vorgelegt werden (Art. 44 Abs. 1). Von der Befugnis, Eilverordnungen zu erlassen, hat der Präsident der Republik bereits wiederholt Gebrauch gemacht, ohne daß ein ersichtlicher Eilfall vorlag. Das Parlament hat seine Genehmigung stets erteilt. Sehr weitgehend, wenn auch zeitlich begrenzt, sind die Befugnisse des Präsidenten im *Notfall* (Art. 48). Er kann im Falle äußerer oder innerer Gefahren durch eine vom Ministerrat bzw. vom Ministerpräsidenten unterzeichnete Präsidialverordnung die Geltung mehrerer Verfassungsbestimmungen außer Kraft setzen, das Ausnahmezustandsgesetz (Gesetz 566/1977) in Anwendung bringen und Ausnahmegerichte einsetzen. Aufgrund dieser Präsidialverordnung darf er unter den gleichen Voraussetzungen „alle notwendigen Gesetzgebungs- und Verwaltungsmaßnahmen zur Bewältigung der Lage und zur möglichst schnellen Wiederherstellung der verfassungsmäßigen Ordnung treffen". Diese *legale Diktatur des Präsidenten* hängt weder von der (vorherigen) Erlaubnis, noch von der (nachträglichen) Genehmigung des Parlaments ab. Während jedoch im Kriegsfalle die Präsidialverordnung über den Ausnahmezustand erst bei dessen Beendigung außer Kraft tritt, gilt sie in allen anderen Fällen nur dreißig Tage, es sei denn, daß das Parlament die Erlaubnis zu ihrer Verlängerung erteilt.

4. Finanzwesen

Im *Finanzwesen* hat das Parlament die Entscheidungsbefugnis. *Steuern* dürfen nur durch ein nicht über das vorangehende Rechnungsjahr hinaus zurückwirkendes formelles Gesetz eingeführt und erhoben werden, das den Steuergegenstand, den Steuersatz und die Steuerbefreiungen bzw. -ausnahmen bestimmt. Ausnahmsweise genügt eine Rechtsverordnung aufgrund eines Rahmengesetzes im Zoll- und Währungswesen sowie „im Rahmen der internationalen Beziehungen des Landes mit internationalen Organisationen" (Art. 78). Eines Gesetzes bedarf auch die Einsetzung in den Haushalt oder die Gewährung von *Gehältern, Ruhegeldern, Zuwendungen* und *Vergütungen* Art. 80 Abs. 1, Art. 8 Abs. 4).

Das Parlament stellt jedes Jahr (oder alle zwei Jahre) den *Haushaltsplan* fest und bestätigt die *Haushaltsrechnung* und die *allgemeine Bilanz* des Staates (Art. 79 Abs. 1–7). Das Parlament genehmigt auch die *Pläne* zur Wirtschafts- und Sozialentwicklung (Art. 79 Abs. 8). Das Verfahren der parlamentarischen Genehmigung und Kontrolle ist durch das Gesetz 503/1976 geregelt und wurde durch das Gesetz 747/1978 geändert bzw. ersetzt.

5. Vollziehende Gewalt

Die *vollziehende Gewalt* wird nach der Verfassung vom Präsidenten der Republik und der Regierung ausgeübt. Im *Normalfall* ist Hauptträger der Exekutive die Regierung; jeder Akt des Präsidenten bedarf in der Regel der Gegenzeichnung des zuständigen Ministers (Art. 35 Abs. 1). Unter „außergewöhnlichen Umständen" kann aber der Präsident ohne Gegenzeichnung den Ministerrat ins Präsidialamt unter seinem Vorsitz einberufen, Botschaften an das Volk erlassen oder die Durchführung einer Volksabstimmung „über dringende nationale Fragen" anordnen (Art. 38

Abs. 3, 44 Abs. 2 und 3 i.V.m. Art. 35 Abs. 2). Darüber hinaus kann er (ebenfalls
ohne Gegenzeichnung) die Regierung entlassen (Art. 38 Abs. 2). Im *Notfall* kann
der Präsident, nachdem er die Notfallverordnung erlassen hat, alle notwendigen vom
Ministerpräsidenten gegengezeichneten „Verwaltungsmaßnahmen zur Bewältigung
der Lage und zur möglichst schnellen Wiederherstellung der verfassungsmäßigen
Ordnung treffen" (Art. 48 Abs. 2).

6. Rechtsprechung

Die *Rechtsprechung* obliegt den Richtern (Art. 87 Abs. 1). Die Verfassung gewährleistet die Unabhängigkeit der Rechtsprechung von den anderen beiden Gewalten, mit der bedeutsamen Ausnahme der Personalhoheit des Ministerrates bei
der Ernennung der Präsidenten und der Stellvertretenden Präsidenten der drei obersten Gerichtshöfe (Art. 90 Abs. 5). Die Richter genießen sachliche und persönliche
Unabhängigkeit, sie werden auf Lebenszeit berufen und sind bei der Wahrnehmung
ihrer Aufgaben nur der Verfassung und den Gesetzen untergeordnet (Art. 87 ff).
Auf diese Unterwerfung bezieht sich die gerichtliche Prüfung der Verfassungsmäßigkeit und Gesetzmäßigkeit der Verwaltungshandlungen und die Verfassungsmäßigkeit der Gesetze. Während aber die Verwaltungsgerichte rechtswidrige Verwaltungsakte und Rechtsverordnungen aufheben können (Art. 95), beschränken sich
die Gerichte auf die Nichtanwendung der verfassungswidrigen Gesetze (zu der sie
auch verpflichtet sind – Art. 93 Abs. 4). Nur der (neue) *Oberste Sondergerichtshof*
kann ein Gesetz mit Aufhebungswirkung für verfassungswidrig erklären, wenn über
seine Verfassungsmäßigkeit widersprechende Entscheidungen der obersten Ge-
richtshofe ergangen sind (Art. 100 Abs. 1 Buchst. e). Welche Zuständigkeiten die
Gerichte haben, bestimmt objektiv das Gesetz. Niemand darf gegen seinen Willen
seinem *gesetzlichen Richter* entzogen werden; richterliche Ausschüsse und außerordentliche Gerichte dürfen nicht eingesetzt werden (Art. 8). Davon sind Ausnahmegerichte zu unterscheiden, die der Präsident der Republik im Notfall einrichten darf
(Art. 48 Abs. 1).

Die Gerichte sind in Verwaltungs-, Zivil- und Strafgerichte eingeteilt (Art. 93
Abs. 1). An der Spitze der *Verwaltungsgerichte* steht der *Staatsrat* (Art. 95, Gesetzesverordnung 170/1973), der durch das Gesetz 3713/1928 in Anlehnung an den
französischen Conseil d'État gegründet wurde und 1929 seine Tätigkeit aufnahm.
Mit Ausnahme der gutachtlichen Ausarbeitung von Rechtsverordnungen ist der
Staatsrat (anders wohl als sein französisches Vorbild) im ersten und hauptsächlichen
Sinne ein Gerichtshof. Auf der einen Seite ist er ein Verwaltungsgericht erster und
letzter Instanz, das hauptsächlich Anfechtungsklagen („Aufhebungsanträge") gegen Verwaltungsakte sowie materielle Verwaltungsstreitigkeiten entscheidet
(Art. 25 Verf.). Seine Zuständigkeit, seine Organisation und seine Verfahrensordnung sind in der Gesetzesverordnung 170/1973 sowie im Gesetz 702/1977 und der
Präsidialverordnung 752/1978 geregelt. Auf der anderen Seite ist der Staatsrat
oberster Gerichtshof, der Revisionen gegen Entscheidungen von niedrigeren Instanzen entscheidet. Solche Verwaltungsgerichte gibt es nun in zwei Instanzen. In
ihre Zuständigkeit gehören materielle Verwaltungsstreitigkeiten, die ihnen in ihrer
Gesamtheit bis zum 8. Juni 1980 zugewiesen werden müssen (siehe die Gesetze

509/1976 und 702/1977 sowie die Präsidialverordnung 341/1978). Diese Frist kann aber durch Gesetz verlängert werden. Die Gerichtsverfassung und die Verfahrensordnung der Verwaltungsgerichte sind in der Gesetzesverordnung 3845/1958 bzw. im Gesetz 4125/1960 geregelt, wie sie durch das Gesetz 221/1975 geändert worden sind. Die *Zivilgerichte* sind zuständig für sämtliche privaten Streitigkeiten sowie die ihnen durch Gesetz zugewiesenen Angelegenheiten der freiwilligen Gerichtsbarkeit (Art. 94 Abs. 4). Sie sind in Amtsgerichte (Friedensgerichte), Landgerichte und Oberlandesgerichte eingeteilt. An ihrer Spitze steht der *Areopag* als Revisionsgericht. Der Areopag ist das Revisionsgericht auch für die *Strafgerichte*. Diese sind ebenso wie die Zivilgerichte eingeteilt, es gibt aber auch besondere Strafgerichte erster Instanz (Schwurgerichte, Jugendgerichte, Wehrstrafgerichte und kirchliche Gerichte) (Art. 96, 97). Der *Rechnungshof* ist in seiner gerichtlichen Funktion zugleich ein Gericht erster und letzter Instanz und ein Berufungsgericht, das Rechtsmittel gegen seine eigenen Kammern und andere Instanzen entscheidet, die zur Festlegung von Ruhegehältern und zur Rechnungsprüfung zuständig sind (Art. 98). Neben diesen drei obersten Gerichtshöfen gibt es auch das *Sondergericht für Rechtsbeugungssachen* (Art. 99) und das *Sondergericht für Ministeranklagen* und Anklagen gegen den Präsidenten der Republik (Art. 86, 47 Abs. 2). Diese beiden ad hoc wirkenden Gerichte entscheiden in erster und letzter Instanz. Ihre Gerichtsverfassung und Verfahrensordnung sind im Gesetz 693/1977 bzw. in der Gesetzesverordnung 802/1971 geregelt.

Eine Neuschöpfung der Verfassung von 1975 ist der *Oberste Sondergerichtshof* (Art. 100). In seine Zuständigkeit fallen die Prüfung von Wahlen und Volksabstimmungen, von parlamentarischen Inkompatabilitäten und Konflikterhebungen; ebenso die Prüfung der materiellen Verfassungswidrigkeit oder des Sinnes von Bestimmungen eines formellen Gesetzes, wenn darüber widersprechende Entscheidungen des Staatsrats, des Areopags oder des Rechnungshofs ergangen sind; schließlich die Entscheidung von Streitigkeiten über die Eigenschaft von Völkerrechtssätzen als allgemein anerkannten im Sinne des Art. 28 Abs. 1 Verf. Das Verfahren des Gerichtshofs ist durch das Gesetz 345/1976 geregelt. Dieser ad hoc tätig werdende Gerichtshof ist ein Verfassungsgericht mit beschränkten Zuständigkeiten. Erklärt der Gerichtshof eine Gesetzesbestimmung für verfassungswidrig, so ist sie mit der Verkündigung der Entscheidung unwirksam oder von dem Zeitpunkt an, den die Entscheidung festsetzt. Trotz dieser erga omnes wirkenden Entscheidung sowie der erga omnes wirkenden Nichtigerklärung von individuellen Verwaltungsakten und Rechtsverordnungen durch den Staatsrat (Art. 50 Abs. 1, Gesetzesverordnung 1970/1973) kennt das griechische Recht keine Bindung des Präzedenzfalles.

Die gerichtlichen Verhandlungen sind in der Regel öffentlich, die Beratungen dagegen geheim. Die gerichtlichen Entscheidungen müssen begründet sein, die abweichenden Meinungen erwähnen und öffentlich verkündet werden. Sie werden durch den Namen des erlassenden Gerichts, eine Nummer und das Jahr ihres Ergehens bezeichnet (z. B.: Staatsrat 359/1979).

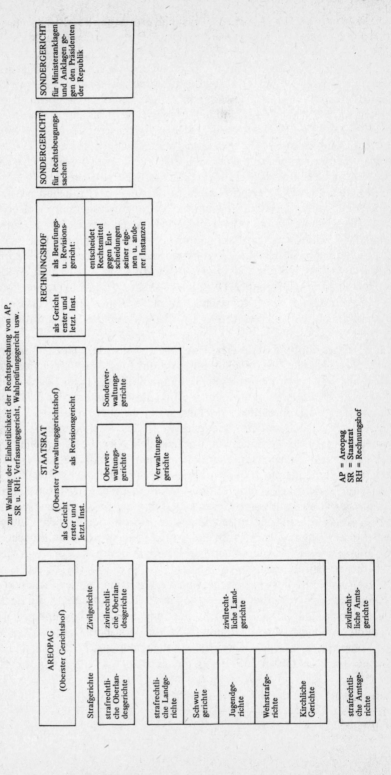

Gliederung der griechischen Gerichtsbarkeit

D. Die obersten Staatsorgane

I. Das Parlament

1. Zusammensetzung, Wahl

Das Parlament besteht aus *einer einzigen Kammer mit 200–300, z. Zt. 300 Abgeordneten,* die auf vier Jahre in unmittelbarer, allgemeiner und geheimer Wahl gewählt werden (Art. 51 Abs. 1 und 3). Wahlberechtigt sind alle Bürger, die das zwanzigste Lebensjahr vollendet haben (Art. 4 Wahlgesetz, Art. 2 Wahlgesetz i.d.F. der Präsidialverordnung 650/1974). Wählbar ist jeder Wahlberechtigte, der das fünfundzwanzigste Lebensjahr vollendet hat (Art. 55 Abs. 1 Verf.). Beamte (ausgenommen Hochschulprofessoren) und Soldaten, Bürgermeister und Präsidenten von juristischen Personen des öffentlichen Rechts und öffentlichen Unternehmungen müssen jedoch vor der Wahlbewerbung von ihrem Amt zurücktreten (Art. 56 Abs. 1 und 2). Dazu kommen örtliche Wahlhindernisse für Beamte (Art. 56 Abs. 3). Das griechische Parlament ist also kein „Beamtenparlament".

Die Verfassung überläßt die Bestimmung des *Wahlsystems* dem Gesetzgeber (Art. 54 Abs. 1); das Wahlgesetz sieht die vielkritisierte „verbesserte" Verhältniswahl sowie 56 Wahlkreise vor (Art. 1, 88–90). Bis zu $\frac{1}{20}$ des Parlaments, also bis zu 15, z. Z. 12 Abgeordnete werden einheitlich im ganzen Staatsgebiet gewählt („Reichsabgeordnete"); diese Sitze werden entsprechend dem allgemeinen Wahlerfolg der Parteien verteilt (Art. 54 Abs. 3 Verf., Art. 3 Wahlgesetz). Die Verfassung sieht eine lange Liste von parlamentarischen Imkompatabilitäten vor (Art. 57). Wahlprüfungsgericht ist der oberste Sondergerichtshof (Art. 100 Abs. 1 Buchst. a Verf., Art. 6, 24–34 Gesetz 395/1976).

2. Politische Parteien

An der Parlamentswahl nehmen hauptsächlich nicht unabhängige Bewerber, sondern *politische Parteien* teil. Die Verfassung gewährleistet die Freiheit der griechischen Bürger, Parteien zu gründen und ihnen anzugehören (Art. 29 Abs. 1). Die Verfassung sieht zwar vor, daß die „Organisation und Tätigkeit der Parteien dem freien Funktionieren der demokratischen Staatsordnung zu dienen" hat. Auch verlangt die nach dem Fall der Diktatur erlassene Gesetzesverordnung 54/1974 „Über Gründung von politischen Parteien und die Wiederaufnahme ihrer Tätigkeit" von den politischen Parteien, daß sie vor der Aufnahme ihrer Tätigkeit eine Erklärung ihres Vorsitzenden dem Staatsanwalt beim Areopag des Inhalts vorlegen, daß die Grundsätze der Partei jeder gewaltsamen Machtergreifung oder dem Umsturz der freiheitlichen demokratischen Staatsordnung entgegenstehen (Art. 1 Abs. 2). Jedoch bleiben diese Rechtsbestimmungen sanktionslos. In Griechenland sind also *alle* Parteien frei; verbotene Parteien gibt es nicht. Die Möglichkeit eines Parteiverbots ist nicht vorgesehen. Im Parlament selbst ist die Stellung und Stärke der Parteien vielfach von Bedeutung (Art. 68 Abs. 3, 73 Abs. 4). Der Vorsitzende der Partei, die im Parlament über die absolute Mehrheit verfügt, wird zum Ministerpräsidenten ernannt (Art. 37 Abs. 2; vgl. auch Abs. 3 und 4). Der Vorsitzende der Hauptoppositionspartei gehört ex officio dem Rat der Republik an (Art. 39 Abs. 2).

3. Rechtsstellung der Abgeordneten

Die *Rechtsstellung der Abgeordneten* wird in der Verfassung (Art. 59–63) in einer Reihe von traditionellen Vorschriften über Eidleistung, freies Mandat, Indemnität, Immunität, Diäten u.ä. geregelt. Gleiches gilt für die Vorschriften über die Organisation und Arbeitsweise des Parlaments: Sitzungsperiode, Geschäftsordnung (geltende Geschäftsordnung 14./23.10.1975), Parlamentspräsidium, Öffentlichkeit der Sitzungen, Beschlußfähigkeit und Beschlußfassung, Parlamentsausschüsse und parlamentarische Untersuchungsausschüsse, Petitionen (Art. 64–69). Das Parlament kann außer im Plenum auch in zwei Abteilungen gesetzgeberisch tätig werden (Art. 70 Abs. 2). Zu dieser Neuerung, die das Parlamentsplenum entlasten soll, steht die lange Liste von Art. 72 der nur vom Plenum zu regelnden Gegenstände kaum in einem sinnvollen Verhältnis; denn es gibt kaum bedeutende Problemkreise, die nicht unter die umfassenden Kategorien dieser Liste fallen (vgl. z.B. die Kategorie „Ausübung von Grundrechten").

4. Gesetzgeberische Arbeit und parlamentarische Kontrolle

Die *gesetzgeberische Arbeit* des Parlaments ist nach traditioneller Art geregelt. Allerdings kann die *Gesetzesinitiative* bei Erhöhung der Ausgaben oder Minderung der Einnahmen nur von der Regierung, in bestimmten Fällen von dem Finanzminister ergriffen werden (Art. 73). Der *Gesetzgebungsgang* kennt im Parlament zwei Ausarbeitungsstufen (a) durch den wissenschaftlichen Dienst des Parlaments und (b) die Parlamentsausschüsse: Art. 74 Abs. 1 und 2) und drei Beratungsstufen ([a] im Grundsatz, [b] artikelweise und [c] als Ganzes); es sind aber auch schnellere Verfahren vorgesehen (Art. 76). Die beschlossenen Gesetze werden vom Präsidenten der Republik innerhalb eines Monats sanktioniert, ausgefertigt und im Heft A der „Regierungszeitung" verkündet (Art. 42 Abs. 1; siehe auch Gesetz 301/1976 über die „Regierungszeitung"). Die Gesetze (und Präsidialverordnungen) werden durch eine Nummer und das Jahr ihrer Veröffentlichung bezeichnet (z.B. Gesetz 400/1976 oder 400/76). Das vom Präsidenten zurückverwiesene Gesetz kann nur durch die Mehrheit der Gesamtzahl der Abgeordneten endgültig beschlossen werden (Art. 42 Abs. 2 und 3). Die *parlamentarische Kontrolle* wird vom Parlamentsplenum mindestens zweimal wöchentlich ausgeübt (Art. 70 Abs. 6).

5. Auflösung des Parlaments

Das Parlament kann (und muß in bestimmten Fällen) vor Ende des Legislaturperiode vom Präsidenten der Republik *aufgelöst* werden. Der Präsident *kann* in vier Fällen das Parlament auflösen: (a) „Wenn es mit der Stimmung im Volk offensichtlich nicht übereinstimmt" (Art. 41 Abs. 1; ohne Gegenzeichnung: Art. 39 Abs. 2 Buchst. e); (b) „Wenn seine Zusammensetzung die Stabilität der Regierung nicht sichert" (Art. 41 Abs. 1; ohne Gegenzeichnung: Art. 39 Abs. 2 Buchst. e); (c) zur Erneuerung des Volksauftrags, wenn eine wichtige Frage bewältigt werden soll und die das Parlamentsvertrauen genießende Regierung die Auflösung vorschlägt (Art. 41 Abs. 2); (d) wenn die Aufträge an Parteivorsitzende zur Regierungsbildung erfolglos bleiben oder das Parlament der Regierung sein Mißtrauen ausspricht (Art. 37 Abs. 4, 38 Abs. 1 und 2).

Der Präsident der Republik *muß* das Parlament *auflösen,* wenn auch die dritte Abstimmung zur Wahl eines neuen Präsidenten ergebnislos bleibt (Art. 32 Abs. 4, 41 Abs. 5). Das neue Parlament kann nicht vor Abschluß eines Jahres und nicht mehrmals aus den gleichen Gründen aufgelöst werden (Art. 41 Abs. 4). Bei der vorzeitigen Auflösung des ersten unter der neuen Verfassung gewählten Parlaments im Jahre 1977 war die Erfüllung der Voraussetzungen des Art. 41 umstritten.

II. Der Präsident der Republik

1. Stellung in der Verfassung

Der Präsident der Republik nimmt in der Verfassungsordnung eine zentrale Stellung ein; bezeichnenderweise ist sein Amt in der Verfassung *vor* dem Parlament und vor der Regierung geregelt. Diese Stärke des Präsidenten (die bereits kurz dargestellt worden ist) kommt in der bisherigen Art der Führung des höchsten Staatsamtes nicht zum Ausdruck. Ihre Verfassungsgrundlage bleibt aber bestehen und kann zu jeder Zeit eine grundsätzliche Änderung des Führungsstils begründen. Die Stärke des Präsidenten wird dadurch gemildert, daß er nicht (wie etwa der französische Präsident) vom Volk unmittelbar, sondern vom Parlament für 5 Jahre gewählt wird (Art. 30). Zum Präsidenten ist wählbar, wer wahlberechtigt ist, seit mindestens fünf Jahren griechischer Staatsbürger und väterlicherseits griechischer Abstammung ist und sein vierzigstes Lebensjahr vollendet hat (Art. 31, 30 Abs. 5). Der Präsident ist politisch weder dem Volk noch dem Parlament gegenüber verantwortlich, wenn auch seine Wiederwahl vom letzteren abhängt. Eine Absetzung des Präsidenten ist nur wegen Hochverrats oder vorsätzlicher Verletzung der Verfassung im Rahmen des strafrechtlichen Anklageverfahrens möglich (Art. 49, 86; Gesetz 265/1976). Nur eine aus der Mitte des Parlaments erhobene Anklage kann das Verfahren vor dem besonderen, für Minister zuständigen Gericht einleiten.

2. Der Rat der Republik

Die neue Verfassung sieht als ein den Präsidenten beratendes Organ den *Rat der Republik* vor (Art. 39). Er besteht aus dem Ministerpräsidenten, dem Parlamentspräsidenten und dem Vorsitzenden der Hauptoppositionspartei sowie aus den früheren Präsidenten der Republik und (mit bestimmten Einschränkungen) den früheren Ministerpräsidenten. Der Rat der Republik wird vom Präsidenten der Republik ohne ministerielle Gegenzeichnung (Art. 35 Abs. 2) in allen von der Verfassung eigens vorgesehenen Fällen (Art. 37 Abs. 4 S. 1, 38 Abs. 2, 41 Abs. 1 und 4) unter seinem Vorsitz einberufen. So wird der Rat vor allem vor der Entlassung der Regierung oder der Auflösung des Parlaments angehört. Der Präsident kann ihn auch in jedem Fall anrufen, in dem er die Lage der Nation für ernst hält. Eine solche Einberufung ist 1976 an der scharfen Reaktion der Opposition gescheitert, die auf die politisch einseitige Zusammensetzung des Rats hinwies.

III. Die Regierung

1. Stellung in der Verfassung

Die vollziehende Gewalt wird durch den Präsidenten der Republik *und* die Regierung wahrgenommen. Die allgemeine Politik des Landes wird jedoch von der Regierung allein (allerdings nicht nur vom Ministerpräsidenten) bestimmt und geleitet (Art. 82 Abs. 1). Die Mitglieder der Regierung tragen für die allgemeine Politik der Regierung die kollegiale Verantwortung und können von dieser durch Auftrag des Präsidenten der Republik nicht entbunden werden (Art. 85). Vielmehr bedarf jede Handlung des Präsidenten der Gegenzeichnung durch den zuständigen Minister (Art. 35). Dennoch ist die Regierung vom Vertrauen nicht nur des Parlaments, sondern auch des Präsidenten abhängig, der sie zu jeder Zeit entlassen kann (Art. 38). Andererseits hat der Präsident der Republik den Vorsitzenden der an Parlamentssitzen stärksten Partei zum Ministerpräsidenten zu ernennen (Art. 37 Abs. 2). Er muß auch den Ministerpräsidenten entlassen, wenn diesem das Parlament das Mißtrauen ausgesprochen hat (Art. 38 Abs. 1).

Somit bedarf die Regierung des Vertrauens des Parlaments (Art. 84 Abs. 1). Auf der einen Seite ist die Regierung innerhalb von fünfzehn Tagen nach der Eidesleistung des Ministerpräsidenten verpflichtet und jederzeit berechtigt, den Vertrauensantrag zu stellen. Auf der anderen Seite kann das Parlament von sich aus der Regierung insgesamt oder auch einem einzelnen Minister sein Vertrauen entziehen. Die Verfassung enthält jedoch Verfahrensregeln, die ein leichtfertiges Mißtrauensvotum erschweren (Art. 84 Abs. 2ff).

2. Zusammensetzung

Die Regierung (auch „Ministerrat" genannt) setzt sich aus dem *Ministerpräsidenten* und den *Ministern* zusammen. Ein oder mehrere Minister können zum stellvertretenden Ministerpräsidenten ernannt werden. Die Verfassung kennt außerdem stellvertretende Minister und Minister ohne Geschäftsbereich. Die Aufgaben der letzteren werden durch Beschluß des Ministerpräsidenten, die der übrigen Minister durch Gesetz bestimmt. Schließlich sind Staatsminister („Unterminister") vorgesehen, die Mitglieder der Regierung sein können (aber nach dem Gesetz 400/1976 „über den Ministerrat und die Ministerien" es nicht sind). In der Praxis gibt es einen oder zwei Staatsminister in fast jedem Ministerium. Ihre Aufgaben werden durch gemeinsame Entscheidung des Ministerpräsidenten und des zuständigen Ministers festgelegt. Minister und Staatsminister werden auf Vorschlag des Ministerpräsidenten vom Präsidenten der Republik ernannt und entlassen (Art. 37 Abs. 1).

3. „Kleine Kabinette"

Aus der Mitte der Regierung werden Ausschüsse gegründet. Am bedeutendsten unter ihnen sind die vier gesetzlich (Gesetz 400/1976) vorgesehenen und mit wichtigen Entscheidungsbefugnissen betrauten Ausschüsse, die in der Tat „kleine Kabinette" sind:

a) Der *Regierungsausschuß* unter dem Vorsitz des Ministerpräsidenten bestimmt die zur Ausführung des Regierungsprogramms zu treffenden Maßnahmen von allgemeiner Bedeutung und beaufsichtigt und koordiniert deren Anwendung.

Die obersten Staatsorgane in Griechenland

Botschaften — Anordnung der Durchführung von Volksabstimmungen

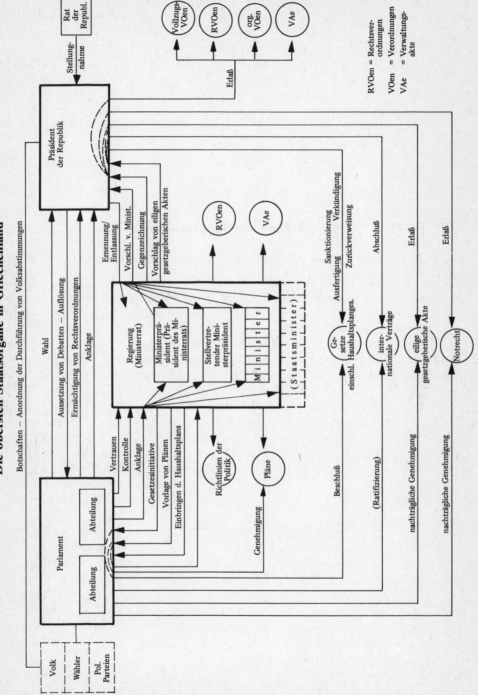

RVOen = Rechtsverordnungen
VOen = Verordnungen
VAe = Verwaltungsakte

b) Der *Wirtschaftsausschuß* unter dem Vorsitz des Koordinationsministers bestimmt alle wichtigen Wirtschaftsmaßnahmen.
c) Der *Währungsausschuß* unter dem Vorsitz des Koordinationsministers ist für alle
   Fragen der Währungs- und Kreditpolitik zuständig.
d) Der *Oberste Rat für Nationale Verteidigung* unter dem Vorsitz des Ministerpräsidenten entscheidet Verteidigungsfragen und besetzt die führenden Stellen in den
   Streitkräften. Zum Wirtschaftsausschuß und zum Währungsausschuß gehört
   auch der Präsident („Gouverneur") der Bank von Griechenland, der damit eine
   zentrale Stellung im politischen Entscheidungsprozeß einnimmt. Am Obersten
   Verteidigungsrat nimmt auch der Oberbefehlshaber der Streitkräfte teil.

E. Die Verwaltung

I. Die staatliche Verwaltung

1. Zentrale Staatsverwaltung: Ministerien, Minister, Staatsminister, Staatssekretäre

Die Verwaltung ist in die unmittelbar staatliche und die dezentralisierte unterschieden. Die Staatsverwaltung ihrerseits ist entweder zentral oder regional. Die
zentrale Staatsverwaltung gliedert sich in *Ministerien*. Die Verfassung legt weder die
Anzahl noch den Aufgabenbereich der Ministerien fest. Das Gesetz 400/1976
„Über den Ministerrat und die Ministerien" sieht folgende 19 Ministerien (in Rang-
folge) vor: Koordination, Ministerium beim Ministerpräsidenten, Auswärtiges, Verteidigung, Justiz, Inneres, Erziehung, Finanzen, Landwirtschaft, Kultur und Wissenschaft, Industrie und Energie, Handel, Arbeit, Soziales, Öffentliche Arbeiten, Verkehr, Öffentliche Ordnung, Handelsschiffahrt, Nordgriechenland. Durch das Gesetz
1032/1980 wurde ferner das Ministerium für Wohnungswesen, Raumordnung und
Umwelt errichtet. Jedes Ministerium ist in Generaldirektionen, Direktionen, Abteilungen usw. gegliedert. Manchmal umfaßt es auch selbständige (d. h. dem Minister
unmittelbar unterstehende) Ämter, wie z. B. das Amt für zivile Luftfahrt im Rahmen
des Verkehrsministeriums. Jedes Ministerium untersteht, wie bereits ausgeführt, einem *Minister,* der oft Teile seiner Aufgaben einem oder zwei *Staatsministern* dele-
giert.

Der Minister verbindet zwei Eigenschaften: Er ist erstens Mitglied der Regierung
und als solches für deren „allgemeine Politik" kollegial mit den anderen Ministern
verantwortlich; zum anderen ist er Vorsteher sämtlicher Ämter seines Ministeriums.
Er bildet also die Spitze der hierarchischen Pyramide des Ministeriums und zugleich
den Hauptzahlungsbevollmächtigten und das wichtigste Entscheidungsorgan, dessen Zuständigkeiten jeweils durch Gesetz festgelegt werden (Art. 83 Abs. 1 S. 1). Es
ist bezeichnend, daß Anfechtungsklagen nicht gegen die Griechische Republik gerichtet werden (deren Organe die Minister sind), sondern gegen die die Verwaltungsakte erlassenden Minister selbst.

Der Minister ist nicht nur das oberste Organ, sondern auch der Disziplinarvorge-
setzte sämtlicher Beamten seines Ministeriums, auch in den dekonzentrierten Be-

hörden. Er selbst ist jedoch kein Beamter und niemandem gegenüber disziplinar-rechtlich verantwortlich; er ist nur dem Ministerpräsidenten und dem Parlament gegenüber *politisch* verantwortlich (Art. 84 Abs. 2). Er haftet auch zivil- und straf-rechtlich nach Art. 86 Verf. und nach der Gesetzesverordnung 802/1971 „Über die Verantwortung der Mitglieder der Regierung und der Staatsminister". Der Minister ist eine monokratische Behörde, die in der Form des Ministerialerlasses entscheidet. Es gibt auch „gemeinsame Ministerialerlasse" von mehreren Ministern, die nicht als Mitglieder eines Kollegialorgans mehrheitlich tätig werden, sondern zusammen und einstimmig mitentscheiden.

Zwischen dem Minister (sowie den Staatsministern) und den Beamten steht der *Staatssekretär,* der ein politischer Beamter auf Widerruf ist. In jedem Ministerium (mit Ausnahme des Verteidigungsministeriums) sowie in den selbständigen Generalsekretariaten Presse und Information sowie Sport gibt es je einen Staatssekretär, der in der Regel nicht aus dem öffentlichen Dienst kommt (nur der Generalsekretär des Außenministeriums muß ein im Dienst befindlicher Botschafter sein). Er wird durch Präsidialverordnung ernannt, die durch den Ministerpräsidenten und den zuständigen Minister gegengezeichnet ist. Seine Hauptaufgabe liegt in der administrativen Leitung der Ämter und des Personals des Ministeriums.

2. Dekonzentration: Nomoi, Nomarchen

Die Staatsverwaltung ist nach Art. 101 Abs. 1 Verf. nach dem *Dekonzentrationsprinzip* aufgebaut. Sie gliedert sich (mit Ausnahme des Heiligen Berges) nach den geo-ökonomischen, gesellschaftlichen und verkehrsmäßigen Verhältnissen (Art. 101 Abs. 2) in 51 *Nomoi.* Diese Regionen besitzen (anders als die Gemeinden) keine Rechtspersönlichkeit. In jedem Nomos besteht jedoch eine als juristische Person des öffentlichen Rechts errichtete „Kasse" mit Zuständigkeiten insbesondere auf dem Gebiet der staatlichen Bauvorhaben.

Jeder Nomos ist zugleich eine administrative Einheit und ein geographisches Gebiet. Im letzteren Sinne hat er Grenzen, Bevölkerung und eine Hauptstadt; im ersteren Sinne besteht er aus Organen: seinem Leiter, dem Nomarchen (Präfekten) als allgemeinem Organ und den regionalen – besonderen – Organen der verschiedenen Ministerien. Der Nomos selbst ist kein Organ und keine Behörde. Verwaltungsakte werden also nicht vom Nomos, sondern vom Nomarchen erlassen.

Mit Ausnahme des Ministeriums für Nordgriechenland sind sämtliche regionalen Staatsorgane in Nomoi eingegliedert. Der an der Spitze des Nomos stehende Nomarch hat eine eigentümliche Stellung im griechischen Verwaltungsaufbau. Er ist erstens der Leiter des Nomos; er ist zweitens der Regierungsvertreter im Nomos. In diesen beiden Eigenschaften sorgt er für die Ausführung der Gesetze, Rechtsverordnungen und Ministerialerlasse; er hat den Vortritt gegenüber allen Zivil- und Militärbehörden des Nomos; er ist Vorgesetzter aller Zivilbehörden des Nomos mit Ausnahme der Gerichte.

Die Nomarchen sind Beamte auf Zeit mit besonderem Rechtsstatus. Sie werden durch Präsidialverordnung auf Vorschlag des Ministerrates ernannt, der aus einer Liste zu wählen hat, die ein unabhängiges Gremium (der Nomarchenrat) zusammenstellt. Von der Beurteilung des Nomarchenrates hängt auch die vorzeitige Entlassung wie die Verlängerung der Amtszeit eines Nomarchen ab. In Hinblick auf den überlieferten Zentralismus des griechischen Staates sieht die neue Verfassung (Art. 101 Abs. 17) vor, daß „die regionalen Staatsorgane... die *allgemeine Zuständigkeit* (haben), über die Angelegenheiten ihrer Region zu entscheiden", während „die zentralen Verwaltungsbehörden... neben ihren besonderen Zuständigkeiten die allgemeine Richtlinienkompetenz (haben) und... zuständig für die Koordination und die Kontrolle der Regionalorgane sind". Das Gesetz 3200/1955 betraut den Nomarchen mit einem System entscheidender und kontrollierender Zuständigkeiten. Zu den letzteren gehört vor allem die Aufsicht über die kommunale Selbstverwaltung, die allerdings auch durch die Minister (konkurrierend) ausgeübt werden kann.

II. Die örtliche Selbstverwaltung

1. Dezentralisation: örtliche Selbstverwaltungskörperschaften: Städte und Gemeinden

Nach dem *Dezentralisationsprinzip* steht die Verwaltung der örtlichen Angelegenheiten gemäß Art. 102 Abs. 1 der Verfassung den örtlichen *Selbstverwaltungskörperschaften* zu.

Die Verfassung sieht sie in zwei Stufen vor, wobei sie die Errichtung von Körperschaften zweiter Stufe dem Ermessen des Gesetzgebers anheim stellt. Der Gesetzgeber hat von dieser Möglichkeit noch nicht Gebrauch gemacht. Die örtlichen Selbstverwaltungskörperschaften sind juristische Personen des öffentlichen Rechts. Sie sind in ihrer Verwaltung selbständig (Art. 102 Abs. 2), aber (anders als nach deutschem Recht) nicht „autonom": Sie können nicht eigenes objektives Recht setzen, sie haben also keine Satzungsgewalt. Sie können jedoch zur Regelung von Fragen mit örtlichem Interesse durch Gesetz ad hoc ermächtigt werden, Rechtssätze zu erlassen (Art. 43 Abs. 2 S. 2). Das allgemeine Gemeinderecht ist in der Gesetzesverordnung 2189/1952 in der Fassung der Präsidialverordnung 933/1975 („Kommunalgesetzbuch") geregelt. Seit 1912 sind die Kommunen in Städte und Gemeinden geteilt. „Stadt" (Dimos) ist jeder Sitz eines Nomos sowie jede Stadt mit mehr als 10 000 Einwohnern. Es gibt allerdings Ausnahmen (z.B. jeder Badeort ist ein Dimos), so daß die Zahl der Dimoi unverhältnismäßig groß ist. Ähnliches gilt für die „Gemeinden": schon Siedlungen von 500 Einwohnern können als „Gemeinden" anerkannt werden, wenn sie über eine Volksschule und bestimmte finanzielle Mittel verfügen und den Antrag mindestens ¾ der Wahlberechtigten stellen. Das Dilemma der Wahl zwischen Selbstverwaltung und Effizienz wird durch den gebirgigen und insularen Charakter Griechenlands sowie die Landflucht verschärft.

2. Örtliche und staatliche Angelegenheiten

Die Verfassung betraut die Kommunen mit der Verwaltung *sämtlicher,* nicht nur bestimmter *örtlicher Angelegenheiten* (Grundsatz der Universalität). Die Aufzählung der ausschließlichen Zuständigkeiten der Kommunen im Kommunalgesetz hat insofern weder definitiven noch erschöpfenden Charakter. Die Kommunen sind ausschließlich zuständig, es sei denn, sie übertragen aus finanziellen Gründen be-

Gliederung der griechischen Verwaltung
(Beziehungen zwischen den Organen)

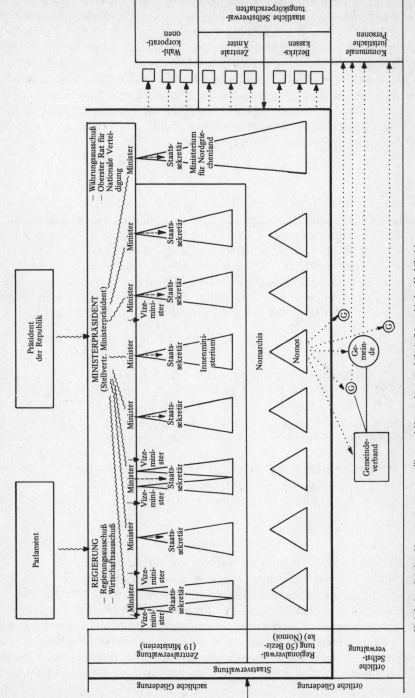

stimmte Zuständigkeiten an den Staat oder an eine andere juristische Person mit Zustimmung der letzteren, wozu sie das Gesetz ermächtigt. Im Hinblick auf die heutige
Interdependenz von nationalen und örtlichen Fragen ist es allerdings oft schwierig,
festzustellen, wann eine „*örtliche* Angelegenheit" vorliegt. Nach herrschender Meinung in Lehre und Rechtsprechung ist diese Feststellung dem Gesetzgeber überlassen. Diese Relativierung des materiellen Selbstverwaltungsbereichs der Gemeinden,
verbunden mit ihrer chronisch schlechten Finanzlage, führt zu ihrer verhältnismäßig
schwachen Stellung im griechischen Verwaltungsaufbau. – Neben ihrer unmittelbar
von der Verfassung übertragenen Zuständigkeit für örtliche Angelegenheiten kann
der Gesetzgeber den Gemeinden die Zuständigkeit zur Wahrnehmung bestimmter
staatlicher Angelegenheiten übertragen.

3. Organisation

Die *Organisation* der Gemeinden ist einfacher als die der Städte: die Gemeinde
wird (je nach Bevölkerung) durch einen 5- bis 15gliedrigen Gemeinderat unter dem
Vorsitz des Gemeindevorsitzenden verwaltet. Die Stadt wird durch den 9- bis
31gliedrigen Stadtrat, den 3- bis 5gliedrigen Stadtausschuß und den Dimarchen
(Bürgermeister) verwaltet. Alle diese Kommunalorgane werden in allgemeiner und
geheimer Wahl alle vier Jahre gewählt. Der Stadtrat und der Gemeinderat haben allgemeine, die anderen Organe besondere Zuständigkeiten. Der Gemeindevorsit-
zende und der Dimarch sind Vorschlags- und vor allem Vollzugsorgane.

4. Finanzen

Die Verfassung gebietet die Sicherstellung der Finanzmittel, die zur Erfüllung der
Aufgaben der örtlichen Selbstverwaltungskörperschaften erforderlich sind (Art. 102
Abs. 6). Das Gesetz sieht ordentliche und außerordentliche Einnahmen sowie obli-
gatorische und nicht obligatorische Ausgaben vor. Sämtliche Einnahmen und Aus-
gaben sind in den jährlichen Haushalt einzusetzen, der durch den Gemeinde- bzw.
Stadtrat beschlossen und vom Nomarchen auf seine Gesetzmäßigkeit hin geprüft
wird. Der Nomarch setzt von Amts wegen obligatorische Ausgaben sowie, sofern die
Einnahmen nicht ausreichen, höhere oder neue Einnahmen in den Haushalt ein.
Gegen diese Entscheidung ist die Anfechtungsklage vor dem Staatsrat zulässig.

5. Staatsaufsicht

Die Kommunen sind in ihrer Verwaltung selbständig (Art. 102 Abs. 5 S. 1). Sie unterstehen jedoch der Aufsicht des Staates, der sog. Verwaltungsaufsicht, die allerdings deren „Initiative und freie Tätigkeit" nicht hindern darf (Art. 102 Abs. 5 S. 1).
Die staatliche Kommunalaufsicht betrifft grundsätzlich allein die Gesetzmäßigkeit
und nur in gesetzlich vorgesehenen Ausnahmen auch die Zweckmäßigkeit von
Kommunalmaßnahmen. Sie kann entweder (vor allem bei finanzieller Belastung der
Kommune) präventiv oder repressiv sein und wird in der Regel durch die Nomarchen, ausnahmsweise auch durch den Innenminister bzw. den Fachminister wahrgenommen.

Jeder Kommunalwähler und jeder Betroffene kann den Nomarchen zur Wahrnehmung der Kommunalaufsicht auffordern und Rechtshandlungen des Stadt- oder Gemeinderates vor dem Staatsrat anfechten. Das griechische Recht kennt auch eine *„disziplinarrechtliche Verantwortung"* der gewählten Kommunalorgane, die bis zur Entfernung aus dem Amt reichen kann. Sie kann entweder automatisch in den gesetzlich vorgesehenen Fällen eintreten (z.B. bei Verurteilung zu bestimmten Strafen) oder aber sonst nur nach der zustimmenden Stellungnahme eines mehrheitlich mit Richtern besetzten Rates verhängt werden (Art. 106 Abs. 5 S. 2 Verf.).

III. Besondere Selbstverwaltung

1. Juristische Personen des öffentlichen Rechts

Neben der allgemeinen örtlichen Selbstverwaltung gibt es auch eine *besondere* Selbstverwaltung, die sich auf bestimmte, jeweils unterschiedliche Aufgaben bezieht. In Griechenland sind ihre Rechtsformen die juristische Person des öffentlichen Rechts, die öffentliche Unternehmung, die gemischte Unternehmung und der „beliehene" Unternehmer.

Zu den *juristischen Personen des öffentlichen Rechts* gehören einerseits verwaltungsmäßig verselbständigte Träger von Staatsaufgaben (z.B. die Hochschulen oder die Sozialversicherungsanstalt) und andererseits Träger beruflicher Selbstversicherung bzw. Selbstverwaltung (z.B. die Anwaltsvereine). Die letztere Gruppe ist administrativ und finanziell am selbständigsten.

2. Öffentliche Unternehmungen

Besonders häufig ist die Rechtsform der *öffentlichen* (meist staatlichen, aber auch städtischen) *Unternehmung,* die als juristische Person des privaten Rechts organisiert ist. Wo früher (oft aus Mangel an öffentlichen Mitteln) private und „beliehene" Unternehmer tätig waren (z.B. im Bereich der Elektrizitäts- oder Wasserversorgung), gibt es nun öffentliche Unternehmungen. Insbesondere in den letzten Jahren hat sich die Praxis verbreitet, öffentliche Verwaltungseinheiten, die Teile der (unmittelbaren) Staatsverwaltung oder juristische Personen des öffentlichen Rechts waren (z.B. Post, Rundfunk), in die Form einer juristischen Person des Privatrechts zu überführen (gewöhnlich AG mit dem Staat als Alleinaktionär). Neue selbständige Träger der Regierungspolitik werden von Beginn an als „öffentliche Unternehmungen" in privatrechtlicher Form errichtet. Die Gründe, die zu dieser Entwicklung geführt haben, weisen auf grundsätzliche Nachteile (vor allem Schwerfälligkeiten) der öffentlichen Verwaltungsorganisation und Finanzkontrolle hin. Die *Flucht aus dem öffentlichen Dienst* stellt die Frage nach den Bindungen des öffentlichen Rechts. Da der Staatsrat den Begriff der Verwaltung organisatorisch (und nicht funktional) versteht, nimmt er sämtliche Rechtshandlungen dieser umgestalteten Träger der Staatspolitik aus dem begrifflichen Bereich des Verwaltungsaktes heraus, was zum Ergebnis hat, daß eine verwaltungsgerichtliche Kontrolle nicht mehr zulässig ist.

IV. Grundprinzipien der Verwaltungstätigkeit

1. Gesetzmäßigkeit der Verwaltung

Das Verwaltungsverfahren ist in Griechenland nicht kodifiziert. Es wird aber durch Rechtsprinzipien gekennzeichnet, die in Lehre und Rechtsprechung ausgebildet wurden und nun in der Verfassung ihren Niederschlag gefunden haben. Die *Gesetzmäßigkeit der Verwaltung* ist Ausdruck des auch im griechischen Recht geltenden Rechtsstaatsprinzips. Er ergibt sich darüber hinaus aus der Vorschrift des Art. 50 der Verfassung, der besagt: „Der Präsident der Republik hat nur die Zuständigkeiten, die ihm die Verfassung und die ihr gemäßen Gesetze ausdrücklich verleihen." Die Bestimmung wurde aus der belgischen Verfassung von 1831 übernommen und befindet sich in allen griechischen Verfassungstexten seit 1864. Sie bezieht sich nicht allein auf den Präsidenten der Republik (in früheren Verfassungen: auf den König), sondern auf die vollziehende Gewalt im allgemeinen (vgl. auch Art. 83 Verf.). Die Gesetzmäßigkeit der Verwaltung umfaßt auch die *Verfassungsmäßigkeit.* Dies ergibt sich aus der Spitzenposition der Verfassung in der Normenhierarchie, aber auch aus der grundsätzlichen Verfassungstreuepflicht der Beamten (Art. 103 Abs. 1; vgl. Art. 120 Abs. 2 und 4). Der Staatsrat nahm allerdings bis zur Einführung der Verfassung von 1975 ein *Notrecht* an, das über dem positiven Recht stehe und sich durch das öffentliche Interesse legitimiere. Da jedoch die neue Verfassung besondere Zuständigkeiten und Verfahren für den Notfall vorsieht (Art. 48), hat das extrakonstitutionelle Notrecht weder eine demokratische Legitimation noch eine praktische Rechtfertigung mehr.

Mit der doppelten Ausnahme der bisherigen Annahme eines Notrechts und einer weiten Auslegung des öffentlichen Interesses neigt die Rechtsprechung des Staatsrats zu der strengen Auffassung, daß ein nicht im Gesetz begründeter Verwaltungsakt nicht rechtmäßig ist (z. B. Urteil 1603/64).

2. Verwaltungsermessen

Verwaltungsermessen wird in der ständigen Rechtsprechung des Staatsrats immer angenommen, wenn das Gesetz für den Einzelfall keine eindeutige und verbindliche Verwaltungsverpflichtung vorsieht (so schon Urteil 97/29 und viele spätere Entscheidungen). Dem Ermessen sind durch das Verbot des Ermessensmißbrauchs (détournement de pouvoir) Schranken gesetzt. Neben den jeweils im Gesetz vorgesehenen besonderen, gibt es auch allgemeine Ermessensschranken, die sich aus den allgemeinen Rechtsgrundsätzen oder (nunmehr meistens) unmittelbar aus der Verfassung ergeben. Der Staatsrat spricht oft vom Grundsatz der „guten Verwaltung", ebenso wie vom Vorrang des öffentlichen Interesses. Er mißt aber die Ermessenstätigkeit auch an den Prinzipien der Gleichheit und der Unparteilichkeit der Verwaltung. In seiner Rechtssprechung finden sich gleichfalls Ansätze einer Bindung des Verwaltungsermessens an den Grundsatz der Verhältnismäßigkeit und an den Grundsatz von Treu und Glauben.

3. Der Begriff des Verwaltungsaktes

Nach dem Vorbild des französischen Verwaltungsrechts umfaßt der griechische *Begriff des Verwaltungsaktes* nicht nur Individualakte, sondern auch Rechtsverordnungen (nicht aber auch öffentlich-rechtliche Verträge). Die Unterschiede zwischen diesen beiden Rechtshandlungen der Verwaltung sind jedoch auch im griechischen Recht erheblich und zahlreich, so daß eine Unterscheidung auch terminologisch erforderlich wäre. Auch nimmt der Staatsrat einen Verwaltungsakt nur dann an (und hält infolge dessen eine Anfechtungsklage für zulässig), wenn er von der Verwaltung im organisatorischen (nicht auch funktionalen) Sinn erlassen worden ist. Angesichts der bereits erwähnten zunehmenden Neigung in den vergangenen beiden Jahrzehnten, unmittelbar staatliche oder selbstverwaltete Verwaltungseinheiten (wie die Post oder den Rundfunk) in Aktiengesellschaften mit dem Staat als Alleinaktionär umzugestalten oder die Träger staatlicher Aufgaben in dieser Form zu organisieren, wird die überlieferte Rechtsprechung des Staatsrates als formalistisch kritisiert.

4. Begründungs- und Anhörungszwang

Zu dem bisherigen grundsätzlichen Erfordernis der *Begründung* des (individuellen) Verwaltungsaktes tritt jetzt, gemäß dem neuen Art. 20 Abs. 2 Verf. das Erfordernis der *Anhörung des Beteiligten* hinzu. Die zu allgemeine Formulierung der Verfassung wird allerdings in der jüngsten Rechtsprechung des Staatsrates einer einengenden Auslegung unterzogen (Urteil 1905/75).

5. Nichtige und aufhebbare Verwaltungsakte

Obwohl theoretisch bekannt, hat die Unterscheidung zwischen *nichtigen* und *aufhebbaren* Verwaltungsakten in der Praxis keine große Bedeutung. Die Rechtsprechung des Staatsrates geht von der Regel der bloßen Aufhebbarkeit aus, die freilich der 60-Tage-Frist zur Erhebung einer Anfechtungsklage untersteht. Eine gesetzliche Liste der Nichtigkeitsfälle besteht nicht.

6. Rücknahme und Widerruf

Die *Rücknahme* eines rechtswidrigen, belastenden Verwaltungsaktes ist stets möglich und in einigen Fällen sogar geboten. Ist der rechtswidrige individuelle Verwaltungsakt begünstigend, so ist seine Rücknahme nur innerhalb einer „angemessenen" Zeit zulässig, es sei denn, daß die Rechtswidrigkeit auf das vorsätzliche Verhalten des Betroffenen zurückgeht oder die Rücknahme im öffentlichen Interesse geboten ist. Das Notgesetz 261/68 sieht vor, daß die angemessene Zeit „nicht kürzer als fünf Jahre ist" und daß die Rücknahme „ohne jegliche Folge" für den Staat erfolgt. Es ist zweifelhaft, ob dieser pauschale Haftungsausschluß mit der wohl nicht nur prozessual zu verstehenden Gewährleistung des Rechtswegs laut Art. 20 Abs. 1 Verf. vereinbar ist.

Der *Widerruf* fehlerfreier (individueller) Verwaltungsakte ist bei belastenden Akten stets möglich, bei begünstigenden jedoch nur bei Widerrufsvorbehalt im Verwaltungsakt oder im Gesetz oder wenn der Widerruf aus Gründen des öffentlichen Interesses geboten ist.

7. Der öffentliche Vertrag

Die Rechtsfigur des *öffentlich-rechtlichen Vertrags* ist auch im griechischen Recht bekannt, wenn auch die Praxis den Erlaß von Verwaltungsakten vorzieht. Wie beim Verwaltungsakt wird auch hier grundsätzlich das organisatorische, nicht das funktionale Kriterium angewandt, obwohl der Areopag den Abschluß von öffentlich-rechtlichen Verträgen zwischen einem Privaten und einer „gemeinnützigen Organisation", wie z. B. einer öffentlichen Unternehmung bejaht (Urteil 727/69). Auf öffentlich-rechtliche Verträge finden die im griechischen BGB enthaltenen allgemeinen Grundsätze des Vertragsrechts sinngemäß Anwendung. Zuständig sind die Zivilgerichte, es sei denn (wie in der Regel), der Vertrag enthält eine Schiedsklausel. Bestimmte öffentlich-rechtliche Verträge bedürfen der Genehmigung durch einen Verwaltungsakt; die wichtigsten unter ihnen bedürfen der gesetzlichen Ratifizierung. Weder die Genehmigung noch die Ratifizierung ändern etwas an der Rechtsnatur des Vertrags und der darin enthaltenen Ansprüche.

Im Fall des unübersehbaren Wandels der Verhältnisse kann nach Art. 388 des griechischen BGB die Anpassung oder Lösung eines Vertrags beantragt werden (vor den Zivilgerichten), wobei das öffentliche Interesse bei den öffentlich-rechtlichen Verträgen einen zusätzlichen Maßstab darstellt. Anders als in der Bundesrepublik Deutschland herrscht in der griechischen Lehre und Rechtsprechung die französische Theorie von der Wandelbarkeit (mutabilité) des öffentlich-rechtlichen Vertrags, d. h. dessen einseitige entschädigungslose Änderung oder Kündigung durch Gesetz oder aufgrund eines bestehenden Gesetzes. Diese Theorie läßt sich jedoch mit dem erweiterten Enteignungsbegriff der neueren Verfassung kaum vereinbaren.

8. Staatshaftung

Die *Staatshaftung* für hoheitliches Unrecht ist nach griechischem Recht unmittelbar, primär und objektiv. Sie besteht grundsätzlich nur bei rechtswidrigem Schaden. Nach der im Einführungsgesetz zum griechischen BGB enthaltenen Regelung (Art. 105 und 106) genügt im Rahmen der hoheitlichen Verwaltung die (objektive) Rechtswidrigkeit; die (subjektive) Schuld des als Organ Handelnden wird nicht gefordert. Der verletzte Rechtssatz soll jedoch nicht (hauptsächlich) dem öffentlichen Interesse dienen.

Eine persönliche *Beamtenhaftung* besteht nur dem Staat gegenüber und nur bei vorsätzlichem oder grob fahrlässigem Verhalten, das einen positiven Schaden verursacht hat. Zuständig sind die Zivilgerichte.

9. Enteignung

Nach überlieferter Rechtsprechung und trotz der Kritik in der Lehre beschränkt sich der Eigentumsschutz in der griechischen Verfassung (Art. 17) auf dingliche Rechte; er deckt Forderungen nicht. Infolge dessen wird eine entschädigungspflichtige *Enteignung* nur bei Eingriffen in dingliche Rechte bejaht, während entschädigungslose Eingriffe des Gesetzgebers in Forderungen in der Rechtsprechung für verfassungsmäßig gehalten worden sind. Nicht zuletzt auf Grund dieses beschränkten Eigentumsschutzes enthielt die Verfassung von 1952 eine besondere Garantieklausel für ausländische Investitionen in Griechenland (Art. 112).

Der beschränkte Eigentumsschutz ist aber mit der neuen Verfassung, die z. B. den Zwangskauf von Unternehmungen (als solchen, nicht nur deren Immobilien) oder die Zwangsbeteiligung des Staates an ihnen besonders regelt (Art. 106 Abs. 3−5), kaum vereinbar. Auf jeden Fall hat der Begriff des verfassungsrechtlich geschützten Eigentums nicht den weiten Sinn, den ihm Lehre und Rechtsprechung in der Bundesrepublik geben.

Die neue Verfassung bekennt sich allerdings ausdrücklich zur Sozialbindung des Eigentums (Art. 17 Abs. 1; vgl. Art. 18, 24, 117 Abs. 3 und 4 sowie Gesetz 360/76 über Raumordnung und Umwelt). Die Enteignung ist nur zulässig, wenn sie zum öffentlichen Nutzen erfolgt, gesetzlich vorgesehen ist und nur gegen vorher bezahlte volle, von den Zivilgerichten zu bestimmende Entschädigung. Das Enteignungsverfahren ist im Gesetz 797/1971 geregelt. Neben der „Hauptenteignung" sieht jedoch die Verfassung mehrere Sonderfälle vor, so daß die systematische Einheit des Rechtsinstituts der Enteignung nur bedingt gegeben ist.

V. Der öffentliche Dienst

1. Beamte und Beamtenrecht

Zum öffentlichen Dienst im engeren Sinne des Wortes werden nur die *Beamten* des Staates, d. h. das öffentlich-rechtlich beschäftigte Personal der (unmittelbaren) Staatsverwaltung gerechnet. Im weiteren Sinne gehören auch die Beamten der juristischen Personen des öffentlichen Rechts hierzu, unter denen die Kommunalbeamten eine besondere Gruppe ausmachen. Dementsprechend gibt es drei Zweige des *Beamtenrechts*. In allen Fällen handelt es sich um öffentliches Recht, das sich vom privaten Arbeitsrecht unterscheidet. Das Recht der Staatsbeamten (mit einigen Ausnahmen, z. B. der diplomatischen Beamten) ist im Beamtengesetz 1811/1951 in der Fassung der Präsidialverordnung 611/1977 geregelt. Dieses Gesetz findet auch auf die meisten Beamten der juristischen Personen des öffentlichen Rechts Anwendung. Für die Kommunalbeamten ist das Kommunalbeamtengesetz 1726/1951 in der Fassung der Gesetzesverordnung 1140/1972 maßgebend.

Neben den Beamten gibt es auch vertraglich beschäftigte *Angestellte* („Vertragsbeamte") und *Arbeiter*. Obwohl hoheitliche Aufgaben in der Regel (ohne daß es ein verfassungsrechtliches Gebot gibt) von Beamten wahrgenommen werden, gibt es auch viele Ausnahmen. In manchen Ministerien, vor allem im Koordinationsministerium (das die gesamtwirtschaftliche Politik plant und koordiniert) sind viele Wissenschaftler aufgrund von Privatverträgen mit hohem Rang und nicht nur kurzfristig tätig. Diese Ausnahme ist in der Verfassung vorgesehen (Art. 103 Abs. 3). Die in den öffentlichen Unternehmungen Beschäftigten sind stets Angestellte. Die rechtlichen (wie auch die finanziellen) Unterschiede zwischen Angestellten und Beamten werden ständig angeglichen. Für die Angestellten gelten das Arbeitsrecht und die (davon eventuell abweichenden) Beschäftigungsbedingungen, also grundsätzlich nicht das Beamtenrecht. Einige Regeln des Beamtenrechts sind jedoch auch auf Angestellte der öffentlichen Unternehmungen anwendbar; so betreffen z. B. die Beschränkungen des Streikrechts auch die Angestellten von „Unternehmen von öffentlichem Charakter oder gemeinen Nutzen, deren Tätigkeit für die Gesamtheit der Bevölkerung lebenswichtig ist" (Art. 23 Abs. 2 Unterabs. 2).

2. Beamtenernennung

Das *Beamtenverhältnis* ist auch nach griechischem Recht ein öffentlich-rechtliches Dienst- und Treueverhältnis. Es wird durch die *Ernennung* und deren Annahme durch den Ernannten begründet. Die Ernennung erfolgt durch Präsidialverordnung bzw. Ministerialerlaß. An den Betroffenen wird die Forderung gestellt, innerhalb von 30 Tagen den Diensteid zu leisten und den Dienst aufzunehmen. Mit der Eidesleistung gilt die Ernennung als angenommen (Art. 57 Beamtenges.). Grundsätzliche Voraussetzungen der Ernennung sind einerseits das Vorhandensein einer Planstelle (Art. 103 Abs. 1 Verf.) und die griechische Staatsangehörigkeit, andererseits die Vollendung des 21. Lebensjahres. Zum Beamten wird nicht ernannt, wer in den Gemeindelisten nicht eingetragen ist, den Wehrdienst nicht geleistet hat (oder von ihm nicht rechtmäßig befreit worden ist), zu bestimmten Strafen verurteilt oder entmündigt ist, unter Vormundschaft steht, nicht gesund ist oder das einem Beamten anstehende ,,Ethos" nicht besitzt; damit sind die Ideologien, die den gewaltsamen Sturz des bestehenden politischen oder sozialen Systems bezwecken, unvereinbar (Art. 17–25, 70 Abs. 2 Beamtenges.).

Die Beamtenstellen werden durch Ausschreibung besetzt. Die Prüfung bezweckt die Feststellung der fachlichen Befähigung des Bewerbers (Art. 28 Beamtenges.).

3. Beamtenpflichten

Zu den grundsätzlichen *Beamtenpflichten* gehört die Treue zur Verfassung und zum Vaterland (Art. 103 Abs. 1 Verf.), die rechtmäßige Ausführung der Beamtenaufgaben, die Gehorsamspflicht, die Amtsverschwiegenheit, die Dienstleistung unter beschränktem Koalitions- und Streikrecht (Art. 12 und 23 Verf.; Gesetz 643/1977), die Beschränkung der politischen Tätigkeit, die gute Amtsführung, die Prüfung bzw. Offenlegung wirtschaftlicher Verhältnisse. Neben diesen Grundpflichten gibt es auch verschiedene Einschränkungen und Inkompatabilitäten wirtschaftlicher Art sowie die beschränkte vermögensrechtliche Haftung des Beamten. Die Ahndung von Pflichtverletzungen ist in einem besonderen *Disziplinarrecht* vorgesehen (Art. 205–247 Beamtenges.).

4. Unwählbarkeit und Einschränkung der politischen Tätigkeit der Beamten

Höhere Beamte sowie Angestellte von öffentlichen oder gemeinnützigen Unternehmungen dürfen weder als Bewerber in einer *Parlamentswahl* aufgestellt, noch zu Abgeordneten in einem Wahlkreis gewählt werden, in welchem sie in den drei Jahren vor den Wahlen mehr als drei Monate Dienst geleistet haben (Art. 55 Abs. 3). Im übrigen können sämtliche Beamte (mit Ausnahme der Hochschulprofessoren) sowie Angestellte von öffentlichen Unternehmungen nur als Bewerber aufgestellt oder zu Abgeordneten gewählt werden, wenn sie *vor* der Aufstellung schriftlich zurücktreten. Ihre Wiedereinstellung ist vor Ablauf eines Jahres nach dem Rücktritt verboten.

Besonderheiten weist die *Einschränkung der politischen Tätigkeit* der Angehörigen des öffentlichen Dienstes auf. Die Verfassung (Art. 29 Abs. 3) unterscheidet zwischen Richtern und Staatsanwälten, den Soldaten, den Angehörigen der Streitkräfte und der Polizei sowie den Staatsbeamten einerseits und den Bediensteten der juristischen Personen des öffentlichen Rechts, einschließlich der örtlichen Selbstverwaltungskörperschaften und den öffentlichen Unternehmungen andererseits. Für die erste Gruppe enthält die Verfassung ein absolutes Verbot jeder „Kundmachung zugunsten einer politischen Partei". Der zweiten Gruppe ist dagegen nur verboten, „sich zugunsten einer Partei aktiv zu betätigen". Zuwiderhandlungen gegen diese Verbote werden in Art. 206 Abs. 1 Beamtenges. als Dienstvergehen bezeichnet. Das Beamtengesetz (in seiner Fassung von 1977) wiederholt in Art. 77 Abs. 1 die Verbote der Verfassung und verbietet darüber hinaus für *alle* Angehörigen des öffentlichen Dienstes (auf die es Anwendung findet) die „öffentliche Kritisierung der Handlungen der Regierung oder ihrer vorgesetzten Behörden in einer Art, die Mangel an Objektivität durch den bewußten Gebrauch von unbegründeten Argumenten oder des gebotenen Respekts zeigt". Wissenschaftliche Kritik fällt nach der Rechtsprechung des Staatsrates in dieses Verbot nicht, noch bedarf sie der vorherigen Genehmigung (Urteile 1048/1975, 595/1977).

5. Beamtenrechte

Zu den *Beamtenrechten* (Art. 87ff. Beamtenges.) gehören ihre Berufung auf Lebenszeit (die durch die Verfassung selbst gewährleistet ist: Art. 103 Abs. 4 und 5), ihr Recht auf Dienst- und Fürsorgebezüge sowie auf Urlaub. Auch hat der Beamte das Recht auf Einsicht in seine Personalakten, damit er gegebenenfalls Beschwerde einlegen kann (vgl. Art. 128 Abs. 3 Beamtenges.).

6. Veränderung und Beendigung des Beamtenverhältnisses

Das Beamtenverhältnis wird vor allem durch Versetzung des Beamten innerhalb des Amtsbereichs desselben oder eines anderen Dienstherren, durch Abordnung oder durch Beförderung *verändert.* Bei Versetzung und Beförderung wirkt der Personalrat („Dienstrat") mit.

Das Beamtenverhältnis *endet* durch Tod, Absetzung (durch Verurteilung zu bestimmten Strafen oder Verlust der griechischen Staatsangehörigkeit), Annahme der Rücktrittserklärung und Entlassung des Beamten. Die Entlassung ist nur aus bestimmten, im Beamtengesetz erschöpfend angegebenen Gründen zulässig (Art. 257): als Disziplinarstrafe wegen bestimmten Verhaltens des Beamten, wegen körperlicher oder geistiger Dienstunfähigkeit, wegen Auflösung der Beschäftigungsbehörde oder Stelle, wegen Erreichens der Altersgrenze (des 65. Lebensjahres) und wegen Vollendung von 35 Dienstjahren, aber nicht vor Vollendung des 56. Lebensjahres. Zur Beendigung des Beamtenverhältnisses wird eine Präsidialverordnung bzw. ein Ministerialentscheid erlassen, die in der Regierungszeitung veröffentlicht und mit ihrer Zustellung an den betroffenen Beamten wirksam wird (Art. 267 Beamtengesetz).

7. Rechtsschutz der Beamten

Der *Rechtsschutz* im Beamtenverhältnis ist sowohl verwaltungsintern als auch gerichtlich. Zum ersteren gehört der Antrag auf Streichung von unwahren Feststellungen in den Personalakten oder deren Berichtigung (Art. 128 Abs. 3 Beamtenges.), die Berufung vor dem Dienstrat gegen Verhängung einer Disziplinarstrafe (Art. 243

Beamtenges.) oder der Widerspruch gegen Feststellungen der Gesundheitsausschüsse (Art. 14, 11 Beamtenges.). Der gerichtliche Rechtsschutz findet für die höheren Beamten vor dem Staatsrat (Verwaltungsgerichtshof) statt (Art. 103 Abs. 4 Unterabs. 2 Verf.; Art. 216, 222, 244 Beamtenges.), der in der Sache entscheidet und den angefochtenen Akt nicht zum Nachteil des Beschwerdeführers ändern kann (Art. 3 und 244 Abs. 5 Beamtenges.). Für die mittleren und unteren Beamten sind die Verwaltungsgerichte zweiter Instanz zuständig (Gesetz 702/1977).

F. Kontrolle der Verwaltung und Rechtsschutz

Die griechische Verwaltung wird der Selbstkontrolle, der parlamentarischen Kontrolle und der gerichtlichen Kontrolle unterzogen. Eine Kontrolle durch Parlamentsbeauftragte ist nicht vorgesehen.

I. Die Verwaltungsselbstkontrolle

Die Kontrolle von Verwaltungsorganen durch andere Verwaltungsorgane ist von verschiedener Art. Wenn sie im Rahmen des hierarchischen Dienstverhältnisses innerhalb der staatlichen (zentralen oder regionalen) Verwaltung oder im Rahmen einer juristischen Person des öffentlichen Rechts ausgeübt wird, bezeichnet man sie als „hierarchische Kontrolle". Das Gesetz sieht manchmal besondere Kontrollorgane außerhalb des hierarchischen Verhältnisses vor, die die sog. „rechtsmittelähnlichen (also förmlichen) Beschwerden" entscheiden. Wenn schließlich die staatliche Verwaltung die Selbstverwaltung kontrolliert, so spricht man von der staatlichen oder „Verwaltungsaufsicht". Als eine wichtige Art der Verwaltungskontrolle bleibt endlich die Finanzkontrolle zu erwähnen.

1. Hierarchische Kontrolle

Aus dem hierarchischen Verhältnis zwischen vorgesetztem und untergeordnetem Organ ergibt sich die Zuständigkeit des ersteren, das letztere zu kontrollieren; in diesem Fall spricht man von der *hierarchischen Kontrolle*. Dieser Kontrolle unterstehen sämtliche Verwaltungsorgane mit Ausnahme des Präsidenten der Republik, des Ministerpräsidenten, der Minister und der Staatsminister sowie der Kollegialorgane (die in die Organ-Hierarchie nicht eingeordnet sind) und der meisten Finanzbehörden. Diese Organe unterstehen nur der gerichtlichen Kontrolle.

Die hierarchische Kontrolle umfaßt stets die Rechtmäßigkeit des Verhaltens des untergeordneten Organs *(Rechtmäßigkeitskontrolle)*. Gewöhnlich jedoch betrifft die hierarchische Kontrolle auch die Zweckmäßigkeit der Handlung *(Zweckmäßigkeitskontrolle)*. Die Unterscheidung zwischen diesen beiden Formen der Kontrolle ist in der Praxis nicht immer leicht.

2. Rechtsmittelähnliche Verwaltungsbeschwerden

Die Kontrolle kann durch Ausübung des allgemeinen Petitionsrechts angeregt werden (Art. 10 Verf.; Gesetzesverordnung 796/1971). Sieht das Gesetz eine Beschwerdemöglichkeit ausdrücklich vor und bestimmt es eine Frist zu ihrer Erhebung und die Möglichkeit einer materiellen Nachprüfung, so spricht man von einer *„rechtsmittelähnlichen Beschwerde"*. Dieser förmliche Widerspruch kann nicht zur reformatio in peius führen. Ihre Ausübung stellt eine Zulässigkeitsvoraussetzung der Anfechtungsklage vor dem Staatsrat dar (Art. 45 Abs. 2 Gesetzesverordnung 170/1973).

3. Verwaltungsaufsicht

Gegenüber den Selbstverwaltungseinheiten übt der Staat eine beschränkte Kontrolle, die *Verwaltungsaufsicht,* die sich nur ausnahmsweise (wenn auch in der Praxis nicht selten) auf die Zweckmäßigkeit der Handlungen erstreckt. Während innerhalb der unmittelbaren staatlichen Verwaltung ein In-sich-Prozeß in der Regel nicht zulässig ist, ist ein Prozeß zwischen der staatlichen Aufsichtsbehörde und der beaufsichtigten Selbstverwaltungseinheit in der Regel zulässig.

4. Finanzkontrolle

Eine besondere Art der Verwaltungsselbstkontrolle ist die *Finanzkontrolle.* Diese Kontrollform betrifft die öffentlichen Ausgaben und Rechnungen und wird vom Fachminister oder Nomarchen, dem Finanzminister und dem Rechnungshof ausgeübt. Im letztgenannten Fall erfolgt sie unter Garantien richterlicher Unabhängigkeit.

II. Die parlamentarische Kontrolle

Die parlamentarische Kontrolle der Verwaltung stellt eine der wichtigsten Aufgaben des Parlaments dar. Da das Parlament keine Kontrollgewalt über das Verwaltungspersonal hat, richtet sich die parlamentarische Kontrolle an die Regierung als Kollegium oder auch an einzelne Minister, die vom Vertrauen des Parlaments abhängig sind. Die politische Verantwortung der Minister umfaßt auch das Verhalten der Organe und Beamten ihrer Ministerien sowie – im Rahmen der Verwaltungsaufsicht – der Selbstverwaltungseinheiten, selbst wenn sie in Formen des Privatrechts organisiert und tätig sind. Die parlamentarische Kontrolle wird vom Parlament mindestens zweimal wöchentlich ausgeübt (Art. 70 Abs. 6 Verf.). Die Geschäftsordnung des Parlaments sieht verschiedene Verfahren vor, im Rahmen derer und mit unterschiedlichem Intensitätsgrad die parlamentarische Kontrolle durchgeführt wird.

III. Gerichtliche Kontrolle

1. Verwaltungsgerichtsbarkeit, Gerichtsschutzgeneralklausel

Die gerichtliche Kontrolle der Verwaltung wurde in Griechenland bereits in den ersten Jahren nach der Gründung des neugriechischen Staates besonderen *Verwaltungsgerichten* anvertraut: dem Rechnungshof (1833), dem Staatsrat und den erst-

und zweitinstanzlichen Gerichten (1838). Die Verwaltungsgerichtsbarkeit wurde jedoch mit dem Absolutismus König Ottos in Verbindung gebracht und durch die Verfassung von 1844 abgeschafft, die das System der einheitlichen Gerichtsbarkeit einführte. Dies System wurde in den Verfassungen von 1864, 1911 und 1927 grundsätzlich beibehalten. Die beiden letzteren Verfassungen sahen jedoch die Gründung eines *Staatsrates* nach dem Vorbild des französischen Conseil d'État vor. Dieser Gerichtshof wurde durch das Gesetz 3713/1928 gegründet und nahm seine Tätigkeit 1929 auf.

Die Verfassung von 1975 sieht neben der „politischen" (ordentlichen) eine *vollausgebaute Verwaltungsgerichtsbarkeit* vor. Außerdem errichtet sie den *Obersten Sondergerichtshof* und betraut ihn mit einigen der Aufgaben eines Verfassungsgerichts (siehe oben).

Eine wichtige Neuerung der Verfassung von 1975 bringt Art. 20 Abs. 1, wonach „jeder... das Recht auf Rechtsschutz durch die Gerichte (hat) und ... vor ihnen seine Rechte oder Interessen nach Maßgabe der Gesetze geltend machen" kann. Zwar bringt diese *Gerichtsschutzgeneralklausel* keine radikale Änderung der Rechtslage, da auch nach bisherigem Recht jeder Verwaltungsakt vor dem Staatsrat anfechtbar war. Ausnahmen von dieser Regel, wie vor allem nach der Theorie der sog. „Regierungsakte", die auch im Gesetz (Art. 45 Abs. 6 Gesetzesverordnung 170/1973) zu finden sind, sind jedoch mit Art. 20 Abs. 1 Verf. nicht mehr in Einklang zu bringen. Im übrigen ist der materielle Gehalt dieser Generalklausel in Lehre und Rechtsprechung noch nicht erschlossen worden.

2. Rechtsmittel vor dem Staatsrat, insbesondere: der „Aufhebungsantrag"

Die Rechtsmittel vor dem Staatsrat sind der „Aufhebungsantrag" gegen einen Verwaltungsakt oder die rechtswidrige Untätigkeit der Verwaltung, der Revisionsantrag gegen Entscheidungen von Verwaltungsgerichten und der Antrag auf Entscheidung von materiellen Verwaltungsstreitigkeiten, die die Verfassung und die Gesetze dem Staatsrat zugewiesen haben, wie z.B. die sog. Beamtenbeschwerde (s.o.).

Die Hauptverwaltungsklage vor dem Staatsrat ist der *Aufhebungsantrag*. Seine Ausgestaltung folgt dem französischen *recour pour excès* de pouvoir vor dem *Conseil d'État*. Im Sinne des deutschen Verwaltungsprozeßrechts ist er zugleich Anfechtungs- und Verpflichtungsklage.

Der Aufhebungsantrag ist nur *zulässig,* wenn:
a) er sich gegen einen individuellen Verwaltungsakt oder eine Rechtsverordnung (also nicht ein formelles Gesetz) richtet;
b) ein anderes Rechtsmittel nicht gegeben oder der vorgesehene Rechtsweg erschöpft ist;
c) der gesetzlich vorgesehene Widerspruch (rechtsmittelähnliche Beschwerde) eingelegt und abgelehnt worden ist (dann wird der ablehnende Widerspruchsbescheid angefochten) oder seit dessen Einlegung drei Monate (oder eine andere gesetzliche Frist) ohne Erlaß eines Widerspruchbescheids abgelaufen sind;
d) bei Unterlassung einer gesetzlich gebotenen Handlung der Kläger einen Antrag an die Verwaltungsbehörde gestellt und diese ihn trotz des Ablaufs von mindestens drei Monaten (oder einer anderen gesetzlichen Frist) nicht beschieden hat;

e) er (der Aufhebungsantrag) innerhalb von 60 Tagen seit der Zustellung oder der gesetzlich gebotenen Veröffentlichung oder der Kenntnis des Klägers oder dem Ablauf einer dreimonatigen Frist bei Untätigkeit der Verwaltung eingelegt wird;

f) der Kläger auch Adressat des angefochtenen Verwaltungsaktes ist oder geltend macht, durch den Verwaltungsakt oder seine Ablehnung oder Unterlassung in seinen rechtlichen (nicht unbedingt finanziellen) Interessen verletzt zu sein.

Der Aufhebungsantrag kann auf folgende Gründe gestützt werden:

a) Unzuständigkeit der erlassenden Behörde;

b) Verletzung einer „wesentlichen Form" (z.B. Unterlassung der gebotenen Anhörung des Betroffenen oder Begründung des angefochtenen Verwaltungsaktes);

c) materielle Verletzung des Gesetzes;

d) Ermessensmißbrauch.

Liegt einer dieser „Gründe" (die in der Tat verschiedene Formen der Rechtswidrigkeit sind) vor, so ist der Aufhebungsantrag *begründet*. Der Aufhebungsantrag hat *keine aufhebende Wirkung*, ein Ausschuß des Gerichts kann jedoch auf Antrag des Klägers und der zuständige Minister kann von Amts wegen die Durchführung der angefochtenen Handlung aussetzen.

Das stattgebende *Urteil* erklärt die angefochtene Rechtshandlung (individueller Verwaltungsakt oder Rechtsverordnung) mit Wirkung erga omnes für nichtig. Das ablehnende Urteil schließt die Anfechtung derselben Rechtshandlung durch einen anderen Kläger nicht aus. Inter partes sowie gegenüber Gerichten oder Verwaltungsbehörden entfaltet jedes (stattgebende oder ablehnende) Urteil Rechtskraft. Ein der Rechtswidrigkeit einer Untätigkeit stattgebendes Urteil verweist die Sache an die zuständige Behörde zur Vornahme der gebotenen Handlung. Die Verwaltungsbehörden sind verpflichtet, die sich aus dem Urteil ergebenden Maßnahmen zu ergreifen oder sich jeder für rechtswidrig erklärten Tätigkeit zu enthalten (Art. 95 Abs. 5 Verf.; Art. 50 Abs. 4 Gesetzesverordnung 170/1971). Eine Zuwiderhandlung kann die strafrechtliche Haftung des Verantwortlichen sowie die Staatshaftung begründen.

Politisches System

Gunnar Hering, Göttingen; George Demetriou, Freiburg;
Michael Kelpanides, Frankfurt am Main

A. Historischer Teil (Gunnar Hering)

I. Allgemeine Voraussetzungen – II. Das Politische System bis zur Errichtung der konstitutionellen Monarchie 1843: 1. Der Befreiungskrieg bis zum Regierungsantritt des Grafen Kapodistrias – 2. Vom Regierungsantritt Kapodistrias' (12./24..1. 1828) bis zur Militärrevolte am 3./25. 9. 1843 – III. Von der konstitutionellen Monarchie bis zur Befreiung 1944: 1. Von 1843 bis zum Militärputsch 1909 – 2. Von der Berufung Elevtherios Venizelos' bis zum Ende der Demokratie 1936 – 3. Die Metaxas-Diktatur (1936–1941) – 4. Die Zeit der Besetzung (1941–1944) – IV. Von der Befreiung bis zur Systemkrise der 60er Jahre: 1. Der Bürgerkrieg – 2. Das Scheitern des liberalen Kurses (1949–1952) – 3. Die Phase der relativen Stabilität (1953–1961) – V. Die Systemkrise (1961–1967): 1. Das Ende der Dominanz der ERE (1961–1963) – 2. Die liberale Wende (1963–1965) – 3. Der Höhepunkt der Krise (1965–1967) – VI. Die Diktatur (1967–1974) – VII. Die Rückkehr zur Demokratie 1974.

B. Systematischer Teil (George Demetriou, Michael Kelpanides)

I. Die politischen Institutionen (George Demetriou): 1. Das Parlament: a) Die Abgeordneten b) Die innere Struktur: Die Geschäftsordnung – Die Arbeitsweise des Parlaments – Die Ausschüsse – c) Das Gesetzgebungsverfahren d) Die Kontrollfunktionen des Parlaments – 2. Der Staatspräsident – 3. Die Regierung: a) Der Ministerpräsident b) Der Ministerrat – 4. Die Verwaltung – II. Parteien und Verbände (Michael Kelpanides): 1. Die Parteien: a) Besonderheiten des griechischen Parteiensystems b) Die Neue Demokratie (ND) c) Panhellenische Sozialistische Bewegung (PASOK) d) Vereinigung des Demokratischen Zentrums (EDIK) e) Die Partei des Demokratischen Sozialismus (KODISO) f) Die Kommunistischen Parteien: Die Kommunistische Partei Griechenlands (KKE) – Die Kommunistische Partei Griechenlands-Inland (KKE-ES) g) Andere Parteien – 2. Wahlen und Wahlverhalten – 3. Verbände: a) Gewerkschaften: Organisationsgrad – Streiks – b) Industrie- und Wirtschaftsverbände – c) Agrarverbände: Aufbau – Entwicklungsstand und Funktion der Genossenschaften – III. Die politische Kultur (George Demetriou) – IV. Schlußbemerkung (Michael Kelpanides)

A. Historischer Teil

I. Allgemeine Voraussetzungen

In den Jahrhunderten der osmanischen Herrschaft[1]), die der Konfessionsgemeinschaft *(millet)* der unterworfenen Christen einen minderen Rechtsstatus zuwies, hatten sich regional unterschiedliche Formen einer größeren oder geringeren, von Honoratiorenfamilien beherrschten *Selbstverwaltung* herausgebildet, die am Vorabend der griechischen Erhebung (März 1821) auf der Peloponnes und den Ägäisinseln am deutlichsten ausgeprägt war; auf dem Festland (Sterea Ellas) bestand neben den os-

---

[1]) Βακαλόπουλος, Α. Ε.: Ἱστορία τοῦ νέου Ἑλληνισμοῦ (Geschichte des Neugriechentums). 4 Bde. Athen 1961–1973. – Im Folgenden können aus Raummangel nicht einmal alle grundlegenden Quellensammlungen und Darstellungen zitiert werden. Ich verweise daher vornehmlich auf Werke mit weiterführenden Literaturangaben.

manischen Machtträgern eine Hierarchie christlicher *Milizen* (ἁρματωλοι), denen
vor allem Ordnungs-, aber auch Verwaltungsaufgaben oblagen. Seit der türkischen
Eroberung vertrat die *Kirche*[2]) die Belange der orthodoxen Christen; dank ihrer
überregionalen Organisation und als geistiges Zentrum, als Gemeinschaft der Orthodoxen im islamischen Staat gewährleistete sie die Identität des γένος τῶν
Χριστιανῶν und einen minimalen Zusammenhalt. Selbstverwaltung und kirchliche
Gemeinschaft gehörten daher zu den festen Traditionen der Griechen.

II. Das politische System bis zur Errichtung der
konstitutionellen Monarchie 1843

1. Der Befreiungskrieg bis zum Regierungsantritt des Grafen
Ioannis Kapodistrias

Während des Befreiungskrieges[3]) bildeten sich in den aufständischen Gebieten,
meist auf der Basis der überkommenen Selbstverwaltung, lokale und regionale Regierungsorgane heraus. Nach dem Messenischen Senat in Kalamata und der Achä-
ischen Direktion in Patras (25.3. / 6.4. 1821) sowie lokalen Ephorien konstituierten
am 26.5./ 7.6. 1821 im Kloster Kaltezai 34 peloponnesische Vertreter (in der Mehrzahl Honoratioren und Geistliche, außerdem Truppenführer) den Peloponnesischen
Senat[4]) und verabschiedeten eine Resolution über die Ämterordnung[5]); eine zweite,
indirekt gewählte Versammlung beschloß nach heftigen Konflikten der Honoratioren mit den Freischärlern und dem Beauftragten des revolutionären Geheimbundes
der Filikoi[6]) am 27.12. 1822 / 8.1. 1823 das Organisationsstatut des Peloponnesischen Senats[7]). Auf dem Festland trat am 4./16.11. 1821 in Mesolongi die Versammlung des westlichen, am 15./27.11. in Salona die des östlichen Festlands zusammen. Auch diese Parlamente gaben ihren Regionen Regierungen und Verfassungen[8]). Alle diese Konstitutionen legten unabhängig von variierenden Bestimmungen über die Ämterordnung fest, daß Regierung und Organe der lokalen und
regionalen Selbstverwaltung – Gemeinden und Regionen werden in den Verfassungen als bereits existent vorausgesetzt! – gewählt werden, und zwar für jeweils ein

---

[2]) Runciman, S.: The Great Church in Captivity. Cambridge 1968. Zur Privilegierung der Kirche s.
Hering, G.: Das islamische Recht und die Investitur des Gennadios Scholarios (1454), in: Balkan
Studies. 2. 1961, S. 231–256.

[3]) Aus der Fülle der – am internationalen Stand der Revolutionsforschung gemessen – wenig
befriedigenden Literatur sei verwiesen auf Bd. XII der Ἱστορια τοῦ Ἑλληικοῦ Ἔθνους (Geschichte
der griechischen Nation). Athen 1975. Mit gutem Überblick über Ereignisse, Quellen und Literatur.

[4]) Zur Vermeidung von Mißverständnissen werden alle Daten im alten und neuen Stil angegeben.
Offiziell wurde der gregorianische Kalender am 16.2. (= 1.3.) 1923, durch die Kirche am 10.3.
(=23.3.) eingeführt.

[5]) Am leichtesten greifbar in der Edition von Κυριακόπουλος, Η.Γ.: Τά συντάγματα τῦς Ἑλλά
δος (Die Verfassungen Griechenlands). Athen 1960, S.616.

[6]) Zur ersten Information: Petropulos, J.A.: Politics and Statecraft in the Kingdom of Greece
1833–1843. Princeton 1968, S. 71–106; Σταματόπουλος, Τ.Α.: Ὁ ἐσωτερικός ἀγώνας πρί καί κατά
τήν Ἐπανάσταση τοῦ 1821 (Der innere Kampf vor und in der Erhebung von 1821). 1,2.2. Aufl.
1971 f.; 3,4. Athen 1973, 1975.

[7]) Κυριακόπουλος: Συντάγματα, S.624–632.

[8]) Ebenda, S.635–639 (Westgriechenland), S. 640–658 (Ostgriechenland).

Jahr, und beschränkten ihre Kompetenzen; sie ordneten die Truppen der politischen Führung unter. Schließlich verwiesen sie alle auf das künftige Nationalparlament.

Die drei ersten Nationalversammlungen erließen demokratische Verfassungen, die auf dem Prinzip der *Volkssouveränität* beruhten. Die Verfassungen von Epidavros[9]) und Astros[10]) sahen ein kompliziertes, in der Praxis schlecht funktionierendes System der Gewaltenteilung vor. Überschattet wurde der Aufbau des Staates einerseits von der wechselnden Kriegslage, andererseits von Identitätskrisen sowie von sozialen und Partizipationskonflikten, die sich in den Auseinandersetzungen zwischen der politischen Führung und den Truppenkommandeuren sowie zwischen den Regionen überschnitten (Bürgerkriege November 1823 bis Juni 1824, November/Dezember 1824)[11]). Um die Verwaltung zu straffen, schaffte die Nationalversammlung von Astros die Regionalregierungen ab und leitete damit den zentralistischen Staatsaufbau ein. In der Verfassung von Troizen[12]) wurde die Konsequenz aus den Wirren der vergangenen Jahre gezogen und die Exekutive allein dem Präsidenten anvertraut.

2. Vom Regierungsantritt Kapodistrias' (12./24. 1. 1828) bis zur Militärrevolte am 3./15. 9. 1843

Kapodistrias[13]), ehemaliger russischer Außenminister griechischer Abkunft, unterstellte von seinen aufgeklärten, aber keineswegs liberalen Positionen her, daß Volk und Eliten durch die Türkenherrschaft verdorben seien und zur Mitwirkung an Gesetzgebung und Regierungsgeschäften durch einen *paternalistischen Staat* mit aufgeklärter Verwaltung erst erzogen werden müßten. Oberschichten und entstehende Parteien wollte er schrittweise entmachten und eine breite nivellierte Schicht von Kleineigentümern als soziale Basis seiner Herrschaft entstehen lassen. Sogleich nach seinem Regierungsantritt veranlaßte er (auch unter dem Druck der Kriegserfordernisse) die Nationalversammlung, die Verfassung zu suspendieren und der Berufung einer 27köpfigen, beratenden, in das Finanz-, das Innen- und das Militärressort gegliederten Zentralbehörde (Panellinion) zuzustimmen[14]). Ergänzt wurde sie

---

[9]) Text ebenda, S. 31–43.

[10]) Text ebenda, S. 47–57.

[11]) Petropulos: Politics and Statecraft, S. 85–89.

[12]) Κυριακόπουλος: Συντάγματα, S. 61–75.

[13]) Woodhouse, C. M.: Capodistria. The Founder of Greek Independence. London 1973; Δαφνής, Γ.: Ἰωάννης Α. Καποδίστριας (Ioannis A. Kapodistrias). Athen 1976; Δημακόπουλος, Γ. Δ.: Ὁ κῶδιξ τῶν ψηφισμάτων τῆς Ἑλληνικῆς Πολιτείας (Der Kodex der Beschlüsse des Griechischen Staates). 1: 1828–1829, 2: 1829–1832, in: Ἐπετηρίς τοῦ Κέντρου Ἐρευνῶν τῆς Ἱστορίας τοῦ ἑλληνικοῦ δικαίου τῆς Ἀκαδημίας Ἀθηνῶν (Jahrbuch des Zentrums zur Erforschung der Geschichte des griechischen Rechts an der Akademie Athen.) 14/15. 1967, 1968.

[14]) Resolution der Nationalversammlung vom 18./30. 1. 1828 bei Κυριακόπουλος: Συντάγματα, S. 78–80. Zu den Regierungsinstitutionen s. Δημακόπουλος, Γ. Δ.: Αἱ κυβερνητικαί ἀρχαί τῆς Ἑλληνικῆς Πολιτείας, 1827–1833 (Die Regierungsbehörden des „Griechischen Staates" 1827–1833), in: Ἐρανιστής (Eranistis). 4. Athen 1966, S. 117–154; ders.: Ἡ διοικητικὴ ὀργάνωσις τῆς Ἑλληνικῆς Πολιτείας, 1827–1833 (Die verwaltungsmäßige Organisation des „Griechischen Staates" 1827–1833). 1. Athen 1970.

durch den am 5. 2. 1828 eingerichteten Ministerrat aus den Chefs der Zentralbehör-
den. Die 4. Nationalversammlung legalisierte die Ablösung des Panellinions durch
einen Senat aus 27 Mitgliedern, von denen der Präsident 21 aus einer Vorschlagsliste
der Nationalversammlung und sechs frei auswählte. An die Zustimmung des ansonsten beratenden Gremiums war der Präsident nur bei Entscheidungen über Finanzen
und Vermögen des Staates sowie über die aus türkischem Besitz übernommenen
Ländereien („Nationalgüter") gebunden. Der Ministerrat wurde nach Ressorts re-
organisiert. Kapodistrias richtete eine zentralistische Verwaltung ein und sicherte
der Regierung Möglichkeiten, auf die gewählten Organe der lokalen Selbstverwaltung, ja, auf die Wahlen selbst einzuwirken. Die Leistungsfähigkeit des Systems erweiterte er auch durch die Regelung der Währung, die Organisation des Militärs, der
Justiz, der Post, der Schiffahrt; er förderte die Landwirtschaft und das Unterrichts-
wesen und erließ allgemeine Maßnahmen zum Aufbau des zerstörten Landes. Unter
Kapodistrias wurde Griechenland nach langen, vom Präsidenten geschickt beeinflußten Verhandlungen unter den Mächten[15] als unabhängiger Staat anerkannt[16],
dessen Grenzen günstiger gezogen wurden, als es ursprünglich möglich erschien[17].
Allerdings lebte nur etwa ein Viertel der Griechen auf dem Territorium des neuen
Staates mit der Hauptstadt Navplion, die großen Städte mit einem relativ weiterentwickelten griechischen Handel und Gewerbe blieben türkisch.

Kapodistrias scheiterte letztlich an der wachsenden heterogenen Opposition[18],
die im Konstitutionalismus einen gemeinsamen Nenner fand.

Nach der Ermordung von Kapodistrias (27. 9. / 9. 10. 1831) ernannte der Senat einen Regierungsausschuß[19], doch beurteilte die Opposition dieses Verfahren als
verfassungswidrig; umstritten waren auch die Wahlen zur 5. Nationalversammlung,
die Avgostinos Kapodistrias, den Bruder des Verblichenen, am 8./20. 12. 1831 zum
Ministerpräsidenten, am 15./27. 3 1832 zum Präsidenten berief und eine neue Verfassung des „konstitutionellen, parlamentarischen Erbfürstentums" (Art. 53) verabschiedete[20]. Die Opposition bildete eine Gegenregierung. Nach einem Bürgerkrieg bestätigte schließlich die neugewählte Nationalversammlung die von Senat,
Kapodistrias und der 5. Nationalversammlung den Mächten überlassene[21] Auswahl
des bayerischen Prinzen Otto[21a] zum König.

[15]) Crawley, C. W.: The Question of Greek Independence. 1821–1833. Cambridge 1930. Zusammenfassend Anderson, M. S.: The Eastern Question. 1774–1923. London/Melbourne/Toronto 1966,
S. 53–87. Unentbehrlich Prokesch-Osten, A. v.: Geschichte des Abfalls der Griechen vom Türkischen
Reiche im Jahre 1821 und der Gründung des Hellenischen Königreichs. Aus diplomatischem Stand-
puncte. 6 Bde. Wien 1867.

[16]) Das Londoner Protokoll vom 22. 1./3. 2. 1830 wurde am 12./24. 4. von der Pforte angenommen.

[17]) S. dazu Ἱστορία τοῦ Ἑλληνικοῦ Ἔθνους (Geschichte der griechischen Nation, im Folgenden:
IEE). 12, A. 512 ff., S. 519, S. 540 f., S. 562 f. Vgl. zu den internationalen Verträgen Koutsoubakis, G.
(Hrsg.): Repertoire des accords internationaux conclus par la Grèce (1822–1978). Athen 1979.

[18]) Λοῦκος, Χ.Κ.: Ὁ κυβερνύτης Ἰω. Καποδίστριας καί Μαυρομιχαλαῖοι (Gouverneur Kaopdis-
trias und die Familie Mavromichalis), in: Μνήμων. 4. 1974, S. 1–110.

[19]) Beschlüsse bei Κυριακόπουλος: Συντάγματα, S. 83 ff.

[20]) Ebenda, S. 93–126.

[21]) S. IEE 12, S. 575.

[21a]) Bower, L.; Bolitho, G.: Otho I, King of Greece. A Biography. London 1939.

Für den minderjährigen Herrscher regierte bis zum 20.5./1.6. 1835 ein bayerischer *Regentschaftsrat*[22]) (1. Regentschaft bis Juni 1834: Graf Joseph von Armansperg als Präsident, Professor Ludwig von Maurer, Generalmajor Karl Wilhelm von Heideck; ab Juni 1834 2. Regenschaft ohne Maurer und Sekretär Abel), der entgegen den Zusagen der Mächte und Bayerns ohne Verfassung regierte. Die Regentschaft besetzte Schlüsselpositionen in Verwaltung und Heer durch Ausländer, reorganisierte die regulären Truppen (25.2./ 9.3. 1833) und löste die Freischaren auf (2./14.3. 1833)[23]); während zunächst ein bayerisches Kontingent, dann deutsche Freiwillige den Kern des Heeres bildeten, litten viele ehemalige Kämpfer Not, von denen nur ein Teil in neue Einheiten mit europäischem Reglement übernommen wurde. Umstritten blieben auch die Eingriffe in Organisation und Eigentum der Kirche (Klosterreformen 1833/34)[24]). Die neue Staatsverwaltung war zentralistisch organisiert. Am 3./15.4. 1833 wurde das Land in 10 Departements mit insgesamt 47 Eparchien eingeteilt, deren Verwaltungschefs gewählte Konsultativräte zur Seite stehen sollten; die Selbstverwaltung der Demen wurde beschnitten. Das Departement als größte Verwaltungseinheit ist bis heute erhalten geblieben. In seine Kompetenz fielen damals außer der Aufsicht über nachgeordnete Organe Finanzverwaltung, Polizei, Gesundheitswesen und öffentliche Bauten. Verwaltungszentrum wurde am 18./30. 12. 1834 die neue Hauptstadt Athen. Kennzeichnend für das politische System war der Zug zur gegenseitigen Kontrolle der Behörden[25]).

Obwohl der Aufbau dieses Systems scharfe Opposition, z. T. Unruhen hervorrief[26]) und heute eher als wirklichkeitsfremd beurteilt wird[27]), sind die Verdienste der Regentschaft um den Aufbau des Landes bemerkenswert. Die Regierung des am 20.5./ 1.6. 1835 großjährig gewordenen Otto erhöhte die Kapazität des politischen Systems (30.9./ 12.10. 1835 Gründung des Staatsrats als Verwaltungsgericht und Gutachtergremium; Errichtung von Zollstationen, Konsulaten, Handelsgerichten und -kammern, Erlaß von Handelsgesetzen; Straßenbau; 1837 Gründung der Universität Athen), konnte jedoch die chronische Partizipationskrise nicht lösen[28]), so daß durch eine *unblutige Revolte* der Athener Garnison am 3./15.9. 1843 der Übergang zur konstitutionellen Monarchie erzwungen werden mußte[29]).

---

[22]) Dazu ausführlich Petropulos: Politics and Statecraft, S. 153–269. Von bleibendem Wert Maurer, G. L. v.: Das griechische Volk [...] Bd. 1, 2. Heidelberg 1835.

[23]) Maurer 2, S. 81–86, S. 331–374.

[24]) Ebenda, S. 178–188; Frazee, Ch. A.: The Orthodox Church and Independent Greece 1821–1852. Cambridge 1969.

[25]) Νάκος, Γ.: Τό πολιτειακόν καθεστώς τῆς Ἑλλάδος ἐπί ''Ὄθωνος μέχρι τοῦ συντάγματος τοῦ 1844 (Das Regierungssystem Griechenlands unter Otto bis zur Verfassung von 1844). Thessaloniki 1974; Ἐπιστημονική Ἐπετηρίς τῆς Σχολῆς Νομικῶν καί Οἰκονομικῶν Ἐλιστημῶν 17, Παράρτημα 1 (Wissenschaftliches Jahrbuch der Rechts- und Wirtschaftswissenschaftlichen Fakultät 17, Beiheft 1). Thessaloniki 1972.

[26]) Petropulos: Politics and Statecraft, S. 212 ff., S. 256 ff., S. 261 ff., S. 320 ff.

[27]) Diesen Standpunkt vertritt mit Nachdruck Πανταζόπουλος, N.I.: Georg Ludwig von Maurer. Ἡ πρός τά εὐρωπαϊκά πρότυπα ὁλοκληρωτική στροφύ τῆς νεοελληνικῆς νομοθεσίας (Die vollständige Wendung der neugriechischen Gesetzgebung zu den europäischen Vorbildern), in: Ἐπιστημονική Ἐπετηρίς Σχολῆς. Νομικῶν καί Οἰκονομικῶν Ἐπιστημῶν. 13 (Wissenschaftliches Jahrbuch der Rechts- und Wirtschaftswissenschaftlichen Fakultät. 13.) Thessaloniki 1968.

[28]) S. Petropulos: Politics and Statecraft, S. 270–433. Sehr ausführlich zum Scheitern der Versuche, 1841 wenigstens ein verantwortliches Ministerium zu bilden: S. 344–407.

[29]) Ebenda, S. 434–452.

III. Von der konstitutionellen Monarchie bis zur Befreiung 1944

1. Von 1843 bis zum Militärputsch 1909

Die *Verfassung*[30]) als Vertrag zwischen Herrscher und Volksvertretern regelte die bisher strittigen Fragen (orthodoxer Thronfolger; Sicherung der Grundrechte, aber ohne Versammlungs- und Koalitionsrecht; Legislative: König, Unterhaus, Oberhaus; König als Chef der Exekutive, aber verantwortliche Regierung). Als erster Staat führte Griechenland de facto das allgemeine Männerstimmrecht ein[31]).

Die Politik des Hofes entsprach indessen nicht den Erwartungen der Konstitutionalisten: Zuerst führte Ioannis Kolettis Wahlterror und -fälschung großen Stils zur Stabilisierung seines bonapartistischen Regimes ein, nach seinem Tode 1847 übernahmen Regierungen, die sich allein auf das Vertrauen des Hofes stützen konnten, diese Praktiken; Kritik und freiheitliche Regungen wurden mehr und mehr unterdrückt. Die Folge war die *Polarisierung zwischen Krone und wachsender Opposition*[32]). Bevölkerungszuwachs, sozialer Wandel im Gefolge der beginnenden Wirtschaftsentwicklung, die Weitung des Horizonts durch vermehrte Bildungschancen und zunehmende Mobilität, schließlich das Vorbild der liberalen Bewegung Italiens, die das Land einte, während Griechenland kaum Chancen hatte, die Connationalen von der osmanischen Herrschaft zu befreien – diese Vorgänge bilden den Rahmen der Konflikte mit dem Hof. Da das Königspaar keine Kinder bekam, blieb die zentrale Frage der Konfessionszugehörigkeit des Thronfolgers, ja die Nachfolge überhaupt, weiter offen. Nach einem Aufstand mit dem Zentrum in Navplion (1./13.2. 1862)[33]) wurde Otto in der Erhebung am 10./22. 10. 1862 abgesetzt; die Macht übernahm, gestützt auf das rebellierende Militär, eine Provisorische Regierung, die Wahlen zu einer Konstituante ausschrieb[34]). Zwischen den Anhängern verschiedener politischer Richtungen kam es zu blutigen Straßenkämpfen[35]), in der Nationalversammlung wurden die Liberalen durch den Einzug der Abgeordneten der an Griechenland abgetretenen Ionischen Inseln[36]) verstärkt.

---

[30]) Text bei Κυριακόπουλος: Συντάγματα, S. 133–145.

[31]) Stimmrecht hatte, wer im Bezirk des Wohnsitzes Grundeigentum besaß oder dort irgendeinen Beruf ausübte oder ein „unabhängiges Gewerbe" betrieb. Den Intentionen der Konstituante entsprechend wurde diese Bestimmung sehr weitherzig ausgelegt. Betroffen waren vor allem Jugendliche, die ohnehin noch nicht volljährig waren.

[32]) Σκανδάμης, Α.Σ.: Σελίδες πολιτικῦς ἱστορίας καί κριτικῆς (Seiten aus der politischen Geschichte und Kritik). 1. Athen 1961, S. 1343–1503; Καρανικόλας, Γ. Δ.: Νόθες ἐκλογές στήν Ἑλλάδα 1844–1961 (Gefälschte Wahlen in Griechenland 1844–1961). Athen 1963, S. 27–162.

[33]) Γούναρης, Τ.: Ἡ Ναυπλιακή Ἐπανάστασις (1 Φεβρουαρίου – 8 Ἀπριλίου 1862) (Der Aufstand von Navplion, 1. Februar – 8. April 1862). Athen 1963.

[34]) Hierüber liegt noch keine Untersuchung vor. Zur ersten Information: IEE 13, S. 220–229

[35]) Ebenda, sowie zur Geschichte der Parteien die kurze Einführung bei Δαφνής, Γρηγόριος: Τά ἑλληνικά πολιτικά κόμματα 1821–1961 (Die griechischen politischen Parteien 1821–1961). Athen 1956, S. 57–64 (Ἐκδόσεις Γαλαξία 34). – Die Monographie von Korisis, H.: Die politischen Parteien Griechenlands. Ein neuer Staat auf dem Weg zur Demokratie. 1821–1910. Hersbruck/Nürnberg 1966, ist wissenschaftlich wertlos.

[36]) Ζερβός-Ἰακωβᾶτος, Η.: Ἐπτανησιακός ριζοσπαστισμός (Radikalismus auf den Sieben [d.h. den Ionischen] Inseln). Athen 1964; Σωμερίτης, Σ. Δ.: Οἱ πολιτικές ἰδέες στήν Ἑπτάνησο καί ἡ ἐπίδρασύ τους στήν ὑπόλοιπη Ἑλλάδα ὕστερα ἀπό τήν ῞Ενωση (Die politischen Ideen auf den Sieben Inseln und ihr Einfluß auf das übrige Griechenland nach der Vereinigung.) Athen 1964; IEE 13, S. 205 ff.

Die *neue Verfassung*[37]), Grundlage der Verfassungstradition bis 1968, war kein Vertrag mit dem neuen König Georg I. aus dem Hause Schleswig-Holstein-Sonderburg-Glücksburg, sondern beruhte auf dem Prinzip der *Volkssouveränität:* Der König fungierte als gewähltes Verfassungsorgan[38]). Der Grundrechtskatalog wurde um das Versammlungs- und Koalitionsrecht erweitert, die formalen Beschränkungen des Stimmrechts fielen fort. Jedoch erkannte der König erst nach fast zehnjährigen Wirren das Prinzip an, den Führer der „erklärten" (δεδηλωμένη) parlamentarischen Mehrheit an die Spitze der Regierung zu berufen.

In dem nunmehr nach britischem Vorbild funktionierenden *Zweiparteiensystem*[39]) stand die Reformpartei des Charilaos Trikoupis[40]), die das Wirtschaftspotential, insbesondere die Infrastruktur (Straßen- und Eisenbahnbauten) um den Preis wachsenden Steuerdrucks und hoher Auslandsverschuldung forcierte, den Konservativen (Partei des Koumoundouros, dann Nationalpartei unter Theodoros Dilijannis[41])) gegenüber, die die Folgen dieser Entwicklung lindern wollten. Während Trikoupis durch die Einführung des großen Wahlkreises (Departement) und die Reduktion der Mandate auf 150 1886 die enge Bindung des Abgeordneten an lokale Interessen lockern wollte, polemisierte sein Gegenspieler Dilijannis gegen die Konzentration von Macht beim Parteiführer und Ministerpräsidenten. Was die Verwaltung betrifft, versuchte Trikoupis, den Beamtenapparat vor willkürlichen Zugriffen der Regierungen, den Staatsdiener vor Pressionen zu schützen und gleichzeitig Normen für seine Qualifikation festzusetzen[42]). Die zusätzliche Belastung der Staatsfinanzen durch die Kosten des abenteuerlichen „Kriegfriedens" der Regierung Dilijannis 1885/86 machte den *Staatsbankrott* (10./22. 12. 1893) unvermeidlich; nach der Niederlage gegen die Türkei 1897 wurde die *Internationale Finanzkontrolle* zur Sicherung des Schuldendienstes errichtet (1898)[43]). Obwohl Trikoupis und nach der Jahrhundertwende Georgios Theotokis beträchtliche Anstrengungen unternommen hatten, um die militärische Schlagkraft so zu erhöhen, daß Griechenland bei passender Gelegenheit seinem Ziel, der *Megali Idea*[44]), näherkommen konnte[45]), schwelte die moralische Krise nach der Katastrophe von 1897 weiter, zumal sich in dem durch interne Probleme irritierten Offizierskorps[46]) wie in der von sozialen Umschichtungen im Gefolge der Gewerbeentwicklung und von wirtschaftlichen Schwierigkeiten betroffenen Gesellschaft der Verdacht festgesetzt hatte, daß

[37]) Κυριακόπουλος: Συντάγματα, S. 183–195.

[38]) Μάνεσης, Α.: Ἡ δημοκρατική ἀρχή εἰς τό σύνταγμα τοῦ 1864 (Das demokratische Prinzip in der Verfassung von 1864). Thessaloniki 1964 (Serientitel wie in Anm. 25, Nr. 11/2).

[39]) Δαφνῆς: Κόμματα, S. 83–91.

[40]) Πουρνάρας, Δ.: Χαρίλαος Τρικούπης (Charilaos Trikoupis). 2. Aufl. Athen 1976.

[41]) Ἱστορία τοῦ Θεοδώρου Π. Δηλιγιάννη ... (Geschichte des Theodoros Dilijannis ...). Athen o. J. Eine wissenschaftliche Studie über D. steht noch aus. Gegenüber den z. T. grotesken Fehleinschätzungen (so z. B. in der IEE 13) informieren immer noch am besten die Parlamentsprotokolle: Ἐφημερίς τῶν συζητήσεων τῆς Βουλῆς.

[42]) Gesetz AKA /1883.

[43]) Zur Auslandsverschuldung s. Levandis, A.: The Greek Foreign Debt and the Great Powers 1821–1848. New York 1898.

[44]) S. den Beitrag von Grothusen, K.-D.: Außenpolitik, in diesem Band.

[45]) IEE 14, S. 186 ff.

[46]) Veremis, Th.: The Officer Corps in Greece 1912–1936, in: Byzantine and Modern Greek Studies. 2. 1976.

die Krone die Niederlage von 1897 mitverschuldet, das politische System insgesamt versagt habe. Am 15./28. 8. 1909 putschten in Goudi bei Athen Militärabteilungen[47]) und setzten durch, daß die Volksvertretung eine große Zahl von Gesetzesvorlagen der Regierung Kyriakoulis Mavromichalis zur Rüstung sowie zur Reorganisation der Streitkräfte und der Verwaltung verabschiedete.

2. Von der Berufung des Elevtherios Venizelos bis zum Ende der Demokratie 1936

Nachdem der kretische[48]) Politiker Elevtherios Venizelos[49]) zwischen dem rebellierenden Militär, dem Hof und den politischen Kräften vermittelt hatte, war der Weg zur Einberufung eines Verfassungsändernden Parlaments frei; König Georg I. trat mit dem Auftrag zur Regierungsbildung an Venizelos (6./19. 10. 1910) die Flucht nach vorn an und gab ihm durch die verfassungsrechtlich umstrittene[50]) Parlamentsauflösung die Möglichkeit, in den Neuwahlen (28. 11./ 11. 12. 1910) eine erdrückende Mehrheit von Sitzen zu gewinnen. Diese neue, von Venizelos geführte *Partei der Liberalen* (Κόμμα τῶν Φιλελευθέρων)[51]) wurde die Trägerin der Reformen und der Außenpolitik bis 1914, deren Erfolge (Verdoppelung des Territoriums in den Balkankriegen 1912/13) das System vor neue Integrationsaufgaben stellte. Die Verfassungsänderung[52]) brachte dem Bürger mehr Schutz vor dem Staat, sie erleichterte Enteignungen (vor allem zur Ausstattung landloser Bauern); die aktiven Offiziere verloren jetzt das passive Wahlrecht, die Gesetzgebungsprozeduren wurden gestrafft, die Mandatsprüfung oblag nicht mehr dem Parlament, sondern einem Wahlgericht. Anschließend reorganisierte Venizelos das politische System durch die weitere Spezialisierung der Ministerien (1910: Ministerium für Landwirtschaft, Handel und Industrie, aus dem 1911 das Ministerium für Volkswirtschaft entstand; 1914: Verkehrsministerium) und durch eine Verwaltungsreform[53]). In der Frage des Eintritts Griechenlands in den Ersten Weltkrieg[54]) kam es 1915 zwischen den Liberalen und König Konstantin I. zu einem die Nation tief spaltenden *Verfassungskonflikt*. Das Prinzip der „erklärten Kammermehrheit" abschwächend, erkannte Veni-

---

[47]) Papacosma, S. V.: The Military in Greek Politics. The 1909 Coup d'Etat. Kent 1977.

[48]) Auf das autonome Staatswesen von Kreta kann hier nicht eingegangen werden. S. dazu Σβολόπουλος, Κ.: Ὁ Ἐλευθέριος Βενιζέλος καί ἡ πολιτική κρίσις εἰς τήν Αὐτόνομον Κρήτην. 1901–1906 (Elevtherios Venizelos und die politische Krise auf dem Autonomen Kreta. 1901–1906). Athen 1974.

[49]) Auch über diesen Politiker liegt keine befriedigende Biographie vor. S. vorläufig noch: Chester, S. B.: Life of Venizelos. London 1921; Πουνάρας, Δ.: Ἐλευθέριος Βενιζέλος. Ἡ ζωή καί τό ἔργο του (E. V. Sein Leben und Werk). 4 Bde. Athen 1959; Βεντήρης, Γ.: Ἡ Ἑλλάς τοῦ 1910–1920 (Griechenland 1910–1920). 2 Bde. Athen 1970 (Reprint).

[50]) Μαρκεζίνης, Σ. Β.: Πολιτική ἱστορία τῆς νεωτέρας Ἑλλάδος (Politische Geschichte des neueren Griechenland) 3. Athen 1966, S. 111 ff.

[51]) Δαφνῆς: Κόμματα, S. 110 ff.

[52]) Text der am 1./14. 6. 1911 verabschiedeten Änderungen bei Κυριακόπουλος: Συντάγματα, S. 203–214, ganzer Text der Neufassung S. 221–238.

[53]) Dazu Μαρκεζίνης ebenda 3, S. 249 f.

[54]) Leon, G. B.: Greece and the Great Powers 1914–1917. Thessaloniki 1974 (Institut for Balkan Studies 143).

zelos dem König das Recht auf Sachdissens und – nach dem unvermeidlichen Rücktritt der Regierung – auf Berufung eines Minderheitskabinetts zu, allerdings unter
der Bedingung, daß das Volk als Souverän in Neuwahlen entscheide, welcher politischen Alternative es vertraue[55]). Daher verurteilten die Liberalen die *neuerliche*
Parlamentsauflösung trotz des eindeutigen Wahlsieges dieser Partei als verfassungswidrig[56]). Auf die Argumente beider Seiten und den Ablauf der Ereignisse
kann hier nicht eingegangen werden. Festzuhalten ist jedoch, daß Konstantin um jeden Preis seinen Neutralitätskurs gegen die Kammermehrheit durchsetzen wollte,
unter den wachsenden Einfluß seiner Frau Sophia, einer Schwester Wilhelms II.,
und des Generalstabs geriet und im Zusammenspiel mit der Diplomatie der Mittelmächte gegen die verantwortliche Regierung des Landes intrigiert hat. Als 1916 offenkundig wurde, daß Griechenland nicht in der Lage war, den Neutralitätsstatus
gegen die z. T. skandalösen Souveränitätsbeschränkungen durch die Kriegführenden
zu schützen (Landung von Entente-Truppen in Saloniki, Besetzung Westthrakiens
durch die Mittelmächte und Bulgarien), putschten Offiziere in Saloniki am 17./30.8.
1916; Venizelos setzte sich am 26.9./ 9.10. an die Spitze dieser *„Bewegung der nationalen Verteidigung"*, führte das von ihm kontrollierte Gebiet an der Seite der Entente in den Krieg und leitete tiefgreifende Reformen ein[57]). Nach der von den Alliierten erzwungenen Abreise Konstantins und des Thronfolgers Georg II. (30.5./
12.6.1917) sowie der Deportation als deutschfreundlich verdächtigter Politiker
etablierte sich die „Provisorische Regierung" in Athen (14./27.6.1917) und berief
das aus den ersten Wahlen 1915 hervorgegangene Parlament wieder ein („Parlament der Lazarusse") [57a]); die Nachfolge des nicht abgedankten Vaters trat Alexander an. Nach der verfassungswidrigen Suspension der Verfassungsartikel 88–90
wurden die Richter, die sich 1916 illegale Akte, vor allem bei der Verfolgung Liberaler, hatten zuschulden kommen lassen, abgelöst[58]), Staatsapparat und Offizierskorps gesäubert. Die während des Kleinasien-Krieges[59]) am 1./14. 11. 1920 abgehaltenen Wahlen zur Verfassungsändernden Nationalversammlung verloren die Liberalen. Ihre Gegner hielten am 22.11./ 5.12. 1920 eine Volksbefragung über die
Nachfolge des inzwischen gestorbenen Alexander ab, die zugunsten Konstantins
ausging[60]). Doch gelang es nicht, stabile Regierungen zu bilden[61]). Da Konstantins
Rückkehr und der Politik der „Antivenizelisten" die katastrophale Niederlage gegen die Türken und die Entwurzelung des kleinasiatischen Griechentums zur Last
gelegt wurde, zwang das rebellierende Militär Konstantin am 14./27.9. 1922, end-

---

[55]) 1934/35 führte er mit Ioannis Metaxas in Zeitungsartikeln einen polemischen Dialog über die
Frage des Kriegseintritts. In diesem Zusammenhang präzisierte er seine Auffassungen zur Parlaments-
auflösung und zur „erklärten" Mehrheit im 33. Artikel vom 22.11.1934. Wiederveröffentlichung in:
Ἱστορία τοῦ Ἐθνικοῦ Διχασμοῦ (1915–1935) (Geschichte der Nationalen Spaltung 1915–1935).
Athen 1953, S. 139.

[56]) Βεντήρης 2, S. 59 ff., S. 84 ff.

[57]) Ebenda, S. 200–220.

[57a]) Kgl. Dekret v. 28. 7./9. 8. 1917. Κυριακόπουλος: Συντάγματα, S. 241–246.

[58]) Text des Dekrets ebenda, S. 240 f.

[59]) Llewellyn Smith, M.: Ionian Vision. Greece in Asia Minor 1919–1922. London 1973.

[60]) IEE 15, S. 146–172.

[61]) Vgl. Legg, K. R.: Politics in Modern Greece. Stanford 1969, S. 298.

gültig abzudanken[62]); fünf führende Politiker wurden von einem Militärtribunal zum Tode verurteilt und am 15./28. 11. 1922 erschossen[63]).

In der *Zwischenkriegszeit* erweiterte sich die Zuständigkeit des Staates und damit die Beanspruchung des Systems erheblich infolge der Agrarreform[64]), der Versorgung von etwa 1,3 bis 1,4 Millionen überwiegend kleinasiatischer Flüchtlinge[65]) und der Wirtschaftsentwicklung[66]). Jedoch befand sich das politische System zwischen 1922 und 1936 im *Ungleichgewicht:*

1. Zwischen den Liberalen und den „antivenizelistischen" Parteien bestand ein *Fundamentaldissens über die Staatsform,* weil die Volkspartei das Plebiszit vom 13. 4. 1924 über die von der Nationalversammlung am 25. 3. 1924 proklamierte Republik wegen vielfältiger Freiheitsbeschränkungen zunächst nicht anerkannte[67]).

2. 1922 hatte das rebellierende Militär (anders als 1916) selbst die Macht übernommen und nur zögernd und unter dem Vorbehalt dauernder Mitsprache in der Politik abgegeben.

3. Die *Politisierung des Offizierskorps* wurde durch die Statusangst der in den Kriegen 1912/22 und beim Aufbau der Evros-Armee 1922/23 aus der Reserve in die Reihen der Berufsoffiziere eingerückten Offiziere (1922 etwa drei Viertel des Offizierskorps!) gesteigert, die im Frieden eher als die besserqualifizierten Absolventen der Offiziersschulen von der Entlassung bedroht waren oder nicht befördert wurden. Andere fürchteten um die Vorteile, die ihnen aus der Beteiligung an der Bewegung der Nationalen Verteidigung 1916 erwachsen waren. Alle miteinander leiteten aus ihren Opfern politische Partizipationsansprüche ab. Von ihrer Interessenlage her lehnten sie die Reaktivierung royalistischer Offiziere, ohne die ein dauerhafter Ausgleich mit der Volkspartei nicht erreichbar war, auf das schärfste ab und suchten ihre Interessen durch Verbindungen zu Politikern und Generälen, stets aber

---

[62]) Über die „Revolution" von 1922 liegt keine wissenschaftliche Untersuchung vor. Aushilfsweise: Γονατᾶς, Σ.: Ἀπομνημονεύματα (Memoiren). Athen 1958, S. 227–303; Πεπονῆς, Ι.: Ὁ Νικόλαος Πλαστήρας στά γεγονότα 1909–1945 (Plastiras in den Ereignissen). 2 Bde. Thessaloniki 1947f.; s. ferner Δαφνῆς, Γ.: Ἡ Ἑλλάς μεταξύ τῶν πολέμων 1923–1940 (Griechenland zwischen den Kriegen 1923–1940). 1. Athen 1955, S. 5–63.

[63]) Verhandlungsprotokoll: Ἡ δίκη τῶν ἕξ. Τά ἐστενογραφημένα πρακτικά (Der Prozeß gegen die Sechs. Die stenografischen Verhandlungsprotokolle). Athen 1931; Βοζίκης, Χ. Κ. (Hrsg.): Αἱ ἀπολογίαι τῶν θυμάτων τῆς 15 Νοεμβρίου 1922 (Die Verteidigungsreden der Opfer des 15. Nov. 1922.) Athen 1925.

[64]) Βεργόπουλος, Κ.: Τό ἀγροτικό ζήτημα στήν Ἑλλάδα (Die Agrarfrage in Griechenland.) Athen 1975, S. 139ff. Ἀλιβιζάτος, Μπ.: Ἡ γεωργική Ἑλλάς καί ἡ ἐξέλιξή τῆς (Das landwirtschaftliche Griechenland und seine Entwicklung.) Athen 1939; Καραβίδας, Κ.: Ἀγροτικά (Agrarfragen). Athen 1931; Σίδερις, Α. Δ.: Ἡ γεωργική πολιτική τῆς Ἑλλάδος κατά τήν λήξασαν ἑκατονταετίαν 1833–1933 (Die Agrarpolitik Griechenlands im verstrichenen Jh. 1833–1933.) Athen 1934.

[65]) Eddy, Ch. B.: Greece and the Greek Refugees. London 1931; Ladas, S. P.: The Exchange of Minorities: Bulgaria, Greece and Turkey. Cambridge, Mass., 1932; Pentzopoulos, D.: The Balkan Exchange of Minorities and its Impact upon Greece. La Haye (Den Haag) 1962; G. Streit: Der Lausanner Vertrag und der griechisch-türkische Bevölkerungsaustausch. Berlin 1929; Wurfbain, A.: L'Exchange gréco-bulgare des minorités ethniques. Lausanne 1930.

[66]) Zur Rolle des Staates s. Ζολώτας, Ξ.: Αἱ κατευθύνσεις εἰς τήν οἰκονομικήν μας πολιτικήν (Die Richtungen unserer Wirtschaftspolitik.) Athen 1936; ders.: Ἡ Ἑλλάς εἰς τό στάδιον τῆς ἐκβιομηχανίσεως (Griechenland im Stadium der Industrialisierung.) Athen 1926.

[67]) Σ. Βοῦρος, Γ.: Παναγῆς Τσαλδάρης 1867–1936 (Panagis Tsaldaris. 1867–1936.) Athen 1955, S. 69ff.

durch direkte Interventionen in die Politik und durch Putsche zu schützen. Entsprechend sympathisierten viele Opfer der liberalen Säuberungen mit radikalen Gegenpositionen und drängten auf die Restauration des Königtums als Voraussetzung ihrer Reaktivierung[68]).

4. Diese Konflikte und die extremen wirtschaftlichen Belastungen (Integration der Flüchtlinge, Weltwirtschaftskrise) fielen in eine Zeit *antiparlamentarischer Bewegungen* und Regime in Europa, an denen immer mehr Griechen, auch Liberale, vorbildliche Züge entdeckten.

5. In der Zwischenkriegszeit spalteten sich zunächst die Liberalen (Mehrheitsliberale, Linksliberale, Konservative Liberale), im Dezember 1935 machte sich ein Flügel der Volkspartei selbständig (Nationale Volkspartei). Infolgedessen wurden *instabile Koalitionsregierungen* gebildet, deren Durchschnittsgröße nicht nur wegen der Ressortspezialisierung, sondern auch aus Rücksicht auf Koalitionspartner und innerparteiliche Gruppierungen erheblich zunahm (1910–14: 12, 1930–34: 21 Kabinettsmitglieder); hinzu kam der häufige Wechsel der Minister.

Diese Instabilität wurde allerdings durch eine Reihe *integrierender Faktoren* so begrenzt, daß die Entwicklung des Systems nicht ex post als chancenlos beurteilt werden darf. Erstens erwies sich das System als leistungsfähig. Über die traditionellen Mittel der Wirtschaftspolitik hinaus erweiterte der Staat den Rahmen seiner Interventionen, um den Anforderungen zu genügen. Mit Hilfe des Völkerbundes gelang die Ansiedlung der Flüchtlinge auf dem Lande. In den vier Jahren ihrer Amtszeit (1928–32) leistete die Regierung Venizelos viel (Gründung der Agrarbank, Verbesserung der Infrastruktur, Maßnahmen für das Schulwesen). Auch die Weltwirtschaftskrise überstand Griechenland leichter als Deutschland. Zweitens war die parlamentarische Demokratie zwischen Liberalen und Konservativen nicht strittig. Die Erfahrungen mit der rüden Diktatur des Generals Theodoros Pangalos (25.6. 1925–21.8. 1926) eröffneten den Weg zum Ausgleich mit der Volkspartei (1926 Bildung einer großen Koalition), die, unter Führung von Panagis Tsaldaris ohnehin am Legalitätskurs festhaltend, bis 1932 die Republik akzeptierte[69]). Erst die Putschversuche republikanischer Offiziere (6.3. 1933, 1.3. 1935)[70] boten den Radikalen der anderen Seite die Chance, den König zurückzuholen[71]). Schließlich setzte die Verabschiedung der republikanischen Verfassung am 3.6. 1927[72]) dem seit 1923 währenden Provisorium ein Ende. Die Bürgerrechte wurden weiter präzisiert und ausgestaltet. An die Stelle des Königs traten als neue Verfassungsorgane der nicht verantwortliche Präsident und das zu $9/12$ vom Volk für neun Jahre zu wählende und alle drei Jahre zu einem Drittel zu erneuernde Oberhaus, dessen Zustimmung für die vorzeitige Parlamentsauflösung erforderlich war. 1935 wurde die Verfassung von

---

[68]) Βερέμης, Θ.: Οἱ ἐπεμβάσεις τοῦ Στρατοῦ στήν ἑλληνική πολιτική 1916–1936 (Die Interventionen des Heeres in der griechischen Politik 1916–1936). Athen 1977.

[69]) Δαφνῆς: Ἑλλάς 1, S. 276–323, S. 349–360; 2, S. 153–157.

[70]) Δαφνῆς: Ἑλλάς 2, S. 180–219; Βερέμης: Ἐπεμβάσεις, S. 215–285; Μπενέκος, Γ. Γ.: Τό κίνημα τοῦ 1935 (Der Putsch von 1935). Athen o. J.

[71]) Πεσμαζόγλου, Γ.: Γύρω ἀπό τήν παλινόρθωσιν τοῦ 1935 (Über die Restauration 1935). Athen 1950.

[72])Κυριακόπουλος: Συντάγματα, S. 369–401; vgl. zur Vorgeschichte die Quellen und Erläuterungen ebenda, S. 261–367.

1864–1911 wieder in Kraft gesetzt, die Säuberungen der Beamtenschaft verletzten freilich auch deren Bestimmungen[73]). Obwohl die Ereignisse seit 1915, die Staatsstreichaktionen der royalistischen Offiziere 1935 und das gefälschte Plebiszit am 3.11. 1935 (97,8 % der Stimmen für das Königtum), die Restauration (25.11. 1935 Rückkehr Georgs II.) schwer belastet hatten, waren die Liberalen zur Zusammenarbeit mit dem König bereit. Georg II.[74]) stand jedoch den politischen und 1936 mit Vehemenz ausbrechenden sozialen Konflikten verständnislos gegenüber und gab – wohl auch in der Hoffnung, angesichts der gespannten Lage in Europa die „Einheit der Nation" wiederherzustellen – Ioannis Metaxas den Weg zur Diktatur frei.

3. Die Metaxas-Diktatur (1936–1941)

Die Diktatur des 4. August 1936[75]) wollte nach dem Vorbild Deutschlands und Italiens einen „Neuen Staat" und eine „Dritte griechische Kultur" nach Antike und Byzanz begründen. Metaxas setzte Teile der Verfassung außer Kraft, verbot die Parteien, beseitigte die bürgerlichen Freiheiten und das Streikrecht, unterwarf die Presse der Zensur, säuberte Behörden, Gewerkschaften und berufsständische Organisationen, Universitäten und kulturelle Einrichtungen sowie die Selbstverwaltung und verdrängte Schritt um Schritt die Vertrauensleute des Hofes aus der Regierung, in der er selbst vier, ab 1938 fünf Ressorts leitete. Die Nationale Jugendorganisation (EON) sollte Fundament einer künftigen Massenpartei sein. Die Stabilität des Systems wurde weiterhin durch die skrupellosen Praktiken (Folterungen, Rhizinuspurgierungen) des Sicherheitsdienstes unter Konstantinos Maniadakis, durch Verbannungen und Deportationen, aber auch durch sozialpolitische Maßnahmen abgesichert, die zum großen Teil auf Gesetzen und Plänen demokratischer Regierungen beruhten. Maniadakis gelang es, innerhalb von drei Jahren die KP zu zerschlagen[76]) und ihre versprengten Reste zu unterwandern. Auch die Versuche demokratischer Politiker und Offiziere, Widerstand zu organisieren[77]), hatten keinen durchschlagenden Erfolg. Die Hoffnung der 1936 zunächst stillhaltenden Liberalen, Metaxas werde republikanische Offiziere reaktivieren, erfüllte sich nicht; andererseits stellte der Diktator die strikte Disziplin im Militär wieder her.

4. Die Zeit der Besetzung (1941–1944)

Vor den deutschen Truppen zogen sich Georg II. und die Regierung Tsouderos[77a]) nach Ägypten zurück (23./24. 5. 1941); endgültiger Sitz der Exilregierung wurde

---

[73]) Zur Verfassungsproblematik ebenda, S. 407–446.

[74]) Καλογερόπουλος, Δ. (Hrsg.): Γεώργιος Β' (Georg II.). Athen 1949; Πιπινέλης, Π.: Γεώργιος Β' (Georg II.). Athen 1951.

[75]) Beste Zusammenfassung: Κολιόπουλος, Γ. in IEE 15. Athen 1978, S. 358–453; weitere Literatur ebenda, S. 520 f.

[76]) Kousoulas, D. G.: Revolution and Defeat. The Story of the Greek Communist Party. London 1965, S. 126–144 (oberflächlich); sowie jetzt Loulis, J. C.: The Greek Communist Party (KKE) and the Greek-Italian War, 1940–41. An Analysis of Zahariadis' Three Letters, in: Byzantine and Modern Greek Studies. 5. 1979, S. 165–185.

[77]) Dazu Δαφνῆς: Ἑλλάς 2, S. 437–467 und Ergänzungen von dems. in der Zeitung Ἐλευθερία (Elevtheria) 25. 4. 1954 sowie Κολιόπουλος in: IEE 15, S. 391–397.

[77a]) Zur Systemkrise in der letzten Kriegsphase die entmythologisierende Studie von Κολιόπουλος, Ι.Σ.: Ἡ στρατωτική καί ἡ πολιτική κρίση στήν Ἑλλάδα τόν Ἀπρίλιο τοῦ 1941 (Die militärische und die politische Krise in Griechenland im April 1941), in: Μνήμων (Mnimon). 6. 1976/77, S. 53–74.

London. Wegen des Verfassungsbruchs vom 4. 8. 1936 blieb der König, als Nachfolgerin des Metaxas-Regimes die Regierung diskreditiert. Erst am 2.2. 1942 wurden die Dekrete, durch die Metaxas die Diktatur errichtet hatte, aufgehoben! Die Spannungen zwischen reaktionären Offizieren („Loyalisten") und ihren aus Griechenland nachkommenden antimetaxistischen bzw. republikanischen Kameraden entluden sich in Zusammenstößen und Meutereien[78]). Der größere Teil des Landes wurde von den geschlagenen Italienern, Athen, Saloniki mit Umgebung, Westkreta und die Ägäis-Inseln von den Deutschen, das Territorium östlich des Strymon (Struma) außer dem Grenzstreifen zur Türkei von den Bulgaren besetzt, die ihre Zone sofort brutal bulgarisierten. Die Besatzungsmächte veranlaßten die Bildung *griechischer Regierungen*[78a]), die vor allem die territoriale Integrität zu schützen versuchten, jedoch zwangsläufig in Gegensatz zur Widerstandsbewegung, die sie ab 1943 mit den berüchtigten Sicherheitsbataillonen bekämpften, gerieten und daher mit den Besatzungsmächten kollaborierten. Den *Widerstandsorganisationen*[79]) gelang es, Teile Griechenlands unter ihre Kontrolle zu bringen. Die republikanische Nationale Republikanische Griechische Liga (EDES) hielt sich im Nordwesten für die Alliierten bereit. Die kommunistisch geführte Nationale Befreiungsfront (EAM), die am 10. 4. 1942 die Griechische Volksbefreiungsarmee (ELAS) gründete, baute ein neues politisches System mit eigener Verwaltung und Volksgerichten[80]) auf und bekämpfte immer energischer andere Widerstandsorganisationen („1. Runde" des Bürgerkrieges). Begrenzt wurde die Politik der EAM nur, weil sie an der militärischen Kooperation mit den Briten festhielt. Deshalb bildete der Widerstand zwar Repräsentativorgane (14.3. 1944 Politisches Komitee zur Nationalen Befreiung = PEEA, 14.5. 1944 Zusammentritt des gewählten Nationalrats), aber keine formelle Regierung, sondern trat nach der Libanonkonferenz (17.–20.5. 1944) in das Exilkabinett Georgios Papandreous ein und unterstellte seine Truppen im Abkommen von Caserta (26.9. 1944) der Exilregierung, de facto britischem Kommando. Ungehindert konnten nach dem Abzug der Deutschen britische Truppen am 4.10. und die Regierung am 18.10. in Griechenland landen[81]).

---

[78]) Fleischer, H.: The „Anomalies" in the Greek Middle East Forces, 1941–1944, in: Journal of the Hellenic Diaspora. 5. 1978, S.5–36 (dort auch die einschlägige, insbesondere die reichhaltige Memoirenliteratur).

[78a]) Ministerpräsidenten wurden: am 1.5.1941 General G. Tsolakoglou, am 2.12.1942 Professor K. Logothetis, am 7.4.1943 I. Rallis.

[79]) Grundlegend Woodhouse, C.M.: Apple of Discord. London 1948; ders.: The Struggle for Greece 1941–1949. London 1976; Chandler, G.: The Divided Land, an Anglo-Greek Tragedy. London 1959.

[80]) Unkritisch die Übersicht bei Stavrianos, L.S.: The Greek National Liberation Front (EAM): A Study in Resistance Organization and Administration, in: Journal of Modern History. 24. 1952, S.42–55; Ζέππος, Δ.: Λαϊκή Δικαιοσύνη εἰς τάς ἐλευθέρας περιοχάς τῆς ὑπό κατοχήν Ἑλλάδος (Die Volksjustiz in den freien Gebieten des besetzten Griechenland). Athen 1945; Μπέϊκος, Γ.: Ἡ λαϊκή ἐξουσία στήν ἐλεύθερη Ἑλλάδα (Die Volksmacht im freien Griechenland). 2 Bde. Athen 1979; s. dazu aber die unentbehrliche Rezension von D. N. Mexis in der Zschr. Διαβάζω 1979, 26, S. 85–87.

[81]) Παπανδρέου, Γ.: Ἡ ἀπελευθέρωσις τῆς Ἑλλάδος (Die Befreiung Griechenlands) Athen 1949.

IV. Von der Befreiung bis zur Systemkrise der sechziger Jahre

1. Der Bürgerkrieg

In den umstrittenen Fragen der Neuorganisation des politischen Systems fand die Koalitionsregierung zu einvernehmlichen Lösungen[82]), sie zerbrach jedoch an den Kontroversen über die Demobilisierung der Partisanen. Die blutige Auflösung einer Demonstration am 3.12. 1944 in Athen[83]) leitete die *„2. Runde" des Bürgerkrieges* ein[84]), in der die Kommunisten geschlagen wurden. Obwohl im Frieden von Varkiza (12.2. 1945)[85]) die Freiheitsrechte ausdrücklich bestätigt, eine Amnestie und die Abgabe der Waffen der aufzulösenden ELAS sowie die Säuberung des öffentlichen Dienstes von Kollaborateuren und Anhängern des Metaxas-Regimes vereinbart worden waren und ein Plebiszit über das Königtum sowie anschließende Wahlen den Weg in die Normalität ebnen sollten, ging die Regierung rigoros gegen die Kommunisten vor. Diese versteckten einen Teil ihrer Waffen[86]), bewaffnete Gruppen der extremen Linken und der extremen Rechten ließen das Land nicht zur Ruhe kommen[87]). Der Wahlsieg der rechten Koalition aus Volkspartei, Nationalliberalen und Reformisten am 31.3. 1946[88]) demonstriert ebenso wie der Ausgang des Plebiszits am 1.9. 1946 (68,3 % der Stimmen für das Königtum) einen Rechtsruck der Wähler, doch sind die Ergebnisse in dieser Höhe zweifellos auch staatlicher Repression und der Aktivität antikommunistischer Banden zuzuschreiben. Dies bestärkte wiederum die KKE-Führung in ihrem Entschluß, mit Guerilla-Aktionen zu antworten und den *bewaffneten Aufstand („3. Runde")* in der Hoffnung auf die Hilfe der kommunistischen Staaten vorzubereiten[89]). Die „Demokratische Armee Griechenlands" (DSE) konnte aber kein größeres Gebiet auf Dauer halten und keine Stadt einnehmen und war dem Übergang vom Guerilla- zum regulären Stellungskrieg nicht gewachsen. Die am 24.12. 1947 gebildete Gegenregierung wurde auch von den kommunistischen Staaten nicht anerkannt. Unter dem Druck der ab 1947 massiv von den USA unterstützten, 1949 reorganisierten Nationalarmee brach der verbissene kommunistische Widerstand schließlich zusammen.

Der Bürgerkrieg hat das politische System schwer belastet. Obwohl die KP erst eineinhalb Jahre nach Beginn der „3. Runde" verboten wurde, kam es im Laufe des Krieges zur Exekution von rund 5000 Personen auf beiden Seiten; etwa 15 000 An-

[82]) Plebiszit über die Staatsform, Säuberung der Streitkräfte, Bestrafung der Kollaborateure, Aufbau einer Nationalarmee.

[83]) Baerentzen, L.: The Demonstration in Syntagma Square on Sunday the 3rd of December, 1944, in: Scandinavian Studies in Modern Greek. 2. 1978, S. 3–52.

[84]) Die Diskussion über die Verantwortung beider Seiten ist kontrovers. Zusammenfassend: Iatrides, J.O.: Revolt in Athens. The Greek Communist "Second Round", 1944–1945. Princeton 1972, bes., S. 200 ff., sowie Woodhouse: Struggle.

[85]) Text in engl. Übers. bei Woodhouse: Apple of Discord, S. 308–310.

[86]) Zachariadis an die KPdSU, 12.9.1946. Ἠλιοῦ, Φ.: Ὁ ἐμφύλιος πόλεμος στήν Ἑλλάδα (Der Bürgerkrieg in Gr.), in: Ἡ Αὐγή (I Avgi) 6.12.1979.

[87]) Chandler, S. 155 f.

[88]) 55.12 % der Stimmen, 58.19 % der Mandate.

[89]) Zu dieser ungeklärten und auch in der KP umstrittenen Frage s. jetzt die brillante Analyse bei Smith, O.L.: On the Beginning of the Greek Civil War, in: Scandinavian Studies in Modern Greek. 1. 1977, S. 15–31, sowie die neue Quellenpublikation von Ἠλιοῦ, Φ. (s.o. Anm. 86) ab 5.12.1979.

gehörige der Nationalarmee und der Gendarmerie sowie ca. 40 000 Partisanen waren im Kampf gefallen. Ein breiter Strom von Blut trennte beide Lager. Die *„außerordentlichen Maßnahmen"* (ao. Militärgerichte, Deportationen, Entzug der Staatsbürgerschaft, Einführung von Gesinnungszertifikaten für die Anstellung, die Zulassung zur Universität, die Ausstellung eines Passes usw.)[90]) blieben rund 20 Jahre in Kraft und boten der Exekutive die Möglichkeit zum Machtmißbrauch gegen Oppositionelle überhaupt, die Sicherheitsdienste verselbständigten sich immer mehr, die Verfassungsordnung war de jure und de facto ausgehöhlt. Auf die Hilfe der Verbündeten angewiesen, hatte Griechenland ihnen rasch wachsenden und institutionell abgesicherten[91]) Einfluß zugestehen müssen, der sich besonders peinlich in direkter oder camouflierter Begünstigung einzelner Parteien und Politiker bemerkbar machte. Mehr als direkte Einflüsterungen machte die *Militärhilfe*[92]), von der die Streitkräfte zum größten Teil abhingen, das Offizierskorps sensibel gegen jede Lockerung des Verhältnisses zu den USA.

2. Das Scheitern des liberalen Kurses (1949–1952)

Nach dem Ende des Bürgerkriegs erhoffte sich die Mehrheit der Wähler von den liberalen Zentrumsparteien die innere Befriedung des Landes, die Wiederherstellung rechtsstaatlicher Verhältnisse und den Aufbau der zerrütteten Wirtschaft. Mehrere Umstände bewirkten jedoch das Scheitern des liberalen Kurses[93]).

Erstens ließ die *Erinnerung an die Schrecken des Bürgerkriegs* nur geringen Spielraum für Bemühungen um eine durchgreifende innere Normalisierung. Mißtrauen, Angst und Fanatismus vergifteten die politische Atmosphäre und ließen sich leicht mit demagogischen Mitteln schüren. Über 2000 zum Tode und 16 738 zu Freiheitsstrafen Verurteilte saßen in den Gefängnissen, 5425 Verfahren liefen noch, etwa 13 000 Personen wurden in Lagern teilweise brutaler Behandlung ausgesetzt (Insel Makronisos); Präventivverhaftungen durch das Militär waren an der Tagesordnung. In Osteuropa hatten 60 000 Soldaten der „Demokratischen Armee" Zuflucht gefunden. Das 6. ZK-Plenum der KP beschloß am 9. 10. 1949, weiterhin Partisaneneinheiten zu unterhalten[94]); im Lande entstand ein illegaler Apparat, geheime Funkstationen wurden eingerichtet. Diese Taktik schien denen recht zu geben, die eine rigorose Beschneidung der Freiheitsrechte forderten. Das liberale Zentrum wurde verdächtigt, dem Kommunismus Vorschub zu leisten. Die Beteiligung am Widerstand der EAM vor 1944 galt als Beweis nationaler Unzuverlässigkeit; gleich-

---

[90]) Überblick bei Meynaud, J.: Les forces politiques en Grèce. Montréal 1965 (Études de science politique 10), S. 177 ff.

[91]) Es wurden die American Mission for Aid to Greece (AMAG), die Joint US Military Advisory and Planning Group (JUSMAPG) geschaffen. In militärischen Führungsgremien waren Briten und Amerikaner vertreten, ihrer Präsenz im Obersten Militärrat wurde erst 1953 ein Ende gesetzt, die US-Botschaft intervenierte offen und massiv in der Innenpolitik.

[92]) Von der Befreiung bis zum 30. 6. 1964 betrug die US-Hilfe 3.984 Mill. $, davon entfielen auf die Militärhilfe $ 1.740 Mill., auf die Marshallplanhilfe $ 1.095 Mill. Zu 81 % war diese Hilfe unentgeltlich. 1.136 Mill. (= 50,6 % der Zivilhilfe) flossen ins reguläre. 794 Mill. ins Investitionsbudget. Großbritannien brachte 1944–46 220.3 Mill. $ für Militärhilfe. Meynaud, S. 412 ff.

[93]) Allgemeine Übersicht in der journalistischen Arbeit von Λιναρδάτος, Σ.: Ἀπό τόν Ἐμφύλιο στή Χούντα (Vom Bürgerkrieg zur Junta). 1: 1949–1952. Athen 1977.

[94]) Κατσούλης, Γ. Δ.: Ἱστορία τοῦ Κομμουνιστικοῦ Κόμματος Ἑλλάδας (Geschichte der Kommunistischen Partei Griechenlands). 6. Athen o. J., S. 298.

zeitig wurden Aktivisten der Metaxas-Diktatur und des Besatzungsregimes stillschweigend rehabilitiert, wurden rechtsextremistische Verbrecher der Jahre nach 1944 als „Nationalgesinnte" gewürdigt. Dem entsprach die ebenso undifferenzierte Polemik der KP-Führung.

Zweitens blieb das Zentrum schwach, weil *in drei Parteien gespalten:* die Partei der Liberalen unter Sofoulis' Nachfolger Sofoklis Venizelos, die Demokratische Sozialistische Partei unter Georgios Papandreou[95]) und die am 15.12. 1949 gegründete linksliberale Nationale Fortschrittliche Zentrumsunion (EPEK) unter dem populären, in der kritischen Phase 1951/52 jedoch durch Krankheit handlungsunfähigen Nikolaos Plastiras und Emmanouïl Tsouderos. Sie schieden sich vor allem an der Frage, wieweit zur inneren Befriedung den Kommunisten Erleichterungen zu gewähren seien (Umwandlung von Todesurteilen / Revision von Strafverfahren / Auflösung der Lager / Amnestie / Aufhebung der Notstandsmaßnahmen / evtl. Wiederzulassung der KP). Gegen die durch die Vorgänge von 1946, durch Mißwirtschaft und Korruption diskreditierte Volkspartei setzten sie sich durch, gegen die am 6.8. 1951 entstandene Griechische Sammlung[96]) unter Marschall Alexandros Papagos konnten sie sich trotz ihrem Wahlerfolg 1951[97]) nicht behaupten[98]). Die von rechts und links geförderte Polarisierung wirkte sich noch ungünstiger auf die schwächere nichtkommunistische Linke[99]) aus, die 1951/52 zu Splitterparteien degenerierte[100]), während die am 1.8. 1951 gegründete EDA unter maßgebendem kommunistischem Einfluß stand[101]).

Drittens wirkte sich die *Verschärfung der internationalen Spannungen* infolge des Koreakrieges zuungunsten des Zentrums aus, weil die USA den liberalen Parteien 1951/52 in dem Maße ihre Unterstützung versagten, wie die in der Sammlung regenerierte Rechte größere Aussichten auf Regierungsstabilität und wirksame Bekämpfung des Kommunismus zu bieten schien.

Unter diesen Voraussetzungen blieben die Notstandsmaßnahmen in Kraft, die innere Normalisierung wurde nur zurückhaltend eingeleitet.

Rechtsgrundlage des politischen Systems war die am 22.12. 1952 verabschiedete revidierte Fassung der *Konstitution* von 1864/1911[102]), die erstmals den Terminus βασιλευομένη δημοκρατία („Demokratie mit einem König als Staatsoberhaupt") zur Kennzeichnung des Regierungssystems einführte (Art. 2) und die Regierung ausdrücklich an das Vertrauen des Parlaments band (Art. 78), neben freiheitlichen Re-

---

[95]) Später umbenannt in Partei Georgios Papandreou.

[96]) Ἑλληνικός Συναγερμός (Hellenische Sammlung).

[97]) Die drei liberalen Parteien: Κόμμα τῶν Φιλελευθέρων (Partei der Liberalen), EPEK, Partei Papandreous erhielten 44.63 % der Stimmen und 133 von 258 Mandaten.

[98]) Die Sammlung erhielt am 16.11.1952 49.22 %, die liberale Wahlkoalition 34.22 % der Stimmen (Mandate: 247 bzw. 51 von 300).

[99]) SKELD (Σοσιαλιστικόν Κόμμα/῾Ένωσις Λαϊκῆς Δημοκρατίας (Sozialistische Partei/Union für Volksdemokratie). Daneben bestanden Splittergruppen.

[100]) 1950 erhielt die Wahlkoalition der in Anm. 96 genannten Parteien 9.7 % der Stimmen und 18 Mandate, 1951 das SKELD nur noch 0.23 % der Stimmen.

[101]) Ἑνωμένη Δημοκρατική Ἀριστερά (Vereinigte Demokratische Linke).

[102]) Da die Prozedur nicht den strengen Auflagen des Art. 108 entsprach, beteiligte sich die Sammlung nicht an der Abstimmung. Vorgeschichte, Text und Anmerkungen bei Καλουδάκης, Δ.: Τό Σύνταγμα τοῦ 1952 (Die Verfassung von 1952); s. auch die einschlägigen Quellen bei Κυριακόπουλος: Συντάγματα, S. 486–579, Verfassungstext S.581–609.

gelungen (Art. 1: Freiheit statt wie bisher Tolerierung anderer Religionen; Art. 82: Verwaltungsgerichtsbarkeit) auch die Einschränkung der Koalitionsfreiheit für Beamte (Art. 11), Restriktionen der Pressefreiheit (Art. 14) sowie die Pflege des Nationalbewußtseins als Unterrichtsziel (Art. 16) und als Beamtenpflicht (Art. 100) festsetzte. In der Praxis wurde die Verfassungsordnung durch die Verselbständigung der Sicherheitsdienste, die Interventionen des Königspaares in die Regierungs- und Verwaltungsgeschäfte und die (von den jeweils begünstigten Politikern begrüßten) Vorstöße von US-Dienststellen eingeschränkt. Im Militär, insbesondere in Papagos' Umgebung, übte neben dem König die Offiziersverschwörung IDEA, Nachfolgeorganisation der im Nahen Osten entstandenen ENA, wachsenden Einfluß aus und wagte am 30./31. 5. 1951 einen Putschversuch, der keine durchgreifenden Maßnahmen auslöste[103]). Wegen angeblicher kommunistischer Sabotage wurden 1951 Luftwaffenoffiziere verurteilt, obwohl die Beweise offensichtlich manipuliert und die Angeklagten gefoltert worden waren[104]). Weltweites Aufsehen erregte 1952 der Prozeß gegen Nikos Belogiannis, Mitglied des ZK der KP, und andere KP-Aktivisten, deren Hinrichtung trotz der von Plastiras zugesagten Umwandlung von Todesurteilen für politische Verbrechen Polizei und Militärjustiz durch einen zweiten Prozeß wegen Spionage, den ersten dieser Art, und dank der Schwäche der Regierung erreichten.

Im Unterschied zu später wurden die Wahlen korrekt durchgeführt, allerdings machte sich schon jetzt die ideologische Disziplinierung des Militärs bemerkbar[105]).

In der Wirtschafts- und Sozialpolitik wurde die Leistungsfähigkeit des Systems durch die *Kriegsfolgen* überfordert, 1951/52 im Zeichen des Koreakrieges auf den Druck der USA hin insofern eingeschränkt, als geplante Industrieinvestitionen zugunsten hoher Verteidigungslasten zurückgestellt werden mußten. Von dem Bau von Kraftwerken abgesehen, beschränkte sich der Staat auf Maßnahmen zur Linderung der Not, zur Verbesserung der Zahlungs- und der Handelsbilanz sowie zur Stabilisierung der Währung (1949 Abwertung der Drachme). Vom weitergehenden sozialpolitischen Programm der EPEK wurde lediglich die Enteignung von Land (auch der Kirche) zur Ausstattung von Bauern realisiert. Immerhin wurde das Produktionsniveau der Vorkriegszeit im wesentlichen erreicht[106]).

3. Die Phase der relativen Stabilität (1953–1961)

In den Wahlen 1952 fielen der Griechischen Sammlung dank dem Wahlsystem (s. Kap. Ergebnisse der Wahlen und Volksabstimmungen, S. 668) 247 von 300 Mandaten zu; auch der nach dem Tode von Marschall Papagos (4. 10. 1955) von Konstantinos Karamanlis gebildeten Nationalradikalen Union (ERE)[107]) sicherte das Wahlsystem die große Mehrheit der Parlamentssitze. Für die verbreitete Auffas-

---

[103]) Λιναρδάτος 1, S. 227 ff. Sehr aufschlußreich die Erinnerungen von Κανελλόπουλος, Π.: Ἱστορικά δοκίμια (Historische Essays). Athen 1975, S. 20–40. IDEA = Ἱερός Δεσμός Ἑλλήνων Ἀξιωματικῶν (Hl. Bund Griechischer Offiziere).

[104]) Λιναρδάτος 1, S. 471 ff., S. 497 ff.; 2. Athen 1978, S. 50 ff., S. 111 ff., vgl. S. 247 ff., s. auch Κανελλόπουλος, S. 30 ff.

[105]) 1951 wurden im Heer 52.9 % der Stimmen für die Sammlung abgegeben.

[106]) Καμάρας, Π.: Τό ἑλληνικόν ἰσοζύγιον πληρωμῶν τῶν ἐτῶν 1948–1957 (Die griechische Zahlungsbilanz der Jahre 1948–1957). Thessaloniki 1974.

[107]) EPE, Ἐθνική Ριζοσπαστική Ἕνωσις.

sung, das politische System sei 1953–1961 stabil gewesen, spricht vieles. Ungefähr-
det war die Stellung des Partei- und Regierungschefs (19.11.1952–4.10.1955 Papagos, 6.10.1955–11:6.1963 Karamanlis)[108]) und damit die relative Kontinuität
des Regierungskurses, der sich während der Dauerkrise der Liberalen leichter als
nach 1961 gegen eine geschlossene Opposition durchsetzen ließ. Destabilisierende
Spannungen zwischen Regierung und Krone blieben im wesentlichen aus. Auf die
vorübergehende Stagnation der Wirtschaftsentwicklung 1952/53 infolge der rigo-
rosen Austeritätspolitik, zu der dié Regierung nach der Kürzung der US-Hilfe
gezwungen gewesen war, folgte nach der erneuten Abwertung der Drachme am
9.4.1953 und der Liberalisierung des Außenhandels ein neuer Aufschwung, der
bis 1956/57 zur Stabilisierung der Währung führte; die ERE-Kabinette beschleu-
nigten den Ausbau der Infrastruktur und die Industrialisierung, auch förderten sie
die landwirtschaftliche Produktion – allerdings um den Preis geringerer Aufwendungen für Bildung, Gesundheitswesen und Sozialpolitik sowie bei niedrigen
Löhnen und Gehältern[109]).

Auf der anderen Seite entstanden gerade in dieser Phase die *Voraussetzungen für
die tiefgreifende Systemkrise* nach 1961[110]). Je weiter man sich vom Bürgerkrieg entfernte, desto mehr nahm der mit einem primitiven, gespreizten und meist antisla-
wisch akzentuierten Nationalismus verbrämte administrative Druck nicht nur auf die
Linke, sondern auch auf die Liberalen zu, die sich nicht mit der Identifikation von
Staat und Sammlung bzw. ERE abfanden. Im Rundfunk, in den Schulen und im
Heer dominierte die als „Nationales Ideal" ausgegebene Parteiideologie. Zwar hielt
Papagos Distanz zu der ihn unterstützenden Offiziersclique IDEA[111]), zwar hatte
sein Nachfolger keine persönlichen Bindungen an solche Klüngel, doch vermochten
diese entscheidende Kommandoposten in den Streitkräften zu kontrollieren[112]). Die
relative Verselbständigung von Militär, Polizei und Sicherheitsdiensten[113]), die demagogisch betriebene Zuspitzung der Optionen auf die Alternative „Karamanlis
oder der Kommunismus" und die Mobilisierung von Angst gehörten zu den Mitteln,
eine prekäre Stabilität zu erhalten. Sie waren gleichzeitig die Voraussetzung dafür,
daß ab 1956 in Anbetracht der Wahlkoalition der Zentrumsparteien mit der EDA
jene Verschwörergruppe um Georgios Papadopoulos entstand, die 1967 die Diktatur errichtete[114]), und daß eine Reihe antidemokratischer und staatsfeindlicher
Organisationen[115]) von der Polizei toleriert bzw. benutzt wurde. Von der ERE an-

---

[108]) Die Bestellung geschäftsführender Regierungen zur Durchführung von Wahlen kann nicht wie
in der Tabelle bei Legg, S. 298, als Kontinuitätsunterbrechung interpretiert werden.

[109]) Καμάρας, S. 197 ff. Grundlegend sind die jährlichen Berichte der Bank von Griechenland:
Τράπεζα τῆς Ἑλλάδος: Ἡ ἑλληνική οἰκονομία κατά τό ἔτος 1955 καί 1956 (Die griechische Wirtschaft im Jahre 1955–1956). Athen 1957, desgl. κατά τό ἔτος 1957. Athen 1958 usf.

[110]) Λιναρδᾶτος 3: 1955–1961. Athen 1978 und die Analysen bei Meynaud.

[111]) Zu Staatssekretären für Heer, Luftwaffe und Marine ernannte Papagos integre Generäle, die
keine IDEA-Mitglieder waren. Hingegen gab er bei der Bestellung des neuen Stabschefs der Luftwaffe
1954 den Pressionen nach, Κανελλόπουλος, S. 28 ff.

[112]) Κανελλόπουλος, S. 28 ff., S. 37–43, S. 48 ff., sowie die höchst aufschlußreiche Notiz des ehem.
Chefs des Allgemeinen Nationalen Verteidigungsstabes, General Frontistis, ebenda, S. 297 ff.

[113]) 1957 wurde sogar das Telefon des Ministerpräsidenten überwacht: Λιναρδᾶτος III, S. 205, vgl.
auch S. 111 f.

[114]) Ebenda, S. 74 f., sowie Frontistis in Κανελλόπουλος, S. 299 ff., vgl. ebenda, S. 292 ff.

[115]) S. u. im Zusammenhang mit der Ermordung von Lambrakis.

geworbene Rowdies schüchterten als Wahlhelfer die Bevölkerung vor allem auf dem Lande ein[116]).

Eingeschränkt wurde die relative Stabilität auch durch die vorgezogenen Parlamentswahlen (1955, 1958, 1961, 1963). Schließlich entfremdeten die teils eigenwilligen, teils zugunsten der Rechten unternommenen *Interventionen des Königspaares* in die praktische Politik, die Begünstigung ihrer Klienten, die weitgehend unkontrollierte Verwaltung der staatlich finanzierten „Königlichen Stiftung" und eine gewisse Neigung zur Prachtentfaltung die Krone von den Oppositionsparteien[117]). Kennzeichnend für den ständig sich verschärfenden Fundamentaldissens über die Grundlagen der Rechtsstaatlichkeit war die von der Opposition geforderte und von der Regierung akzeptierte Bestellung *geschäftsführender Regierungen* aus überparteilichen Persönlichkeiten des öffentlichen Lebens sowie die Suspendierung von Amtsträgern vor den Wahlen, weil kein Vertrauen in die Fairneß der Administration bestand. 1961 führte massive Wahlbeeinflussung[118]) zur offenen Staatskrise.

V. Die Systemkrise (1961–1967)

1. Das Ende der Dominanz der ERE (1961–1963)

Die im Wahljahr 1961 aus Parteien der liberalen Mitte und der demokratischen Linken gebildete Zentrumsunion sagte der Regierung wegen der Wahlbeeinflussung 1961 den *„unversöhnlichen Kampf"* an (laufende Enthüllungen, Obstruktion im Parlament, Vermeidung von Kontakten mit dem König, Mobilisierung der Öffentlichkeit) und setzte König Paul unter Druck, als Garant der Verfassung den Weg zur Wiederherstellung der Legalität von Parlament und Regierung freizugeben. Am 22.5. 1963 wurde nach einer Kundgebung in Saloniki der EDA-Abgeordnete Grigorios Lambrakis auf offener Straße tödlich verletzt. Am selben Abend wurden auch andere EDA-Funktionäre überfallen. Die Recherchen der Justizorgane, vor allem des mutigen Untersuchungsrichters Christos Sartzetakis, legten in zähem Ringen gegen Verdunkelungsversuche die Verbindungen der Gendarmerie mit rechtsextremistischen Organisationen und kriminellen Handlangern bloß; hohe Polizeioffiziere (K. Mitsou, E. Kamoutsis) wurden als Hintermänner der Täter schwer belastet. Die in ihrem Prestige angeschlagene Regierung war nicht nur an den Vorfällen unschuldig, sondern hatte offenbar keine Kenntnis von den Praktiken der Polizei[119]). Als es zwischen Paul und der Regierung zum Konflikt wegen einer Reise des Königspaares nach London gekommen war, trat der offenbar entmutigte Karamanlis am 11.6. 1963 zurück. König Paul scheint einen Ausweg aus der Krise gesucht zu haben, um die antimonarchischen Emotionen einer breiten Öffentlichkeit abflauen zu lassen. In

---

[116]) Davon distanzierte sich scharf P. Kanellopoulos als Nachfolger von Karamanlis in der Parteiführung: Memorandum an Konstantin II., Januar 1966, Auszug in Κανελλόπουλος, S. 52.

[117]) Λιναρδάτος 3, S. 161 ff.

[118]) Zu den Praktiken gehörten neben Einschüchterungen durch Polizeiorgane und deren Gehilfen vor allem in den Dörfern die Ausgabe falscher Identitätskarten und Wahlausweise, der Druck zur offenen Stimmabgabe, die massive Beeinflussung der Soldaten, die Ausgabe gekennzeichneter Stimmzettel. S. dazu das Schwarzbuch der Zentrumsunion Μαύρη Βίβλος. Athen 1962; vgl. Frontistis in Κανελλόπουλος, S. 303; Καρανικόλας, S. 429–470.

[119]) Vgl. Κανελλόπουλος, S. 68 f.

seiner Bereitschaft zu einer Kurskorrektur dürften ihn auch die elastischere Haltung der Kennedy-Administration und die Hoffnung ermutigt haben, den Liberalen durch seinen Einfluß auf das Militär Grenzen setzen zu können.

2. Die liberale Wende (1963–1965)

Nach dem Wahlsieg des Zentrums am 3.11.1963 gestand der König, da keine Partei die absolute Mehrheit der Mandate erhalten hatte, Papandreou Neuwahlen am 16.2.1964 zu. Der neue Urnengang brachte dem Zentrum 52,71 % der Stimmen. Die Regierung stellte *rechtsstaatliche Verhältnisse* wieder her und liberalisierte das öffentliche Leben (Vorlage von Gesinnungszertifikaten nur bei der Anstellung im öffentlichen Dienst, Ende der Deportationen, Einschränkung der Zuständigkeit der Militärgerichte, Auflösung der rechtsradikalen Organisationen)[120]). Die Untersuchung der Politik von Karamanlis, insbesondere der Verwendung des Geheimfonds, auf strafrechtliche Tatbestände nützte allerdings nichts, weil etwaige Verfehlungen ohnehin verjährt waren[121]). Bildungswesen und Verwaltung wurden reformiert. In der Wirtschaftspolitik erhöhten wissenschaftlich abgestützte Planungen, die Ansätze einer Steuerreform und die Zusammenfassung der mit der Industrieförderung befaßten Körperschaften die Leistungsfähigkeit des Systems; die Konsumausweitung und sozialpolitische Maßnahmen reduzierten Spannungen in der Gesellschaft[122]). Destabilisierend wirkte sich hingegen auf das ganze System die Tatsache aus, daß Papandreou sich nicht zu formalisierten demokratischen Willensbildungsprozeduren in seiner Partei verstand, sondern selbstherrlich auch über den Parteiausschluß entschied. Die Interessen innerhalb der Partei glich er durch die häufig wechselnde Besetzung der zahlenmäßig vermehrten Regierungsposten aus[123]).

Dem Zentrum gelang es nicht, Streitkräfte und Polizei durchgängig zu kontrollieren[124]). Papandreou glaubte, den Modus vivendi mit dem Hof durch die Berufung des durch Wahlbeeinflussung 1961 bekannt gewordenen Generals Gennimatas an die Spitze des Generalstabs des Heeres zu erleichtern[125]). Die rechtsorientierten Generäle, gestützt auf den König, der ein Revirement in der Armeeführung zu verhindern suchte, und auf den dubiosen Verteidigungsminister Petros Garoufalias, sperrten sich gegen die Entpolitisierung der Streitkräfte. Die *staatsfeindliche Oberstengruppe* um Papadopoulos und rechtsextremistische Zirkel führten durch gefälschte Informationen über die Auswirkungen der Zentrumspolitik und die angebliche geheime Bewaffnung der Kommunisten Teile der Öffentlichkeit einschließlich der Oppositionsführung[126]) gründlich irre. Die künstlich erzeugte Unruhe konnte

---

[120]) Dazu Meynaud, S. 289 ff., S. 294 ff.

[121]) Κανελλόπουλος, S. 65.

[122]) S.o. Anm. 109, vgl. auch Papandreou, A.G.: A Strategy for Greek Economic Development. Athen 1962 (Center of Economic Research. Research Monograph Series, 1).

[123]) Vgl. Meynaud, S. 277 ff.

[124]) Die folgenden Ausführungen über das Militär beziehen sich vor allem auf das Landheer. Die Marine verhielt sich loyal.

[125]) Meynaud, S. 295.

[126]) Κανελλόπουλος, S. 68 ff. – Kanellopoulos verwendete die Falschmeldungen bona fide noch in der Kronratssitzung am 1.9.1965: Ἱστορικαί ἐκδόσεις. Φῶς εἰς τήν πολιτικήν κρίσιν πού συνεκλόνισε τήν Ἑλλάδα (Historische Editionen. Licht auf die Krise, die Griechenland erschüttert hat). Athen 1965, Protokoll, S. 33.

aber nur deshalb um sich greifen, weil Ideologie und Praktiken der Machteliten bis 1963, die Erziehung des Offizierskorps, die allgemeine Verdächtigung freiheitlicher Regelungen und die hemmungslose Demagogie der Rechtspresse, insbesondere der angesehenen Tageszeitung Kathimerini[127]) die Voraussetzungen für den Erfolg der Panikmache geschaffen hatten und weil Wirtschaftsentwicklung und sozialer Wandel, in ihrem Gefolge die Veränderung der Werthierarchie und gewisser Lebensgewohnheiten sowie der Abbau von Autoritässtrukturen, aber auch die neugewonnene, von dem linken, nach dem Opfer von 1963 benannten Lambrakis-Jugendverband ausgiebig genutzte Freiheit die konservativen Träger des politischen Systems und viele Angehörige der bäuerlichen und kleinbürgerlichen Schichten ständig verunsicherten.

3. Der Höhepunkt der Krise (1965–1967)

1965 verstärkte sich die Propagandakampagne der Rechten gegen die Regierung, die als Wegbereiter des Kommunismus charakterisiert wurde. Panajotis Kanellopoulos, Nachfolger von Karamanlis in der Parteiführung, stellte in einer Kundgebung am 19.2.1965 die Unterstützung einer anderen Regierung des Zentrums ohne Papandreou in Aussicht[128]). König Konstantin II., offenbar ermutigt von amerikanischen militärischen Dienststellen, von der ERE-Mehrheit, aber auch von Zentrumspolitikern, die gegen den linken Parteiflügel und besonders gegen Andreas Papandreou intrigierten, scheint diese Zusage ermuntert zu haben, auf eine *Spaltung der Liberalen* hinzuwirken[129]). Besonders gereizt wurden die Gegner der Regierung, als diese den 1961 vom Vereinigten Generalstab ausgearbeiteten Plan „Perikles" publizierte, nach dem die Wahlbeeinflussung 1961 abgelaufen sein soll[130]). Im Mai gelangten Informationen über eine Verschwörung von republikanisch gesinnten Offizieren mittlerer Ränge (ASPIDA), die für einen Austritt aus der NATO und eine Änderung der Staatsform plädiert haben soll, an die Öffentlichkeit. Andreas Papandreou, der Sohn des Premiers, wurde als Mitwisser, ja als Anstifter hingestellt. Obwohl die Ermittlungen des Präsidenten des Revisionsgerichtshofes, General Simos, Politiker überhaupt nicht belastet und nur für einige Offiziere Disziplinarstrafen gerechtfertigt hatten[131]), wurde die Affäre von der Rechten aufgebauscht und irritierte

---

[127]) Sie warf Papandreou vor, den Staatsapparat den Kommunisten ausgeliefert zu haben, Zypern zu einem Kuba des Mittelmeers zu machen und schlachtete die ASPIDA-Affaire aus. S. dazu Carmocolias, D.G.: Political Communication in Greece, 1965–1967. The Last Two Years of a Parliamentary Democracy. Athen 1974. 1967 bezeichnete G. Rallis das Zentrum als Trojanisches Pferd des Kommunismus in der Festung Griechenland, aus dessen Bauch eines Tages die Revolution hervorkriechen werde, s. Καρατζαφέρης, Σ.: Ἡ ἑλληνικὴ Νυρεμβέργη. Ἡ δίκη τῆς 21ης Ἀπριλίου. Τὰ πλήρη πρακτικά (Das griechische Nürnberg. Der Prozeß des 21. April. Die vollständigen Verhandlungsprotokolle). 1. Athen o.J. (1975), S. 144f.

[128]) Dazu Kanellopoulos selbst: Κανελλόπουλος, S. 70f.

[129]) Das behauptete der König in der Kronratssitzung am 2.9.1965. Protokolle (s.o. Anm. 126), S. 107. Vgl. auch Carmocolias, S. 54f.

[130]) Κάτρης, Γ.: Ἡ γέννηση τοῦ νεοφασισμοῦ. Ἑλλάδα, 1960–1974 (Die Genese des Neofaschismus. Griechenland 1960–1974). Athen ²1974, S.121f.

[131]) Bakojannis, P.: Militärherrschaft in Griechenland. Stuttgart 1972, S.88; Κανελλόπουλος, S. 73ff., S. 129ff.

viele höhere Offiziere, zumal die an der Unruhe als günstiger Voraussetzung für den Staatsstreich interessierte Konspiration um Papadopoulos gefälschte „Beweise" lancierte.

Über der Frage der Ablösung des Verteidigungsministers kam es zum *Verfassungskonflikt,* weil Konstantin II. sich in Schmähbriefen an den Premier[132]) ohne Fühlungnahme mit der Opposition[133]) weigerte, Papandreou wegen der Anwürfe gegen seinen Sohn auch das umstrittene Verteidigungsressort zu übertragen und Veränderungen im militärischen Oberkommando zuzustimmen. Das Zentrum warf dem König vor, daß ihm nur die Kontrolle der Legalität, nicht auch der politischen Zweckmäßigkeit des Regierungshandelns zustehe[134]). Auf den erzwungenen Rücktritt Papandreous am 15.7. 1965 folgten Experimente des Königs mit *Minderheitskabinetten,* deren Mitglieder mit dubiosen Mitteln, z.T. mit Geldgeschenken[135]) aus der Zentrumsunion abgeworben wurden. Erst als die Mobilisierung der Öffentlichkeit das System bedenklich erschüttert hatte, öffnete der König am 30.11. 1966 den Weg zu einer geheimen Abmachung von Papandreou und Kanellopoulos über Neuwahlen nach dem Verhältniswahlrecht und einen Modus vivendi für die folgende Zeit (18.12. 1966) [135a]).

Am 3.4. 1967 bildete nach dem Mißerfolg einer geschäftsführenden Regierung Kanellopoulos eine Minderheitsregierung, die Neuwahlen ausschrieb. Kanellopoulos, an dessen persönlicher Integrität zwischen den Parteien kein Zweifel bestand, hoffte, die Ernennung eines ERE-Kabinetts würde Putschgelüste im Offizierskorps schwächen und dem König gegebenenfalls den Rücken stärken[136]). Während jedoch sechs durch die politische Instabilität irritierte Generäle, ohne in der Notwendigkeit eines Staatsstreichs mit königlicher Billigung übereinzustimmen, Konstantin II. zunächst über ihre Befürchtungen berichten wollten[137]), führte die von Georgios Papadopoulos geführte Oberstengruppe in der Nacht des 21.4. 1967 den *Staatsstreich* durch. Über die Mitschuld der USA ist vieles an brauchbaren und überstrapazierten Belegen und Indizien vorgebracht worden. Im Gegensatz zu vereinfachenden Darstellungen kann ein Zusammenspiel mit dem CIA beim Stand unserer Kenntnisse nicht als erwiesen gelten[138]). Auch ist festzuhalten, daß das Weiße Haus, das Außen- und das Handelsministerium keine einheitliche Linie verfolgten und daß Präsident Johnson den Putschisten eher ablehnend gegenüberstand. Wohl aber kommt das Pentagon als Stütze der reaktionären Offiziere und schließlich der Junta in Betracht[139]).

---

[132]) Die Briefe des Königs datieren vom 8., 10. und 14.7.1965 und sind publiziert in der in Anm. 126 zitierten Edition, S. 3–5, S. 7–14.

[133]) S. das Memorandum von ERE-Chef Kanellopoulos an den König, Januar 1966, Auszug in Κανελλόπουλος, S. 77.

[134]) S. zur verfassungsrechtlichen Begründung Μάνεσης: Δημοκρατική ἀρχή.

[135]) Das bestätigt auch Kanellopoulos in seinem Memorandum a.a.O., S. 82.

[135a]) Ebenda, S. 98 ff.

[136]) Ebenda, S. 140 f., S. 148 f.

[137]) So die Aussagen der Generäle im Juntaprozeß, s. Protokolle bei Καρατζαφέρης, passim.

[138]) S. dazu die kritischen Bemerkungen von Bakojannis, S. 99 f.

[139]) Einzelheiten bei Bakojannis, S. 100. S. auch die Aussagen von General Opropoulos im Juntaprozeß.

VI. Die Diktatur (1967–1974)

Schon während des Putsches hatte die Junta Regierung, Generäle, Politiker und zahlreiche mißliebige Personen festgenommen[140]). Die neuen Machthaber[141]) verbannten Angehörige der Linken, später auch andere Oppositionelle, auf die Inseln Jaros und Leros und säuberten die Führung der Streitkräfte, der Polizei und der Sicherheitsdienste. Die Sicherheitskräfte wurden verstärkt[142]); zu seinem Schutze schuf das Regime die Marineinfanterie und dislozierte sie unter dem Kommando von Papadopoulos' Bruder Konstantinos auf Attika. Die Junta entließ alle unbequemen und irgendwie verdächtigen Beamten, Universitätsprofessoren und -assistenten sowie Richter[143]). Schließlich ersetzte sie das Oberhaupt der Kirche, Erzbischof Chrysostomos, durch den Hofkaplan und Theologieprofessor Ieronymos Kotsonis, und entfernte auch andere Würdenträger aus ihren Ämtern. Schlüsselpositionen in öffentlichen Einrichtungen besetzten vielfach Offiziere. Widerstandsakte wurden von Militärtribunalen abgeurteilt, Oppositionelle verfolgt, deportiert oder der Staatsangehörigkeit beraubt. Grausame Folterungen von Gefangenen, die vielfach chronische Gesundheitsschäden hervorgerufen haben, führten schließlich zur Verurteilung durch die Menschenrechtskommission des Europarates. Die wiedereingeführten Gesinnungszertifikate[144]) sowie die weite Fassung des Begriffs der Loyalität[145]) ergänzten das Instrumentarium der Unterdrückung.

Ziel dieser Politik war es, die Herrschaft auf Dauer zu sichern und das Volk für eine „Demokratie" neuen Typs „*umzuerziehen*". Die „kommunistische Gefahr" als Legitimation des Staatsstreichs haben Vertreter des Regimes von Anfang an vernachlässigt oder sogar bestritten[146]), zumal keine einzige Waffe im Besitz der meist im Pyjama verhafteten Kommunisten gefunden wurde. Die wabernden Wortnebel der ideologischen Auslassungen führender Putschisten und die Parolen des *Staatsschwulstes* („Griechenland griechischer Christen") entziehen sich der Systematisierung[147]). Übergeordnete Werte waren jedenfalls der christlich verbrämte Nationalismus mit häufig rassistischen Untertönen, die Verherrlichung des Militärs sowie

---

[140]) S. zum Ablauf der Ereignisse die Prozeßprotokolle (s. o. Anm. 127).

[141]) Am besten informieren Bakojannis sowie Clogg, R./Yannopoulos, G.: Greece under Military Rule. London 1972.

[142]) S. über den Etatzuwachs des Sicherheitsministeriums (im Vergleich mit dem prozentualen Rückgang des Bildungsetats!) bei Clogg/Yannopoulos, S. 56 Anm. 37 u. passim.

[143]) Dazu Bakojannis, S. 104 ff.

[144]) Sie waren jetzt auch bei der Zulassung eines Lastwagens (Erlaß 150941/67 v. 15.7./5.8.1967), für die Mitgliedschaft in Sportvereinen (NotVO 127/3.8.1967), das Betreiben eines privaten Schulbusses (Erlaß 167870/1.–17.7.1967) oder einer Tankstelle (Erlaß 204250/6.–21.11.1967) vorzulegen.

[145]) Nach Art. 2 des Verfassungsgesetzes 9 galt als illoyal, wer mit Personen, die kommunistische oder antinationale Auffassungen vertraten, Kontakt hatte (!) oder an Versammlungen teilnahm, auf denen solche Ideen verbreitet wurden. Öffentliche Bedienstete hatten in einem umfangreichen Fragebogen entsprechende Angaben über sich und ihre Verwandten zu machen.

[146]) Bakojannis, S. 195 Anm. 21.

[147]) Zur Ideologie vor allem Παπαδόπουλος, Γ.: Τό πιστεύω μας (Unser Credo). 7 Bde. Athen 1968–72; Λεωργαλᾶς, Λ.: Ἡ ἰδεολογία τῆς Ἐπαναστάσεως (Die Ideologie der Revolution). Athen 1971; Παπακωνσταντίνου, Θ.: Πολιτική ἀγωγή (Politische Erziehung). Athen 1970, die Zschr. Θέσεις καί ἰδέαι (Standpunkte und Ideen) sowie die Zeitungen Ἐλεύθερος Κόσμος (Freie Welt) und Νέα Πολιτεία (Neuer Staat). – Vgl. Clogg/Yannopoulos, S. 36–58.

allgemein der Autorität und der Disziplin. Als zentraler Bezugspunkt dieser Vorstellungen läßt sich trotz aller Ungereimtheiten der *Antiindividualismus* aufweisen[148]). Die Distanzierung von der „entarteten", „sogenannten" Demokratie des Westens mit gelegentlichen antikapitalistischen Akzenten bedeutete jedoch nicht, daß die Junta vom Prinzip der Marktwirtschaft abgerückt wäre.

Diese Ideologie wie auch die feindselige Haltung gegenüber den gesellschaftlichen Eliten, die allerdings durch Sachzwänge, Rücksichtnahmen auf Machtkonstellationen und durch Wirtschaftsinteressen begrenzt wurde, entsprach den Vorstellungen und Erwartungen von Provinzoffizieren mittlerer Ränge, die als junge Menschen ihre Laufbahn unter Metaxas begonnen und dann Besetzung und Bürgerkrieg erlebt hatten[149]). Einerseits wollten sie die idealisierte heile Welt des Dorfes retten, andererseits entsprechend ihren militärisch geprägten Effizienzvorstellungen die wirtschaftlich-technische Rückständigkeit überwinden. In der Praxis bedeutete dies neben großzügiger Kreditvergabe an Unternehmen und intensiven Versuchen, ausländische Investoren zu finden, das Verbot von Miniröcken und gelegentliches Scheren langer Haare durch die Gendarmerie, Herabsetzung der Schulpflicht von 9 auf 6 Jahre, Wiedereinführung der archaisierenden Amtssprache in der Schule, Pflicht zum Kirchgang für Lehrer und Schüler, Flaggenappelle, Errichtung von Triumphbögen mit Juntasymbolen an jedem Ortseingang. Die mittleren Chargen stiegen dank der Säuberung des Offizierskorps auf und sicherten sich umfangreiche, als skandalös empfundene Privilegien. Als ideologische Mentoren des Systems dienten Exkommunisten wie Savvas Konstantopoulos, der Herausgeber der Junta-Zeitung „Elevtheros Kosmos" (Freie Welt), Theofylaktos Papakonstantinou (Kultusminister 1967) und Georgios Georgalas.

Bei den Bemühungen um Stabilisierung des Regimes ergaben sich jedoch mehrere Zielkonflikte. Die Nachgiebigkeit gegenüber Wirtschaftsinteressenten und die Förderung ausländischer Kapitalinvestitionen führten wegen der inneren Unfreiheit und des Mißtrauens in das System nicht zu dem gewünschten Erfolg. Bankkredite an Private, deren Zuwachsrate die der privaten Kapitalbildung erstmals überstieg, mußten die unzureichende Investitionsneigung ausgleichen, wurden jedoch unvorteilhaft verwendet[150]). Nachdem der dilettantische und keineswegs mit demokratischen Zielen unternommene Versuch des Königs am 13.12.1967, die Junta zu entmachten, fehlgeschlagen und Konstantin II. ins Ausland geflüchtet war, trat Papadopoulos offen als Diktator in Erscheinung. Er bootete die Royalisten aus Regierung und Armee aus. Am 29.9.1968 ließ die Junta eine *Verfassung,* die aus dem Entwurf einer Expertenkommission, der öffentlichen „konstruktiven" Diskussion und zwei Regierungsentwürfen hervorgegangen war, in einem Plebiszit annehmen, das infolge des Verbots ablehnender Kritik und massiver Beeinflussung vor allem auf dem flachen Lande[151]) 92,1 % (in Athen/Piräus: 76,7 %) Ja-Stimmen erbrachte.

---

[148]) „Das Volk selbst ist vor sich selbst gerettet worden, d.h. es ist vor der individualistischen Mentalität gerettet worden." Papadopoulos auf einer Pressekonferenz am 28.5.1967.

[149]) Von 12 Putschisten des zentralen Kerns (7 Oberstleutnants, 5 Oberste) gehörten 7 dem Ausbildungsjg. 1940, 4 dem Jg. 1943, einer dem Jg. 1939 an, 7 waren Offiziere der Infanterie, 4 der Artillerie, 1 der Panzertruppe. Alle stammten aus einfachsten Verhältnissen, nur einer war in Athen geboren. Zaharopoulos, G.: Politics and the Army in Post-War Greece, in: Clogg/Yannopoulos, S.31.

[150]) S. dazu Pesmazoglou, J.: The Greek Economy since 1967, in: ebenda, S.75–108.

[151]) Dazu im einzelnen Bakojannis, S.111f., S.202 Anm.21ff.

Diese Konstitution hielt am Königtum fest, beschnitt die Grundrechte und die Kompetenzen des Parlaments und sicherte die weitgehende Autonomie der Streitkräfte. Jedoch wurden ihre entscheidenden Bestimmungen nicht in Kraft gesetzt. 1970 bildete die Junta lediglich eine Beratende Kommission[152]), die sehr rasch in ihre engen Grenzen verwiesen wurde[153]).

Da die Regierung den König für einen erfolglosen Putschversuch der Marine verantwortlich machte, fand Papadopoulos die günstige Gelegenheit, am 1.6. 1973 die *Republik* auszurufen. Das Herrschaftssystem wurde in einer neuen Verfassung abgesichert. Er pensionierte dann seine Mitverschwörer von 1967 und plante, durch die Berufung des ehemaligen Führers der Fortschrittspartei, Spiros Markezinis, zum Ministerpräsidenten (8.10. 1973) und die Ankündigung „freier" Wahlen, die Diktatur in ein *Präsidialsystem* mit pseudodemokratischer Dekoration umzuwandeln, wurde jedoch nach einer von der Athener Bevölkerung mitgetragenen, blutig niedergeschlagenen Erhebung der unbewaffneten Studenten der Technischen Hochschule abgesetzt. Unter der neuen Kollektivdiktatur, deren starker Mann der Chef der Militärpolizei, Ioannidis, geringe Integrationsfähigkeiten zeigte, zerfiel der Staat in schlecht koordinierte Herrschaftsbereiche einzelner Cliquen. Der von Athen befohlene und von griechischen Truppen am 15.7. 1974 durchgeführte Staatsstreich gegen Zyperns Präsident Makarios provozierte die Intervention der Türkei, auf die Griechenland mit der Generalmobilmachung antwortete. Die Regierung verlor jedoch die Kontrolle über das in voller Kriegsstärke nicht mehr loyale Heer und war außerstande, die sich abzeichnenden diplomatischen Verwicklungen in den Griff zu bekommen[154]). In Anbetracht der drohenden Kriegsgefahr übergab das Militär daraufhin am 24.7. 1974 dem aus Paris herbeigerufenen Karamanlis die Regierung.

VII. Die Rückkehr zur Demokratie 1974

Auf den Konsens aller Parteien und der Bevölkerung sowie die loyalen Kommandeure der Streitkräfte gestützt, konnte Karamanlis das Land zur parlamentarischen Demokratie schrittweise zurückführen. Nach einer Übergangsphase, in der eine Regierung der großen Koalition wegen der Kriegsgefahr und wegen ihrer faktischen Ohnmacht die Träger der Diktatur geschont hatte, wurden die Putschisten und ihre Folterknechte abgeurteilt, Junta-Beauftragte aus Heer, Universitäten und den Verwaltungsspitzen entlassen. In diesen Verfahren wurden jedoch strenge rechtsstaatliche Normen angelegt, was der Regierung den Vorwurf des Großmuts, ja der verabredeten Zurückhaltung eintrug[155]). Am 17.11. 1974 fanden Parlamentswahlen

---

[152]) 1240 Wahlmänner, darunter 256 von der Regierung ernannte Bürgermeister, stellten 92 Kandidaten auf, aus denen Papadopoulos 46 auswählte und durch Leute seines Vertrauens ergänzte. Die 60 Mitglieder amtierten ein Jahr, nach einer VO vom 17.9.1971 waren dann 75 Mitglieder für 2 Jahre zu bestellen.

[153]) Bakojannis, S. 144 f., vgl. S. 205 Anm. 18.

[154]) S. dazu Grothusen, K.D.: Außenpolitik in diesem Band.

[155]) So war Grundlage des Prozesses gegen die Junta die Entscheidung des (ebenfalls von der Junta gesäuberten!) Obersten Gerichtshofes, daß der Staatsstreich ein „momentanes" Verbrechen während des Vollzugs darstelle, nach seinem Erfolg jedoch neues Rechts schaffe. Folglich wurde nur bestraft, wer sich am Putsch des 21.4. 1967 selbst beteiligt hatte. Schließlich wurden die zum Tode verurteilten Führer begnadigt. – Die Folterer waren von der Entscheidung des Areopags nicht betroffen, weil ihre Delikte auch nach den während der Juntazeit geltenden Gesetzen strafbar waren.

statt, aus denen die vom Ministerpräsidenten geführte Partei „Neue Demokratie" (ND) mit 54,37 % der Stimmen und 220 von 300 Mandaten hervorging. Erstmals nahmen an ihnen die in zwei Parteien gespaltenen Kommunisten teil. Am 8. 12. 1974 entschieden sich 69,18 % der Wähler in einer Volksbefragung für die *Republik*. An der korrekten Durchführung dieser und der folgenden Wahlen durch eine politische (und nicht wie vor 1967 geschäftsführende) Regierung wurden keine Zweifel laut.

Durch die Erfahrungen der Bevölkerung seit Kriegsende hat sich ihre Einstellung zum politischen System gewandelt. Die vor 1967 von vielen Menschen als Ausweg aus der verfahrenen Situation oder zur Beschleunigung geordneter Entwicklung empfohlene Diktatur ist durch das Regime von 1967 bis 1974 gründlich diskreditiert. Die Verfolgung aller Demokraten 1967–1974, der mutige Widerstand auch der Rechten, die Integrität hoher Offiziere, die deportiert oder gefoltert wurden, hat Vertrauen unter den politischen Kräften und einen *Fundamentalkonsens demokratischer Solidarität* begründet. Die Wiederzulassung der Kommunistischen Partei(en) und die Entstehung der nichtkommunistischen sozialistischen Massenbewegung PASOK unter Andreas Papandreou haben zum Abbau der im Bürgerkrieg entstandenen Spannungen und zu einer realistischen Lagebeurteilung beigetragen. Die „außerordentlichen Maßnahmen" und alle Freiheitsbeschränkungen der Nachkriegszeit sind fortgefallen. Erstmals seit 1915 besteht die Chance einer dauerhaften und friedlichen Systemstabilisierung.

B. Systematischer Teil

I. Die politischen Institutionen

1. Das Parlament

Als nach siebenjähriger Diktatur im November 1974 die Bildung eines Parlamentes bevorstand, waren die Erwartungen, die man in Griechenland daran knüpfte, sehr hoch. Nur wenige Jahre später übte der frühere Oppositionsführer, G. Mavros, aber bereits heftige Kritik an Ministerpräsident K. Karamanlis und machte ihn dafür verantwortlich, daß das Parlament einen politischen Funktionsverlust erlitten habe[1]). Daß ein solcher Funktionsverlust eingetreten ist, kann auch nicht bestritten werden, wobei zwei Ursachen deutlich sind: erstens die Tatsache, daß es zum zweiten Mal in der griechischen Parlamentsgeschichte zu einer Zweidrittelmehrheit der Regierungspartei – der „Neuen Demokratie" (ND) – gekommen ist; und zweitens der persönliche Einfluß von Karamanlis nicht nur auf die Ausgestaltung der Verfassung, die er dank seiner Parlamentsmehrheit seinen Wünschen entsprechend verabschieden lassen konnte, sondern auch auf ihre sich daran anschließende Interpretation.

---

[1]) Μαῦρος, Γ.: Ἐθνικοί κίνδυνοι. Ἡ δημοκρατία σέ κρίση. Ἐξωτερικές ἀπειλές (Nationale Gefahren. Die Demokratie in der Krise. Äußere Bedrohung). Athinai 1978.

a) Die Abgeordneten

Das Parlament setzt sich aus 300 Abgeordneten zusammen. Von diesen werden 288 in den Wahlkreisen direkt gewählt, die restlichen 12 von den Parteien, die an einer zweiten Stimmauswahl teilnehmen, für das ganze Staatsgebiet bestimmt[2]). Das am 20. November 1977 gewählte zweite Parlament setzt sich wie folgt zusammen: ND = 41,85 % (173 Sitze), PASOK = 25,33 % (92 Sitze), EDIK = 11,95 % (15 Sitze), KKE = 9,36 % (11 Sitze), EP = 6,82 % (5 Sitze), SPADE = 2,27 % (2 Sitze), NF = 1,08 % (2 Sitze). Das bedeutet gegenüber der ersten, 1974 beginnenden Legislaturperiode folgende Veränderungen: Die ND verlor 12,52 %, während die PASOK 11,75 % hinzugewann. Die EK-ND, zweitstärkste Partei 1974, hatte sich 1977 nicht mehr zur Wahl gestellt. Die EDIK, teilweise aus der EK-ND hervorgegangen, bildet mit 11,95 % den stärksten konservativen Oppositionsblock im Parlament. Die KKE (moskauorientiert), aus dem linken Wahlbündnis von 1974 ausgetreten, vereinigt 9,36 % der Stimmen auf sich. Das linke Wahlbündnis fällt auf 2,27 % zurück.

Was die *Altersstruktur* der Abgeordneten betrifft, so macht sich hier ein deutlicher Wandel gegenüber der Zeit vor 1967 bemerkbar. Wohl sind die Vorsitzenden der im Parlament vertretenen Parteien nach wie vor ältere und erfahrene Politiker, die Mehrzahl der einfachen Parlamentsabgeordneten ist dagegen aber jung und ohne parlamentarische Erfahrung. Im Parlament von 1974 waren 59,3 % der Abgeordneten zum ersten Mal gewählt worden, 1977 waren es sogar 71,3 %.

Typisch für die *Berufsstruktur* ist dagegen nach wie vor das starke Übergewicht der Juristen. Von den 300 Abgeordneten, die 1979 im Parlament saßen, waren 152 (= 50,67 %) Juristen. Hinzu kamen 30 Ärzte (= 10 %), 24 Techniker (= 8 %), 12 Lehrer (= 4 %), 12 Offiziere (die für die Dauer ihrer Parlamentszugehörigkeit nicht im aktiven Militärdienst stehen, = 4 %), 8 Journalisten (= 2,6 %), 2 Landwirte (= 0,66 %), ein einziger Arbeiter (= 0,33 %) sowie vereinzelte Angehörige anderer Berufe[3]).

Die Verfassung garantiert dem einzelnen Abgeordneten die traditionellen Rechte der *Indemnität* und der *Immunität* sowie Diäten (Art. 61–63). Außerdem sichert sie ihm zu, in seinen Meinungen und bei Abstimmungen nur seinem Gewissen unterworfen zu sein (Art. 60). In der Praxis zeigt sich jedoch eine deutliche Tendenz zur *Fraktionsdisziplin,* der sich die Abgeordneten aller Parteien unterwerfen, obwohl sich die Parteienstruktur – vor allem bei den Oppositionsparteien – in einem steten Wandel befindet. Daß es Fraktionsdisziplin auch bei der Regierungspartei gibt, beweisen Parlamentsdebatten über verschiedene Gesetzentwürfe der Regierung. Hier gab es deutlich Unstimmigkeiten innerhalb der „Neuen Demokratie" (z.B. beim Waldnutzungsgesetz). Im Endeffekt stimmten die Abgeordneten der Regierungspartei aber doch geschlossen für den Regierungsentwurf.

---

[2]) Vgl. hierzu auch das Kapitel über die Verfassung, S. 33 sowie den das Klientel-System betreffenden Teil der „Politischen Kultur".

[3]) Στάγκος, A.: Ἡ Βουλή σέ ἀριθμούς (Das Parlament in Zahlen), in: Κυριακάτικη Ἐλευθεροτυπία (Kyriakatiki Eleftherotypia) 29.4.1979 sowie Ἐκδόσεις Καθημερινῆς (Sonderausgabe der Zeitung Kathimerini): Οἱ 300 τῆς Βουλῆς τῶν Ἑλλήνων (Die 300 Abgeordneten des Parlaments der Griechen). Athinai 1979.

Typisch für das griechische Parlament ist es, davon abgesehen, jedoch, daß *Klientel-, Gruppen- und regionale Bindungen* oder auch solche an einzelne Parteiführer auch heute noch am wichtigsten für den einzelnen Abgeordneten sind[4]).

b) Die innere Struktur

– Die Geschäftsordnung

Nach Art. 65, Abs. 1 der Verfassung beschließt das Parlament seine *Geschäftsordnung* selbst. Die Geschäftsordnung enthält alles, was zur ordnungsgemäßen Abwicklung der parlamentarischen Arbeit erforderlich ist: von der Wahl des Parlamentspräsidenten über das Verfahren bei Abstimmungen bis zur Redeordnung[5]). Zur Regelung seiner Geschäfte schafft sich das Parlament eigene Organe: die Ausschüsse und das Präsidium.

Das *Präsidium* wird vom Parlament zu Beginn jeder Legislaturperiode neu gewählt. Es besteht aus dem Präsidenten, drei Vizepräsidenten, drei Beisitzern und sechs Schriftführern („Sekretären"). Präsident und Vizepräsidenten werden für die ganze Dauer der Legislaturperiode gewählt, die übrigen Mitglieder für die Dauer einer Sitzungsperiode (Art. 6 GO). Die Wahl ist geheim (Art. 5 GO). Das Präsidium kann abgesetzt werden, wenn 50 Abgeordnete dies verlangen (Art. 14 GO). Von den insgesamt dreizehn Mitgliedern des Parlamentspräsidiums kommen nicht mehr als ein Beisitzer und ein Schriftführer („Sekretär") aus der größten sowie ein weiterer Schriftführer aus der zweitgrößten Oppositionspartei (Art. 5 GO). Das damit gegebene Übergewicht von Abgeordneten der größten Fraktion (Regierungspartei) im Präsidium deutet auf seine besondere politische Funktion hin. Es ist bezeichnend, daß die seit 1974 amtierenden Parlamentspräsidenten alle zu den engsten Vertrauten des Ministerpräsidenten gehört haben. Der Parlamentspräsident der ersten Legislaturperiode (Papakonstantinou) ist heute stellvertretender Ministerpräsident.

Zu den Rechten des *Parlamentspräsidenten* gehören das Hausrecht und die Polizeigewalt im Parlamentsgebäude (Art. 65, Abs. 4 Verf. und Art. 9 GO). Er ist Dienstvorgesetzter der Angestellten des Parlamentes. Zu seinen Dienstobliegenheiten gehören die Regelung des Geschäftsablaufs des Parlaments, die Vertretung des Parlaments nach außen, die Leitung der Plenarsitzungen, die Wahrung der Ordnung im Hause (einschl. des Rechts, Abgeordneten Ordnungsrufe zu erteilen und sie von Sitzungen auszuschließen) (Art. 58–60 GO), Eröffnung und Beendigung der Sitzungen. Der Parlamentspräsident stellt die Tagesordnungen auf und regelt die Zusammensetzung der Ausschüsse (Art. 9 und 10 GO). Schließlich stehen ihm Verfahrensentscheidungen bei Änderungsanträgen zu (Art. 82,2 GO).

– Die Arbeitsweise des Parlaments

Gemäß Art. 64, Abs. 1 der Verfassung beginnt das Parlament seine *Sitzungsperiode* am ersten Montag im Oktober mit einer ersten ordentlichen Sitzung, es sei denn, daß der Staatspräsident die Sitzung gemäß Art. 40 Verf. früher einberufen

---

[4]) Legg, K. R.: Politics in Modern Greece. Stanford 1969, S. 181.
[5]) Βουλή τῶν Ἑλλήνων: Κῶδιξ κανονισμοῦ ἐργασιῶν τῆς Βουλῆς (Geschäftsordnung des Parlaments) Athenai 1979. Im folgenden abgekürzt: GO.

würde. Die Sitzungsperiode hat eine Dauer von mindestens fünf Monaten (Art. 64, Abs. 2). Dem Staatspräsidenten steht das Recht zu, jederzeit Sondersitzungen einzuberufen (Art. 40).

Eine Besonderheit des griechischen Parlaments ist es, daß es seine legislative Tätigkeit entweder in der üblichen Form im Plenum wahrnehmen kann, daneben aber auch in zwei *Abteilungen*. Jede Abteilung besteht aus der Hälfte der Gesamtzahl der Abgeordneten (Art. 70,2 GO). Die legislative Tätigkeit kann auch nach Ablauf der eigentlichen Sitzungsperiode fortgesetzt werden. Hierzu bildet das Parlament eine Ferienabteilung, die aus einem Drittel aller Abgeordneten besteht (Art. 73 GO).

Charakteristisch für die Arbeit des griechischen Parlaments ist es weiterhin, daß der *Ministerpräsident* und die *Minister* nur selten an den Sitzungen teilnehmen. Minister sind eigentlich nur dann zugegen, wenn sie selbst oder ihr Ressort direkt von den Beratungen betroffen werden. Der Ministerpräsident läßt sich in der Regel vom stellvertretenden Ministerpräsidenten vertreten. Dies hat bereits dazu geführt, daß sich die Opposition darüber beklagt hat, der Ministerpräsident wohne den Parlamentssitzungen zu selten bei. In der zweiten Sitzungsperiode der zweiten Legislaturperiode (1978/79) hat Ministerpräsident Karamanlis tatsächlich nur dreimal im Plenum gesprochen, der Führer der PASOK, Papandreou, allerdings auch nicht mehr als fünfmal, und nur der Partei- und Fraktionsführer der EDIK dreiunddreißigmal[6]).

– Die Ausschüsse

Die Geschäftsordnung des Parlaments sieht die Bildung von Ausschüssen vor. Ständige Ausschüsse sind vor allem solche, die jeweils komplementär zu den einzelnen Ministerien gebildet werden. Die Zahl der Ausschußmitglieder schwankt zwischen 20 und 30. Für die Einsetzung ist der Parlamentspräsident zuständig, wobei er die Fraktionsstärken zu berücksichtigen hat. Unabhängige Abgeordnete gelten in diesem Fall als eine Gruppe (Art. 10 und 23 GO, Art. 68, Abs. 3 Verf.). Neben den ständigen Ausschüssen sieht die Geschäftsordnung die Bildung von Sonderausschüssen vor (Art. 23, 25, 26). Zu diesen gehören der Haushaltsausschuß und der Rechnungsprüfungsausschuß. Und schließlich ist die Bildung von Untersuchungsausschüssen zur Untersuchung gravierender Probleme – etwa in der Außen- und Verteidigungspolitik – möglich (Art. 68, Abs. 2 Verf.). Die Bildung dieser Untersuchungsausschüsse kann u.a. durch die absolute Mehrheit des Parlaments beschlossen werden.

Die Ressortminister haben das Recht, an den Sitzungen der sie betreffenden Ausschüsse teilzunehmen. Der Einfluß einer starken Regierungspartei auf die Ausschußarbeit ist groß. Die „Neue Demokratie" stellt heute sämtliche Ausschußvorsitzende.

c) Das Gesetzgebungsverfahren

Die *Gesetzesinitiative* steht der Regierung und jedem einzelnen Abgeordneten zu (Art. 73, Abs. 1 Verf.). Dies Recht der Abgeordneten ist in der Praxis aber begrenzt, da sie bestimmte Gesetze oder Änderungsanträge von vornherein nicht einbringen

---

[6]) Παναγιώτου, Γ.: Ἡ δραστηριότητα τῆς Βουλῆς σέ ἀριθμούς (Die Parlamentstätigkeit in Zahlen). In: ’Αντί (Anti). H. 131/132 vom 4. 8. 1979, S. 19.

können. Hierher gehören alle Gesetze, die Ausgaben oder Lasten jeder Art für den Staat, die Kommunen oder andere juristische Personen öffentlichen Rechts beinhalten oder auch Gehälter und Altersversorgungsbezüge von Einzelpersonen betreffen (Art. 73, Abs. 3 Verf.). Zur Begrenzung des Initiativrechts der Abgeordneten trägt außerdem seine zeitliche Terminierung wesentlich bei: diesbezügliche Anträge können im Parlament ausschließlich am letzten Donnerstag in jedem Monat eingebracht werden, wobei es charakteristisch ist, daß die Opposition von dieser Möglichkeit wesentlich mehr Gebrauch macht als die Regierungspartei (Art. 75 GO)[7]).

Wird ein Gesetzesvorschlag eingebracht, so überweist ihn der Parlamentspräsident zunächst an den *zuständigen Ausschuß* (Art. 77 GO). Liegt der Text nach der Ausschußberatung dem *Plenum* vor, wird die Debatte über Regierungsvorlagen mit einer Einführung durch den zuständigen Minister begonnen (Art. 79 GO). Ausgangspunkt der übrigen Debatten ist der Text, der im Ausschuß erarbeitet worden ist. Ist die Debatte abgeschlossen, stimmt das Parlament zunächst darüber ab, ob der Text im Ganzen angenommen oder abgelehnt wird. Daran schließt sich die Abstimmung über die einzelnen Artikel an, wobei Abgeordnete wie Regierungsmitglieder berechtigt sind, Zusatzanträge einzubringen (Art. 80 GO).

Die *legislative Tätigkeit* des griechischen Parlaments ist *quantitativ beachtlich*. In der ersten Sitzungsperiode der zweiten Legislaturperiode (1977/78) sind 80 Gesetze verabschiedet worden, in der zweiten Sitzungsperiode (1978/79) 168 und in der dritten (bis Weihnachten 1979) 26 Gesetze[8]). Auffällig ist ferner der große Anteil von Gesetzen, die in den Parlamentsferien von der Ferienabteilung verabschiedet werden. In der ersten Sitzungsperiode der zweiten Legislaturperiode sind dies 29 Gesetze gewesen, in der zweiten 33. Die Opposition hat dies Verfahren als bewußte Taktik der Regierung bezeichnet und mehrfach kritisiert. Obwohl die Tätigkeit des Parlaments auch in der zweiten Legislaturperiode seit 1974 – also seit den Wahlen vom November 1977 – dementsprechend sehr groß gewesen ist, läßt sich andererseits feststellen, daß die Zahl der verabschiedeten Gesetze gegenüber der ersten Legislaturperiode (1974–1977) zurückgegangen ist. Wurden z. B. von Januar bis Juni 1977 126 Gesetze verabschiedet, so waren es im gleichen Zeitraum 1978 nur noch 48 Gesetze. Die Ferienabteilung 1977 verabschiedete 123 Gesetze, die Ferienabteilung 1978 nur 29 Gesetze[9]). Der Grund für diesen Rückgang dürfte in einer zunehmenden Effektivität der parlamentarischen Opposition zu suchen sein. So hat die stärkste Oppositionspartei, die PASOK, Arbeitskreise entsprechend den verschiedenen Ministerien gebildet, um Regierungsvorlagen von vorneherein besser kontrollieren zu können[10]). Auch dies hat jedoch bis jetzt nichts daran ändern können, daß die weitaus meisten Gesetzentwürfe von der Regierung selbst eingebracht werden. Im ganzen ergibt sich damit ein *Kontrolldefizit des Parlaments gegenüber der Regierung in der Legislative*. Begründet ist dies vor allem in der übergroßen Mehr-

---

[7]) ῞Ενας χρόνος Βουλῆς (Ein Jahr Parlament), in: Πολιτικά Θέματα (Politische Themen). H. 265 vom 24.–30. 8. 1979, S. 1.

[8]) Die Angaben über die legislative Tätigkeit stützen sich auf Informationen aus dem Parlament.

[9]) ῞Ενας χρόνος Βουλῆς (Ein Jahr Parlament), in: Πολιτικά Θέματα (Politische Themen). H. 227 vom 1.–7. 12. 1978, S. 19.

[10]) ῞Ενας χρόνος Βουλῆς (Ein Jahr, Parlament), in: Πολιτικά Θέματα (Politische Themen). H. 265 vom 24.–30. 8. 1979, S. 13.

heit der Regierungspartei im Parlament, die es der Regierung erlaubt, jedes Gesetz nach ihren Wünschen verabschieden zu lassen[11]). Die überragende Autorität von Ministerpräsident Karamanlis kam bis Mai 1980 hinzu. Die Opposition konnte der Regierung so weder organisatorisch noch personell die Waage halten.

Eine weitere Schwierigkeit in der legislativen Tätigkeit des Parlaments ist der *Informationsmangel*. Für diesen ist entscheidend, daß nicht nur die meisten Gesetze von der Regierung eingebracht, sondern daß die dafür nötigen Vorarbeiten auch überwiegend von der Ministerialbürokratie geleistet werden. Die Parlamentsausschüsse sind dementsprechend gezwungen, sich an die letztere zu wenden, um Informationen für ihre Arbeit zu erhalten. Das Ergebnis ist, daß auch außerparlamentarische Interessengruppen sich eher an die Ministerialbürokratie wenden, um ihre Anliegen im Parlament vorzubringen, als an die Abgeordneten. Öffentliche Anhörungen über Gesetzesvorlagen (Hearings) sind bis heute im griechischen Parlament unbekannt.

Als letztes Faktum, das die Arbeit der Abgeordneten erschwert, sind die *unangemessenen Arbeitsbedingungen* zu nennen. Nur die Führer der stärksten Fraktionen haben parlamentarische Hilfskräfte und eigene Räume im Parlament. Alle anderen Abgeordneten sind auf Fraktionsräume angewiesen. Die Folge ist, daß die meisten Abgeordneten nur zu den Sitzungen ins Parlament kommen. Positiv daran ist allerdings, daß sich die griechischen Abgeordneten daraufhin relativ stark der Arbeit in ihren Wahlkreisen widmen. Von dort treten sie dann oft als „Lobbyisten" gegenüber der Ministerialbürokratie auf.

d) Die Kontrollfunktionen des Parlaments

Das Kontrollrecht des Parlaments über die Regierung ist durch Verfassung und Geschäftsordnung festgelegt. Eine wichtige Rolle spielen hier regelmäßige Informationsverfahren, bei denen sich das Parlament zweimal wöchentlich mit *Petitionen, Anfragen, Interpellationen* u. ä. befaßt (Art. 70, Abs. 6 Verf., Art. 40,1 GO). Die „*Fragestunden*" geben vor allem der Opposition die Möglichkeit, zu Wort zu kommen. Wie rege von diesem Instrument Gebrauch gemacht wird, zeigt, daß allein in der ersten Sitzungsperiode der zweiten Legislaturperiode nicht weniger als 8760 Petitionen und 2626 Anfragen von den Abgeordneten vorgelegt wurden. Von den Petitionen wurden 192 mündlich beantwortet und 7583 schriftlich, von den Anfragen 155 mündlich und 2176 schriftlich. Von 355 Interpellationen wurde über 64 debattiert. 70 % der Petitionen und Anfragen kamen von der Opposition, die Interpellationen sogar ausschließlich[12]).

Die hohe Zahl von Petitionen und Anfragen täuscht jedoch über ihren Nutzen im Zusammenhang der Kontrollfunktionen des Parlaments über die Regierung. Im ganzen ist nämlich festzustellen, daß sich die „Fragestunden" in dieser Beziehung als Fehlschlag erwiesen haben. Zu den Gründen gehört als erstes, daß sich zu viele Ab-

---

[11]) Βεγλερῆς, Φ.: Κόμματα καί πολιτικές ἀποφάσεις στήν ῾Ελλάδα (Parteien und politische Entscheidungen in Griechenland), in: ῾Ελληνική ῾Εταιρεία Πολιτικῆς ᾿Επιστήμης Κοινωνικές καί πολιτικές δυνάμεις στήν ῾Ελλάδα (Griechische Gesellschaft für politische Wissenschaft. Die gesellschaftlichen und politischen Kräfte in Griechenland). Athinai 1977, S. 284.

[12]) Die Angaben über die Kontrolltätigkeit des Parlaments basieren auf Informationen aus dem Parlament.

geordnete der Opposition – und zudem noch oft solche aus derselben Fraktion – zu denselben Fragen zu Wort melden. Negativ wirkt sich sodann die Vielzahl der Fragen aus. Das Ergebnis ist, daß nur wenige öffentlich und mündlich behandelt werden können. Weiter wirkt sich die Geschäftsordnung des Parlaments hindernd aus. Der Geschäftsordnung entsprechend müssen die Anfragen in der Reihenfolge ihrer Vorlage behandelt werden und nicht nach der Dringlichkeit. Dementsprechend muß nicht selten über Fragen debattiert werden, deren Aktualität Monate zurückliegt[13]. Und schließlich drängt sich der Eindruck auf, daß es vielen Abgeordneten gerade auch der Opposition mehr darum geht, Kritik an der Regierung zu üben als sie tatsächlich zu kontrollieren.

Neben dem Instrument der Information steht dem griechischen Parlament auch dasjenige des *Mißtrauensantrages* als Kontrollmittel gegenüber der Regierung zur Verfügung. Die Rechtsgrundlage bietet Art. 84 der Verfassung. Voraussetzung für die Zulassung eines Mißtrauensantrages im Parlament ist danach, daß er von mindestens einem Sechstel aller Abgeordneten eingebracht wird. Zu seiner Annahme bedarf es der absoluten Mehrheit der stimmberechtigten Abgeordneten (Art. 84, Abs. 7 Verf.). Angesichts der seit 1974 im Parlament bestehenden Mehrheitsverhältnisse ist es allerdings klar, daß dies Instrument bis jetzt noch keine Aussicht auf erfolgreiche Anwendung gehabt hat.

2. Der Staatspräsident

Erklärte Absicht der Verfassung ist es, mit dem Amt des Staatspräsidenten eine Institution zu schaffen, die über den Parteien steht. Der Staatspräsident nimmt dementsprechend in der Verfassung *unter den Verfassungsorganen die erste Stelle* ein, was schon optisch seine Gewichtung im Rahmen des politischen Prozesses zeigt.

Wie schon im Kapitel über die Verfassung ausgeführt (s. o. S. 35), stehen ihm weitreichende Machtbefugnisse zu. Diese reichen von der Parlamentsauflösung (Art. 41, Abs. 1 Verf.) und die Entlassung der Regierung (Art. 38, Abs. 2) über das Recht, im Eilfall (Art. 44, Abs. 1) oder im Notfall (Art. 48) Gesetze zu erlassen, bis zur Verfügung einer Volksabstimmung.

Verfassungsanspruch und Verfassungswirklichkeit stimmen jedoch bei weitem nicht überein. Es besteht ein fundamentaler Unterschied zwischen der Rolle, die die Väter der Verfassung dem Staatspräsidenten 1974 zugedacht hatten, und der tatsächlichen Bedeutung, die er bis zur Wahl von Karamanlis zum Staatspräsidenten gehabt hat. Konkret heißt dies, daß sich Staatspräsident K. Tsatsos in der politischen Konstellation von 1974 bis 1980 trotz seiner weitreichenden, verfassungsrechtlich abgesicherten Kompetenzen gegenüber der dominierenden Persönlichkeit Ministerpräsident Karamanlis' nicht hat durchsetzen können. Eine Formulierung des früheren Oppositionsführers Mavros charakterisierte das Verhältnis beider zueinander treffend: „Die Machtkompetenzen des Staatspräsidenten werden heute vom Ministerpräsidenten ausgeübt"[14]. Ein Beispiel aus der politischen Praxis ist die vorzeitige Auflösung des Parlaments 1977. Sie geschah nicht auf Veranlassung des Staatspräsidenten, sondern auf Vorschlag des Ministerpräsidenten. Karamanlis be-

---

[13]) Παναγιώτου, Γ.: a. a. O., S. 19.
[14]) Μαῦρος, Γ.: a. a. O., S. 18.

gründete sein Vorgehen damit, „er benötige eine neue Legitimation durch das Volk, um wichtige nationale Probleme zu bewältigen"[15]).

Die Position des Staatspräsidenten ist damit ein anschauliches Beispiel dafür, wie das Zusammentreffen von Umständen und Personen Verfassungsinstitutionen und -normen in der Praxis nachhaltig verändern kann.

3. Die Regierung
a) Der Ministerpräsident

Nach Art. 81, Abs. 1 Verf. besteht die Regierung aus dem Ministerpräsidenten und den Ministern. Sie bilden zusammen den Ministerrat. Den ausschlaggebenden Einfluß in der Regierung übt der Ministerpräsident aus. Aufgrund von Art. 82, Abs. 2 Verf. stellt er die Einheitlichkeit der Regierung sicher und leitet deren Tätigkeit.

Auch hier ist aber festzustellen, daß wesentliche Unterschiede zwischen *Verfassungsanspruch und Verfassungswirklichkeit* bestehen. Als erstes ist wichtig, daß für die tatsächliche Macht des Ministerpräsidenten vor allem die Kräfteverhältnisse im Parlament ausschlaggebend sind. Dies galt auch schon vor 1967. Für die Zeit von 1974 bis 1980 kam hinzu, daß die verfassungsrechtliche Position Ministerpräsident Karamanlis' von seiner faktischen zu trennen war, die man als historisch bedingt bezeichnen kann. Karamanlis' Autorität als Überwinder der Staatskrise von 1974, als Initiator der neuen Verfassung, die große Mehrheit, über die er im Parlament verfügte, und die Tatsache, daß sogar der Staatspräsident zu seinen treuesten Anhängern gehörte, verliehen ihm eine Macht, die weit über die verfassungsrechtlichen Kompetenzen seines Amtes hinausging. Diese Machtfülle hat dazu geführt, daß Karamanlis praktisch in allen Bereichen von Staat und Regierung mitbestimmte oder zumindest kontrollierte. Eine Ausnahme schien allenfalls das Verteidigungsministerium zu bilden. Um so deutlicher war sein Einfluß dafür im Bereich der Außenpolitik, wofür die Frage des EG-Beitritts Griechenlands und das Zypern-Problem Beispiele sind.

Zum typischen Instrumentarium seiner Politik gehörten häufige Sitzungen des sog. *„Kleinen Kabinetts"*. Es waren dies Sitzungen, zu denen der Ministerpräsident Minister zusammenrief, die für eine bestimmte Materie zuständig waren. Nach einem Meinungsaustausch machte Karamanlis deutlich, welche Entscheidungen er zu treffen wünsche und in welcher Form er diese dem Ministerrat vorlegen werde. Die eigentlichen Ministerratssitzungen dienten dann im wesentlichen nur noch dazu, vorgefaßte Beschlüsse zu bestätigen statt sie selbst zu fassen.

Unterstützt wurde der Ministerpräsident bei seiner täglichen Arbeit von seiner *Kanzlei*. Hier fand sich ein Mitarbeiterstab, zu dem das Sekretariat und einige wichtige persönliche Berater gehörten: Botschafter Molyviatis, der für politische, insbesondere außenpolitische Fragen zuständig war, der stellvertretende Ministerpräsident Papakonstantinou, der Minister im Amt des Ministerpräsidenten Stefanopoulos, Pressesprecher Lamprias und nicht zuletzt Karamanlis' Bruder Achilles, Staatsminister im Amt des Ministerpräsidenten und zuständig für parteipolitische Fragen.

---

[15]) Ebenda, S. 18.

b) Der Ministerrat

Da die Verfassung nichts über die *Zusammensetzung der Regierung* aussagt, liegt es im Belieben des Ministerpräsidenten, Zahl und Aufgabenbereiche der Ministerien festzulegen. Der jetzigen Regierung gehören 19 Minister an, denen ein Ressort zugeordnet ist, ferner der stellvertretende Ministerpräsident und ein Minister ohne Geschäftsbereich, der im wesentlichen für die Beziehungen zur EG zuständig ist. Den meisten Ressortministern sind ein oder zwei Staatsminister zugeordnet. Diese sind den parlamentarischen Staatssekretären in der Bundesrepublik Deutschland vergleichbar. Griechischer Praxis entspricht es, daß unter den Ressorts eine Hierarchie besteht.

Kennzeichnend für Karamanlis war im Gegensatz zur Zeit vor der Diktatur seine lange *Amtsdauer.* Dasselbe galt jedoch nicht für die Minister, wo durchaus eine gewisse Instabilität festzustellen ist, die bei jeder Regierungsneubildung und -umbildung zum Ausdruck kommt. Begründet ist sie vor allem in innerparteilichen Auseinandersetzungen. Ausnahmen hiervon bilden fast nur Verteidigungsminister Averof-Tositsas und der Minister für Nordgriechenland, Martis. Die Ämterverteilung ist dementsprechend bei jeder Regierungsneubildung eine zentrale Frage, die Kämpfe in der Regierungspartei widerspiegelt. Politische Konflikte kommen hinzu, die dadurch entstehen, daß Karamanlis seine Patronagemöglichkeiten bis zum äußersten ausschöpfte. Daß er hierzu in der Lage war, erscheint als ein Element seiner Stärke. Es kann aber auch Ursache für Schwäche werden, wenn der Ministerpräsident unter massiven Druck verschiedenartiger Interessen gerät. So ist es inzwischen fast unmöglich geworden, amtierende Minister angesichts der starken Gruppenbildung in der „Neuen Demokratie" bei Regierungsumbildungen aus dem Kabinett auszuschließen. Noch schwieriger wird dies, wenn starke Interessengruppen hinter einem Minister stehen. Verteidigungsminister Averof-Tositsas ist hierfür ein Beispiel, hinter dem das Militär steht. Sogar die Besetzung von Staatsministerposten ist auf diese Weise problematisch geworden.

In der Personalauswahl hat Karamanlis seit 1974 bei Ministern meist auf erfahrene Politiker oder Minister aus der Zeit vor 1967 zurückgegriffen[16]). Für die Staatsministerposten wählte er dagegen zunehmend jüngere Politiker aus.

4. Die Verwaltung

Für die griechische Verwaltung ist eine *hochzentralisierte Struktur* bezeichnend. Eine kommunale Selbstverwaltung, wie wir sie aus der Bundesrepublik Deutschland kennen, gibt es kaum. Alle wesentlichen Entscheidungen werden von den Ministerien gefällt. Verwaltung als autonomen Exekutivbereich hat es in Griechenland nie gegeben. Viel eher ist sie dagegen seit alters ein Instrument parlamentarischer Eliten, die sie dazu benutzt haben, eigene Vorteile oder solche ihrer Klientel zu fördern[17]). Dieser *Instrumentalcharakter* zeigt sich noch heute in der starken Stellung

---

[16]) Von den insgesamt 19 Ministern, die der ersten Regierung Karamanlis 1974 angehörten, waren 11 ehemalige Minister und drei ehemalige Politiker. Von den 21 Ministern der Regierung Karamanlis 1979 waren 11 ehemalige Minister, drei ehemalige Abgeordnete. Sechs Minister wurden erst nach 1974 in der Politik aktiv.

[17]) Legg., a. a. O., S. 165 f.

der meist klientel- oder interessenorientierten Minister und in der uneingeschränkten Weisungsbefugnis gegenüber allen Ebenen der Verwaltung ihres Bereichs.

Schließlich ist noch zu betonen, daß die Verwaltung in Griechenland heute noch immer wie in früheren Zeiten als *parteipolitische Pfründe* angesehen wird. Jede Regierung versucht, ihre Anhänger dort unterzubringen. Beziehungen zu Ministern oder einflußreichen Politikern sind so oft für die Einstellung wichtiger als berufliche Qualifikation.

II. Parteien und Verbände

1. Die Parteien

a) Besonderheiten des griechischen Parteiensystems

Am heutigen Parteiensystem Griechenlands lassen sich sowohl *Elemente eines politischen Neubeginns* als auch der *Kontinuität* zu den politischen Konstellationen der Vergangenheit erkennen.

Neu ist die Beseitigung restriktiver Bedingungen, die die Funktionsfähigkeit der parlamentarischen Demokratie in Griechenland vor 1967 eingeschränkt haben. Zu diesen gehört in erster Linie die Monarchie, die in Griechenland niemals als überparteiliche, integrative Institution funktionierte, sondern immer zugunsten besonderer Interessen der konservativen Gruppen Partei ergriffen hat. Ferner bedeutet die Aufhebung von Parteiverboten und die Wiederzulassung kommunistischer Parteien einen Legitimationszuwachs der Demokratie, da sie nicht mehr gezwungen ist, sich durch Verbot vor potentiellen Feinden zu schützen, sondern es sich leisten kann, ihr höheres Prinzip der politischen Toleranz aus der uneingeschränkten Konkurrenz der Standpunkte hervorgehen zu lassen. Neu ist ebenfalls die gemeinsame Erfahrung aller Demokraten, die die Junta bekämpft haben, daß die Demokratie in der Tat zerbrechlich ist und daß sie eines breiten Konsensus bedarf, wenn sie überleben soll.

Die Kontinuität zu den politischen Strukturen der Vergangenheit ist andererseits primär dadurch gegeben, daß politische Loyalitäten nach wie vor stärker durch persönliche Klientelbeziehungen zwischen Wählern und Abgeordneten als durch Überzeugungen hergestellt werden. Die Notwendigkeit, Parteien zu schaffen, die nicht labile Zusammenschlüsse von lokal einflußreichen Persönlichkeiten[1]), sondern ideologisch und organisatorisch gefestigte politische Strukturen darstellen, ist allgemein anerkannt. Davon zeugen die einschlägigen Stellungnahmen und Dokumente fast aller Parteien. Gegenwärtig können jedoch nur Ansätze in dieser Richtung festgestellt werden. Die nachfolgende Darstellung versucht, den aktuellen Stand der einzelnen Parteien zu verdeutlichen.

---

[1]) Vgl. die Darstellung von K. Legg, in der die Funktion der Klientennetze analysiert wird: Politics in Modern Greece. Stanford 1969, insbesondere Kapitel 6; ferner zum selben Thema den von der Griechischen Gesellschaft für Politische Wissenschaften herausgegebenen Band: Κοινωνικές καί πολιτικές δυνάμεις στήν Ἑλλάδα (Die gesellschaftlichen und politischen Kräfte in Griechenland). Athen 1977.

b) Die „Neue Demokratie" (ND)

Die Partei der „Neuen Demokratie" wurde im September 1974 kurz vor den Wahlen zum griechischen Parlament von Konstantinos Karamanlis gegründet. Sie tritt somit die Nachfolge der großen Konservativen Partei ERE an, deren Vorsitzender zwischen 1956 und 1963 ebenfalls Karamanlis war.

– Programmatik

Die von Karamanlis persönlich formulierte programmatische Erklärung zur Gründung der ND beinhaltet ein *klares Bekenntnis zur parlamentarischen, pluralistischen Demokratie* und zur *Marktwirtschaft,* ohne daß letzteres jedoch die Ausdehnung des öffentlichen Sektors in der Wirtschaft ausschließt. Zugleich wird in der Erklärung realistisch anerkannt, daß die Demokratie zwar eine „großartige, aber äußerst angreifbare" und gefährdete Staatsform darstellt, die politisch nur gedeihen kann, wenn bestimmte gesellschaftliche und kulturelle Voraussetzungen gegeben sind; zu diesen gehören insbesondere „das milde politische Klima und friedliche politische Sitten"[2]), Bedingungen, die in Griechenland bisher noch nicht in erforderlichem Maße realisiert worden sind. Zur Verwirklichung der Demokratie ist daher „die Konzentration des Volkes in starken politischen Organisationen erforderlich, die in der Lage sind, die Demokratie nicht nur vor dem Kommunismus und Faschismus, sondern auch vor solchen Bedingungen zu schützen, die in der Vergangenheit ihren Sturz verursacht haben"[3]). Politische Stabilität wird als unerläßlich auch für die Schaffung eines *modernen Wohlfahrtsstaates* und einer gerechten Einkommensverteilung angesehen.

Im Hinblick auf die Außenpolitik wird die Zugehörigkeit Griechenlands zum Westen verkündet. Der wichtigste Schritt in dieser Richtung ist zweifelsohne der *EG-Beitritt* Griechenlands, den die Regierung der Neuen Demokratie gegen den Widerstand der PASOK und der KKE inzwischen verwirklicht hat. Hingegen bedeutet die gegenwärtige *Distanz zur NATO,* die durch den Austritt Griechenlands aus dem militärischen Teil des Bündnisses dokumentiert wird, keine prinzipielle Abkehr, sondern eher ein Nachgeben gegenüber der öffentlichen Meinung, die die NATO und die USA als mitverantwortlich für die Etablierung und Duldung der Militärdiktatur ansieht und die Haltung der NATO im Zypernkonflikt für protürkisch hält.

Ein eigenes ideologisches Profil hat die ND jedoch über die allgemeinen Standortbestimmungen hinaus noch nicht gewonnen. Dies *Ideologiedefizit* könnte sich vor allem in der Konkurrenz mit der PASOK in der Zukunft als Nachteil erweisen.

– Organisation

Die ND gliedert sich als Organisation in eine zentrale, eine regionale und eine lokale Organisationsebene. Zentrale Organe sind der *Parteikongreß,* der aus 71 Mitgliedern bestehende *Leitende Ausschuß,* der aus 10 Mitgliedern bestehende *Exekutivausschuß* und der *Parteiführer*[4]). Die regionale Organisation umfaßt *50 Bezirks-*

---

[2]) Διακήρυξη (Proklamation) vom 28. September 1974.
[3]) Ebenda.
[4]) Vgl. Καταστατικό (Statut).

ausschüsse auf Nomosebene und *289 Lokalausschüsse* außerhalb von Attika sowie weitere *11 Bezirksausschüsse* und *107 lokale Ausschüsse* in der Attika-Region[5]).

Außer der vertikalen Gliederung gibt es acht themen- und berufsgruppenbezogene *Arbeitskreise* und die *Jugendorganisation* der Partei ONNED. Die tatsächliche Macht ist in den Händen des *Parteiführers* konzentriert, dessen Autorität unumstritten ist. Es gab keinerlei parteiintern artikulierte Opposition gegen Karamanlis. Selbst die schwerwiegende Entscheidung, Schlüsselministerien bei der Kabinettsumbildung im Mai 1978 mit parteifremden Politikern zu besetzen, die aus den Reihen des ehemaligen Zentrums und der EDIK kamen, hatte keinen öffentlichen Widerspruch hervorgerufen, obwohl sich manche Parteimitglieder in leitenden Positionen und manche Abgeordnete dabei übergangen fühlten. Es zeigt sich also, daß selbst strategische Entscheidungen ersten Ranges wie die Öffnung der Neuen Demokratie zur politischen Mitte hin, in deren Zeichen die personelle Erweiterung der Regierung durch die Einbeziehung ehemaliger Zentrumspolitiker steht, von Karamanlis allein getroffen werden konnten.

Trotz Bemühungen um den Aufbau einer leistungsfähigen Parteiorganisation sind nach wie vor die persönlichen Beziehungen der ND-Abgeordneten zu den Wählern ein weiteres dominantes Element, das gleichzeitig die starke Stellung der Parlamentsfraktion in der Partei begründet. Die überwiegend durch individuelle Karriereambitionen motivierten Abgeordneten der ND wurden jedoch durch die unumstrittene Autorität von Karamanlis zur Parteidisziplin angehalten.

– Sozialstruktur und Wählerpotential

Die ND rekrutiert ihre Wähler – differenziert man sie nach ihrer sozialen Schichtenzugehörigkeit – aus den *oberen Mittel- und Oberschichten:* Bankiers, Kaufleute, gehobene Selbständige, leitende Angestellte und Freiberufliche gehören zu ihren Wählern. Aus diesen Schichten stammen auch die Abgeordneten der ND. Knapp 40 % von ihnen waren vor 1967 als Abgeordnete der ERE ins Parlament gewählt worden, die älteren unter ihnen waren bereits in den Reihen des „*Ellinikos Synagermos*" unter der Führung Marschall Papagos' aktiv. Die übrigen 60 % der ND-Abgeordneten sind 1974 zum ersten Mal gewählt worden. Der Altersdurchschnitt der Fraktion beträgt heute 55 Jahre. Gemessen an der allgemeinen Gerontokratie, die in Griechenland vorherrscht, bedeutet dies eine *erhebliche Verjüngung.* Auch die Tatsache, daß 60 % der Abgeordneten zum ersten Mal dem Parlament angehören, zeigt die Tendenz zu einer personellen Erneuerung. Einschränkend muß hierzu allerdings bemerkt werden, daß viele junge Abgeordnete Söhne ehemaliger konservativer Politiker sind und die politische Tradition ihrer Familie fortsetzen.

Die Zusammensetzung der aus 175 Abgeordneten bestehenden Fraktion der ND nach Berufsgruppen zeigt folgendes Bild: 98 Rechtsanwälte bzw. Juristen (56 %), 18 Ärzte (10,3 %), 13 Ingenieure (7,4 %), 10 Volkswirte (5,7 %), 9 Offiziere a.D. (5,1 %), 9 Unternehmer (5,1 %), 3 Apotheker (1,7 %), 3 Kaufleute (1,7 %), 3 An-

---

[5]) Entnommen aus der Präsentation der ND in der Tageszeitung Τό Βῆμα (To Vima) vom 29.1.1980.

gestellte (1,7 %), 2 Landwirte (1,1 %), 2 Professoren (1,1 %), 1 Reeder (0,6 %), 1 Schriftsteller, 1 Politologe, 1 Theologe, 1 Schauspieler[6]).

Wegen der im griechischen politischen System ausgeprägten Klientelbeziehungen zwischen den Politikern und ihren Anhängern erweisen sich neben der vertikalen Dimension der sozialen Schichtung die *lokalen Bindungen der Abgeordneten* als ebenso starke Determinante des Wählerverhaltens. Regionen, die traditionellerweise konservativ wählen und in denen die ND nach wie vor einen hohen Wähleranteil hat, sind die Peloponnes, Zentralgriechenland, Westmakedonien und Thrakien. Zwischen 1974 und 1977 hat die ND aber auch hier teilweise überdurchschnittlich hohe Verluste erlitten.

– Nahestehende Interessenverbände

Im allgemeinen unterstützen die *etablierten Gruppen* der griechischen Gesellschaft die ND. Unter den Berufsverbänden stehen der Verband der griechischen Industrien, der wichtigste Arbeitgeberverband, und der Verband der griechischen Reedereien, ferner aber auch die Führung der Allgemeinen Konföderation Griechischer Arbeiter und des Panhellenischen Zentralverbandes der Unionen landwirtschaftlicher Genossenschaften der ND nahe.

Der *Einfluß privilegierter Gruppen* zugunsten der ND läßt sich jedoch nur unzureichend anhand der der ND nahestehenden ideologischen Positionen formeller Verbände erfassen. Informelle Einflüsse beispielsweise der etablierten Professorenschaft, der Kirche, der Armee und Polizei auf das zugehörige gesellschaftliche Milieu zugunsten der ND sind ebenso wichtig wie die Politik formeller Verbände.

– Die Politik der Neuen Demokratie als Regierungspartei

Die ND hat zwar auf Grund der sozialen Herkunft ihrer Politiker die engsten Bindungen an die etablierten Gruppen der griechischen Gesellschaft; sie unterscheidet sich aber dennoch wesentlich von den konservativen Parteien, die ihre Vorgänger gewesen sind, indem sie in einer Reihe von zentralen Themen der griechischen Innenpolitik, die seit Jahrzehnten das konservative und das liberale Lager gespalten haben, die ehemals *liberalen Positionen* einnimmt[7]). Hierher gehören die Frage der Monarchie, die Legalisierung der KKE, die Sprachreform zugunsten der Volkssprache – der „Dimotiki" –, die Verwirklichung einer Bildungsreform, die 1964 von der liberalen Zentrumsunion konzipiert und von den Konservativen aufs heftigste bekämpft wurde, bis die Obristen die begonnenen Reformansätze 1967 zur Gänze rückgängig machten.

Ein solcher Wandel in der Orientierung einer konservativen Regierungspartei wäre in Griechenland vor 1967 nicht denkbar gewesen, ebensowenig ihre selbstbewußte Distanz zur NATO. Die politische Erfahrung der Diktatur und die Lernprozesse, die diese unter den Demokraten verschiedener Richtungen auslöste, haben wesentlich zu dieser Entwicklung beigetragen.

---

[6]) Errechnet nach den Angaben zur Person in: Οἱ 300 τῆς Βουλῆς τῶν Ἑλλήνων (Die 300 Abgeordneten des Griechischen Parlaments). Hrsg. von der Καθημερινή (Kathimerini). Athen 1978.

[7]) Die liberale Wende der ND wird im allgemeinen nicht bestritten. Vgl. u. a. Katsoulis, J.: Griechenland, in: Raschke, J. (Hrsg.): Die politischen Parteien in Westeuropa. Reinbek 1978, S. 215–237.

Die von Karamanlis bewußt *eingeleitete Öffnung zur Mitte* vollzieht sich jedoch nicht ohne politische Spannungen, die zu Abspaltungen eines Teils der Wähler auf der äußersten Rechten geführt haben. Zu den mit der ND unzufriedenen Gruppen gehören insbesondere die Royalisten und die Juntaanhänger, die 1977 das „Nationale Lager" – es erhielt 6,8 % der Stimmen – gewählt haben. Auch das Banken-Establishment zeigte nach der Verstaatlichung der Andreadis-Unternehmen Unzufriedenheit mit der Regierungspolitik. Ferner rief die durchaus zeitgemäße und gebotene Bildungsreform in konservativen Kreisen des Bürgertums so viel Widerstand hervor, daß Bildungsminister Rallis 1977 in seinem Wahlkreis starke Verluste hinnehmen mußte.

c) „Panhellenische Sozialistische Bewegung" (PASOK)

Die Panhellenische Sozialistische Bewegung wurde mit der Proklamation vom 3. September 1974 durch Andreas Papandreou gegründet. Die PASOK konstituierte sich unter Einbeziehung mehrerer *Widerstandsgruppen,* die während der Diktatur im In- und Ausland aktiv waren. Zu diesen gehörten die von Papandreou angeführte *Panhellenische Befreiungsbewegung* (PAK), die *Demokratische Verteidigung* (DA) und andere Gruppen, die vor oder kurz nach der offiziellen Parteigründung der PASOK beitraten.

Die politische Herkunft der PASOK aus der Widerstandsbewegung hat ihr ideologisches Programm geprägt, in dem als oberste Ziele nationale Unabhängigkeit, Volksherrschaft, soziale Emanzipation und Demokratisierung genannt werden[8]).

Die geforderte außenpolitische Neutralität Griechenlands, die nur durch den Austritt aus der NATO und der EG – letzteres wurde bereits modifiziert – erreicht werden kann, ist nach den Thesen der PASOK die Voraussetzung für die Verwirklichung der innenpolitischen Ziele, der sozialen Emanzipation und der sozialistischen Transformation. Denn erst das Verlassen dieser Bündnisse erlaubt es nach Auffassung der PASOK, daß Entscheidungen, die Griechenland betreffen, in Griechenland und nicht im Ausland von fremden Machtzentren getroffen werden. *Außenpolitische Neutralität* bedeutet im Sinne der PASOK nicht nationale Isolation[9]), sondern Herstellung gleichberechtigter Beziehungen zu den Balkan-, Mittelmeer- und arabischen Ländern, die die nächsten außenpolitischen Partner Griechenlands auf Grund seiner geopolitischen Lage seien. Ferner wird die Herstellung *gleichberechtigter Beziehungen zu allen Ländern überhaupt* gefordert, ohne besondere Privilegierung der Länder des Westens oder des Ostens.

Innenpolitisch wird die *Vergesellschaftung* der Monopole, Schlüsselindustrien und Großbanken, des Energie- und Transportsektors gefordert. „Vergesellschaftung" bedeutet für die PASOK aber keinesfalls Verstaatlichung[10]), denn es soll nicht die Herrschaft einer Bürokratie etabliert , sondern die *Beteiligung des Volkes an dezentralen Entscheidungszentren* ermöglicht werden, die regional und lokal die Planung der gesellschaftlichen und ökonomischen Prozesse übernehmen. Ein wesentliches

---

[8]) Vgl. Διακήρυξη (Proklamation) vom 3. September 1974.

[9]) Κατευθυντήριες γραμμές κυβερνητικῆς πολιτικῆς τοῦ Πανελλήνιου Σοσιαλιστικοῦ Κινήματος (Leitlinien der Regierungspolitik der Panhellenischen Sozialistischen Bewegung). Athen 1977.

[10]) Ebenda, S. 29.

Element in dieser Konzeption ist die Selbstverwaltung der Unternehmen durch die Belegschaft unter Beteiligung von Vertretern eines regionalen Planungsausschusses. Die PASOK stellt also *radikale maximalistische Forderungen* in Richtung einer sozialistischen Transformation neuen Typs auf, deren theoretisches Fundament bisher allerdings relativ vage geblieben ist. Durch die Radikalität ihrer Anfangsphase hat sich die PASOK als Partei profiliert, die den gesellschaftlichen Wandel zugunsten der nichtprivilegierten Schichten und Gruppen anstrebt. Durch ihre *populistischen Züge* hat sie Mobilisierungseffekte sowohl bei der jüngeren, politisch sensibilisierten Intelligenz als auch bei denjenigen Gruppen der ländlichen Bevölkerung hervorgerufen, die zwar stark sozial benachteiligt sind, den kommunistischen Parteien aber wegen der Erfahrungen des Bürgerkriegs bisher mißtrauen. Das Vertrauen der letzteren hat die PASOK sowohl durch eine von Anfang an konsequente theoretische Absetzung vom bürokratischen Sozialismus des Ostblocks als auch durch taktische *Vermeidung jeglicher Koalition mit den Kommunisten* gewonnen.

Großen Anteil am Erfolg der PASOK, die ihren Wähleranteil von 13,5 % 1974 auf 25,3 % 1977 steigern konnte, hat ihr charismatischer Führer Andreas Papandreou, der ein erfahrener Politiker ist und – anders als er bisher in der konservativen westeuropäischen Presse dargestellt wurde[11]) – sowohl konzeptionelle Fähigkeiten als auch Augenmaß für das realpolitisch Mögliche besitzt.

Die von ihm lancierten radikalen Losungen des antiimperialistischen Kampfes und des Kampfes gegen die in- und ausländischen Monopole, die im Westen auf Unverständnis stießen, waren taktisch gerechtfertigt und haben der öffentlichen Stimmung nach der Befreiung von der Militärdiktatur, die die Mehrzahl der Griechen als fremdgesteuert betrachtet, durchaus entsprochen. Sie stellten zwar starke Vereinfachungen der gesellschaftlichen Wirklichkeit dar, wie es bei politischen Losungen immer der Fall ist, haben aber der PASOK, die anfangs keine unmittelbare Chance hatte, Regierungsverantwortung zu übernehmen, in den Augen breiter Schichten ein deutliches politisches Profil verliehen. Als besonders wirksam erwiesen sich die Forderungen nach wirklicher *nationaler Unabhängigkeit* und nach *Besinnung auf griechische Werte und Traditionen,* wodurch die konservative Rechte gleichzeitig einer ihrer stärksten herkömmlichen Waffen beraubt wurde, sozialistischen Parteien als fremdgesteuert und „moskauhörig" hinzustellen.

Die inzwischen vorsichtig erfolgte Revision der ursprünglich radikalen und maximalistischen Forderungen beweist, daß die Führung der PASOK Zeitpunkt, Einsatz und Wirksamkeit von taktischen Mitteln ziemlich genau einzuschätzen vermag und ein langfristiges politisches Konzept verfolgt.

– Organisation

Es ist der PASOK relativ schnell gelungen, eine *landesweite Parteiorganisation* mit lokalen Ortsgruppen in den entlegensten Dörfern des Landes aufzubauen. Oberstes Organ ist nach dem Statut der *Parteitag,* der bisher allerdings noch nicht zusammengetreten ist. Das aus 80 Mitgliedern bestehende *Zentralkomitee* ist das höchste Organ zwischen den Parteitagen und tritt alle drei Monate zusammen. Unter den 80

---

[11]) Vgl. u. a. die Charakterisierung Papandreous in der Frankfurter Allgemeinen Zeitung vom 24. 11. 1977: „Zielt auf die Macht".

Mitgliedern des ZK sind 21 Parlamentsabgeordnete. Das höchste ausführende Zentralorgan ist das aus 9 Mitgliedern bestehende *Exekutivbüro* (EB).

Sehr viel Macht besitzt de facto der *Parteivorsitzende,* der sowohl dem ZK als auch dem EB vorsitzt. Die Parteiorganisation umfaßt außer den erwähnten Zentralorganen 63 Bezirkskommissionen auf Nomosebene[12]), ca. 1600 lokale Ortsgruppen und Parteizellen sowie ferner ca. 600 Zellen in verschiedenen Berufsorganisationen[13]). Die Kontrolle wird von oben nach unten ausgeübt. Dieser Tatbestand bildete bereits mehrfach Anlaß zur Kritik, weil dadurch das Demokratisierungsversprechen der Partei nicht eingelöst werden konnte. Wiederholte Parteiaustritte und -ausschlüsse – 1975, 1976 und 1977 – hatten ihre Ursache in *mangelnder innerparteilicher Demokratie,* aber auch in ideologischen Differenzen. Keiner dieser umfangreichen Parteiaustritte vermochte jedoch die starke Stellung des Parteivorsitzenden zu erschüttern.

Die PASOK hat z. Z. ca. 65 000 *Mitglieder*[14]), was eine für griechische Verhältnisse hohe Mitgliederzahl bedeutet. Dessenungeachtet hat das ZK bei seiner 6. Sitzung in Hinblick auf die wachsende Rolle der PASOK in der griechischen Politik eine größere Öffnung der Basisorganisationen zur Anwerbung neuer Mitglieder gefordert[15]). Dieser nicht unproblematische Schritt wird jedoch vorerst noch vorbereitet, und seine möglichen Folgen werden erörtert.

Die *zielgruppen-* und *themenbezogenen Arbeitskreise* gewährleisten eine kontinuierliche Information der Partei über die spezifischen Probleme ihres gesellschaftlichen Umfeldes. Der nach den Empfehlungen der 5. Sitzung des ZK gegründete, aus 8 Mitgliedern bestehende Rat der parlamentarischen Arbeit koordiniert und kontrolliert unter dem Vorsitz von A. Papandreou die Zusammenarbeit der Parlamentsfraktion. Die PASOK hat keine getrennte Jugendorganistion außer der studentischen Fraktion PASP, die eine der stärksten ist.

– Sozialstruktur und Wählerpotential

Die PASOK ist die erste nichtkommunistische Partei im griechischen Raum mit dem *Charakter einer Volksbewegung.* Sie hat in den Großstädten die Anhänger des linken Flügels der ehemaligen Zentrumsunion, einen Teil der Wähler der ehemaligen EDA, große Teile der durch die Militärdiktatur stark politisierten Jugend und einen erheblichen Teil der griechischen Intelligenz im In- und Ausland für sich gewinnen können. Darüber hinaus – und dies wird als großer Erfolg der PASOK gewertet – hat sie in den ländlichen Raum eindringen können und 1977 einen beträchtlichen Teil der Bauernschaft gewonnen. Während ihr Stimmenanteil in den Großstädten Athen und Saloniki ihrem Landesdurchschnitt entsprach, erzielte sie vor allem in den ländlichen Bezirken von Epirus und Zentralgriechenland überdurchschnittliche Ergebnisse. Geringeren Erfolg hatte sie nur in denjenigen ländlichen

---

[12]) Entnommen aus der Darstellung der PASOK durch S. Linardatos in der Tageszeitung Tό Bῆμα (To Vima) vom 13. 1. 1980.

[13]) Angaben des ZK der PASOK in: Ἡ ἀπόφαση τῆς ἑκτής συνόδου τῆς Κεντρικῆς Ἐπιτροπῆς. (Beschlüsse der 6. Sitzung des ZK). Abgedruckt in der Parteizeitung der PASOK Ἐξόρμηση (Exormisi) vom 2. 3. 1980.

[14]) Ebenda.

[15]) Ebenda.

Bezirken, die traditionell Hochburgen der Rechten (Lakonia, Messinia) oder der Kommunistischen Partei (Lesvos, Samos, Levkas) sind, obwohl sie 1977 auch hier gegenüber 1974 viele Stimmen hinzugewonnen hat.

In den Städten hat die PASOK durch ihre antimonopolitische Programmatik große Teile der mittleren und unteren Mittelschicht, insbesondere viele kleine Selbständige ansprechen können, die sich durch die Konkurrenz der Großkonzerne bedroht fühlen. Auf dem Lande ist ihr Erfolg der intensiven Hinwendung zu den gravierenden Problemen der kleinen Landwirte zuzuschreiben, die im Zuge der Kommerzialisierung der Landwirtschaft in die Abhängigkeit von Geldverleihern und Großabnehmern geraten sind.

Verfolgt man die Herkunft der PASOK anhand der politischen Biographien führender Parteimitglieder, so ist festzustellen, daß im ZK und EB einerseits ehemalige EAM-Mitglieder, andererseits ehemalige Abgeordnete der Zentrumsunion vertreten sind. Das einigende Moment dieser aus verschiedenen politischen Richtungen kommenden Mitglieder war ihre gemeinsame Beteiligung am Widerstand gegen die Militärdiktatur. Während dieser Zeit waren viele von ihnen verhaftet und hatten mehrere Jahre in Gefängnissen verbracht.

Die starke Repräsentation der meist jüngeren Gruppen, die sich am Widerstand beteiligten, bringt eine *Verjüngung der Mitgliedschaft* – im Verhältnis zu anderen Parteien – mit sich: Das Durchschnittsalter der ZK-Mitglieder ist 38 Jahre, das Durchschnittsalter der Parlamentsfraktion liegt bei 47 Jahren, womit sie die „jüngste" Fraktion im griechischen Parlament ist. Nur 14 der 93 PASOK-Abgeordneten waren vor 1967 als Abgeordnete anderer Parteien – zumeist der Zentrumsunion – ins Parlament gewählt worden. Die übrigen 79 Abgeordneten (85 %) wurden erst nach der Wiederherstellung der Demokratie bei den Wahlen von 1974 bzw. 1977 zum ersten Mal gewählt. Auch in dieser Hinsicht hat die PASOK den größten Anteil an den „neuen Gesichtern" im Parlament[16]).

Die *Berufszusammensetzung* zeigt eine stärkere Repräsentation der traditionellen Abgeordnetenberufe – typischerweise Rechtsanwälte und Ärzte – in der Parlamentsfraktion und eine weniger starke Repräsentation derselben im ZK. Unter den 93 Parlamentariern sind 45 Rechtsanwälte, 10 Ärzte, 10 Ingenieure, 7 Volkswirte, 4 Landwirte und 17 Angehörige anderer Berufe vertreten. Unter den ZK-Mitgliedern befinden sich hingegen nur 15 Rechtsanwälte und 5 Ärzte, jedoch 20 Ingenieure, 8 Studenten, 5 Volkswirte, 14 Mitglieder mit verschiedenen nichtakademischen Berufen, 8 Landwirte und 7 Arbeiter[17]).

– Nahestehende Interessengruppen

Die im gewerkschaftlichen Bereich wichtigste der PASOK nahestehende Gruppierung ist die „Panhellenische Gewerkschaftliche Kampfbewegung" (PASKE), die seit dem letzten Kongreß der „Allgemeinen Konföderation Griechischer Arbeiter" nicht mehr in deren Vorstand vertreten ist. Sie übt aber auf eine Reihe von Einzelgewerkschaften und Föderationen, insbesondere der Angestellten öffentlicher Unternehmen, starken Einfluß aus.

---

[16]) Errechnet nach den Angaben zur Person in: Οἱ 300 τῆς Βουλῆς τῶν Ἑλλήνων (Die 300 Abgeordneten des griechischen Parlaments), a. a. O.

[17]) Ebenda.

d) „Vereinigung des Demokratischen Zentrums" (EDIK)

Die EDIK hat sich durch den Zusammenschluß einer Gruppe liberaler Abgeordneter der ehemaligen Zentrumsunion unter der Führung von Georgios Mavros konstituiert und daher seit ihrer Gründung den Anspruch erhoben, die legitime *Nachfolgeorganisation der großen liberalen Zentrumspartei* zu sein.

Der Gründung der EDIK war ein Zusammenschluß von ehemaligen Zentrumsabgeordneten mit der progressiven Gruppe „Neue Kräfte" vorangegangen, die aus Intellektuellen und bekannten politischen Persönlichkeiten aus der Zeit des Widerstands gegen die Diktatur bestand. Unter dem Namen „Zentrumsunion – Neue Kräfte" (EK-ND) nahm die Partei 1974 an den Parlamentswahlen teil und errang 20,4 % der Stimmen. Der mit dem Ziel der Erneuerung des liberalen Lagers vor den Wahlen zustande gekommene Zusammenschluß löste sich jedoch unter dem Eindruck des Wahlmißerfolgs und auch wegen der gestiegenen Dominanzansprüche der alten Zentrumspolitiker wieder auf. An seine Stelle trat die im April 1976 offiziell gegründete EDIK.

– Programmatik

Weder das Programm noch die Strategie der EDIK konnten ihr in der veränderten politischen Konstellation nach dem Fall der Diktatur zum Durchbruch verhelfen. Der *politische Standort* wurde ihr *von zwei Seiten streitig gemacht.* Von rechts, weil die ND in einer Reihe zentraler innen- und außenpolitischer Fragen, die früher die Konservativen und Liberalen spalteten, die ehemals liberale Positionen einnahm und dadurch zur Mitte rückte; links von der EDIK sammelte die PASOK die Anhänger des linken Flügels der ehemaligen Zentrumsunion und eroberte mit einer ideologischen Durchschlagskraft, die die EDIK nicht besaß, das politische Terrain.

Somit hat sich die EDIK weder gegenüber der ND profilieren können, da sie – entsprechend ihren Überzeugungen – den *liberalen Reformen* wie beispielsweise der Bildungsreform, die die Regierung initiierte, zustimmte; noch hat sie dem kämpferischen Impetus der PASOK etwas anderes entgegensetzen können als ein ihrer Parlamentsfraktion mühsam und relativ spät abgerungenes *Lippenbekenntnis zum demokratischen Sozialismus,* das freilich kaum jemanden überzeugte. Eine Gruppe von vier Abgeordneten, die zu den „Neuen Kräften" gehört hatte, spaltete sich von der EDIK ab und trat 1977 unter dem Namen „Sozialistische Initiative" der Wahlkoalition „Allianz der fortschrittlichen und linken Kräfte" (SPADE) bei.

– Organisationsstruktur

Wesentlichen Anteil an der Niederlage der EDIK 1977 hatte die Tatsache, daß sie eine *Honoratioren- und Abgeordnetenpartei* mit typischer *Vorrangstellung der Parlamentsfraktion* und geringem Stellenwert der Parteibasis geblieben ist und ohne daß – wie im Falle der ND – eine dominante Führerfigur die karrieristischen Ambitionen der Abgeordneten den politischen Zielen der Partei unterordnen konnte. Das Parteistatut räumt zwar dem *Parteiführer,* der bezeichnenderweise von der Fraktion und nicht von der Partei gewählt wird, eine Vorrangstellung ein; G. Mavros vermochte diese jedoch nicht auszufüllen. Er trat nach der vernichtenden Niederlage seiner Partei bei der Parlamentswahl im November 1977, bei der die EDIK nur 11,9 % der

Stimmen erhielt, von sich aus zurück. Der außerordentliche Parteitag, der im März 1978 einberufen wurde, wählte Ioannis Zigdis zum neuen Parteiführer.

Organe der Partei sind der alle drei Jahre tagende *Panhellenische Kongreß,* auf dem nach dem bisherigen Statut die Parlamentsfraktion vor der Parteibasis das Übergewicht hat, das aus 170 Mitgliedern bestehende *ZK,* das zweimal im Jahr tagt, und das aus 38 Mitgliedern bestehende *Exekutivbüro,* das zweimal im Monat zusammentritt.

Zur Zeit wird versucht, die Parteiorganisation landesweit auszubauen und regionale sowie lokale Parteikomitees ins Leben zu rufen. Ferner wird die Konstituierung weiterer themen- und zielgruppenbezogener Arbeitsgruppen, von denen bereits acht bestehen, vorbereitet und an einem neuen Parteistatut gearbeitet, das vom nächsten Parteitag im Frühjahr 1980 angenommen werden soll.

– Sozialstruktur und Wählerpotential

Die EDIK hat die *Mehrheit der Wähler der Zentrumsunion,* in deren Tradition sie steht, *nicht für sich gewinnen können.* Die Wähler des Zentrums kamen aus den Mittelschichten, den fortschrittlichen Kreisen des Bürgertums, die mit der republikanischen Tradition von E. Venizelos verbunden und antiroyalistisch gesinnt waren. Außerdem war in manchen Regionen der Rückhalt bei der bäuerlichen Bevölkerung beträchtlich. Hochburg des Zentrums war stets Kreta. Selbst hier konnte die EDIK ihren relativ hohen Stimmenanteil von 1974 (45,9 % im Bezirk Lasithion) bei der Parlamentswahl von 1977 aber nicht halten; die PASOK überflügelte sie in drei der vier Wahlbezirke.

Die *Berufszusammensetzung* der aus 14 Abgeordneten bestehenden Parlamentsfraktion der EDIK – von der sich inzwischen ein Teil abgespalten hat – ist traditionell geprägt: 6 Rechtsanwälte, 5 Volkswirte, 2 Ärzte und 1 Mathematiker. Das Durchschnittsalter der Fraktion beträgt 56 Jahre. Sechs Abgeordnete wurden nach der Wiederherstellung der Demokratie zum ersten Mal ins Parlament gewählt, acht waren bereits vor 1967 als Abgeordnete der Zentrumsunion im Parlament[18]).

Ebenfalls traditionell ist die Zusammensetzung des Exekutivbüros: Es setzt sich aus 17 Rechtsanwälten, 4 Offizieren a. D., 4 Mitgliedern der Parlamentsfraktion, 3 Ärzten, 3 Studenten, 2 Journalisten, 2 Volkswirten, einem Professor, einem Bauingenieur und einem Gewerkschafter zusammen[19]).

– Nahestehende Interessenverbände

Im gewerkschaftlichen Raum hat die EDIK kaum Rückhalt, und die Arbeitgeberorganisationen tendieren viel stärker zur Regierungspartei. Der Einfluß der EDIK geht zurück, da auch herkömmliche Verbündete sich wegen der wahrscheinlichen Entwicklung geringe Vorteile von ihrer politischen Nähe zur EDIK erhoffen und sich von ihr abwenden. Daß solche Nutzenabwägung nicht nur im Umfeld der EDIK, sondern auch in den Reihen ihrer Abgeordneten eine große Rolle spielt, zeigte sich, als im Mai 1978 bei der Kabinettsumbildung der Karamanlis-Regierung EDIK-Abgeordnete ihr Parlamentsmandat gegen einen Ministerposten in der Regierung der ND tauschten.

---

[18]) Ebenda.
[19]) Vgl. Τό Βῆμα (To Vima) vom 17. 1. 1980.

e) Die „Partei des Demokratischen Sozialismus" (KODISO)

Die KODISO stellt die *jüngste Parteigründung* dar. Sie hat sich im März 1979 durch den Zusammenschluß von unzufriedenen EDIK-Abgeordneten mit Angehörigen insbesondere der Gruppe der „Neuen Kräfte" konstituiert und den Volkswirt Ioannis Pesmazoglou zu ihrem Parteiführer gewählt.

Die Gründung der KODISO ist eine Reaktion auf die festgefahrene Situation der EDIK gewesen. Unter den Gründungsmitgliedern sind fähige und aktive Männer mit politischer Erfahrung. Die KODISO, bei deren Gründung auch persönliche Karriereambitionen der Initiatoren eine wichtige Rolle spielten, verfolgt das Ziel, den Raum der politischen Mitte durch eine *sozialdemokratische Partei mit westeuropäischer Orientierung* zu besetzen. Sie lehnt sich dementsprechend ideologisch an die sozialdemokratischen Parteien Westeuropas an. Zu ihren programmatischen Zielen gehören der schrittweise Übergang zum Sozialismus unter Vermeidung übereilter Vergesellschaftungsentscheidungen, der Ausbau friedlicher außenpolitischer Beziehungen zu allen Ländern West- und Osteuropas und die Mitarbeit Griechenlands an einem zu entwickelnden europäischen Sicherheitssystem. Die KODISO bejaht uneingeschränkt den EG-Beitritt Griechenlands.

Die *Parteiorganisation* befindet sich noch im Aufbau. Wird die *Berufszusammensetzung* des aus 110 Mitgliedern bestehenden ZK als repräsentativ für das Profil der neuen Partei genommen, deren Wähler man ja noch nicht kennt, so dominieren darin geistige und Mittelstandsberufe: 45 Rechtsanwälte, 14 Architekten, 7 Ärzte, 6 Offiziere a. D., 4 Angestellte der Privatwirtschaft, 3 Bankangestellte, 3 Volkswirte, 3 Beamte, 3 Werbefachleute, 2 Unternehmer, 2 Genossenschafter und 11 Mitglieder mit anderen Berufen[20]).

Ob es der KODISO mit ihrem zu einer rechten sozialdemokratischen Partei tendierenden Programm und mit der etwas professoralen Rhetorik mancher ihrer führenden Mitglieder gelingen wird, das Gehör des Wählers zu finden, das man sich erhofft, bleibt zur Stunde eine offene Frage. Es kann nicht übersehen werden, daß die Parteienlandschaft sich allmählich verfestigt und daß spektakuläre Entwicklungen, wie sie sich zwischen den Wahlen von 1974 und 1977 ergaben, zumindest unwahrscheinlicher werden. Der Führung der KODISO scheint diese Tatsache nicht zu entgehen, da sich ihre Planspiele wohl weniger auf das unrealistische Ziel richten, bei den nächsten Wahlen eine Mehrheit zu erringen, als auf die näherliegende Möglichkeit, daß bei einem künftig nicht auszuschließenden Gleichgewicht zwischen den großen Parteien eine Koalition mit der KODISO die Bildung einer stabilen Regierung ermöglichen könnte. Ähnliche Überlegungen werden im übrigen auch von der Führung der EDIK angestellt.

f) Die kommunistischen Parteien

In Griechenland konstituierten sich nach der Legalisierung der KKE 1974 zwei kommunistische Parteien, die Kommunistische Partei Griechenlands (KKE) und die Kommunistische Partei Griechenlands – Inland (KKE-ES). Zu dieser Entwicklung hat die Situation vor und während der Diktatur geführt. Die KKE war seit 1947 ver-

---

[20]) Vgl. Τό Βῆμα (To Vima) vom 17. 1. 1980.

boten und hatte daher ihren Sitz in Moskau. Von dort aus steuerte sie die Politik der in Griechenland zugelassenen linkssozialistischen „Vereinigten Demokratischen Linken" (EDA), deren Lage insofern zwiespältig war, als die EDA dadurch nur bedingt ihre Politik in Übereinstimmung mit den innenpolitischen Realitäten selbst gestalten konnte, größtenteils hingegen den Direktiven aus Moskau Folge leisten mußte. Als im Februar 1968 der KKE-Chef Koligiannis auf dem 12. Plenum des ZK der KKE der EDA-Führung die Schuld für die Fehler und Versäumnisse zuschieben wollte, die zur Errichtung der Diktatur geführt hatten, kam es zur Spaltung und zur Konstituierung der KKE-Inland.

– Die „Kommunistische Partei Griechenlands" (KKE)

– Programmatik

Die KKE entspricht sowohl von ihrer Programmatik als auch von ihrer Organisation her dem Muster einer *orthodoxen, an der KPdSU orientierten kommunistischen Partei.* Sie betrachtet sich als die Partei der Arbeiterklasse, als deren bewußtester Teil. Ihr politisches Fernziel bleibt die revolutionäre Umwälzung der kapitalistischen Gesellschaft durch die bewußte und solidarische Aktion der unter der Führung der KP organisierten Arbeiterklasse. Dieses Fernziel schließt nicht aus, daß die KKE in bestimmten historischen Situationen Gewaltanwendung ablehnt und friedliche Kampfmittel in der politischen Auseinandersetzung für angemessen hält. Dies gilt auch in der gegenwärtigen Situation in Griechenland, in der der institutionelle Rahmen den politischen Kampf mit gewaltlosen Mitteln erlaubt. Die KKE vertritt „orthodoxe" Positionen, bekämpft die NATO und die EG und erstrebt eine langfristige Annäherung Griechenlands an den Ostblock[21]).

– Organisation

Die Parteiorganisation ist streng nach dem Prinzip des *demokratischen Zentralismus* aufgebaut: Die Kontrolle in der Partei wird von oben nach unten ausgeübt, parteiinterne Opposition wird nicht zugelassen. „Gesetz der Partei ist die ideologische und organisatorische Einheit, die Monolithik ihrer Leitlinien, die bewußte Disziplin aller ihrer Mitglieder. Jede Äußerung von Fraktions- und Gruppenbildung ist unvereinbar mit der Mitgliedschaft und dem weiteren Verbleiben in der Partei"[22]). Oberstes Organ der KKE ist der *Parteikongreß*, der alle vier Jahre stattfinden soll. Diese Bestimmung wurde bisher auch eingehalten. In der Zeit zwischen den Parteikongressen ist das *ZK* das höchste Organ der Partei, das aus 50 regulären und 20 Ersatzmitgliedern besteht. Die Mitglieder des ZK haben im gewerkschaftlichen, parlamentarischen und kulturellen Bereich wichtige Funktionen inne. Das ZK tritt alle sechs bis acht Wochen zusammen; es wählt das *Politbüro* und das *Komitee für Parteidisziplin* aus seinen Reihen. Das Politbüro besteht aus 11 regulären und 4 Ersatzmitgliedern. An der Spitze des Politbüros steht heute Charilaos Florakis, Erster Sekretär der Partei. Die für die Kontrolle der Finanzen zuständige Parteikontrollkommission wird vom Parteikongreß gewählt.

---

[21]) Gelegentlich von dieser Linie abweichende Äußerungen der KKE sind durch wahltaktische Überlegungen eher als durch tiefgreifenden Wandel der Grundpositionen bedingt.

[22]) Καταστατικό τοῦ Κομμουνιστικοῦ Κόμματος Ἑλλάδας (Statut der KKE). Athen 1978, S. 4.

Weitere Organisationsebenen unterhalb der zentralen sind die regionale Bezirksebene, die Stadt- bzw. Gemeindeebene und die Basisorganisation der Partei auf Stadtteilebene.

Die Aufnahme *neuer Mitglieder* und ihre ideologische Sozialisation sind durch explizite Bestimmungen des Parteistatuts geregelt, die einen unkontrollierten Zustrom neuer Mitglieder und eine dadurch befürchtete Änderung der Parteilinie verhindern. Insgesamt verfügt die KKE über eine straff zentralisierte, disziplinierte und gut funktionierende Organisation mit ca. 500 neben- und hauptamtlich tätigen Mitgliedern, deren Effizienz nach dem Beschluß des 10. Parteitags, der im Mai 1978 stattfand, weiter verbessert werden soll.

– Sozialstruktur und Wählerpotential

Bei den Wahlen von 1977 erhielt die KKE 9,3 % der Stimmen, genausoviel wie 1974 die Koalition von KKE, KKE-Inland und EDA. Damit hat sich die KKE als *stärkste Partei auf der Seite der prokommunistischen Linken* etabliert. Sie hat ihre Wählerbasis in der Arbeiterschaft der Großstädte Athen, Piräus und Saloniki sowie in einigen Provinzstädten (Larissa, Trikala) und Regionen, die traditionell Hochburgen der EDA waren. Zu den letzteren gehören die Inseln Levkas, Samos und Lesbos. Ihr bestes prozentuales Ergebnis erzielte die KKE auf Lesbos: 24,1 %.

Die Beziehung der KKE zur traditionellen Linken kommt auch in der Zusammensetzung des Politbüros zum Ausdruck. Sämtliche Politbüromitglieder mit einer einzigen Ausnahme sind weit über 50 Jahre alt und gehören der „alten Garde" an, deren politisches Bewußtsein durch die Erfahrungen des Widerstands gegen die Besatzungsmächte im Zweiten Weltkrieg, des Bürgerkriegs und der Verbannung geprägt wurde. Die meisten von ihnen haben nach Beendigung des Bürgerkrieges langjährige Haftstrafen verbüßt und wurden während der Diktatur erneut verhaftet. Es darf andererseits auch nicht übersehen werden, daß die führenden Funktionäre der KKE den Stalinismus politisch überlebt haben, ohne in Gegensatz zu seinen Methoden geraten zu sein.

Auch die aus 11 Abgeordneten bestehende *Parlamentsfraktion* der KKE, unter der sich zwei Frauen befinden, weist einen relativ hohen Altersdurchschnitt von 56,8 Jahren auf[23]).

Die *Berufszusammensetzung* von ZK und Parlamentsfraktion weicht von derjenigen der bürgerlichen Parteien ab. Im ZK befinden sich 4 Arbeiter, 2 Absolventen technischer Berufsschulen, 2 Journalisten, 2 Mathematiker, 1 Jurist, 1 ehemaliger Beamter, 1 Historiker, 1 Volkswirt und 1 Ingenieur. Unter den Parlamentariern sind 2 Arbeiter, 2 Absolventen technischer Berufsschulen, 2 Ingenieure, 1 Jurist, 1 Buchhalter, 1 Volkswirt, 1 Angestellter und 1 Schauspieler[24]).

Völlig anders als bei den bürgerlichen Parteien gestaltet sich auch das *Verhältnis von Partei und Parlamentsfraktion:* Die Parlamentarier sind der Partei streng unter-

---

[23]) Errechnet nach den Angaben zur Person in: Οἱ 300 τῆς Βουλῆς τῶν Ἑλλήνων (Die 300 Abgeordneten des Griechischen Parlaments), a. a. O.

[24]) Vgl. die Darstellung der KKE in Τό Βῆμα (To Vima) vom 20. 1. 1980.

geordnet und stellen auch ihre Abgeordneten-Diäten der Partei zur Verfügung. Ein großer Teil der Einnahmen der Partei wird aus diesen bestritten (ca. 800000 Drs. im Monat oder umgerechnet 38000 DM). Die Abgeordneten behalten 20000 Drs. (ca. 900 DM) monatlich für sich zum Leben. Die übrigen Parteimitglieder zahlen einen Pflichtbeitrag in Höhe von 1 % ihres Einkommens[25]).

Die KKE hat eine aktive Jugendorganisation, die „Kommunistische Jugend Griechenlands" (KNE) und eine studentische Fraktion, die „Gesamtstudentische Bewegung" (PSK), die eine der stärksten studentischen Fraktionen ist.

– Nahestehende Verbände

Im gewerkschaftlichen Bereich steht die „Antidiktatorische Gewerkschaftliche Arbeiterbewegung" (ESAK) der KKE am nächsten. Die ESAK kontrolliert mehrere Einzelgewerkschaften und Föderationen und setzt bei ihnen die Politik der KKE durch. Sie ist zur Zeit nicht im Vorstand der „Allgemeinen Konföderation Griechischer Arbeiter" vertreten. Zu den auf seiten der KKE agierenden Gewerkschaften gehört seit langem die Bauarbeitergewerkschaft, die oft mit kämpferischen Aktionen die öffentliche Aufmerksamkeit auf sich gezogen hat.

– Die „Kommunistische Partei Griechenlands-Inland" (KKE-ES)

Die KKE-Inland ist, gemessen an ihrem Wahlergebnis, *schwach:* die aus der KKE-Inland, der EDA und anderen linken Gruppen gebildete Wahlkoalition „Allianz der fortschrittlichen und der linken Kräfte" (SPADE) erhielt 1977 nur knapp 140000 Stimmen, das sind 2,7 % der abgegebenen Wählerstimmen. Ihre Bedeutung liegt eher darin, daß sie das *eurokommunistische Vorbild* des demokratischen Reformkommunismus in Griechenland repräsentiert. Sie könnte langfristig an Bedeutung gewinnen, wenn sich im kommunistischen Lager das neue Problembewußtsein weiterentwickelt und die Unangemessenheit vorgefertigter ideologischer Schemata erkannt wird.

Das *Programm* der KKE-Inland ist nicht auf ein revolutionäres Fernziel, sondern auf *Reformen* ausgerichtet, die relativ konkret und gegenwartsbezogen sind. Sie fordert keine radikale Aufhebung der Marktwirtschaft, sondern lediglich die Verstaatlichung von Großbanken und Großkonzernen. Anstelle zentral gesteuerter Planung durch die staatliche Bürokratie soll eine dezentrale Planung unter Beteiligung der lokalen Gewerkschaften, von Vertretern der Betriebe und anderer Gremien die Teilnahme des Volkes an Planungsentscheidungen gewährleisten.

Das Reformkonzept der KKE-Inland enthält Maßnahmen zur Lösung aktueller Probleme im Stadt- und Regionalentwicklungsbereich, in der Erziehungs- und Bildungspolitik; es enthält ferner Vorschläge zur Arbeitszeitverkürzung, zum Problem der Gleichberechtigung, zur Verbesserung der Situation sozialer Problemgruppen und zur Steigerung der allgemeinen Lebensqualität. Insgesamt zeigt ihr Reformkon-

---

[25]) Ebenda.

zept, daß die KKE-Inland genau über den Stand der westeuropäischen Diskussion informiert ist und die neuen Probleme gründlich analysiert[26]).

Zum EG-Beitritt nimmt die KKE-Inland eine im Prinzip positive Stellung ein.

– Organisation

Trotz äußerer Ähnlichkeit im formalen Aufbau der Parteiorganisation unterscheidet sich die KKE-Inland in mehrfacher Hinsicht von der KKE. Wesentliche Unterschiede betreffen die größere Beteiligung der Basis an Entscheidungen, den stärkeren Schutz von Minderheitsmeinungen und die breitere Diskussion, die in der KKE-Inland über ZK-Beschlüsse stattfindet. Insgesamt ist in der Parteiorganisation das *demokratische* gegenüber dem zentralistischen *Moment gestärkt* worden. Die KKE-Inland hat sich eindeutig vom Typus einer autoritären, von der Parteispitze gelenkten, kommunistischen Partei entfernt[27]).

Die Kehrseite ist allerdings, daß die Organisation der KKE-Inland*nicht die Handlungsfähigkeit und Effizienz* besitzt, die den Apparat der KKE charakterisiert. Ihre Basisorganisationsgruppen sind eher Debattierklubs und Treffpunkte einer unruhigen Intelligenz, die sich mitteilen und in der politischen Aktion selbst erfahren will, als disziplinierte und von der historischen Notwendigkeit der Parteilinie überzeugte Parteizellen.

Zu dem veränderten Partei- und Praxisverständnis haben die negativen *Erfahrungen des Stalinismus,* die man nicht wiederholen will, wesentlich beigetragen. Gleichzeitig fördert die bürgerlich-akademische Herkunft eines großen Teils der Mitglieder und Anhänger der KKE-Inland ein freieres Denken und ein kritisches Hinterfragen der Parteilinie. Ein deutliches Zeugnis von der intellektuellen Suche, die sich organisatorisch nur schwer verfestigt, gibt die Jugendorganisation der KKE-Inland „Rigas Feraios", von der sich 1978 eine große Gruppierung abgespalten und unter dem Namen „Zweiter Panhellenischer Kongreß" verselbständigt hat.

– Sozialstruktur und Wählerpotential

Die Führung der KKE-Inland rekrutiert sich aus ehemaligen Mitgliedern der EDA und der Lambrakis-Jugend der 60er Jahre. Sie ist erheblich jünger als die Führung der KKE; das Durchschnittsalter der Exekutivbüromitglieder der KKE-Inland ist knapp 50 Jahre.

Die Anhänger der KKE-Inland gehören überwiegend der städtischen Intelligenz an. Ein großer Teil von ihnen kommt aus dem früheren Umfeld der EDA. Unter der Arbeiterschaft findet die KKE-Inland in viel geringerem Maße Anklang, auf dem Lande hat sie kaum Zulauf. Aus den zwei großstädtischen Räumen Athen und Saloniki bekam die „Allianz der fortschrittlichen und der linken Kräfte", der die KKE-Inland angehörte, 1977 57 % ihrer Stimmen. Die KKE erhielt vergleichsweise nur knapp 44 % ihrer Stimmen aus denselben beiden Städten.

---

[26]) Vgl. Πρόγραμμα τοῦ ΚΚΕ Ἐσωτερικοῦ (Programm der KKE-Inland). Athen 1976.

[27]) Vgl. Καταστατικό τοῦ Κομμουνιστικοῦ Κόμματος Ἑλλάδας ἐσωτ. (Statut der Kommunistischen Partei Griechenlands – Inland). Athen 1976.

Es zeigt sich somit, daß das differenzierte Problembewußtsein der KKE-Inland die erwartete Resonanz bei den Intellektuellen zwar durchaus findet, bei der großen Masse der traditionell denkenden Linken hingegen auf Unverständnis stößt[28]).

– Nahestehende Interessenverbände

Im gewerkschaftlichen Bereich steht die „Antidiktatorische Arbeiterfront" (AEM) der KKE-Inland am nächsten. Von den studentischen Gruppierungen weist die Vereinigung „Demokratischer Kampf – Demokratische Einheit", die bei den Studentenwahlen im März 1980 knapp 7 % der Stimmen erhielt, die größte ideologische Nähe zur KKE-Inland auf.

g) Andere Parteien

– Die „Vereinigte Demokratische Linke" (EDA), die sich nach der Legalisierung der KKE zu einer Partei des demokratischen Sozialismus gewandelt hat, allerdings mit demselben Führer (Illias Iliou) wie in der Zeit vor 1967;
– Die maoistische Partei „Revolutionäre Kommunistische Bewegung Griechenlands" (EKKE), die bei den Wahlen von 1977 11 895 (0,23 %) der Stimmen erhielt und sich seitdem zudem noch gespalten hat;
– Weitere maoistische und trotzkistische Splittergruppen ohne Bedeutung.
Zur sozialistischen Richtung zählt die „Allianz der fortschrittlichen und linken Kräfte" (SPADE), die kurz vor den Wahlen von 1977 gegründet wurde und 2,7 % der Stimmen und zwei Mandate erhielt. Ihr gehörten an:
– Die KKE-Inland;
– Die EDA;
– Die Gruppe der „Sozialistischen Initiative", die von vier Abgeordneten der EDIK gegründet wurde, die die Partei 1976 verlassen hatten;
– Der „Sozialistische Weg", eine Gruppe, die 1975 die PASOK verlassen hatte;
– Die „Griechische Christlich-Soziale Union", die sich für die Verständigung zwischen Christen und Sozialisten einsetzt.
Auf der rechten Seite des Parteienspektrums wurden vor den Wahlen von 1977 gegründet:
– Die „Neoliberale Partei" des ehemaligen Koordinationsministers der Zentrumsunion K. Mitsotakis, der 1978 Koordinationsminister der Regierung der ND wurde. Die Neoliberale Partei erhielt 1 % der Stimmen und zwei Mandate im Parlament;

---

[28]) Die KKE – Inland hat entsprechend ihrem ideologischen, organisatorischen und personellen Zuschnitt eine große Ähnlichkeit mit der westeuropäischen außerparlamentarischen Opposition, die ihren Anfang an den Hochschulen genommen hat. Ein großer Teil ihrer aktiven Mitglieder sind jüngere Intellektuelle, die in Frankreich und in anderen europäischen Ländern studiert und die eurokommunistischen Strömungen dort kennengelernt haben. Die in dieser Hinsicht für die KKE – Inland sehr positiv ausfallende Darstellung von Heinz Richter ist nicht frei von Idealisierung sowie von Illusionen in bezug auf das tatsächliche politische Gewicht der KKE – Inland. Vgl. seine sorgfältige Darstellung der beiden kommunistischen Parteien: Griechenlands Kommunisten, in: Timmermann, H. (Hrsg.): Die Kommunistischen Parteien Südeuropas. Baden-Baden 1979.

– Das „Nationale Lager" (EP), das aus Junta-Anhängern, Royalisten und ultra-
konservativen Politikern besteht. Es erhielt 1977 6,8 % der Stimmen und fünf Mandate.

Nach den Wahlen von 1977 wurde die „Neue Fortschrittspartei" von S. Markezinis gegründet, der noch einmal in die politische Arena einzutreten versucht, nachdem er zuletzt 1973 als Ministerpräsident der Junta gescheitert war.

2. Wahlen und Wahlverhalten

Das Verhalten der griechischen Wähler unterliegt denselben Einflußfaktoren wie
das politische Verhalten der Griechen im allgemeinen. Neben der vertikalen Dimension der sozialen Schichtung und der räumlichen Stadt-Land-Differenzierung erweisen sich lokal ausgeprägte politische Loyalitäten zu einzelnen Politikern oder zu Parteien als relativ beharrlich. Die Wahlen zum griechischen Parlament, die seit der
Wiederherstellung der Demokratie bisher zweimal, am 17. November 1974 und am
20. November 1977, stattgefunden haben, haben trotz veränderter politischer Konstellation gegenüber dem Zeitraum vor 1967 denn auch *bemerkenswerte Regelmä-
ßigkeiten im Wahlverhalten* gezeigt.

Die Wahlen wurden beide Male auf der Grundlage des verstärkten Verhältnis-
wahlrechts durchgeführt, das die großen Parteien begünstigt und die Bildung stabiler
Mehrheiten erlaubt. Obwohl die ND dementsprechend 1974 und 1977 eine große
Mehrheit erzielen und die Regierung stellen konnte, ergab sich dennoch eine beacht-
liche *Umgestaltung der politischen Kräfteverhältnisse im Parlament.* Das
bemerkenswerteste Ereignis war 1977 neben der Verringerung des Stimmenanteils
der ND von 54,3 auf 41,8 % der Aufstieg der PASOK, die ihren Stimmenanteil von
13,5 auf 25,3 % steigern und sich als größte Oppositionspartei im Parlament etablie-
ren konnte. Dieser Stimmenzuwachs war insofern „echt", als er nicht durch eine höhere Wahlbeteiligung zustande kam – sie lag beide Male bei 80 % –, sondern durch
die Eroberung ländlicher Wahlbezirke.

Auf Departements- und Nomosebene betrachtet, schlagen in den Ergebnissen die
überlieferten, regional ausgeprägten Parteienloyalitäten durch. So teilten sich in den
Bezirken Kretas, die seit jeher Hochburgen der Liberalen sind, PASOK und EDIK
zusammen den größten Stimmenanteil. Auf der Peloponnes und in Zentralgriechenland, wo die Bevölkerung traditionellerweise konservativ wählt, hat sich die ND behauptet. In den Nomoi, die als konservative Hochburgen gelten, wie beispielsweise
Lakonia, Messinia, Ätoloakarnania, hat die ND überdurchschnittliche Ergebnisse
erzielt. Dasselbe gilt für ihre Hochburgen in Westmakedonien, Kozani und Florina
sowie für Serres, die Heimat von Karamanlis in Ostmakedonien. Die KKE erzielte
überdurchschnittliche Ergebnisse in den linken Wahlbezirken von Athen und Piräus, in Thessalien, insbesondere in den Bezirken Larissa und Magnisia und auf den
Inseln Lesbos, Samos, Levkas und Zakynthos. Es ist eine interessante Frage, ob sich
der *ausgeprägte Regionalismus des griechischen Wählerverhaltens* in den nächsten
Jahren im Zuge der geographischen und ökonomischen Integration aller Landesteile
abschwächen und ob an seine Stelle eine gleichmäßigere Verteilung der Präferenzen
zwischen den Regionen für landesweit auftretende Parteien treten wird.

3. Verbände

a) Gewerkschaften

In Griechenland sind nur die auf der Basis privatrechtlicher Arbeitsverträge beschäftigten Arbeitnehmer Mitglieder von Gewerkschaften. Beamte haben ihre eigene, getrennte Interessenvertretung. Zur ersten Kategorie gehört die überwiegende Mehrzahl der 1,4 Millionen abhängig Beschäftigten[29].

– Aufbau

Der Aufbau der griechischen Gewerkschaftsorganisation ist *dreistufig*.

Schaubild 1. Aufbau der Gewerkschaftsorganisation.

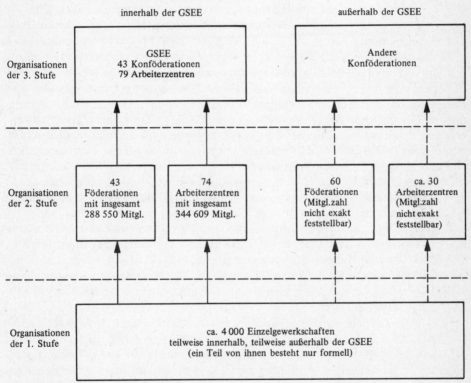

Ihre *Basisorganisation* sind die Einzelgewerkschaften, die überwiegend zum Typus der Berufsgewerkschaften gehören, weniger häufig nach dem Prinzip der Betriebsgewerkschaften organisiert sind. Die Organe der Einzelgewerkschaften sind die Vollversammlung, der Vorstand und der Exekutivausschuß. Die Vollversammlung

---

[29] Im Statistischen Jahrbuch Griechenlands 1978 ist die Zahl der Lohn- und Gehaltsempfänger mit 1.369.844 angegeben. Da sie auf der inzwischen veralteten Volkszählung von 1971 basiert, wird heute angenommen, daß es rund 1,4 Mio. abhängig Beschäftigte gibt. Die Zahl der Beamten, die in der offiziellen Statistik nicht ausgewiesen ist, wird auf 140.000 geschätzt. Weitere 60.000 Personen sind in öffentlichen Unternehmen als Angestellte beschäftigt.

beschließt über den Beitritt einer Gewerkschaft zu den Organisationen der nächst-
höheren Stufen.

Auf der *zweiten Organisationsstufe* gibt es eine vertikale und eine horizontale Organisationsform. Die vertikale Organisationsform bildet der Zusammenschluß der
Einzelgewerkschaften eines Berufszweigs zu einer *Föderation,* die die nationale Vertretung desselben darstellt. Zur Gründung einer Föderation sind die Beschlüsse von
mindestens zwei gleichartigen Berufsgewerkschaften erforderlich. Die horizontale
Organisationsform ist eine lokale oder regionale: die Einzelgewerkschaften einer
Stadt oder Region schließen sich unabhängig davon, welchem Berufszweig sie angehören, zu dem *Arbeiterzentrum* der Stadt oder Region zusammen. Zur Gründung eines Arbeiterzentrums sind die Beschlüsse mindestens zweier Einzelgewerkschaften
erforderlich. Das leitende Organ des Arbeiterzentrums ist die Versammlung der von
den Einzelgewerkschaften entsandten Delegierten. In besonderen Fällen kann die
Versammlung aller Vorstände der Mitgliedsgewerkschaften an die Stelle der Dele-
giertenversammlung treten.

Zur *dritten und höchsten Organisationsstufe* gehört die Konföderation der einzelnen Föderationen, wobei es z. Z. – und das ist eines der problematischen Merkmale
der griechischen Gewerkschaftsorganisation – fünf solcher Konföderationen gibt.
Die größte und mit Abstand wichtigste unter ihnen ist die ,,Allgemeine Konföderation der Griechischen Arbeiter" (GSEE). Der GSEE gehören beide Organisationstypen der zweiten Stufe, Föderationen wie Arbeiterzentren, an, außerdem aber auch
Einzelgewerkschaften – ein Tatbestand, der zu organisatorischer Unübersichtlich-
keit und zu Doppelvertretungen führt.

Oberstes Organ der GSEE ist ihr Kongreß, der die politisch-ideologischen Leitlinien für die nationale und internationale Politik festlegt. Die GSEE ist Mitglied der
,,International Confederation of Free Trade Unions".

Höchstes Organ der *Beamtenorganisationen* ist die ,,Oberste Leitung der Beamtenvereinigungen" (ADEDY), der 1977 45 Beamtenvereinigungen angehörten[30]).
Die Struktur der Beamtenorganisationen ist ebenfalls dreistufig, weicht aber insofern von derjenigen der Gewerkschaften ab, als die Beamten stärker nach ihrer
Dienststellenzugehörigkeit organisiert sind. Beamtenvereinigungen sind nicht Mitglieder der Arbeiterzentren.

Der ADEDY gehören die ,,Vereinigung der Griechischen Volksschullehrer"
(DOE) und die ,,Vereinigung der Sekundarschullehrer" (OLME) nicht an. Ein Teil
der nicht der ADEDY angehörenden Beamtenorganisationen hat 1976 ein anderes
höheres Vertretungsorgan gegründet, den ,,Koordinationsausschuß der Beamtenvereinigungen" (SEDO), der 36 Beamtenvereinigungen zu seinen Mitgliedern zählt.
Weitere 40 Beamtenvereinigungen sind unabhängig geblieben und haben die
,,Gruppe der Unabhängigen Gewerkschaftsorganisationen" gegründet[31]).

– Organisationsgrad

Etwa ein Drittel der 1,4 Millionen Arbeitnehmer Griechenlands ist gewerkschaftlich organisiert. Diese Zahl ist aufgrund der Wahlbeteiligung bei Gewerkschafts-

---

[30]) Die Angaben beziehen sich auf 1977. Vgl. Φακιολᾶς, P.: Ὁ ἐργατικὸς συνδικαλισμός στήν
Ἑλλάδα (Die Arbeitergewerkschaftsbewegung in Griechenland). Athen 1978, S. 166.
[31]) Ebenda.

wahlen errechnet worden. Den höchsten Organisationsgrad weisen die Beschäftigten im öffentlichen Dienst, in öffentlichen Unternehmen und Banken auf. Er beträgt in manchen Behörden fast 100 %. Die Industrie-, Bau- und Transportarbeiter haben ebenfalls einen hohen Organisationsgrad. Hingegen sind Landarbeiter und Beschäftigte in manchen Dienstleistungsberufen (Gaststätten, Hotelpersonal) in geringerem Maße organisiert. Ihr Organisationsgrad liegt schätzungsweise bei 10–25 %. Beschäftigte im Verarbeitungssektor nehmen eine mittlere Stellung ein, der Organisationsgrad hängt hier jedoch stark von der Größe des Betriebes ab[32]).

Die griechische Gewerkschaftsbewegung weist eine *relativ hohe Zersplitterung* auf: Es gibt fast 4000 Einzelgewerkschaften und ca. 100 Föderationen. Unter ihnen überwiegen z. Z. eindeutig die Berufsgewerkschaften. Die Betriebsgewerkschaften entwickeln sich erst seit 1974 in einem allerdings ziemlich raschen Tempo. Die Betriebsgewerkschaft ist für griechische Verhältnisse ohnehin eine neuere Organisationsform und stärker in Beschäftigungsbereichen verbreitet, in denen größere Unternehmen vorherrschen und der Organisationsgrad allgemein hoch ist.

Der GSEE gehören gegenwärtig[33]) 43 Föderationen und 79 Arbeiterzentren an, die insgesamt etwa 1500 Einzelgewerkschaften mit 350000 Arbeitnehmern vertreten. Hunderte von Einzelgewerkschaften und Dutzende von Föderationen sind jedoch aus der GSEE *ausgeschlossen* worden oder *freiwillig ausgetreten*. Ein Teil von ihnen ist in die anderen, mit der GSEE konkurrierenden Konföderationen eingetreten, ein anderer strebt die Wiederaufnahme in die GSEE an. Das Thema der Wiederaufnahme insbesondere derjenigen Gewerkschaften und Föderationen, die während der Militärdiktatur aufgelöst waren, ist unter den einzelnen Fraktionen der GSEE stark kontrovers, weil dadurch die bestehenden Mehrheitsverhältnisse verändert werden könnten.

Die griechische Gewerkschaftsbewegung konnte bisher infolge der Zersplitterung ihrer Organisationen *nicht die gesellschaftliche Bedeutung* erlangen, die Gewerkschaften *in anderen Ländern* haben. Die Schaffung einer geeinten, starken und unabhängigen Gewerkschaftsorganisation beschäftigt gegenwärtig die Öffentlichkeit und die Politiker aller Parteien.

Die Ursachen der organisatorischen Zersplitterung sind komplex. Im folgenden sollen die wichtigsten genannt werden, um den Leser mit den Dimensionen des Problems vertraut zu machen:

– Das bereits Ende des 19. Jahrhunderts in Griechenland etablierte Organisationsprinzip der Berufsgewerkschaft, basierend auf einer engen Definition der Berufsgruppen, ist eine historische Ursache, die bis heute fortwirkt und zur organisatorischen Zersplitterung beiträgt.

– Die durch die heute überholte Institution der Arbeiterzentren geförderte Dezentralisierung und lokale Ausrichtung der Gewerkschaftsbewegung hat die Bildung starker Föderationen auf nationaler Ebene verhindert. Dabei spielten auch geographische Faktoren, die die effektive Kommunikation zwischen den Landesteilen lange Zeit erschwerten, eine erhebliche Rolle:

---

[32]) Ebenda, S. 130.
[33]) Angaben der GSEE vom März 1980.

– Das Vorherrschen kleiner Betriebe wirkt, wie auch aus anderen Ländern bekannt ist, der Entwicklung einer starken Gewerkschaftsbewegung entgegen, weil der Organisationsgrad der Beschäftigten in ihnen niedrig bleibt.

– Die rechtlich abgesicherte organisatorische Selbständigkeit der Einzelgewerkschaften (Organisationen der 1. Stufe) fördert unmittelbar die Zersplitterung.

– Die Politik der griechischen Regierungen, die seit mehreren Jahrzehnten die Gewerkschaftsbewegung unter ihrer Kontrolle halten wollten – was mit der Abwehr des Kommunismus legitimiert wurde –, diente der Gründung und Aufrechterhaltung von nominell existierenden *Scheingewerkschaften,* über die die Mehrheitsverhältnisse in den Föderationen und in der GSEE im Interesse der Regierung beeinflußt wurden[34]). Solche auf dem Papier bestehenden Organisationen, die in Griechenland aus diesem Grunde „Stempel-Gewerkschaften" genannt werden und oft weniger als 20 Mitglieder haben, wurden über ein besonderes, noch heute fortbestehendes *Finanzierungssystem* künstlich am Leben erhalten. Dieses sieht vor, daß der Arbeitgeber jährlich einen Tageslohn von allen Arbeitnehmern – auch von den gewerkschaftlich nichtorganisierten – einbehält und zusammen mit seinem Arbeitgeberbeitrag an die „Ergatiki Estia" („Arbeiterheim"), eine dem Arbeitsministerium unterstehende Institution des öffentlichen Rechts, überweist, die 20–30 % der ihr aus dieser Quelle zufließenden Einnahmen einem „Fonds zur Verwaltung spezieller Einnahmen der Gewerkschaften" (ODEPES) zuführt. Über den ODEPES werden die Mittel den Einzelgewerkschaften, Föderationen, Arbeiterzentren und Konföderationen nach einem Schlüssel von 25 : 25 : 30 : 20 zugeteilt.

Diese Finanzierung der Gewerkschaften über Zwangsbeiträge[35]), deren Zuteilung von der Regierung kontrolliert wird, hat sich als ein wirksames *Kontrollinstrument zur Erzwingung politischer Konformität* erwiesen. Selbst wenn für ihre Beibehaltung das Argument vorgebracht wird, daß dadurch eine solide finanzielle Basis auch für mitgliederschwache Gewerkschaften gewährleistet ist, kann nicht von der Hand gewiesen werden, daß dieses System zur Verselbständigung der Gewerkschaftsführung von ihrer Basis beiträgt und sie der Regierungskontrolle unterwirft.

– Die persönlichen Bereicherungs- und Karriereinteressen vieler Gewerkschaftsfunktionäre, die auf die Erhaltung ihrer Positionen gerichtet waren, wirkten dem Zusammenschluß kleiner Gewerkschaften entgegen, weil damit der Verlust von Ämtern und Posten verbunden war.

Während der Militärdiktatur wurden die Führungsstellen aller Gewerkschaftsorganisationen mit juntafreundlichen Personen besetzt. Nach der Wiederherstellung der Demokratie kam es durch den Erlaß 42/74 zur Neubesetzung der Vorstände aller Arbeiterzentren, Föderationen und Konföderationen. Am 18. Kongreß der

---

[34]) Zum Problem der politischen Kontrolle der Gewerkschaftsbewegung seitens der Regierung vgl. neben vielen anderen Arbeiten: Jecchinis, Ch.: Trade Unionism in Greece. A Study of Political Paternalism. Chicago 1967; ders.: The Role of Trade Unions in the Social Development of Greece, in: International Institute for Labor Studies (Hrsg.): The Role of Trade Unions in Developing Societies. Genf 1978.

[35]) Es handelt sich um ein gemischtes Finanzierungssystem, das sowohl aus Beiträgen der Mitglieder besteht, als auch aus Zwangsbeiträgen, die alle Arbeitnehmer entrichten müssen. Der größte Teil ihrer Einnahmen fließt den Gewerkschaften jedoch aus der zweiten Quelle zu. Es werden zur Zeit Versuche unternommen, dieses System, das internationalen Empfehlungen widerspricht, zu ändern. Konkrete Ergebnisse lagen allerdings bis Mitte 1980 noch nicht vor.

GSEE, dem ersten, der nach dem Fall der Diktatur im April 1976 stattfand, haben insgesamt 573 Vertreter von 73 Arbeiterzentren und 41 Föderationen teilgenommen. Die Wahlen zum Vorstand haben folgendes Kräfteverhältnis zwischen den Fraktionen gezeigt[36]):

Tabelle 1. Zusammensetzung des Gewerkschaftsvorstandes

	Stimmen	Vorstandssitze
Demokratische Zusammenarbeit (DS; regierungsnah)	254	16
Freie Demokratische Gewerkschaftsbewegung (EDSK; ultrarechts)	125	8
Vereinte Antidiktatorische Gewerkschaftsbewegung (ESAK; KKE-nah)	91	6
Panhellenische Gewerkschaftliche Kampfbewegung (PASKE; PASOK-nah)	49	3
Antidiktatorische Arbeiterfront (AEM; KKE-Inland nah)	27	2
Unabhängige	22	–
Ungültig	1	–
	568	35

Auf dem 19. Kongreß der GSEE im November 1978, an dem Vertreter von 43 Föderationen und 74 Arbeiterzentren teilnahmen[37]), beteiligten sich die oppositionellen Fraktionen (ESAK, PASKE und AEM) aus Protest über inhaltliche und verfahrensmäßige Fragen – insbesondere das Wahlsystem betreffend – nicht an den Vorstandswahlen. Bei den anschließend mit Mehrheitswahlrecht durchgeführten Wahlen wurden aufgrund der aufgestellten Einheitsliste Vertreter der ehemaligen „Demokratischen Zusammenarbeit" (DS) und der „Freien Demokratischen Gewerkschaftsbewegung" (EDSK) in den Vorstand gewählt.

– Streiks

In den Jahren 1975–1977 ist die *Zahl der Streiks* und des durch sie bedingten Arbeitsstundenausfalls *angestiegen* und erreichte das hohe Niveau der Streikhäufigkeit von 1966. Einer der Hauptgründe dafür ist, daß in den Jahren der Diktatur keine Anpassung von Löhnen und Gehältern an die Entwicklung des Sozialproduktes erfolgte und somit ein großer Nachholbedarf entstanden war. Hinzu kommt, daß durch die Verknappung der Arbeitskräfte in bestimmten Beschäftigungsbereichen die Position der Arbeitnehmer in diesen Bereichen gestärkt wurde und ihre Kampfbereitschaft stieg. Betrachtet man die *Streikanlässe* nach ihrer Häufigkeit, so standen höhere Lohnforderungen an erster, Protest gegen Entlassungen von Kollegen an zweiter und Forderungen in bezug auf günstigere Arbeitszeitregelungen an dritter Stelle[38]).

---

[36]) Entnommen aus: Μία συνοπτική ἀναδρομή στήν Ἱστορία τῆς ΓΣΕΕ (Kurzer Aufriß der Geschichte der GSEE). Redaktioneller Beitrag in: Anti. 6. 1979, S. 21.

[37]) GSEE: Bericht über die Arbeiten des 19. Panhellenischen Kongresses des Griechischen Gewerkschaftsbundes. Athen 1978, S. 1.

[38]) Φακιολᾶς, Ρ.: Ὁ ἐργατικός συνδικαλισμός στήν Ἑλλάδα (Die Arbeitergewerkschaftsbewegung in Griechenland), a. a. O., S. 116.

Durch die Konkurrenz zwischen den oppositionellen gewerkschaftlichen Fraktionen (ESAK, PASKE, AEM) um die Führung der Gewerkschaftsbewegung stieg auch die Zahl der *politisch motivierten Streiks* an, weil jede Fraktion bestrebt war, den stärksten Kampfgeist zu demonstrieren und sich zu unkoordinierten Aktionen und Alleingängen bereitfand. Die nach Ansicht der oppositionellen Fraktionen zu kompromißbereite Haltung der GSEE-Führung bei der Durchsetzung gewerkschaftlicher Forderungen bot aus der Sicht der ersteren zusätzlich Anlaß zu gesteigerter Kampftätigkeit.

Das Arbeitsministerium vertritt die Auffassung, daß eine große Zahl von Streiks, die seit 1974 ausgerufen wurden, hätte vermieden und die aufgestellten Forderungen erfüllt werden können, wenn die Gewerkschaften mehr Einsicht und Flexibilität in ihrer Verhandlungstaktik statt ideologisch motivierter Radikalität gezeigt hätten[39]). Dies wird freilich von den betroffenen Gewerkschaftsführungen entschieden zurückgewiesen und die Gegenseite wegen ihrer Unnachgiebigkeit verantwortlich gemacht.

In Griechenland werden grundsätzlich *vier Kategorien von Kollektivtarifverträgen* abgeschlossen:

– der Allgemeine Nationale Kollektivtarifvertrag zwischen den Dachorganisationen GSEE und SEB, in dem die allgemeinen Arbeitsbedingungen und die untersten Lohntarife festgelegt werden;

– die Nationalen Kollektivtarifverträge für die einzelnen Berufsgruppen;

– die Regionalen Kollektivtarifverträge für die einzelnen Berufsgruppen in der Region und

– die Sonderabkommen, die zwischen den Beschäftigten eines Betriebes ohne Berufsvertretung und dem Arbeitgeber abgeschlossen werden.

Ferner werden Abkommen dreiseitiger Zusammenarbeit zwischen dem Arbeitgeber, den Arbeitnehmervertretern und den Vertretern des Arbeitsministeriums abgeschlossen, wenn der Abschluß eines Sonderabkommens aus verschiedenen Gründen nicht möglich ist. Insgesamt ist der *Einfluß des Staates* auf die Kollektivtarifverhandlungen stark. Erfolgt keine Einigung zwischen den Vertragsparteien, wird ein *Zwangsschlichtungsverfahren* eingeleitet, in dem das zuständige Schiedsgericht von einem oder von beiden Parteien angerufen wird.

b) Industrie- und Wirtschaftsverbände

Im Bereich der griechischen Wirtschaftsverbände herrscht ein *Mangel an systematischem organisatorischem Zusammenschluß* zur Bildung von Ober- und Spitzenverbänden[40]). So ist beispielsweise der größte Industrieverband, der „Verband der Griechischen Industrien" (SEB), ein Mischverband: zu seinen Mitgliedern gehören sowohl Regional- und Branchenverbände als auch einzelne Unternehmen[41]). Ferner ist die Beteiligung der Unternehmen an Industrie- und Wirtschaftsverbänden relativ gering.

---

[39]) Ebenda, S. 321.

[40]) Vgl. Varelas, R. D.: Aufgaben und Struktur griechischer Unternehmungsverbände. Köln 1972, S. 31.

[41]) Σύνδεσμος Ἑλληνικῶν Βιομηχανιῶν (Verband der griechischen Industrien): Καταστατικόν (Statut). Art. 4, § 2.

Dieser Stand der organisatorischen Entwicklung hat seine Ursachen in der *Struktur der griechischen Wirtschaft*, die durch *wenige große, marktbeherrschende Unternehmen* einerseits und *viel kleine und mittlere Betriebe* andererseits charakterisiert ist. Das Vorherrschen des persönlich seinen Betrieb leitenden Unternehmens-Eigentümers, dessen Bildungsstand in der Regel niedrig und dessen wirtschaftliche Ziele eher kurz-, allenfalls mittelfristig sind, stellt eine Barriere im Hinblick auf die organisatorische Beteiligung dar, weil die Bedeutung der Verbandstätigkeit von den meisten Unternehmern nicht richtig eingeschätzt wird. Es kommt hinzu, daß die größten Unternehmen mit marktbeherrschender Stellung ihre politisch ausgerichteten Ziele primär nicht über Verbandsaktivitäten zu erreichen suchen, sondern ihren Einfluß bei den Ministerien durch direkte Eingaben geltend machen.

Der *wichtigste Industrieverband* ist der bereits erwähnte „*Verband der Griechischen Industrien*" (SEB), der die Allgemeinen Nationalen Kollektivtarifverträge seitens der Arbeitgeberschaft unterschreibt. Seine Verbandsziele beinhalten neben der Förderung der ökonomischen und der allgemeinen Interessen seiner Mitglieder, der industriellen Entwicklung des Landes und der Propagierung der Idee des freien Unternehmertums im einzelnen folgende spezifischen Ziele[42]):

– Erforschung der für die Industrie relevanten, entwicklungsbezogenen Probleme;

– Vertretung der Interessen der Industrie vor Gerichten und vor Staatsorganen im In- und Ausland;

– Erarbeitung von Lösungsvorschlägen für wirtschaftspolitische Probleme gemeinsam mit den Organisationen der Arbeitnehmer und dem Staat;

– Abschluß von Kollektivtarifverträgen;

– Beteiligung an internationalen Industrieverbänden;

– Teilnahme an nationalen und internationalen Kommissionen und Gremien, deren Aktivitäten die Ziele des Verbandes betreffen oder berühren.

Über die Mitgliedsstärke des SEB gibt es keine offiziell erhältlichen Informationen. Nach mündlichen Angaben einer Verbandssprecherin sollen ca. 300 der größeren Einzelunternehmen und ca. 50 Regional- und Branchenverbände Mitglieder des SEB sein[43]).

Wichtige *Organe des Verbandes* sind der aus 15 regulären und 5 Ersatzmitgliedern bestehende Vorstand des Verbandes, der Verbandsvorsitzende und die Mitgliederversammlung; ferner der aus 75 regulären und 15 Ersatzmitgliedern bestehende Allgemeine Rat, der Koordinationsrat der Industrieverbände, dem die Vorsitzenden der regionalen Mitgliederverbände angehören und dessen Funktion in der Abstimmung der regional unterschiedlichen Interessen der Mitglieder liegt[44]), und der Rat der ehemaligen Vorsitzenden des Verbandes. Zur Untersuchung der spezifischen Probleme der einzelnen Industriebranchen werden vom Vorstand Branchenausschüsse gebildet.

---

[42]) Καταστατικόν (Statut), Art. 2.

[43]) Das Gespräch fand am 29.1.1980 im Verband der griechischen Industrien statt.

[44]) Über den verbandsinternen Ausgleich der unterschiedlichen Interessenlagen der Mitglieder wurden im Gespräch keine Aussagen gemacht. Infolge der zurückhaltenden Informationspolitik des Verbandes in bezug auf interne Vorgänge sind auch sonst keine weiteren Angaben verfügbar.

Die ausgedehnten *Aktivitäten* des SEB umfassen die Einwirkung auf Staatsorgane im Interesse seiner Mitglieder, die Beteiligung an internationalen Organisationen und Gremien, Öffentlichkeitsarbeit, Rechtsberatung für seine Mitglieder und Förderung der Wirtschaftsforschung. Im Rahmen seiner politischen Aktivitäten unterbreitet der SEB bei der Vorbereitung neuer Gesetzentwürfe den zuständigen Ministerien detaillierte Stellungnahmen[45]). Er ist an mehreren Kommissionen beteiligt, wie beispielsweise 1978 an der interministeriellen Kommission zur Vorbereitung der Angleichung einschlägiger Bestimmungen des griechischen an die des EG-Rechts, an der sich Vertreter des griechischen Bildungs-, Arbeits-, Koordinations- und Sozialministeriums sowie der GSEE beteiligten.

Der SEB ist ferner am „Nationalen Energierat", am Vorstand des „Zentrums für Planung und Wirtschaftsforschung" (KEPE), am „Griechischen Produktivitätszentrum" (ELKEPA), an der „Kommission für Raumordnung", am „Handelspolitischen Ausschuß", am „Landwirtschaftsausschuß", am „Rat für Wirtschafts- und Sozialpolitik", am „Griechischen Wirtschaftsnormenausschuß" (ELOT) und an weiteren Gremien beteiligt.

Was seine Beteiligung an internationalen Organisationen betrifft, so ist der SEB Mitglied der UNICE, der OIE[46]), nimmt als Vertreter der griechischen Arbeitgeber an der ILO teil und ist ferner bei der BIAC der OECD vertreten. Seine Bemühungen gelten in den letzten Jahren verstärkt der Berücksichtigung der griechischen Industrieinteressen beim EG-Beitritt Griechenlands.

Der SEB trägt zusammen mit anderen Verbänden und Banken der Privatwirtschaft das „Institut für Wirtschafts- und Industrieforschung" (IOBE), dessen Forschungsergebnisse die Grundlage für die Erarbeitung der Positionen des SEB bilden.

Der SEB finanziert seine Aktivitäten aus ordentlichen *Beiträgen* und außerordentlichen, aber immer namentlichen *Spenden* seiner Mitglieder und Freunde.

Der *politische Einfluß* des SEB dürfte aufgrund seiner offiziellen Beteiligung an den relevanten Gremien, aber auch aufgrund seiner informellen ad hoc-Kontakte zum Wirtschafts-, Koordinations- und Arbeitsministerium auf höchster Ebene relativ groß sein.

Weitere bedeutsame Verbände, die nur erwähnt werden können, sind der „Verband der Griechischen Reedereien", der „Panhellenische Verband der Griechischen Exporteure" und die „Handelsvereinigungen von Athen, Piräus und Saloniki". Die Interessen des Handwerks vertritt die „Allgemeine Konföderation der Gewerbe- und Handwerktreibenden", die sich in den letzten Jahren in Opposition zu vielen Maßnahmen der Regierung gestellt hat, weil diese nach ihrer Meinung einseitig den Interessen der Großindustrie dienen.

Außer den freiwilligen Interessenverbänden in der Rechtsform des eingetragenen Vereins gibt es in Griechenland wie in anderen europäischen Ländern auch die Institution der *Kammern,* die Körperschaften des öffentlichen Rechts sind und regionale Zwangsverbände darstellen. Es gibt die Industrie- und Handelskammern, die Gewerbe-, Handels-, Hotel-, Schiffahrts-, Kunst- und die Technische Kammer; ferner die Internationale und mehrere bilaterale Kammern zwischen Griechenland und jeweils einem anderen Land.

---

[45]) Vgl. ’Απολογισμός 1978 (Rechenschaftsbericht 1978). Athen 1979.

[46]) Organisation Internationale des Employeurs.

Die Kammern haben einerseits mittelbare Verwaltungs-, andererseits Interessenförderungsfunktionen. Zu ihren Verwaltungsfunktionen gehört, daß sie die jeweiligen Ministerien informieren und beraten, Mitgliederregister und -statistiken führen und das Wirtschaftsgeschehen in ihrem Bezirk beobachten; sie haben ferner Genehmigungs- und Kontrollfunktionen. Zur Interessenförderung gehört, daß sie sich für den Ausbau der Infrastruktur in ihrem Bezirk einsetzen und Vorschläge dazu erarbeiten, Ausstellungen und Werbung für ihre Region organisieren, Lehrgänge der beruflichen Bildung tragen und allgemein die kollektiven Interessen ihrer Mitglieder fördern. Zu den aufgrund ihrer Mitgliederzahl und Aktivitätsumfangs wichtigsten Kammern gehören die Industrie- und Handelskammern von Athen, Piräus und Saloniki.

c) Agrarverbände

Wegen der *wichtigen Stellung,* die die *Landwirtschaft* im griechischen Wirtschaftssystem einnimmt – ca. 28 % aller Beschäftigten sind noch in der Landwirtschaft tätig –, ergeben sich aus den *strukturellen Schwächen* der griechischen Landwirtschaft schwerwiegende Probleme für Staat und Gesellschaft. Zu ihren typischen Schwächen gehören die Überbesetzung mit Arbeitskräften, geringe Produktivität und Zersplitterung von Grund und Boden. Diese Schwächen sind langfristige Folgen der Bodenreform von 1923[47]), die zwar ein selbständiges Bauerntum schuf – und damit explosive politischen Entwicklungen auf dem Lande vorbeugte –, durch die Parzellierung des Grundbesitzes jedoch landwirtschaftliche Klein- und Zwergbetriebe entstehen ließ, deren Existenzgrundlage sich mit der allmählichen Kommerzialisierung der Landwirtschaft zunehmend verschlechtert. Die Abhängigkeit der kleinbäuerlichen Betriebe von den Abnehmern ihrer Produkte und den Lieferanten verwandelte sich in eine drückende Abhängigkeit der Bauern vom Geld und nahm ausbeuterische Formen an. Sie zwang dadurch den Staat, relativ früh zu intervenieren, indem er die Initiative zur Förderung *landwirtschaftlicher Genossenschaften* übernahm[48]) und eine spezialisierte Institution des Agrarkredits, die *Agrarbank* Griechenlands, gründete[49]).

Trotz unverkennbarer Erfolge in der Ausbreitung der landwirtschaftlichen Genossenschaften[50]) sind viele der genannten Probleme bestehengeblieben und spielen bis heute in der Auseinandersetzung der politischen Parteien eine wichtige Rolle.

---

[47]) Das 1923 erlassene Gesetz Nr. 3473 „Über die Versorgung grundstücksloser Bauern" leitete die Zwangsenteignung der Großgrundbesitzer und die Ansiedlung der Besitzlosen und Kleinasien-Flüchtlinge ein.

[48]) Mit dem Gesetz Nr. 602 „Über Genossenschaften", das Anfang 1915 in Kraft trat, führte der Staat eine neue Institution ein, um die stationäre Selbstversorgungswirtschaft in eine evolutionäre Marktwirtschaft zu transformieren. Vgl. dazu Steigleder, U.: Das ländliche Genossenschaftswesen in Griechenland. Marburg 1967.

[49]) Die mit der Bodenreform von 1923 entstandene starke Nachfrage nach Agrarkrediten machte die Gründung eines speziellen Instituts des Agrarkredits notwendig, weil sich die Nationalbank als für diese Aufgabe unzureichend ausgerüstet erwies. Daher wurde 1929 die Agrarbank gegründet.

[50]) Zwischen 1915 und 1978 stieg die Zahl der Genossenschaften von 150 auf 6.984 und die Zahl ihrer Mitglieder von 4.500 auf 704.500 an, vgl. Ἡ ἑλληνικὴ γεωργία (Die griechische Landwirtschaft). Herausgegeben vom Panhellenischen Zentralverband der Unionen Landwirtschaftlicher Genossenschaften (PASEGES). Athen 1978.

– Aufbau

Das *landwirtschaftliche Genossenschaftswesen* hat eine *dreistufige Struktur*.

Seine Basis bilden die lokalen Einzelgenossenschaften, die zur ersten Stufe gehören. Mitglieder der Genossenschaften sind die einzelnen Landwirte. Jede Person, die das 18. Lebensjahr vollendet hat und in der Landwirtschaft haupt- oder nebenberuflich tätig ist, kann Mitglied einer Genossenschaft werden[51]). Rechtlich besteht ferner die Möglichkeit, daß auch juristische Personen die Mitgliedschaft erwerben. Eine Genossenschaft kann durch mindestens zehn Personen gegründet werden, die die Voraussetzungen dazu erfüllen.

Organisationen der zweiten Stufe sind die regionalen Genossenschaftsunionen, die aus dem Zusammenschluß von mindestens 15 Einzelgenossenschaften gegründet werden können. Der Einzugsbereich einer Union kann sich bis zu den Grenzen des Bezirks (Nomos) erstrecken, bei besonderen wirtschaftsräumlichen Verflechtungen zwischen benachbarten Bezirken können die Grenzen des Bezirks überschritten werden.

Schaubild 2. Aufbau des landwirtschaftlichen Genossenschaftswesens[52])

	PASEGES 130 Unionen landwirtschaftlicher Genossenschaften 2 Koinopraxies 3 Zentralgenossenschaften 9 Aktiengenossenschaften			
Organisationen der 3. Stufe	18 Aktiengesell- schaften mit Be- teiligung der Agrarbank	11 Aktiengesell- schaften mit aus- schließlich genos- senschaftlicher Beteiligung	11 Zentralge- nossenschaften	13 GmbHs
Organisationen der 2. Stufe	5 Koinopraxies 136 Genossen- schaftsunionen 18 Einzelgen.	133 Genossenschaftsunionen 6495 Einzelgenossenschaften mit 630 000 Mitgliedern		9 Koinopraxies zwischen Genossenschaften und Agrarbank
Organisationen der 1. Stufe	6679 landwirtschaftliche Einzelgenossenschaften mit 635 000 Mitgliedern		3 Koinopraxies zw. Einzelgenossensch. 59 Einzelgenossenschaften mit 3 106 Mitgliedern	

---

[51]) In besonderen Fällen, wie beispielsweise bei Forstbesitzern, gibt es Zwangsgenossenschaften.

[52]) PASEGES (Hrsg.): Ἡ ἑλληνική γεωργία (Die griechische Landwirtschaft), a. a. O., S. 73, sowie PASEGES (Hrsg.): The Greek Farmers` Cooperative Movement. Athen 1978, S. 24.

Tabelle 2. Genossenschaften nach ihrer Mitgliederzahl[53])

Art/Anzahl	7-50 Mitglieder	51-75 Mitglieder	76-100 Mitglieder	101-150 Mitglieder	151-200 Mitglieder	über 200 Mitglieder	Insgesamt Mitglieder
A. Landwirtschaftliche Genossenschaften							
1. Kredit-Genoss.	1542	1007	793	791	399	394	4926
2. Verkaufsgenoss.	84	35	29	23	12	18	201
3. Produktivgenoss. davon:							
mit techn. Anlagen	132	111	94	163	97	159	756
ohne techn. Anl.	115	45	26	26	13	11	236
Arbeitskooperative	335	44	15	6	3	1	404
verschiedene	66	22	15	14	7	3	127
4. Mit versch. Zweck.	5	10	8	6	4	6	39
Landw. Gen. insges.	2279	1274	980	1029	535	592	6689
B. Nicht-landwirtschaftliche Genossenschaften (Fischerei- und Handwerksgen.)							
insges.	57	7	3	2	–	–	69
Genossensch. insges.	2336	1281	983	1031	535	592	6758

Aus dem Zusammenschluß von mindestens fünf Genossenschaftsunionen kann eine Zentralgenossenschaft gegründet werden, die den Organisationstyp der dritten Stufe darstellt. Sie kann einen departementalen oder einen nationalen Einzugsbereich umfassen. Mitglieder einer Zentralgenossenschaft können sowohl die Unionen als auch die Einzelgenossenschaften werden.

Auf den einzelnen Ebenen dieser dreistufigen Grundstruktur gibt es vielfältige kooperative Zusammenschlüsse (sog. Koinopraxies) zwischen Genossenschaften und/oder Unionen oder zwischen einem dieser Organisationstypen und der Agrarbank, deren Gründung einen speziellen Zweck verfolgt. Ferner werden Gesellschaften in der Rechtsform der GmbH oder in anderen Rechtsformen gegründet, um marktmäßige Ziele besser zu erreichen.

Die Spitze der gesamten Verbandspyramide bildet der „Panhellenische Zentralverband der Unionen landwirtschaftlicher Genossenschaften" (PASEGES) als oberster nationaler Interessenverband der griechischen Landwirtschaft (vgl. Schaubild 2).

– Entwicklungsstand und Funktion der Genossenschaften

Auf seiner untersten Ebene weist das griechische Genossenschaftswesen eine relativ hohe Zersplitterung auf: Es gibt fast 7000 Einzelgenossenschaften, die Hälfte von ihnen hat weniger als 75 Mitglieder (vgl. Schaubild 2). In 5000 (85 %) der ca. 6000 Städte und Gemeinden Griechenlands gibt es mindestens eine, in 1265 unter ihnen sogar mehr als eine Genossenschaft. Rund 63 % aller Haushaltsvorstände der in der Landwirtschaft tätigen Familien sind in Genossenschaften organisiert, 90 % von ihnen sind aktive Mitglieder.

---

[53]) Ἀγροτικὴ Τράπεζα τῆς Ἑλλάδος, Διεύθυνση Συνεταιρισμῶν (Agrarbank Griechenlands, Abteilung für Genossenschaftswesen): ᾽ Ἔκθεση Πεπραγμένων ἔτους 1978 (Bilanz für das Rechnungsjahr 1978). Athen 1979, S. 25.

Die geringe Kapitalausstattung infolge der niedrigen Kapitalanteile, die die Mitglieder einzahlen, begrenzt den Tätigkeitsumfang der Einzelgenossenschaften.

Tabelle 3. Arten landwirtschaftlicher Genossenschaften und ihre Mitgliederzahl[54])

Art	Zahl der Genossenschaften	%	Zahl der Mitglieder
A. Freie landwirtschaftliche Genossenschaften			
1. Kredit-Genossenschaften	4926	70,54	465613
2. Verkaufsgenossenschaften	201	2,88	19116
3. Produktivgenossenschaften	1461	20,91	147321
davon:			
mit technischen Anlagen	756	51,74	110736
ohne technische Anlagen	236	16,15	17504
Arbeitskooperativen	404	27,65	13759
verschiedene	65	4,44	5322
4. Mit verschiedenen Zwecken	101	1,45	7969
B. Zwangsgenossenschaften	295	4,22	64549
Aktive landwirtschaftliche Genossenschaften insgesamt	6984	100,0	704568

Dennoch zeigt der hohe Prozentsatz der organisierten Landwirte, daß sie auf die Leistungen der Genossenschaften stark angewiesen sind. Wie Tab. 2 zeigt, überwiegen zahlenmäßig die Kreditgenossenschaften. Die meisten von ihnen stellen gleichzeitig Mehrzweckgenossenschaften dar, indem sie sich beispielsweise neben der Kreditbeschaffung beim Einkauf von Maschinen, Düngemitteln usw. betätigen. Insgesamt umfaßt das Aufgabenspektrum der lokalen Genossenschaften somit im wesentlichen die Kreditbeschaffung, den Bezug von Produktionsmitteln, den gemeinsamen Betrieb kleiner Verarbeitungsanlagen, die Lagerung und den Verkauf der Erzeugnisse der Genossenschaftsmitglieder.

Auf einer wesentlich größeren ökonomischen Basis operieren die Genossenschaftsunionen, von denen es Ende 1977 133 gab[55]). Die überwiegende Mehrzahl von ihnen sind ebenfalls Mehrzweckverbände. Sie leisten den Einzelgenossenschaften unentbehrliche Dienste durch ihre Vermittler- und Haftungtätigkeit gegenüber der Agrarbank, bei der Beschaffung technisch-maschineller Ausrüstung in großem Umfang und bei der Vermarktung der Produkte der Einzelgenossenschaften ihres Einzugsgebietes. Sie betreuen ferner ihre Mitgliedsgenossenschaften bei ihrer Buchhaltung und Geschäftsführung, da die Einzelgenossenschaften in der Regel nicht über hauptamtliches, qualifiziertes Personal verfügen.

Die Genossenschaftsunionen erweitern in vielen Fällen ihren Tätigkeitsumfang durch kooperative Zusammenschlüsse miteinander oder – zur Verwirklichung kapitalintensiver Vorhaben – mit der Agrarbank, da auch die Genossenschaftsunionen in solchen Fällen nicht über ausreichende Kapitalmittel verfügen.

---

[54]) Agrarbank: Bilanz 1978, a. a. O., S. 22.
[55]) PASEGES (Hrsg.): Ἡ ἑλληνική γεωργία (Die griechische Landwirtschaft), a. a. O., S. 66.

Als weitere Funktion kommt den Genossenschaftsunionen noch die Durchführung agrarpolitischer Interventionsmaßnahmen des Staates in Zusammenarbeit mit den ihnen übergeordneten Zentralgenossenschaften zu.

Die Zentralgenossenschaften, unter welchen es sieben Einzweck- und vier Mehrzweckgenossenschaften gibt, haben die erforderliche finanzielle Kraft, um die Verarbeitung und Vermarktung eines Produktes oder einer Produktengruppe im In- und Ausland zu tragen.

In vielen Fällen werden in Zusammenarbeit mit externen Trägern Gesellschaften gegründet, wenn die Marktbedingungen ein flexibleres Management erfordern.

Es gibt z. Z. 42 Gesellschaften, von denen 29 die Rechtsform der Aktiengesellschaft und 13 die der GmbH haben. Am Kapital von 11 der 29 Aktiengesellschaften sind ausschließlich die Genossenschaften und die Unionen beteiligt, bei den übrigen 18 Gesellschaften der Staat, vertreten durch die Agrarbank, sowie weitere Träger[56]).

Die Spitzenorganisation der landwirtschaftlichen Verbände, PASEGES, hat als Interessenverband in der Form des eingetragenen Vereins keine wirtschaftlichen Ziele, sondern vertritt die Interessen der gesamten Landwirtschaft gegenüber der Regierung. Sie hat außerdem folgende statutenmäßig festgelegten Funktionen: Förderung des genossenschaftlichen Denkens, Beratung und Betreuung der genossenschaftlichen Organisationen, Förderung der genossenschaftlichen Ausbildung, Beobachtung, Statistik und Durchführung von Forschungsprojekten zu Schwerpunktproblemen der Landwirtschaft, Veröffentlichung relevanter wissenschaftlicher Studien, Öffentlichkeitsarbeit, Abhaltung von Kongressen und Teilnahme an internationalen genossenschaftlichen Organisationen und Kongressen. PASEGES ist Mitglied mehrerer internationaler Organisationen wie „International Cooperative Alliance", „International Federation of Agriculture", „Internationale Raiffeisen Union", „International Union of Tobacco Cultivators and Producers" u. a.[57]).

Zur Bewältigung seiner weitreichenden Aufgaben verfügt PASEGES über einen modernen, hochqualifizierten Mitarbeiterstab von größtenteils in Westeuropa und Amerika ausgebildeten Wissenschaftlern. Der Einfluß der PASEGES auf das genossenschaftliche Verbandswesen ist beträchtlich.

Die kopflastige Konzentration des wissenschaftlichen Fachverstandes und des organisatorischen Know-how an der Spitze des Verbandssystems begünstigt die Tendenz zur staatlichen Kontrolle von oben. Diese Tendenz ist durch die beherrschende Rolle der staatlichen Agrarbank, durch den quasi-staatlichen Status vieler als Aktiengesellschaften arbeitender genossenschaftlichen Unternehmen und durch den staatlichen Einfluß auf die Besetzung leitender Positionen der Genossenschaftsverbände durchaus in starkem Maße vorhanden.

Wenn die ökonomischen und organisatorischen Schwächen der griechischen Landwirtschaft staatliche Interventionen zur Stärkung des Genossenschaftswesens lange Zeit rechtfertigten, so erscheint für die Zukunft eine größere Unabhängigkeit der Genossenschaften gegenüber staatlicher Steuerung geboten[58]). Dazu gehört

---

[56]) PASEGES (Hrsg.): Ἡ ἑλληνική γεωργία (Die griechische Landwirtschaft), a. a. O., S. 67.

[57]) PASEGES (Hrsg.): The Greek Farmers' Cooperative Movement, a. a. O., S. 8.

[58]) Vgl. Ἀβδελίδης, Π. Σ.: Τό ἀγροτικό συνεταιριστικό κίνημα στήν Ἑλλάδα (Die Landwirtschaftliche Genossenschaftsbewegung in Griechenland). Athen 1976, S. 184.

insbesondere die Übertragung des Agrar-Kredits aus der Trägerschaft der *Agrar-bank* sowie des Aufsichts- und Revisionsrechtes an genossenschaftliche Träger. Damit würde auch die oft öffentlich an der Kreditpolitik der Agrarbank vorgetragene Kritik entfallen, daß sie bei der Vergabe von Agrarkrediten stärker an bankenüblichen Kriterien als an agrarpolitischen Entwicklungserfordernissen orientiert ist.

Ferner ist die Stärkung demokratischen Verhaltens in den genossenschaftlichen Verbänden notwendig, in denen gegenwärtig die Mitgliedervollversammlungen geringe Befugnisse haben, während die tatsächliche Entscheidungsgewalt in den Händen der Direktoren und ihrer Mitarbeiterstäbe liegt.

Zum Abschluß dieses Abschnittes bedarf es noch der Erwähnung, daß es außerhalb des Genossenschaftswesens die *Agrarvereinigungen* (Agrotiki Syllogi) gibt, die ursprünglich die Berufsvereinigungen der Landwirte waren. Ihre kämpferische Tradition reicht bis in die Zeit zurück, bevor die Genossenschaften gegründet wurden. Seit 1974 gibt es ein Wiederaufleben dieser Agrarvereinigungen, die ihre politischen Anliegen an die Bauernschaft heranzutragen bestrebt sind, da nach ihrer Meinung wegen der politischen Neutralität der Genossenschaften die Durchsetzung der politischen Interessen der Landwirte dort nicht möglich ist.

III. Die politische Kultur

So wichtig das strukturelle Element für die Analyse eines politischen Systems ist, so sehr ist es seinerseits vom Element der politischen Kultur abhängig, welches die Orientierungseigenarten eines politischen Systems in seiner Gesamtheit umgreift. Die Frage nach den verschiedenen Wert- und Glaubenshaltungen im allgemeinen und den politischen Ideen im besonderen, was die Bevölkerung über das politische System oder seine Regierung denkt und wie sie sich dazu verhält, spielen in Anbetracht ihrer wachsenden Partizipation am Ablauf politischen Handelns und damit an der Erhaltung des politischen Systems eine außerordentliche Rolle. Als politische Kultur wird so die Gesamtheit der Werte, Kenntnisse, Überzeugungen, Normen, gefühls- und verstandesmäßiger Einstellungen, Erwartungshaltungen und Symbole bezeichnet, die das politische Verhalten und Handeln der Mitglieder einer Gesellschaft oder eines Volkes prägt, regelt und deutet. Auch wenn es *an empirischen Untersuchungen* über die politische Kultur der Griechen durchaus *mangelt,* darf es daher nicht unversucht bleiben, auf einige Aspekte hinzuweisen, die das Verständnis des politischen Systems Griechenlands erleichtern.

Die Art und Weise, wie ein Grieche politische Ereignisse betrachtet und beurteilt, erklärt sich weitgehend aus dem, was er im sozialen und politischen Bereich beobachtet und erfahren hat. Wie in jedem Lernprozeß werden dabei auch im Prozeß der politischen Sozialisation eine Vielzahl von Wert- und Glaubenshaltungen sowie von politischen Ideen weitergegeben, die sich im Verlauf ganzer historischer Epochen entwickelt haben und die von einer Generation zur anderen tradiert worden sind.

Ein sicherlich entscheidendes Moment in der spezifisch griechischen Entwicklung ist die Herausbildung einer *„leidenschaftlichen Abneigung gegen den Staat"*[1]). We-

---

[1]) Gaitanides, J.: Umgang mit Griechen. Schwäbisch Hall 1969, S. 19.

sentlich beigetragen hat zu ihrer Entstehung das Faktum, daß Griechenland Jahrhunderte hindurch unter Fremdherrschaft gestanden hat. Und auch von der Entstehung des neuen griechischen Staates 1830/32 an bis heute haben englische, russische, französische oder deutsche Interessen direkt oder über die griechischen Parteien Einfluß auf die Innenpolitik des Landes ausgeübt.

Der einfache Bürger empfindet den Staat daher nicht selten als Fremdkörper.

Auch die *Justiz* hat unter dieser staatsfeindlichen Einstellung zu leiden. Für einen Griechen bedeutet es keinen Verlust seiner Ehre, durch die Maschen des Gesetzes zu schlüpfen. Dagegen versucht man es durchaus zu vermeiden, die Gebote der Gesellschaft zu verletzen und von ihr ausgestoßen zu werden[2]. Dieses Mißtrauen, ja diese Furcht des griechischen Bürgers gegenüber dem Staat haben ihre Wurzeln in einem ausgeprägten *Individualismus* und in leidenschaftlicher *Freiheitsliebe*. Und da der griechische Individualismus Freiheit als Bindungslosigkeit versteht, wird die Demokratie immer wieder zur Anarchie, gegen die man nach dem „starken Mann" ruft. Hat man diesen, kann man ihn allerdings nicht ertragen.

Die jüngere Geschichte des griechischen Staates liefert viele Beispiele hierfür. Fast alle *Staatsformen* sind allein in der Zeit seit dem Ersten Weltkrieg erprobt worden, und seit dem Zweiten Weltkrieg sind nicht weniger als „ein halbes Hundert Kabinette verbraucht worden"[3]. Es kam hinzu, daß mit den Regierungen auch die höheren Beamten wechselten, so daß ein solider und fähiger *Verwaltungsapparat* nicht entstehen konnte. Das Mißtrauen und die Furcht der Bürger gegenüber dem Staat verstärkte sich dadurch noch mehr.

Wegen der häufig wechselnden Regierungen, Staatsformen und Verfassungen haben schließlich auch die *Verfassungen* in Griechenland niemals die Bedeutung einer fundamentalen Charta der Nation gehabt wie etwa in den USA, noch haben sie allgemein akzeptierte Regeln für die politischen Auseinandersetzungen festgelegt. Ihre Normen befriedigen stets nur einen Teil der Öffentlichkeit. Dies hat zu einem allgemeinen Mangel an Respekt gegenüber grundlegenden Verfassungsprinzipien beigetragen.

Ein anderes, ebenfalls in der historischen Tradition begründetes Phänomen ist das *Klientelsystem*, das im 19. Jh. eine dominierende Rolle im politischen Leben gespielt hat und sich heute vor allem noch in ländlichen Regionen findet. Seine Lebenskraft verdankt das Klientelsystem dem überzüchteten Zentralismus, der jegliche lokale Verwaltungsautonomie zerstört hat. Das Wesen dieses Systems, dessen Ursprünge auf die Zeit der Türkenherrschaft zurückgehen, besteht darin, daß einige große „Chefs", die sich auf einen Anhang von Verwandten, Freunden, Landsleuten, abhängigen Personen und Sympathisanten stützen, eine vermittelnde Rolle zwischen diesem Anhang und der Verwaltung übernehmen[4].

Wie früher die traditionellen „Chefs", so stützten sich auch die Politiker und Parteien seit der Entstehung des neugriechischen Staates auf die Funktionsmechanismen des Klientelsystems. „Bis heute wird das griechische Parteiensystem von einem

---

[2] Ebenda, S. 19
[3] Ebenda, S. 20
[4] Pfeffer, K. H.; Schaffhausen, J.: Griechenland. Grenzen wirtschaftlicher Hilfe für den Entwicklungserfolg. Hamburg 1959.

klientelen und personalistischen Grundmuster bestimmt, von der Neigung der Bevölkerung, sich lokalen und regionalen ‚Chefs' anzuvertrauen, anstatt sich für anonyme Programme, Ideologien und Parteilisten zu entscheiden, von der Hinneigung zu Personen, von deren Macht und Einfluß man Hilfe in allen Lebenslagen erwartet und die man dafür mit Vertrauen und Gefolgschaft belohnt... Mittel der Bindung an die Partei ist also das ‚Rusfeti', die Erfüllung der Wählerwünsche auf rechtmäßigem oder unrechtmäßigem Wege."[5])

Im ganzen lassen sich keine empirisch abgesicherten Aussagen über das politische Verhalten der Griechen machen, die zudem Hinweise auf die weitere Entwicklung geben würden. Immerhin gibt es aber genügend Hinweise dafür, daß es vielen Griechen gelingen wird, traditionelle Verhaltensweisen im Verlauf des weiteren Sozialisationsprozesses zu überwinden. Auszugehen ist hierfür davon, daß Griechenland seit dem Zweiten Weltkrieg einen bedeutenden Wirtschaftsaufschwung erlebt und einen starken Modernisierungsprozeß durchlaufen hat. Industrialisierung, Urbanisierung und Säkularisierung des Lebens machen rasche Fortschritte. Viele Zuwanderer aus den ländlichen Regionen nach Athen und Saloniki, die sich aus den alten dörflichen und familiären Bindungen gelöst haben, werden ihre überkommene Identität trotzdem nicht verlieren. Andere werden dafür die Werte der modernen Massen- und Industriegesellschaft annehmen, klassenbewußter werden und ihr politisches Verhalten ändern.

IV. Schlußbemerkung

Betrachtet man das heutige politische System im Hinblick auf die bis in die jüngste Vergangenheit wechselvolle politische Geschichte Griechenlands, so drängen sich berechtigte Fragen nach seinem Bestand und seiner Fortentwicklung in der Zukunft angesichts der anstehenden Aufgaben auf. Zu diesen gehört im wesentlichen die Bewältigung sowohl erhöhter politischer Partizipationsforderungen als auch gestiegener ökonomischer und sozialer Ansprüche gesellschaftlicher Gruppen.

Die erhöhten politischen Forderungen werden begreifbar, wenn man bedenkt, daß die parlamentarische Demokratie in Griechenland in der Vergangenheit unter restriktiven Bedingungen funktioniert hat, daß politische Beteiligung insbesondere auf dem Lande vielfach unter Militär- und Polizeigewalt zurückgedrängt wurde, daß Wahlen manipuliert wurden und daß Bespitzelung und Verfolgung der Bürger auch vor der Diktatur zur Normalität gehörten. Hinzu kommt, daß die Politisierungswelle, die der Widerstand gegen die Militärdiktatur insbesondere unter den jüngeren Altersgruppen auslöste, überlieferte Werte angesichts der Kompromittierung weiter Teile der sie vertretenden griechischen Führungsschicht stark in Frage gestellt und die Legitimität traditioneller Strukturen ins Wanken gebracht hat.

Ökonomische und soziale Ansprüche ergeben sich aus der sichtbaren Steigerung des Sozialprodukts, dessen gegenwärtig ungleiche Verteilung starken Anlaß zur Kritik gibt. Die Wahrnehmung sozialer Ungleichheit wird ebenso durch den verbreite-

---

[5]) Hornung, K.: Innenpolitisches Kräftefeld und außenpolitische Position, in: Oberndörfer, D. (Hrsg.): Sozialistische und Kommunistische Parteien in Westeuropa. 1.: Südländer. Opladen 1978. S. 270.

ten Lebensstil einer „conspicuous consumption" der privilegierten Schichten wie durch Demonstrationseffekte aus anderen Ländern, die zunehmend als Vergleichsmaßstab herangezogen werden, verstärkt.

Die Stabilität des politischen Systems wird entscheidend davon abhängen, ob es gelingt, fällige Reformen im sozialen, ökonomischen und ökologischen Bereich durchzusetzen und die krassen Einkommensdifferenzen, Disparitäten und das Zentrum-Peripherie-Gefälle zu reduzieren. Diese gravierenden Probleme können freilich nur von starken Regierungen mit politischem Stehvermögen in Angriff genommen werden, weil die Verbesserungen in diesen Bereichen nur gegen den starken Widerstand derjenigen erreicht werden können, die zu verlieren haben. Ist der politische Wille dazu vorhanden, so kann das ausgedehnte Instrumentarium staatlicher Intervention, dessen Anwendung bisher stark umstritten ist, weil sie der paternalistischen Protektion besonderer wirtschaftlicher Interessen dient, für die langfristigen Ziele des sozialen Wandels eingesetzt werden. Das sozialtechnologische Know-how kann Griechenland von den fortgeschrittenen Ländern zur Verfügung gestellt werden. Der EG-Beitritt eröffnet hier günstige Möglichkeiten, wenn gewisse Barrieren des Mißtrauens überwunden werden – freilich unter der Voraussetzung, daß auch die Gefahren des möglichen Mißbrauchs ausgeschlossen sind.

Die politische Stabilität wird ferner sehr wesentlich davon abhängen, ob es gelingt, für die steigende politische Mobilisierung adäquate Institutionalisierungsformen zu schaffen, die eine geordnete *und* wirksame politische Partizipation auf breiter Basis ermöglichen. Die vorangegangene Darstellung der Parteien und Verbände dürfte deutlich gemacht haben, daß die noch schwache politische Infrastruktur keine Gewähr dafür bietet und daß große Anstrengungen im Bereich der politischen Organisation notwendig sind, wenn die steigende politische Mobilisierung nicht in die Anarchie einer nicht mehr regierbaren Gruppenvielfalt ausufern soll.

Privatrecht

Apostolos Georgiades, Athen
unter Mitarbeit von Ioannis Karakostas, Athen

I. Zivilrecht

1. Rechtsgeschichte

In der Verordnung vom 23. Februar/7. März 1835 „Über das Zivilgesetz", die für das griechische Bürgerliche Recht grundlegende Bedeutung besitzt, steht ausdrücklich, daß die Zusammenstellung eines Bürgerlichen Gesetzbuches schon angeordnet sei. Bis zum Erlaß des angekündigten Bürgerlichen Gesetzbuches sollten auf Grund dieser Verordnung die in dem Hexabiblos von Armenopulos[1] enthaltenen privatrechtlichen Bestimmungen der byzantinischen Kaiser gelten, sofern sie nicht durch Gewohnheitsrecht aufgehoben oder geändert waren. Nachdem aber der Versuch zur Zusammenstellung eines ZGB mißlungen war, entwickelte sich die als vorläufig gedachte Lösung zu einer endgültigen, und die Verordnung vom 23. Februar/7. März 1835 hat weiter als das formelle Einführungsgesetz zum römisch-byzantinischen Privatrecht in Griechenland gegolten[2].

Die Rechtsunsicherheit auf dem Gebiete des Bürgerlichen Rechtes und die Lückenhaftigkeit des den zeitgenössischen Verkehrsbedürfnissen nicht genügenden römisch-byzantinischen Privatrechtes waren nicht die einzigen Übel, an denen das griechische Rechtsleben litt. Es bestand auch keine Rechtseinheit auf dem Gebiet des Bürgerlichen Rechtes. Auf den Ionischen Inseln galt das Ionische Zivilgesetzbuch von 1841, auf der Insel Samos das Samische Zivilgesetzbuch von

---

[1] Konstantin Armenopoulos, Richter in Thessaloniki, hat im Jahre 1345 eine private Gesetzessammlung des damals geltenden römisch-byzantinischen Rechts erarbeitet; den Namen „Hexabiblos" verdankt die Sammlung der Tatsache, daß sie aus sechs Büchern besteht. Näheres dazu: Τριανταφυλλόπουλος, Κ.: Ἡ Ἑξάβιβλος τοῦ Ἀρμενοπούλου καὶ ἡ νομικὴ σκέψις ἐν Θεσσαλονίκῃ κατὰ τὸν δέκατον τέταρτον αἰῶνα (Die Hexabiblos des Armenopoulos und das Rechtsdenken in Thessaloniki während des 14. Jahrhunderts). Armenopoulos 1960, S. 765–782 und S. 829–845.

[2] Sontis, J.: Das griechische Zivilgesetzbuch im Rahmen der Privatrechtsgeschichte der Neuzeit, in: Zeitschrift der Savigny-Stiftung, Röm. Abt. 78. 1961, S. 355–385.

1899 und auf der Insel Kreta das Kretische Zivilgesetzbuch von 1903. Zur Beseitigung dieser Übel wurden wiederholt Kommissionen zur Ausarbeitung eines ZGB bestellt, das in ganz Griechenland gelten sollte. Von allen diesen Kommissionen hat nur die letzte, die aufgrund eines Gesetzes von 1930 „Über Zusammensetzung von Kommissionen zur Ausarbeitung eines Zivilgesetzbuches und seines Einführungsgesetzes" im Jahre 1930 bestellt wurde, das Glück gehabt, ihren Entwurf als Gesetz erlassen zu sehen[3]). Der Entwurf des ZGB wurde als Notgesetz unter Nr. 2250 am 15. März 1940 erlassen und sollte nebst dem am 30. Januar 1941 erlassenen Einführungsgesetz vom 1. Juli 1941 ab gelten[4]). Sein Inkrafttreten wurde jedoch wegen der Kriegsereignisse durch die Notverordnung vom 13. Mai 1941 für unbestimmte Zeit verschoben. Dieser Entwurf nebst seinem Einführungsgesetz wurde durch die Verordnung mit Gesetzeskraft vom 7./ 10.5.1946 rückwirkend vom 23.2.1946 in Kraft gesetzt und ist bis heute noch, ergänzt und erweitert durch spezielle Gesetze und Bestimmungen, das in Griechenland geltende bürgerliche Recht[5]).

2. Allgemeiner Teil[6])

Im Allgemeinen Teil des BGB, den das 1. Buch beinhaltet, werden diejenigen Rechtsinstitute und Rechtsregeln erfaßt, die für alle Teile des ZGB gemeinsam gelten.

Es werden die Rechtspersonen, d.h. sowohl die „natürlichen" (Art. 34–60) wie die „juristischen" (Art. 61–126) Personen geregelt. Darauf folgt die Lehre von dem Handeln der Personen, d.h. die Rechtsgeschäfts- und Vertragslehre (Art. 127–210) unter Einbeziehung der Stellvertretung (Art. 211–235). Jeder Mensch ist ohne Rücksicht auf Alter, Geschlecht und Nationalität rechtsfähig, d.h. Träger

---

[3]) Über die Entstehungsgeschichte des ZGB vgl. Plagianakos, G.: Die Entstehung des Griechischen Zivilgesetzbuches. Hamburg 1963.

[4]) Übersetzungen in fremden Sprachen: Davidis, Ch.: Le nouveau code civil hellénique. Athen 1940; Mamopoulos, P.: Code civil hellénique. Athen 1956 (Collection de l'Institut Français d'Athènes, série juridique); Gogos, D.: Das Zivilgesetzbuch von Griechenland. Berlin, Tübingen 1951 (Materialien zum ausländischen und internationalen Privatrecht, hrsg. vom Max-Planck-Institut für ausländisches und internationales Privatrecht 1).

[5]) Über System und Grundgedanken des ZGB vgl. Wieacker, F.: Privatrechtsgeschichte der Neuzeit. 2. Aufl. Göttingen 1967; Maridakis, G.: La tradition européenne et le code civil hellénique. Mailand 1954 (Studi in Memoria P. Koschaker 2), S. 157; Gogos, D.: Das griechische bürgerliche Gesetzbuch vom 15. März 1940, in: Archiv für die civilistische Praxis. 1944, S. 78; Sontis, I.: SavZ 78, S. 355 (N. 2); Zepos, P.: The Historical and Comparative Background of the Greek Civil Code, in: Inter-American Law Review 7. 1961, S. 285; Mantzoufas, G.: Das griechische Zivilgesetzbuch und seine theoretischen Grundlagen. Athen 1954; Makris, Th.: Die Grundgedanken für die Ausarbeitung des Entwurfs eines griechischen Zivilgesetzbuches, in: Rabels Zeitschrift 9. 1935, S. 586.

[6]) Μπαλῆς, Γ: Γενικαὶ ἀρχαὶ τοῦ ἀστικοῦ δικαίου (Allgemeiner Teil des bürgerlichen Rechts). 7. Aufl. Athen 1955; Γαζῆς, ᾽Α.: Γενικαὶ ἀρχαὶ τοῦ ἀστικοῦ δικαίου (Allgemeiner Teil des bürgerlichen Rechts). Athen 1970–1974 (in Teilbänden, nicht vollendet); Σημαντήρας, Κ.: Γενικαὶ ἀρχαὶ τοῦ ἀστικοῦ δικαίου (Allgemeiner Teil des bürgerlichen Rechts), 2. Aufl. Athen 1976–1977; Γεωργιάδης, ᾽Απ. – Σταθόπουλος, Μ.: ᾽Αστικὸς Κῶδιξ, τόμος πρῶτος, Γενικαί ᾽Αρχαί ἑρμηνεία κατ᾽ἄρθρον (Zivilgesetzbuch, 1. Band, Allgemeiner Teil, Kommentar). Athen 1978.

von Rechten und Pflichten. Davon unterschieden werden muß die Fähigkeit der Person, rechtserhebliche Akte zu setzen, d. h. seine Rechtshandlungsfähigkeit. Diese wiederum wird eingeteilt in die Geschäftsfähigkeit und die Deliktsfähigkeit: Ab dem 21. Lebensjahr (Volljährigkeit) sind alle geistig gesunden Menschen geschäftsfähig, d. h., sie können Rechtsgeschäfte selbständig wirksam abschließen. Kinder bis zu 10 Jahren und Geisteskranke sind geschäftsunfähig; ihre gesetzlichen Vertreter (Eltern, Vormund) müssen sie im rechtsgeschäftlichen Verkehr vertreten. Minderjährige zwischen dem 10. und 21. Lebensjahr sind geschäftsbeschränkt, ebenso wie bestimmte, ihnen gleichgestellte Gruppen (z. B. wegen Geistesschwäche Entmündigte). Sie haben einen gesetzlichen Vertreter und können im rechtsgeschäftlichen Verkehr selbständig nur in den vom Gesetz vorgesehenen Fällen auftreten oder wenn sie nicht mit Pflichten belastet sind, d. h., wenn das Rechtsgeschäft ihnen lediglich einen rechtlichen Vorteil bringt.

Auch juristische Personen sind rechtsfähig. Juristische Personen sind Zusammenschlüsse von Menschen (Vereine) oder Vermögensmassen (Stiftungen); sie müssen bestimmte, im Gesetz ausgeführte Voraussetzungen erfüllen (Art. 61–77). Als Grundform der juristischen Personen wird durch das ZGB der Verein festgelegt (Art. 78–107). Nach der Personenlehre kommt das Gesetz zum Handeln dieser Personen im Rechtsverkehr. Wie wird ein Vertrag abgeschlossen, wann ist er gültig oder nichtig? Grundsätzlich müssen wir erörtern: Soll der Rechtsgenosse die volle Freiheit darüber haben, überhaupt Verträge abschließen zu wollen, mit wem, zu welchen Bedingungen? In der griechischen Rechtsordnung herrscht der Grundsatz der Vertragsfreiheit, d. h., man muß sich nicht vertraglich binden (inhaltliche Gestaltungsfreiheit). Es wird nur der formale Rahmen durch das ZGB geregelt, indem es sagt, wann jemand sich von seiner rechtsgeschäftlichen Erklärung lösen kann, wenn diese nicht seinem wahren Willen entspricht, und wie Rechtsgeschäfte auszulegen sind, deren Sinn man nicht eindeutig erkennen kann (Art. 173, 200). Zwingende Bestimmungen über den Inhalt der Rechtsgeschäfte und Verträge werden vom Gesetz nicht festgelegt. Verstoßen Rechtsgeschäfte gegen ein Gesetz oder gegen die guten Sitten, dann sind diese nichtig (Art. 174, 178). Der Grundsatz der Vertragsfreiheit wird durch die Formfreiheit ergänzt. Formzwang gibt es nur dort, wo es ausdrücklich gesetzlich vorgeschrieben ist oder wo es die Parteien selbst wollen (Art. 158). In der Regel kann der Vertrag unter einer Bedingung oder Befristung abgeschlossen werden (Art. 201–210). Jederman kann sich im allgemeinen bei Abgabe oder Entgegennahme einer Willenserklärung, also auch bei einem Vertragsabschluß, durch einen anderen vertreten lassen (Art. 211–235). Im Namen des Vertretenen wird dann die Willenserklärung abgegeben oder entgegengenommen; die Wirkungen dieser Erklärung betreffen unmittelbar den Vertretenen. Der Stellvertreter bekommt seine Vertretungsmacht durch eine Vollmacht des Vertretenen, oder auch unmittelbar aus dem Gesetz durch die gesetzliche Vertretungsmacht, z. B. der Eltern für ihr minderjähriges Kind odes des Vormunds einer entmündigten Person. Der allgemeine Teil wird wie im BGB durch die Kapitel über Einwilligung und Genehmigung (Art. 236–239), Termine (Art. 240–246), Verjährung (Art. 247–280), Ausübung der Rechte (Art. 281), Selbstverteidigung und Selbsthilfe (Art. 282–286) abgeschlossen.

3. Schuldrecht[7])

Das Recht der Schuldverhältnisse des ZGB beruht zum größten Teil auf dem des deutschen BGB. Wesentliche Unterschiede bestehen in der einfacheren Regelung der Unmöglichkeit der Leistung, der ausdrücklichen Regelung der positiven Vertragsverletzung, der Sukzessivlieferungsverträge, der Folgen der Änderung der Geschäftsgrundlage, wie auch der Regelung der deliktischen Haftung.

Die Unmöglichkeit der Leistung ist im ZGB auf einer einfacheren Grundlage als im deutschen BGB und im römisch-byzantinischen Recht aufgebaut. So gibt es keinen Unterschied zwischen anfänglicher und nachträglicher und zwischen objektiver und subjektiver Unmöglichkeit der Leistung. Der Schuldner ist zum Schadensersatz verpflichtet, wenn die Leistung bei ihrer Bewirkung im ganzen oder zum Teil entweder aus allgemeinen Gründen oder aus Gründen, die den Schuldner betreffen, unmöglich ist (Art. 335); nur wenn er nachweist, daß die Unmöglichkeit der Leistung durch einen Umstand eingetreten ist, der von ihm nicht zu vertreten ist, ist er nicht haftbar (Art. 336). Er muß aber sofort nach Kenntnis der Unmöglichkeit den Gläubiger verständigen und ihm alles erstatten, was er infolge des Umstandes, der die Unmöglichkeit verursacht hat, erhalten hat. Der Gläubiger ist berechtigt, wenn er an der teilweisen Bewirkung kein Interesse hat, innerhalb einer bestimmten Frist seit dem Angebot oder der Aufforderung vom Schuldner die Leistung völlig abzulehnen – das allerdings nur bei teilweise verschuldeter Unmöglichkeit (Art. 337). Im griechischen ZGB wird also die Unmöglichkeit der Leistung durch das Verschulden des Schuldners geregelt.

Bei Sukzessivlieferungsverträgen kann der Gläubiger wegen einer Einzellieferung, mit der der Schuldner in Verzug oder in verschuldete Unmöglichkeit geraten ist, Schadensersatz verlangen oder vom Vertrag, hinsichtlich nur dieser Einzellieferung, zurücktreten. Ist aber die Verzögerung oder die Unmöglichkeit der Einzellieferung so wesentlich, daß der Gläubiger kein Interesse mehr an der Erfüllung des Restteiles hat, oder bestehen ernsthafte Bedenken, ob die noch ausstehenden Einzelleistungen erbracht werden, kann er das auch für die übrigen Einzellieferungen. So erstreckt sich im letzten Fall das Recht des Gläubigers auf Schadensersatz oder zum Rücktritt auch auf den schon ausgeführten Teil des Vertrages (Art. 386).

Tritt nachträglich eine Änderung der Geschäftsgrundlage ein, die außerordentliche Gründe hat und nicht vorherzusehen war, und wird dadurch die Verpflichtung des Schuldners unter Berücksichtigung auch der Gegenleistung unverhältnismäßig schwer, kann der Schuldner bei gegenseitigen Verträgen vom Richter die Umgestaltung oder Auflösung des Vertrages – teilweise oder ganz – verlangen.

---

[7]) Ζέπος, Π.: Ἐνοχικὸν Δίκαιον (Schuldrecht, 2 Bände). Athen 1955–1965; Μπαλῆς, Γ.: Ἐνοχικὸν Δίκαιον, Γενικὸν Μέρος (Schuldrecht, Allgemeiner Teil). Athen 1960; Τούσης, Ἀ.: Ἐνοχικὸν Δίκαιον, Α΄ Μέρος Γενικὸν (Schuldrecht, Allgemeiner Teil). Athen 1973; Σταθόπουλος, Μ.: Γενικὸ ἐνοχικὸ δίκαιο (Allgemeines Schuldrecht). Athen 1978; Γεωργιάδης, Ἀπ.; Σταθόπουλος, Μ.: Ἀστικὸς Κῶδιξ, τόμος δεύτερος, Γενικὸ Ἐνοχικό, ἑρμηνεία κατ᾽ἄρθρο (Zivilgesetzbuch, 2. Band, Allgemeines Schuldrecht, Kommentar). Athen 1979; Φίλιος, Π.: Ἐνοχικὸν Δίκαιον, Εἰδικὸν Μέρος (Schuldrecht, Besonderer Teil). Athen 1974–1978; Mantzoufas, G.: Über griechisches Privatrecht. Athen 1956.

Bei Auflösung des Vertrages erlöschen die Leistungsverpflichtungen und die Vertragspartner verpflichten sich gegenseitig, die empfangenen Leistungen nach den Grundsätzen der ungerechtfertigten Bereicherung herauszugeben (Art. 388). Bezüglich der unerlaubten Handlungen sind hervorzuheben der grundlegende Art. 914, wonach derjenige, der einem anderen gesetzwidrig einen Schaden schuldhaft zugefügt hat, zum Schadensersatz verpflichtet ist, und der Art. 932, wonach das Gericht wegen einer unerlaubten Handlung, unabhängig vom Schadensersatz für den Vermögensschaden, eine billige Entschädigung in Geld wegen des Nichtvermögensschadens zuerkennen kann. Im übrigen stimmen die Vorschriften des ZGB über die unerlaubten Handlungen mit den entsprechenden Paragraphen des BGB im wesentlichen überein. Insbesondere werden die §§ 824 I, 825 bis 830 I, 833, 836 I, 842, 843, 844, 850, 851, 852 BGB, zum Teil wörtlich wiedergegeben.

4. Sachenrecht[8])

Im Gegensatz zum Allgemeinen Teil und zum Recht der Schuldverhältnisse zeigt das Sachenrecht des ZGB erhebliche Abweichungen gegenüber dem BGB. Das ist zum Teil auf das Fehlen eines Grundbuches in Griechenland zurückzuführen. Das Eigentum, die Dienstbarkeiten, das Pfandrecht und die Hypothek gelten als dingliche Rechte. Es gibt eine wesentliche Übereinstimmung des ZGB und BGB in den Vorschriften über die Sachen (Art. 947–972). Als Begriffsmerkmale des Besitzes versteht das ZGB ausdrücklich außer der tatsächlichen Herrschaft auch den animus rem sibi habendi (Art. 947). Es erkennt die Vertretung beim Besitzerwerb an (Art. 979), und ihm ist die Unterscheidung zwischen unmittelbarem und mittelbarem Besitz fremd. Statt dessen unterscheidet es zwischen possessio (nomi) und dem detentio (katochi). Im übrigen stimmt das Besitzrecht des ZGB weitgehend mit dem des BGB überein, vor allem bezüglich der Verletzung und des Schutzes des Besitzes (Art. 984–998).

Auch das Kapitel über das Eigentum und seinen Inhalt (Art. 999–1032) hat als Vorbild das BGB. Das gleiche gilt für das Kapitel über den Eigentumserwerb (Art. 1033–1093). Bei der Eigentumsübertragung ist zu betonen, daß bei Grundstücken eine justa causa nötig ist (Art. 1033), bei beweglichen Sachen dagegen nicht (Art. 1034). Auch die Kapitel über den Schutz des Eigentums (Art. 1094–1112), über die Dienstbarkeiten (Art. 1118–1191) und über das Fahrnispfand (Art. 1209–1256) basieren zum großen Teil auf dem BGB.

Das französische Recht ist Vorbild für das Institut der Transkription (Art. 1192–1208), das auf dem Gesetz vom 29. Oktober 1856 beruht. Für die Eigentumsübertragung an Grundstücken ist die Transkription in den Transkriptionsbüchern unbedingt erforderlich. Es sind einzutragen: Die Rechtsgeschäfte unter Lebenden einschließlich der Schenkungen von Todes wegen, durch die ein dingli-

---

[8]) Βαβοῦσκος, Κ.: Ἐμπράγματον Δίκαιον (Sachenrecht). Thessaloniki 1979; Γεωργιάδης, Ἀπ.: Ἐμπράγματον Δίκαιον (Sachenrecht). Athen 1975; Γεωργιάδης, Ἀπ.: Ἐγχειρίδιο ἐμπράγματου δικαίου, τεῦχος Αʹ (Lehrbuch des Sachenrechts, Heft 1). Athen 1979; Μπαλῆς, Γ.: Ἐμπράγματον Δίκαιον (Sachenrecht). Athen 1961; Τούσης, Ἀ.: Ἐμπράγματον δίκαιον (Sachenrecht). 3. Aufl. Athen 1966; Σπυριδάκης, Ἰ.: Τὸ δίκαιου τῆς ἐμπραγμάτου ἀσφαλείας (Das Recht der Realsicherung). Athen 1974–1976.

ches Recht an Grundstücken begründet, übertragen oder aufgehoben wird; die richterlichen Zusprüche oder die durch eine Behörde erfolgten Zuerkennungen oder Zuschläge des Eigentums oder eines dinglichen Rechtes an einem Grundstück; das Protokoll über die gerichtliche Teilung eines Grundstücks; die rechtskräftigen Gerichtsentscheidungen, die eine Verurteilung zur Abgabe einer Willenserklärung über ein dingliches Rechtsgeschäft an einem Grundstück beinhalten; jede Annahme von Erbschaft oder Vermächtnis, wenn durch diese dem Erben oder Vermächtnisnehmer ein Grundstück des Nachlasses oder ein dingliches Recht an ihm oder ein dingliches Recht an einem fremden Grundstück zugeteilt oder ein solches aufgehoben wird. Finden am gleichen Tag mehrere Transkriptionen über Rechte am gleichen Grundstück statt, so wird diejenige vorgezogen, die auf dem älteren Titel beruht. Die Transkriptionsbücher sind öffentlich, und jederman kann sie einsehen.

Im Hypothekenrecht des ZGB (Art. 1257–1345) wird das Hypothekengesetz vom 11./23. August 1836 wiederholt. Eine Hypothek kann nur an Grundstücken erworben werden, die veräußert werden können, sowie an dem Nießbrauch an ihnen für die Zeit seiner Dauer. Zum Erwerb einer Hypothek ist erforderlich: Ein Titel, der das Hypothekenrecht gewährt – als Titel gelten das Gesetz, die gerichtliche Entscheidung und der Privatwille – und die Eintragung im Hypothekenbuch. Eine Vorbemerkung (die allerdings mit der des deutschen Rechts nicht übereinstimmt) kann eingetragen werden aufgrund der Erlaubnis des Landgerichts. Rückwirkend wird die Vormerkung in eine Hypothek umgewandelt durch die rechtskräftige Zuerkennung der Forderung.

5. Familienrecht[9])

Die Ehe im ZGB kommt durch die kirchliche Trauung zustande (Art. 1367). Zu ihrer Eingehung ist die Vollendung des 18. Lebensjahres für den Mann und des 14. für die Frau erforderlich, ferner ist die Zustimmung der Eheschließenden notwendig (Art. 1350). Die wichtigsten Ehehindernisse sind: Der Religionsunterschied (Art. 1353), die bestehende Ehe (Art. 1354), die dreimalige Verheiratung (Art. 1355), die Blutsverwandtschaft (Art. 1356), die Schwägerschaft (Art. 1357), die außereheliche Verwandtschaft (Art. 1359), die Annahme an Kindes Statt (Art. 1360), die Taufpatenschaft (Art. 1361), die Vormundschaft (Art. 1362), der Ehebruch (Art. 1363). Die Ehe, die trotz des Bestehens eines dieser Ehehindernisse geschlossen wird, ist nichtig (Art. 1372). Um eine Ehe einzugehen, braucht man auch die Genehmigung des Bischofs, deren Fehlen jedoch nicht zur Nichtigkeit der Ehe führt (Art. 1368)[10]).

---

[9]) Μπαλῆς, Γ.: Οἰκογενειακὸν Δίκαιον (Familienrecht), Athen 1956; Μιχαηλίδης-Νουάρος, Γ,: Οἰκογενειακὸν Δίκαιον (Familienrecht). Thessaloniki 1970: Κουμάντος, Γ.: Οἰκογενειακὸν Δίκαιον, 2 τόμοι (Familienrecht, 2 Bände). Athen 1976–1977; Τούσης, ’Α.: Οἰκογενειακὸν Δίκαιον (Familienrecht). Athen 1965; Ροῖλος, Γ.; Κουμάντος, Γ.: Οἰκογενειακὸν Δίκαιον (Familienrecht). Athen 1965. [Eine weitgehende Auslegung der familienrechtlichen Artikel des ZGB von Roïlos mit Hinzufügungen von Koumantos].

[10]) Bourantas, C.: Das internationale und materielle Eheschließungsrecht Griechenlands. Jur. Diss. Heidelberg 1975; Stefanopoulos, K.: Die Eheschließung nach griechischem Recht, in: Österreichische Juristen-Zeitung 1959, S. 451.

Die Bestimmungen über die persönlichen Beziehungen der Ehegatten (Art. 1386–1396) entsprechen im wesentlichen dem BGB (vor der Familienrechtsreform). Das gleiche gilt für die Ehescheidung (Art. 1438–1462), die Verwandtschaft (Art. 1463–1464), den gesetzlichen Unterhalt (Art. 1476–1492), das Rechtsverhältnis zwischen Eltern und Kindern sowie die väterliche Gewalt (Art. 1493–1529)[11]).

Durch die Ehe wird nicht die Selbständigkeit des Vermögens der Ehegatten beeinflußt (Art. 1397). Die Lasten der Ehe werden vom Mann getragen (Art. 1398). Die Frau hat beizutragen, wenn der Mann den ehelichen Aufwand nicht bestreiten kann (Art. 1399). Eheverträge sind zugelassen. Sie müssen durch notarielle Urkunde vor der Ehe abgeschlossen werden und die Regelung der Vermögensverhältnisse in der Ehe betreffen (Art. 1402–1405).

In Griechenland gilt auch weiterhin das Dotalsystem, das auf dem römisch-byzantinischen Recht basiert (Art. 1406–1437). Die Mitgift wird durch Vertrag mit dem Manne oder durch letztwillige Verfügung bestellt. Der Mann erwirbt, sofern im Dotalvertrag nicht anders bestimmt, an den beweglichen Dotalsachen das Eigentum, an den Dotalgrundstücken hat er die Verwaltung und den Nießbrauch. Diese Wirkung tritt ein, gleichgültig von wem die Mitgift bestellt worden ist. Der Mann kann mit Zustimmung der Frau, ohne Einhaltung einer Form, die beweglichen Dotalsachen veräußern, die Dotalgrundstücke dagegen nur mit Erlaubnis des Gerichts, die unter den im Gesetz angegebenen Voraussetzungen zu erteilen ist[12]).

Die Bestimmungen des ZGB über die unehelichen Kinder (Art. 1530–1567) weichen in mehreren Punkten von den entsprechenden Bestimmungen des BGB ab. Das uneheliche Kind hat im Verhältnis zu der Mutter und zu ihren Verwandten die rechtliche Stellung eines ehelichen Kindes (Art. 1530). Es kann freiwillig oder gerichtlich anerkannt werden (Art. 1532–1555). Das freiwillig anerkannte uneheliche Kind erhält den Familiennamen des Vaters und hat die Rechte und die Pflichten eines ehelichen Kindes, sofern im Gesetz nicht etwas anderes bestimmt wird. Dem Vater gegenüber beschränkt sich sein Erbrecht auf die Hälfte, wenn es mit ehelichen Abkömmlingen oder Eltern oder mit der Ehefrau des Vaters zusammentrifft[13]).

Die Bestimmungen des ZGB über die Annahme an Kindes Statt (Art. 1568–1588) stimmen im wesentlichen mit den entsprechenden des BGB überein[14]).

Das Vormundschaftsrecht (Art. 1589–1665) beruht auf dem Gesetz von 1861 „über die Minderjährigen, ihre Vormundschaft, Emanzipation und Kuratel", das vom französischen Code Civil beeinflußt ist. Einen Vormund brauchen: der nicht emanzipierte Minderjährige, der sich nicht unter väterlicher Gewalt befindet,

---

[11]) Stefanopoulos, K.: Die Ehescheidung in Griechenland, in: Rabels Zeitschrift 24. 1959, S. 470.

[12]) Stefanopoulos, K.: Das Recht der Mitgift in Griechenland, in: Archiv für die civilistische Praxis. 157. 1958, S. 494; Markianos, D.: Griechische Rechtsprechung zum Familien- und Erbrecht des ZGB 1946–1959, in: Rabels Zeitschrift. 25. 1960. S. 69.

[13]) Stefanopoulos, K.: Die rechtliche Stellung der außerehelichen Kinder in Griechenland, in: Österreichische Juristenzeitung. 1960, S. 57.

[14]) Stefanopoulos, K.: Die Adoption im griechischen Recht, in: Österreichische Juristen-Zeitung. 1961, S. 376.

sowie derjenige, der zwar unter ihr steht, dessen Vater jedoch nicht imstande ist, sie auszuüben, und dessen Mutter entweder nicht lebt oder außerstande ist, an die Stelle des Vaters zu treten. Die Mutter ist ipso jure zur Vormundschaft über das Kind berufen, wenn der Vater die väterliche Gewalt verwirkt hat oder für verschollen erklärt oder gestorben ist. In bestimmten Fällen kann auch einem Volljährigen, der abwesend ist, ein Vormund zur Verwaltung seines Vermögens oder allein für eine bestimmte Angelegenheit bestellt werden (Art. 1701–1704).

6. Erbrecht[15])

Auch hier ist das Vorbild für das einführende Kapitel über die Erbfolge (Art. 1710–1715) im allgemeinen das BGB. Der Erblasser braucht keinen Erben einzusetzen, wie im römischen Recht, sondern kann sich darauf beschränken, einen bestimmten Verwandten von der gesetzlichen Erbfolge auszuschließen. Das Testament muß vom Erblasser selbst gemacht werden (Art. 1716). Es gibt: eigenhändige, öffentliche, geheime und außerordentliche Testamente[16]). Auch das Kapitel über den Inhalt des Testaments (Art. 1781–1812) entspricht grundsätzlich dem BGB. Das Kapitel über die gesetzliche Erbfolge (Art. 1813–1824) basiert auf dem Gesetz von 1920 „über die gesetzliche Erbfolge", auch hier wieder stark vom BGB beeinflußt. Die Unterschiede sind vor allem folgende: In der zweiten Ordnung werden die Eltern des Erblassers, die Geschwister sowie die Kinder und die Enkel von verstorbenen Geschwistern des Erblassers zusammen berufen. In der dritten Ordnung werden die Großeltern des Erblassers und von deren Abkömmlingen die Kinder und die Enkel, in der vierten die Urgroßeltern des Erblassers berufen.

Weiterhin basieren auf dem BGB die Regelung des Pflichtteilrechts (Art. 1825–1845), die Annahme und Ausschlagung der Erbschaft (Art. 1846–1859), die Erbunwürdigkeit (Art. 1860–1864), der Erbschaftsanspruch (Art. 1871–1883) und die Ausgleichungspflicht (Art. 1895–1900), wie zum großen Teil die Vorschriften über die Nacherbschaft (Art. 1923–1941), die Erbschaftsveräußerung (Art. 1942–1955), den Erbschein (Art. 1956–1966), die Vermächtnisse (Art. 1967–2010), die Auflage (Art. 2011–2016) und den Testamentsvollstrecker (Art. 2017–2031).

Die Schenkung von Todes wegen (Art. 2032–2035) basiert auf dem römisch-byzantinischen Recht, wie auch die Vorschriften über den Schutz des Erben bei überschuldetem Nachlaß (Art. 1901–1912). Der Schutz der Nachlaßgläubiger wird durch die gerichtliche Abwicklung der Erbschaft erstrebt (Art. 1913–1922). Sie kann durch das Nachlaßgericht auf Antrag jedes Nachlaßgläubigers angeord-

---

[15]) Μπαλῆς, Γ.: Κληρονομικὸν Δίκαιον (Erbrecht). Athen 1959; Βουζίκας, ’Ε.: Κληρονομικὸν Δίκαιον (Erbrecht). Athen 1972–1976; Λιτζερόπουλος, ’Α.: Κληρονομικὸν Δίκαιον (Erbrecht). Athen 1957–1958; Παπαντωνίου, Ν.: Κληρονομικὸν Δίκαιον (Erbrecht), 3. Aufl. Athen 1978: Στεφανόπουλος, Κ.: Στοιχεῖα Κληρονομικοῦ Δικαίου (Grundzüge des Erbrechts). Athen 1976–1978; Ferid-Firsching: Internationales Erbrecht, Länderabschnitt: Griechenland von Georgiades/Dimakou. München 1979.

[16]) Stefanopoulos, K.: Die Testamentserrichtung in Griechenland, in: Österreichische Juristen-Zeitung. 1961, S. 376.

net werden. Mit der Verkündung dieser Entscheidung bildet die Erbschaft ein
Sondervermögen. Der durch das Gericht bestellte Abwickler fordert in der im
Gesetz angegebenen Form die Nachlaßgläubiger zur Anmeldung auf. Bei Unzu-
länglichkeit der Erbschaft gilt das Prinzip der gleichmäßigen Befriedigung dieser
Gläubiger.

7. *Internationales Privatrecht*[17])

Das IPR des ZGB (Art. 4–33) beinhaltet nur allgemeine Grundzüge, ohne ins
Einzelne zu gehen. Trotzdem gibt es genau an, welches Recht in jedem Rechtsverhältnis anzuwenden ist. Seine Grundideen sind folgende: Jeder Ausländer hat
die gleichen bürgerlichen Rechte wie der Inländer (Art. 4). Die Rechtsfähigkeit
der natürlichen Person, die Verschollenheit, die Geschäftsfähigkeit, die Entmün-
digung, die Vormundschaft, sowie jede Art von Pflegschaft richten sich nach dem
Heimatrecht, während für die Rechtsfähigkeit einer juristischen Person das Recht
ihres Sitzes anwendbar ist (Art. 5–10). Für die Form eines Rechtsgeschäfts ist
entweder das für seinen Inhalt maßgebende Recht oder das Recht des Ortes, an
dem es geschlossen wurde, oder das Heimatrecht aller Parteien zu beachten (Art.
11). Die Form eines dinglichen Rechtsgeschäfts, der Besitz und die dinglichen
Rechte an beweglichen und unbeweglichen Sachen werden nach dem Rechte der
belegenen Sache beurteilt (Art. 12).

Für Schuldverhältnisse aus Verträgen gilt das Recht, dem sich die Parteien
unterworfen haben. Ergibt sich keine Unterwerfung, so wird das für den Vertrag
passende Recht mit Rücksicht auf alle besonderen Umstände angewendet (Art.
25). Für Schuldverhältnisse, die aus einer unerlaubten Handlung resultieren,
findet das Recht des Deliktortes Anwendung (Art. 26).

Die materiellen Voraussetzungen der Ehe richten sich nach dem Heimatrecht
eines jeden der Eheschließenden (Art. 13). Für die persönlichen Rechtsbeziehungen der Ehegatten gilt das Recht ihrer letzten gemeinschaftlichen Staatsangehörigkeit, die sie während der Ehe hatten (Art. 14). Die Ehescheidung und die
Trennung von Tisch und Bett richten sich nach dem Recht der letzten gemeinschaftlichen Staatsangehörigkeit der Ehegatten, die sie während der Ehe und vor
der Erhebung der Klage hatten (Art. 16). Fehlt eine gemeinschaftliche Staatsangehörigkeit, findet bei den persönlichen Rechtsbeziehungen der Ehegatten sowie
bei der Ehescheidung und der Trennung von Tisch und Bett das Heimatrecht des
Ehemannes zur Zeit der Eingehung der Ehe Anwendung. Nach dem Heimatrecht
des Ehemannes zu dieser Zeit richten sich auch die vermögensrechtlichen Beziehungen der Ehegatten (Art. 15). Für die eheliche Abstammung eines Kindes gilt
das Heimatrecht des Ehemannes der Mutter zur Zeit der Geburt (Art. 17). Für
die Rechtsverhältnisse zwischen den Eltern und einem ehelichen Kinde, einem
unehelichen Kinde und seiner Mutter, wie auch zwischen demjenigen, der an
Kindes Statt angenommen hat und dem Adoptivkind gilt grundsätzlich das Recht

---

[17]) Εὐρυγένης, Δ.: Ἰδιωτικὸν Διεθνὲς Δίκαιον (Internationales Privatrecht). Thessaloniki 1968;
Κρίσπης, Ἡ.: Ἰδιωτικὸν Διεθνὲς Δίκαιον (Internationales Privatrecht). Athen 1967–1970; Μαρι-
δάκης, Γ.: Ἰδιωτικὸν Διεθνὲς Δίκαιον (Internationales Privatrecht). 2. Aufl. Athen 1967–1968;
Gogos-Aubin: Das internationale Privatrecht im griechischen Zivilgesetzbuch von 1940, in: Rabels
Zeitschrift. 15. 1949/1950, S. 240.

der letzten gemeinschaftlichen Staatsangehörigkeit. Beim Fehlen einer gemeinschaftlichen Staatsangehörigkeit findet Anwendung im ersten Falle das Heimatrecht des Vaters zur Zeit der Geburt des Kindes, im zweiten das Heimatrecht der Mutter zur Zeit der Geburt des Kindes und im dritten das Heimatrecht des Annehmenden zur Zeit der Annahme an Kindes Statt (Art. 18–23).

Für die erbrechtlichen Rechtsverhältnisse findet das Heimatrecht des Erblassers zur Zeit seines Todes Anwendung (Art. 28).

Das IPR des ZGB hat keine normierte Regelung des Qualifikationsproblems und kennt die Rückverweisung nicht (Art. 32). Der Vorbehalt zugunsten der öffentlichen Ordnung (Art. 33) dient als Schlußvorschrift.

II. Zivilprozeßrecht [18])

1. Gerichtsverfassung

Die im Bereich der Gerichte tätigen Personen sind die Berufsrichter, Laienrichter, Rechtsanwälte und Staatsanwälte.

Die *Berufsrichter* haben eine besondere juristische Ausbildung zu durchlaufen. Sie werden auf Lebenszeit, vorbehaltlich einer Altersgrenze, ernannt und sind sachlich und persönlich unabhängig: Dies bedeutet, daß sie in ihrer beruflichen Tätigkeit keinerlei Weisungen irgendwelcher Vorgesetzter, sondern eben nur dem Gesetz unterworfen sind. Die *Laienrichter* werden aus der Mitte der Bürger gewählt und ausschließlich für die Strafgerichtsbarkeit verwendet. Die Vertretung des Bürgers vor Gericht und Verwaltungsbehörden ist Sache des *Rechtsanwalts*. Er unterliegt der gleichen Ausbildung wie der Berufsrichter und ist freiberuflich tätig. Es gibt nur einen einheitlichen Typ des Rechtsanwalts, der bei einem bestimmten Gericht zugelassen (d.h. eingeschrieben) ist. Anderen Personen als Anwälten ist die geschäftsmäßige Rechtsberatung und Vertretung vor Gericht in der Regel verboten. Vor gewissen Gerichten müssen sich die Parteien durch Rechtsanwälte vertreten lassen (sog. Anwaltszwang). Für Beurkundungen und andere Aufgaben der „vorsorgenden Rechtspflege" sind die *Notare* zuständig. Sie haben in der Regel dieselbe Ausbildung wie Richter und Rechtsanwälte und sind immer – wie die Anwälte – freiberuflich tätig.

Jedem Gericht ist durch Gesetz ein bestimmtes Aufgabengebiet zugewiesen; man nennt dies die sachliche Zuständigkeit. Jedem Gericht ist räumlich ein bestimmter Bezirk zugewiesen. Aus der Verbindung dieser örtlichen und sachlichen Zuständigkeit ergibt sich ein bestimmtes, für die Entscheidung berufenes Gericht. Grundsätzlich kann jede Partei, die in einem Prozeß unterlegen ist, das nächsthöhere Gericht anrufen, um eine Überprüfung des Urteils zu erreichen. Die

---

[18]) Κεραμεύς, Κ.: Ἀστικὸν Δικονομικὸν Δίκαιον I – II (Zivilprozeßrecht I – II). Thessaloniki–Athen 1973–1978; Μητσόπουλος, Γ.: Πολιτικὴ Δικονομία Α' (Zivilprozeßrecht Α'). Athen 1972; Μπρίνιας, Ἀναγκαστικὴ ἐκτέλεσις (Zwangsvollstreckung). 4 Bände Athen 1970–1972; Μπέης, Κ.: Πολιτικὴ Δικονομία (Zivilprozeßrecht, Kommentar). Athen 1973ff.; Ράμμος, Γ.: Ἐγχειρίδιον Ἀστικοῦ Δικονομικοῦ Δικαίου I (Lehrbuch des Zivilprozeßrechts I). Athen 1978; Φραγκίστας, Χ. – Φαλτσῆ, Π.: Δίκαιον ἀναγκαστικῆς ἐκτελέσεως I (Zwangsvollstreckungsrecht I). Thessaloniki 1978.

hauptsächlichen Rechtsmittel sind die Berufung und die Revision. Von Berufung spricht man, wenn sich das Rechtsmittel gegen ein Urteil der ersten Instanz richtet; also z.B. gegen ein Urteil des Landgerichts an das Obergericht. Das Rechtsmittel heißt Revision, wenn der Areopag (das Oberste Gericht) angerufen wird mit dem Antrag, das Urteil des Berufungsgerichts zu überprüfen.

2. Das gerichtliche Verfahren – Der Prozeß[19])

Die Gerichte werden nur auf eine Klage oder einen Antrag hin, nicht von Amts wegen tätig. Es gilt der Grundsatz: „wo kein Kläger, da kein Richter". Der Antrag des Klägers steckt den Rahmen für die gerichtliche Entscheidung ab; keinem Kläger kann mehr zugesprochen werden, als er beantragt hat. Im Strafprozeß bezeichnet der Staatsanwalt als Kläger die Tat, über die das Gericht zu urteilen hat.

Es darf keine gerichtliche Entscheidung ergehen, bevor nicht der durch sie Betroffene vor Gericht gehört wurde oder ihm zum mindesten die Gelegenheit gegeben war, seine Auffassung zur Sach- und Rechtslage darzulegen. Nur dort, wo ein am Verfahren Beteiligter sich diesem Verfahren entzieht, kann ein Urteil auch in seiner Abwesenheit ergehen (sog. Versäumnisverfahren).

Das Verfahren vor Gericht ist laut Gesetz mündlich (in der Praxis ist allerdings die Mündlichkeit zu einer Form geworden). Der Richter entscheidet aufgrund einer mündlichen Verhandlung. Zwar ist es zulässig, daß die Parteien die Verhandlung durch Schriftsätze vorbereiten, auch müssen bestimmte Prozeßhandlungen (z.B. Klage, ein Rechtsmittel) schriftlich vorgenommen werden; maßgebende Urteilsgrundlage ist aber immer das, was in der mündlichen Verhandlung von den Prozeßbeteiligten (den Parteien) vorgetragen wird. Das Verfahren vor Gericht ist in der Regel öffentlich; dies bedeutet, daß jedermann – nicht nur die Parteien – Zutritt zu der mündlichen Verhandlung vor Gericht hat. Die Beibringung des für die Entscheidung maßgeblichen Tatsachenmaterials ist in den einzelnen Verfahrensgesetzen verschieden gestaltet. Für Verfahren, in denen die privaten Interessen der Parteien das Übergewicht haben (Zivil- und Arbeitsgerichtsprozeß), gilt der sog. Verhandlungsgrundsatz: Es ist Sache der Parteien, das Tatsachenmaterial in den Prozeß einzuführen, das sie für die Entscheidung des Prozesses für wesentlich halten.

Für alle Arten der Verfahren gilt folgendes: Die Beweisaufnahme (z.B. die Vernehmung der Zeugen) ist stets Sache des Richters. Als Beweismittel kommen in Betracht: Zeugen, Sachverständige, Augenschein, Urkunden und die Parteien selbst. Keine Partei, auch nicht der Angeklagte, ist aber verpflichtet, Aussagen zu machen. Die Würdigung der Beweise ist Sache des Gerichts. Die richterliche Entscheidung, die das Verfahren abschließt, ergeht als Urteil. Dieses Urteil ist zu begründen.

In aller Regel sind gegen Urteile der ersten und zweiten Instanz Rechtsmittel möglich, und zwar gegen Urteile der ersten Instanz das Rechtsmittel der Beru-

---

[19]) Das neue Zivilprozeßgesetzbuch trat am 16. September 1968 in Kraft. Die deutsche Übersetzung von Baumgärtel-Rammos (Das griechische Zivilprozeß-Gesetzbuch mit Einführungsgesetz. Köln, Berlin, Bonn, München 1969) entspricht der ursprünglichen Fassung (Notgesetz 44/1967), die allerdings durch die Gesetzesverordnung 958/1971 weitgehend geändert wurde.

fung, gegen solche der zweiten Instanz der Revision. Die Berufung ermöglicht die Nachprüfung des Urteils in tatsächlicher und rechtlicher Hinsicht, die Revision nur in rechtlicher Beziehung. Ist ein Rechtsmittel nicht mehr zulässig (z.B. weil das höchste Gericht abschließend entschieden hat), so ist das Urteil rechtskräftig. Dies bedeutet: a) Der Urteilsspruch kann nicht mehr, auch nicht von einem anderen Gericht, in Zweifel gezogen werden, b) Das Urteil kann jetzt vollstreckt werden. Die unterlegene Partei hat die Kosten des Verfahrens zu tragen, und zwar sowohl die des Gerichts wie die des Prozeßgegners und ihre eigenen. Die Kosten sind nach bestimmten Gesichtspunkten (z.B. nach dem Streitwert) typisiert.

3. Internationales Zivilprozeßrecht[20])

Die griechische Zivilprozeßordnung enthält in Art. 3 eine ausdrückliche Regelung der internationalen Zuständigkeit, die besagt, daß Inländer und Ausländer gleichermaßen der Zuständigkeit griechischer Gerichte unterliegen, sofern diese gegeben ist. Von der Gerichtsbarkeit der inländischen Gerichte sind Ausländer, welche Exterritorialität besitzen, in den meisten Fällen, ausgenommen. Das heißt, daß die Regelung über die interne, örtliche Zuständigkeit für die Ausländer entsprechend gilt. Ist ein griechisches Gericht international zuständig, dann wendet es ausschließlich griechisches Prozeßrecht an, selbst wenn die Streitsache nach den Normen des IPR ausländischem materiellen Recht unterliegt. Ist die inländische internationale Zuständigkeit nicht gegeben, so ist die Klage wegen Fehlens einer Prozeßvoraussetzung als unzulässig abzuweisen.

Art. 5 und 6 ZPO regeln einerseits die Vornehmung von Prozeßhandlungen im Ausland und andererseits die Durchführung von Rechtshilfeersuchen im Inland auf Antrag ausländischer Behörden.

Ausländische Urteile werden in Griechenland unter den Voraussetzungen der Art. 323, 905 anerkannt und vollstreckt, wobei dieser Regelung etwaige zwischenstaatliche Verträge vorgehen.

III. Handels- und Wirtschaftsrecht

1. Rechtsgeschichtliches[21])

Das französische Handelsgesetzbuch, der Code de Commerce von 1807, wurde schon während des Unabhängigkeitskrieges gegen Ende des Jahres 1821 in Griechenland eingeführt. Die offizielle Übersetzung des Code de Commerce ist aller-

---

[20]) Georgiades, Ap.: Die Abänderung ausländischer Urteile im Inland, in: Festschrift für Zepos, Bd. II. Athen 1973, S. 189 ff.; Nagel, H.: Das griechische Zivilprozeß-Gesetzbuch von 1968 im Rahmen der Entwicklung des internationalen Zivilverfahrensrechts, in: Festschrift für Rammos, Bd. I. Athen 1979, S. 751 ff.; Frangistas, Ch.: La compétence internationale exclusive en droit privé (Studi in onore di Antonio Segni II). Milano 1967, S. 199 ff.; Mitsopoulos, G.: Problèmes de juridiction internationale en droit grec, in: Festschrift für G. Maridakis II. Athen 1963, S. 312 ff.; Kerameus, K.: Rechtsmittelfestigkeit und Vollstreckung von ausländischen Entscheidungen, in: Festschrift für Wengler II, Berlin 1973, S. 383 ff.; Γεωργιάδης, Ἀπ.: Ἐκτέλεσις καὶ ἀναγνώρισις ἀλλοδαπῶν ἀποφάσεων (Vollstreckung und Anerkennung ausländischer Entscheidungen). Armenopoulos 28. 1974, S. 599 ff.

[21]) Rokas, N.: Die Übernahme des Code de Commerce in Griechenland, in: Zeitschrift für das gesamte Handelsrecht und Wirtschaftsrecht. 125. 1962, S. 25 ff.

dings erst später durch eine Verordnung vom Jahre 1835 eingeführt worden; bis dahin bediente sich die Praxis zweier inoffizieller Übersetzungen, die aus der Vorrevolutionszeit stammten. Die Einführung des Code de Commerce in Griechenland läßt sich nicht nur durch die Tatsache erklären, daß es das neueste Handelsgesetzbuch seiner Zeit war, sondern auch aus der geschichtlichen Kontinuität, denn schon vor der Revolution wurde es von den griechischen Handelsleuten als geltendes Recht betrachtet.

Die spätere Einbeziehung neuer Objekte in den Handel und die Zunahme der vermittelnden Tätigkeit im Warenverkehr hatten aber die Entwicklung neuer, seinerzeit noch unbekannter Rechtsverhältnisse zur Folge. So war der Versicherungsvertrag zunächst nur in der Seeversicherung bekannt; eine allgemeine Regelung des Versicherungsvertragsrechts wurde in Griechenland erst im Jahre 1910 geschaffen. Ähnliches gilt z. B. für die Bankgeschäfte, den Scheck, die Börsengeschäfte, das Lagergeschäft; der Aktiengesellschaft schließlich waren im Code de Commerce lediglich elf inhaltsarme Artikel gewidmet. Alle diese und noch weitere Rechtsverhältnisse mußten daher durch neuere Gesetze geregelt werden, die den Code de Commerce ergänzt und modifiziert haben. Wenn wir ihn heute in der Gestalt, die er zur Zeit seiner Einführung in Griechenland hatte, mit der gegenwärtig geltenden griechischen Handelsgesetzgebung vergleichen, müssen wir feststellen, daß nur noch verhältnismäßig wenige Vorschriften unverändert in Griechenland in Kraft sind.

2. Handelsgeschäfte und Kaufleute[22])

Im Mittelpunkt des ursprünglichen griechischen Handelsrechts steht der Begriff der Handelsgeschäfte („actes des commerce"). Ausgangspunkt ist mithin das Handelsrechtsgeschäft; nicht, wie im HGB, die Person des Kaufmanns. Art. 2 und 3 des griechischen Gesetzes für die Zuständigkeit der Handelsgerichte zählen einzelne Handelsgeschäfte auf: Ankauf zum Zwecke des Wiederverkaufs, Kommissions-, Beförderungs- und Bankgeschäfte usw. Außerhalb des griechischen HGB gibt es auch Handelsgeschäfte, die durch neuere Gesetze oder durch die Rechtsprechung als solche qualifiziert werden, wie z. B. das Unternehmen der Privatschulen und Privatkliniken. Dazu kommen auch die Handelsgeschäfte aus der gesamten Tätigkeit eines Kaufmannes, wie z. B. Miete von Geschäftsräumen, Verträge mit Angestellten usw. Die Qualifizierung eines Rechtsgeschäfts als Handelsgeschäft wirkt sich unter anderen bei der Verjährung, dem Zeugenbeweis usw. aus.

Kaufmann ist, wer Handelstätigkeiten (Handelsgeschäfte) als Beruf betreibt. Erforderlich ist also eine Handelstätigkeit auf eigene Rechnung und mit der Absicht, Einkommen daraus zu erzielen. Dies gilt auch für Gesellschaften, falls sie

---

[22]) Ἀναστασιάδης, Ἠ.: Ἑλληνικὸν Ἐμπορικὸν Δίκαιον, ἔκδ. 5 (Griechisches Handelsrecht). 5. Aufl. Athen 1949; Καραβᾶς, Κ.: Ἐμπορικὸν Δίκαιον (Handelsrecht). Athen 1947–1962; Πέρδικας, Π.: Ἐγχειρίδιον Ἐμπορικοῦ Δικαίου (Lehrbuch des Handelsrechts). Athen 1960; Σπηλιόπουλος, Κ.: Στοιχεῖα Ἐμπορικοῦ Δικαίου (Grundzüge des Handelsrechts). Athen 1956; Τσιριντάνης, Ἀ.: Στοιχεῖα τοῦ Ἐμπορικοῦ Δικαίου (Grundzüge des Handelsrechts). 4. Aufl. Athen 1962.

nicht bereits Kaufmann kraft Form sind. Kaufmann kraft Rechtsform sind, nach dem griechischen Recht, z.B. die Aktiengesellschaft und die GmbH. Außer den bereits in Zusammenhang mit den Handelsgeschäften genannten Besonderheiten ist die Kaufmannseigenschaft vor allem in Hinblick auf die Buchführungspflicht und den Konkurs wichtig. Der Konkurs kann nur über das Vermögen eines Kaufmanns eröffnet werden.

3. Gesellschaftsrecht[23])

Die Vorschriften des HGB über Personalgesellschaften (Art. 18 bis 50) enthalten keine ausführliche Regelung. Für sie wie auch für die Kapitalgesellschaften sind ergänzend die Bestimmungen des ZGB über die bürgerlich-rechtliche Gesellschaft heranzuziehen.

Die bedeutendste Form der *Personengesellschaften* ist die *Offene Handelsgesellschaft*. Typisch für sie ist, daß alle Gesellschafter immer auch mit ihrem persönlichen Vermögen, also nicht nur mit dem der Firma, den Gesellschaftsgläubigern gegenüber haften. Eine *Kommanditgesellschaft* haben wir, wenn mindestens ein Gesellschafter unbeschränkt für die Verbindlichkeiten der Gesellschaft haftet, wie bei der OHG, wobei die anderen Gesellschafter nur bis zu ihrer persönlichen finanziellen Einlage haften, die sie in das gesamte Vermögen der Firma eingebracht haben.

Kapitalgesellschaften sind die Aktiengesellschaft (AG), geregelt im Gesetz 2190 von 1920 mit Ergänzungen und Erweiterungen, und die Gesellschaft mit beschränkter Haftung (GmbH), geregelt im Gesetz 3190 von 1955. Die Aktiengesellschaft empfiehlt sich für Großunternehmen mit hohem Kapitalbedarf. Das Grundkapital von ihr ist in Aktien aufgeteilt. Sie können auf den Inhaber oder auf den Namen lauten. Aus Gründen des Interessenschutzes der Aktionäre und der Gläubiger der AG sorgt das Gesetz für die Aufbringung und Erhaltung des Grundkapitals und ordnet die Publizierung der jährlichen Bilanz durch das Regierungsblatt. Organe der AG sind die Hauptversammlung der Aktionäre, das größere und demokratische Organ, und der Vorstand (Geschäftsführung und Vertretung der AG), das wichtigere Organ.

Die GmbH ist zwar eine Kapitalgesellschaft, aber mit Charakterzügen der Personalgesellschaften ausgestattet. Sie kommt für alle Betriebe in Frage und ist gesetzlich nicht so stark festgelegt wie die AG. Für das Aufbringen und Erhalten des Stammkapitals bestehen keine besonders wirksamen Vorschriften. Eine Publizitätspflicht besteht auch wie bei der AG. Organe sind der Geschäftsführer, ihr Vertreter im Rechtsverkehr und die Gesellschafterversammlung.

---

[23]) Γεωργακόπουλος, Λ.: Τὸ δίκαιον τῶν ἑταιρειῶν, τόμοι 3 (Gesellschaftsrecht, 3 Bände). Athen 1965–1975; Παμπούκης, Κ.: Δίκαιον ἐμπορικῶν ἑταιρειῶν (Das Recht der Handelsgesellschaften). Thessaloniki 1975; Ρόκας, Ν.: Ἐμπορικαὶ Ἑταιρεῖαι (Handelsgesellschaften). Athen 1974; Τσιριντάνης, Ἀ.: Στοιχεῖα ἐμπορικοῦ δικαίου τεῦχος Β' (Grundzüge des Handelsrechts, Bd. 2). 6. Aufl. Athen 1964; Πασσιᾶς, Ἰ.: Τὸ δίκαιον τῆς ἀνωνύμου ἑταιρείας (Das Recht der Aktiengesellschaft). Athen 1969.

4. Das übrige Handelsrecht

Das *Konkursrecht* wird in den Art. 525 ff. des HGB geregelt. Es gehört nicht –
wie bei anderen Rechtsordnungen – zum Prozeßrecht, weil in Konkurs nur natürliche und juristische Personen gehen können, die die kaufmännische Eigenschaft
besitzen[24]).

Das *Seerecht*[25]) wird im Gesetz 3816 von 1958 und in verschiedenen Nebengesetzen behandelt, während das *Versicherungsrecht*[26]) hauptsächlich in den Art.
189 ff. des HGB geregelt wird. Das *Wechsel-* und *Scheckrecht*[27]) (Gesetze 5325
von 1932 und 5960 von 1933) beruht auf den internationalen Genfer Konventio-
nen von 1930 und 1931 und entspricht daher weitgehend dem deutschen Recht.
Patentrecht[28]) bedeutet Schutzrecht für eine Erfindung. Das Patent wird nach
einem staatlichen Prüfungsverfahren im Rahmen des Gesetzes 2527 von 1920
erteilt. *Warenzeichenrecht*[29]) ist das Recht zum Schutz bestimmter Warenkenn-
zeichnungen bzw. Marken (Gesetz 1998 von 1939). Die Eintragung des Waren-
zeichens bzw. der Marke unterliegt ebenfalls einer gerichtlichen Kontrolle. Dazu
kommt das *Recht des unlauteren Wettbewerbs* (Gesetz 146 von 1914), das als
Schutz gegen eventuelle Konkurrenzhandlungen dient; vor allem dann, wenn der
Konkurrent im geschäftlichen Verkehr zu Zwecken des Wettbewerbs Handlungen
vornimmt, die gegen die guten Sitten verstoßen.

IV. Arbeitsrecht

Das Arbeitsrecht wird in Art. 648–680 ZGB, ergänzt und erweitert durch zahlreiche Sondergesetze, abgehandelt.

Voraussetzung des *individuellen Arbeitsrechts* ist der Abschluß eines Arbeits-
vertrags zwischen Arbeitnehmer und Arbeitgeber. Es besteht die freie Wahl des
Arbeitsplatzes. Das Arbeitsverhältnis verpflichtet einerseits zu Arbeitsleistung,
andererseits zu Lohnzahlung und zusätzlich für beide Seiten zu Fürsorge und
Treuepflicht. Innerhalb der Grenzen, die durch zwingende Bestimmungen des

---

[24]) Ρόκας, Κ.: Πτωχευτικὸν Δίκαιον, 12η. ἔκδ. (Konkursrecht, 12. Aufl.). Athen 1978; Κοτσίρης,
Λ.: Πτωχευτικὸν Δίκαιον (Konkursrecht). Athen 1978; Ροδόπουλος, Ἀ.: Πτωχευτικὸν Δίκαιον
(Konkursrecht). Athen 1966.

[25]) Δελούκας, Ν.: Ναυτικὸν Δίκαιον (Seerecht). Athen 1979; Ἀναστασιάδης, Ἠ.: Ἐμπορικὸν
Δίκαιον, τόμ. 2 (Handelsrecht, 2. Bd.). Athen 1937; Ρόκας, Κ.: Ναυτικὸν Δίκαιον, ἡμίτομος Α´
(Seerecht, Halbband 1). Athen 1968; Ποταμιάνος, Φ.: Στοιχεῖα ναυτικοῦ δικαίου (Grundzüge des
Seerechts). Athen 1966.

[26]) Ἀργυριάδης, Ἀ.: Στοιχεῖα ἀσφαλιστικοῦ δικαίου (Grundz. d. Versicherungsrechts). 2. Aufl.
Athen 1979; Ρόκας, Κ.: Ἰδιωτικὸν Ἀσφαλιστικὸν Δίκαιον (Privatversicherungsrecht). Athen 1974;
Ρόκας, Ι.: Τὸ ἰδιωτικὸν ἀσφαλιστικὸν δίκαιον εἰς τὴν νομολογίαν (Das Privatversicherungsrecht in
der Rechtsprechung). Athen 1979.

[27]) Δελούκας, Ν.: Ἀξιόγραφα (Wertpapiere). Athen o. J.; Ἀναστασιάδης, Ἠλ.: Πιστωτικοὶ
τίτλοι (Wertpapiere). Athen 1947–1948; Ποδόπουλος, Ἀ.: Πιστωτικοὶ τίτλοι (Wertpapiere). Athen
1962–1963.

[28]) Ἀργυριάδης, Ἀ.: Εὑρεσιτεχνία (Patent). Athen 1978; Σημίτης, Κ.: Τὸ δίκαιον ἐπὶ τῆς ἐφευρέ-
σεως (Das Patentrecht). Athen 1967.

[29]) Ρόκας, Ν.: Δίκαιον σημάτων (Warenzeichenrecht). Athen 1978.

Gesetzes und der Tarifverträge möglich sind, können die Parteien die Verträge inhaltlich frei gestalten. Bei Einhaltung des sozialen Kündigungsschutzes können die Vertragspartner die Kündigung im Arbeitsvertrag selbst gestalten. Danach ist die Kündigung von seiten des Arbeitsgebers nur wirksam, wenn sie durch in der Person des Arbeitnehmers liegende Gründe, die mit seiner Leistung zu tun haben, oder durch dringende betriebliche Erfordernisse gerechtfertigt ist. Das Kündigungsschutzrecht führt zum Arbeitsschutzrecht. Dies bedeutet staatliche Maßnahmen zum Schutz des Arbeitnehmers, wie z.B. Arbeitszeitschutz, Kinder- und Jugendschutz, Mutterschutz, Unfallschutz. Die Kontrolle der Einhaltung dieser Schutzbestimmungen obliegt besonderen staatlichen Behörden und den Gewerbeaufsichtsämtern.

Das sogenannte *kollektive Arbeitsrecht* umfaßt die tarifliche Gestaltung der Arbeitsbedingungen. Die Koalitionsfreiheit ist die Grundlage des Tarifvertragsrechts. Den Arbeitgeberverbänden und den Gewerkschaften steht das Recht zu, in Tarifverträgen die Arbeitsbedingungen frei zu gestalten. Der Tarifvertrag besteht aus einem schuldrechtlichen und einem normativen Teil.

Das Streikrecht steht allen Arbeitnehmern zu, soweit sie nicht als Beamte Sonderbestimmungen unterliegen. Für die Ausübung des Streikrechts haben sich richterrechtliche Grundsätze herausgebildet. Die Kampfmittel des Streiks und der Aussperrung sind nur dann rechtmäßig, wenn sie zur Durchsetzung arbeitsrechtlicher Ziele erfolgen.

Strafrecht

Nikolaos Androulakis, Athen

I. Geschichtlicher Überblick – II. Die Leitgedanken des griechischen materiellen Strafrechts – III. Strafverfahren

I. Geschichtlicher Überblick

Unmittelbar nach dem Aufstand gegen die Türkenherrschaft (1821) hat man in Griechenland das Bedürfnis empfunden, das damals entstandene totale Vakuum im Bereich des Strafrechtswesens zu füllen. Maßgeblich war auch der Einfluß der Aufklärung (Beccarias „Dei delitti e dei pene" wurde sehr früh – 1802 – durch Koraïs ins Neugriechische übersetzt und ausführlich kommentiert), der mit der lebendigen Einschätzung der Freiheitswerte durch das im Kampf begriffene Volk Hand in Hand ging. Man wollte vor allem auf diesem Gebiet der aus der Türkenzeit in furchtsamer Erinnerung behaltenen Willkür Einhalt bieten. Den ersten diesbezüglichen Versuch stellt ein Gesetzgebungstext aus dem Jahre 1823 dar, der den eigentümlichen Titel „Auslese der zweiten Nationalversammlung der Griechen über die Kriminalsachen" (Apanthisma ton enklimatikon tis 2. Ethnikis Synelevseos ton Ellinon) trägt. Es handelte sich um ein Werk von Nichtjuristen, die in manchem den Auffassungen des Volkes in bezug auf die Repression von antisozialen Taten Ausdruck gaben; manche gar konnten in ihm Spuren der byzantinischen punitiven Tradition entdecken – sicherlich eine recht gewagte Annahme. Auf jeden Fall war der „Auslese" das Fehlen jeglicher Systematik deutlich anzusehen.

Es war dem bayerischen Hofjuristen Georg Ludwig v. Maurer vorbehalten (der als Mitglied des dreiköpfigen Regentschaftsrats des auf den Thron Griechenlands berufenen minderjährigen Königs Otto, Sohn König Ludwigs I. von Bayern, im Jahre 1832 nach Griechenland kam), den neuen Staat auch mit einer für die damaligen Verhältnisse höchst befriedigenden Strafgesetzgebung zu beschenken. In weniger als 1½ Jahren vollbrachte v. Maurer, der oft als „Justinian Neugriechenlands" bezeichnet wird, die erstaunliche Leistung, nicht weniger als vier größere Gesetzgebungswerke (Strafgesetzbuch, Strafprozeßordnung, Zivilprozeßordnung und Gerichtsverfassungsgesetz) anzufertigen. Bei der Abfassung des StGB, das er selbst für das „vollständigste" seiner Zeit hielt, haben ihm als Vorbild vor allem das bayerische StBG aus dem Jahre 1813, aber auch die bayerischen Strafgesetzentwürfe von 1822, 1827 und 1831 gedient. Das Gesetz ist am 19. April 1834 in Kraft getreten. Wie erfolgreich es gewesen ist, zeigt die Tatsache, daß es der griechischen Praxis fast 120 Jahre lang zu befriedigenden Ergebnissen verholfen hat. Die ebenso langlebige StPO hingegen war vornehmlich an dem französischen *Code d'Instruction Criminelle* aus dem Jahre 1811 orientiert (v. Maurer hatte auch in Paris studiert und war ein profunder Kenner des französischen Rechts); dennoch hat v. Maurer, von Hause aus Prozessualist, selbständig arbeitend, sein Muster in vielem übertroffen. Die griechische StPO von 1835 lag in Hinsicht auf Liberalität (vorbildlich war ganz besonders das Beweisrecht) weit vor ihrer Zeit. Nach v. Maurer selbst könnten viele von den Bestimmungen der StPO nur auf Grund seines Werkes „Geschichte des altgermanischen und namentlich altbairischen öffentlich-mündlichen Gerichtsverfahrens" (1824) verstanden werden. Er glaubte nämlich, eine Art uralter Verwandtschaft zwischen Griechen und Germanen auch in diesem Bereich entdeckt zu haben. Allenfalls ist für die Zeit nach der Gründung des neugriechischen Staates eine starke Anlehnung des griechischen Strafrechtsdenkens an die deutsche Strafrechtswissenschaft zu verzeichnen, die traditionsgemäß bis heute erhalten bleibt. Grund dafür ist einfach die Tatsache, daß man seit 1834 eine Strafgesetzgebung hatte, die, von einem Deutschen verfaßt, nicht nur (vor allem im Bereich des materiellen Strafrechts) ein Produkt deutscher Strafrechtskultur war, sondern auch offiziell zweisprachig vorlag – im Zweifel war es sogar der deutsche Text, der über den entsprechenden griechischen ging.

StGB und StPO haben im Laufe der Zeit immer wieder Änderungen oder Ergänzungen erfahren. Mit einem ersten Versuch, das StGB völlig zu reformieren, hat man jedoch erst unter dem Einfluß der modernen Strafrechtsschulen im Jahre 1911 begonnen. Ein erster Entwurf konnte im Jahre 1924 veröffentlicht werden. Fünf Jahre danach publizierte man auch die Begründung. Bald darauf wurde eine Kommission zur Revision des Entwurfs von 1924 gebildet, die im Jahre 1933 den revidierten Entwurf samt Begründung vorlegte. Nach wiederholten neuen Revisionen, insbesondere des allgemeinen Teils, wurde der endgültige Entwurf von 1948 am 17.8. 1950 dem Parlament vorgelegt, der seit 1. Januar 1951 als das heute geltende StGB in Kraft ist. Treibende Kräfte der Reform waren die Athener Professoren Timoleon Iliopoulos (1856–1932) und Nikolaos Chorafas (1897–1974) sowie der spätere Präsident des Areopags Georgios Panopoulos. Insbesondere Chorafas, ein Schüler von Beling und Frank, ist für die geistige Physiognomie des geltenden griechischen StGB tonangebend gewesen – auf ihn ist vornehmlich die strenge, hin und wieder an das Lehrbuchmäßige angrenzende Systematik des Gesetzes (eigene Kapitel sind z. B. dem „Unrecht" und der „Zurechnung" zur Schuld gewidmet, Artikel 14 enthält eine formale Definition des Verbrechens) sowie seine modernisierende kriminalpolitische Konzeption zurückzuführen. Durch die deutschgeprägte Schulung seiner Autoren ist das geltende StGB fast ebenso eng mit der deutschen Strafrechtsdogmatik und -gesetzgebung verbunden wie das von Ludwig v. Maurer. Es hat natürlich auch Bereicherungen erfahren, die hauptsächlich italienischen und französischen Ursprungs sind und zu seiner Originalität beigetragen haben.

Das Bedürfnis nach einer Revision der v. Maurerschen StPO (nachdem sie im Laufe der Zeit in vielen Punkten geändert worden war) wurde erst um 1930 spürbar genug. 1931 wurden zu diesem Zwecke zwei Gremien, hauptsächlich aus hohen Richtern bestehend, gebildet: eine „Redaktions-" und eine „Revisionskommission". Erstere konnte schon 1932 einen Vorentwurf („Diagramm") vorlegen, der, durch die zweite revidiert, zu einem Entwurf 1934 wurde. Auf seiner Grundlage basiert die geltende StPO, die, ebenso wie ihr Zwillingswerk, das StGB, am 1.1. 1951 in Kraft trat. Die StPO ist dem StGB in bezug auf geistige Einheit und adäquate Auswertung der vorliegenden Vorbilder nicht ebenbürtig. Man hat sich hier im Grunde mit einer nicht immer gelungenen „Ausbesserung" und „Anpassung" der alten StPO entsprechend den Bedürfnissen der Praxis begnügt.

II. Die Leitgedanken des griechischen materiellen Strafrechts

An die Spitze seiner Vorschriften stellt das griechische StGB den Grundsatz *nullum crimen nulla poena sine lege* (Art. 1). In Anbetracht der Tatsache, daß dieser Grundsatz auch in der Verfassung verankert war und ist (Art. 7), ist der Sinn seiner Wiederholung im StGB darin zu sehen, daß der Gesetzgeber ein ausdrückliches Zeugnis seiner eigenen rechtsstaatlichen Gesinnung geben wollte. Eine bemerkenswerte Verstärkung hat das n.cr.s.l. – Prinzip durch die heute geltende demokratische Verfassung von 1975 erfahren. Nach Art. 7 Abs. 1 dieser letzteren soll das (der Tat) vorexistierende Strafgesetz auch „die Merkmale der Tat bestimmen". Damit wollte man der Unbestimmtheit der Straftatbestände und insbesondere der übermäßigen Benutzung von axiologischen Tatbestandsmerkmalen Grenzen setzen. *Nullum crimen sine lege certa!*

Art. 2 macht die Anwendung des (zwischen Tatbegehung und endgültiger Aburteilung in Kraft getretenen) milderen Gesetzes obligatorisch (mit Ausnahme der sog. Zeitgesetze, die für die Zeit ihrer Geltung ausschließlich anwendbar sind – Art. 3), während Art. 4 hinsichtlich der Sicherungsmaßregel die Möglichkeit einer Rückwirkung anerkennt, ja letztere vorschreibt.

Art. 5–11 StGB betreffen den räumlichen Geltungsbereich der Strafgesetze und verwandte Probleme (Anrechnung der im Auslande verbüßten Strafen – Art. 10, und Anerkennung von ausländischen Strafurteilen – Art. 11). Nach Art. 5 wird als Ausgangspunkt der gesamten Regelung das Territorialprinzip festgelegt. Dieses Prinzip wird durch (a) das aktive Personalprinzip, Art. 6 Abs. 1 und 2 (Auslandstaten von Inländern), (b) das passive Personalprinzip, Art. 7 (Auslandstaten von Ausländern gegen griechische Staatsbürger), (c) das Staatsschutzprinzip, Art. 8 Fälle a–e, und schließlich (d) das Universalprinzip, Art. 8 Fälle f–k, ergänzt.

Mit dem Art. 14 beginnt das zweite Kapitel des allgemeinen Teils unter dem Titel „Die strafbare Handlung". Wie schon erwähnt, beinhaltet Art. 14 eine Legaldefinition der Straftat: „(1) Verbrechen ist eine rechtswidrige und dem Täter (zur Schuld) zurechenbare Handlung, die vom Gesetz bestraft wird. (2) Der Begriff Handlung in den Vorschriften der Strafgesetze umfaßt auch die Unterlassungen." Diese formale Definition ist insofern auch von praktischer Bedeutung, als sie die Geltung der Grundsätze „keine Straftat ohne Unrecht", „keine Straftat ohne Schuld" für den gesamten Bereich des Nebenstrafrechts konsolidiert – nach Art. 12 des StGB sind seine Vorschriften auch dort anzuwenden, wenn nicht ausdrücklich anders vorgeschrieben. In Anschluß an Art. 14 § 2 wird dann in Art. 15 die Materie der unechten Unterlassung geregelt: Die Nichtabwendung eines strafbaren Erfolges wird der Herbeiführung desselben durch aktives Tun gleichgestellt unter der Voraussetzung, daß der Täter eine „besondere rechtliche Pflicht" hatte, ihn abzuwenden.

Art. 16 und 17 behandeln das Thema: Ort und Zeit der Tat. Zeit der Tat sei diejenige des strafbaren Verhaltens (Tuns oder Unterlassens); die Zeit des Erfolgseintritts sei „gleichgültig". Ort der Tat hingegen sei sowohl derjenige des Verhaltens als auch derjenige des Erfolgs. Art. 18 führt die sog. Trichotomie der strafbaren Handlungen in Verbrechen, Vergehen und Übertretungen ein. Die Einordnung in diese oder jene Kategorie vollzieht sich nach der im Gesetz in abstracto angedrohten

Strafe (Art. 19). Den Übertretungen sind die zwei letzten (26. und 27.) Kapitel des Besonderen Teils des StGB gewidmet.

Unter dem Titel „Der Unrechtscharakter der Tat" werden in den Art. 20–25 die Unrechtsausschließungsgründe behandelt; ansonsten wird das Unrecht der Tat durch ihre Tatbestandsmäßigkeit indiziert. Die unrechtsausschließenden Gründe werden nicht restriktiv im Gesetz erwähnt. Sie können aus allen Bereichen des Rechtes, geschriebenen oder auch gewohnheitsmäßigen, gewonnen werden, wie es sich aus der Generalklausel des Art. 20 ergibt: Das Unrecht der Tat wird ausgeschlossen, wenn diese die Ausübung eines Rechts oder die Erfüllung einer rechtlich auferlegten Pflicht darstellte. Anschließend behandelt das Gesetz einige allgemeine Unrechtsausschließungsgründe, namentlich das Handeln auf Befehl (Art. 21), die Notwehr (Art. 23–24) und den Notstand (Art. 25), wobei darauf zu achten ist, daß dieser letztere auch schuldausschließend funktionieren kann (der Notstand schließt das Unrecht aus, wenn der eingetretene Schaden „nach Art und Wichtigkeit" dem angedrohten Schaden „erheblich nachsteht"; dagegen schließt er nur die Schuld aus, wenn letzterer dem ersten „analog" war und der Handelnde zugunsten eines engen Verwandten eingegriffen hat – Art. 32). Die Einwilligung des Verletzten wird nur im besonderen Teil, als Grund, der das Unrecht der „einfachen" (im Gegensatz zur „gefährlichen" und „schweren") Körperverletzung ausschließt, erwähnt. Dennoch wird sie in Rechtsprechung und Lehre auch darüber hinaus als unrechts- bzw. tatbestandsausschließend anerkannt.

Der Schuld (Zurechnung der Tat) ist der nächste Abschnitt (Art. 26–35) des zweiten Kapitels des allgemeinen Teils gewidmet. Das Gesetz folgt der normativen Schuldauffassung und verfährt bei der Regelung der Materie streng systematisch: Art. 26–30 betreffen das psychologische Schuldelement (Verschuldensformen des Vorsatzes und der Fahrlässigkeit), Art. 31–32 das normative Schuldelement (Verbotsirrtum, schuldausschließender Notstand), während schließlich Art. 33–36 sich auf das biologische Schuldelement (Zurechnungsfähigkeit) beziehen. Einer besonderen Erwähnung ist die Vorschrift des Art. 31 § 2 über den Verbotsirrtum wert, womit sich der griechische Gesetzgeber in einer auffällig frühen Zeit für die sog. Schuldtheorie ausspricht. Die Vorschrift lautet: Die Tat wird dem Täter nicht zugerechnet, wenn er irrtümlich glaubte, daß er zur Tat berechtigt und dieser Irrtum ihm nachzusehen war. Art. 34 andererseits, die Grundvorschrift über die Zurechnungsunfähigkeit, hat folgenden Wortlaut: Die Tat wird dem Täter nicht zugerechnet, wenn er zur Zeit ihrer Begehung wegen krankhafter Störung seiner geistigen Funktionen oder wegen Gewissensstörung der Fähigkeit beraubt war, das Unrecht seiner Tat einzusehen oder gemäß dieser seiner Einsicht zu handeln.

Bei der Regelung des Versuchs (Art. 42–44) folgt das StBG einer ausgeglichenen objektiv-subjektiven Auffassung. So wird der Versuch einerseits prinzipiell mit einer geminderten Strafe geahndet, während andererseits auch für den untauglichen Versuch eine um die Hälfte weiter geminderte Strafe vorgesehen ist. Der Rücktritt vom unbeendeten Versuch wirkt als persönlicher Strafausschließungsgrund, während derjenige vom beendeten eine Strafminderung bzw. ein Absehen von Strafe nach sich zieht, beidesmal unter der Voraussetzung, daß er „freiwillig" und nicht auf „äußere Hindernisse" zurückzuführen war.

Teilnahmefragen werden in den Art. 45–49 geregelt. Bei der Unterscheidung zwischen Täterschaft und Beteiligungsformen (Anstiftung, „unmittelbare", „einfache" Beihilfe) folgt das Gesetz der sog. formal-objektiven Theorie. Da nach Art. 46 Anstiftung und „unmittelbare" Beihilfe mit derselben Strafe wie die Täterschaft bedroht sind, sind diese Formen der Beteiligung im Grunde genommen Strafausdehnungsgründe, wobei der Täterbegriff restriktiv zu erfassen ist. Andererseits wird das System der sog. limitierten Akzessorietät (der Beteiligungsformen im engeren Sinne von der Täterhandlung) zugrunde gelegt. Voraussetzung für die Bestrafung von Anstiftung und Beihilfe sind nur Tatbestandsmäßigkeit und Rechtswidrigkeit der Täterhandlung, ansonsten ist „die Strafbarkeit der Teilnehmer nach Art. 46 und 47 (Anstiftung und Beihilfe) von der Strafbarkeit dessen, der die Tat begangen hat, unabhängig" (Art. 48). Daraus folgt auch, daß im griechischen Strafrecht die Gestalt des sog. mittelbaren Täters von untergeordneter Bedeutung ist. Was schließlich die Unterscheidung zwischen „unmittelbarer" und „einfacher" Beihilfe anbelangt, so liegt erstere vor, wenn der Betreffende den Täter „während" und „in" der Ausführung der Haupttat „unmittelbar unterstützt", während die zweite (die milder zu bestrafen ist) nur in einer Unterstützung „vor" oder „während" der Haupttat besteht.

Der allgemeine Teil des StGB wird mit den Kapiteln über die Strafen und die Sicherungsmaßregeln, die richterliche Strafzumessung, die besonderen Verbrecherkategorien und ihre Behandlung, die Bestimmungen über die Konkurrenz, die sozialpräventiven Institutionen (z. B. Strafaussetzung auf Bewährung) und die Strafaufhebungsgründe ergänzt.

Trotz der allgemeinen Entwicklung wird die Todesstrafe im griechischen StGB immer noch beibehalten (Art. 50). Allerdings ist zumindest in den letzten sieben Jahren keine Todesstrafe vollstreckt worden. Natürlich liegt das Hauptgewicht des Strafensystems auf den Freiheitsstrafen. Nach Schwere sind es die folgenden: (a) Zuchthausstrafe. Sie kann lebenslänglich (wo es ausdrücklich im Gesetz bestimmt wird Art. 52 § 2), terminiert (zwischen 5 und 20 Jahren Art. 52 § 3) oder aber relativ unbestimmt (Art. 90 mit Bezug auf die gefährlichen Zustandsverbrecher) sein; (b) Gefängnisstrafe zwischen 10 Tagen und 5 Jahren (Art. 53); (c) Einschließung in eine Jugendstrafanstalt (Art. 54); (d) Einschließung in eine psychiatrische Anstalt von relativ unbestimmter Dauer (Art. 38, mit Bezug auf die gefährlichen gemindert Zurechnungsfähigen) und (e) Haft zwischen einem Tag und einem Monat (Art. 55). Sicherungsmaßregeln findet man im StGB die folgenden:
(a) Die Verwahrung zurechnungsunfähiger Verbrecher (Art. 69–70).
(b) Die Unterbringung von Trinkern und Rauschgiftsüchtigen in einer Heilanstalt (Art. 71).
(c) Die Unterbringung von arbeitsscheuen und zu unordentlichem Leben neigenden Verbrechern in einem Arbeitshaus (Art. 72).
(d) Das Aufenthaltsverbot (Art. 73).
(e) Die Ausweisung von Ausländern (Art. 74).
(f) Die Einziehung (Art. 76).

Als Schlüsselvorschrift des ganzen StGB kann diejenige des Art. 79 über die Strafzumessung betrachtet werden – sie enthalte „in kondensierter Form" seine Hauptrichtlinien, heißt es in der Relation des Justizministers an den Ministerrat. Bei der Zumessung der Strafe hat das Gericht einerseits die Schwere der Tat (d. h. sowohl des Unrechts als auch der Schuld), andererseits *die Persönlichkeit des Täters* zu berücksichtigen (Art. 79 § 1). Bei der Berücksichtigung der Täterpersönlichkeit ist insbesondere der Grad seiner in der Tat zum Ausdruck gekommenen *kriminellen Disposition* in Betracht zu ziehen (Art. 79 § 3).

Dies will sagen: Bei der Bemessung der Strafe kann das Gericht *über das Maß der Tatschuld hinausgehen.* Die kriminalpolitische Konzeption des StGB ist eine im wesentlichen spezialpräventive, wobei die Strafe selbst in ihrer konkreten Höhe als das Hauptinstrument der Spezialprävention fungiert. Dies zeigt sich etwa auch darin, daß das StGB die Maßregel einer Sicherungsverwahrung nicht kennt; die Zwecke dieser letzteren versucht das Gesetz anhand der (relativ) unbestimmten Freiheitsstrafe gegen gefährliche gemindert Zurechnungsfähige (Art. 38) und Zustandsverbrecher (Art. 90) zu erfüllen. Auf diese Weise soll auch der dieser Sicherungsmaßregel anhaftende „Etikettenschwindel" vermieden werden; denn „die Verwahrungsanstalten werden sicherlich keine Vergnügungsorte für gefährliche Berufsverbrecher sein" (so die von Chorafas verfaßte Relation zum Entwurf 1938, Kapitel 4). Eine Überschreitung der Tatschuld zum Zwecke der Spezialprävention wird auch sonst vielerorts expressis verbis angeordnet (so können z. B. der Versuch oder die einfache Beihilfe mit der vollen Strafe des vollendeten Verbrechens bzw. der Täterschaft geahndet werden, „wenn das Gericht feststellt, daß die geminderte Strafe nicht ausreicht, um den Täter von der Begehung anderer strafbarer Handlungen abzubringen" – Art. 42 § 2 und Art. 47 § 2). Es versteht sich von selbst, daß auch eine Unterschreitung der Tatschuld aus spezialpräventiven Gründen zulässig sein soll. In diese Richtung gehen ausdrücklich Art. 82 und 100 StGB, die die Umwandlung einer (höchstens einjährigen) Freiheitsstrafe in Geldstrafe bzw. ihre Strafaussetzung zur Bewährung vorsehen unter der Voraussetzung, daß der Vollzug der Freiheitsstrafe nicht notwendig ist, um den Täter von der Begehung weiterer Straftaten abzubringen. Besonders von der Strafumwandlung wird in der Praxis weitester Gebrauch gemacht.

Was nun die dogmatische Absicherung der Tatschuldüberschreitung anbelangt, so versucht Chorafas eine (zwischen Einzeltat und Charakter) vermittelnde Konzeption des Gegenstandes des Schuldvorwurfs zu entwickeln, die folgendermaßen aussieht: „Zurechnung" heißt *primär* Mißbilligung des Täters als Quelle der begangenen konkreten rechtswidrigen Tat, mit anderen Worten Mißbilligung des Täters wegen der „Psychodynamik seiner Persönlichkeit". In einer Reihe von Fällen aber, die gerade diejenigen sind, die größere Aufmerksamkeit erheischen, greift die Mißbilligung des Täters noch „tiefer", indem sie sich auch auf die Gefährlichkeit des Täters, d.h. auf die „Psychostatik seiner Persönlichkeit" bezieht. Dies ist dann der Fall, wenn der durch die Straftat an den Tag gelegte Ungehorsam gegenüber den Zwekken der Rechtsordnung nicht auf eine „vorübergehende Auflockerung des sonst sozialen Tons der Persönlichkeit", sondern auf eine „antisoziale oder asoziale Ausrichtung" derselben zurückzuführen ist. Unter diesen Umständen wird also der Täter nicht nur für das mißbilligt, was er getan hat, sondern auch für das, was er ist. Diese letztere Mißbilligung stellt gleichsam eine „Erweiterung" der „eigentlichen Zurechnung" dar, die von ihr gerade vorausgesetzt wird. Ob diese Argumentation heute als verfassungsrechtlich tragend zu betrachten ist (die Verfassung von 1975

enthält jetzt in Art. 2 einen dem Bonner GG Art. 1 I entnommenen Menschenwür-
deparagraphen), mag hier dahinstehen.

Nur zwei Worte für den besonderen Teil: Er ist in manchem fortschrittlich (z. B.
sind in der Regel homosexuelle Betätigungen unter Erwachsenen nicht strafbar), in
anderem aber konservativ (Ehebruch ist z. B. immer noch strafbar). Eine wahre Flut
von Nebengesetzen droht leider, die an sich solide gebaute griechische Strafrechts-
kodifikation zu überschwemmen. Ordnungswidrigkeiten kennt das griechische
Recht nicht.

III. Strafverfahren

In Griechenland obliegt das Anklagemonopol (mit Ausnahme der Übertretungen, für welche zum Teil auch die Polizei zuständig ist) der Staatsanwaltschaft. Es gilt
das Legalitätsprinzip: Der Staatsanwalt ist verpflichtet, einzuschreiten (Art. 36, 43
StPO), sobald er von der Begehung einer strafbaren Handlung auf irgendwelche
Weise Kenntnis erlangt hat (bei den Antragsdelikten vorausgesetzt, daß der Antrag
gestellt worden ist). Nur dann darf er etwa einer Strafanzeige oder einem Strafantrag
keine Folge leisten, wenn diese „offensichtlich völlig unbegründet" bzw. „falsch"
sind (Art. 43, 47). Das Gesetz erkennt auch Ausnahmen zugunsten des Opportuni-
tätsprinzips an, die aber eher unerheblich sind (z. B. im Fall, wo der Betreffende
schon wegen einer anderen Straftat verurteilt und die angedrohte Strafe im Vergleich mit der schon verhängten völlig unbedeutend ist – Art. 44 StPO).

Bei Verdacht einer strafbaren Handlung schreitet der Staatsanwalt ein, indem er
die öffentliche Klage erhebt. Es gibt im wesentlichen kein staatsanwaltschaftliches
Ermittlungsverfahren, das etwa demjenigen des deutschen Rechts vergleichbar
wäre. Die Staatsanwaltschaft verfolgt die Straftaten, indem sie die öffentliche Klage
erhebt, und ist diese einmal erhoben, so geht die Sache der Staatsanwaltschaft endgültig aus der Hand – das eingeleitete Verfahren kann von ihr nicht eingestellt werden. Nur das Gericht (in öffentlicher Verhandlung oder aber auch im Zwischenver-
fahren als Akkusationskammer) kann nunmehr den Angeklagten freisprechen.

Das Gesetz kennt drei Arten der Klageerhebung durch den Staatsanwalt: Durch
Anordnung einer Voruntersuchung (proanakrisis), durch Bestellung einer Hauptuntersuchung (kyria anakrisis) oder aber, indem der Angeklagte direkt vor ein Gericht zur Hauptverhandlung zitiert wird. Letzteres war bis 1976 im wesentlichen nur
bei Übertretungen und kleineren Vergehen möglich. Dazu kamen einige schwerere
Vergehen unter der Voraussetzung, daß die Täter in flagranti ertappt waren. Durch
eine Novelle von 1976 wurde diese Möglichkeit auf sämtliche Flagrantvergehen ausgedehnt. Die Hauptuntersuchung wird von einem Berufsrichter der ersten Instanz,
dem Untersuchungsrichter (anakritis), geführt. Die Untersuchungsrichter werden in
der Regel für eine Zeit von zwei Jahren zu diesem Amt bestellt. Ihnen allein steht die
Befugnis zu, die vorläufige Festnahme bzw. Untersuchungshaft des Beschuldigten
durch Erlaß eines entsprechenden Befehls anzuordnen. Darüber hinaus kann, ja soll
bei Verbrechen oder Vergehen jeder auf frischer Tat gefaßte oder verfolgte Täter
von irgendwelchen Untersuchungs- bzw. Polizeibeamten vorläufig festgenommen
werden (auch einfache Bürger sind dazu berechtigt). Bei Verbrechen wird die öffentliche Klage immer durch Bestellung einer Hauptuntersuchung eröffnet; bei Ver-

gehen hingegen wird die Sache nur dann zum Untersuchungsrichter geschickt, wenn nach Ansicht des Staatsanwalts der Erlaß eines Festnahme- bzw. Haftbefehls angezeigt ist. Dies ist nur bei denjenigen Vergehen möglich, die mit einer Gefängnisstrafe von zumindest drei Monaten bedroht sind, immer unter der Voraussetzung, daß es sich entweder um einen Ausländer oder um einen fluchtverdächtigen oder besonders gefährlichen Beschuldigten handelt (Art. 282). Generelle (materielle) Voraussetzung für die Anordnung der Untersuchungshaft ist der „begründete Tatverdacht", der ein gemindertes Wahrscheinlichkeitsurteil gegenüber den zur Eröffnung des Hauptverfahrens erforderlichen „hinreichenden Indizien" darstellt. Liegt ein solcher Tatverdacht vor, so ist die Anordnung der Untersuchungshaft bei Verbrechen obligatorisch – eine rechtsstaatlich sicherlich sehr bedenkliche Bestimmung, die durch die offengehaltene Möglichkeit einer vorläufigen Entlassung des Untersuchungshäftlings (Art. 292) nur einigermaßen kompensiert wird.

Im Gegensatz zur Hauptuntersuchung wird die Voruntersuchung entweder durch den Staatsanwalt selbst oder durch ihm unterstehende Personen (hauptsächlich Polizeibeamten) unter seiner Leitung geführt. Bei Flagrantdelikten (auch Verbrechen) oder bei Gefahr im Verzug darf die Polizei auch ohne staatsanwaltschaftliche Anordnung (d.h. ohne Strafklageerhebung) eine Voruntersuchung durchführen (sog. „polizeiliche Voruntersuchung"). Die Voruntersuchung soll, im Gegensatz zur Hauptuntersuchung, „summarisch" sein und kann immer durch die Bestellung dieser letzteren ergänzt werden.

Beide Arten des Vorverfahrens finden schriftlich und unter Ausschluß der Öffentlichkeit statt. Dagegen werden den Parteien, vor allem dem Angeklagten, weitgehende Einsichtsrechte gewährt (Art. 100–108 StPO). Obwohl der Staatsanwalt keine Partei ist, trägt das griechische Strafverfahren in starkem Maße die Merkmale eines Parteiprozesses. Dies geschieht insbesondere durch die sehr profilierte Stellung des Zivilklägers, der durchweg, von Beginn bis Ende des Verfahrens, als ein fast gleichberechtigter Gegner des Angeklagten fungiert.

Sobald die Voruntersuchung oder Hauptuntersuchung beendet ist, werden die Akten dem Staatsanwalt zugeleitet, der vor der Wahl steht: entweder den Beschuldigten durch Einreichung einer Anklageschrift (bei „hinreichenden Indizien") direkt vor Gericht zu zitieren – eine Befugnis, die ihm nur bei Vergehen zusteht – oder aber die Sache vor den sog. Gerichtsrat (dikastikon symvoulion: ein nicht öffentlich beratendes Gericht, bestehend aus drei Richtern der ersten Instanz; als Vorbild hat dem griechischen Gesetzgeber die *Chambre d'Accusation* des französischen Rechts gedient) zu bringen. Hat nur eine Voruntersuchung stattgefunden, so wird der Staatsanwalt diesen Weg nur dann gehen, wenn der Beschuldigte seiner Ansicht nach, mangels „hinreichender Indizien", freizusprechen ist. Der Gerichtsrat hat dann zu beschließen, ob das Hauptverfahren zu eröffnen ist (sog. Verweisungsbeschluß) oder nicht. Es gibt auch einen zweitinstanzlichen Gerichtsrat (beim Appellationsgericht), der sich mit Berufungen gegen die Beschlüsse des erstinstanzlichen befaßt.

Zuständig für die Aburteilung der Übertretungen sind die Amtsgerichte („Übertretungsgerichte") und in zweiter Instanz die Landgerichte; für diejenige der Vergehen die Landgerichte („Vergehensgerichte") und in zweiter Instanz die Appellationsgerichte. Für die Verbrechen sind seit 1967 die sog. „Gemischten Schwurgerichte" (bestehend heute aus vier Berufsrichtern und drei Laien; ab 1.1. 1980 ist eine Umkehrung des Zahlenverhältnisses vorgesehen) zuständig. Ab 1.1. 1980 soll auch für Verbrechen eine zweite Instanz eingeführt werden. Schon seit 1926 hat man eine Reihe von Verbrechen (hauptsächlich aus dem Bereich des Vermögensstrafrechts) aus der Zuständigkeit der Schwurgerichte genommen und den sog. „Fünfgliedrigen Appellationsgerichten" (Zusammensetzung: fünf Appellationsrichter) zugewiesen – ein Zeichen des Mißtrauens gegenüber den Laienrichtern. Seit 1939 sind spezielle Jugendkammern beim Land- und Appellationsgericht errichtet. Schließlich sei noch der Areopag als Kassations- und Revisionsgericht in Strafsachen erwähnt.

Das griechische Hauptverfahren zeichnet sich durch Öffentlichkeit, Mündlichkeit und Unmittelbarkeit aus. Es gelten die Prinzipien der materiellen Wahrheit und des sog. ethischen Beweises. Letzteres bedeutet zweierlei: Unbeschränkte Zahl der Beweismittel (Art. 179: „Im Strafverfahren ist jede Art von Beweismitteln zulässig") und freie Beweiswürdigung (Art. 177: „Die Richter sind nicht verpflichtet, rechtlichen Beweisregeln zu folgen, sondern sie sollen nach eigener Überzeugung entscheiden, der Stimme ihres Gewissens darin folgend" usw.). Eine indirekte, aber sehr wichtige Einschränkung erfährt diese letzte Seite des ethischen Beweises durch die Pflicht des Richters, seine Entscheidungen (einschließlich seiner jeweiligen Überzeugungsbildung) zu begründen (Art. 139). Die mangelhafte Urteilsbegründung ist der praktisch wichtigste Kassationsgrund (Art. 510 § 1 D). Die Materie der Beweis(verwertungs)verbote ist umstritten; die griechische StPO enthält keine etwa dem § 136a der deutschen StPO vergleichbare Vorschrift. Der Grundsatz „In dubio pro reo" wird völlig anerkannt.

Außenpolitik

Klaus-Detlev Grothusen, Hamburg

I. Einführung: 1. Voraussetzungen – 2. Periodisierung – II. Die Zeit bis 1944 – III. 1944–1949 – IV. 1949–1960 – V. 1960–1967 – VI. 1967–1974 – VII. 1974–1980

I. Einführung

1. Voraussetzungen

Am Anfang jeder Beschäftigung mit der Außenpolitik Griechenlands seit dem Ende des Zweiten Weltkriegs – d. h. für Griechenland mit dem Abzug der deutschen Truppen und dem Eintreffen der Regierung G. Papandreous in Athen im September bzw. Oktober 1944 – wird der Hinweis auf eine Reihe grundsätzlicher Fragen und Probleme zu stehen haben, ohne deren Kenntnis ein Verständnis der Ereignisse in ihrem chronologischen Ablauf nicht möglich ist.

Das erste und umfassendste dieser Probleme besteht in der Frage, ob es überhaupt möglich und gerechtfertigt ist, von einer „Außenpolitik Griechenlands" im üblichen Sinn als der autonomen Außenpolitik eines unabhängigen Staates zu sprechen. Die Formulierung dieser Frage macht die Gegenposition bereits deutlich: obwohl an der staats- und völkerrechtlichen Existenz des griechischen Staates[1]) von keiner Seite gezweifelt wird, finden sich dennoch innerhalb wie außerhalb Griechenlands in erstaunlicher Zahl ernstzunehmende Stimmen, die die außenpolitische Souveränität und Unabhängigkeit Griechenlands zumindest teilweise, nicht selten aber sogar gänzlich in Frage stellen. In der Regel wird darüber hinaus eine Kontinuität vom Beginn des modernen griechischen Staates 1830/32 an und noch weiter zurück aus der osmanischen Zeit angenommen, für die die Formulierung „from Ottoman subjugation to European tutelage" typisch ist[2]). Der Ausgangspunkt dieser Konzeption griechischer Außenpolitik (und Innenpolitik) ist das unbestreitbare Interesse, das die europäischen Großmächte stets an Griechenland genommen haben und das in der überragenden Bedeutung Englands als „natürlicher Schutzmacht Griechenlands" in den Jahren 1944–1947 seinen Höhepunkt erreichte. Nicht weniger sicher ist auch, daß die USA 1947 im Zusammenhang der Truman-Doktrin England ablösten und dessen Position bis 1949 direkt und indirekt bis 1974 übernahmen. Nachdruck wird auch auf die Bedeutung der NATO und der EG als Institutionen gelegt, die in der Lage und willens seien, die Handlungsfreiheit der griechischen Außenpoli-

---

[1]) Es kann hier außer Betracht bleiben, daß 1947 im Zusammenhang des Bürgerkrieges eine kurzlebige Gegenregierung von kommunistischer Seite gegründet wurde. Nicht einmal die Sowjetunion erkannte sie diplomatisch an. Als Quelle vgl.: La verité sur la Grèce. Livre bleu. Sur l'occupation américano-anglaise. Sur le régime monarcho-fasciste. Sur la lutte du peuple grec. Édité par le Ministère des Affaires Étrangères du Gouvernement Démocratique Provisoire de Grèce. (o.O.) 1948.

[2]) Couloumbis, Th. A.; Petropulos, J. A.; Psomiades, H. J.: Foreign Interference in Greek Politics. A Historical Perspective. New York 1976, S. 15.

tik entscheidend einzuschränken. Das Ergebnis sind einerseits politikwissenschaftliche Überlegungen zu Rolle und Funktion von Großmächten in ihrem Verhältnis zu kleineren Staaten in der heutigen internationalen Politik, deren Akzent auf der Untersuchung der Bedeutung ausländischer Einflüsse liegt[3]). Charakteristisch für eine solche Betrachtungsweise ist es, wenn die Ereignisse vom September und Oktober 1944 unter die Überschrift „Besatzungswechsel" gestellt werden[4]); wenn Griechenland in den Jahren 1944–1947 als „testing ground, laboratory for international politics" bezeichnet und von „Great Power pawnsmanship" gesprochen wird[5]); wenn Griechenland von 1947 an im Zeichen einer „politischen Außenlenkung" durch die USA[6]) oder als Satellit der USA gesehen wird[7]), die ihren Einfluß 1967 durch die Errichtung des Obristenregimes schließlich dazu benutzt hätten, eine „neue Bananenrepublik" nach lateinamerikanischem Vorbild zu errichten[8]). In die Tagespolitik nach 1974 übertragen und mit entschiedener Frontstellung gegen Griechenlands Eintritt in die EG verbunden, findet sich dieselbe Haltung schließlich im außenpolitischen Programm der PASOK und ihres Führers Andreas Papandreou[9]).

Daß eine derartige Betrachtungsweise der Außenpolitik Griechenlands zu Einseitigkeiten neigt, sollte auf der Hand liegen. Richtig und bedenkenswert ist allerdings, daß der Finger damit auf die außenpolitische Grundproblematik vieler kleiner und mittlerer Staaten gelegt wird, soweit sie politisch, wirtschaftlich oder militärisch im Interessenbereich der Großmächte liegen und weltpolitisch oder regional von Bedeutung sind: daß nämlich für sie eine völlig unabhängige, nur die eigenen Ziele verfolgende Außenpolitik grundsätzlich undenkbar ist. Nicht vergessen werden sollte freilich auch, daß eben dasselbe für die Großmächte gilt. Aufgabe der Forschung wird es daher sein, der Interdependenz von Eigen- und Fremdinteressen im Rahmen der Außenpolitik jedes Landes nachzugehen, wobei besonderes Augenmerk auf die quantitativen und qualitativen Veränderungen beider im zeitlichen Ablauf zu richten ist. Die griechische Außenpolitik von 1944 bis 1980 vermittelt eine ganze Reihe instruktiver Beispiele hierfür, ohne daß es gerechtfertigt wäre, von „Satellit", „Bananenrepublik" oder auch nur vom Beginn einer echten „griechischen Außenpolitik" erst mit dem Zeitpunkt des Wahlsieges G. Papandreous im Herbst 1963 zu sprechen[10]). Statt dessen ist mindestens ebensosehr wie auf die Bedeutung ausländischer

---

[3]) Außer dem in Anm. 2 genannten Werk sei z. B. hingewiesen auf: McNeill, W. H.: Greece: American Aid in Action. 1947–1956. New York 1957; U. S. Foreign Policy toward Greece and Cyprus. The Clash of Principle and Pragmatism. Th. A. Couloumbis, S. M. Hicks, editors. Washington 1975.
[4]) Richter, H.: Griechenland zwischen Revolution und Konterrevolution (1936–1946). Frankfurt a. M. 1973, S. 495.
[5]) Xydis, St. G.: Greece and the Great Powers 1944–1947. Prelude to the „Truman-Doctrine". Thessaloniki 1963, S. IX und X.
[6]) Gaitanides, J.: Griechenland – Heimkehr in die Demokratie, in: Aus Politik und Zeitgeschichte. Beilage zur Wochenzeitung „Das Parlament". B 20/75. 17. Mai 1975, S. 8.
[7]) Bakojannis, P.: Militärherrschaft in Griechenland. Eine Analyse zu Parakapitalismus und Spätfaschismus. Stuttgart u. a. (1972), S. 53.
[8]) Jannopoulos, G. N.: Die internationalen Implikationen des griechischen Problems, in: M. Nikolinakos, K. Nikolaou (Hrsg.): Die verhinderte Demokratie: Modell Griechenland. 2. Aufl. 1969, S. 97.
[9]) Vgl. die von der PASOK herausgegebene Schriftenreihe: PASOK. Panhellenic Socialist Movement, International Relations Committee, Series D, Publication No. 2: Foreign Policy. 4. September 1977.
[10]) G. Papandreou und die EK errangen ihren Wahlsieg vom 3. 11. 1963 mit diesem Slogan. Für die Einzelheiten vgl. das Kapitel über das „Politische System" in diesem Band, S. 92 ff.

Interessen für die griechische Außenpolitik auf ihre Bedingungen in der griechischen Innenpolitik zu achten.

Ein zweites Grundsatzproblem ist mit dem vorhergehenden unmittelbar verbunden: als konkrete Basis aller griechischen Außenpolitik ebenso wie für das Interesse der Großmächte erweist sich die geographische Lage Griechenlands. Zwischen dem Balkan als kontinentaler Randzone Südosteuropas und dem Mittelmeer gelegen, kommt Griechenland politisch, strategisch und wirtschaftsgeographisch international außerordentliches Gewicht zu. Es genügt, auf seine Bedeutung im Ersten und im Zweiten Weltkrieg, für die Südostflanke der NATO und für die EG hinzuweisen – wobei gerade die letzten Jahre allerdings in für Griechenland schmerzlicher Weise auch die Grenzen deutlich gemacht haben, die der griechischen Außenpolitik gesetzt sind, den geographischen Faktor als Mittel zur Durchsetzung eigener Ziele einzusetzen: es hat sich erwiesen, daß „im Zweifel" der geographischen Lage der Türkei aus der Sicht der Großmächte noch größeres Gewicht beigemessen wird als derjenigen Griechenlands.

Nicht zu vergessen ist außerdem die besondere Rolle der Ethnogeographie. Dies will besagen, daß es von der Staatsgründung 1830/32 an die vornehmste Aufgabe griechischer Außen- wie Innenpolitik sein mußte, das ganze von Griechen bewohnte Gebiet – oder doch möglichst große Teile davon – an das zunächst recht bescheidene Staatsgebiet anzuschließen[11]). Diese „Megali Idea" (Große Idee) war den griechischen Regierungen ebenso zwangsläufig aufgegeben wie mutatis mutandis denjenigen Serbiens, Rumäniens, Bulgariens und Albaniens für ihre Länder. Für die Zeit seit 1944 gehört vor allem das Zypern-Problem mit seinen explosiven internationalen Gefahren – bis hin zu einem Krieg zwischen NATO-Partnern – hierher, dazu aber auch die sog. Nordepirus-Frage, die das Verhältnis zu Albanien zumindest bis 1971 belastet hat, die Angliederung des Dodekanes 1947 von Italien u.a.m. Das Problem der Ethnogeographie vermag zudem einen wichtigen Beitrag zur Frage nach Eigen- oder Fremdorientiertheit der griechischen Außenpolitik zu leisten: es kann kein Zweifel sein, daß die griechische Außenpolitik in diesem für sie zentralen Bereich stets gegen das Interesse der Großmächte verlaufen ist. Dies Interesse der Großmächte ist gegenüber Griechenland überwiegend auf Erhaltung des Status quo gerichtet gewesen, während Griechenland eben diesen kontinuierlich zu revidieren versuchte. Als Ergebnis ist festzuhalten, daß es Griechenland trotz dieses ständigen Widerstandes gelungen ist, durch eine zähe und lange Zeiträume erfordernde Politik große Teile seines außenpolitischen Programms durchzusetzen. Offenkundig ist ferner gerade in diesem Zusammenhang die Bedeutung, die nationalen Interessen und nationalem Stolz in Griechenland zukommen. Aufgrund des entgegengesetzten Einflusses der Großmächte z.B. eine Politik zu verfolgen, die den Lebensinteressen der Griechen Zyperns zuwiderlaufen würde, wäre für jede griechische Regierung innenpolitischer Selbstmord. Die Grenzen außenpolitischer Fremdbestimmung Griechenlands werden an diesem Beispiel besonders deutlich.

Zu ergänzen sind die Probleme, die sich aus der geographischen Lage Griechenlands ergeben, durch den Mangel an wirtschaftlichen Ressourcen im Lande. Dieser Mangel mußte sich stets in doppelter Weise auswirken: einmal in bezug auf die

---

[11]) Vgl. Karte 1 zu diesem Kapitel über die territoriale Entwicklung Griechenlands.

Karte 1:   Territoriale Entwicklung Griechenlands von 1832 bis 1947

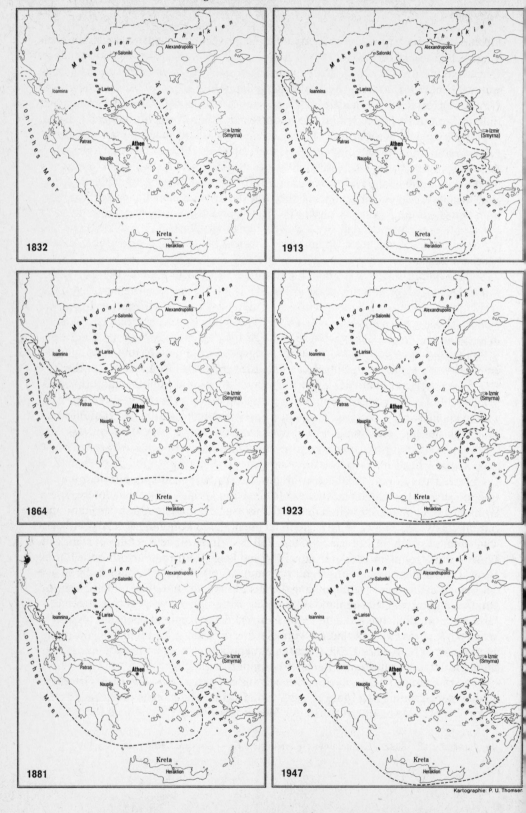

Kartographie: P. U. Thomser

Großmächte. Es leuchtet ein, daß das Streben nach Verfügungsgewalt über wirtschaftliche Ressourcen nie ein Motiv ihres Interesses an Griechenland sein konnte. Und dann in Hinsicht auf Griechenland selbst, dem aufgrund dieses Mangels eine wesentliche Möglichkeit eigener Machtbildung fehlte. Um so größer ist stets die Notwendigkeit für Griechenland gewesen, durch Allianzen äußere Hilfe für sich zu mobilisieren. Daß dadurch die Gefahr der Abhängigkeit stieg, liegt auf der Hand.

Die Frage nach den Allianzen Griechenlands und damit der Freunde und Gegner griechischer Außenpolitik hat ebenfalls grundsätzlichen Charakter, wobei sich drei Bereiche unterscheiden lassen. Den ersten bilden die unmittelbaren staatlichen Nachbarn Türkei, Bulgarien, Jugoslawien und Albanien. Mit ihnen sind die wichtigsten Anliegen griechischer Außenpolitik verbunden, seien es solche, die allen Staaten gemeinsam sind – innere und äußere Sicherheit, territoriale Integrität und Unabhängigkeit –, oder spezifisch griechische wie die Nordepirusfrage, Zypern oder das Ägäis-Problem. Griechische Außenpolitik erweist sich damit von sich aus primär stets auf den Balkan- oder Mittelmeerraum bezogen. Sie ist Regionalpolitik und nicht Weltpolitik, auch wenn sie mit allgemeinen Begriffen wie „Antislawismus" oder „Antikommunismus" verbunden wird. Aufgrund des traditionellen und nicht nachlassenden Interesses der Großmächte an dieser Region ergibt sich sodann der zweite Bereich, in dem Allianzen und Gegnerschaften vorhanden sind. Und aus beiden zusammen folgt schließlich in sehr spezifischer Weise vom griechischen Standpunkt aus der dritte Bereich: derjenige internationaler Organisationen. Zu denken ist hier vor allem an die UNO (sowie früher an den Völkerbund), die NATO und die EG. Ihnen allen kommt eine nicht zu unterschätzende Bedeutung als Instrument griechischer Außenpolitik zu, allerdings auch umgekehrt als Mittel des Drucks auf Griechenland. Das Verhältnis dieser drei Bereiche zueinander ist im zeitlichen Ablauf keineswegs statisch gewesen, sondern war einem steten Wandel unterlegen, der ebenso von Faktoren nationaler griechischer Interessen wie der internationalen Politik bestimmt gewesen ist.

Damit ist als nächstes Problem die internationale Bedeutung der griechischen Außenpolitik angesprochen. Hier kann nun kein Zweifel sein, daß die letztere sich stets weit über ihren zunächst regionalen Ausgangspunkt hinaus als wesentlich im internationalen Rahmen erwiesen hat. Dies gilt für die „Schlacht von Athen" (Dezember 1944–Januar 1945) ebenso wie für die „Dritte Runde" des Bürgerkriegs (1946–1949), den Balkanpakt von 1953/54, die Zypernfrage und das Ägäis-Problem sowie die Militärherrschaft der Obristen von 1967 bis 1974. Und noch vor der „Schlacht von Athen" steht am Beginn griechischer Nachkriegsgeschichte das sog. Prozentabkommen zwischen Churchill und Stalin vom Oktober 1944, das Griechenland als einziges Land Südosteuropas zu 90% dem westlichen Einflußbereich zuschrieb. Der griechische Bürgerkrieg ließ Griechenland zum ersten großen „Apple of Discord"[12]) zwischen den Kriegsalliierten werden, und die sich anschließende amerikanische Containment-Politik ist ohne die auf Griechenland und die Türkei bezogene Truman-Doktrin vom März 1947 undenkbar. Die Zypern-Frage gehört schließlich zusammen mit dem Ägäis-Problem nicht nur zu den wichtigen Unruhe-

---

[12]) Woodhouse, C. M.: Apple of Discord. A Survey of Recent Greek Politics in their International Setting. London u. a. (1948).

herden der internationalen Politik seit den 50er Jahren, sondern stellt außerdem auch die bis heute stärkste Belastung des westlichen Verteidigungssystems aufgrund innerer Spannungen dar.

Die Mitgliedschaft Griechenlands in der NATO berührt weiterhin ein Grundphänomen griechischer Außenpolitik, das in der Regel vom westlichen, aber auch vom griechischen Standpunkt aus als Selbstverständlichkeit und nicht als Problem empfunden wird: die Zugehörigkeit Griechenlands zum „Westen", die durch die im April 1979 endgültig für 1981 festgelegte Aufnahme als Vollmitglied in die EG nur quantitativ verstärkt, nicht aber qualitativ verändert wird. Dies entspricht einer traditionellen Auffassung der griechischen Geschichte, die bruchlos von 1830/32 an als politisch, wirtschaftlich, militärisch und kulturell zum Westen gehörig angesehen wird. Übertragen auf die Nachkriegsgeschichte bedeutet dies, daß von drei Möglichkeiten: der Zugehörigkeit zum Westblock, zum Ostblock oder Politik der Blockfreiheit die erste außerhalb jeder Diskussion als selbstverständlich für Griechenland gilt. Nur allzu leicht wird hier jedoch übersehen, daß mit dem „Prozentabkommen" von 1944 eine grundsätzliche Vorentscheidung getroffen worden war oder daß das nördliche Nachbarland Jugoslawien 1948/49 aus eigener Kraft eine Umorientierung seiner Außenpolitik vorgenommen hat. Sicher ist es richtig, daß die Entscheidung des griechischen Wählers in allen Wahlen seit 1946 mit stets über 75 % der Stimmen für die Westorientierung Griechenlands ausgefallen ist; es sollte darüber aber nicht vergessen werden, daß es nicht nur zum erklärten Programm Andreas Papandreous und der PASOK gehört, die These des „Wir gehören zum Westen" abzulehnen[13]), sondern daß es auch unabhängig davon wichtig ist, den Problemen und der Entwicklung der Zugehörigkeit Griechenlands zum Westen nachzugehen.

Die Zugehörigkeit Griechenlands zum Bereich der freien Demokratien des Westens führt schließlich zu einem letzten Problem, das zudem geeignet erscheint, zu der Frage nach Selbständigkeit oder Fremdbestimmtheit griechischer Außenpolitik zurückzukehren. Es ist das Problem der Rolle großer historischer Persönlichkeiten in der griechischen Politik. Hier ist zunächst davon auszugehen, daß es zu den traditionellen Besonderheiten der letzteren gehört, daß große Persönlichkeiten in ihr stets von zentraler Bedeutung gewesen sind[14]): Marschall Papagos, dessen Rolle mit derjenigen de Gaulles für Frankreich verglichen worden ist, Konstantin Karamanlis und der zyprische Grieche Erzbischof Makarios sind nicht nur Schlüsselfiguren zum Verständnis der Außenpolitik Griechenlands seit 1944, sondern können auch als Beweis für die These herangezogen werden, daß die internationale Bedeutung Griechenlands zu einem guten Teil von Griechenland selbst bestimmt gewesen ist.

2. Periodisierung

Bevor von diesen allgemeinen Überlegungen zum chronologischen Verlauf der Ereignisse übergegangen wird, erscheint es notwendig, zumindest noch auf eine sich aus eben diesem Verlauf ergebende Problematik gesondert einzugehen. Gemeint ist

---

[13]) Vgl. u. a. die Rede Papandreous vom 8. 7. 1977, in: PASOK. Panhellenic Socialist Movement. International Relations Committee. Series A, Publication No. 2: The Organisation. 1. September 1977, S. 25.
[14]) Schütz, E.: Die politisch-soziologischen Gründe für den Verfall der parlamentarischen Demokratie in Griechenland. Köln 1968, S. 16 ff (Berichte des Bundesinstituts für ostwissenschaftliche und internationale Studien. 32. 1968).

die Frage, unter welchen Voraussetzungen und in welcher Form sich die griechische Außenpolitik der Nachkriegszeit zeitlich gliedern läßt. Hierbei dürfte von der Möglichkeit auszugehen sein, für Außen- und Innenpolitik eine gemeinsame Periodisierung zu finden. Das Ergebnis wird allerdings sein, daß sich in dieser Hinsicht nur bedingt eine Übereinstimmung finden läßt. Zwar ist es auch in Griechenland selbstverständlich nicht so, als ob Außen- und Innenpolitik unabhängig voneinander verlaufen, dennoch erweist es sich, daß neben einer Reihe von Übereinstimmungen auch deutliche und hervorstechende Unterschiede bestehen. Für die Innenpolitik bietet sich folgende Gliederung an:

1944–1949: Der Bürgerkrieg
1949–1952: Das Scheitern des liberalen Kurses
1952–1961: Phase relativer innenpolitischer Stabilität unter den Regierungen Papagos und Karamanlis
1961–1967: Die Systemkrise
1967–1974: Die Diktatur
1974–1980: Rückkehr zur Demokratie

Der erste Unterschied zwischen Innen- und Außenpolitik besteht nun darin, daß sich bei genügend verallgemeinerter Fragestellung durchaus behaupten läßt, die griechische Außenpolitik der Nachkriegszeit weise überhaupt keine qualitativen Änderungen und damit keinerlei zeitliche Einschnitte auf. Wendet man nämlich auf Griechenland dasselbe Schema an, das sich z.B. im Fall Jugoslawiens als aussagekräftig erweist[15]): Zugehörigkeit zum Ostblock, zum Westblock oder Politik der Blockfreiheit, so erweist es sich, daß die griechische Außenpolitik demgegenüber durchaus „eingleisig" verlaufen ist. Von der Übernahme der Amtsgeschäfte durch die erste Nachkriegsregierung in Athen im Oktober 1944 an hat Griechenland bis heute ohne Unterbrechung dem „Westblock" oder besser: dem Bereich der westlichen Demokratien angehört. An einer solchen Einschätzung ändert sich auch dann nichts, wenn der Beginn griechischer Nachkriegsaußenpolitik auf das Jahr 1941 vorgezogen wird, als die erste Exilregierung bereits mit einem außenpolitischen Programm hervortrat, von dem sicherlich eine direkte Kontinuität zum Oktober 1944 führt[16]).

Bei näherer Betrachtung erweist es sich allerdings, daß eine derartig undifferenzierte Betrachtungsweise nicht ausreichend ist. Ein erster anderer, unbezweifelbar wichtiger Gesichtspunkt kommt hinzu, wenn das skizzierte Problem der Unabhängigkeit und Autonomie Griechenlands berücksichtigt wird. Aufgrund dieser Fragestellung wird nicht selten und mit Nachdruck eine Zweiteilung der griechischen Nachkriegsaußenpolitik vorgenommen: 1. völlige Abhängigkeit vom westlichen Ausland, 2. zumindest partielle Unabhängigkeit. An Jahreszahlen festgemacht, kann dies eine Phase der vollen Abhängigkeit bedeuten, die von 1936 bis 1946, von 1944 bis 1946, von 1944 bis 1947 oder von 1944 bis 1952 reicht[17]). Auch unabhän-

---

[15]) Vgl. Grothusen, K.-D.: Die Außenpolitik, in: Südosteuropa-Handbuch Bd. 1: Jugoslawien. 1975, S. 152–155.

[16]) Woodhouse, C. M.: Modern Greece. London (1977), S. 238ff.

[17]) In der genannten Reihenfolge vgl. Richter, H.: Griechenland zwischen Revolution und Konterrevolution (1936–1946). Frankfurt a.M. 1973; Coufoudakis-Petroussis, E.: International Organisations and Small State Conflicts: The Greek Experience. Ann Arbor 1972, S. 118; Xydis, St. G.: Greece and the Great Powers, 1944–1947. Thessaloniki 1963; Coulumbis u.a.: Foreign Interference, S. 122ff.

gig von dem schwierigen Problem der griechischen Autonomie läßt sich aber noch eine ganze Reihe weiterer Argumente für eine chronologische Unterteilung der griechischen Nachkriegsaußenpolitik finden. Als Ergebnis sei eine Einteilung vorgetragen, an der sich die folgende Darstellung orientiert und auf deren Begründung von Abschnitt zu Abschnitt einzugehen sein wird:

1944–1949: Außenpolitik im Zeichen des Bürgerkriegs
1949–1960: Außenpolitische Stabilisierung im Zeichen von NATO und Balkanpakt; das Zypernproblem (1. Phase)
1960–1967: EWG (1. Phase) und Zypernproblem (2. Phase)
1967–1974: Außenpolitik im Zeichen der Diktatur
1974–1980: Gegnerschaft zur Türkei und Zypernproblem (3. Phase); EG (2. Phase)

Um die Zusammenhänge der griechischen Nachkriegsaußenpolitik verständlich zu machen, wird es außerdem nötig sein, in einem einleitenden Abschnitt auf die Zeit vor 1944 einzugehen.

II. Die Zeit bis 1944

Die griechische Außenpolitik erweist sich vom Beginn der Eigenstaatlichkeit 1830/32 an als bestimmt durch das Spannungsverhältnis zweier Grundprobleme:

1. Territorialer Expansionsdrang als kontinuierliches Ziel aller griechischen Regierungen im Sinne der „Megali Idea", der „Großen Idee": d.h. der griechischen Variante jener großen europäischen nationalen Bewegung des 19. Jahrhunderts, die in den Nachbarländern als „Großserbische", „Großrumänische" und „Großbulgarische" Bestrebungen bekannt ist[18]). Die griechischen Grenzen, die niemals natürliche oder historische gewesen sind, sollten soweit vorgeschoben werden, daß sie einen möglichst großen Teil, wenn schon nicht alle griechischen Siedlungsgebiete umfaßten. Wie groß diese Aufgabe war, zeigt die Tatsache, daß 1830/32 nur etwa ¼ aller Griechen im Verband des neuen Staates lebte[19]).

2. Das Verhalten der europäischen Großmächte zu Griechenland und im besonderen zur „Megali Idea". An erster Stelle sind die drei Garantiemächte von 1830/32 zu nennen: England – das mit Blick auf den gesamten Zeitraum bis 1944 ohne Zweifel die wichtigste Rolle gespielt hat –, Frankreich und Rußland. Seit dem Erwerb des Dodekanes 1912 nimmt außerdem Italien unmittelbar Anteil am griechischen Geschehen. Und schließlich ist nicht zu vergessen, daß der eigentliche Gegenspieler und bis 1912 einziger Grenznachbar Griechenlands das Osmanische Reich war.

Die Tatsache, daß Griechenland kein Partner der Verträge von 1830 und 1832 war, die am Beginn seiner staatlichen Unabhängigkeit stehen, dient dabei gern als Ausgangspunkt für die These, daß zumindest bis zum Vertrag von Lausanne 1923 von einer eigenständigen griechischen Außenpolitik nicht die Rede sein könne, sondern daß die drei Garantiemächte Griechenland in einem beständigen Zustand kolonialer Abhängigkeit gehalten hätten[20]). Um diese These zu stützen, wird zudem

---

[18]) Vgl. Bernath, M.: Nationalstaatsbildung in Südosteuropa als Teil eines gesamteuropäischen Geschichtsprozesses, in: Südosteuropa-Mitteilungen. 18, 3. 1978, S. 3–11.

[19]) Zum Verständnis der folgenden Ausführungen vgl. Karte Nr. 1.

[20]) Zusätzlich zur bereits genannten Literatur vgl. Legg, K. R.: Politics in Modern Greece. Stanford 1969, S. 41 ff. – Die Verträge von 1830/32 sind zuverlässig ediert in: Martens, Ch.; de Cussy, F. (éd.): Recueil de traités, conventions et autres actes diplomatiques. T. IV. Leipzig 1846, S. 105 f., 339ff.

darauf verwiesen, daß auf diese Weise ein für Griechenland durch Jahrhunderte unter osmanischer Herrschaft zur Gewohnheit gewordener Zustand äußerer Unselbständigkeit nur fortgesetzt worden sei. Und schließlich wird die latente Instabilität der griechischen Innenpolitik in direkten Zusammenhang mit der außenpolitischen Abhängigkeit gebracht.

Auch wenn sich gute Gründe dafür finden lassen, eine solche Betrachtungsweise für übertrieben zu halten, so kann doch kein Zweifel sein, daß es zahlreiche Beispiele für massive Interventionen vor allem der drei Garantiemächte gibt, die weit über das in Europa sonst „übliche" Maß hinausgehen: dreimal – im Krimkrieg, 1886 und im Ersten Weltkrieg – ist das Mittel der Seeblockade Athens eingesetzt worden, um griechische Regierungen den Zielen der Großmächte gefügig zu machen – und jedes Mal mit Erfolg; und auf wirtschaftlichem Gebiet führte die kontinuierliche Abhängigkeit Griechenlands von ausländischen Anleihen unmittelbar von 1832 an über wiederholte Schuldenkonferenzen, eine erste internationale Finanzkontrolle 1856 und einen Staatsbankrott 1893 zu einer internationalen Finanzkontrollkommission 1897, die die Finanzsouveränität Griechenlands vorübergehend praktisch aufhob.

Trotz dieser fast erdrückenden Beispiele ergibt sich dennoch die Möglichkeit zu einer entgegengesetzten Betrachtungsweise, wenn nach den Zielen dieses unbezweifelbar massiven ausländischen Interesses an Griechenland gefragt wird. Hier zeigt es sich, daß es abgesehen von der eminenten Bedeutung des griechischen Territoriums für jede Großmachtpolitik im östlichen Mittelmeerraum und damit weit über speziell griechische Probleme hinaus[21]) für alle beteiligten Mächte – und zwar unter Einschluß des Osmanischen Reiches – *ein* gemeinsames und sich konstant erhaltendes Ziel gab: die Erhaltung des territorialen und politischen Status quo. Auf der anderen Seite kann ebenso wenig ein Zweifel daran sein, daß es vom Beginn des griechischen Aufstandes von 1821 an das erklärte oberste Ziel aller griechischen Außenpolitik war, im vollen Gegensatz dazu im Sinne der „Megali Idea" den Status quo zu verändern. Und wenn festzustellen ist, daß es Griechenland gelungen ist, diesem Ziel bis hin zum Vertrag von Neuilly 1919 kontinuierlich näher zu kommen, so muß zu fragen sein, ob der Eigenbestimmtheit der griechischen Außenpolitik nicht doch wesentlich mehr Bedeutung zukommt als den ausländischen Einflüssen.

Natürlicher Gegner dieser griechischen Außenpolitik war bis zu den beiden Balkankriegen 1912/13 das Osmanische Reich, von da an außerdem die neuen territorialen Nachbarn Serbien, Bulgarien, Albanien und Italien. Zurückhaltung legte sich Griechenland nur gegenüber dem wichtigen Freund England auf, das seinen eigenen griechisch verwalteten Besitz, die Ionischen Inseln, ohnehin 1864 freiwillig zurückgab, und den anderen, Zypern[22]), 1915 als Preis für den Eintritt Griechenlands in den Ersten Weltkrieg anbot.

---

[21]) Ein typisches Beispiel hierfür ist die im Gefolge der Serbien-Offensive der Mittelmächte und des Eintritts Bulgariens in den Ersten Weltkrieg 1915 ohne Rücksicht auf die griechische Neutralität durch die Entente eröffnete Saloniki-Front.

[22]) Zypern kam 1878 im Zusammenhang des russisch-türkischen Krieges von 1877/78 unter englische Verwaltung. Der nach Ausbruch des Ersten Weltkriegs erfolgten Annexion mußte die Türkei in Lausanne zustimmen. Als Standardwerk für die ältere Geschichte Zyperns vgl. Hill, G.: A History of Cyprus. Vol. 1–4. Cambridge 1940–1952, für die folgende Zeit u.a. Crouzet, F.: Le conflit de Chypre 1946–1959. T.1.2. Bruxelles 1973.

Das Ende des Ersten Weltkrieges brachte mit dem Frieden von Neuilly durch den Gewinn von Westthrakien zwar einen weiteren großen Erfolg im Sinne der „Megali Idea", beraubte Bulgarien zugleich aber des Zugangs zur Ägäis und machte den bulgarischen Revisionismus über den Zweiten Weltkrieg hinaus zu einem der schwierigsten außenpolitischen Probleme Griechenlands. Nimmt man die latenten Spannungen mit Serbien bzw. Jugoslawien wegen Makedonien – im Besonderen wegen Saloniki – hinzu, so erklärt sich, warum die „slawische Gefahr aus dem Norden" eine so große Rolle in den außenpolitischen Konzeptionen Griechenlands spielte und warum Griechenland zu den entschiedenen Gegnern des Vorfriedens von San Stefano von 1878 und der Idee eines unter russischem Protektorat stehenden „Kreuzes auf der Hagia Sophia" gehört hat. Ein zweiter, noch weit größerer territorialer Erfolg blieben Griechenland 1920 verwehrt: durch den Vertrag von Sèvres hätte Griechenland Ostthrakien, Gallipoli, die Inseln Imbros und Tenedos sowie für fünf Jahre die Verwaltung von Smyrna samt Hinterland erhalten sollen[23]). Als Kemal Atatürk sich weigerte, den Vertrag zu ratifizieren, ließ sich Griechenland im Alleingang auf einen Krieg mit der Türkei ein, der mit einer vollständigen Niederlage endete. Das Ergebnis war der Vertrag von Lausanne, der alle aufgrund von Sèvres möglichen territorialen Gewinne zunichte machte, sowie ein Zusatzvertrag über einen Bevölkerungstransfer[24]). Aufgrund des letzteren mußten mit Ausnahme der Griechen in Istanbul, auf Imbros und Tenedos sowie der Türken in Westthrakien die beiden Minderheiten ihre Heimat verlassen. Für das wirtschaftlich ohnehin schwache Griechenland bedeutete die Aufnahme von rund 1,4 Mio. Flüchtlingen ($1/5$ der Gesamtbevölkerung) eine außerordentliche Belastung. Als positiv ist allerdings anzusehen, daß in Verbindung mit einem gleichzeitigen Bevölkerungsaustausch mit Bulgarien die nationale Homogenität Griechenlands erheblich zunahm. Zugleich bedeutete die Katastrophe von Smyrna aber auch das Ende der „Megali Idea" mit Blickrichtung auf Westanatolien. Es verblieben als mögliche Ziele Zypern, der Dodekanes, der Nordepirus – als Anspruch gegenüber Albanien – sowie kleinere Korrekturen an den Grenzen zu Jugoslawien und Albanien.

Konflikte ergaben sich hieraus in der Zwischenkriegszeit mit allen beteiligten Mächten – mit der bezeichnenden Ausnahme Englands, obwohl es 1931 auf Zypern zu ersten heftigen Auseinandersetzungen zwischen den Zypern-Griechen (rund 78 % der Bevölkerung) mit der englischen Regierung um die Frage des Anschlusses an Griechenland, der „Enosis", kam. Zur Lösung der Konflikte mit Italien, Albanien, Bulgarien und der Türkei, in hohem Maße aber auch wegen des schweren Flüchtlingsproblems kam es wiederholt zur Einschaltung des Völkerbundes. Dies kann als typisch für die Bedeutung jenes dritten außenpolitischen Bereichs gelten, der auch nach 1944 für Griechenland entscheidend sein sollte: der internationalen Organisationen (neben den „Bereichen" Nachbarstaaten und Großmächte[25]).

---

[23]) Nach Ablauf der fünf Jahre hätte in einem Plebiszit darüber entschieden werden sollen, ob das Gebiet von Smyrna endgültig an Griechenland fiel. Für den Vertragstext siehe: Nouveau recueil général de traités et autres actes relatifs aux rapports de droit international. Continuation du Grand Recueil de Ch. de Martens par H. Triepel. Troisième Série. T.XII. Paris 1925, S. 644f.

[24]) Für die Vertragstexte siehe: Nouveau Recueil Général. Troisième Série. T.XIII, S. 342ff. (Der Bevölkerungsaustausch ist im Annex aufgeführt.)

[25]) Eine spezielle Untersuchung dieses Bereichs für Zwischen- wie Nachkriegszeit gibt Coufoudakis-Petroussis (Anm. 17).

Neben diesen Konflikten ist in der Zwischenkriegszeit aber auch das Bemühen deutlich, mit den Nachbarn zu einem Ausgleich zu kommen. Es ist jene Idee des Bundes der Balkanstaaten, die sich vom 19. Jahrhundert an über die Balkankriege bis zum Balkanpakt von 1953/54 sowie der Idee des „Balkans als Zone des Friedens" Ende der 50er Jahre hinzieht und in der Zwischenkriegszeit von E. Venizelos 1928 aufgenommen wurde. Nach bilateralen Verträgen und den eher privaten Balkankonferenzen von 1930 an kam es 1934 zum Abschluß der Balkanentente zwischen Griechenland, der Türkei, Rumänien und Jugoslawien. Das Fernbleiben Bulgariens war allerdings kein Zufall, und es gelang nicht, eine feste Allianz aufzubauen, die den beteiligten Staaten im Zweiten Weltkrieg Rückhalt gegen die aggressive Politik Italiens und Deutschlands hätte bieten können. Statt dessen erwies sich das Verhältnis zwischen der Türkei und der griechischen Exilregierung von 1941 an sogar als besonders schlecht, und auch die Idee einer Balkanunion, die 1942 zwischen den griechischen und jugoslawischen Exilregierungen diskutiert wurde, blieb ohne greifbare Folgen. Die griechische Außenpolitik vor 1944 führt so zu der These hin, daß der Bereich der Nachbarstaaten vorwiegend negativ zu beurteilen ist, während es im Verhältnis zu den Großmächten durchaus lange Phasen stabiler Beziehungen gab, auch wenn hier die Gefahr eines starken äußeren Einflusses auf Griechenland unverkennbar ist. England ist für beides das beste Beispiel, und zwar gerade auch in der letzten zeitlichen Phase vor 1944: im Zweiten Weltkrieg.

England ist es gewesen, das durch seine – zusammen mit Frankreich – im April 1939 abgegebene Garantieerklärung den Schutz des Landes übernommen hatte; und Englands Bedeutung sollte sich auch während des Krieges als vorrangig erweisen, obschon es nicht verhindern konnte, daß Griechenland vom deutschen „Blitzkrieg" im April 1941 bis zur Befreiung im Oktober 1944 mehr als die meisten anderen europäischen Länder unter Besatzung, Hunger und Not zu leiden hatte. Am Beginn der griechischen Teilnahme am Zweiten Weltkrieg stand im übrigen nicht der Überfall Deutschlands, sondern derjenige Italiens, nachdem Griechenland das am 28. Oktober 1940 gestellte italienische Ultimatum mit „ochi" („nein") beantwortet hatte. Der „Ochi-Tag" ist bis heute nationaler Feiertag in Griechenland, erinnert er doch nicht nur an den Mut zum Widerstand gegenüber einer Großmacht, sondern auch an den ebenso unerwarteten wie glänzenden militärischen Erfolg unter Führung des – späteren – Marschalls Papagos. Der Angriff Italiens von dem 1939 annektierten Albanien aus schließt übrigens die Phase des aktiven Eingreifens Italiens in die von der „Megali Idea" erfaßte griechische Interessensphäre ab, die 1912 begonnen hatte. Nachdem auf den Sieg über die italienisch-albanischen Truppen im Frühjahr 1941 aufgrund des Eingreifens Deutschlands die Niederlage Griechenlands gefolgt war, ist es im Sinne des oben Dargelegten außerdem verständlich, wieso außer deutschen und italienischen auch albanische und bulgarische Truppen Griechenland besetzten.

Für die griechische Außenpolitik der Nachkriegszeit ist es wichtig, daß sich die griechische Exilregierung unter englischem Schutz nach Kairo und London begab. Englands alte Rolle als Schutzmacht Griechenlands trat damit erneut voll in Erscheinung. Es sollte allerdings beachtet werden, daß Griechenland auch unter den für eine eigenständige Außenpolitik sicherlich besonders ungünstigen Bedingungen der Kriegszeit durchaus an eigenen Zielsetzungen festhielt, die den englischen Interessen direkt zuwiderliefen. Zu denken ist in erster Linie an die Frage der „Enosis" von Zypern, die im Februar 1941, anläßlich eines Besuches von Eden in Athen, mit Nachdruck vorgebracht wurde und sich von da an durch die ganze Kriegszeit hindurchzieht, obwohl Churchill keinen Zweifel daran ließ, daß er ihr ablehnend gegenüberstand. Am besten zusammengefaßt finden sich die griechischen außenpolitischen Vorstellungen in einem Memorandum, das anläßlich eines Besuchs König Georgs II. bei Roosevelt am 12.6. 1942 überreicht wurde und deutlich macht, daß es – von einem geringen Anteil strategischer Überlegungen abgesehen – um den Abschluß der „Megali Idea" ging: Nordepirus, den Dodekanes, Zypern sowie Korrekturen an den Grenzen zu Jugoslawien und Bulgarien[26]).

Von diesem traditionellen Bereich griechischer Außenpolitik abgesehen zeichnete sich mit Fortschreiten des Krieges immer deutlicher ein anderes, in dieser Form völlig neues Problem ab: die Einbeziehung Griechenlands in den Einflußbereich der Sowjetunion. Innen- und Außenpolitik beginnen sich hier zu überschneiden, da die entscheidende Rolle hier nicht außer acht gelassen werden kann, die die in der Zwischenkriegszeit praktisch bedeutungslose Kommunistische Partei Griechenlands (KKE) in der zentralen Widerstandsorganisation gegen die Besatzungsmächte, der EAM, spielte. Die EAM hielt nach dem Abzug der deutschen Truppen am 13./14.10. 1944 die Macht im Lande praktisch in der Hand, wobei es für unseren Zusammenhang wichtig ist, daß ihr keinerlei Hilfe durch die Sowjetunion, wohl aber massive Unterstützung durch England zuteil geworden war[27]). Daß es dennoch dem von Ende 1943 an klar geäußerten Willen Churchills, Griechenland nicht unter sowjetische Herrschaft kommen zu lassen, zu danken ist, daß Griechenland nicht den Weg der anderen südosteuropäischen Länder ging, ist kein Widerspruch: die englische Unterstützung für den griechischen Widerstandskampf galt dem vorrangigen Ziel, die Kräfte der Achsenmächte zu schwächen. Das Ergebnis von Churchills, gegen den Wunsch Roosevelts durchgesetzter Südosteuropa-Politik war das sog. Prozentabkommen, das er am 9.10. 1944 in Moskau mit Stalin abschloß[28]). Es regelte die Verteilung des östlichen und westlichen Einflusses in den südosteuropäischen Ländern, wobei allein Griechenland mit einem Verhältnis von 90:10 eindeutig dem Westen zugeschlagen wurde. Daß sich die EAM und vor allem die KKE zumindest bis zum Dezember 1944 dieser Politik anschlossen und widerstandslos in die im Mai 1944 gebildete neue Regierung der nationalen Einheit eintraten, dürfte sich ebenso aus ihrem Gehorsam gegenüber Moskau wie aus dem Fehlen einer eigenständigen Persönlichkeit im Sinne Titos erklären.

Als die griechische Regierung unter G. Papandreou am 18.10. 1944 in Athen einzog, ergab sich damit folgendes Bild: soweit bei dem gebieterischen Vorrang der Innenpolitik bei einem weithin in Trümmern liegenden und von innenpolitischen Spannungen geschüttelten Land überhaupt von Außenpolitik die Rede sein konnte,

---

[26]) Das Memorandum ist u. a. abgedruckt bei Xydis: Greece, S. 693–696.
[27]) Englische Augenzeugenberichte und Darstellungen gehören so zu den besten Quellen dieser Zeit. Zu nennen sind vor allem die Arbeiten von Woodhouse, C. M.: Apple of Discord. London 1948; ders.: The Struggle for Greece 1941–1949. London 1976 u.a.m. Zur Forschung sei vor allem M. Esche genannt: Die Kommunistische Partei Griechenlands 1941–1949. Ein Beitrag zur Politik der KKE von Beginn der Resistance bis zum Ende des Bürgerkrieges. Phil. Diss. Hamburg 1980 (im Druck).
[28]) Für den Text vgl.: Churchill, W. S.: The Second World War. Vol. IV. Boston 1953, S. 226–228.

war es klar, daß alle nicht zur EAM gehörenden Minister die traditionelle Bindung an England befürworteten. Als außenpolitisches Programm konnten ohne weiteres die im Memorandum vom 12.6. 1942 aufgeführten Ziele gelten, die alle in der ehrwürdigen Tradition der „Megali Idea" seit 1830/32 standen. Hinzu kam aber nicht anders als im 19. Jahrhundert das Hineingestelltsein Griechenlands in Interessenkonflikte der Großmächte, wenn auch mit neuen Inhalten. Es war der heraufziehende Kalte Krieg zwischen den Alliierten des Zweiten Weltkriegs, in dem Griechenland eine besonders tragische Rolle spielen sollte. Zu erklären ist dies nicht zuletzt auch aus der griechischen Innenpolitik, dem griechischen Bürgerkrieg, der nur wenige Wochen nach Kriegsende in seine erste Phase trat.

III. 1944–1949

Aufgrund der untrennbaren Verflechtung von Außen- und Innenpolitik in der Zeit des griechischen Bürgerkriegs können die Jahre von 1944 bis 1949 auch für die griechische Außenpolitik als Periode angesehen werden. Diese reicht dementsprechend vom 18. 10. und dem Beginn der „Zweiten Runde" am 3. 12. 1944 bis zur Beendigung der großen Kampfhandlungen der „Dritten Runde" im Oktober 1949, obwohl die im Oktober 1946 gegründete Kommission der UNO zur Untersuchung der Vorgänge auf dem Balkan (UNSCOB) ihre Tätigkeit offiziell erst im Februar 1952 beendete[29]). Die Verflechtung von Außen- und Innenpolitik erweist sich über die ständige Einbeziehung der UNO hinaus allein schon dadurch, daß die „Zweite Runde" in der „Schlacht von Athen" nichts anderes war als eine harte und blutige Schlacht zwischen englischen Truppen und der EAM, an deren Beginn der Befehl Churchills an den englischen Oberbefehlshaber R.M. Scobie stand „to act as if (he) were in a conquered city where a local rebellion (was) in progress"[30]); und weiter durch den offiziellen Übergang der Unterstützungsaufgabe an die USA mit der Truman-Doktrin am 12.3. 1947. Nimmt man die kontinuierliche Beteiligung der drei nördlichen Nachbarn Albanien, Jugoslawien und Bulgarien hinzu, hinter denen die Sowjetunion stand, so rundet sich das Bild des ersten „Stellvertreterkrieges" nach dem Zweiten Weltkrieg ab. Mehr als alle folgenden Perioden ist diese mit der Frage nach dem Grad der Selbständigkeit griechischer Außenpolitik verbunden. Zur Charakterisierung wird gern das Wort Dean Achesons zitiert: „All this time Greece was in the position of a semi-conscious patient on the critical list"[31]). Es kommt hinzu, daß Griechenland erst durch die Wahlen vom 31.3. 1946 wieder eine vom Volk legitimierte Regierung erhielt, wobei es gerade diese – unter der Aufsicht einer anderen internationalen Kommission, der AMFOGE[32]) – stattfindenden Wahlen waren, die den unmittelbaren Anlaß zum Beginn der „Dritten Runde" bildeten.

---

[29]) Die eingehendsten Untersuchungen hierzu, basierend auf intensivem Quellenstudium, geben St. G. Xydis (Anm. 5) und E. Coufoudakis-Petroussis (Anm. 17), S. 146f.

[30]) Churchill, W. S.: The Second World War. Vol. VI. Boston 1953, S. 277.

[31]) Acheson, D.: Present at the Creation. New York 1969, S. 221.

[32]) Die AMFOGE sollte eine interalliierte Kommission sein, doch hatte die Sowjetunion eine Teilnahme als Einmischung in die inneren Angelegenheiten Griechenlands abgelehnt. Es verblieben so die USA, die die meisten Wahlbeobachter stellten, England und Frankreich.

Die Bedeutung Englands für die Zeit bis zum 21.2. 1947, als die englische Regierung die USA davon in Kenntnis setzte, daß eine Fortsetzung der englischen Hilfe für Griechenland über den 1.4. 1947 hinaus aus ökonomischen Gründen unmöglich sei, ist ohne Zweifel außerordentlich groß gewesen. Den Ausgangspunkt bildet das „Prozentabkommen" vom 9.10. 1944, das die unmittelbare Berechtigung für das Eingreifen der englischen Truppen vom 3.12. 1944 an gab. In der Forschung ein ungelöstes Problem ist es wegen der Unzugänglichkeit der sowjetischen Archive allerdings, wieso es überhaupt zur „Zweiten Runde" und damit zu dem Versuch der EAM kommen konnte, die Macht in Griechenland zu übernehmen. Die Tatsache, daß sich die Sowjetunion während der „Schlacht von Athen" passiv und damit nach außen hin loyal gegenüber dem „Prozentabkommen" verhielt, kann jedenfalls als Beweis dafür nicht ausreichen, daß sie an den Vorgängen im stillen unbeteiligt gewesen sei und daß es sich daher um einen ersten Ansatz von Nationalkommunismus oder um eine griechisch-englische Provokation gehandelt habe. Die auf das englische Eingreifen folgende, überaus heftige Kritik an Churchill in England und den USA, ebenso wie Churchills Blitzbesuch in Athen zu Weihnachten 1944 unterstrichen auf jeden Fall noch vor dem allgemeinen Ende des Zweiten Weltkriegs vor den Augen der Weltöffentlichkeit die Bedeutung Griechenlands an der Nahtstelle zwischen Ost und West. Für die griechische Außenpolitik ist der 21.2. 1947 nicht weniger bedeutsam, weil mit diesem Tag eine über hundertjährige Tradition vorrangiger Bedeutung Englands für Griechenland zu Ende ging.

Mit der Rede Präsident Trumans vor beiden Häusern des amerikanischen Kongresses am 12.3. 1947 und der Unterzeichnung des Public Law No. 75 am 22.5. 1947, in dem es hieß, „the national integrity and survival" Griechenlands und der Türkei seien „of importance to the security of the United States and all freedom-loving peoples"[33]), traten die USA für Griechenland an die Stelle Englands. Was materielle Hilfe betraf, orientierte sich Griechenland nun an den USA. Erst mit dem Beginn der Beitrittsverhandlungen zur EWG 1959 ergab sich erneut eine grundsätzliche Akzentverschiebung. Der Ersatz Englands durch die USA vollzog sich im übrigen keineswegs schlagartig. Ausgehend vom Memorandum vom 12.6. 1942 finden sich schon vom Oktober 1944 an Bemühungen der griechischen Regierung um amerikanische Hilfe, ebenso wie ernsthafte Überlegungen von amerikanischer Seite noch vor der Konferenz von Potsdam, die die ersten Auseinandersetzungen der Alliierten über Griechenland brachte[34]). Bezeichnend für die große Bedeutung griechischen Einflusses innerhalb der USA ist die Gründung eines „Justice for Greece"-Komitees im Oktober 1945, dem mehr als die Hälfte aller Senatoren angehörte. Im Dezember 1945 fand im Rahmen der Flottenkonzeption J. V. Forrestals der erste einer langen Reihe amerikanischer Flottenbesuche in Athen statt, und 1946 traten die

---

[33]) Für die Truman-Doktrin und für das Public Law No. 75: Public Papers of the President of the United States H. S. Truman, Containing the Public Messages, Speeches and Statements of the President, Jan. to Dec. 1947. Washington 1963, S. 176–180.

[34]) Für die Vorbereitung der USA auf Potsdam s.: State Department Briefing Book, Paper June 29, 1945, in: Xydis: Greece, Annex IV, S. 697f; für die Kontroversen in Potsdam siehe: Deuerlein, E. (Hrsg.): Potsdam 1945. Quellen zur Konferenz der „Großen Drei". München 1963; Fischer, A. (Hrsg.): Teheran, Jalta, Potsdam. Die sowjetischen Protokolle von den Kriegskonferenzen der „Großen Drei". Köln 1968, S. 221f, S. 290f.

USA im Rahmen der UNO bereits wiederholt mit Entschiedenheit für Griechenland gegen die Sowjetunion ein.

Wie sehr die Zeit des griechischen Bürgerkriegs über die griechische Innenpolitik hinausführt, zeigt weiter auch der „zweite Bereich": das Verhältnis zu den Nachbarstaaten, in diesem Fall insbesondere dasjenige zu den drei nördlichen – Albanien, Jugoslawien und Bulgarien. Ohne die massive und kontinuierliche Unterstützung der KKE durch diese drei Staaten wäre es niemals zu jener zweiten Leidenszeit Griechenlands gekommen, die es Griechenland als einzigem Land Europas unmöglich machte, nicht schon 1945, sondern erst 1949 an den Wiederaufbau zu gehen. Umgekehrt ist es keineswegs nur den Führungsqualitäten Marschall Papagos', der im Januar 1949 den Oberbefehl übernahm, zu verdanken, daß der Bürgerkrieg 1949 zu Ende ging: mindestens ebenso bedeutsam ist der Kominform-Konflikt Jugoslawiens gewesen, aufgrund dessen Tito im Juli 1949 die Schließung der jugoslawisch-griechischen Grenze befahl.

Das seit alters her belastete Verhältnis zu seinen drei nördlichen Nachbarn erweist sich damit auch in der ersten Phase griechischer Nachkriegsaußenpolitik als rein negativ. Zu den neuen Gegensätzen kamen traditionelle hinzu: Jugoslawien und Bulgarien forderten auf den Außenministerkonferenzen und der Pariser Friedenskonferenz 1946/47 erneut einen Zugang zum Mittelmeer (Ägäisch-Makedonien mit Saloniki bzw. Westthrakien); Griechenland verlangte nicht weniger nachdrücklich den Nordepirus und Korrekturen an der griechisch-bulgarischen Grenze. Wenn das letztere durch den bulgarischen Friedensvertrag vom 10. 2. 1947 im Sinne des Status quo entschieden wurde, so konnte die Nordepirus-Forderung bis heute von Griechenland de jure aufrechterhalten werden, da es auf den Konferenzen von 1946/47 zu einer Verschiebung der Frage auf die Zeit nach dem Abschluß eines österreichischen und deutschen Friedensvertrags gekommen war[35]). Gerade der ständige Nachdruck, mit dem sich die griechischen Regierungen bis 1949 trotz wiederholter Rügen durch die UNSCOB und die UN-Vollversammlungen für die Abtretung des Nordepirus durch Albanien aussprachen, ist im übrigen ein erstes Argument dafür, daß es trotz des massiven Einflusses, den England und die USA in diesen Jahren ohne Zweifel ausüben konnten, auch in dieser schwächsten Phase griechischer Nachkriegsaußenpolitik nicht möglich ist, einfach von einem kolonialen oder halbkolonialen Status des Landes zu reden. Dasselbe gilt für die Forderung nach Abtretung des Dodekanes durch Italien. Nachdem die Sowjetunion ihren Widerstand aufgegeben hatte – sie hatte Interesse daran bekundet, den Dodekanes selbst zu übernehmen! –, konnte Griechenland diesen wichtigen Erfolg im Sinne der letzten Wünsche im Rahmen der „Megali Idea" im Pariser Friedensvertrag mit Italien vom 10. 2. 1947 für sich verbuchen. Wichtig am bulgarischen Friedensvertrag ist schließlich noch, daß Bulgarien zu Reparationszahlungen an Griechenland sowie zu Rüstungsbegrenzungen verpflichtet wurde. Die Nichterfüllung beider Auflagen wurde zu einem ständigen Streitpunkt zwischen Griechenland und Bulgarien über die Zeit des Bürgerkriegs hinaus.

---

[35]) Auch die EAM wandte sich 1946 in Telegrammen mit der Forderung nach dem Nordepirus – und zusätzlich nach Ostthrakien – an die Außenministerkonferenzen und die Pariser Friedenskonferenz. 1949 sprach sie sich dann allerdings für die Unabhängigkeit Makedoniens aus, was ihrem Ansehen innenpolitisch schweren Abbruch tat.

Was das Verhältnis zur Türkei betrifft, so besserten sich die während der Kriegszeit schlechten Beziehungen allein schon deswegen bald, weil die Türkei fast zur selben Zeit wie Griechenland 1945 in offenen Gegensatz zur Sowjetunion geriet. Mit der Truman-Doktrin, die sich unmittelbar auf beide Länder bezog, wurde die Parallelität der außenpolitischen Lage an einer Nahtstelle von höchster geostrategischer Bedeutung vor der Weltöffentlichkeit endgültig offenbar. Daß damit jedoch keineswegs alle Möglichkeiten zu Kontroversen beseitigt waren, beweist ein Bereich, der sich in der Zukunft zunehmend als konfliktträchtig erweisen sollte: die östliche Ägäis, wo die griechischen Inseln mit ihren Hoheitsgewässern wie eine fast geschlossene Sperrlinie vor der westanatolischen Küste liegen. Fragen des Fischereirechts bildeten hier den ersten Ansatz zu den späteren, heftigeren Auseinandersetzungen.

Und schließlich ist es nicht so, als ob die Frage der „Enosis" von Zypern erst in den 50er Jahren aktuell geworden sei, als die griechische Regierung ihren spektakulären Feldzug gegen England in der UNO begann. In den Programmen der griechischen Regierungen von 1944 bis 1949 findet sich immer wieder die Forderung nach der „Enosis" Zyperns, wobei die Verbindung zu innenpolitischen Notwendigkeiten auch damals schon deutlich war: der Druck der öffentlichen Meinung, verstärkt durch stete Kontakte der Zypern-Griechen und ihres kirchlichen wie politischen Führers, des Ethnarchen, mit dem Mutterland, konnte von den Regierungen nicht ignoriert werden. Andererseits ist unverkennbar, daß die innen- wie außenpolitischen Probleme des Bürgerkriegs Vorrang hatten, zumal die Lage auf Zypern noch weit von der Spannung der 50er Jahre entfernt war. Es blieb so bei vorsichtigen Bemühungen der griechischen Regierungen in London. Und vor allem verzichtete man darauf, die Zypern-Frage in den internationalen Bereich hineinzutragen: vor die UNO, die Außenministerkonferenzen oder die Pariser Friedenskonferenz.

In den internationalen Bereich führt dafür unmittelbar das Verhältnis zur Sowjetunion. Zwei Aspekte sind bei dem letzteren zu unterscheiden: auf der einen Seite liegen keine direkten Beweise für ein aktives Eingreifen der Sowjetunion in den griechischen Bürgerkrieg im Sinne Albaniens, Jugoslawiens oder Bulgariens vor. Auf der anderen Seite ist es deutlich, daß sich Stalin schon vor der Potsdamer Konferenz nicht mehr an das „Prozentabkommen" gebunden fühlte und gegen die englische Politik in Griechenland und gegen Griechenland selbst Stellung bezog. Die Sowjetunion war es sodann, die 1946 erstmals griechische Probleme vor die UNO brachte, wo sie – unter verschiedenen Aspekten – bis heute fast ohne Unterbrechung eine wesentliche Rolle im Rahmen der Konfliktlösungsaufgaben der Weltorganisation spielen. Nachdem der Iran mit Beteiligung der Westmächte am 19.1.1946 den Weltsicherheitsrat wegen der Anwesenheit sowjetischer Truppen im Lande angerufen hatte, wandte sich die Sowjetunion ihrerseits am 21.1.1946 wegen der englischen Truppen in Griechenland an den Sicherheitsrat. Am 24.8.1946 folgte die Ukraine mit einer Beschwerde, die sich bereits gegen die griechische Regierung selbst richtete. Und nachdem sich Griechenland seinerseits am 3.12.1946 erstmals an den Sicherheitsrat gewandt hatte – mit einer Beschwerde gegen Albanien, Jugoslawien und Bulgarien sowie der Bitte um Einsetzung einer Untersuchungskommission –, kam es 1947 nicht nur zur laufenden Behandlung der Lage Griechenlands in der UNO, sondern auch zu nicht weniger als fünf sowjetischen Vetos im Sicherheitsrat. Ende 1947 wurde die UNSCOB gegründet, deren Berichte an die Vollversammlungen zu den wichtigsten Quellen für die griechische Außenpolitik dieser Jahre gehören. In diesen Berichten, in den Verhandlungen der Vollversammlungen, des Sicherheitsrates, der Außenministerkonferenzen, der Potsdamer oder Pariser Konferenz erweist sich Griechenland stets als eines der wichtigsten Probleme der ersten Jahre des Kalten Krieges, der in Griechenland mit der Waffe in der Hand geführt wurde[36]). Zu den Fragen, die auf internationaler Ebene auch nach 1949 noch lange weiter diskutiert wurden, gehörte die Rückkehr von Zehntausenden von Flüchtlingen und vor allem auch Kindern aus verschiedenen kommunistischen Ländern in ihre Heimat. Zu den internationalen Beziehungen Griechenlands dieser Jahre zählt schließlich auch, daß es bis 1947 umfangreiche Hilfe durch die UNRRA erhielt und von 1948 an am Marshall-Plan teilnahm. Die Verzögerung, die durch den Bürgerkrieg im Wiederaufbau des Landes eingetreten war, konnte durch diese Hilfsmaßnahmen allerdings ebensowenig wie durch die seit 1947 in großem Umfang einsetzende amerikanische Hilfe im Rahmen der Truman-Doktrin ausgeglichen werden. Griechenland ging so aus der ersten Phase seiner Nachkriegsgeschichte im Vergleich zu anderen westeuropäischen Ländern wirtschaftlich in hohem Grade benachteiligt, dennoch aber, wie die Wahlen immer wieder beweisen, unbezweifelbar als eine der westlichen Demokratien hervor.

IV. 1949–1960

Orientiert sich eine Analyse der griechischen Außenpolitik seit dem Ende des Zweiten Weltkrieges an eben dieser Aussage: „Griechenland eine der westlichen Demokratien", so könnte – wird nur Anfang und Ende der Periode von 1949 bis 1960 ins Auge gefaßt – der Eindruck entstehen, als ob für Griechenland auf den verspäteten und erschwerten Beginn der Jahre 1944 bis 1949 nun eine reibungs- und konfliktlose Phase, zudem im Sinne einer kontinuierlichen Aufwärtsentwicklung gefolgt sei: Ende 1949 steht Griechenland in engen und fast durchgängig ungetrübten politischen und wirtschaftlichen Beziehungen zu allen westlichen Ländern, wobei den USA mit ihrer massiven wirtschaftlichen und militärischen Hilfe der erste Platz zukommt; 1960 ist Griechenland seit langem bereits Mitglied der NATO, der OEEC, der EZU und des Europarates; es ist gemeinsam mit England und der Türkei Garantiemacht für den neugegründeten Staat Zypern; und es steht in erfolgreich verlaufenden Verhandlungen zur Assoziierung an die EWG. Als Beweis für eine derartige Betrachtungweise kann schließlich der begeisterte Empfang herangezogen werden, den die Bevölkerung – fernab vom organisierten Volksjubel totalitärer Regime – erst Churchill und dann Eisenhower bei ihren Besuchen in Athen im Juli bzw. Dezember 1959 bereitet hat.

Dieses Bild trügt jedoch. Die Jahre von 1949 bis 1960 bilden keineswegs eine Phase harmonischen Hineinwachsens in neue Bereiche politischer, wirtschaftlicher und militärischer Kooperation. Ganz im Gegenteil sind sie überschattet von vehementen Auseinandersetzungen mit einer Mehrzahl der Partner im westlichen Bünd-

---

[36]) Es wird mit rund 50 000 Toten gerechnet. Von den Darstellungen mit Quellenwert sei an dieser Stelle noch diejenige des späteren Außenministers E. Averof-Tositsas genannt: By Fire and Axe. The Communist Party and the Civil War in Greece, 1944–1949. New Rochelle, New York 1978.

nissystem. Wenn Griechenland von 1944 an zum ersten Schauplatz offener und sogar militärischer Auseinandersetzungen im Rahmen des Kalten Kriegs zwischen Ost und West geworden war, so verbindet sich auch in dieser zweiten Phase mit der griechischen Außenpolitik ein neues und schwerwiegendes Phänomen in den internationalen Beziehungen: eine bis an das Fundament reichende Krise innerhalb des westlichen Bündnissystems, die bis zur akuten Gefahr eines Krieges innerhalb der NATO und zu deutlich feststellbaren Strömungen in der öffentlichen Meinung Griechenlands führte, das westliche Lager zugunsten einer neutralistischen Politik der Blockfreiheit zu verlassen. Interessant ist es dabei festzustellen, daß die Schuldfrage für diese zweite Krise griechischer Außenpolitik ebenso wie für die erste bis heute umstritten ist. Eine weitere Parallele ergibt sich aus dem geographischen Phänomen, daß beide Krisen zwei geographische Zentren hatten: in den 40er Jahren einerseits der Bürgerkrieg innerhalb Griechenlands und andererseits im Ausland die drei Nachbarn Albanien, Jugoslawien und Bulgarien, dazu England, die USA und die UNO; in den 50er Jahren auf der einen Seite Zypern, auf der andern England, die Türkei und die UNO, dazu die USA, die NATO und der Europarat. Auch die Zypernkrise der 50er Jahre, von der alle Beteiligten annahmen, daß sie nach einem großen Einsatz guten Willens 1960 zu einem positiven Ende gebracht worden sei, kann damit außerdem als typisch für die stete Verflechtung der drei „Bereiche" griechischer Außenpolitik gelten: die territorialen Nachbarn, die Großmächte und die internationalen Organisationen. Und schließlich kann die Zypernkrise der 50er Jahre noch mehr als der Bürgerkrieg der 40er Jahre als geradezu klassisches Modell für internationale Konfliktlösungsbemühungen gelten[37]).

Wie wichtig die Periode von 1949 bis 1960 für die griechische Außenpolitik gewesen ist, zeigt sich davon abgesehen darin, daß neben der „Ersten Runde" des Zypernkonflikts noch andere gravierende Probleme bestanden. An erster Stelle ist das Bemühen um regionale Kooperation in Südosteuropa zu nennen: charakterisiert vor allem durch den Balkanpakt zwischen Griechenland, Jugoslawien und der Türkei von 1953/54, daneben auch durch das von Rumänien 1957 im Gefolge des Rapacki-Planes ausgehende Bemühen, den Balkan in eine „Zone des Friedens" zu verwandeln. Weiter ist auf die aus den 40er Jahren übernommene Problematik des starken Einflusses der USA hinzuweisen, gegen die sich vor allem auch die Anlehnung an überregionale Institutionen als nützlich erwies: die UNO, die NATO und von 1959 an die EWG; ferner auf die Ausweitung der Streitigkeiten in der Ägäis mit der Türkei im Zusammenhang der Genfer Seerechtskonvention von 1958 in grundsätzliche völkerrechtliche Bereiche; und schließlich ist nicht zu vergessen, daß im Gefolge der Wahlrechtsreform von 1952 mit Marschall Papagos und seinem Nachfolger K. Karamanlis (mit kurzen Unterbrechungen bis 1963)[38]) zwei Persönlichkeiten an die Spitze der Regierung traten, die auf der Basis einer bis dahin unbekannten innenpolitischen Stabilität maßgeblich zum internationalen Ansehen Griechenlands beitrugen.

---

[37]) Entsprechend groß ist die Literatur zum Zypernkonflikt, speziell für die 50er Jahre. Außer dem zitierten Standardwerk von Crouzet sei unter dem Aspekt der Konfliktlösungsbemühungen durch die UNO hingewiesen auf: Xydis, St. G.: Conflict and Conciliation, 1954–1958. Columbus, Ohio 1967, wo im Anhang auch die wichtigsten Quellen abgedruckt sind.

[38]) Für alle Regierungen siehe im Anhang dieses Bandes „Die obersten Organe".

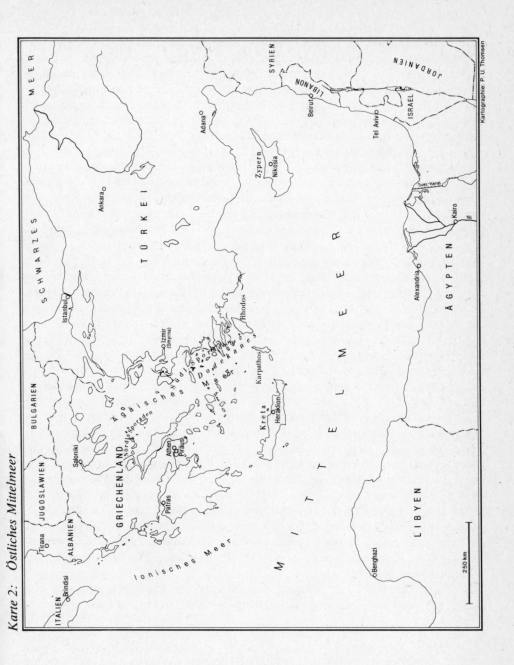

Karte 2: Östliches Mittelmeer

Wenden wir uns damit dem chronologischen Ablauf der Ereignisse zu, so ist als erstes deutlich, daß sich nur der Zypernkonflikt über den ganzen Zeitraum von 1949 bis 1960 als außenpolitische Aufgabe erstreckt, und zwar in zwei Phasen: vom Plebiszit, das die Ethnarchie – die kirchliche und geistig-politische Führung der Zypern-Griechen – am 15.1. 1950 über die „Enosis" durchführte, bis zum August 1954 als Problem der Zypern-Griechen, Griechenlands und Englands; und vom 16.8. 1954, als sich Griechenland zum ersten Mal offiziell wegen Zypern an die UNO wandte und damit für die Internationalisierung des Problems sorgte, bis zum 16.8. 1960, als die Unabhängigkeit des neuen Staates proklamiert wurde. Schon vor dem 16.8. 1954 war es jedoch zu zwei anderen für Griechenland wichtigen Ereignissen gekommen: zum Eintritt in die NATO und zum Abschluß des Balkanpaktes.

Was Griechenlands Eintritt in die NATO betrifft – vom Verfahren her ein Vorgang, der sich von 1950 bis zum 18.2. 1952 hinzog –, so kann er ohne weiteres als logische Konsequenz aus der griechischen Außenpolitik von 1944 bis 1949 bezeichnet werden: Griechenland schloß sich jenem Militärbündnis an, das der griechischen innen- wie außenpolitischen Ausrichtung und seinem Sicherheitsbedürfnis entsprach. Es darf als typisch für die Selbstverständlichkeit dieser Bindung gelten, daß trotz stärkster Belastungen im Zusammenhang des Zypern- und des Ägäis-Problems keine griechische Regierung ernsthaft an einen Austritt aus der NATO gedacht hat[39]). Etwas anderes ist es, daß von 1955 an Griechenland als erstes Mitglied der NATO das Mittel des „Einfrierens" bestimmter Bündnisverpflichtungen – Mitarbeit in den Hauptquartieren in Izmir und Neapel, Teilnahme an Manövern, Entzug der griechischen Truppen aus dem NATO-Oberbefehl, Verweigerung von Landerechten für alliierte Flugzeuge und sonstiger Stützpunktbenutzung[40]) – als politisches Druckmittel eingesetzt hat. Daß ein völliger Austritt aus der NATO für Griechenland im Ernst allerdings kaum in Betracht kommen kann, ergibt sich u.a. aus einer überaus typischen regionalen Verflechtung, die schon bei der Aufnahme von 1952 offenkundig war: ebenso wie die Truman-Doktrin mit ihren massiven Hilfeleistungen für Griechenland und die Türkei *gemeinsam* verkündet wurde, ist Griechenland auch gemeinsam mit der Türkei in die NATO aufgenommen worden. Keine griechische Regierung kann so an der Tatsache vorbeikommen, daß Griechenland nur zusammen mit der Türkei die „Südostflanke" des westlichen Verteidigungsbündnisses bildet, ja daß im Konfliktfall der Besitz der Meerengen der Türkei einen höheren strategischen Wert für das Bündnis verleiht. Als Konfliktfall haben sich von 1954 an dabei nicht etwa Auseinandersetzungen mit dem Warschauer Pakt gezeigt, sondern griechisch-türkische Streitigkeiten. Das Ergebnis dieser Rivalitätssituation beider Länder innerhalb des Bündnisses ist, daß Griechenland in letzter Konsequenz mit einer Option der westlichen Bündnispartner für die Türkei rechnen muß.

In diesem Zusammenhang sind auch die besonderen politischen, wirtschaftlichen, nicht zuletzt aber auch militärischen Beziehungen zu sehen, in denen sich Griechen-

---

[39]) Abgesehen von den kommunistisch ausgerichteten Parteien vertritt neuerdings die PASOK den Austritt aus der NATO – ebenso wie aus der EG – als offiziellen Programmpunkt. Ein Wahlsieg der PASOK könnte dementsprechend erhebliche außenpolitische Konsequenzen haben.
[40]) Für die Einzelheiten der griechischen Militärorganisation siehe das Kapitel von W. Kowarik: Landesverteidigung in diesem Band.

land in direkter Fortsetzung der Zeit von 1947 bis 1949 auch von 1949 bis 1960 zu den USA befunden hat. Wenn die These von der Fortsetzung kolonialer Abhängigkeit Griechenlands in diesen Jahren vertreten wird, dann vorwiegend in bezug auf die USA. Als typische Beispiele hierfür werden gerne genannt: die Erklärung des amerikanischen Botschafters John E. Peurifoy vom 15. 3. 1952, in der die Fortsetzung der amerikanischen Hilfe an die überfällige Herbeiführung stabiler politischer Verhältnisse geknüpft wurde, wobei es damals vor allem um die Einführung des Mehrheitswahlrechtes ging[41]); ferner die Truppen- und Stützpunktverträge von 1953, 1956 und 1959, wobei es sich 1959 um die Lagerung von Atomwaffen auf griechischem Gebiet handelte[42]). Wenn außerdem darauf hingewiesen sei, daß die finanzielle Hilfe der USA für Griechenland allein von 1947 bis 1951 – als die Zahlungen drastisch zu sinken begannen – 4,2 Mrd. Dollar betrug[43]) und damit an der Spitze für alle mittleren und kleineren Länder stand, dürfte deutlich sein, daß dem Verhältnis zu den USA in diesem Zeitraum im Rahmen der griechischen Außenpolitik besondere Bedeutung zukommt.

Wenn es trotzdem richtig erscheint, die „Kolonialtheorie" abzulehnen, so ist dies neben vielem anderen mit der griechischen Zypernpolitik und damit dem wichtigsten Problemkreis der Außenpolitik Griechenlands von 1949 bis 1960 zu begründen. Vor dieser ist jedoch noch auf die Bemühungen um regionale Kooperation auf dem Balkan einzugehen, vor allem auf die als „Balkanpakt" bekannte Annäherung Griechenlands, Jugoslawiens und der Türkei. Daß die Idee regionaler Kooperation auf dem Balkan im Rahmen der griechischen Außenpolitik nicht neu war, ist bereits gesagt worden. Obwohl das Verhältnis Griechenlands zu seinen nördlichen Nachbarn an sich stets überwiegend schlecht gewesen war, hatte es dementsprechend vom 19. Jahrhundert an mehrmals Versuche gegeben, zu Allianzen zu kommen. Zweierlei ist für diese früheren Versuche bezeichnend: niemals sind *alle* Balkanländer in einer Entente vereinigt worden, und auch diese begrenzten Allianzen haben nie eine lange Lebensdauer gehabt. Beides gilt ebenso für den Balkanpakt: nicht zuletzt auf griechische Initiative hin in zunächst bilateralen Sondierungen von 1950 an vorbereitet, entsprachen die beiden Abkommen von Ankara (28. 2. 1953) und Bled (9. 8. 1954), die gemeinsam als „Balkanpakt" bezeichnet werden[44]), zunächst durchaus den Sicherheits- und Kooperationsbedürfnissen der beteiligten drei Länder. Bezeichnend war außerdem, daß die USA und England die Abkommen begrüßten, während die Sowjetunion protestierte, und auch Italien, das wegen der Triestfrage mit Jugoslawien entzweit war, Bedenken anmeldete. Die Abkommen mußten dem NATO-Rat ohnehin zur Billigung vorgelegt werden, damit der Verteidigungsauto-

---

[41]) Vgl. hierzu die für diesen ganzen Zusammenhang wichtige Darstellung von Couloumbis, Th. A.: Greek Political Reaction to American and NATO Influences. New Haven and London 1966, S. 54f.
[42]) Für den Text der Verträge von 1953 und 1956 s. Couloumbis: Greek Political Reaction, S. 222–229, für die Verträge von 1959 s. United Nations: Treaty Series. Treaties and International Agreements registered or filed and recorded with the Secretariat of the United Nations. Vol. 357. New York 1960, No. 5115. S. 164–180; No. 5120, S. 282–290.
[43]) McNeill, W. E.: Greece: American Aid in Action, 1947–1956. New York 1957, insbesondere die Statistik S. 229.
[44]) Für die Vertragstexte und eine zuverlässige Gesamtdarstellung siehe Iatrides, J. O.: Balkan Triangle. Birth and Decline of an Alliance across Ideological Boundaries. The Hague, Paris 1968.

matismus der NATO nicht unversehens für ein Nichtmitglied – Jugoslawien – wirksam wurde. Nach dem Tode Stalins am 5.3. 1953 begann die Idee der Verteidigungsgemeinschaft mit NATO-Ländern für Jugoslawien aber ohnehin an Anziehungskraft zu verlieren, so daß sich speziell das jugoslawische Interesse auf die vorgesehene nichtmilitärische Zusammenarbeit – allgemeine politische Fragen, Wirtschaft und Kultur – verlagerte. Der griechisch-türkische Gegensatz in der Zypernfrage kam hinzu, der vom 16.8. 1954 an, als Griechenland vor die UNO ging, rasch zunahm. Auch das griechisch-jugoslawische Verhältnis blieb nicht ungetrübt, da Jugoslawien von Zeit zu Zeit immer wieder auf „Ägäisch-Makedonien" und die slawische Minderheit in Griechenland hinwies. Der Balkanpakt ist so im Ganzen mehr als interessante Idee denn als gewichtige politische Realität zu bezeichnen. Charakteristisch ist so auch, daß die Ansichten über sein Ende auseinandergehen: einerseits wurde es in Erklärungen aller drei Staaten schon von 1955 an mehr oder weniger deutlich zum Ausdruck gebracht, andererseits findet sich bis heute die Meinung, daß der Pakt zwar „ruhe", de jure aber noch existent sei.

Noch viel weniger Chancen hatten Vorschläge, den Balkan zu einer „Zone des Friedens" und der Atomwaffenfreiheit zu machen, die im Gefolge des Rapacki-Planes von 1957 an vom rumänischen Staatspräsidenten G. Stoica aus an Griechenland und die anderen Balkanländer herangetragen wurden. Die Sowjetunion unterstützte diese Bemühungen von 1958 an besonders nachdrücklich, als es in den Verhandlungen zwischen Griechenland und den USA um die Stationierung von Atomwaffen auf griechischem Territorium ging. Dessen ungeachtet ist es bezeichnend für die gesamte Nachkriegsaußenpolitik Griechenlands, daß es auch in Zeiten ärgster Belastung des Verhältnisses zu den westlichen Alliierten – und die Jahre 1957 und 1958 rechnen zu diesen – nie die Drohung einer Option für den Ostblock als Druckmittel eingesetzt hat. Es kam hinzu, daß im regionalen Bereich vor allem das Verhältnis zu Albanien auch von 1949 bis 1960 kontinuierlich schlecht blieb. Der Grund war, daß Griechenland auf seinem Rechtsanspruch auf den Nordepirus beharrte und Albanien sich weigerte, auch nur die diplomatischen Beziehungen ohne eine griechische Verzichtserklärung wiederaufzunehmen. So blieb es bei kleinen Gesten wie der Freilassung griechischer Geiseln und Kinder durch Albanien von 1953 an oder der Öffnung der Straße von Korfu für den Schiffsverkehr 1958. Im Verhältnis dazu entspannten sich die Beziehungen zu Bùlgarien weit mehr: zwar blieb das Reparations- und Aufrüstungsproblem ungelöst, die Grenzfrage wurde dafür 1953 einvernehmlich gelöst, so daß es 1954 zur Wiederaufnahme der diplomatischen Beziehungen auf Geschäftsträgerebene kam.

Wie wichtig alle diese Fragen für Griechenland aber auch waren, sicher ist, daß es Zypern war, das von 1949 an konsequent an Bedeutung zunahm, vom 16.8. 1954 an das Zentrum der griechischen Außenpolitik bildete und zudem zu einem der wichtigsten Probleme der internationalen Politik überhaupt wurde[45]). Die Problemlage stellt sich folgendermaßen dar: der griechische Teil der Bevölkerung Zyperns – rund

---

[45]) Außer den zuverlässigen und umfassenden Darstellungen von Crouzet und Xydis (Anm. 22 und 37) sei nur noch hingewiesen auf: Couloumbis, Th. A.; Hicks, S. M. (Editors): U.S. Foreign Policy towards Greece and Cyprus. The Clash of Principle and Pragmatism. Washington 1975; Coufoudakis, V. (Ed.): Essays on the Cyprus Conflict. New York 1976; Franz. E.: Der Zypernkonflikt. Chronologie, Pressedokumente, Bibliographie. Hamburg 1976.

78 % – strebte unter Führung seines Ethnarchen – vom 18. 10. 1950 an Makarios III.
– seit dem Plebiszit des 15. 1. 1950 mit einer Mehrheit von 96 % nach der „Enosis"
mit dem Mutterland. Sowie es sich zeigte, daß diese in den Bereich politischer Möglichkeiten rückte, kam es nicht nur zum energischen Widerstand Englands und der
Türkei, sondern auch der Zypern-Türken, d. h. rund 18 % der Inselbevölkerung. Ihr
politisches Ziel war zunächst einfach die Erhaltung des Status quo, was das Verbleiben bei England bedeutete, erst später der „Taksim", d. h. die Teilung der Insel –
entweder unter Fortbestand der englischen Oberherrschaft oder als „Doppelte Enosis", als politisch-territoriale Teilung der Insel zwischen der Türkei und Griechenland. Gegen den „Taksim" sprach allerdings die vollkommene Siedlungsvermi-
schung auf der Insel, so daß der „Taksim" eigentlich einen friedlichen Bevölkerungstransfer oder eine gewaltsame Vertreibung vorausgesetzt hätte. Die Möglichkeit einer Rückkehr ganz Zyperns in den Verband der Türkei im Sinne der Zeit vor
1878 wurde zwar erwogen, hatte jedoch nie große Realisierungschancen.

Von England aus gesehen war die Lage bis 1954 klar: es gab kein Zypern-Problem, wie es Außenminister Eden Marschall Papagos in einem berühmt gewordenen
Gespräch in der englischen Botschaft in Athen am 22. 9. 1953 mit Deutlichkeit sagte. Eine Diskussion vor der UNO mußte für England daher eine Einmischung in innere Angelegenheiten sein und auf jeden Fall verhindert werden. Wesentlich für
diese unnachgiebige Haltung Englands waren u. a. strategische Gründe: als sich der
Verlust von Suez abzuzeichnen begann, blieb Zypern als einzige militärische Basis
Englands im östlichen Mittelmeer. Es brauchte jedoch noch volle fünf Jahre uner-
müdlicher politischer Angriffe Griechenlands, bis England kapitulierte, Zypern
durch das Londoner Abkommen vom 19. 2. 1959 in die Unabhängigkeit entließ und
sich mit zwei Militärbasen auf der Insel begnügte. Auf dem Weg dahin erwies sich ein
Eintreten für den „Taksim" und Kooperation mit der Türkei als stärkste Waffe Englands im Kampf gegen Griechenland.

Die Haltung der Türkei ähnelte derjenigen der türkischen Minderheit auf Zypern:
Als Reaktion auf die „Enosis"-Forderung der Zypern-Griechen entstanden, konzentrierte sie sich vor allem auf eine kategorische Ablehnung der „Enosis". Man war
davon abgesehen zunächst mit dem Status quo zufrieden und schloß sich erst allmählich der Idee des „Taksim" an, wenn schon eine Rückkehr der ganzen Insel in den
türkischen Staatsverband unmöglich sein sollte. Strategische Gründe spielten auch
für die Türkei eine Rolle: Ein griechisches Zypern nur 70 km vor der südanatoli-
schen Küste – aber 800 km von der griechischen und 100 km von der syrischen entfernt[46]) – mußte für die Türkei ein unerträglicher Gedanke sein, wo die westanatolische Küste ohnehin fast in ihrer ganzen Länge durch die griechischen Inseln blok-
kiert war.

Für die USA ergab sich von Anfang an eine komplizierte und im Grunde unlösbare Situation, obwohl eigene Interessen unmittelbar gar nicht berührt wurden. Auf
der einen Seite konnten die USA dem unbezweifelbaren Willen von rund 78 % der
Bevölkerung einer Kolonie nach Verwirklichung des Selbstbestimmungsrechts nicht
entgegentreten. Es kam hinzu, daß Griechenland ein erprobter und wichtiger Verbündeter war. Auf der anderen Seite war die Türkei ein strategisch noch wertvoller

---

[46]) Vgl. für das wichtige Faktum der geographischen Lage Zyperns die Karte 2.

Verbündeter, von den alten und engen amerikanischen Banden zu England ganz zu schweigen. Als Wichtigstes aber zeichnete sich für die USA zunehmend die Gefahr ab, daß der innere Zusammenhalt des westlichen Verteidigungsbündnisses durch den Zypern-Konflikt nicht nur gefährdet, sondern zerstört werden konnte, seitdem es von 1954 an zu zunehmend heftigeren Auseinandersetzungen in den Vollversammlungen der UNO und damit vor der Weltöffentlichkeit kam und von 1955 an ein Krieg zwischen Griechenland und der Türkei in den Bereich des unmittelbar Möglichen geriet. Als Ergebnis bemühten sich die USA darum, die Auseinandersetzungen vor der UNO zu unterbinden und eine Lösung durch direkte Verhandlungen zwischen England und Griechenland bzw. später unter Hinzuziehung der Türkei finden zu lassen.

Diese Politik der USA mußte zwangsläufig von Griechenland her als feindlich und voreingenommen für England und die Türkei angesehen werden, womit ein Schlüssel für das Verständnis der überaus schwierigen Lage der griechischen Regierungen in den 50er Jahren gegeben ist. Zwei Dinge sind als Voraussetzung dabei wichtig: einmal kann keine Rede davon sein, daß der Zypern-Konflikt von 1949/50 an auf eine Initiative Griechenlands zurückgeht. Der Motor des Konflikts ist in den ethnischen und staatlichen Gegebenheiten der Insel zu sehen sowie in der faszinierenden, bedeutenden, zu recht aber auch umstrittenen Persönlichkeit Makarios' III. – auch wenn die amerikanische Skepsis gegenüber dem ,,Castro des Mittelmeeres'' sicherlich übertrieben gewesen sein dürfte. Und zweitens ist nicht zu verkennen, daß Zypern – vom Nordepirus abgesehen – als letzter Rest der ,,Megali Idea'' eine nationale Aufgabe von solcher Bedeutung war, daß keine griechische Regierung, auch nicht ungewöhnlich stabile wie diejenigen Papagos' und Karamanlis', vor ihr die Augen schließen konnte, ohne auf die Dauer politischen Selbstmord zu begehen. Der Druck der öffentlichen Meinung wurde außerdem zunehmend stärker, wofür es typisch ist, daß schon 1955 die einflußreiche konservative Tageszeitung ,,Kathimerini'' für Neutralismus und Blockfreiheit als notwendige Konsequenz aus dem Verhalten der westlichen Bündnispartner eintrat, und daß die Wahlen von 1958 die einzigen der bisherigen griechischen Nachkriegsgeschichte gewesen sind, die der kommunistisch orientierten Linken 24 % der Stimmen brachten[47]).

Die griechische Zypern-Politik, die daraufhin von 1950, vor allem aber von 1954 an bis 1959 geführt worden ist, kann nur als meisterhaft bezeichnet werden, auch wenn das Ergebnis – die Abkommen von Zürich und London – mit der Gründung eines unabhängigen Staates Zypern von Griechenland den ausdrücklichen Verzicht auf die ,,Enosis'' verlangte und auch ohne das Eingreifen Erzbischof Makarios' am 30. 11. 1963 vielleicht den Keim der folgenden negativen Entwicklung in sich trug. Meisterhaft ist die griechische Außenpolitik trotzdem deshalb, weil gegen den erklärten Widerstand der mächtigsten Freunde – der USA und Englands – und ohne nennenswerte Unterstützung von anderer Seite[48]) die Weltorganisation zum ersten Mal in ihrer Geschichte zum Instrument der nationalen Politik eines kleinen Staates gemacht wurde. Es ist ein Lehrstück politischer Kunst zu verfolgen, wie Griechenland in fünf Anläufen nacheinander von 1954 bis 1958 gegen ungezählte prozedu-

---

[47]) Vgl. die Zusammenstellung aller Wahlergebnisse durch W. Voigt, S. 670 in diesem Band.

[48]) Es ist interessant zu fragen, wie die Zypern-Debatte in der UNO verlaufen wäre, wenn sie nicht 1956 sondern 1965, nach dem Erstarken des ,,Blocks der Blockfreien'', in der UNO begonnen hätte.

rale Widerstände seiner Gegner und unbeirrt durch Abstimmungsniederlagen[49]) sein Ziel verfolgte, die Weltöffentlichkeit auf Zypern aufmerksam zu machen und England zu zwingen, seine Haltung des „Es gibt kein Zypern-Problem" aufzugeben. Es kommt hinzu, daß sich die griechischen Regierungen deutlich weithin im Gegensatz zu Erzbischof Makarios und erst recht zum Terror der EOKA des Obersten Grivas befanden, wozu dann noch die nationalen Leidenschaften in Griechenland selbst kamen. Im ganzen straft dieser große, für Griechenland zentrale Bereich alle Behauptungen schlicht Lügen, Griechenland sei nichts anderes gewesen als eine Kolonie der USA und speziell der CIA.

Je länger sich die Mißhelligkeiten hinzogen, desto deutlicher wurde es, daß zunehmend die Türkei an Stelle von England zum eigentlichen Gegner Griechenlands wurde. Einen ersten Höhepunkt brachten antigriechische Ausschreitungen in Istanbul und Izmir am 6.9.1955, die die Gefahr eines Krieges zwischen Griechenland und der Türkei zum ersten Mal in unmittelbare Nähe rückten. Nicht nur in diesem Fall versuchte der NATO-Rat zu vermitteln, während Griechenland seinerseits in der geschilderten Weise mit dem partiellen Einfrieren seiner Bündnisverpflichtungen als politischem Druckmittel zu arbeiten begann. Wie weit die Internationalisierung des Zypern-Konflikts ging, beweist auch die Tatsache, daß Griechenland von 1956 an mit Erfolg Beschwerden gegen England bei der Menschenrechtskommission des Europa-Rats einlegte. Um das Maß voll zu machen, gewann das Ägäis-Problem Mitte der 50er Jahre neue Ausmaße von internationaler Bedeutung. Fragen des Fischereirechts und der Hoheitsgewässer im Bereich der teilweise bis auf wenige Kilometer an die westanatolische Küste heranreichenden griechischen Inseln hatten schon seit 1944 immer wieder zu Spannungen geführt. Mit zunehmender Bedeutung der Fischreserven in den Weltmeeren und dem Beginn der wirtschaftlichen Nutzung des Meeresbodens wurde der gesamte Problemkreis „Hoheitsgewässer" und „Kontinentalsockel" aber völkerrechtlich allgemein so wichtig, daß die UNO 1958 in Genf ihre erste Seerechtskonferenz einberief, die mit der Konvention über das Schelf für Griechenland und die Türkei eine neue Phase bitterer Auseinandersetzungen eröffnete, da sich die Standpunkte beider Länder auf keinen gemeinsamen Nenner bringen ließen[50]).

Das Ergebnis der „Ersten Runde" des Zypern-Konflikts – ein ganzes Bündel von Abkommen zwischen Griechenland, der Türkei und England, d.h. unter Übergehung der Bevölkerung Zyperns – mit der Gründung des unabhängigen Staates Zypern mit Erzbischof Makarios als Staatspräsidenten und dem Türken Dr. Kütçük als Vizepräsidenten mit vollem Vetorecht gegenüber dem Staatspräsidenten bedeutete außer für England auch für Griechenland einen großen Verzicht: England verlor seine Kolonie, Griechenland verzichtete auf die „Enosis". Nur die Zypern-Türken und die Türkei konnten zufrieden sein, da die Rechte der Zypern-Türken gegenüber möglichen griechisch-zypriotischen Übergriffen stark abgesichert waren und die Türkei als Garantiemacht für den Notfall ebenso wie England und Griechenland das

---

[49]) Die beste Darstellung des prozeduralen Ablaufs, der zugleich einen tiefen Einblick in den inneren Mechanismus der UNO gewährt, gibt Xydis, a.a.O.

[50]) Franz, E.: Der Streit um die Rechte am Schelf im Ägäischen Meer zwischen Griechenland und der Türkei, in: Orient. 15, 3. 1974, S. 116–125. Von dort ist auch die Karte 3 entnommen, die die Problematik deutlich veranschaulicht.

Recht auf Intervention ohne Mitwirkung der beiden anderen Mächte hatte. Wichtig für die Zukunft sollte es außerdem werden, daß Griechenland nicht anders als die Türkei kleine Truppenverbände auf Zypern stationieren durfte – Griechenland 950 Mann, die Türkei 650, wozu dann noch die englischen Truppen in den beiden englischen Militärbasen kamen[51]).

Am 6. 4. 1960 trat die neue Verfassung Zyperns in Kraft, am 16. 8. 1960 erfolgte die Proklamation der Unabhängigkeit Zyperns, am 20. 9. 1960 wurde es Mitglied der UNO. Teil des Commonwealth verblieb Zypern ohnehin.

Die Eigendynamik der griechischen Außenpolitik dieser ersten Phase eigentlicher „Friedenspolitik" nach dem Ende des Zweiten Weltkrieges und dem Abschluß des Bürgerkrieges muß erstaunen und die These der kolonialen Abhängigkeit widerlegen. Zwei Momente ergänzen dies Bild: Einmal haben alle griechischen Regierungen dieser Jahre mit behutsamen Schritten versucht, das Verhältnis Griechenlands zu den arabischen Ländern und vor allem zu Ägypten zu verbessern. Der Kampf Ägyptens für den Suez-Kanal mußte als Vorbild für die Bemühungen um Zypern wirken, und zudem boten sich hier Ansätze für ein Gegengewicht gegen die Präsenz der Großmächte im östlichen Mittelmeerraum. Hinderlich wirkte sich allerdings die rigide Nationalisierungspolitik Nassers aus, die auch vor dem Eigentum der großen griechischen Minderheit in Ägypten nicht Halt machte. Wiederholte Demarchen der griechischen Regierung hatten keinen Erfolg.

Und zweitens ist der rasche Prozeß wirtschaftlicher, danach aber auch politischer Annäherung an Westeuropa zu nennen, der sich als Gegengewicht gegen unerwünschten amerikanischen Einfluß erwies. Ein Beispiel hierfür ist die Wiederaufnahme der deutsch-griechischen Beziehungen von 1951 an. 1956 war die Bundesrepublik Deutschland bereits wichtigster Außenhandelspartner Griechenlands. Auf internationaler Ebene unterstützte Griechenland die Belange der Bundesrepublik wie die Saarfrage und die Wiedervereinigung. Staatsbesuche waren äußerer Ausdruck dieser freundschaftlichen Annäherung: 1954 reiste Bundeskanzler Adenauer nach Griechenland, 1956 Bundespräsident Heuss. Und schließlich wirkt es wie ein bewußter Abschluß dessen, was über die griechische Außenpolitik von 1949 bis 1960 gesagt worden ist, daß Griechenland am 8. 6. 1959 den Antrag auf Assoziierung an die EWG gestellt hat. Am 25. 7. 1959 beschloß der Ministerrat einstimmig, die EWG-Kommission zur Aufnahme der Verhandlungen mit Griechenland zu ermächtigen[52]).

V. 1960–1967

Wenn die Jahre von 1949 bis 1960 wie eine mächtige, ihre Bahn nach oben ziehende Spirale wirken, in der die griechische Außenpolitik in Auseinandersetzung mit den ihr aufgegebenen Problemen alle für sie denkbaren regionalen und interna-

---

[51]) Für die Texte der verschiedenen Abkommen s.: British and Foreign State Papers. Compiled and Edited in the Librarians's Department of the Foreign Office. Vol. 164 (1959/60). London 1967, S. 1 f, S. 388 ff.
[52]) Wichtig auch für die folgenden Perioden sind: Ziegler, G.: Griechenland in der Europäischen Gemeinschaft. München 1962 und La Grèce et la Communauté. Problèmes posés par l'adhésion. Bruxelles 1978.

tionalen Bereiche durchläuft und am Ende, allerdings auf höherer Ebene, zum Ausgangspunkt der im Prinzip harmonischen und vielseitigen Einbindung in das westliche Bündnissystem zurückkehrt, so kann kein Zweifel sein, daß sich dies Bild in der
nächsten Periode – 1960 bis 1967 – ändert: Beginn und Mittelteil weisen zwar Ähn-
lichkeiten auf – auf eine im wesentlichen ungetrübte Kooperation mit den traditionellen Verbündeten folgten heftige Kontroversen, wobei Zypern zum zweiten Mal
den Anlaß bildete –, das Ende 1967 zeigt jedoch keine Problemlösung und Rückkehr zur Ausgangsposition auf höherer Ebene. Statt dessen endet diese Periode in
einer Weise, für die nicht einmal die Periode von 1944 bis 1949 eine Parallele bietet:
Die Innenpolitik gewinnt übermächtige Bedeutung auch für die Außenpolitik durch
den Staatsstreich der Obristen vom 21. 4. 1967, durch den die Demokratie für sieben
Jahre beseitigt wird. Die Konsequenzen, die sich daraus für die griechische Außenpolitik ergeben mußten, waren außerordentlich. Nicht zu verkennen ist allerdings,
daß die Innenpolitik schon vor 1967 wieder an Bedeutung gewann: einerseits durch
die Ablösung der zwölfjährigen konservativ-royalistischen Regierung, die 1963 erfolgte, zugunsten des liberalen Zentrums unter G. Papandreou, und andererseits
durch das erneute Aufbrechen des aus der Zwischenkriegszeit wohlbekannten Phä-
nomens des Gegensatzes zwischen Krone und Regierung[53]). Die griechische Außenpolitik ist hiermit insofern verbunden, als sich wiederum und mit aller Schärfe die
Frage stellt, wie weit die Unabhängigkeit Griechenlands reiche bzw. wie hoch die
Bedeutung speziell des amerikanischen Einflusses zu veranschlagen sei.

Auch ohne das am Ende dieser Periode stehende, völlig neue Phänomen des
Staatsstreiches der Obristen kommt den Jahren 1960 bis 1967 aber eine eigene und
charakteristische Bedeutung im Rahmen der griechischen Außenpolitik zu. Zeitlich
an erster Stelle ist die Assoziierung Griechenlands an die EWG durch das Abkommen vom 9. 7. 1961 zu nennen. Wenn am Anfang der ersten Periode griechischer
Nachkriegsaußenpolitik 1945 der Eintritt in die UNO steht und am Anfang der
zweiten Periode derjenige in die NATO, so kommt der Assoziierung an die EWG zu
Beginn der dritten Periode sicherlich keine geringere Bedeutung im Sinne einer immer engeren Verflechtung Griechenlands mit der westlichen Welt zu. Nicht minder
wichtig ist der Beginn der „Zweiten Runde" des Zypernkonflikts am 30. 11. 1963,
als sich Staatspräsident und Erzbischof Makarios an den türkischen Vizepräsidenten
Dr. Kütçük wandte, um seine Zustimmung zu einer grundlegenden Änderung der
Verfassung Zyperns von 1960 zu gewinnen. Statt der letzteren kam es zu einer weit
über das Maß der 50er Jahre hinausgehenden Verschlechterung des griechisch-türkischen Verhältnisses, für die der August 1964 charakteristisch ist, als die türkische
Luftwaffe zum ersten Mal griechische Ziele auf Zypern angriff und die 6. Amerikanische Flotte auslief, um den Ausbruch eines Krieges zwischen Griechenland und der
Türkei zu verhindern. Die Idee des Balkanpakts konnte damit ebenso wie jede andere Kooperation mit der Türkei für absehbare Zeit als begraben gelten. Ebenso
wenig Chancen hatten allerdings auch weitere Bemühungen der Sowjetunion,
Griechenland für den Vorschlag zu gewinnen, den Balkan in eine „Zone des –
atomwaffenfreien – Friedens" zu verwandeln. Nicht unwesentlich trug zu diesem

---

[53]) Für die innenpolitischen Zusammenhänge vgl. das Kapitel über das Politische System in diesem Band,
S. 61 ff.

Mißerfolg Chruščevs Drohung vom August 1961 bei, die rund um die Welt Aufsehen erregte, daß sowjetische Raketen im Kriegsfall die Akropolis ohne weiteres in Schutt und Asche legen könnten. Die griechische Außenpolitik blieb damit trotz der „Zweiten Runde" des Zypern-Konflikts weiterhin ihren westlichen Maximen treu.

Für diese ist nun der am 9.7. 1961 unterzeichnete „Vertrag von Athen" von zentraler Bedeutung, durch den das am 8.6. 1959 auf griechischen Antrag hin eingeleitete Verfahren auf Assoziierung Griechenlands an die EWG abgeschlossen wurde[54]. Die Assoziierung Griechenlands bedeutete für die EWG allerdings nicht nur ein Novum, sondern warf auch erhebliche Probleme auf. Das Novum bestand darin, daß Griechenland als erstes Land einen Antrag auf Assoziierung im Sinne von Artikel 238 des EWG-Vertrages gestellt hatte. Die Problematik der Assoziierung ergab sich aus der Verbindung von Politik und Wirtschaft. Von Griechenland aus gesehen war es politisch unbedingt wünschenswert, die bestehenden Bindungen an den Bereich der westlichen Demokratien – von einer ganzen Reihe bilateraler Abkommen mit den USA bis zur Zugehörigkeit zur NATO, der EZU, der OEEC und dem Europa-Rat – durch Anschluß an die EWG abzurunden. Beide für die griechische Politik entscheidende Gruppen, Konservative und Liberale, waren sich hier einig, und zwar auch, was das Endziel einer Aufnahme als Vollmitglied in die EWG betraf. Ebenso einig war man sich freilich in der Beurteilung der schweren damit für Griechenland verbundenen wirtschaftlichen Probleme: Sie reichten von der Frage des Absatzes griechischer Agrarprodukte über Kapitalhilfe und Zollschutz für die griechische Industrie bis zur Freizügigkeit griechischer Arbeitnehmer in den Ländern der Gemeinschaft, um Abhilfe für den Bevölkerungsdruck in Griechenland zu schaffen. Dieselbe Problematik ergab sich von seiten der EWG: Politisch bestand weitgehend· Einmütigkeit darüber, daß die Assoziierung Griechenlands nur die Vorstufe zur Vollmitgliedschaft sein sollte[55]; im wirtschaftlichen Rahmen sah man dieselben Probleme wie Griechenland, zusätzlich aber noch die Gefahr des Präzedenzfalles. Dieser ließ auch nicht lange auf sich warten, insofern die Türkei 1963 dem griechischen Beispiel folgte. Nach Truman-Doktrin, Aufnahme in die NATO und Zypern-Konflikt zeigte es sich damit zum vierten Mal, wie eng die außenpolitischen Probleme Griechenlands und der Türkei seit dem Ende des Zweiten Weltkrieges miteinander verbunden waren. Wie schwierig die wirtschaftlichen Probleme allein schon der Assoziierung Griechenlands für die EWG waren, beweist im übrigen am besten die Tatsache, daß der Vertrag von Athen 77 Artikel, 4 Warenlisten, 20 Protokolle und 9 Erklärungen umfaßt. Ein anderes Beispiel ist, daß Griechenland im Mai 1962 mit einem Antrag auf eine jährliche Hilfe von 100 Millionen Dollar für Militärausgaben an den NATO-Rat herantrat, da die Belastung für die griechische Wirtschaft sonst zu groß werde. Der NATO-Rat setzte daraufhin ein Konsortium zur Überprüfung der wirtschaftlichen Lage Griechenlands und der Türkei ein, das in der griechischen innenpolitischen Diskussion der Frage nach der außenpolitischen Unabhängigkeit neuen Auftrieb gab.

---

[54] „Abkommen zur Gründung einer Assoziation zwischen der Europäischen Wirtschaftsgemeinschaft und Griechenland." Europäisches Parlament, Sitzungsdokumente, Ausgabe in deutscher Sprache. Dok. 48–I.II. 1961–1962 vom 18. Juli 1961. Vgl. im übrigen Ziegler: Griechenland.

[55] Ortoli, F. X.: Étapes historiques et bilan du processus de rapprochement de la Grèce vers la Communauté Économique Européenne, in: La Grèce et la Communauté, S. 18/19.

Wenn der 9. 7. 1961 mit der Unterzeichnung des „Vertrages von Athen" als eines der großen positiven Daten in der Entwicklung der griechischen Nachkriegsaußenpolitik gelten darf, so gehört der 30. 11. 1963 ebenso sicher zu den schwarzen Tagen. Als Erzbischof Makarios an diesem Tage seinen Vorschlag machte, durch 13 Amendements die Rechte der Zypern-Türken entscheidend einzuschränken[56]) – es ging um die prozentuale Überrepräsentation des türkischen Bevölkerungsanteils in Politik und Verwaltung sowie um das Vetorecht des Vizepräsidenten –, waren die Abkommen von Zürich und London sowie die Verfassung von 1960 und damit das schwer errungene Ergebnis der „Ersten Runde" des Zypern-Konflikts hinfällig geworden. Es folgte fast zwangsläufig am 21. 12. 1963 der Beginn bürgerkriegsähnlicher Auseinandersetzungen zwischen Zypern-Griechen und Zypern-Türken sowie in rascher Abfolge das Eingreifen der beteiligten Mächte. Im Urteil der Politiker wie der Forschung ist es dabei bis heute umstritten, ob Erzbischof Makarios durch seine Vorschläge vom 30. 11. 1963 die Schuld für diese Entwicklung trifft oder ob die Verfassung von 1960 nicht von vornherein zum Scheitern verurteilt war. Kein Zweifel kann an der eindeutig negativen Reaktion der Zypern-Türken, aber auch der Türkei mit ihrem Recht als Garantiemacht auf die Vorschläge von Makarios sein. Die Türkei verlangte – zumindest zunächst – nicht nur die Bewahrung des durch die Verfassung gegebenen Status quo, sondern leitete aus den Abkommen von Zürich und London auch das Recht ab, falls keine Einigung unter den drei Garantiemächten zustande käme, allein in Zypern einzugreifen. Auf diese Weise erklärt sich die 1964 erstmals angedrohte Invasion Zyperns durch die Türkei, die notwendig auch ohne die türkischen Luftangriffe auf Zypern im August 1964 zu heftigsten Reaktionen in Griechenland führen mußte und einen Krieg innerhalb der NATO noch wesentlich näher rückte als 1955.

Für die „Zweite Runde" des Zypern-Konflikts ist es somit bezeichnend, daß von Anfang an nicht England, sondern die Türkei der eigentliche Gegner für die griechische Außenpolitik war. Nicht weniger charakteristisch ist die Einmütigkeit der großen Parteien: Es lassen sich kaum Unterschiede zwischen der „griechischen Außenpolitik" G. Papandreous – eine von ihm geprägte Formulierung – und derjenigen Karamanlis' in der „Ersten Runde" feststellen: es sind die nationalen Interessen Griechenlands, die in beiden Fällen verteidigt werden. Papandreous Regierungserklärung vom März 1964 brachte deutlich zum Ausdruck, daß Griechenland im Fall einer türkischen Invasion Zyperns kämpfen werde. Wenn Griechenland auch jetzt wieder seine Truppen dem Oberbefehl der NATO entzog, so allerdings weniger, um Druck auf die übrigen NATO-Mitglieder auszuüben, als um freie Hand für den Kriegsfall zu haben.

Daß sich dennoch starke Emotionen auch gegenüber England und vor allem gegenüber den USA als der führenden Militärmacht im Mittelmeerraum in Griechenland ergaben, ließ sich kaum vermeiden. Zwar übten die USA eindeutig – und zudem mit Erfolg – vor allem Druck auf die Türkei aus, um die angedrohte Invasion Zyperns zu verhindern, doch fühlte sich Griechenland trotzdem nicht so unterstützt,

---

[56]) Cyprus, Publications Departement of the Greek Communal Chamber: Cyprus. The Problem in Retrospect, in: Cyprus Today. 2, 3/4 (May–August). 1964, S. 10–15.

wie es dies erwartete. Es kam hinzu, daß nicht nur Erzbischof Makarios, sondern nach anfänglichem Zögern auch Papandreou den Lösungsvorschlag der USA vom Juli 1964, den sog. Acheson-Plan, ablehnte, obwohl dieser auf der Grundlage der „Doppelten Enosis" den Anschluß des weitaus größten Teils Zyperns an Griechenland vorsah. Schon hieraus ergibt sich im übrigen die komplizierte Lage der griechischen Außenpolitik: Zwar mußte der Schutz der Interessen der Zypern-Griechen für Griechenland das erste Gebot sein, doch ergab sich damit noch keine Lösung für die explosive Situation auf der Insel, wenn weder eine Rückkehr zur Verfassung von 1960 noch die in Zürich und London aufgegebene Idee der „Enosis" hierfür in Frage kam. Belastend wirkte sich weiterhin aus, daß sich das Verhältnis zu Erzbischof Makarios von Athen aus schon von 1960 an zunehmend schwieriger gestaltet hatte. Seine Eigenwilligkeit, zu der auch die Zusammenarbeit mit der starken kommunistischen Partei Zyperns (AKEL) und Kontakte mit der Sowjetunion gehörten, führte gerade 1964 nicht nur zu einer scharfen Zurechtweisung Makarios' durch Papandreou, sondern auch zu dem neuen Schlagwort des „Ethnikon Kentron", des „Nationalen Zentrums", das besagen wollte, das Mutterland habe die Richtlinien der Politik für Zypern zu bestimmen[57]). In dieselbe Richtung wies die ebenfalls in das Jahr 1964 fallende Entsendung des aus den 50er Jahren als Führer der EOKA bekannten Obersten Grivas als Kommandeur der neuen griechisch-zypriotischen Nationalgarde. Seine Aufgabe sollte es nicht zuletzt sein, im Sinne der Athener Regierung für eine Kontrolle Makarios' zu sorgen. Daß die Nationalgarde davon abgesehen auch im Zusammenwirken mit der griechischen Armee nicht in der Lage sein würde, einer türkischen Invasion erfolgreich Widerstand zu leisten, mußte der griechischen Regierung angesichts der geostrategischen Lage auch ohne einen deutlichen Hinweis durch US-Präsident Johnson auf die militärische Unterlegenheit Griechenlands gegenüber der Türkei klar sein.

Angesichts dieser Situation ist es nicht verwunderlich, daß Griechenland die Konfliktlösungsbemühungen der UNO unterstützte, nachdem der Versuch einer erneuten Konferenz in London vom 15. 1. bis 4. 2. 1964 fehlgeschlagen war. Bezeichnend für die „Zweite Runde" ist es dabei, daß die UNO eine sehr viel direktere und wirkungsvollere Tätigkeit als in den 50er Jahren entfaltete. Der Grund liegt darin, daß erstmals der Weltsicherheitsrat eingeschaltet werden konnte, da keine der Großmächte ihr Veto gegen eine Befriedungsaktion einzulegen beabsichtigte. Statt dessen kam es am 4. 3. 1964 mit ausdrücklicher Zustimmung Griechenlands zu einem für die weitere Geschichte Zyperns bis heute entscheidenden Beschluß: Zunächst auf drei Monate befristet, dann aber immer wieder verlängert, wurde eine Friedenstruppe, die UNFICYP, entsandt und außerdem im Einvernehmen mit allen beteiligten Mächten ein Vermittler vom UN-Generalsekretär bestellt.

Wenn sich die Türkei als der eigentliche Gegner Griechenlands in der „Zweiten Runde" erweist, so kommt noch hinzu, daß auch die Ägäis-Frage zwischen 1960 und 1967 für neue Konflikte sorgte. Es half hier nichts, daß am 10. 6. 1964 die Genfer Konvention über das Schelf von 1958 in Kraft trat, da sie kein unmittelbar bindendes

---

[57]) Für beides siehe Markides, K. C.: The Rise and Fall of the Cyprus Republic. New Haven and London 1977, S. 129.

Recht schaffen konnte. Statt dessen gingen die Auseinandersetzungen um Fischereirechte und Hoheitsgewässer mit wiederholten schweren Zwischenfällen weiter. Und
erstmals tauchte auch das Problem des Ägäis-Öls auf, als Griechenland 1962 Konzessionen für Suchbohrungen vergab.

Schwierigkeiten hat Griechenland in diesen Jahren aber nicht nur im Zusammenhang des Zypern-Konflikts und wegen der Ägäis gehabt. Zu nennen ist wiederum
das Verhältnis zu Ägypten, wo die Nationalisierung ausländischen Eigentums wei-
terging und Tausende von Griechen zwang, das Land zu verlassen und als Flüchtlinge nach Griechenland zu gehen. Wiederholte Demarchen Griechenlands in Kairo
hatten keinen Erfolg. Diese Spannungen zu Ägypten waren auch deswegen für
Griechenland unangenehm, weil sie Bemühungen erschwerten, die arabischen Länder als Freunde zu gewinnen.

Wenn sich griechische Hoffnungen hier nicht erfüllten, so war Griechenland seinerseits nicht bereit, der Idee des Ostblocks näherzutreten, den Balkan in eine Zone
des Friedens und der Atomwaffenfreiheit zu verwandeln. Verschiedene gewichtige
Gründe kamen für die ablehnende Haltung Griechenlands zusammen: Die Erinnerung an den Bürgerkrieg war nicht vorüber und ebenfalls nicht die ältere Furcht vor
den slawischen Nachbarn im Norden; es kam der Eindruck hinzu, daß die Sowjetunion im Zweifelsfall nicht anders als die USA eher die Türkei als Griechenland unterstützen würde; und schließlich machte die erwähnte massive Drohung Chruščevs
gegenüber dem griechischen Botschafter in Moskau vom August 1961 tiefen, für die
Sowjetunion im Endeffekt aber negativen Eindruck, daß sowjetische Raketen im
Kriegsfall die Akropolis zerstören könnten. Wie zurückhaltend Griechenland überhaupt in der Aufnahme von Beziehungen zu kommunistischen Staaten – mit Ausnahme Jugoslawiens – war, beweist im übrigen die Tatsache, daß 1960 zum ersten
Mal seit 1946 ein griechischer Minister zu offiziellen Gesprächen in diese Länder
fuhr.

Als interessiert erwies sich Griechenland dafür an der bilateralen Verbesserung
der Beziehungen zu Jugoslawien, Bulgarien und Albanien. Positiv entwickelte sich
vor allem das Verhältnis zu Bulgarien. Nach langwierigen Verhandlungen wurden
1964 nicht weniger als 12 Abkommen geschlossen, durch die mit Ausnahme der
Frage der bulgarischen Aufrüstung alle ausstehenden Probleme, einschließlich der
Reparationsfrage, gelöst werden konnten. Jetzt endlich kam es damit auch zum Austausch von Botschaftern. Daß die an sich seit 1949 guten Beziehungen zu Jugoslawien immer wieder gestört wurden, lag nach Ansicht Griechenlands ausschließlich
an Jugoslawien. Tatsächlich war es so, daß auch von 1960 an vor allem von seiten der
Teilrepublik Makedonien, gelegentlich aber auch von Belgrad aus, das für Griechenland nicht existente Problem Ägäisch-Makedoniens und der slawischen Minderheit
in Griechenland aufgegriffen wurde. Erstaunlich mutet es dagegen an, daß sich
Griechenland 1961 befremdet zeigte, als ein Sprecher des jugoslawischen Außenministeriums den Balkanpakt für tot erklärte. Was schließlich Albanien betrifft, so
brachten auch die Jahre 1960 bis 1967 trotz des Bruchs Albaniens mit der Sowjetunion keinen nennenswerten Fortschritt: Da Griechenland auf seinem Rechtsanspruch auf den Nordepirus beharrte, lehnte Albanien weiterhin die Beendigung des
Kriegszustandes und die Aufnahme diplomatischer Beziehungen ab. Es blieb so bei
kleinen Gesten wie der Freilassung weiterer Gefangener durch Albanien.

VI. 1967–1974

An drei Beispielen konnte bis jetzt gezeigt werden, wie Probleme der griechischen Nachkriegsaußenpolitik weltpolitisches Gewicht gewannen: in der Zeit des Bürgerkrieges, durch die „Erste Runde" des Zypern-Konflikts von 1954 bis 1959 und durch die „Zweite Runde" von 1963 an. Wie außergewöhnlich die Bedeutung Griechenlands in allen diesen Fällen aber auch gewesen ist, nie hatte Griechenland und die griechische Außenpolitik die Bandbreite parlamentarischer Demokratien als Basis und Ausgangspunkt verlassen. Dies änderte sich am 21.4. 1967, als durch den Staatsstreich der Obristen unter G. Papadopoulos die Demokratie in Griechenland beseitigt wurde. Die Zeit vom 21.4. 1967 bis zum 23./24.7. 1974, als die Regierung Androutsopoulos zurücktrat und K. Karamanlis erneut das Amt des Ministerpräsidenten übernahm, bedeutet insofern eine durch die Innenpolitik bedingte, grundlegend qualitative Veränderung des politischen Systems, die ohne Parallele in der griechischen Nachkriegsgeschichte ist.

Die Belastung, die sich dadurch auf außenpolitischem Gebiet für die westlichen Bündnispartner Griechenlands ergab, war notwendigerweise außerordentlich: Es mußte sich für die anderen Mitgliedsländer der NATO und der EWG die Frage stellen, ob Griechenland weiterhin den Bündnissystemen angehören könne. Griechenland wurde zum Problem seiner Verbündeten. Als Ergebnis ist freilich festzustellen, daß die Spannweite der außenpolitischen Reaktionen begrenzt blieb: Kein Partnerland im Westen – und schon lange kein Land des Ostblocks oder der Blockfreien – hat wegen des Staatsstreichs von 1967 die diplomatischen Beziehungen zu Griechenland abgebrochen. Die Erklärung ist einfach: Für den Westen war die Bedeutung Griechenlands viel zu groß, um sein Ausscheiden aus dem westlichen Lager zu riskieren, für den Rest der Welt bedeutete das Ende parlamentarischer Staatsform in einem Land keinen Anlaß zur Klage. Was den Westen betrifft, so sind im ganzen nur einige wenige und zumeist verbale Anläufe zur Verurteilung Griechenlands auf internationaler Ebene festzustellen: Der NATO-Rat diskutierte die Vereinbarkeit des Obristen-Regimes mit den im NATO-Vertrag festgelegten Prinzipien; die Menschenrechtskommission des Europa-Rats ließ eine Beschwerde Dänemarks, Norwegens, Schwedens und der Niederlande zu, was jedoch keine Folgen nach sich zog, da Griechenland am 12.12.1969 aus dem Europa-Rat austrat[58]). Dieser Austritt Griechenlands aus dem Europa-Rat, der mit der Kündigung der europäischen Menschenrechtskonvention verbunden war, sowie der Austritt aus dem Roten Kreuz sind die einzigen institutionellen Konsequenzen des Staatsstreichs von 1967 gewesen, und alle drei gingen zudem von Griechenland aus. Auch die EWG konnte sich nicht zum Ausschluß Griechenlands entschließen und beließ es bei einem Einfrieren von Teilen des Vertrages von Athen, ebenso wie die Europäische Investitionsbank die Auszahlung eines Kredits stoppte – ein Verlust, der durch Finanzhilfe der Weltbank ausgeglichen wurde. Und vor allem unterließen es die USA, das erstmals angewandte Instrument des Waffenembargos gegen einen NATO-Verbündeten auf alle Waffenlieferungen auszudehen oder das Embargo zumindest in

---

[58]) Schettig, G.: Athen vor der Menschenrechtskommission des Europa-Rates, in: Außenpolitik. 18. 1967, S. 735–742.

seiner begrenzten Form bis zum Ende des Junta-Regimes durchzuhalten. Angesichts der Tatsache, daß die ohnehin bestehenden Spannungen zur Türkei rasch weiter zunahmen und zusammen mit dem Zypern-Problem das Zentrum griechischer Außenpolitik bildeten, kommt dieser gemäßigten Haltung der USA nicht zuletzt auch wegen der unleugbaren militärischen Unterlegenheit Griechenlands gegenüber der Türkei von Athen aus große Bedeutung zu.

Damit ist im übrigen auch der umstrittenste Punkt der Junta-Zeit erreicht: das Verhältnis zwischen Griechenland und den USA. Schon im Zusammenhang der vorhergehenden Perioden – speziell für die Jahre 1944 bis 1952 – ist darauf hingewiesen worden, daß in der Forschung, vor allem der linksstehenden, die Frage diskutiert wird, ob es überhaupt eine eigenständige griechische Außenpolitik gegeben habe, weil erst England und dann die USA in der Nachfolge Deutschlands die Funktion der „Besatzungsmacht" übernommen hätten. Allenfalls Form und Ausmaß der Bevormundung Griechenlands hätten sich allmählich geändert. Mit dem Staatsstreich vom 21.4. 1967 kehrt diese negative Beurteilung griechischer Autonomie vehement zurück: Die USA erreichen jetzt ihr Ziel endgültig, eine neue „Bananenrepublik" zu gründen[59]). Ende der 60er Jahre ist Griechenland nichts anderes als ein von den USA kontrollierter Satellit und G. Papadopoulos der erste CIA-Agent in der Rolle eines europäischen Ministerpräsidenten[60]). Es führt eine konsequente Linie von der These, daß es die USA gewesen seien, die den Sturz von Karamanlis 1963 herbeigeführt hätten über das düstere Bild, das die Frau von A. Papandreou eine Woche vor dem Sturz ihres Schwiegervaters 1965 in einem offenen Brief an D. Pearson, Frau Johnson und Frau Humphrey von dem verheerenden amerikanischen Einfluß in Griechenland entwirft[61]), zu dem Staatsstreich vom 21.4. 1967 als Werk der CIA und den folgenden sieben Jahren, in denen Griechenland in voller Abhängigkeit von den USA gewesen sei.

Die USA sollen denn auch schließlich hinter dem Putsch der griechischen Nationalgarde auf Zypern vom 15.7. 1974 gegen Erzbischof Makarios gestanden haben, jenem Putsch, der nicht nur der unmittelbare Anlaß für den Sturz des Obristen-Regimes war, sondern auch für die türkische Invasion Zyperns, für die unmittelbare Gefahr eines griechisch-türkischen Krieges und den erneuten Rückzug Griechenlands aus der Militärorganisation der NATO als eine der ersten Amtshandlungen der neuen Regierung Karamanlis. Es ist zugleich faszinierend und bedrückend zu sehen, welches Ausmaß der Anti-Amerikanismus in der Interpretation der griechischen Außenpolitik und Innenpolitik erreicht, wobei die gängige Erklärung des amerikanischen Verhaltens in der Formel „Militärbasen statt Prinzipien" gesucht wird[62]).

Verzichtet man auf Spekulationen und beschränkt die Analyse auf nachweisbare Zusammenhänge, so erweist sich als erstes, daß es ohne Zweifel auch in der Obristen-Zeit eine von Athen aus geführte griechische Außenpolitik mit vorrangigen Problemen gegeben hat. Und sicher ist auch, daß die Bereiche Zypern und Türkei hier an erster Stelle zu nennen sind, wobei beide einerseits miteinander verbunden

[59]) Siehe oben, S. 148.
[60]) Papandreou, A.: The Takeover of Greece, in: Monthly Review. 24.7. 1972, S. 16 und 18.
[61]) Der Brief ist abgedruckt in: Couloumbis: Greek Political Reaction, S. 233–237.
[62]) Couloumbis u. a.: Foreign Interference, S. 136.

sind, andererseits aber auch jeweils spezifische Momente aufweisen. Ebenso spezifisch wie neu ist es im Falle Zyperns, daß sich das bereits vor 1967 gespannte Verhältnis zu Erzbischof Makarios zu offener Feindschaft entwickelte, bis hin zu abenteuerlichen Attentaten und dem Versuch des offenen Umsturzes am 15. 7. 1974, der dann den Sturz der Obristen selbst bewirkte. Dies Ende des Obristen-Regimes steht ohne Beispiel in der griechischen Nachkriegsgeschichte als Auswirkung außenpolitischer Zusammenhänge auf die griechische Innenpolitik. Spezifisch, allerdings nicht neu, ist es, daß das Verhältnis zur Türkei nicht nur durch Zypern, sondern auch durch die Ägäis-Frage belastet war. Der Grund hierfür liegt in den raschen Fortschritten in der Exploration des Ägäis-Öls sowie in der weltweit sich entwickelnden Diskussion über das Recht auf den Meeresboden. Von 1967 bis 1974 stehen Griechenland und die Türkei so nicht weniger als dreimal am Rande eines Krieges: 1967 wegen Zypern, 1973/74 wegen der Ägäis und 1974 noch einmal wegen Zypern. Im ganzen ist deutlich, daß die Kontinuität in der griechischen Außenpolitik hier überwiegt, daß es sich mehr um quantitative Unterschiede im Vergleich zur Zeit vor 1967 handelt als um qualitative.

Dasselbe gilt für die Beziehungen zum Ostblock, zu den blockfreien Ländern und, trotz des drastischen innenpolitischen Umschwungs, für die westlichen Verbündeten. Die Zugehörigkeit Griechenlands zum westlichen Bündnissystem stand für die Obristen zu keinem Zeitpunkt zur Diskussion, und auch die westlichen Verbündeten haben es sorgfältig vermieden, einen Bruch herbeizuführen. Die drei großen Nahostkrisen dieser Jahre – 1967, 1970 und 1973 – dürften ebenso das Ihre hierzu beigetragen haben wie das rasche Anwachsen der sowjetischen Flottenpräsenz im Mittelmeer in eben diesen Jahren.

Folgt man dem Ablauf der Ereignisse, so standen schon 1967 Zypern und die Türkei weit im Vordergrund der Junta-Außenpolitik. Die Lage auf der Insel erschien weiterhin hoffnungslos in der fortgesetzten Konfrontation zwischen Insel-Griechen und Insel-Türken, gegen die auch der Weltsicherheitsrat, der von ihm beauftragte Vermittler und die immer weiter verlängerte Anwesenheit von UNFICYP nichts auszurichten vermochten. Die Haltung der Obristen brachte keine neuen Elemente in diese Situation hinein: 1966 begonnene Verhandlungen mit der Türkei wurden mit dem Ziel fortgesetzt, auf der Basis des Acheson-Plans im Sinne der ,,Doppelten Enosis" zu einer gütlichen Einigung zu kommen, wobei Griechenland bereit war, auf Teile von Thrakien zu verzichten. Auch ein für das gespannte Verhältnis jener Jahre ungewöhnliches Treffen der beiden Staatspräsidenten am 9./10. 9. 1967 konnte an der Haltung der Türkei jedoch nichts ändern, an dem in Zürich und London vereinbarten Status quo festzuhalten. Neue schwere Zusammenstöße auf der Insel führten im übrigen vom 15. 11. 1967 an zur nächsten schweren Krise, die nach Einschaltung des Weltsicherheitsrates, der NATO und der USA – Präsident Johnson entsandte C. R. Vance als Sonderbeauftragten, danach aber auch die 6. Flotte – mit einer glatten Niederlage Griechenlands endete: In einer am 8. 12. 1967 abgeschlossenen Vereinbarung mußte sich Griechenland verpflichten, bis zum 16.6. 1968 über 6000 Mann der seit der Zeit G. Papandreous auf rund 10000 Mann angewachsenen illegalen griechischen Nationalgarde mit General Grivas an der Spitze abzuberufen. Auf dem Gipfel dieser Krise richtete die Türkei erstmals ein Ultimatum an Griechenland, wodurch die Kriegsgefahr zwischen beiden Ländern akuter als je zuvor wurde.

Als neues Element kam zu dieser ausweglosen Lage von 1970 an der offene Gegensatz zwischen Erzbischof Makarios und seiner Politik einer Aufrechterhaltung der Unabhängigkeit Zyperns mit der immer direkter auf die „Enosis" gerichteten Politik der Obristen hinzu. Am 8.3. 1970 wurde das erste von Athen aus gesteuerte Attentat auf Makarios verübt, im September 1971 kehrte General Grivas heimlich nach Zypern zurück, um im Auftrag der griechischen Regierung die EOKA II als Kampfinstrument gegen Makarios aufzubauen. Von 1972 an ist Makarios aus der Sicht Griechenlands ein Verräter an der griechischen Sache.

Vom Herbst 1972 an verschärfte sich die Lage dann bis zum 15.7. 1974, dem Tag des von Griechenland aus gelenkten Putsches der Nationalgarde gegen Makarios, und dem 20.7. 1974, dem Tag der türkischen Invasion, wobei die Ägäis-Frage gleichzeitig immer mehr an Bedeutung gewann. Mehrere Ereignisse kamen in Hinsicht auf die letztere zusammen: die internationale Ölkrise vom Herbst 1973 lenkte die Aufmerksamkeit Griechenlands wie der Türkei vermehrt auf das Öl in der Ägäis, abgesehen davon, daß das Schelf-Problem als solches damals weltweit mehr Beachtung fand. Für 1974 wurde die erste Seerechtskonferenz der UNO in Caracas geplant, die am Anfang bis heute nicht abgeschlossener Verhandlungen über Schelfrechte, Kontinentalsockel, Ausbeutung des Meeresbodens, Fischereirechte und Hoheitsgewässer steht. Am 1.11. 1973 bewilligte der türkische Ministerrat die Vergabe von Suchbohrungen für eine erste Zone in der Ägäis. Bis zum 18.7. 1974 folgten zwei weitere Zonen. Ein Blick auf die beigefügte Karte Nr. 3 verdeutlicht, daß auf diese Weise eine unmittelbare Eskalation in dem seit Ende des Zweiten Weltkrieges schwelenden Streit mit Griechenland um die Hoheitsrechte in der Ägäis gegeben war[63]). Die Schuld hierfür ist allerdings keineswegs einseitig der Türkei anzulasten, da Griechenland bereits seit 1962 Such- und Bohrkonzessionen vergeben hatte. Eine neue Dimension erreichten die Auseinandersetzungen, als Griechenland im Februar 1974 offiziell bekanntgab, daß die griechischen Bohrungen in der Nähe von Thasos fündig geworden seien und mit einer Befriedigung des gesamten griechischen Ölverbrauchs allein aus diesem Gebiet zu rechnen sei. Vom 7.2. 1974 an begann ein scharfer Notenwechsel zwischen Griechenland und der Türkei, in dem Griechenland unter Rückgriff u. a. auf den Vertrag von Lausanne, die Kommandoverteilung in der NATO nach dem Beitritt Griechenlands und der Türkei sowie auf die Genfer Konvention von 1958 jedes Anrecht der Türkei auf die Ägäis bestritt. Als im Gefolge der türkischen Vergabe von Sucherlaubnissen Ende Mai 1974 das türkische Forschungsschiff „Candarli" auslief, um westlich von Limnos Untersuchungen durchzuführen, versetzte Griechenland seine Truppen in Alarmbereitschaft. Wieder einmal standen beide Länder vor der Möglichkeit eines Krieges.

Zur selben Zeit zeichnete sich aber auch der nur als unsinnig zu bezeichnende Versuch des Nachfolgers von Papadopoulos, des Chefs der Militärpolizei General Ioannidis ab, das Zypern-Problem durch einen Putsch der griechischen Nationalgarde auf Zypern unter ihren festland-griechischen Offizieren lösen zu lassen. Bereits am 17.6. 1974 forderte Makarios die griechischen Offiziere auf, aus dem Dienst auszuscheiden, und am 2.7. 1974 warnte er den griechischen Staatspräsidenten Gizikis vor den Gefahren eines Putsches. Auf den Putsch des 15.7. 1974 folgte eine heftige in-

---

[63]) Für die Einzelheiten s. Franz: Der Streit um die Rechte.

Karte 3:   Schelfgebiet

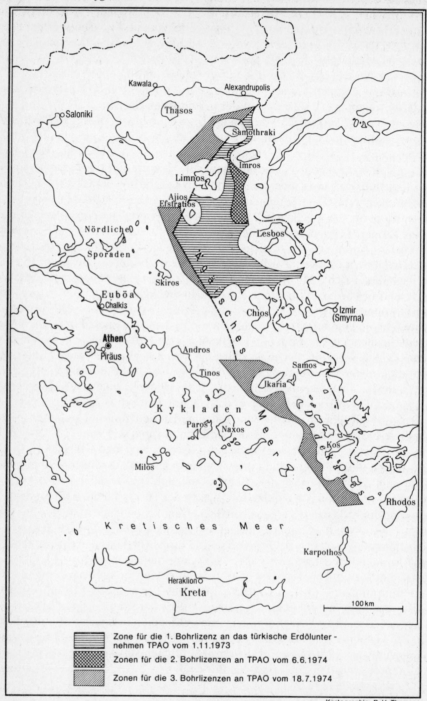

Zone für die 1. Bohrlizenz an das türkische Erdölunter-
nehmen TPAO vom 1.11.1973

Zonen für die 2. Bohrlizenzen an TPAO vom 6.6.1974

Zonen für die 3. Bohrlizenzen an TPAO vom 18.7.1974

Kartographie: P. U. Thomsen

ternationale Reaktion, vor allem aber die Invasion Zyperns durch türkische Truppen, gestützt auf das Recht der Türkei als Garantiemacht. Diesmal verhinderte die 6. US-Flotte nicht wie 1964 und 1967 die türkische Landung. Die unmittelbare Rückwirkung auf Griechenland war der Sturz des Obristen-Regimes. Das Zypern-Problem war damit für Griechenland allerdings nicht gelöst: Es wurde zur ersten Aufgabe der neuen demokratischen Regierung Karamanlis.

Alle anderen außenpolitischen Probleme der Jahre 1967 bis 1974 standen hinter Zypern und der Türkei zurück. Durchaus erwähnenswert ist es auf dem Hintergrund der griechischen Nachkriegsgeschichte aber doch, daß es die Obristen gewesen sind, die das Verhältnis zu Albanien bereinigt haben. Was den demokratischen Regierungen Griechenlands vor 1967 unmöglich erschien, vollzogen die Obristen: zwar nicht durch einen formellen Vertrag, dennoch aber in einer für Albanien ausreichenden Form verzichteten sie auf den Nord-Epirus. Es kam daraufhin im Mai 1971 zur Wiederaufnahme der diplomatischen Beziehungen, und zwar gleich auf Botschafterebene. Damit war im Bereich der zwischenstaatlichen Beziehungen die letzte Spur der Zeit des Bürgerkrieges beseitigt.

Das ohnehin im Prinzip normalisierte Verhältnis zu Jugoslawien und den Ländern des Sowjetblocks entwickelte sich von 1967 an weiter positiv. Was Jugoslawien betrifft, so veranlaßte die Tschechoslowakei-Krise von 1968 die jugoslawische Führung, Nachdruck auf die guten Beziehungen zu Griechenland zu legen. Als gemeinsames Großprojekt wurde der Ausbau des Vardar zur Schiffahrtsstraße projektiert. Daß Griechenland nun über Jugoslawien hinaus seinerseits die ältere Idee aufnahm, den Balkan in eine Zone des Friedens zu verwandeln, hatte angesichts der gespannten Beziehungen Jugoslawiens zum Ostblock und vor allem wegen der jugoslawisch-bulgarischen Divergenzen um Makedonien allerdings nur deklamatorischen Wert. Deutlich faßbar ist dagegen ein Ausbau der bilateralen Beziehungen zu Bulgarien. Handelsverträge wurden außerdem mit der Sowjetunion, der DDR und Rumänien abgeschlossen. Auch wenn an der antikommunistischen Einstellung der Obristen kein Zweifel sein konnte, ergab sich damit das Bild einer im wesentlichen ruhigen Phase des Zusammenlebens mit den kommunistischen Nachbarn im Norden und dem Sowjetblock im ganzen. Dem normalisierten Verhältnis zu Albanien entsprach es, daß auch mit China Kontakte aufgenommen wurden.

Die Basis der griechischen Außenpolitik von 1967 bis 1974 bildete jedoch die Fortsetzung der Zugehörigkeit zum westlichen Bündnissystem. Tendenzen des Neutralismus, wie sie in den 50er Jahren auf dem Höhepunkt der „Ersten Runde" des Zypern-Konflikts auftauchten, fehlen in der Zeit der Obristen. Einen deutlichen Fortschritt in seiner Kooperation mit dem Westen konnte Griechenland durch den Abschluß eines Vertrages mit den USA erzielen, durch den Piräus zum Heimathafen der 6. US-Flotte bestimmt wurde[64]). Auch die Wirtschaftsbeziehungen zum Westen konnten fortgesetzt werden, ohne daß sich das Einfrieren eines Teiles des Vertrages von Athen nachteilig auswirkte. Einen Rückschritt aus der Sicht Athens bedeuteten nur der Austritt aus dem Europa-Rat und dem Roten Kreuz, doch war dies unter den gegebenen Umständen der Weg des kleineren Übels. Spannungen im Einzelfall wie

---

[64]) Keagy, Th., and Y. P. Roubatis: Homeporting with the Greek Junta: Something New and More of the Same in U.S. Foreign Policy, in: U.S. Foreign Policy Towards Greece and Cyprus, 1975, S. 49–66.

mit der Bundesrepublik Deutschland anläßlich der Befreiung Professor Mangakis'
beeindruckten die griechische Außenpolitik jener Jahre nicht wesentlich.

Als letztes ist der Bereich blockfreier Länder zu nennen. Auch hier sind durch die
Junta keine grundsätzlich neuen Elemente in die griechische Außenpolitik hinein-
gekommen. Nicht neu ist es so auch, daß die griechische Außenpolitik dieser Jahre
hier zwei Bereiche unterscheidet: den südlichen Mittelmeerraum und den Bereich
der anderen blockfreien Länder mit dem Schwerpunkt in Afrika. Ohne dabei speziell blockfreie Ziele zu verfolgen, wurde die Zusammengehörigkeit der Länder im
Süden des Mittelmeeres betont. Neben den gewohnten Bemühungen um die arabischen Länder gehörte jetzt auch das Bestreben hierzu, gute Beziehungen mit Spanien zu pflegen. Was Afrika betrifft, so kam es zur Errichtung eines Wirtschaftsver-
bindungsbüros am Sitz der OAU.

Als wirklich neues Element in der Außenpolitik der Obristen-Zeit ist so nur die
Heftigkeit und Unüberlegtheit der Zypern-Politik zu bezeichnen. Durch diese kam
es dann auch zum Sturz des Regimes.

VII. 1974–1980

Der 24. 7. 1974, an dem Staatspräsident Gizikis K. Karamanlis aus dem Exil in Paris zurückberief und mit der Bildung einer demokratischen Regierung beauftragte,
bedeutet für die griechische Innenpolitik eine tiefe Zäsur. Vergleichbares gilt für das
Verhältnis der westlichen Verbündeten zu Griechenland, auch wenn die diplomatischen Beziehungen nicht unterbrochen waren: Freude und Erleichterung waren allgemein. F. X. Ortoli sandte noch am 24.7. im Namen der EG-Kommission ein
Glückwunsch-Telegramm nach Athen, im August sprach sich die Kommission und
im September der Rat der Gemeinschaft für die Wiederaufnahme des eingefrorenen
Prozesses der weiteren Assoziierung Griechenlands aus. Es war auch keine Frage,
daß der Europa-Rat und das Rote Kreuz Griechenland umgehend wieder aufnah-
men. Davon abgesehen muß die hier zu stellende Frage jedoch lauten: Hat der 24. 7.
1974 für die von Griechenland selbst zu führende Außenpolitik eine Zäsur bedeutet? Die Antwort kann nicht anders als im Zusammenhang des 21. 4. 1967 nur eindeutig „Nein" lauten. An der Grundhaltung der griechischen Außenpolitik, wie sie
seit dem 18. 10. 1944 bestanden hatte, änderte sich auch vom 24. 7. 1974 an nichts:
Griechenland betrachtete sich als zum Westen zugehörig und – nach Überwindung
des Obristen-Regimes – zu recht auch wieder als Mitglied der Familie westlicher
Demokratien.

Es braucht insofern nicht zu verwundern, daß sich für die Jahre seit 1974 im Prinzip wiederum dieselben Problemkreise als bestimmend für die griechische Außenpolitik erweisen wie in der Zeit davor. Durchaus nichts Neues war es so, daß vom Tage
des Amtsantritts der neuen Regierung Karamanlis an das Zypern-Problem absoluten Vorrang unter den außenpolitischen Aufgaben hatte. Neu ist nur die lawinen-
hafte Heftigkeit, mit der das Zypern-Problem als unmittelbares Erbe der Obristen-
Zeit sofort einer Katastrophe entgegeneilte. Mit dem Putsch der griechischen Nationalgarde vom 15.7. 1974, hinter dem nach dem Urteil nicht nur Erzbischof Maka-

Karte 4:   Zypernkonflikt

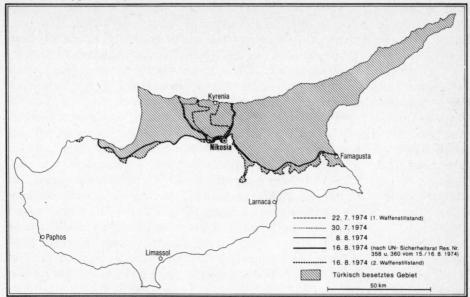

22. 7. 1974 (1. Waffenstillstand)
30. 7. 1974
8. 8. 1974
16. 8. 1974 (nach UN- Sicherheitsrat Res. Nr. 358 u. 360 vom 15./16. 8. 1974)
16. 8. 1974 (2. Waffenstillstand)

Türkisch besetztes Gebiet

50 km

Kartographie: P. U. Thomsen

rios', sondern auch K. Karamanlis'[65]) unbezweifelbar die Obristen standen, begann die „Dritte Runde" des Zypern-Problems, deren Ende heute noch nicht abzusehen ist. Deutlich ist zudem, daß die „Dritte Runde" des Zypern-Problems in noch höherem Maße als die „Zweite Runde" für die griechische Außenpolitik mit der Frage des Verhältnisses zur Türkei identisch ist. Es kann ohne weiteres gesagt werden, daß die Obristen Griechenland hier auf außenpolitischem Gebiet dauerhafteren Schaden zugefügt haben als durch die Beseitigung der Demokratie in der Innenpolitik. Innenpolitisch ist es der Regierung Karamanlis erstaunlich rasch und schmerzlos gelungen, an die Zeit vor 1967 anzuknüpfen. Anders dagegen in Hinsicht auf Zypern und die Türkei: Im Sommer 1980 steht Griechenland hier nicht anders als im Sommer 1974 vor einer fast hoffnungslosen Situation, was die Lage auf der Insel betrifft. Die „Dritte Runde" des Zypern-Problems unterscheidet sich damit qualitativ deutlich von ihren beiden Vorgängern.

Es kommt hinzu, daß wegen der Spannungen mit der Türkei das Verhältnis zur NATO, und damit eine der beiden Säulen des griechischen Bündnissystems, erneut kontinuierlich belastet worden ist. Zu den ersten außenpolitischen Entscheidungen

---

[65]) Für Makarios s. Anm. 56; für Karamanlis' Rundfunkansprache vom 15. 8. 1974: Dokumente zur Zypern-Krise, in: Europa-Archiv. 29. 1974, D 449/50. Außer der bereits genannten Literatur – vor allem auch der hilfreichen Zusammenstellung von E. Franz – vgl. für die folgende Entwicklung Tornaritis, C. G.: Cyprus and its Constitutional and other Legal Problems. Nicosia 1977; Le problème chypriote. Ed. révisée. Nicosie 1958; Kyprianou, S.: Chypre rejette les propositions turques. Nicosie 1978; ders.: Adress at the Special U.N. General Assembly Session on Disarmament, on 24th May, 1978. Nicosia 1978; Constantopoulos, D. S.: Die türkische Invasion in Zypern und ihre völkerrechtlichen Aspekte, in: German Yearbook of International Law. Jahrbuch für internationales Recht. 21. 1978, S. 272–310; Crawshaw, N.: The Cyprus Revolt. An Account of the Struggle for Union with Greece. London 1978.

der griechischen Regierung nach dem 24. 7. 1974 hat es gehört, daß Griechenland seine Mitarbeit in der NATO wiederum zum großen Teil eingestellt hat. Vor einer für Griechenland akzeptablen Lösung des Zypern-Problems dürfte kaum an eine Wiederaufnahme normaler Beziehungen zu denken sein. Und mindestens ebenso wichtig ist es, daß die Obristen-Zeit und die „Dritte Runde" des Zypern-Problems das Verhältnis Griechenlands zu den USA weiter verschlechtert haben. Es ist symptomatisch, wenn J. Siotis, Berater des Koordinationsministers, 1977 öffentlich in Brüssel formulieren konnte: „L'Antiaméricanisme qui, jusqu'en 1967, était limité à une petite fraction du peuple grec, s'étendu à l'ensemble de la population"[66]). Zu erklären ist beides, die Belastung des Verhältnisses zur NATO und zu den USA, aus der alten Frage, die sich für Griechenland seit der für Griechenland und die Türkei gemeinsam erfolgten Verkündung der Truman-Doktrin 1947 und dem gemeinsamen Eintritt in die NATO 1952 ergeben hatte: ob die Verbündeten in der NATO und im besonderen die führende Militärmacht der USA „im Zweifel" nicht der Türkei den Vorzug vor Griechenland geben würden. Mit erneuter und für Griechenland überwältigender Dringlichkeit stellte sich diese Frage, als die Türkei am 20. 7. 1974 tatsächlich jene militärische Invasion Zyperns durchführte, die mit Sicherheit 1964 geplant und nur durch das massive Eingreifen der USA verhindert worden war. Die Türkei besetzte zunächst 4 % des Territoriums der Insel und sodann durch einen zweiten großen Angriff am 14./15. 8. 1974 40 %[67]). Die „Attila-Linie" ist seitdem die Grenze zwischen einem türkisch besetzten Teil Zyperns und dem Rest des 1960 gegründeten Staates. Im türkisch besetzten Teil befinden sich 65 % der landwirtschaftlichen Nutzfläche. 60 % der Industriekapazität und 80 % der touristischen Einrichtungen. Und vor allem ist fast die gesamte dort wohnhafte griechische Bevölkerung – rund 170 000 Personen – vertrieben worden, wodurch die für Zypern charakteristische ethnische Gemengelage von Türken und Griechen weitgehend beseitigt und die Möglichkeit zur Bildung eines Bundesstaates geschaffen worden ist, der aus zwei ethnisch und territorial abgrenzbaren Teilen bestehen könnte. Tatsächlich ist diese völlig neue Möglichkeit der Zukunft Zyperns von Ministerpräsident Eçevit schon am 28. 7. 1974 vorgeschlagen worden und bildet seitdem die Grundlage der türkischen Verhandlungswünsche.

Daß die Invasion Zyperns durch die Türkei für Griechenland eine im Grunde unerträgliche Provokation bedeutete, liegt auf der Hand. Ebenso deutlich ist es aber auch, daß damit automatisch das Verhältnis zu den USA aufs Stärkste belastet wurde. Karamanlis hat den dafür maßgebenden Zusammenhang in einer Rundfunkansprache am 15. 8. 1974 in eine vom griechischen Standpunkt aus bis heute gültige Form gebracht, wenn er formulierte: „Und sie (die Türkei) beging diese schändlichen Akte mit Duldung derjenigen, die sie hätten zurückhalten können"[68]). Für Griechenland war es unverständlich, warum die USA nicht ebenso wie 1964 und 1967 ihr volles Gewicht im östlichen Mittelmeer, einschließlich der 6. Flotte, einsetzten, um die Türkei von der Invasion abzuhalten, die zudem mit offenem Bruch bestehender Verträge unter Einsatz von den USA gelieferter Waffen stattfand. Die

---

[66]) La Grèce et la Communauté. Bruxelles 1978, S. 43.
[67]) Vgl. hierzu Karte 4 auf S. 185.
[68]) Dokumente zur Zypern-Krise, a.a.O., D 449.

volle Wucht der griechischen Kritik richtet sich dabei bis heute insbesondere gegen
Außenminister Kissinger, und es wird nicht als zureichende Entschuldigung für die
entschluß- und konzeptionslose Haltung der USA angesehen, daß sich diese damals
mitten in der Watergate-Krise befanden.

Wenn die „Dritte Runde" des Zypern-Problems sofort auch für das Verhältnis zur
NATO bedeutungsvoll wurde, so erschöpft sich damit ihr Bezug zum „Dritten Bereich" griechischer Außenpolitik – dem der internationalen Organisationen – jedoch nicht. Zu nennen ist vielmehr wiederum die UNO, die sich vom Juli 1974 an
ununterbrochen mit allen ihr zur Verfügung stehenden Mitteln um eine Konfliktlö-
sung bemüht hat: durch den Weltsicherheitsrat, der schon am 20.7. 1974 seine
grundlegende Resolution Nr. 353 verabschiedete[69]), wie durch die Vollversammlung, die sich ebenfalls seit 1974 wiederholt mit dem Zypern-Problem befaßt hat;
durch die bis heute fortgesetzte Stationierung von UNFICYP auf der Insel und nicht
zuletzt durch die nicht nachlassenden Bemühungen UN-Generalsekretär Wald-
heims.

Zur wichtigsten internationalen Organisation ist in dieser bis jetzt letzten Periode
griechischer Nachkriegsaußenpolitik aber ohne Zweifel die EG geworden. Wenn am
28.5. 1979 in Athen feierlich der Vertrag über die Aufnahme Griechenlands als
Vollmitglied der EG zum 1.1. 1981 unterzeichnet worden ist, so bedeutet dies nicht
nur die Krönung des außenpolitischen Lebenswerks Karamanlis', sondern auch eine
entscheidende Zäsur im Verlauf der griechischen Geschichte seit 1944.

Daneben hat aber auch der „Zweite Bereich" griechischer Außenpolitik, der regionale, seit 1974 seine Bedeutung behalten. Dies gilt vor allem für die drei nördlichen Nachbarn – Albanien, Jugoslawien und Bulgarien – bzw. für das Problem der
aus eigenen Kräften nicht zu verteidigenden, 1000 km langen Landgrenze Griechenlands im Norden. Auch nach 1974 hat dabei das Bemühen um bilaterale Beziehungen für die griechische Außenpolitik im Vordergrund gestanden, obwohl durchaus
Versuche zu verzeichnen sind, die Idee des Balkans als „Zone des Friedens" wieder
aufzunehmen. Die latenten Spannungen zwischen Jugoslawien und Bulgarien, Albanien und Bulgarien und nicht zuletzt zwischen Griechenland selbst und der Türkei
gaben dieser Idee aber kaum Realisierungschancen. Kaum anders steht es mit weiteren Bemühungen um eine engere Zusammenführung der Anrainer des südlichen
Mittelmeeres oder engerer Kontakte Griechenlands mit den arabischen Staaten. Allen solchen Plänen kommt auch deswegen keine größere Bedeutung im Rahmen der
griechischen Außenpolitik zu, weil die PASOK durchaus recht hat, wenn sie feststellt, daß die Basis der griechischen Außenpolitik auch nach 1974 die Formulierung
sei „Wir gehören zum Westen"[70]).

Wenn wir uns damit der chronologischen Abfolge der Ereignisse zuwenden, so ist
aus dem Gesagten bereits deutlich geworden, daß auch unter diesem Aspekt das Zypern-Problem an der ersten Stelle steht und sich sofort mit dem Türkei-Problem zu
einer Einheit verbindet. Vom Putsch der Nationalgarde vom 15.7. 1974 führt eine
geschlossene Kette von sich überstürzenden Ereignissen bis zum 28.9. 1974, als Außenminister G. Mavros vor der Vollversammlung der UNO das Mittel der Interna-

---

[69]) Dokumente, D 443/444.
[70]) PASOK. Domestic Issues. 3. September 1977, S. 8.

tionalisierung auf breitester Ebene einzusetzen versuchte. Vorangegangen waren
nicht nur die türkische Invasion vom 20. 7. und das Vorrücken zur Attila-Linie vom
14. 8., sondern auch zwei vergebliche Verhandlungsrunden der drei Garantiemächte
in Genf sowie eine ganze Serie von Sitzungen des Weltsicherheitsrates, des
NATO-Rates und von EG-Gremien. Gefolgt sind seitdem bis heute ungezählte weitere Diskussionen und Verhandlungen, in denen Griechenland stets als der natürliche Anwalt und Sekundant der Zypern-Griechen aufgetreten ist, während die Türkei in gleicher Weise hinter den Zypern-Türken stand. Verschwunden ist damit die
Konfrontation zwischen griechischer Regierung und der Regierung Zyperns, wie sie
für die Obristen-Zeit typisch war. Der Grund ist darin zu suchen, daß auch
Griechenland jetzt wieder voll für einen unabhängigen Staat Zypern eintritt und die
von den Obristen im Gegensatz zu den Abkommen von Zürich und London angestrebte „Enosis" der Insel mit dem Mutterland verworfen hat. Eine Annäherung an
den türkischen Standpunkt ist damit jedoch noch nicht gegeben, da dieser vom Tatbestand der Vertreibung eines Großteils der Insel-Griechen aus ihren angestamm-
ten Siedlungen und damit der Möglichkeit der Schaffung eines ethnisch abgegrenzten föderativen Bundesstaates ausgeht. Der Stand des Zypern-Problems ist damit im
Sommer 1980, sechs Jahre nach der türkischen Besetzung des Nordteils der Insel,
deprimierend: Weder über die UNO mit ihrem persönlich engagierten Generalsekretär noch über die NATO, die EG oder die USA läßt sich wirksamer Druck auf die
Türkei ausüben. Auch die Gespräche zwischen den beiden Volksgruppen auf der Insel, geführt zunächst von Erzbischof Makarios und seit seinem Tode am 3. 8. 1977
durch seinen Nachfolger als Staatspräsident S. Kyprianou für die Griechen und
durch R. Denktaş für die Türken kommen nicht voran. Es bleibt theoretisch die
seit den 50er Jahren mehrfach in den Bereich des unmittelbar Bevorstehenden ge-
rückte Möglichkeit eines Krieges zwischen beiden NATO-Partnern. Angesichts der
nach wie vor gegebenen militärischen Überlegenheit der Türkei, der geostrategisch
von Griechenland aus gesehen ungewöhnlich ungünstigen Lage Zyperns und wegen
der „im Zweifel" die Türkei begünstigenden Haltung der anderen NATO-Partner
diskutiert jedoch mit Ausnahme der PASOK keine griechische Partei diese Möglichkeit ernsthaft. Damit ist für die griechische Außenpolitik aber eine Patt-Situation
gegeben, die nur zu Pessimismus Anlaß geben kann.

Ebenfalls in einer Patt-Situation, die freilich etwas mehr Anlaß zu Optimismus
gibt, befindet sich das Ägäis-Problem und damit der zweite Bereich von Auseinandersetzungen Griechenlands mit der Türkei. Die Streitpunkte sind unverändert dieselben geblieben: Abgrenzung der Hoheitsgewässer, des Schelfs, auch des Luft-
raums und angesichts der Weltenergiekrise zudem die Frage des Erdöls. Speziell wegen des letzteren kamen beide Länder im Sommer 1976 erneut an den Rand eines
Krieges. Hoffnungen auf eine Lösung der Problematik durch neue völkerrechtliche
Regelungen blieben bis jetzt unbegründet, da die sog. Caracas-Konferenzen der
UNO von Session zu Session weitergehen und ein Ende noch nicht abzusehen ist.
Gescheitert ist auch der Versuch der griechischen Regierung, den Streitfall durch
den Internationalen Gerichtshof in Den Haag klären zu lassen: Im Dezember 1978
hat sich dieser für unzuständig erklärt. Schleppend verliefen auch Bemühungen, das
Verhältnis beider Länder durch persönliche Verhandlungen der beiden Regierungs-
chefs, Karamanlis und Eçevit, zu verbessern. Eine Zusammenkunft in Montreux am

10. und 11.3. 1978, an die große Erwartungen geknüpft wurde, hat keine sichtbaren Ergebnisse gebracht. Bezeichnend negativ war die Reaktion Griechenlands auf Erklärungen des Gipfeltreffens von Guadelupe im Januar 1979, die westlichen Führungsmächte wollten sich verstärkt für eine Unterstützung der türkischen Wirtschaft einsetzen. Mehr Anlaß zu Optimismus gibt die Patt-Situation in der Ägäis von Griechenland aus gesehen im Vergleich zum Zypern-Problem nur deswegen, weil der Status quo in diesem Fall Griechenland begünstigt.

Wenn in bezug auf den für Griechenland mit Abstand wichtigsten außenpolitischen Problembereich – Zypern und die Türkei – damit nach dem vehementen Beginn im Juli und August 1974 heute – im Sommer 1980 – von einer „negativen Stabilität" gesprochen werden könnte, so würde sich für die drei nördlichen Nachbarn Albanien, Jugoslawien und Bulgarien die Formulierung einer „positiven Stabilität" anbieten. Das jeweils bilaterale Verhältnis zu den drei Staaten ist seit 1974 in keinem Fall schlechter, in mancher Hinsicht sogar besser geworden. Im Falle Albaniens hat Enver Hoxha erstmals die Existenz einer griechischen Minderheit in Südalbanien anerkannt, ein griechischer Minister hat das Land besucht , und eine Flugverbindung Ioannina–Tirana ist eingerichtet worden. Karamanlis hat Jugoslawien und Bulgarien besucht. Besonders positiv entwickeln sich die Beziehungen zu Bulgarien, wenn diesbezügliche Äußerungen Staats- und Parteichef Živkovs vom April 1979 Glauben geschenkt werden kann. Kaum Aussicht auf Erfolg dürften angesichts der Spannungen zwischen den einzelnen Ländern allerdings gelegentliche Bemühungen der griechischen Regierung haben, im Anschluß an die KSZE die Idee des Balkans als einer Zone des Friedens der Verwirklichung näherzubringen.

Keine Änderungen von Belang hat es seit 1974 im Verhältnis zur Sowjetunion und dem Ostblock im Ganzen gegeben. Gradmesser für die Haltung Griechenlands ist vorrangig die Politik der Sowjetunion in der Zypern-Frage. Hier wirkt sich negativ auf eine nachhaltige Verbesserung der Beziehungen aus, daß die Sowjetunion – nicht anders als die USA – im Verdacht steht, „im Zweifel" der Türkei den Vorzug vor Griechenland zu geben[71]).

Was das Verhältnis zu den USA betrifft, so kann trotz des vernichtenden, zitierten Urteils von J. Siotis doch von einem gewissen Fortschritt gegenüber dem Tiefpunkt der Beziehungen im Juli und August 1974 gesprochen werden. Besondere Bedeutung kam vom griechischen Standpunkt aus dem Waffenembargo zu, das der Kongreß gegen den Widerstand Präsident Fords und Außenminister Kissingers gegen die Türkei verhängte. Es ist selbstverständlich, daß Griechenland nichts unversucht ließ, der Aufhebung des Embargos, die im August 1978 erfolgte, entgegenzuwirken. Große Hoffnungen, mit denen der Amtsantritt Präsident Carters begrüßt wurde, zerschlugen sich in dieser Hinsicht. Um so mehr Nachdruck legte man darauf, daß ein neues Verteidigungsabkommen, das am 15.4. 1976 unterzeichnet wurde, keine Benachteiligung Griechenlands im Verhältnis zu parallelen Verhandlungen brachte, die die USA zur selben Zeit mit der Türkei führten. Daß sich die Beziehungen Griechenlands zu den USA im Ganzen gesehen im Vergleich zu den 40er und 50er Jahren geändert haben, und zwar vor allem in Hinsicht auf eine wesentlich stärkere Ausrichtung Griechenlands auf Westeuropa, ist unverkennbar. Anderseits darf aber

---

[71]) Steinbach, U.: Die Sowjetunion und die Zypern-Krise, in: Osteuropa. 25. 1975, S. 338–348.

auch nicht übersehen werden, daß die Außenpolitik Griechenlands einer Bindung an den Westen und damit auch an die Führungsmacht der USA von einer deutlichen Mehrheit des griechischen Volkes in allen Wahlen seit 1974 unterstützt wird.

Eben dasselbe gilt für die Politik gegenüber der NATO. Daß die Regierung Karamanlis prinzipiell an der Mitgliedschaft Griechenlands in der NATO festhält und nicht an einen Austritt oder Anschluß an das Lager der Blockfreien denkt, wie es das Programm der PASOK vorsieht, steht außer Frage. Alle auch von Karamanlis selbst unterstützten Bekundungen des Interesses an einer Gemeinsamkeit der Mittelmeerländer oder an einer engeren Zusammenarbeit mit den arabischen Ländern haben kein Gewicht im Vergleich zur Bedeutung der Bindung an den Westen durch die NATO und EG. Die für Griechenland wichtige Frage ist so seit 1974 auch nicht diejenige eines Austritts aus der NATO gewesen, sondern wie sich die berechtigten griechischen Sicherheitsinteressen, gerade auch für den Fall eines Krieges mit der Türkei, mit den Verpflichtungen im Rahmen des Paktes vereinbaren ließen. Angesichts der unverändert negativen Situation in bezug auf Zypern und die Türkei ist daher eine Rückkehr in die Militärorganisation der NATO für Griechenland bis jetzt nicht möglich gewesen, andererseits ist aber auch kein Zweifel daran gelassen worden, wo Griechenland im Fall eines Konflikts mit dem Ostblock stehen würde.

Das wichtigste Ereignis der Jahre 1974 bis 1980 im Sinne einer Weiterentwicklung von der deprimierenden Ausgangssituation im Juli 1974 und darüber hinaus eines der wichtigsten Ereignisse der gesamten griechischen Außenpolitik der Nachkriegszeit ist jedoch die Unterzeichnung des Vertrages über die Aufnahme Griechenlands als Vollmitglied in die EG am 28.5.1979 in Athen gewesen. Überblickt man die griechische Nachkriegsgeschichte von dem Tage an, als die erste Nachkriegsregierung unter G. Papandreou am 18.10.1944 ihre Tätigkeit in Athen aufnahm, so gehört der 28.5.1979 mit Sicherheit zu den großen und für Griechenland epochemachenden Tagen. Hier ist eine Entwicklung zum Abschluß gekommen, die konsequent in der griechischen Außenpolitik seit 1944 angelegt war und im engeren Sinn am 8.6.1959 ihren Anfang nahm, als Griechenland die Assoziierung beantragte. Dieser Weg ist lang und beschwerlich gewesen, wobei auf seine Problematik für beide Seiten hingewiesen worden ist. Wie viele Fragen es für die Aufnahme Griechenlands als Vollmitglied am 1.1.1981 von der Gemeinschaft aus gesehen zu lösen galt, beweisen die Länge und die Kompliziertheit der Verhandlungen, die darüber mehr als vier Jahre von 1974 an geführt worden sind. Daß Griechenland aber auf jeden Fall den Weg als Glied der Familie westlicher Demokratien gehen will, haben sämtliche Wahlen der Nachkriegszeit mit großen Mehrheiten bewiesen. Es ist insofern auch bezeichnend, daß die Idee eines Volksentscheides, mit dem die griechische Opposition noch 1979 diesen Weg im Sinne institutioneller Verbindung in Frage stellen lassen wollte, bis jetzt nicht in die Tat umgesetzt worden ist[72]).

---

[72]) Simitis, K.: Les parties politiques grecs face á l'adhésion, in: La Grèce et la Communauté. 1978, S. 63–70; Papandreou, A. G.: Common Market. o.O. 1978 (PASOK E 1/78); Unterzeichnung des Vertrages über den Beitritt Griechenlands zu den Gemeinschaften. Dokumentation über die Modalitäten des Beitritts Griechenlands zur Europäischen Wirtschaftsgemeinschaft, in: Informatorische Aufzeichnungen. Kommission der Europäischen Gemeinschaften, Sprechergruppe. Brüssel 1979, P. 50; Griechenland. Unterzeichnung der Beitrittsakte, in: Bulletin der Europäischen Gemeinschaften. Generalsekretariat. Brüssel. 12. 1979, 5.

Landesverteidigung

Werner Kowarik, Wedel (Holst.)

I. Militärstrategische Lage – II. Grundlagen der Landesverteidigung – III. Die Streitkräfte – IV. Die Hauptprobleme der Landesverteidigung

I. Militärstrategische Lage

Am Ende des Zweiten Weltkrieges versuchte die kommunistisch kontrollierte ELAS in Griechenland eine Volksdemokratie zu errichten. Nach Ausfall jugoslawischer Hilfe und mit Unterstützung Großbritanniens und der USA wurde der Bürgerkrieg 1949 beendet. Er hatte 40 000 bis 50 000 Tote gefordert. Eine weitere Ausdehnung des sowjetischen Machtbereiches in Südosteuropa war gescheitert. Die Militär- und Finanzhilfe der USA blieb auch danach von großer Bedeutung.

Am 22. Oktober 1951 unterzeichneten Griechenland und die Türkei das Protokoll über ihren Beitritt zur NATO. Der Beitritt wurde am 18. Februar 1952 vollzogen. Beide Staaten trugen so, entsprechend ihrer geostrategischen Lage, zum Aufbau der „NATO-Südostflanke" bei. Der „Balkan-Pakt" zwischen Griechenland, Jugoslawien und der Türkei entstand mit Unterzeichnung des „Vertrages von Ankara" (28.2. 1953) und des „Beistandspaktes von Bled" (9.8. 1954). Beide Verträge konnten allerdings nicht zufriedenstellend ausgefüllt werden.

Die innenpolitische Konsolidierung hemmten erbitterte Auseinandersetzungen, in die zeitweise auch Vertreter der Streitkräfte hineingezogen wurden. Die Verurteilung von 198 Offizieren wegen Gewalthandlungen im Zusammenhang mit den Wahlen von 1961 war ungünstig für die Stellung der Streitkräfte im Volk.

Nach einem Armeeputsch am 21. April 1967 wurde eine Militärdiktatur errichtet. Das Regime sah sich dessen ungeachtet u. a. gezwungen, mehrere Säuberungen in den Streitkräften durchzuführen. Die USA hatten nach dem Putsch ihre Waffenlieferungen eingestellt, hoben den Lieferstopp jedoch im Oktober 1968 wieder auf. In den gleichen Zeitraum fiel die Eröffnung der NATO-Missile Firing Installation (NAMFI) nördlich der Soudabucht auf Kreta (Feb. 1968). Nach etwa einjährigen Verhandlungen wurde außerdem am 8. Januar 1973 das „Homeport"-Abkommen abgeschlossen, mit dem die 6. US-Flotte Rechte zur Hafennutzung in Piräus erhielt. Die Bundesrepublik Deutschland stellte 1968 ihre Verteidigungshilfen wegen der innenpolitischen Verhältnisse in Griechenland ein.

Zusätzlich hatten sich die Beziehungen zum NATO-Verbündeten Türkei gravierend verschlechtert. Neben überkommenen Gegensätzen taten sich Konfliktherde neu auf: Das Ägäis-Problem wurde einerseits durch griechische Stationierungs- und Befestigungsmaßnahmen auf dem Dodekanes verschärft; andererseits forderte die Türkei die Festlegung des Festlandsockels gemäß ihrer Auffassung. Krisenhafte Entwicklungen entstanden durch türkische Erdölexplorationen. So lief das Forschungsschiff „Candarli" vom 29. Mai bis zum 1. Juni 1974 in Begleitung von 32

Kriegsschiffen zu Vermessungen in die Ägäis aus. Ernsthafte und im übrigen kostspielige militärische Maßnahmen wurden zwei Jahre danach wegen der Arbeiten des türkischen Forschungsschiffes „MTA Sismik I" ausgelöst. Griechenland versetzte am 9. August 1976 seine Streitkräfte in erhöhte Alarmbereitschaft. Beide Seiten leiteten militärische Bewegungen ein.

Das Zypernproblem führte zu den bisher schwerwiegendsten Auseinandersetzungen. Nach dem Vertragsstatus Zyperns war das dortige griechische Truppenkontingent auf 950 Mann begrenzt. Dennoch waren seit 1964 reguläre griechische Truppen auf die Insel verlegt worden, die bis 1967 auf etwa 10 000 Mann angewachsen waren. Sie bildeten im wesentlichen die griechische Nationalgarde, auf die sich Präsident Makarios stützte. Erst das Militärregime zog vom November 1967 an die überzähligen griechischen Truppen zurück. Makarios forderte im Verlauf seiner Auseinandersetzungen mit dem Regime zum 15. Juli 1974 den Abzug aller 650 griechischen Offiziere der Nationalgarde. Mit Ablauf dieser Frist brach auf Zypern ein Putsch los. Damit war für die Türkei der willkommene Anlaß zum militärischen Eingreifen gegeben. Am 20. Juli 1974 fand eine Truppenlandung statt, die eine ganze Reihe von Konsequenzen hatte. Zunächst ordnete die Regierung in Athen die Generalmobilmachung an. Diese wurde jedoch durch die unsichere innenpolitische Lage der Junta behindert. Trotzdem drohte Griechenland ultimativ, der Türkei den Krieg zu erklären, schloß das vorgeschobene Alliierte Hauptquartier in Saloniki und nahm alle NATO-Anlagen in Griechenland unter nationale Kontrolle. Seine Streitkräfte wurden nationalem Befehl unterstellt. Am 22. Juli 1974 stimmte Griechenland dem Beschluß des UN-Sicherheitsrates zur Feuereinstellung auf Zypern zu. Einen Tag später übernahm K. Karamanlis die Regierungsgeschäfte. Das Militärregime trat nach mehr als siebenjähriger Herrschaft ab. Am 14. August 1974 gab Ministerpräsident Karamanlis den Beschluß seiner Regierung zum Austritt aus der militärischen Organisation der NATO bekannt[1]. Am 14./15. August 1974 begann die zweite türkische Intervention auf Zypern. Nach der schnellen Besetzung von Famagusta befand sich der gesamte Nordostteil der Insel in der Hand der türkischen Truppen. Am 16. August 1974 kamen die türkischen Truppen dem Appell des UN-Sicherheitsrates zur Feuereinstellung nach.

Die Distanzierung Griechenlands von der NATO fand formal eine weitere Bekräftigung, als Außenminister Mavros am 11. September 1974 NATO-Generalsekretär J. Luns über den Beschluß seines Landes informierte, aus dem Verteidigungsplanungsausschuß der NATO auszuscheiden. Die Aufhebung des Kriegsrechts, mit Ausnahme für die an die Türkei grenzenden Gebiete, wurde am 9. Oktober 1974 von der Regierung Karamanlis verkündet.

In der Folge zeigte sich in Griechenland eine Welle des Anti-Amerikanismus. Die Regierung forderte am 31. Januar 1975 eine Prüfung des „Homeport"-Abkommens und der Vereinbarungen über die NATO-Stützpunkte in Griechenland. Am 11. Juni 1975 trat eine neue Verfassung in Kraft. Für die Landesverteidigung sind insbesondere Art. 27 (Aufnahme einer fremden militärischen Macht im Staatsgebiet) und 45 (Oberbefehl) von Bedeutung. Angesichts der vorangegangenen Entwicklung war das am 26. März 1976 unterzeichnete Abkommen zwischen den USA und der Tür-

---

[1] AFP-Meldung, zitiert in: Archiv der Gegenwart. 1974, 39, S. 18931.

kei über Zusammenarbeit auf dem Gebiet der Verteidigung nach Auffassung Griechenlands für eine Verschiebung des Kräfteverhältnisses im östlichen Mittelmeer von großer Tragweite. U.a. wurde der Türkei Verteidigungshilfe von 1 Mrd. Dollar während der ersten vier Jahre zugesagt[2]).

Grundsätze für ein neues Verteidigungsabkommen Griechenland–USA wurden am 15. April 1976 in Washington unterzeichnet. Die anschließenden Verhandlungen waren langwierig. Erst am 28. Juli 1977 kam es zur Paraphierung des Abkommens in Athen.

Die Bundesrepublik Deutschland beschloß am 25. Februar 1975 die Wiederaufnahme der Verteidigungshilfe. Ein Abkommen über die 4.Tranche mit Lieferungen von Neumaterial und Überschußmaterial der Bundeswehr wurde am 2.Juli 1976 unterzeichnet[3]). Als Ergänzung wurde am 8.Februar 1979 in Bonn ein Abkommen über die unentgeltliche Lieferung von Heeres-, Luftwaffen- und Marinematerial an die griechischen Streitkräfte geschlossen[4]).

Die *Bündnisverpflichtungen* spiegeln in ihrer Art die Problematik der militärstrategischen Lage des Landes wider. Der NATO-Beitritt geschah mit dem Ziel der Absicherung nach Norden gegen Expansionsbestrebungen des Sowjetblocks. So sah Griechenland seine Integrität am besten durch das Atlantische Bündnis gewährleistet. Andererseits war die Gegnerschaft zur Türkei nur scheinbar aufgehoben. In dem Maße, in dem der akute Druck des Warschauer Paktes abnahm, ließen neue Entwicklungen die Streitfragen wieder aufbrechen. Karamanlis sprach die dementsprechende, besondere Qualität der Bündnisverpflichtungen am 14.August 1974 mit der Erklärung an, das militärische Bündnis habe nicht verhindern können, daß zwei NATO-Partner sich in einer bewaffneten Auseinandersetzung befänden, Griechenland bleibe jedoch weiterhin politisches Mitglied der NATO[5]).

Mit dieser Einschränkung ist das Atlantische Bündnis, mit der vollen Skala seiner politischen, wirtschaftlichen und militärischen Faktoren, Basis der Sicherheit des Landes. Diese Grundlage wird durch bilaterale Abkommen ergänzt. Eine bündnisfreie Politik ist nach einer Erklärung von Karamanlis am 16. April 1976 unvorstellbar: „1., weil die Trennung Griechenlands vom Westen das Land im Falle eines Krieges schutzlos lassen würde; 2. die bündnisfreie Politik die Stärke der Türkei auf Kosten Griechenlands vervielfacht haben würde, denn die Türkei würde Europa und die USA als Verbündete gehabt haben, wogegen Griechenland isoliert gewesen wäre; 3. ein solcher Schritt das Tor zu einer Zulassung Griechenlands zur EG und zu Europa im allgemeinen geschlossen haben würde..."[6]).

Wehrgeographische Faktoren bestimmen nicht zuletzt den militärstrategischen Rang Griechenlands. Dabei sollten die Räume Balkan, Kleinasien und Ostmittelmeer zusammenhängend betrachtet werden. Griechenland nimmt durch seine Raumlage eine Nahtstellen-Funktion zu drei Kontinenten ein. In seinem Staatsgebiet schneiden sich die Verbindungslinien zwischen Europa, Vorderasien und Nord-

[2]) Europa-Archiv. 1976, 22, S. D 612ff.
[3]) Bundesanzeiger, zitiert in: Archiv der Gegenwart. 1976, 27, S. 20324.
[4]) Mitteilungen an die Presse. Hrsg. vom Bundesministerium der Verteidigung, Bonn. XVI/7 vom 8.Februar 1979.
[5]) AFP-Meldung, a.a.O.
[6]) Archiv der Gegenwart. 1976, 16, S. 20144.

ostafrika. Die Ägäis ist wegen ihrer zahlreichen Inseln leicht kontrollierbar. Korfu hat Einfluß auf die Passage zur Adria. Kreta ragt weit in das Ost-Mittelmeer hinein und kann als Trennung zwischen östlichem und westlichem Mittelmeer betrachtet werden. Der Luftraum Griechenlands dient für den internationalen Luftverkehr als Verbindung zwischen Westeuropa und Nahost. Die über 1000 km lange Grenze im Norden bildet den Übergang zur Landmasse Südosteuropas.

Der Raumwert hängt vom Standpunkt der Beteiligten und von den Potentialen ab. So kann Griechenland die Rolle als Verbindungsglied in der westlichen Verteidigung und als Sperriegel zukommen. Das Ausfüllen der Riegelfunktion ist bei einem günstigen Aufwand/Nutzen-Verhältnis möglich. Das Seegebiet der Ägäis kann, bei dort stationierten, auch relativ bescheidenen See-Luft-Streitkräften, von gegnerischen Kräften nicht ohne Gefahr genutzt werden. Der hemmende Raumwert der Ägäis tritt besonders deutlich im Zusammenwirken mit den türkischen Meerengen hervor. Die an sich vorteilhafte Lage Kretas kommt allerdings erst durch dort vorhandenes Potential voll zur Geltung. So konnte Griechenland im Zypernkonflikt die türkische Landung nicht bekämpfen. Starke, auf Kreta abgestützte See- und Luftstreitkräfte könnten indessen generell eine beherrschende Rolle übernehmen. Einrichtungen der Fernmeldeaufklärung und der Frühwarnung haben, wegen der Grenzlage zu den Balkanstaaten und im Ostmittelmeer, strategische Bedeutung für Lagefeststellung und Luftkriegoperationen. Im Norden sind Thrakien und Makedonien, wegen der Nachbarschaft zum Warschauer-Pakt-Gebiet, wichtig für die Landkriegführung. Dabei kann der Besitz der schmalen thrakischen Landzunge Hebelwirkung auf den Griff zu den Dardanellen haben.

Der hohe Wert des griechischen Raumes als Verbindung wird durch die Hypothese seiner Ausschaltung offenbar: allgemein gesehen würde der Schiffs- und Luftverkehr über das Mittelmeer nach Westeuropa stark beeinträchtigt; für das NATO-Bündnis wäre der Zusammenhang mit der Südostflanke zerrissen, die Türkei stünde isoliert da; das blockfreie Jugoslawien wäre einer bedenklichen Unsicherheit ausgesetzt.

Das Bodenrelief ist an der Nordgrenze gebirgig. Generell gesehen läßt sich diese Grenze mit weniger Kräften verteidigen, als ein Aggressor zu ihrer Überwindung benötigt. Die Nordwestgrenze ist, speziell gegenüber Albanien, unzugänglich. Im übrigen formen die griechischen Gebirge zahlreiche Beckenlandschaften, auf dem Peloponnes Ketten, die insgesamt bewegungshemmend sind. Die Flußläufe sind relativ kurz und stellen keine Hindernisse dar. Griechisch-Thrakien hat nur eine durchschnittliche Tiefe von 25 bis 65 km bis zum Meer. Das Maritsatal bildet das Einfalltor. Alexandroupolis hat weitläufige Hafenbecken. Eine Verteidigung gegen Angriffe aus Bulgarien hätte das Zusammenwirken mit dem Verbündeten in Türkisch-Thrakien zur Voraussetzung. Auch in Griechisch-Makedonien würde ein Angreifer durch das Struma- bzw. Vadartal kanalisiert werden. Allerdings gilt auch hier der Nachteil der geringen Tiefe. Lohnende Ziele für einen Aggressor wären die Häfen Saloniki und Kavala. In Thrakien und Makedonien kämpfende Verbände müßten überwiegend von See her versorgt werden.

Die Industrie hat bisher die wesentlichsten Standorte in den Bevölkerungs-Ballungszentren Athen, Piräus und Saloniki. Dadurch ist das Land strukturell verwundbar. Das Verkehrswesen ist, abgesehen vom traditionell bedeutsamen Schiffsverkehr, nicht sehr stark entwickelt. Die geographischen Gegebenheiten behindern den Ausbau des Eisenbahn- und Straßenverkehrsnetzes[7]). Das in Betrieb befindliche Schienennetz der Staatseisenbahn hat eine Streckenlänge von 2502 km. Nur 188 betriebsbereite Dampf- und Diesellokomotiven sind im Bestand. Der Schienenverkehr ist durch Geländebedingungen und Streckenführung hochgradig verwundbar. Für den Straßenverkehr sind insgesamt 36721 km, davon 32700 asphaltiert oder geteert, vorhanden.

Größter Hafen und wichtigster Flottenstützpunkt Griechenlands ist Piräus. Die Tiefe der Einfahrt beträgt 13–14 m[8]), im äußeren Hafen können Schiffe mit Tiefgang 9,6–12 m, im inneren Hafen mit 7,6 m anlegen. Die Reparaturwerft in Skaramanga hat das größte Trockendock im Mittelmeerraum (200000 t). In der Bucht von Elevsis stehen zwei Schwimmdocks von 37000 und 50000 t zur Verfügung. Hervorzuheben sind die Kapazitäten auf Kreta. Die Soudabucht hat Ankerplätze mit Wassertiefen von 20 bis 29 m. Die Häfen Chania und Heraklion sind für Schiffe mit Wassertiefen von 10 m bzw. 9 m geeignet. Östlich von Heraklion befindet sich der Flugplatz.

Der Luftraum über der Ägäis gehört zur „Flight Information Region" (FIR) Athen. So müssen sich, entsprechend den Regeln für den internationalen Luftverkehr alle zivilen und militärischen Luftfahrzeuge bei FIR Athen anmelden. Aus wehrgeographischer Sicht besonders wichtig sind die Regionen Thrakien/Makedonien, Saloniki, Athen/Piräus, Patras, Korinth und Kreta. Im Konfliktfall müßten 90 % des Nachschubs für die Streitkräfte Griechenlands über See transportiert werden.

Die *nationale Interessenlage* ist mit den Hauptzielen, Bewahrung der Integrität des Landes und Aufrechterhaltung der Freiheit, allgemein abgesteckt. Unmittelbar nach dem Zweiten Weltkrieg war die Bedrohung dieser Interessen, in erster Linie durch kommunistische Staaten, in das Bewußtsein der Bevölkerung eingegangen. Dabei trat die durch jahrhundertealte Auseinandersetzungen begründete Feindschaft zur Türkei in den Hintergrund. Das relative Nachlassen des Druckes aus dem Norden bereitete den Boden für eine Neueinschätzung der Interessenlage vor. Die Wende setzte mit dem Aufflammen der Streitfragen mit der Türkei ein, sie wurde durch die Zypern-Aktion 1974 vollzogen. Seitdem wird in Griechenland die Türkei gemeint, wenn Bedrohung oder äußere Gefahr erörtert werden. Zum Verständnis der subjektiven Einschätzung sollte nicht übersehen werden, daß die militärische Gewaltanwendung das Bewußtsein für das türkische Übergewicht geschärft hat. Tatsächlich war Griechenland 1974 wegen des desolaten Zustands seiner Streitkräfte zum Ende des Militärregimes nicht fähig, zu mobilisieren oder gar Krieg zu führen. Seitdem hat die Angst vor einer akuten Kriegsgefahr nachgelassen, sie ist latent jedoch nach wie vor soweit wirksam, daß sie starken Einfluß auf die Beurteilung der nationalen Interessenlage hat. Die entsprechenden Folgerungen sind vielfältig und beziehen sich auf mehrere Ebenen.

So ist zunächst das Verhältnis zur Türkei andauernd problematisch. Unmittelbaren Einfluß hat dabei die Weltmacht USA, denn die Bedeutung der Türkei nimmt

---

[7]) Für die Einzelheiten vgl. den Beitrag von D. J. Delivanis über Verkehrswesen und Infrastruktur in diesem Band.

[8]) Vgl. Kozlov, K.: Opornye bazy NATO v vostočnom sredizemnomore, in: Morskoj sbornik. 1972, 5.

für sie in dem Maße zu, in dem die Instabilität in Nah-/Mittelost fortschreitet. Konkrete Maßnahmen, wie vermehrte Waffenlieferungen an die Türkei, haben so jeweils Rückwirkungen auf die nationale Interessenlage Griechenlands. Das Dilemma tritt besonders kraß im Zusammenhang mit der Dislozierung griechischer Streitkräfte hervor. Nach der NATO-Planung müßte die Masse der Großverbände gegenüber der griechisch-bulgarischen Grenze stehen, Griechenland will sie aber auf den der Türkei vorgelagerten Ägäischen Inseln halten. Die dadurch berührte Ebene Ost-West-Konflikt ist angesprochen, wenn Karamanlis sagt, im Ernstfall würde Griechenland sofort an der Seite seiner westlichen Verbündeten kämpfen[9]).

Da eine überwiegende Abhängigkeit von dem stärksten Verbündeten, USA, den Interessen des Landes nicht optimal dient, werden Wege zur Ausbalancierung gesucht. Dies wurde z. B. am 27. Oktober 1974 von Karamanlis angesprochen: „Mit seiner Eingliederung in die EG wird Griechenland nicht nur seine wirtschaftliche und soziale Entwicklung beschleunigen, sondern auch seine Sicherheit stärken. Dies ist auch der Grund dafür, daß unser Land zwar aus der militärischen Allianz ausgetreten, in der politischen Organisation der NATO jedoch geblieben ist."[10])

Die Interessenlage im Hinblick auf die im Norden angrenzenden Staaten gebietet prinzipiell, Situationen zu vermeiden, die gemeinsame Aktionen gegenüber Griechenland heraufbeschwören könnten. So dienen Bemühungen zur Verbesserung der bilateralen Beziehungen zu den so verschiedenen Staaten Albanien, Jugoslawien und Bulgarien der Sicherheit des Landes. Zur Erläuterung griechischer Interessen gegenüber der Sowjetunion wird das Argument verwendet, Entspannungsfortschritte in West- und Mitteleuropa würden die sowjetische Führung zur Planung von geringeren Kräfteansätzen für die Zentralfront veranlassen. Die potentielle Bedrohung gegenüber der NATO-Südostflanke würde so in gleichem Maße wachsen.

Schließlich wird die nationale Interessenlage Griechenlands in sensibler Art von der Entfaltung beider Supermächte beeinflußt. Flotten- und Marinefliegerverbände der Schwarzmeerflotte können nur unvollkommen eingesetzt werden, wenn die Ägäis z. B. nicht neutralisiert ist. Eine sowjetische Verfügung über den griechischen Raum mit seinen Hafen-, Wartungs- und Reparaturkapazitäten würde gar zu einer Statistenrolle der 6. US-Flotte, mit den dann absehbaren Folgen für die militärstrategische Lage, führen.

II. Grundlagen der Landesverteidigung

Griechenland ist an einer Reihe von *Verträgen* und Abkommen mit unmittelbarem Einfluß auf seine Landesverteidigung beteiligt.

Im Vertrag von Lausanne (24. Juli 1923) wurden Mytilini, Chios, Samos und Nikarion demilitarisiert. Als Griechenland am 10. Februar 1947 im Vertrag von Paris auch den Dodekanes erhielt, wurden die einschränkenden Bestimmungen übernommen. Trotzdem wurden in den letzten Jahren ausgedehnte Festungsanlagen erbaut und griechische Verbände auf den Inseln stationiert. Türkische Proteste wurden mit dem Hinweis auf die militärische Überlegenheit der Türkei zurückgewiesen,

---

[9]) Manousakis, G. M.: Die Bedeutung des Mittelmeerraumes für die Sicherheit des Westens – geopolitische und militärische Aspekte, in: Beiträge zur Konfliktforschung. 1978, 4.
[10]) Archiv der Gegenwart. 1974, 50, S. 19110.

die dann auch 1974 während der Zypern-Aktion offensichtlich wurde. Wie immer auch die griechischen militärischen Maßnahmen gesehen werden, so stehen sie doch im Gegensatz zum Vertrag von Paris.

Im Hinblick auf das Verhältnis zur NATO ist festzustellen, daß Griechenland auch die Ratsentschließung über das Inkrafttreten des Teils IV der Schlußakte von London (23. Oktober 1954) mitgetragen hat. Darin werden u. a. geregelt: Unterstellung von Streitkräften auf dem Kontinent unter SACEUR, Integrierung dieser Streitkräfte und Koordinierung des Versorgungswesens, Inspektionsrecht von SACEUR. Aktuelle Bedeutung hat die Regelung, daß Dislozierung und Stationierung nach Vereinbarung geschehen. Die mögliche Rückkehr des Landes in die militärische Organisation erscheint unrealistisch, solange das Zypern-Problem in der Schwebe bleibt. Griechenland hat seine Streitkräfte aus dem Unterstellungsverhältnis unter das gemeinsame Hauptquartier Izmir gelöst. Alle Bindungen mit dem Bündnis wurden jedoch nicht abgebrochen. In den Hauptstädten einiger NATO-Mitglieder verblieben Militärattachés und im NATO-Hauptquartier Brüssel-Evere befindet sich ein Verbindungsstab. Dies kann als Hinweis auf den griechischen Wunsch gewertet werden, die Option auf seine Rückkehr in die militärische Organisation offenzuhalten. Außer an Zypern könnte eine Rückkehr in die militärische Organisation an einem zweiten Hindernis, der Frage der Truppenstationierung, scheitern. Die Türkei könnte, selbst wenn die übrigen NATO-Staaten – entgegen den strategischen Planungen – einer Stationierung griechischer Truppen auf den Inseln vor der Türkei zustimmten, eine derartige Maßnahme blockieren, da ein gemeinsamer Beschluß erforderlich ist.

Bilaterale Verträge mit den USA sind in der öffentlichen Meinung Griechenlands einem grundlegenden Wandel unterworfen gewesen. So waren die verschiedenen „Militärische Hilfe"-Abkommen, z.B. 20.6. 1947, Abkommen über Beihilfe, bis 3.6. 1960, gemeinsame Rüstungsproduktion, von der Öffentlichkeit akzeptiert worden. Beredtes Beispiel der Änderung waren die Auseinandersetzungen um das „Homeport"-Abkommen vom 8.Januar 1973. Von den Gegnern wurde die Überlassung von Einrichtungen zur Hafennutzung und zur Betreuung von Besatzungen in Piräus als Eingriff in die Souveränität und als Preis für die US-Unterstützung des Militärregimes bezeichnet. Die Umstände der Zypern-Aktion brachten den Höhepunkt der Ablehnung. Karamanlis nahm so eine Neubewertung der Situation vor. Konsequenzen waren, außer dem Verlassen der militärischen NATO-Organisation, die Aufhebung des „home-porting".

Die Beziehungen wurden am 15. April 1976 neu geordnet, als die Außenminister die Grundsätze für ein neues Verteidigungsabkommen unterzeichneten. Die USA gewähren Griechenland während der vierjährigen Laufzeit eine Militärhilfe von 700 Mio. Dollar. Ein Teil dieser Hilfe ist Geschenk. Die USA können dafür in Griechenland 4 Verteidigungseinrichtungen weiter benutzen: Nea Makri (Fernmeldeverbindungen), Souda-Bucht (Hafen- und Flugplatzanlagen), Heraklion (Luftüberwachung) und das US-Element auf der Flugbasis Ellinikon. Alle Einrichtungen sollen unter griechischem Kommando stehen. Sie sollen zu Zwecken verwendet werden, die von der griechischen Regierung autorisiert sind. Alle Tätigkeiten sollen aufgrund vereinbarter Programme durchgeführt werden. Die Beteiligung griechischen Personals soll 50 % betragen. Alle Nachrichten/Informationen, die von den Einrichtungen gewonnen werden, stehen beiden Regierungen zur Verfügung[11]). Ein Sprecher des US-State Departements kommentierte das Abkommen u. a. mit den Hinweisen: – der Hauptunterschied zum vergleichbaren Abkommen mit der Türkei liege darin, daß Regelungen für spezifizierte Verteidigungseinrichtungen namentlich genannt werden; – die Gewährleistung eines größeren nationalen Einflusses sowie eine erhöhte Beteiligung an den beiderseitigen Hilfsquellen seien Beiträge zur Modernisierung der Beziehungen; – das Nachrichtenaufkommen, einschließlich Rohmaterial, werde voll und ganz beiden Regierungen zur Verfügung stehen. Aus US-Sicht sind zumal zwei Änderungen gegenüber 1974 eingetreten: Die Nutzung von Piräus ist nicht im Abkommen enthalten, und US-Soldaten genießen keine exterritorialen Rechte mehr.

Der Verteidigungsrat der Bundesrepublik Deutschland hatte am 25. Februar 1975 beschlossen, die Verteidigungshilfe für Griechenland wiederaufzunehmen. Am 2. Juli 1976 wurde das entsprechende Abkommen unterzeichnet. Nach Erläuterungen des Auswärtigen Amtes handelt es sich bei dieser 4. Tranche, wie üblich, teils um Lieferung von Neumaterial, teils um Überschußmaterial der Bundeswehr. Die Bundesrepublik wolle so zur Festigung der Allianz an der strategisch besonders wichtigen Südostflanke beitragen. Am 8. Februar 1979 wurde in Bonn ein Abkommen über unentgeltliche Lieferung von Ausrüstungsmaterial geschlossen. Diese Materialabgabe wird unabhängig von der Verteidigungshilfe gewährt, bedeutet aber im Ergebnis eine wesentliche Ergänzung. Mit der Materialhilfe, die Marine-, Luftwaffen- und Heeresmaterial umfaßt, leistet die Bundesrepublik Deutschland einen effektiven Beitrag, den dringenden Bedarf der griechischen Streitkräfte zu decken, um damit die Kampfkraft spürbar zu stärken[12]).

Frankreich verkaufte 1976 20 Schiff/Schiff-Raketen „Exocet" und 6 FK-Schnellboote „Combattante"[13]). Eine Außenwirkung auf die Grundlagen griechischer Landesverteidigung haben die Abkommen USA/Türkei und Großbritannien/Zypern. Der Wert der US-Verteidigungshilfe gemäß Abkommen vom 26. März 1976 wird bis 1980 mit 1,3 Mrd. Dollar angegeben, und 6000 amerikanische Soldaten sind in 26 US-Stützpunkten in Anatolien stationiert. Großbritannien unterhält nach dem Abkommen vom 7. Juli 1960 die Basen Akrotiri und Dekelia. Übungen mit mehr als 500 Mann dürfen nur mit Zustimmung Zyperns stattfinden.

Auf die KSZE-Schlußakte wird von Griechenland verwiesen, wenn es gilt, regional die interbalkanische Kooperation zu fördern. Von Rumänien wurden 2000 Jeeps „Arko 240" für die griechischen Streitkräfte geliefert[14]).

Die *Wehrgesetzgebung* regelt die Rahmen-Bedingungen für relativ hohe Verteidigungsanstrengungen des Landes. Der aktive Grundwehrdienst dauert, je nach Teilstreitkraft, 24–30 Monate (zum Vergleich: Türkei 20, Bundesrepublik Deutschland 15 Monate).

Besonders stark wird das Potential der männlichen Bevölkerung ausgeschöpft. Die Wehrdienstverweigerung ist nicht geregelt. 11 % der Männer zwischen 18 und

[11]) Zusammenschlüsse und Pakte der Welt. Bonn–Wien–Zürich 1977, S. 10.
[12]) Mitteilungen an die Presse. Hrsg. vom Bundesministerium der Verteidigung, Bonn. XVI/7 vom 8. Februar 1979.
[13]) The Military Balance 1977/78. London 1977 (IISS), S. 96.
[14]) Süddeutscher Rundfunk am 4. 3. 1976, zitiert in: Archiv der Gegenwart. 1976, 11, S. 20070.

Tabelle 1. Verteidigungsausgaben, Vergleiche 1975–1978[15])

	$ pro Kopf				% Ant. am Ges.-Haushalt				% Ant. am BNP			
	1975	1976	1977	1978	1975	1976	1977	1978	1974	1975	1976	1977
Griechenland	159	138	146	164	25,5	26,0	20,2	18,3	4,0	6,9	5,0	5,0
Türkei	55	70	65	54	26,6	29,4	20,8	22,0	3,7	9,0	5,5	5,7
BR Deutschland (mit Berlin-Hilfe)	259	242	271	337	24,4	23,5	23,9	22,9	3,6	3,7	3,5	3,4

45 Jahren sind Soldat (in der Bundesrepublik Deutschland 3,9 %). Damit steht das
Land ziemlich einzigartig da. Es wird, nach veröffentlichten Zahlen, lediglich übertroffen von Israel (23,3 %), Syrien (16,1 %) und Jordanien (14,2 %).

Die Verfassung vom 11. Juni 1975 nimmt u. a. direkt Bezug auf die Wehrgesetzgebung. Art. 27,2: „Ohne ein Gesetz, das der absoluten Mehrheit der Gesamtzahl
der Abgeordneten bedarf, werden fremde Streitkräfte weder in griechisches Staatsgebiet aufgenommen, noch dürfen sie sich darin aufhalten oder durchziehen." Der
Oberbefehl ist im Art. 45 geregelt: „Der Präsident der Republik führt den Oberbefehl über die Streitkräfte des Landes".

Eine *Rüstungsindustrie* ist nicht in nennenswertem Umfang vorhanden. Für die
Produktion automatischer Handfeuerwaffen wurde am 9. Oktober 1977 in Achaïa
am Golf von Korinth der Grundstein einer Waffenfabrik gelegt. Beteiligt ist „Heck-
mann & Koch", Bundesrepublik Deutschland. Die Fertigung sollte nach 16 Monaten, zunächst mit einer Stückzahl von 2500 je Monat, anlaufen. Ein Geländewagen
wird seit 1979 von der griechischen Firma NAMCO, Saloniki, auf der Basis des Ci-
troën-Dyane gebaut. Wegen seines günstigen Preises ist er vermutlich auch für den
Verkauf an Streitkräfte ärmerer Staaten vorgesehen[16]). Einige der von Frankreich
gelieferten Schnellboote werden mit Hilfe der „Hellenic Shipyards" in Griechenland
montiert. Gemeinsam mit 6 anderen NATO-Staaten unterzeichnete Griechenland
eine Absichtserklärung zur Aufnahme von Studien für eine spätere Fertigung des
Waffensystems „Patriot" (geplante Nachfolge HAWK und NIKE).

III. Die Streitkräfte[17])

Der Personalumfang beträgt 190 100 Mann. Die Personalstärken sind in den einzelnen Teilstreitkräften:

Tabelle 2. Personalstärken der griechischen Teilstreitkräfte

	Berufs- und Zeitsoldaten	Wehrpflichtige	zusätzliche Reservisten
Heer	27 000	123 000	ca. 250 000
Luftwaffe	7 600	15 000	ca. 20 000
Marine	6 500	11 000	ca. 20 000

Dazu paramilitärische Verbände (29 000 Gendarmerie, 100 000 Nationalgarde).

[15]) Vgl. The Military Balance 1978/79. London 1978 (IISS), S. 88.
[16]) Soldat und Technik. 1979, 3, S. 158.
[17]) Vgl. The Military Balance 1978/79, a.a.O.

Das *Heer* hat 1 Panzerdivision und 11 Infanteriedivisionen (davon einige mecha-
nisiert), außerdem 1 Panzerbrigade, 1 Luftlandebrigade, 1 Marineinfanterie-Bri-
gade, 2 Bataillone „Honest John", 1 Fla-Rak-Batl „HAWK", 12 Artillerie-Batl, 14
Kompanien Heeresflieger.
Panzerausrüstung: 1050 Kampfpanzer (300 „M-47", 750 „M-48"), 120 mittl.
Kampfpanzer „AMX-30", 170 leichte Kampfpanzer „M-24" sowie 1160 gepan-
zerte Fahrzeuge (u. a. 180 „M-8", 460 „M-59", 520 „M-113").
Artillerie: 320 Haubitzen (240 × 155 mm, 80 × 105 mm), 100 x Pak 75 mm; Selbst-
fahr-Kanonen/Haubitzen „M-52", „M-44", „M-107", „M-110"; 8 „Honest
John"; 550 rückstoßfreie Geschütze 106 mm.
Panzerabwehr: SS-11, „Cobra", TOW, „Milan".
Flugabwehr: Flak 40 mm, 75 mm, 90 mm, „Improved Hawk", „Redeye".
Verbindungsflugzeuge: 1 „Super King Air", 2 „Aero Commander", 20 „U-17", 15
„L-21".
Hubschrauber: 5 „Bell 47 G", 20 „UH-1 D", 42 „AB-204/205". In Beschaffung:
100 „AMX-30" sowie Führungsfahrzeuge „AMX-10 P".

Die *Luftstreitkräfte* haben 13 Staffeln mit ca. 250 Kampfflugzeugen.
Luftangriff: 6 Staffeln; 38 „F-4E", 8 „RF-4E", 59 „A-7H", 28 „F-104G".
Luftverteidigung: 5 Staffeln; 45 „F-5A/B", 39 „Mirage-Fl CG".
Aufklärer: 2 Staffeln; 20 „RF-84F", 8 „HU-16B Albatross".
Lufttransport: 2 Staffeln; 25 „C-47", 50 „Noratlas", 12 „C-130H", 1 „Gulf-
stream", 8 „CL-215".
Hubschrauber: 3 Staffeln; 14 „Ab-205", 2 „AB-206", 10 „Bell 47 G", 10
„H-19D", 35 „UH-1D".
Ausbildungsflugzeuge: ca. 140 verschiedener Typen.
Bordmunition: „Sparrow", „Sidewinder", „Falcon", „R 550 Magic".
Flugabwehr-Rak: 1 Bataillon „Nike Hercules".
In Beschaffung: 18 Jabo „F-4E", 6 Aufklärer „RF-4E", 6 Ausb-Flgz „TA-7H",
300 Flugkörper Luft/Luft „Super Sidewinder".

Die *Marine* hat etwa 70 Kampfschiffe: 7 U-Boote (2 ex-US „Guppy", 1 „Balao",
4 „Typ 209". – 12 Zerstörer (5 ex-US „Gearing", 6 „Fletcher", 1 „Summer"). –
4 Fregatten (ex-US „Cannon"), – 1 Depotschiff. – 10 FK-Schnellboote (8 „Combattante II/III" mit „Exocet", 2 mit „SS-12"). – 16 Torpedoschnellboote – 5 Kü-
stenbewacher – 2 Küstenminenleger – 13 Küstenminensucher – 35 Landungsschif-
fe/-boote – 1 Hubschrauberstaffel mit 4 „Alouette III". In Beschaffung: 4 U-Boote
„209", 6 FK-Schnellboote „Combattante II" mit „Penguin", FK-Schiff-Schiff
„Harpoon".

Aussagen über den *Kampfwert* der Streitkräfte sind nur mit Einschränkungen
möglich. Die Stellung der Streitkräfte ist, aufgrund der speziellen griechischen Verhältnisse, zugleich ein aufschlußreicher Maßstab für Moral und Einsatzwert. Die
Verstrickung von Angehörigen der Streitkräfte in innenpolitische Vorgänge, insbesondere wie in den Jahren 1967–74 geschehen, gehen schließlich zu Lasten des
Kampfwertes. Z.B. war an ein wirksames Eingreifen auf Zypern nach dem 20. Juli
1974 auch darum nicht zu denken, weil das Einberufen vieler Wehrpflichtiger sowie

Truppenkonzentrationen die Macht des Militärregimes gefährdet hätten. Das III. Korps war nicht zuverlässig. Auch Luftwaffe und Marine galten – trotz Säuberungsserien im Offizierskorps – als politisch unsicher. Generell sind die Haltung im Offizierskorps, beginnend mit dem Konzept der Offiziersschule, und speziell eine Übernahme von zivilen Funktionen im Staat Problemfelder mit Einfluß auf den ideellen Kampfwert der Streitkräfte. In der derzeitigen Situation werden die schweren Lasten der Verteidigung überwiegend akzeptiert.

Der innere Kampfwert beruht auf den traditionellen Stärken des griechischen Soldaten. Standfestigkeit und Kampfwille werden durch wirklichkeitsnahe Ausbildung gefördert. Der materielle Kampfwert dürfte bedeutend problematischer sein, da die Streitkräfte ohne Mitwirken der Verbündeten nicht einsatzbereit gehalten werden könnten. In der jetzigen Dekade traten drei Entwicklungen ein: ausländische Rüstungslieferungen wurden zunächst wegen der Verhältnisse unter der Militärdiktatur weitgehend eingestellt. So kam es zu einer Überalterung des Materials, und der Mangel an Ersatzteilen führte zu gravierenden Mißständen bei der technischen Einsatzbereitschaft. Die türkische Zypernlandung 1974 brachte eine kritische Situation, die für den Rüstungssektor bedeutete, daß Material primär unter dem Gesichtspunkt der unverzüglichen Lieferung beschafft wurde. Die Planung zum Zweck des größtmöglichen Nutzens und der Ausgewogenheit trat in den Hintergrund. Die jetzt noch wirksame Folge ist eine Typenvielfalt, die den Einsatzwert mindert.

Im Heer stammen die meisten Kampfpanzer aus amerikanischer Produktion; 120 von 1340 wurden von Frankreich geliefert. Diese Relation ändert sich etwas durch die Beschaffung von 100 weiteren französischen Kampfpanzern. Auch die Artillerie-Hauptwaffen kommen überwiegend aus den USA. Bei den Heeresfliegern sind mehr italienische als amerikanische Hubschrauber im Dienst (42:25).

Bei den Luftstreitkräften überwiegt das USA-Hauptgerät. Für etwa 250 Düsen-Kampfflugzeuge sind Herstellerländer: USA (180), Frankreich (39), F-104 Lizenzfertigung (28). Das Fla-Rak-Btl hat USA-„Nike-Hercules".

Bei der Marine ist der Ursprung der Waffensysteme aufgefächert. Zerstörer und Fregatten stammen aus US-Beständen. Bei den U-Booten überwiegt Material aus der Bundesrepublik Deutschland: von 7 Booten sind 4 „Typ 209", d.h. aus deutscher Spezialfertigung für den Export; weitere 4 „Typ 209" sind in Beschaffung. Die FK-Schnellbootwaffe hat 10 Boote mit französischen FK-Systemen. Weitere 6 französische Boote sind bestellt.

In einem modernen Krieg würde die Abnutzungsrate der Hochleistungs-Waffensysteme ausschlaggebend sein. Griechenland hat keine entsprechende Rüstungsindustrie und würde sehr früh von einer Anschlußversorgung durch Verbündete abhängen. Dies könnte kaum durch Vorratshaltung geändert werden. Abgesehen vom Kostengesichtspunkt würde bei Kampfhandlungen zwangsläufig ein Bedarf an Engpaß-Ersatzteilen oder Sondermunition auftreten.

Der materielle Kampfwert wird u.a. davon bestimmt werden, daß der vorgegebene Grad der Abhängigkeit nicht total einseitig ist, sondern aufgrund gemeinsamer Interessenlage gestaltet wird. Anzumerken wäre zu den Streitkräften, daß deren Informationspolitik, für ein westliches Land, erstaunlich restriktiv ist.

IV. Hauptprobleme der Landesverteidigung

Griechenland partizipiert an den Fortschritten der Ost-West-Entspannung. Dennoch wird die Notwendigkeit großer Aufwendungen für die Landesverteidigung wegen der nicht beseitigten Bedrohung gesehen. Aufgrund der Erfahrungen mit Zypern herrscht tief verwurzeltes Mißtrauen gegenüber der Türkei, aber auch die mit dem „Ägäis-Problem" zusammengefaßten zahlreichen Streitfragen zwischen beiden Staaten zeigen nahezu unveränderte Positionen. Erfordernisse der praktischen Handhabung führten zu geringfügigen Übereinkommen. Die türkische Forderung nach Neugestaltung der Zuständigkeiten im Luftraum besteht weiter. Vom 22. November 1976 an wurde die Wiederaufnahme des Telefonverkehrs zwischen den Hauptquartieren der taktischen Luftwaffen in Eskisehir und Larissa vereinbart, um u.a. über bevorstehende Übungen zu informieren. Nicht abgebaute militärische Konfrontationen sind die Militarisierung des Dodekanes (hier fühlt sich die Türkei erklärtermaßen bedroht) und die Dislozierung starker griechischer Verbände gegenüber der Landgrenze zur Türkei (durch diese Defensivmaßnahme soll vor Aktionen gegen Nordost-Griechenland abgeschreckt werden).

Wurde auf Zypern das Schicksal der griechischen Volksgruppe getroffen, so würde ein Aggressor in der Ägäis griechisches Hoheitsgebiet verletzen. Die Schwelle zu Kriegshandlungen müßte somit wesentlich niedriger liegen. Für den Außenstehenden scheinen Kriegsgefahr oder Bedrohungssituationen zwischen beiden Staaten mehr vordergründig zu sein. Das türkische Übergewicht hat an sich bereits Einfluß auf die Streitfragen. Vor diesem Hintergrund würde eine Erfüllung griechischer Wünsche zur Zypern-Frage zwar zu einem bedeutenden Spannungsabbau führen, trotzdem dürfte aus der Sicht der griechischen Landesverteidigung die Grundsituation nicht entscheidend verschoben sein. Andere Faktoren führen zur Steigerung des türkischen Potentials. Die Aufhebung des US-Waffenembargos 1978 stärkte den Kampfwert der türkischen Streitkräfte, ohne daß – nach griechischer Argumentation – die Ursachen für das Embargo entfallen wären. Der Ausfall des Iran bringt die weitere Aufwertung des türkischen Raumes.

Rüstungspolitisch kommt es darauf an, daß die westlichen Waffenlieferungen an Griechenland eine annehmbare Relation bewirken. Das Verhältnis zur Türkei wird z.Z. nicht vom Bewußtsein einer akuten Gefahr bestimmt. Es überwiegen Sorgen vor dem Versuch zur Durchsetzung künftiger Ansprüche. Die Beziehungen zum Atlantischen Bündnis wurden einem tiefgehenden Wandel unterworfen. Grundsätzlich gilt die vom NATO-Rat nach dem Austritt Griechenlands aus der militärischen Organisation formulierte Besorgnis, aus militärischer Sicht werde der Gürtel der NATO-Verteidigung von der Nordflanke Europas bis in das Mittelmeer an der Südostflanke weiter geschwächt. Andererseits könnten die griechischen Maßnahmen auch relativ als minimale Reaktion betrachtet werden. Tatsächlich war das französische Ausscheiden aus der integrierten Organisation weitergehender. Das militärische Potential blieb auf den Territorien der NATO-Mitglieder Griechenland und Türkei intakt. Die bilaterale Zusammenarbeit mit dem Hauptverbündeten, den USA, wurde aufrechterhalten.

Seit Oktober 1975 formulierte die griechische Regierung Prinzipien für die Neugestaltung der Beziehungen zur NATO. Die Streitkräfte sollten im Frieden ausschließlich unter nationalem Kommando stehen. Im allgemeinen Krieg sollte eine vollständige Zusammenarbeit mit dem Bündnis stattfinden. Dazu sollten Mechanismen ausgearbeitet werden, die eine effektive Kooperation im Kriegsfall zuließen. Weder im Frieden noch im Krieg sollten wesentliche Aktionen auf griechischem Territorium ohne Zustimmung der Regierung ablaufen. Die NATO lehnt eine „Reintegration à la carte" ab. SACEUR führt seitdem Besprechungen, um Einzelheiten eines möglichen Wiedereintritts zu klären.

Bis Juli 1974 waren etwa 80 % der griechischen Streitkräfte NATO-assigniert, nunmehr haben sie nationale Aufträge. Eng verbunden mit der Ägäis-Problematik ist eine Neudefinition der Verantwortungsbereiche für die See- und Luftstreitkräfte Griechenlands und der Türkei. Griechenland fordert unverändert die sicherheitspolitische Verantwortung für die Ägäis und wäre nicht bereit, die Befehlsgewalt über das NATO-Marinekommando COMEDEAST abzugeben. Die Verteidigung des ägäischen Luftraumes fiel nach der NATO-Kommandostruktur in eine Zone mit Zuständigkeit der Taktischen Luftflotte Griechenlands. Die Türkei fordert Mitverantwortung an der Verteidigung dieses Luftraumes. Änderungen der NATO-Kommandostruktur wären möglicherweise Präzedenzfälle für die Streitfragen der Ägäis. Eine Neuordnung der Kommandostruktur müßte wohl direkte Unterstellungen von Verbänden unter das Kommando von Befehlshabern des jeweils anderen Landes ausschließen. So könnten in der Türkei und in Griechenland Kommandobehörden für Land- bzw. Luftstreitkräfte geschaffen werden, die dem NATO-Oberbefehlshaber Süd (CINCSOUTH) in Neapel direkt unterstehen. Bis auf weiteres werden pragmatische Einzellösungen angewandt. Griechenland entscheidet von Fall zu Fall über die Teilnahme an NATO-Übungen. 1977 wurde die Herbstübung im östlichen Mittelmeer, erstmals seit 1974, von See- und Luftstreitkräften der beiden zerstrittenen Alliierten beschickt. Die 17. Aktivierung des Bereitschaftsverbandes „NATO-Seestreitkräfte Mittelmeer" fand im Spätherbst 1978 mit türkischen, jedoch ohne griechische Kriegsschiffe statt. Die AMF, „Krisenfeuerwehr der NATO", übte vor 1974 abwechselnd in Nordnorwegen und am Nordrand der Ägäis. Eine Wiederaufnahme dieser Übungen in Thrakien würde die Solidarität in der Allianz unterstreichen. Die NATO „Missile Firing Installations" auf Kreta sind von großer Bedeutung für die europäischen Bündnispartner. Ab 1968 entfallen aufwendige Übungsschießen in den USA. Raketen der Typen Nike, Hawk und Sergeant werden in einem 200 km langen und 90 km breiten Streifen über See verschossen.

Nach der Interessenlage Griechenlands dürfte die Mitgliedschaft in der Allianz die beste Garantie für die Sicherheit sein. Das Hauptproblem ist eine Realisierung in organisatorischen Formen, die den Streitpunkten mit der Türkei Rechnung tragen. Außerdem könnten innenpolitische Umwälzungen zum akuten Problem für die NATO-Beziehungen werden.

Griechenland strebt die Verbesserung seiner Beziehungen zu den Warschauer-Pakt-Staaten auf dem Balkan an, da eine potentielle Gefahr aus dem bulgarischen Raum nicht ausgeschlossen werden kann. Die Entspannung des Verhältnisses wird durch beiderseitige Wirtschaftsinteressen gefördert. Das Bestreben Rumäniens nach Eigenständigkeit kommt den griechischen Interessen entgegen. Die Problemschwelle ist erreicht, wenn dabei Elemente des Abkoppelns vom Warschauer Pakt mitwirken. Die Sowjetunion hat ein vitales Interesse an der gemeinsamen Operation ihrer Seestreitkräfte des Schwarzen Meeres und im Mittelmeer. Der so notwendige Luftschirm könnte von Basen in Bulgarien zur Unterstützung der Eskadra angesetzt werden. Probleme der Landkriegführung bestehen für Griechenland an der Nordgrenze, da eine starre Abwehr nicht ausreichen würde und deswegen dahinter gepanzerte, schnell-bewegliche – d.h. kostspielige – Großverbände benötigt werden, die befähigt sind, Gegenangriffe gegen einen durchgebrochenen und luftgelandeten Feind zu führen. Eine Ausschaltung der Großräume Athen-Piräus und Saloniki würde das Land strategisch treffen.

Griechenland ist für eine zusammenhängende NATO-Verteidigung als Verbindungsklammer unerläßlich. In der Umkehrung müßte dieser Riegel ausgeschaltet werden, sollte die sowjetische Militärmacht bei einem Ost-West-Konflikt voll wirken. Neutralisierungstendenzen wären wenig realistisch, da das relative Vakuum dem natürlichen Druck ausgesetzt sein würde. Griechenland benötigt wegen seines begrenzten Potentials in einer Schlüssellage die Unterstützung durch Verbündete. Diese Gegebenheiten zeigen die Grenzen der Handlungsfreiheit, durch die Sicherheit und Souveränität in einer Zone traditioneller Instabilität erhalten werden sollen.

The Geographical Basis of Greece

Ian M. Matley, East Lansing

I. General Geography

Greece is a country where the interpenetration of land and sea has occurred to a greater degree than in almost any other European region. About one-fifth of its area consists of scattered islands of various sizes, while its mainland is penetrated by many gulfs and arms of the sea. This union between land and sea gives Greece a special character and has been an important influence on its historical development.

Greece contains a variety of landscapes, but is, nevertheless, predominantly a country of mountains. The lack of extensive plains and fertile soils has had an adverse influence on the development of Greek agriculture. The long, hot, dry summers limit the types of crops which can be grown without irrigation. Greece lacks a good supply of energy resources. It has a variety of metallic minerals, but is not well endowed with some basic industrial raw materials. On the whole, the country has a difficult environment for the development of a modern agricultural and industrial economy. Its major assets are its scenery, climate and antiquities, which have enabled the establishment of an important tourist industry.

1. Area and Administrative Divisions

The area of the Republic of Greece (Elliniki Dimokratia) is 131 990 sq. km. It is the third largest country in South-East Europe after Yugoslavia (256 390 sq. km.) and Romania (237 500 sq. km.). It is slightly larger than Czechoslovakia (127 900 sq. km.) and the state of New York. Because of the shape of its land area and the number of its islands, Greece gives the impression of being smaller than its actual area. The total population of the country in 1976 was 9.1 million. The density of population is 69 per sq. km., which is less than Bulgaria (1976: 79), Yugoslavia (1976: 84), Romania (1976: 90), or Italy (1976: 187). However, it must be remembered that large areas of Greece are virtually uninhabited because of their mountainous nature.

Greece consists of a number of regions based on the physical divisions of the country and on traditional provinces[1]). The regions identifiable as separate physical units are the Aegean Islands (Nisoi tou Aigaiou), including the Dodecanese (Dodekanisa), the Ionian Islands (Ionioi Nisoi), and Crete (Kriti). The mainland area contains the traditional regions of Central Greece (Sterea Ellas), including the island of Ev-

---

[1]) See map 5: Major Regions, p. 206.

Karte 5:   Major Regions

voia, Thessaly (Thessalia), Epirus (Ipeiros), Macedonia (Makedonia), Thrace
(Thraki), and the Peloponnesus (Peloponnisos). The last-named is also a clearly
defined physical region. Although these nine regions are of historical significance
and are often used for statistical and educational purposes, the primary administrative unit is the *nomos* or department. In 1970 the number of *nomoi* was increased
from 39 to 52, but later reduced to the present number of 51. The subdivision of the
nomos is the municipality *(dimos)* with 10000 or more inhabitants, and below that,
the commune *(koinotis)* with between 2000 and 9999 inhabitants. The smallest administrative unit is the locality *(oikismos)*, generally a small hamlet or settlement
with less than 2000 inhabitants. In 1977 there were 264 municipalities, 5759 communities, and 11691 localities. The administrative division of the *nomos* known as
the *eparkhia* was important in the past, but at present it has little significance. The
monastery community of Mount Athos (Agion Oros) is self-governing but under
control of the Greek state. It is located on the most easterly of the three promontories
of the peninsula of Chalkidiki.

2. Location and Neighbouring States

Greece lies between the latitudes of 41°54' and 34°48'N and the longitudes of 19°23' and 29°39'E. The northern boundaries of the country with Albania and Yugoslavia cut across the main trend of the mountain ranges of the Balkan peninsula and follow their alignment only for short distances. The central and eastern parts of the frontier with Bulgaria, however, in general follow the trend of the Rodopi mountains. In the east the frontier turns to the north and runs along the Evros (Maritsa) River, then follows the course of the river southwards to form the boundary with Turkey. These borders are of no great antiquity and were delineated between 1913 and 1922. In the west the Ionian Islands and in the south the island of Crete form the outer limits of the Greek state. In the east, however, the boundary lines become more complex as they run between the islands of the eastern Mediterranean under Greek control and the Turkish mainland. Besides, the question of suzerainty over the waters of the eastern Aegean is still under dispute between the two countries. The islands of the Dodecanese form the most easterly territories of Greece. The inclusion of many of the islands in the Greek state is of relatively recent date. Crete and the islands of the northern Aegean became part of Greece in 1913, while the Dodecanese were annexed from Italy only in 1947. Turkey occupied part of eastern Thrace and territory around Izmir (Smyrna) in Asia Minor which had been under Greek control during the period 1920–22. Greece did not succeed in obtaining the island of Cyprus, which had been under British occupation since 1878 and which became an independent republic in 1960. During the Second World War Bulgaria annexed Thrace and the Aegean port of Alexandroupolis, but returned the territory to Greece in 1947.

At present there are no disputes over land frontiers under adjudication, but it should be noted that Greece has never formally renounced its claims to part of southern Albania put forward in 1919, while disputes with Yugoslavia and Bulgaria in the past over the borders of Macedonia have never been fully resolved to the satisfaction of all of the participants. The problem of Cyprus still remains a major issue in Greek politics.

3. Basic Relief

The pattern of the relief of Greece is complex and varied. The basic structure of the country consists of a block of ancient crystalline rocks which forms a relatively stable base for much of eastern and north-eastern Greece, while in the southern and western regions the rocks are younger and softer and have been subject to folding during the period of Alpine mountain-building. Both these areas have, however, been affected in recent times by fracturing and uplifting and are still subject to frequent earthquakes. The basins of the Aegean and Ionian Seas have been formed by subsidence. Due to folding at different periods a variety of mountain landscapes have developed and about 80 percent of the territory of Greece is mountainous or hilly.

The main trends of relief in general follow the Dinaric trend of much of the Balkan Peninsula, namely, from north-west to south-east, although in south-eastern Greece, in Thrace and in Crete the trend tends to follow a west-east direction. The major range following the Dinaric trend is that of the Pindos mountains which are mainly limestone. The highest point in this range is Mount Smolikas (2637 m). The trend of these young, folded mountains is also observable in the main ranges of the Peloponnesus, which reach in places well over 2000 m. in height. South of the Peloponnesus the trend of the main ranges turns to the east and forms a broad curve which appears above the surface of the sea as the mountains of Crete, Karpathos, and Rhodes[2]).

To the east of the main range of the Pindos there are a number of smaller spur ranges, with the peaks of Mount Giona (2510 m) and Mount Parnassos (2457 m) as their highest points.

In western Macedonia and northern Thessaly the alignment of the mountains also follows the Dinaric trend. These mountains consist of old crystalline massifs with some areas of limestones and sandstones. They merge into the massifs of Mount Olympus (Olymbos), the highest mountain in Greece (2917 m), and Mounts Ossa (1987 m) and Pilion (1547 m). To the east, the mountain ranges of the Chalkidiki peninsula consist mainly of igneous and metamorphic rocks. The three promontories of the peninsula were originally islands, joined to the mainland by relatively recent deposits. In eastern Macedonia and Thrace the trend of the mountains is from west to east. The Orvilos and the Rodopi mountains consist of igneous and metamorphic rocks and form the southern edge of the Bulgarian ranges of the Rodopi.

Between the main ranges of mountains there are valleys and depressions, some of them of considerable extent. The largest areas of plains in Greece are found in Macedonia and Thrace. These plains were formerly lake basins which became filled with detritus. The plain of the western Kambania in central Macedonia around Giannitsa until recently contained a lake which has now been drained. Further east are the plains of Thessaloniki and of eastern Macedonia with areas of marshes, most of which have been drained. In Thrace the plains lie between the coast and the southern ranges of the Rodopi mountains, but in the east the plain of the River Evros extends from the coast at Alexandroupolis along the Turkish border and widens in the north. The plains of Macedonia and Thrace are the most fertile in Greece.

In eastern Greece the Plains of Thessaly form the second major area of lowland in the country. Originally occupied by lakes which became filled with sediment, they are drained by the River Pineios and its tributaries. The Pineios reaches the sea through the narrow Vale of Tembi between Mounts Olympus and Ossa. There are also a number of smaller lowlands in Central Greece, the most notable being the Plain of Kopaïs, part of which consists of a drained lake. There are several coastal plains of note, such as the Plain of Aitolia at the mouth of the Acheloos River in western Central Greece and the Plain of Arta in Epirus around the Gulf of Amvrakia. The city of Athens stands on one of the coastal plains of the Saronic Gulf.

There are few lowland areas of any size in the Peloponnesus. The largest is the coastal Plain of Ileia in the north-west. To the east is the Plain of Argolis and in the south the Plain of Lakonia and the basins of Messinia.

The Greek islands are formed partly from ancient, hard rocks and partly from younger, weaker rocks. Most of the islands of the Cyclades (Kyklades) belong to the former group and are the summits of the old crystalline block which subsided during

---

[2]) Information on the relief of Greece comes mainly from: British Admiralty: Naval Intelligence Division: Geographical Handbook: Greece. 1. 1944.; Philipson, A.; Die griechischen Landschaften: eine Landeskunde. Frankfurt am Main 1951–59.

a relatively recent period of folding. The alignment of the islands follows the trends of the mountain ranges of the neighbouring mainland, and of the island of Evvoia, which is structurally part of the mainland. The southern islands of the Cyclades group are mainly of volcanic origin. The island of Thira is the remnant of an exploded volcanic crater and the Kaïmeni islets still exhibit volcanic activity.

The Northern Sporades, with Skiros as the largest island, are formed on a base of schists covered by limestone. The islands of the eastern Aegean are of more complex origin. Thasos and Samothraki are fragments of the mainland of Thrace, while to their south the islands of Limnos and Agios Evstratios are part of an undersea ridge. They consist of younger sedimentary rocks with intrusions of lava. The islands of Lesvos, Chios, and Samos are detached parts of the mainland of Asia Minor and have a complex structure. The Dodecanese are also related to the structure of south-western Asia Minor and contain a variety of rocks.

The island of Crete consists of mountain ranges which reach 2456 m at their highest point, Mount Ida. They are largely limestone on a base of older rocks. The only lowland areas of any size are along the coast.

The Ionian Islands are located along the west coast of Greece. They are mainly limestone and their geological structure parallels that of the neighbouring mainland regions. Although all parts of Greece are subject to earthquakes, the Ionian Islands have experienced some of the most severe.

The rivers of Greece form a complex pattern. In Macedonia and Thrace the Axios (Vardar), Strymon (Struma), Nestos (Mesta), and Evros (Maritsa) have their origins in the mountains of Yugoslavia and Bulgaria and flow southwards for a relatively short distance over Greek territory until they reach the Aegean Sea. The Aliakmon, the longest river in Greece (297 km), on the other hand, rises in the Pindos mountains along the Albanian border and enters the Aegean near the mouth of the Axios. Two major rivers of Thessaly and Central Greece, the Pineios and the Sperkheios, both flow eastwards to the Aegean. The rivers of the Peloponnesus all flow from the mountain core of the peninsula and form a radial pattern. The major rivers of Epirus, such as the Thyamis and the Arachthos, as well as the Acheloos in Central Greece, all flow from the Pindos mountains westwards to the Ionian Sea. Few of the islands, with the exceptions of Crete and Rhodes, have developed river systems.

Extensive faulting and other earth movements have complicated the drainage pattern, while the existence of large areas of limestone rocks have given rise to typical karst topography and resultant lack of surface drainage. Water disappears through fissures or sink-holes (katavothra) and forms underground river systems. A large number of the minor rivers are short and rapid-flowing. They flood during rainy periods, but tend to become dry during the summer, both conditions creating problems.

There are few lakes of any size in Greece. The largest is Lake Trichonis which lies in a depression along with Lake Lysimachia and Lake Ozeros in the western area of Central Greece. The northern extension of the trough contains Lake Amvrakia. In western Macedonia there are several lakes of which Megali Prespa, where the frontiers of Greece, Yugoslavia and Albania meet, is the largest. To the south Lakes Mikri Prespa and Kastoria lie at the end of the major corridor which links Yugoslav Macedonia with the Plains of Thessaly. Lakes Vegoritis and Cheimaditis occupy depressions to the north-east. The neck of the Chalkidiki peninsula consists of a low-

land corridor containing Lakes Volvi and Koroneia. There are several smaller lakes
in Central Greece and Thessaly, including some artificial reservoirs. Drainage works
in Thessaly and Macedonia have caused several lakes to disappear in recent times.

4. Mineral Wealth

Greece lacks large reserves of energy resources and many of the basic raw materials for modern industry[3]). There are no deposits of bituminous coal and little petroleum or natural gas. The main domestic sources of power are lignite of rather poor
quality and hydro-electric power[4]).

The largest deposits of lignite are found in western Macedonia. Other deposits are
located on Evvoia and in Thrace and the central Peloponnesus. Proved reserves
amount to 3000 million tons. About 80 percent of lignite mined is used to produce
electricity. Because of the high cost of imported oil, lignite deposits not considered
recoverable in the past may now be utilised, possibly in gasified form. In 1976 about
58 percent of total electricity production came from lignite, while about 31 percent
came from oil.

Hydro-electric power development in Greece is of recent date. Before the Second
World War the only plant of significance was located in central Macedonia. Now
there are three major power stations in the western mountains of Central Greece, using the waters of Acheloos River and its tributaries, and some smaller ones serving
local needs. More are planned. In 1976 about 11 percent of electric power production came from water-power. Exploitable water-power is estimated at some 20 million Mwh per annum, of which 3.3 Mwh per annum (16 percent) is being used at present. It is hoped to raise this figure to about 40 percent by 1985. Because of the irregular flow of many rivers the area of greatest potential is limited to the mountain
areas of the north and west.

Due to Greece's energy problems, considerable attention has been given to the
possibility of locating petroleum deposits either on land or in territorial waters. Oil
has been discovered in Central Greece, in Thrace and off the island of Thasos in the
northern Aegean. The last field is the most promising and is capable of producing 2.5
million tons a year or about one-third of Greece's requirements. Exploration is
continuing, especially in the Ionian Sea. The current dispute between Greece and
Turkey about suzerainty over the waters of the eastern Aegean Sea is due to the possibility of the occurrence off-shore oil deposits in that area. Production, however,
remains small and Greece must still import the bulk of its petroleum requirements.

Uranium has been found in Thrace and eastern Macedonia. There are plans for
construction of the first nuclear power plant by 1987.

There is also interest in the possibility of development of large peat deposits at Fi-
lippoi in eastern Macedonia and also in the use of geothermal energy and solar and
wind power.

---

[3]) See map 6: Mineral and Energy Resources, p. 211.
[4]) Sources of information on energy and mineral deposits and production are: Economic and Social Atlas
of Greece. Athens 1964; National Statistical Service of Greece: Statistical Yearbook of Greece 1977.
Athens 1978; Zolotas, X.: The Energy Problem in Greece. Athens 1975; Zolotas, X.: The Positive
Contribution of Greece to the European Community. Athens 1978; General Secretariat for Press and Information: Facts about Greece. Athens 1978.

Karte 6:   Mineral and Energy Resources

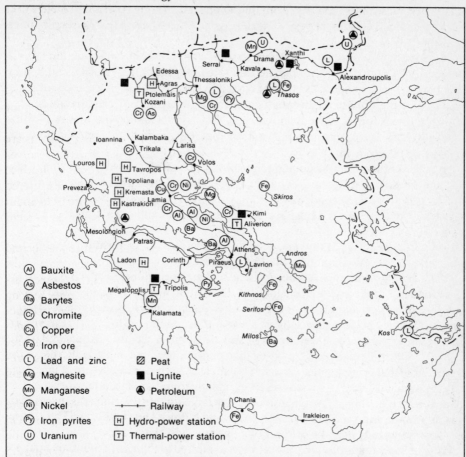

Supplies of metallic minerals are better than those of fossil fuels. In particular, the country has considerable deposits of non-ferrous minerals. Among the most important of these is bauxite. Proved reserves are placed at 300 million tons and in 1977 production was 2.9 million tons, of which about half was exported. In recent years Greece has developed an aluminium industry and is exporting increasing amounts of the metal. Most of the bauxite is mined in Central Greece. Greece is one of the largest producers of bauxite in Europe.

Proved reserves of magnesite are large, amounting to some 130 million tons. In 1977 production was 1.4 million tons, about 12 percent of world production. Much of the magnesite is processed in Greece and is exported as dead-burned and caustic magnesite. The former is used for fire-bricks in furnaces and the latter in a variety of chemical and metallurgical purposes. Magnesite is mined on Evvoia and on the Chalkidiki peninsula.

Deposits of nickel-iron ore are found in Central Greece and on the islands of Evvoia and Skyros. The grade of the ore is not very good, but proved reserves, between 300 and 500 million tons, are the largest in Europe. Production in 1977 totalled over 2 million tons.

Proved reserves of chromite amount to some 1.1 million tons. Production in 1975 amounted to 74000 tons. The main deposits are in Macedonia, Thessaly, and Central Greece. Chromite concentrates are exported to the rest of Europe. Greece and Yugoslavia are the only two European countries with significant production.

Manganese is found in the Peloponnesus, Macedonia and on the islands of Milos and Andros. Reserves total about 24 million tons, but production is small, amounting to some 53000 tons in 1975.

Iron ore is of moderately good quality and occurs on the islands of Serifos, Kythnos, and Thasos, in western Crete and Central Greece. Reserves total some 40 million tons. Before the Second World War production and exports were considerable. At present production is negligible and Greece's iron and steel industry operates mainly on imported scrap.

Iron pyrites are used in the production of sulphuric acid. Deposits of good quality are found in Macedonia and in the Peloponnesus.

A number of other minerals occur. Lead and zinc are mined near Athens and are also found in Thrace and on the islands of Thasos, Samos, and Sifnos. Small quantities of gold are dredged from the Galikos River in central Macedonia. Copper is found in several places, especially in Thessaly. Production is low, but reserves are considerable. Barytes reserves are large and are found in Central Greece and on the Cyclades. The mineral is used for oil-drilling mud and in paper-making. Perlite deposits are large and occur in many areas. It is exported for the manufacture of insulating materials and ceramics. Asbestos reserves, mainly found in Macedonia, are the largest in Western Europe. Gypsum also occurs in large quantities. Emery is quarried on Naxos, pumice and kaolin is found on Milos and pumice and sulphur on Thira. Marble is an important product of the Peloponnesus and the islands.

Many of these minerals have not yet been exploited to their full potential and there are areas of Greece which have not yet been completely surveyed. In particular, exploration for further reserves of copper, tin, gold, and silver is taking place on the Chalkidiki peninsula.

5. Climate, Vegetation, Soils, and Land Use (see Table, p. 222)

Greece has, in general, a typical Mediterranean climate with hot dry summers and mild rainy winters. However, there are regional differences that deviate somewhat from the standard Mediterranean type[5]).

The areas of true Mediterranean climate are found along the coasts of the mainland and on the islands. Summers are hot and dry with average temperatures around 27°C in many locations in July and August. Winters are mild and the average temperature rarely drops below 10°C in January. Precipitation during the summer months

---

[5]) Information on climate, vegetation and soils comes from: British Admiralty: Naval Intelligence Division: Geographical Handbook: Greece. 1. 1944; Economic and Social Atlas of Greece. Athens 1964; Philipson, A.: Das Klima Griechenlands. Bonn 1948; Statistical Yearbook of Greece 1977. Athens 1978.

is very low, especially in the eastern islands. In late October rainfall begins to increase and reaches its maximum in November and December. In some western locations over 200 mm of rain can fall during the average winter month.

The interior parts of the mainland, including the Peloponnesus, experience a modified Mediterranean climate. Because of the higher elevations of the mountain areas, temperature and rainfall patterns are modified. Winters in the interior are also colder than along the coast and in the mountains snow may lie for several months. Annual precipitation totals are particularly high in the mountains of the north-west.

Macedonia and Thrace have climatic characteristics which reflect continental influence. Although temperatures are in general as high during the summer as in other regions, winter temperatures are on the average markedly lower. The pattern of precipitation is also less seasonal, with some summer rainfall, often in the form of thunderstorms.

The weather in many parts of Greece is affected at different times by local winds. The predominant direction of winds is from the north and during the summer the Etesian winds *(etisiai* or *meltemia)* blow from that direction over most of the country. As these winds are often blocked by mountain masses, they tend to be channelled through gaps, thus increasing the force of these winds, which can blow very strongly and create problems for coastal and island shipping. During the winter months light southerly winds from Africa especially influence the weather on Crete. In Macedonia the *vardarać,* a winter wind which blows from the north down the valley of the Vardar (Axios) River, brings cold weather, in particular to the Thessaloniki area. The *liva,* a föhn-type wind, brings warm temperatures to the valleys of Thessaly. On the islands and along the coasts summer temperatures are moderated by local land and sea breezes.

Regional differences in climate are reflected in the variety of vegetation patterns. The flora of Greece is very rich, with over 5000 species, of which about 500 are endemic. Central Greece, the Peloponnesus, the Ionian, and Aegean Islands and Crete have a typical Mediterranean vegetation. It consists of broad-leaved evergreen trees, such as the holm or ilex oak *(Quercus ilex),* and the Valona oak *(Quercus Aegilops);* coniferous trees, such as the Aleppo pine *(Pinus halepensis),* the stone pine *(Pinus pinea),* and the cypress; evergreen shrubs, such as juniper, myrtle, and oleander; and herbaceous plants. However, human activities have greatly modified the natural vegetation cover since ancient times and many areas have lost their original forest cover. At present about 19 percent of the area of Greece is forested. Not only the felling of trees but also the grazing of goats and other livestock has resulted in the thinning of many areas of forest and development of areas of scrub and brushwood which cover about half the area of the country. In the areas of typical Mediterranean climate a *maquis* vegetation has taken the place of the forests, with a variety of plants including oleander, bay tree *(Laurus nobilis),* myrtle, broom, lentisc *(Pistacia Lentiscus),* and heath. Where *maquis* has been intensively grazed or removed for fuel a degenerate form, known as *phrygana,* is formed. *Maquis* covers much of Central Greece, the Peloponnesus and the Aegean Islands.

Eastern Thessaly, central and eastern Macedonia and Thrace have a modified Mediterranean vegetation. It consists to a great extent of oaks, pines and other Mediterranean plants, but the typical *maquis* vegetation of southern areas is in general replaced by *pseudomaquis,* which is not a degenerate form of *maquis,* but contains plant species, such as the Macedonian oak and the Kermes oak *(Quercus coccifera)* and juniper *(Juniperus oxycedrus),* which have adapted themselves to the northern climate.

The mountain areas of western Thessaly, eastern Epirus and western Macedonia have a vegetation cover which shows certain Central European characteristics. The lower slopes are covered with deciduous forests, containing oaks, chestnuts and ashes, while the upper slopes have beech forests, which yield to coniferous forests above 1400 m. The dominant species is the fir. In some areas Black pine is found. Above the tree-line, mountain meadows and pastures occur, especially in the northern mountains. At high altitudes in southern Greece few mountain meadows exist, but are replaced by *shiblyak,* deciduous brushwood composed of Christ's thorn *(Paliurus spina-Christi),* sumac and lilac.

The soils of Greece exhibit great variety. They can be grouped into two major categories, lowland and highland. The lowland soils include the fertile alluvial soils of the river basins and coastal plains. These clay and loam soils form some of the most fertile agricultural lands in Greece. Drainage of these soils has in many cases been a major problem. Other lowland regions contain areas of permeable, infertile soils. The highland soils are thin and poor for farming. The thinnest soils are found in the limestone regions, but in depressions and valleys terra rossa (red soil) develops. This typical Mediterranean soil is a rather heavy clay with little humus, but can be used for farming. In many mountain areas brown forest soils are formed. They are dry, lacking in humus, and are easily eroded.

Land use in Greece is limited by the nature of the landforms, climate and soils of the country. Only 29 percent of the land area can be considered cultivable. The only areas suitable for arable farming on any scale are the plains of Macedonia, Thrace, and Thessaly, with limited areas elsewhere. The main crops grown are wheat, barley and maize in rotation with sugar beet, cotton, and tobacco. The last two are important export crops. Maize is used mainly for feeding pigs. In some areas rice is grown.

The coastal areas and the islands have typical Mediterranean crops, such as the olive, citrus fruits, and grapes. Olive trees grow in all parts of Greece except in the northern mountains and in northern Macedonia and Thrace. Greece is the third largest producer of olive oil in the world, after Spain and Italy. The growing of oranges and lemons follows a similar pattern. They form an important export crop. Grapes can be grown over most of the country and are used for production of wine and currants.

The interior mountain regions are generally only suitable for pasture. About 37 percent of the total land area is classified as pastoral. Much of this pasture land is of indifferent quality and more suitable for goats and sheep than for cattle. Greece has the largest number of goats of any country in Europe. Production of fodder crops is generally insufficient. Movements of animals from the villages to pasture lands are still carried out, but are not as important as in the past. It is hoped that with the development of irrigation in the lowland areas better supplies of fodder will improve the livestock industry.

The sparse nature of the forests and the indiscriminate felling of trees for firewood, especially during the Second World War, has resulted in a forest industry which can only supply about 30 percent of the country's timber needs. However, the creation of forest reserves where grazing is not permitted, along with other reafforestation programmes, may improve the situation in the future.

In general, the further development of land use in Greece rests to a great extent on the development of irrigation and the control of soil erosion. The irregular flow of many rivers limits the supply of irrigation water and much irrigation relies on local wells and springs. However, major irrigation schemes have and are being developed. A combination of draining of marshes and irrigation of dry areas is often found.

Soil erosion is particularly serious in the mountain areas and is the result of the removal of the natural vegetation cover. Its impact is, however, most felt in the valleys and plains, as much of the eroded material is carried by the rivers during the rainy winter period and deposited in the lowlands by flooding in the form of gravel and sand. The mouths and lower courses of the rivers become choked with debris and become more liable to flooding, leading to the creation of marshes. Reafforestation may lessen this problem in future.

II. Regional Geography

1. Central Greece

The region of Central Greece (Sterea Ellas) comprises the area of the country lying between the Peloponnesus in the south and Epirus and Thessaly to the north[6]). It extends from the Ionian Sea to the Aegean and includes the island of Evvoia. It is a predominantly mountainous region, with scattered areas of lowland along the coast and along the major rivers. The agriculture of the region is concentrated to a great extent on the plains of the Acheloos and Spercheios Rivers, the interior plains of Kopaïs and Thivai and the plain of Attiki around Athens. The main crops are wheat, maize, grapes, olives, and tobacco, with some cotton. Tobacco-growing is particularly concentrated in the western areas of the region and cotton-growing in the Plain of Kopaïs. The Athens region is dominated by market gardening, producing vegetables and fruit for the capital.

The city of Athens (Athenai) with its 2.5 million inhabitants dominates the region. (Population figures of towns and cities are from the 1971 census.) This figure also includes the port of Piraeus (Peiraievs). Almost three-quarters of the inhabitants of the region live in the greater Athens conurbation. It, in fact, contains some 30 percent of the total population of the country, an abnormally high proportion compared with other South-East European countries. In spite of the importance of Athens in early times, it is basically a modern city and, along with Piraeus, experienced very rapid growth after 1922 with the arrival of refugees from Turkey and after the Second World War as a result of migration from rural areas.

The Athens region is the centre of much of Greece's industry, commerce and transportation. Athens forms the node of the rather sparse railway network of the country. A main line links Athens (and Piraeus) with Thessaloniki and with the rest

---

6) See map 8: Verkehrswege, p. 357.

of Europe. A narrow-gauge line links Athens with the railway system of the Peloponnesus. The only other line in Central Greece apart from the main line to the north is a short branch line to Chalkis. A narrow-gauge line links Agrinion with Mesolongion and serves the Plain of Aitolia. Athens is also linked by toll highways with Thessaloniki, and with Corinth and the Peloponnesus. Ship-borne traffic is of great importance. Piraeus is the largest port in the country and handles over half of the country's sea-borne trade. There are plans for expanding the port and it is hoped that the proximity of Piraeus to Egypt and the rest of the Middle East will add to its importance in future as a European port. Athens is also the centre of air transportation and there are plans for the construction of a new major international airport to handle the increasing traffic due to the expanding tourist industry.

Athens and Piraeus constitute the most important center of manufacturing industry in the country, producing about 80 percent of Greece's manufactured products by value. Much of the industry is concentrated in Piraeus and the areas to the west of the city of Athens. Apart from the traditionally important food-processing and textile industries, new industries, such as iron and steel, cement, oil refining, ship-building, chemicals, and engineering are becoming important. Piraeus has a metallurgical plant, producing steel mainly from scrap, but the largest iron and steel plant in Greece is located at Elevsis (18 500) on the Saronic Gulf west of Athens. This integrated plant uses imported raw materials and scrap. Elevsis has also a large cement factory. At nearby Skaramanga the Hellenic Shipyards, the largest in Greece are located. Ships are also built and repaired at Elevsis and Piraeus. Oil refineries are at Elevsis (Aspropirgos refinery), Skaramanga and Agios Theodorous, all on the Saronic Gulf. The chemical industry is mainly located in Piraeus, where factories produce sulphuric acid and fertilizer. Investment by large foreign corporations has resulted in the rapid growth of many industries in the Athens region. An example is the Hellenic Aerospace Industries, established at Tanagra to the north of Athens, which gives Greece its first aircraft industry.

The Athens region contains little in the way of industrial raw materials. Lead and zinc deposits have been mined since ancient times at Lavrion south-east of Athens. Bauxite is mined at Megara and marble is quarried in the Athens area. Much of the electric power for the Athens region comes from the largest thermal power-station in the country, located at Aliverion on the island of Evvoia, which uses lignite from the Aliverion and Kymi deposits. Power also comes from three major hydro-electric power stations on the River Acheloos and its tributaries in the western part of Central Greece. The largest station is powered by water from the dam and artificial reservoir of Kremasta. To the south a dam at Kastrakion powers the second station and the third is located on the Tavropos River to the north. Further supplies of electric power will come from a large dam under construction on the River Mornos at Lidorikion, some 170 km west of Athens.

The rest of Central Greece contains little in the way of raw materials or industry. Bauxite is mined in the area of Mount Parnassos and is used in an aluminium plant located at Aspra Spitia on the Gulf of Corinth, south of Distomon. It produces over 150 000 tons of the metal annually, much of which is exported. The island of Evvoia contains deposits of magnesite, chromite and lignite, and marble is also quarried. The island's major industrial centre is Chalkis (36 300). Its industries include metallurgy, cement, and textiles. In the north of Central Greece the town of Lamia (37 900) is the centre of a region of mining of nickel and chromite. In the west the town of Mesolongion (11 600) has a chemical industry based on local salt pans and also processes fish. There is a tobacco-processing industry in nearby Agrinion. Woolen and cotton textiles are manufactured in several towns in Central Greece, such as Livadia and Lavrion, and are often sold to tourists. Pottery and copper and iron ware are also produced for local sale.

The tourist industry is of great importance to the regional economy. Not only is Athens in itself a major tourist attraction, but other ancient towns and sites, such as Delphi, Elevsis and Thermopylae, annually attract large numbers of visitors. The islands of the Saronic Gulf such as Aigina, an old trading and sponge-fishing centre, have a significant tourist industry due to their proximity to Athens.

2. The Peloponnesus

The Peloponnesus (Peloponnisos) forms the most southerly region of mainland Greece. It is a peninsula of rough mountain terrain and narrow coastal plains with several internal basins, joined to the rest of Greece by the Isthmus of Corinth. The isthmus is crossed by a canal, 6.3 km in length and 25 m wide and 8 m deep, which was completed in 1893. The canal shortened the route between Piraeus and the Ionian Sea by 350 km. Because of the restrictions on size, ships above 10 000 tons use the route around the Peloponnesus. There are plans to enlarge the canal.

The agriculture of the Peloponnesus is similar in character to that of Central Greece. A speciality crop of the region is the currant grape which is grown in the northern coastal area and along the west coast. Figs are also a regional speciality. Irrigation has been developed in the lowland areas, especially in the coastal plains of the northwest.

The forests of the region have suffered greatly during the centuries. The highlands have been virtually stripped of their tree vegetation and are covered by large areas of maquis, which support the grazing of livestock.

The Peloponnesus contains few raw materials and little industry of importance. Some poor-quality lignite is mined near Tripolis and is used in a thermal-power station at Megalopolis. A hydro-electric power station on the River Ladon, a tributary of the Alfeios River, provides electricity for Patras and Pyrgos. Some manganese is mined in the south-west, iron pyrites in the east, and marble is quarried in the Tripolis area. Patras (Patrai) is the largest city (120 800) and the third port of Greece after Piraeus and Thessaloniki. Its industries include machinery, rubber, textiles, paper, and food processing. The city has a growing university. Kalamata (40 400) on the south coast produces machinery, olive oil, soap and tobacco products. It is also a centre for sponge-fishing. Pirgos (20 600) on the west coast has food processing and chemical industries. There are plans for a shipyard, cement and steel complex at Pylos. The ancient city of Corinth (Korinthos) (20 800) has lost much of its earlier importance as port and commercial centre, but is visited by many tourists. The nearby ruins of Mycenae and the theatre at Epidauros are also important tourist attractions.

The Peloponnesus is served by a narrow-gauge railway system which is linked to Athens. The railway runs along the north coast of the peninsula through Corinth and

Patras and then down the west coast. A line crosses the peninsula to Tripolis with a branch-line south to Kalamata. Tripolis (20200 inhabitants), situated in an internal basin, stands at an important meeting place of routes. The railway continues eastward to Argos (18900) where a short branch-line connects with the small port of Nauplion. Both these towns have food-processing industries. The main line turns north to Corinth, thus completing the circle. A toll highway also joins Patras with Athens and another road runs from Corinth to Kalamata. Patras is linked to Italy by trans-Adriatic ferry services.

3. Thessaly

The region of Thessaly (Thessalia) exhibits great physical diversity, with large areas of plains surrounded by high mountain ranges. In spite of a tendency to dryness due to their location, the Plains of Thessaly are among the most productive agricultural areas of the country. Apart from wheat, maize, and grapes, the region produces cotton, tobacco, and sugar beet. Cattle are more important in this region than in southern Greece. Mulberry trees are also raised, and there is a significant silk industry. Much of the region's agriculture relies on irrigation.

Thessaly has some lignite, but most of its electric power comes from the hydropower station on the Tauropos River in the south. There are deposits of chromite near Volos and north of Trikkala. Marble is quarried near Larissa. The major industrial and transportation centre of the Plains of Thessaly is Larissa (72300). It produces farm machinery, textiles, tobacco products and refines sugar. The port of Volos is, however, the largest city of the region (88100). It has shipbuilding and machinery industries, a major cement plant, and also produces textiles, paper and tobacco, and food products. A rail-sea link with Syria is being developed. The city suffered from severe earthquakes in 1954 and 1955 and required considerable rebuilding.

Thessaly has fewer tourist attractions than the southern areas of Greece, although the monasteries at Meteora, the Vale of Tembi and Mount Olympus bring significant numbers of visitors.

The region has the densest railway network in the country. The main line from Athens to Thessaloniki passes through Larissa. A branch line joins Larissa with Volos. A narrow-gauge line runs from Volos westwards to Karditsa and turns north to Trikkala and Kalambaka. This line serves the Plains of Thessaly. There is also a good highway network.

4. Epirus and the Ionian Islands

The mountains of Epirus (Ipeiros) are lower in general than in the central parts of the country. However, the north-south alignment of the ranges creates problems of movement and there are few areas of lowland. The Plain of Arta around the Gulf of Amvrakia, which has been drained, is the largest lowland and the most productive agricultural area. Epirus is a region of greater precipitation in winter than other parts of Greece and thus maize grows well. However, summers are dry and the traditional Mediterranean crops of wheat, olives, grapes, and citrus fruit are also cultivated, along with cotton, tobacco and some rice. Chestnuts and walnuts are also grown. The region is one of the most backward agricultural areas in the country. Besides, there are few raw materials of any importance and little industry. There is a hydro-electric power station on the River Louros which may help to attract more industry. The main town of Ioannina (40 100) is the commercial and transportation centre of Epirus, but it has no industry of note. The towns of Arta (19 500) and Preveza (11 400) have likewise little economic importance.

Transportation facilities in the region are poor. There is no railway and the road network is sparse.

The Ionian Islands (Ionioi Nisoi) have ample rainfall and generally good soils and support a relatively dense population. The island of Kerkyra (Corfu) is the largest and most productive, with olives and grapes being particularly important crops. Maize, citrus fruit and vegetables are also grown. Kerkyra is the largest town and port of the islands (28 600) and is an important tourist centre. It has some local processing of olive oil and manufacture of soap and has regular sea connections with Piraeus, Patras, and Brindisi.

5. Macedonia and Thrace

The two regions of Macedonia (Makedonia) and Thrace (Thraki) are relatively recent additions to the Greek state. Macedonia was acquired in 1913, while in 1919, Western Thrace was obtained from Bulgaria and the southern part of Eastern Thrace from Turkey. In 1923 Eastern Thrace was reoccupied by Turkey. At the time of its annexation Macedonia was a backward Turkish province, but now it is the most advanced economic region in the country next to the Athens–Piraeus area.

Central European climatic influences make the agriculture of Macedonia and Thrace somewhat different from that of the rest of Greece. There are few olives and citrus fruits grown. The major crops are wheat, maize, rice, cotton, sugar beet, and fodder crops. Tobacco is a particularly important regional crop and is concentrated mainly in eastern Macedonia and Thrace. Cotton and rice are grown mainly on the plains of the Thessaloniki and Serres areas. These lowlands, much of which have been reclaimed from marshland and are now irrigated, constitute some of the best farming land in Greece. The region contains about one-third of Greece's cultivated area. Dairying is more important than in other regions of Greece and about half the total number of cattle in the country are located here.

Apart from its value to the nation as a farming region, Macedonia and Thrace make an important contribution to its industrial economy. Lignite is mined in the area between Florina, Ptolemaïs and Kozani, and supplies a large thermal-power station and nitrogen fertilizer factory at Ptolemaïs. There is also a hydro-electric power station at Agras, near Edessa, on a tributary of the Aliakmon and another is under construction. Lignite, uranium and oil are found in Thrace and oil off the island of Thasos. The Chalkidiki peninsula is rich in chromite, magnesite, iron pyrites, and lead. Manganese and uranium are found in eastern Macedonia. Asbestos is mined at Kozani.

The city of Salonika (Thessaloniki) (557 400) is the major economic centre of the region and is second only to the Athens–Piraeus area in terms of industrial output. It has been an important port since Roman times, due to its situation on the north coast of the Aegean Sea at the southern end of the Vardar Gap. Changes in the political situation on the Balkans have limited the effective hinterland of the port, but better relations with Yugoslavia and Bulgaria have helped to restore its position as the major port of the northern Aegean. The city was badly damaged in the First World War, while the port facilities were virtually destroyed during the Second World War. It has now been rebuilt along modern lines. There are plans to develop Salonika as a Mediterranean "Europort" with links to Africa and the Middle East. It is hoped that an island waterway route linking the port with Danube and ultimately the inland waterway systems of northern Europe via the Axios, Vardar, and Morava Rivers may eventually be developed, creating a route linking the North Sea with the Aegean.

Apart from its importance as Greece's second port, Salonika has a variety of important industries. There is a large petroleum complex, producing refined products, petro-chemicals and ammonia. There is a sheet-rolling mill using imported scrap. Other industries include shipbuilding, farm machinery, pulp and paper, tyres, tobacco products and food processing. Salonika is growing rapidly. A possible limiting factor on the growth of the city is its liability to earthquakes. In 1978 a severe earthquake caused considerable damage and casualties. However, this is a problem shared with many other Greek cities and may be solved partially by special construction techniques.

The second city of Macedonia and its only other port of note is Kavala (46 200). It is an export port for tobacco and manganese. A petro-chemical complex is planned. Serres (39 900) and Drama (29 700), also in eastern Macedonia, are centres of cotton and tobacco growing areas. There is some manganese and lignite mining in the area. The western part of Macedonia is more mountainous and is less densely populated than the centre and east. The main commercial and transportation centre is Kozani (23 000), where chromite, asbestos, and marble are found. The main industrial town is Ptolemaïs (16 600) with its power station and fertilizer plant. Other towns are small in size, but further development of the power resources of the region may result in greater industrial growth in the future. Mention should be made of the unique fur industry of Kastoria, using imported fur clippings.

Salonika lies on the main railway line from Athens. The line continues to the north, where it connects with the Yugoslav railway line to Skopje and Belgrade. A second line branches to the north-west where it also joins the Yugoslav system. A branch line goes south to Kozani. A third line links Salonika via Serres and Drama with the port of Alexandroupolis and joins the Turkish railway system at Pithion. There is a branch line to Bulgaria.

Thrace is a predominantly agricultural region, although the exploitation of lignite, oil and uranium offers a basis for further industrial development. Its main port is Alexandroupolis (Dedeagach) (23 000). The port has little traffic, but in the past its control has been disputed between Greece and Bulgaria, due to the latter's desire for a port on the Aegean. The largest town is Xanthi (24 900) which is the centre of an important tobacco-growing area.

6. The Aegean Islands

The islands of the Aegean (Nisoi tou Aigaiou) are of great importance to the tourist industry, but otherwise have little agricultural or industrial significance. Many are uninhabited. The islands of the northern Aegean are sparsely populated. Thasos, with its off-shore oil wells and its lead, zinc and iron ore deposits is the only one of any economic significance. Limnos has a little agriculture. To the south the Sporades have few resources except their scenery, although there is some iron ore on Skyros. The islands along the Turkish coast are of greater economic importance due to their larger size and the existence of areas of lowland. Lesvos is an important producer of olive oil and its port of Mitilini (23 400) has some industry of local significance. Chios (30 000) is the main town and port of the island of the same name and has ferry and shipping links with Piraeus and other islands. The Cyclades in the southern Aegean are mostly rocky and barren and support little population. Agriculture and fishing are mainly subsistence and many people emigrate. There is some iron ore on Serifos, barytes on Milos, manganese on Andros and emery on Naxos, but there is little basis for industrial development. There are ship-repairing facilities on Siros. The only towns of any size are the ports which handle mainly local traffic. The Dodecanese are a relatively recent addition to the Greek state, having been obtained from Italy in 1947. The largest island, Rhodes (Rodos) is mountainous with few lowland areas and has little agriculture of importance. However, it has seen rapid development as a major tourist area and has a busy airport handling charter flights from northern Europe. Its major city is Rhodes (32 100), which is becoming an important port with ship-building facilities. Some of the other islands have some agriculture.

Table. Selected Climatic Data (Temperatures in °C and precipitation in mm)

	January Average	July Average	Annual Average Precipitation
Central Greece			
Athens	9.6	27.6	394.3
Peloponnesus			
Tripolis	5.3	25.0	840.1
Patras	9.8	26.3	726.2
Kalamata	11.3	27.1	830.2
Thessaly			
Larissa	5.3	27.7	450.9
Epirus			
Ioannina	5.0	25.2	1 249.4
Ionian Islands			
Kerkyra	9.6	26.7	1 239.8
Macedonia			
Salonika	5.5	27.1	439.1
Kozani	2.1	24.2	579.3
Thrace			
Alexandroupolis	5.2	26.1	600.3
Aegean Islands			
Rhodes	11.5	27.3	837.8
Naxos	12.2	24.6	322.2
Samos	11.0	25.9	884.7
Crete			
Irakleion	12.2	26.3	496.1

7. Crete

The island of Crete (Kriti) is much larger than any of the other Greek islands and has a population of 485 000. Most of the population lives on the lowland areas in the central and western parts of the north coast. These are the major agricultural areas of the island and produce typical Mediterranean crops. The rest of the island is mountainous, mostly deforested and covered with maquis on which goats and sheep are grazed. The only industrial raw materials of note are some iron ore at Kastelli at the western end of the island and some lignite deposits. The major town and port is Irakleion (84 700) which has food-processing industries. It is located on the central lowland. The only other town of size is Chania (53 000) on the western coastal plain.

Economic System

George A. B. Kartsaklis, Halifax, Nova Scotia

I. General Characteristics

As the Greek economic system stands today, it constitutes the outcome of an evolution which starts with the proclamation of the country's independence at the beginning of the 19th century. A milestone in its development may however be found to lie in the six-year period following immediately the end of the Second World War. The time interval 1944–1950, or thereabouts, makes up a critical period where, for the first time in the country's modern era, the validity of its political and economic system was vociferously questioned. The dispute was to be settled by the intervention of the British army, it had been transformed into a bloody civil war that cost the nation more human lives and material damage than the entire Second World War. With the military assistance of Great Britain and, above all, the USA, as well as amid a militarily extremely favourable climate created in the wake of Tito's resignation from the camp of the socialistic countries, Greece's political forces with strictly anti-soviet ideology were organized and converted into a combat power able to defeat all the anti-fascistic rivals who alone carried the responsibility and the burden of a successful resistance against Hitler's Wehrmacht during the Second World War.

The victory on the battlefields in Greece reaffirmed the validity of the fundamental rules of the game that prevail over any economic system descending from and, in principle, adhering to the ideology of *laissez-faire, laissez-passer*. Clearly, the essence of the capitalism that now dominates the economic life of Greece hardly differs from the one which is prevalent in the economic life of other western countries. The ownership of means of production, on the one hand, is allowed and guaranteed to the households by the Greek administration. On the other hand, the Greek policy makers desire and expect that the level of investments is primarily determined by the decisions of private investors. Finally, the formation of individual prices is as a rule left to the activities of the corresponding markets where monopolistic and/or oligopolistic constellations are not excluded.

The striking event in this development, now, is not really the reestablishment of capitalism in Greece. It is the impressive performance that the economic historian may easily ascertain in its evolution after the Civil War. Moreover, one might regard this phenomenon as the main reason for the fact that the Greek *laissez-faire* has succeeded in improving its reputation and fortifying its position among the economic agents operating within and outside the country during the 27 years that followed the year 1950. Consequently, it is of immense interest to shed light upon a selected number of economic factors which were conducive to, and decisive for, the intensive activities of Greek capitalism in the time period 1951–1977.

The problem of the economic factors that aided and abetted the economic system in Greece to emerge in a favourable light during its post-civil-war era is the theme upon which the present chapter will focus attention. *Mutatis mutandis,* on the one hand, the organisation of our discussion has been greatly benefited by recent work on economic systems which will explicitly be mentioned in the text. On the other hand, one should be aware of the fact that the scope of the analysis which follows was not a matter of absolutely free choice. It has been influenced by and, hence, necessarily adjusted to three restrictions imposed from without: the limited space allotted by this volume to the present chapter, the relatively short time available to prepare the chapter, and, above all, the really narrow spectrum of national accounts statistics published by the OECD.

Taking these constraints into consideration, all the deterministic tools that seem to be most appropriate to explain the dynamics of Greek capitalism are provided by that part of Keynesian economics which lies behind Harrod-Domar's growth model. This theoretical apparatus, which will not be repeated here since it is well exhibited in all the textbooks on macroeconomics, stands behind the econometrics utilized to arrive at the results which are expounded in the discussion below. In this context, it must, nonetheless, be noted that not all estimations that enter the discussion rest upon a logically coherent economic theory. For instance, numbers referring to shifts in the income distribution as well as to monetary magnitudes, etc., are sheer observations of historic events rather than expectations emanating from applying strictly econometric theory.

Here two additional remarks are in order. First of all, it should be mentioned that regression analysis has been utilized to produce least-squares estimates which in some cases will vividly sketch the behaviour responsible for the performance of *laissez-faire* in modern Greece. On the other hand, it should be noted that the statistics adopted from the OECD publications to produce this type and/or, even, other types of estimates have all been deflated by the same price index. This price index is, of course, the general price index which ensues from a simple division of the money value of the GNP at market prices by its deflated value. The way, however, in which these deflated statistics are classified and annexed in the present chapter as an appendix offering the raw material of our investigation reflects but the macrotheoretic framework underpinning the discussion in the present chapter. In the list that follows, we, finally, expose the five important deviations that have been made from the terminology of the OECD statistics:

a) gross fixed capital formation = total gross investments, denoted by I;
b) gross domestic produce in purchasers' value = GNP at market prices, denoted by Y;
c) compensation of employees = labourers' income, i.e., wages and salaries, denoted by W;
d) operating surplus
e) property and entrepreneurial income $\Big\}$ = profits, denoted by π;
f) consumption of fixed capital = depreciations, denoted by D.

II. Goals

In Greece, as in many other states of the capitalistic world, the economic system of *laissez-faire* pursues just one goal, the welfare of the population that resides and works in the country. Should the standard of living of the nation improve with the passing of time, a certain degree of optimism will be aroused and spread out among the economic agents. Moreover, this optimism must as a rule cause the households to intensify the struggle for higher levels of income and consumption. In this way, the minds of the human beings will be prevented from thinking about the uneven distribution of wealth which demonstrates not only one of the essential characteristics of the capitalist system, but also its Achilles' heel.

The defenders of capitalism in Greece understood early enough the meaning of welfare in their attempt to enhance the position of the system in this geographic part

Table 1. Per Capita Income of the OECD Community

OECD Countries	USA Dollars at 1970 Prices & at 1970 Exchange Rates			
	1961		1976	
	Deflated USA $	%	Deflated USA $	%
1 USA	3744	100.00	5413	144.58
2 Canada	2806	100.00	4792	170.71
3 Sweden	2954	100.00	4564	154.50
4 Norway	2018	100.00	3670	181.86
5 Denmark	2242	100.00	3559	158.74
6 Federal Republic of Germany	2200	100.00	3511	159.59
7 France	1886	100.00	3436	182.18
8 Switzerland	2601	100.00	3373	129.68
9 Luxembourg	2533	100.00	3373	133.16
OECD Total	2094	100.00	3362	160.55
10 Belgium	1819	100.00	3186	175.15
11 Australia	2019	100.00	3134	155.23
12 Iceland	1815	100.00	3026	166.72
EEC	1769	100.00	2855	161.39
13 Netherlands	1675	100.00	2847	169.97
14 Finland	1517	100.00	2717	179.10
15 United Kingdom	1804	100.00	2443	135.42
16 New Zealand	1827	100.00	2435	133.28
17 Austria	1349	100.00	2430	180.13
OECD Europe	1508	100.00	2423	160.68
18 Japan	865	100.00	2420	279.77
19 Italy	1154	100.00	1952	169.15
20 Ireland	948	100.00	1480	156.12
21 Greece	633	100.00	1473	232.70
22 Spain	651	100.00	1359	208.76
23 Portugal	391	100.00	844	215.86
24 Turkey	268	100.00	490	182.84

Sources: OECD, National Accounts of OECD Countries, Vol. I (1976), p. 133.

of the world, and they have done much to boost the standard of living of the Greek people. This picture is at least what must be drawn up from looking at Table 1. Accordingly, it can be said that during the years 1961–1976 Greece had achieved more in the realm of economic "welfarism" than one might expect at first glance. Indeed, she reached more than the absolute majority of that reached by the OECD countries. With a net increase of 132.7 % in the real (= deflated) per capita income–which is, as is well known, tantamount to the average productivity per inhabitant–Greece took second place after Japan in the large spectrum of the OECD countries.

It is unfortunately usual that such deeds happen in the fairly abstract sphere of relative terms. In the more concrete area of absolute terms, the same leap may not look very large. Greece's jump from $ 633 per capita in 1961 to $ 1,473 in 1976 was just enough to surpass only Spain in the list of Table 1 ranking 24 OECD countries according to the size of real per capita earnings. Moreover, the move from 22nd place on the list to 21st, although it brings the country close to Ireland and near Italy, does not really change the fact that Greece still stands almost at the bottom of that list. No doubt the income of the average Greek continues to rest on relatively low levels. For Andreas G. Papandreou (17: p. 18), "it is one of the lowest in Europe", and Greece's gradual steps upwards in the productivity schedule indicate the tendency of the system to generate progress in the welfare of the country, i.e., to add 56 deflated dollars each year to the average income per head.

For a full appreciation of the performance of Greek capitalism, it is appropriate meanwhile to complete this section with a look at the adequacy of welfare as a goal with absolute priority. In this context, it will be pointed out that, in the specific instance of Greece, the goal of welfare proves to be incomplete since it lacks fundamental qualifications. Clearly, welfare philosophy should be regarded, due to Koopmans & Montias (12: pp. 41–50) (14: p. 29 ff), as a possible "norm" or "criterium" of evaluating an economic system. Nonetheless, the economic history of nations willing to survive demonstrates that this utilitarian norm is not the most general one. The world is voluntarily divided into nations striving, at least, for sovereignty and territorial integrity, i.e., national security. Here national security makes up a guarantee for what is frequently called in politics *Lebensraum* and, at the same time, an elementary service that the citizens of any state can always expect from the parasitic existence of the government. Thus, an *ad hoc* formulation of the macroeconomic preferences reveals that the goal of national security and that of welfare compete. Moreover, if nationalism in the sense that the primal task of the government is to assure the *Lebensraum* of its citizens, as Joan Robinson boldly put it (19: Chapter 6), a basic rule of the macroeconomic game, then it is self-evident that the former goal turns out to be more general than the latter. Indeed, why should a certain society strive for affluence when its armed forces without a substantial amount of external military supplies are in no position to defend the accumulated wealth of its own members against the rapacious appetite of foreigners? This conclusion, namely that the goal of national security is superior to that of welfare, is of extreme relevance to industrially underdeveloped countries like Greece whose economy, as Coutsoumaris (3) and Krengel & Mertens (13: p. 41) report has no factories capable of fabricating military hardware, so that the most important part of the armaments inextricably necessary for the ability of the defence forces to protect the *Lebensraum* happens to depend exclusively upon imports. Had the Greeks decided in 1954 and subsequently to install factories suitable to effect a gradual removal of the technical deficiency in the domestic industry for production of modern weapons, they would have enjoyed *inter alia* huge benefits from the economic effects of this kind of investments on employment, growth, and the balance of payments, i.e., from multisectoral effects that none of the tax systems and other instruments available to economic protectionism can ever bring about. There is no branch of industrial production other than military industry which has the gift of simultaneously serving economic goals of multisectoral production and geopolitical ones. Yet, the policy makers of Greece responsible for the time period under consideration failed to grasp the cumulative advantages that would emerge for the country's economic system from assigning an absolute priority to the development of a modern industry for the production of military equipment. Instead, as if the country had had the industrial maturity of the USA and/or the Federal Republic of Germany, they blindly focused attention on the achievement of a rapid increase in welfare. By this means, they left wide open the quite sophisticated issue of the economically and geopolitically optimal direction for the development of the country's production sector. Furthermore, it is striking that critical strategists of the country's orientation in industrial development, like Papandreou, did not even touch this avowedly difficult problem of optimizing macroeconomic preferences over time under the constraint of relative autarky in the field of military supplies. No wonder, then, the year 1977 elapsed, and the industrial apparatus of the country was still unable to produce a single rifle for its infantry.

III. Targets

Let us next turn to the targets of the economic system. The specific bundle of them chosen amongst all the ones available gives expression to a certain strategy applied by the economic system in order to attain the goal of welfare. By taking now also into account that there is nearly no kind of economic *laissez-faire* known in the western world able to function completely free from the influence exerted by the ambitions of policy makers upon economic activity, we shall identify, in the present section, the strategy of the economic system with its economic policy.

To be sure, the identification implies that the capitalism of Greece carries but the typical feature of what is contemporarily dubbed "free market economy" and/or "decentralized economies" (15: p. 46). In the free market economies of today, manipulations of economic activity by the government are said to express an attempt to supplement and/or correct the private sector's initiative whenever the outcome of this initiative fails to meet the desired norms set up by economic strategy. Now, scholars versed in Greek affairs of the last 152 years will not hesitate to acknowledge that the post-civil-war period proves to be the very first section in the economic history of modern Greece where the government was forced to design tangible economic targets and to take care of the extent to which the economy is capable of reaching them.

The various targets chosen from the economic area during the time period under consideration are discussed at great length in the intellectual work of Professor Zolotas (21, 22, 23, 24, 25), the Governor of the Bank of Greece. The most important of them are concisely expounded here with the aid of Tables 2 to 6. An examination of these tables introduced below confirms that the continuous increase in the welfare of Greek citizens has been realized by aiming at four targets: (1) control over population expansion; (2) guarantee of a steadily rising output; (3) possibly strong influence upon domestic inflation; and (4) attraction of possibly large amounts of foreign capital.

Table 2. Population (Population Patterns)

OECD Countries	Percentage		Average Growth Rate per Annum
	1961	1976	
1 United Kingdom	100.00	105.75	0.37
2 Finland	100.00	106.01	0.39
3 Austria	100.00	106.21	0.40
4 Belgium	100.00	106.90	0.45
5 Portugal	100.00	107.00	0.46
6 Greece	100.00	109.13	0.59
7 Sweden	100.00	109.30	0.60
8 Federal Republic of Germany	100.00	109.53	0.61
9 Denmark	100.00	110.00	0.64
EEC	100.00	110.41	0.66
10 Italy	100.00	111.15	0.71
11 Norway	100.00	111.40	0.72
12 Ireland	100.00	112.17	0.77
13 Luxembourg	100.00	112.62	0.80
OECD Europe	100.00	113.80	0.88
14 France	100.00	114.65	0.92
15 Switzerland	100.00	115.13	0.95
OECD Total	100.00	116.34	1.01
16 USA	100.00	117.11	1.06
17 Spain	100.00	117.88	1.10
18 Netherlands	100.00	118.31	1.13
19 Japan	100.00	119.85	1.22
20 Iceland	100.00	122.91	1.39
21 Canada	100.00	126.68	1.59
22 New Zealand	100.00	128.39	1.68
23 Australia	100.00	132.43	1.89
24 Turkey	100.00	145.36	2.53

Estimated according to the statistics published by the OECD, National Accounts of the OECD Countries, Vol. I (1976), p. 146.

With an average of 0.59 per annum in the fifteen-year span between 1951 and 1976, Greece is classified, as shown in Table 2, as possessing the sixth lowest rate of population growth among twenty-four OECD countries. In this fashion, the modern state smoothly evaded grave consequences for the stability of Greece's socio-economic and political framework from population pressures which most industrially underdeveloped countries usually suffer from and must endure for long periods of time before they are able to get rid of it. Clearly, as Zolotas announced recently, the Greek economy of today, perhaps as the only exception among the non-socialist economies, enjoys full employment of its primary factors of production and, hence, is no longer oppressed by population pressure. Nonetheless, the credit for matching the country's labour force with the possibilities of economic growth can by no means be claimed by the policy makers alone. After all, the latter merely continued the ancient tradition of keeping open the country's borders to those citizens who have reasons to emigrate. It was primarily the voluntary exodus of the Greek workers either as *Gastarbeiter* to Northwest Europe or as landed immigrants to the rest of the western world which has given a comfortable solution to Greece's population problem. Moreover, the high degree of mobility that the Greek labour force successfully learned to demonstrate over the last three thousand years has greatly strengthened the country's financial system. It brought in considerable quantities of foreign exchange which helped to some extent to bend the destructive rigidity of Greece's monetary mechanism and, in addition, furnished the Bank of Greece's reserves with huge amounts of international means of payments that are inextricably necessary to prevent the country from national bankruptcy and/or to vindicate a desirable level of exchange rate. Let us next regard things from a more general angle. It is quite intelligible that the low rate of population growth constitutes a trustworthy tactic to ensure an internal stabilization of Greece's market economy socially and politically. The open question, however, is the extent to which such tactics can be practised without destablizing the supply of labour for economic growth and/or for meeting current and future problems of defence. Indeed, one of these issues is already acute. There seems to have been a labour shortage in Greece since 1972 (16: a/cc, pp. 11–15 & 41).

In point of the second target, Table 3 exhibits that for the fifteen-year period 1961–1976, the annual growth rate of Greece's deflated GNP at market prices with 6.48 % on average may not be as high as Japan's or Turkey's, but it is large enough to rank third among the twenty-four OECD countries. In this context, it is interesting to note that the lofty performance of the Greek economy is not confined only to the time span mentioned above. Table 5 shows warranted rates of growth realized by six various types of income as well as their annual average values estimated for different time spans lying within the interval 1951–1976; it demonstrates that the performance in question spreads out over a fairly long period of time, a little longer than a quarter of a century. Furthermore, it shows that the growth behaviour of the Greek economy within these twenty-six years is subjected to relatively weak oscillations. The weak oscillations, in turn, indicate a high degree of behavioural consistency and, hence, dedication. That the Greek economy seems to be dedicated to grow at a high speed is most illustratively suggested by the 6.31 % on average per annum with which y_t^n, i.e., the "Net National Product ($=$ NNP) at market prices", increased over the twenty-five past years, 1951–1975, and, as a matter of fact, is *ceteris paribus* expected to grow in the future since this type of income is completely free from depreciations. The existence of such a favourable attitude toward growth in Greece is testified also by the strikingly small differences between various average rates of income growth per year that either are already adduced in Table 5 or can be measured on the basis of the same table. Indeed, one may easily verify that, generally speaking, the discrepancies between different growth rates of a certain income type (average value per year assessed for the time intervals 1951–75, 1951–76, 1958–75, 1958–76,

G. A. B. Kartsaklis

Table 3. GNP at Market Prices

OECD Countries	Patterns of GNP at 1970 Prices and at 1970 Exchange Rates*		
	Percentage		Average Growth Rate per Annum
	1961	1976	
1 Japan	100.00	335.38	8.47
2 Turkey	100.00	265.65	6.76
3 Greece	100.00	254.24	6.48
4 Spain	100.00	246.13	6.22
5 Portugal	100.00	230.88	5.80
6 Canada	100.00	216.35	5.30
7 Iceland	100.00	209.38	5.15
8 France	100.00	208.82	5.04
9 Australia	100.00	205.56	4.93
10 Norway	100.00	202.47	4.82
11 Netherlands	100.00	201.08	4.79
12 Austria	100.00	191.10	4.44
13 Finland	100.00	189.81	4.40
14 Italy	100.00	187.96	4.33
15 Belgium	100.00	187.19	4.29
OECD Total	100.00	186.73	4.27
OECD Europe	100.00	182.86	4.12
EEC	100.00	178.21	3.94
16 Ireland	100.00	175.28	3.83
17 Federal Republic of Germany	100.00	174.82	3.83
18 Denmark	100.00	174.56	3.82
19 New Zealand	100.00	171.56	3.69
20 USA	100.00	169.33	3.60
21 Sweden	100.00	168.86	3.57
22 Luxembourg	100.00	150.00	2.81
23 Switzerland	100.00	149.30	2.77
24 United Kingdom	100.00	143.18	2.44

* This term corresponds to what the OECD is calling "Gross Domestic Product in Purchasers' Values". Estimated on the basis on the statistics published by the OECD, National Accounts of the OECD Countries. Vol. I (1976), p. 132.

1961–75, and 1961–76) will be, at the most, 0.09 %. On the other hand, differences between expected rates of growth referring to the corresponding types of incomes from the ones adopted here have bearings on the size of the depreciations as well as on the increasing intensity and changing patterns of governmental intervention in the private affairs of the Greek economy. For instance, the depreciations should have grown, as is shown by Table 5, sufficiently fast to cause net incomes to grow slower than the corresponding gross ones. Now, let us take a look at the growth rates of the gross or, equivalently, net incomes presented by Table 5. The fact that incomes at factor cost are growing more quickly than the ones at market prices must be ascribed to a continuously declining participation of the difference between direct taxes and the sum of subsidies plus transfers in the total revenue from taxes. At the same time, merely the rapidity with which the direct taxes are growing can account for the fact that disposable incomes are growing at a very low rate.

We now turn to the economic system's third target. In economic theory and practice, it is a common place that the relative stability of the price level—or, by the same token, an inflation rate lying below the international one—exerts, *ceteris paribus,* a propitious effect upon the distribution of income and wealth as well as upon the balance of trade. Evidently, if the rate of inflation remains low, it is said that the redistribution of wealth, which usually happens at the cost of the contractually fixed incomes and in favour of the residual incomes, will be soft enough to prohibit the occurrence of social and political upheavals. If, at the same time, it is so low that it falls short of the international one, the relative stability of the price level will have an additional effect. Under the Classics' assumption that capital is perfectly mobile, the

Table 4. Prices and Inflation

OECD Countries	Patterns of Price Levels & Inflation Rates		
	Percentage		Average Inflation Rate per Annum
	1961	1976	
1 USA	100.00	192.12	4.48
2 Federal Republic of Germany	100.00	193.61	4.52
3 Austria	100.00	210.79	5.12
4 Canada	100.00	221.23	5.50
5 Switzerland	100.00	224.26	5.55
OECD Total	100.00	224.27	5.57
6 Belgium	100.00	226.56	5.65
7 Luxembourg	100.00	230.25	5.82
8 Norway	100.00	239.56	6.04
9 Sweden	100.00	243.70	6.16
10 France	100.00	245.39	6.20
EEC	100.00	253.27	6.44
11 Japan	100.00	256.32	6.58
12 Australia	100.00	257.67	6.63
OECD Europe	100.00	260.26	6.64
13 Netherlands	100.00	266.61	6.78
14 Greece	100.00	267.47	6.95
15 Portugal	100.00	268.42	6.97
16 New Zealand	100.00	270.71	6.97
17 Denmark	100.00	294.58	7.49
18 Italy	100.00	313.16	8.05
19 United Kingdom	100.00	313.20	8.09
20 Finland	100.00	325.04	8.29
21 Spain	100.00	353.38	8.86
22 Ireland	100.00	368.84	9.25
23 Turkey	100.00	497.78	11.53
24 Iceland	100.00	1328.82	19,31

Estimated according to the statistics published by the OECD, National Accounts of OECD Countries, Vol. I (1976), p. 140.

Table 5. Growth and Inflation

Year	Growth Rates Estimated on the Basis of Millions of Drachmae at 1970 Prices						Inflation Rate
	Gross Incomes			Net Incomes			
	GNP at Market Prices Y_t	GNP at Factor Cost Y_t^f	Gross Disposable Income y_t^d	NNP at Market Prices Y_t^n	NNP at Factor Cost Y_t^{fn}	Net Disposable Income Y_t^{dn}	
1951	0.73			0.53			4.06
1952	13.71			14.18			15.23
1953	3.13			2.42			11.99
1954	7.54			7.97			7.33
1955	8.54			8.85			6.28
1956	6.54			6.45			1.07
1957	4.63			4.51			0.17
1958	3.68	4.41	4.39	3.28	4.02	3.96	0.20
1959	4.31	3.45	3.21	4.23	3.32	3.06	3.47
1960	11.16	10.95	10.85	11.41	11.21	11.13	1.49
1961	1.53	1.65	0.63	1.01	1.09	−0.04	4.61
1962	10.13	10.43	10.67	10.29	10.61	10.89	1.40
1963	8.27	8.54	8.60	8.33	8.62	8.69	3.71
1964	9.39	9.65	8.82	9.47	9.75	8.88	1.04
1965	6.09	5.97	5.11	5.91	5.77	4.84	4.86
1966	5.48	5.96	5.43	5.30	5.80	5.21	2.44
1967	6.67	6.19	5.52	6.56	6.05	5.31	1.74
1968	9.91	8.92	8.82	10.04	9.00	8.90	3.38
1969	7.95	8.31	8.26	7.66	8.02	7.94	3.92
1970	7.11	7.95	7.48	6.77	7.64	7.09	3.16
1971	8.88	8.78	8.69	8.49	8.36	8.20	5.03
1972	7.32	7.66	8.58	7.29	7.65	8.64	19.42
1973	−3.65	−1.63	−2.91	1.45	−2.13	−3.57	21.99
1974	6.19	4.80	5.62	0.04	4.51	5.35	11.44
1975	5.80	5.64	3.18	5.44	5.25	2.52	13.13
1976	6.16	6.20	7.15				14.78
Mean	6.43	6.52	6.22	6.31	6.36	5.94	6.44

Sources: Table 13 of the statistical appendix in this article.

Note: $25^{-1} \sum_{t=1951}^{1975} Y_t = 6.44$; $19^{-1} \sum_{t=1958}^{1976} Y_t = 6.44$; $18^{-1} \sum_{t=1958}^{1975} Y_t = 6.46$;

$18^{-1} \sum_{t=1958}^{1975} y_t^f = 6.54$; $18^{-1} \sum_{t=1958}^{1975} Y_t^d = 6.16$; $18^{-1} \sum_{t=1958}^{1975} Y_t^n = 6.28$

stability in question will stimulate exports and capital import, on the one hand, and hinder imports and capital export, on the other. Furthermore, improvement of the balance of payments brings in additional amounts of foreign exchange which raises the level of national reserves. An increase in the national reserves *ceteris paribus* comes, in turn, to soften the inflexibility which haunts the domestic mechanism of money and credit creation in all those countries which, like Greece, suffer from a permanent deficit in the balance of payments. It now seems to be the case that this type of economic contemplations were made by the policy makers of Greece when they decided to do everything possible in a *laissez-faire* economy of the free market type which would put them in the privileged position of ensuring low rates of inflation. As shown in Table 4, the effort was not entirely wasted. In addition, it can easily be seen from Table 5 that, for instance between 1956 and 1971, Greece enjoyed a fairly fast growth under markedly weak pressure of inflation. In those sixteen years of tight control over inflation, the price level rose by only 2.61 % on average per annum, while, on the other hand, the average speed at which the deflated GNP at market prices went up was 6.98 % per annum. At the same time, however, one must be aware of the fact that a strong tendency toward inflation is inherent in the economic system in Greece. With respect to the entire period 1951–76 under consideration, the rate of inflation exceeds the growth rate of the GNP at market prices by 0.01 %. Moreover, the control over inflation appears to have been shaken up once again. Clearly, between 1972 and 1976, a rate of inflation running to 16.15 % on average per year corresponded to a growth rate of the GNP at market prices coming to 4.36 % on average per year. On top of that, Zolotas (22: p. 74ff.) briefs us on the issue that the policy instruments with which the system of free market economy has equipped the economic authorities of Greece is hardly operative to keep inflation in check, let alone combat and defeat it quickly. Firstly, neither the foreign exchange market nor the capital market is sufficiently mature in Greece to permit open market operations on a large scale; nor is the money and credit market sufficiently developed to endure the massive and lasting impact of the minimum reserve requirement policies without collapsing. Secondly, there are both economic and political reasons which make the government extremely cautious with the tax policies. Finally, in point of products from vital industries, the domestic economy depends to such an extent upon the foreign ones that it is really hard to find a package of economic policies admissible to a regime of free market economy which is apt to stop and/or repel the import of inflation. Yet, the failure of the economic policy and, generally speaking, its inability to tame inflation in Greece does not mean at all that the objective of relative stability of the price level ought to be deleted from the list of the economic system's targets. It merely alludes to the fact that, contrary to the Monetarists' doctrine of modern *laissez-faire,* the policy makers have prevented Greece's decentralized economy from a breakdown by attaching a degree of priority to rapid economic growth under full employment which is higher than the one affixed to the relative stability of the price level. Zolotas (24: p. 11f.) has stated recently: "Although the view taken by monetarists is theoretically correct, its strict application would result in choking off economic activity and increasing unemployment. The high rates of inflation ... cannot be eliminated from one day to the other without risk of social and economic crises. What can be done, however, is to lower the rate of inflation gradually, so as not to jeopardize economic expansion and employment."

To complete this section, we lastly pay attention to the fourth target of the economic system. As mentioned already before, the economic system in Greece belongs to a fairly broad category which we called *laissez-faire* or, if you wish, capitalist economy of a free market type. Nonetheless, the information conveyed by Table 6 suggests that the concept of Greece's economic system needs to undergo some further specifications. There is a consensus of opinion among leading economists in Greece and the western world that the economy of the country is plagued by structural defects. Besides deficiencies in the infrastructure, these structural defects mean that the Greek *laissez-faire* of a free market type is not underpinned by any noteworthy capacity of industrial production which, like that of, say, the USA or the Federal Republic of Germany, is capable of manufacturing capital goods for investments and, therefore, to autonomously create domestic funds for growth. It is precisely the striking atrophy in the compartment of fabricating capital goods within the secondary sector of production which makes Greek capitalism technically immature. No doubt, such a technically immature *laissez-faire* economy of a free market type may bear a great similarity to the mercantile capitalism which flourished in the past in England and many other countries of continental Europe. Yet, it is at variance with the latter since Greece, in spite of a whole century and a half of sovereign state life, still does not possess, as we have seen, even an elementary industry to produce modern war material for defence purposes. So, the country depends heavily on capital inflow. The latter enables the country to cope with the deficit on the balance of payments left over by the excessive import of capital goods indispensible for its growth as well as of other industrial products utilized for consumption on the part of both its private sector and its military one. In order to be in the privileged position to afford, as Table 5 testifies, a growth rate of the deflated GNP at market prices which ran to 6.44 % on average per annum during the nineteen years 1958–1976, Greece was compelled to import, as shown in Table 6, an enormous amount of capital which came approximately to $ 300 million per annum on average. Out of this amount, 6.85 %, i.e., about $ 21 million on average per year, accrued to the country from private foreign sources. The remainder of 93.15 %, i.e., some $ 279 million on the average per year, constituted regular borrowing by the Greek nation from abroad. In this context, it should be realized that the economic authorities trying *inter alia* to compensate for the technical immaturity of Greece's decentralized economy have adopted and stubbornly pursued the policies of fixed exchange rates, on the one hand, and foreign exchange control, on the other. The latter direction exerted by the Currency Committee, called "Nomismatiki Epitropi", had been established before the Second World War and since then continues to be at work. Here the attitude of the controllers appears to be fairly rigid. As a rule, Greek citizens are not allowed to export money and/or capital. However, this rule has a very limited application to foreign investors (1: Chapter III, p. 19 ff.) (5: Chapter XI, p. 278). Imported capital of foreign investors and their profits linked up to productive operations of this capital within the country can in principle be exported. In particular, capital export is permitted at an annual rate of 10 %, the privilege commencing never before a whole year has elapsed from the date of capital import. On the other hand, the maximal amount of profits that may annually be exported cannot exceed 12 % of the outstanding sum to which the imported capital runs. Moreover, interest payments on loans obtained abroad are admitted up to an annual rate of 10 %. Finally, it is interesting to note two additional privileges enjoyed by foreign investors. Firstly, their right to export capital and profits may be exercised retroactively whenever the circumstances justify it. Secondly, the bulk of earnings from imported capital that have been approved for reinvestment automatically receive the same rights enjoyed by the original investment. Next, with respect to the policy of foreign exchange rates, the posture of the present policy makers does not appear to be as rigid as it is in the previous case. To be sure, the steadfast idea of having fixed exchange rates never disappeared from the back of the policy makers' minds. For example, the great devaluation of the drachma in 1953 has been followed by more than twenty years of almost completely unchanged exchange rates. But, the double digit rate of inflation amounting, as mentioned above, to 16.15 % on average per annum between 1972 and 1976 has enforced the present monetary authorities to make some concessions in the external value of the drachma. In particular, the elections of 1974, which endorsed the return of parliamentarism to Greece after seven years of dictatorship, have rendered feasible the Currency Committee's introduction of a slightly floating exchange rate. As a result, the external value of the drachma went gradually down from 3.33 U.S. cents to 2.78.

Table 6. Capital Inflow (Millions of Drachmae)

Year	Net Total Capital Inflow	In Particular	
		Net Cap. Transfers from the rest of the world	Net Borrowing from the rest of the world
1958	3222	900	2322
1959	1672	1422	250
1960	3008	1459	1549
1961	2610	1393	1217
1962	1971	1974	−3
1963	3039	1528	1511
1964	6831	1317	5514
1965	10483	469	10014
1966	4068	81	3987
1967	4734	104	4630
1968	8509	53	8456
1969	10679	89	10590
1970	9302	54	9248
1971	4965	35 -	4930
1972	4720	21	4699
1973	18477	15	18462
1974	18637	30	18607
1975	29443	431	29012
1976	24305	330	23975
Mean	8983	616	8367

Sources: OECD, National Accounts of OECD Countries, Vol. I (1976), pp. 70 & 71.
Note: On account of the exchange rate of 1970, according to which $ 1 equals 30 drachmae, the dollar values of the arithmetic means estimated and exposed above are
drachmae 8,983,000,000 : 30 = $ 299,433,333,
drachmae   616,000,000 : 30 = $ 20,533,333, and
drachmae 8,367,000,000 : 30 = $ 278,900,000 respectively.

IV. Direct Intervention by the Government

Although Greece has a decentralized economy, one will observe in the following pages that her government does intervene in the activity of the markets. It would not be quite realistic, however, to link up this observation to judgements of the governmental attitude involving denial of the classical and/or neoclassical views about political economy and, consequently, unconditional adoption of a Keynesian orientation in economic policies. This is because such an intellectual purism happens to be somewhat strange not only to the administration itself, but also to the theoretical underpinnings of its actions (23: p. 345 ff.). So, the matter here is not very much a question of whether the governmental behaviour should be characterized as a Keynesian one or as a monetaristic one. After all, we shall soon see that some actions of the government appear to be grounded in the version of capitalism which offers the standard income-expenditure model, while others seem to still stick to the classical and/or neoclassical imaginations of how a capitalistic economy ought to function. Besides, the very existence of a government in Greece entails economic intervention. What, then, turns out to matter may be only the pattern and degree of governmental intervention.

It is hard to find in the competent literature a generally accepted estimator which measures the degree of governmental intervention. For this reason, we shall confine our exposition to the interventionistic patterns which have been applied by the Greek government. In this connection, it is appropriate to distinguish between direct and indirect intervention, as noted by Eiden & Viotti (4: p. 23 ff). If only monetary policy is defined to represent an indirect intervention, then all the other kinds of economic policy must automatically be classified in the category of direct intervention. With this distinction in mind, the present section is devoted to the presentation of patterns of direct intervention that have been applied by the Greek government as a vehicle of survival and, even more, fostering the country's welfare. In particular, three distinct channels open to, and utilized by, the Greek administration for direct intervention in the affairs of the markets, deserve our esteem.

To begin with, we shall first and foremost examine the manner in which the commodity prices happen to be built up in Greece. Here it may be useful to recall that both Walras and Keynes analysed the fashion in which capitalism ought to function under the presumption that the prices represent variables endogenously determined by the system. Originally, the meaning of price endogeneity was sufficiently wide to contain commodity prices and contractually fixed incomes as well. Yet, contemporary text books on macroeconomics which mirror diverse opinions about desirable policies monolithicly reduce the concept of price endogeneity to refer merely to commodity prices—leaving, thus, the determination of the non-capitalists' incomes up to the discretion of the policy makers in charge at the time. Evidently, the endogeneity of commodity prices, but not that of wages and salaries, belongs to a fairly small group of crucial criteria by which we are able to distinguish capitalism sharply from socialism. Clearly, in socialist societies, prices as well as wages and salaries express all variables exogenously given to the economic system, according to Hayek (9). Surprisingly enough, however, throughout its post-war career the Greek government did not succeed in respecting the capitalist rules of pricing and has frequently been forced to introduce, besides wage and salary controls, also controls over the prices of a selected group of commodities. To be sure, the report of the OECD (16: a/cc, pp. 35 & 42) enhances the impression that controls over commodity prices come to occur in Greece whenever the administration is heavily suppressed by the persistence of a double-digit rate of inflation and feels unable to manage its grave consequences for the economy. Before the devaluation of the drachma by 50 % in 1953 when the country was again haunted, as indicated in Table 5, by double-digit rates of inflation, its economy was permanently upset by controls over commodity prices. Exactly the same phenomenon has been taking place especially since the early 1970's and strict controls have been imposed over commodity prices. On this occasion, it should be mentioned that the regulations of the controls under consideration became more flexible in the fall of 1974. But, this does not mean at all that they have been suspended. On the contrary; a most recent report of the OECD (16:a/dd, p. 49) reveals that the control system *per se* was reinforced in January 1977. Now, these historic events manifest, of course, a volatility in the strength with which the controls are implemented. Yet, from our perspective, the main problem cannot actually be the degree of volatility which the price policy of the government demonstrates. The fundamental issue here is the fact that there do exist such controls. Their existence, then, entails two effects worth noting. Writers of the OECD's recent economic surveys (op. cit.), on the one hand, analysed at some length the disadvantageous impact of the way in which the controls have been applied in Greece upon the economic process in the short term as well as in the long run. On the other hand, it is theoretically interesting to stress that the practice of price controls violates the principles which ought to reign over an idealized system of decentralized economy. Obviously, the present picture of the *laissez-faire* system of free market type which governs economic life in Greece does not exactly match with, say, Hayek's neoclassical image of capitalism (8). Thus, from a purely theoretical standpoint, the system involves ambiguities. Now, these ambiguities are destined to create situations of unequal opportunities among the producers. Evidently, in an era of economic life in which relatively rapid inflation dominates all over the world, selective price controls are bound to disfavour producers of those commodities whose sale prices are fixed. The controversial issue, then, is here apparent; why does the government, which wishes to subsidize the buyers, not extend the price controls to capture the whole spectrum of commodities negotiable in the domestic markets?

It has been emphasized that, whilst capitalism is inconceivable without competition, competition itself need by no means be perfect in *laissez-faire* economies of free market type. Until recently, Greece should presumably have been kept relatively free from the pressures of imperfections that usually characterize the market structures in decentralized economies which have made progress in industrialization. Owing to the allegations of the OECD (16: a/dd, p. 49), however, there is reason to believe that the continuation of this situation has apparently been interrupted by rapid growth and technical modernization of the country's production apparatus. In accordance with the regulations of the EEC (= European Economic Community), the Greek government set out in January 1978 to elaborate laws which will enable the executive to stand up against monopolistic and oligopolistic structures that have already penetrated, or are expected to infiltrate, important markets of the country. Nonetheless, the most which a professionally well-trained economist can ever expect to come out of this activity is that the imminent laws will be preventive in character rather than a legislation capable of combating and changing monopolistic/oligopolistic situations already dominating over the domestic markets. Unfortunately, the economic theory at hand does not know ways other than price exogeneity to convert competitively imperfect markets into perfect ones. But, such centralistic measures would conflict with the contemporary sense of decentralized economy established mainly after John Maynard Keynes' general equilibrium theory ostracized prices as well as wages and salaries from the core of economics. For instance, Milton Friedman argues that "... price and wage ceilings... are not appropriate means of controlling..." the direction in which the economic process moves at times (6: p. 246).

Lastly, at variance with the custom widely prevailing in the modern theory of macroeconomic policy, Greece's governmental household will be viewed here as the most complex tool available to the state for direct intervention in economic affairs. In terms both of the relative shares that its individual items have in the GNP at market prices and of the expected variations in those shares over time that are sketched in the form of average rates of growth, the government's entire budget is portrayed by Tables 7 and 8. What now follows represents but a brief and systematic analysis of the fiscal policy which has been pursued since the end of the Civil War, notably in the last twenty years, 1958–1977.

To begin with, it should be realized that, in an era in which fiscalism dominates over economic theory and policy as applied in almost all the countries of the western hemisphere, the budgetary behaviour of the Greek government remains classical in nature. The aforementioned tables eloquently show that the Greek government did not only succeed in maintaining a balanced overall budget during a relatively long period of time which is featured by a rapid growth in both the national income and the population's average productivity, it has literally saved–at least for the last twenty years, 1958–1977. In particular, the historical details depicted in the last column of Table 8 allow the expectation that the annual intensity of governmental savings ought to amount to 2.87 % of the deflated GNP at market prices. This constitutes 13.2 % of the government's total expenditures expected every year. On the other hand, the average rates of growth reached by the relative shares of the governmental disbursements in the real GNP at market prices suggest that the governmental tendency to save, which runs to 12.14 % per annum for the seventeen years 1960–1976, turns out to be much stronger than its inclination to spend, which annually comes to 2.8 % in the same time span. It is striking indeed that in the time period under consideration the government of Greece shows a thriftiness which is expected to be nearly 434 times stronger than its tendency to spend–or, if you wish, the 663–fold of its propensity to consume. Let us, finally, look at the things from a different angle which may help us to comprehend the implications of such a budgetary policy for a correct appreciation of the country's economic system. According to Schumpeter the dynamic entrepreneur ought to be deemed as the *sine qua non* for the development in a country with healthy *laissez-faire* economy of a free market type (20). But, if decentralized economies are ailing, Keynes proposed that economic evolution can be sustained only with injections by the exchequer. Now, Greece's capitalism lives and flourishes, as already shown, without interference from the treasury. Hence, it must still be healthy.

In this connection, it may be worth observing that, in spite of the thriftiness which marks the budgetary policy of the Greek government, Adolf Wagner's well known *Gesetz der wachsenden Ausdehnung der Staatstätigkeiten* holds true. Table 7, on the one hand, suggests that the Greek government seeks for and, in fact, gains a steadily increasing control over the deflated GNP at market prices. No doubt, while its total annually expected revenues amount to approximately 25 % of the product in question, their share in the latter is growing from year to year with an expected speed of 2.57 %. On the other hand, Table 8, which illustrates *inter alia* annual shares of the government's total expenditures in the product under consideration allows one to draw analogous conclusions. Evidently, not the yearly expected participation of the

Table 7. Governmental Budget. Deflated Receipts as a Percentage of the Deflated GNP at Market Prices

Year	Total Revenues	Taxes					
				Direct Taxes			
		Total Taxes $T_t Y_t^{-1} \cdot 100$	Total Direct Taxes $T_t^d Y_t^{-1} \cdot 100$	Social Insurance $T_t^s Y_t^{-1} \cdot 100$	Income Taxes $T_t^y Y_t^{-1} \cdot 100$	Indirect (= Price) Taxes $T_t^p Y_t^{-1} \cdot 100$	Other
1951						8.92	
1952						10.00	
1953						9.51	
1954						9.65	
1955						9.99	
1956						9.98	
1957						10.32	
1958	17.89	17.89	6.72	3.74	2.98	11.17	
1959	18.06	18.06	6.79	4.12	2.67	11.27	
1960	20.06	18.43	6.94	4.39	2.55	11.49	1.63
1961	20.57	18.90	7.00	4.50	2.50	11.90	1.67
1962	22.69	20.20	7.88	5.04	2.84	12.32	2.49
1963	22.69	20.48	7.71	5.07	2.64	12.77	2.21
1964	23.08	20.79	7.68	4.91	2.77	13.11	2.29
1965	23.66	21.60	8.36	5.74	2.62	13.24	2.06
1966	25.25	23.28	9.05	6.06	2.99	14.23	1.97
1967	26.21	24.16	9.53	6.35	3.18	14.63	2.05
1968	27.32	25.06	10.03	6.69	3.34	15.03	2.26
1969	27.18	24.99	10.02	6.62	3.40	14.97	2.19
1970	26.83	24.60	10.08	6.58	3.50	14.52	2.23
1971	26.63	24.71	10.53	6.63	3.90	14.18	1.92
1972	26.60	24.50	10.60	6.80	3.80	13.91	2.10
1973	25.41	23.30	9.91	6.31	3.60	13.39	2.11
1974	26.79	23.82	11.25	6.36	4.89	12.57	2.97
1975	27.23	24.58	10.44	6.69	3.75	14.14	2.65
1976	29.54	27.08	12.41	7.18	5.23	14.67	2.46
1977	28.54	26.70	11.67			15.03	1.84
Mean	24.61	22.66	9.23	5.78	3.32	12.48	1.96
Average Growth Rate	2.57	2.19	3.16	3.84	4.17	2.12	2.12

Sources: Tables 13 and 16 adduced in the statistical appendix.

Note: $20^{-1} \sum_{t=1958}^{1977} T_t^p \cdot Y_t^{-1} \cdot 100 = 13.43$; $19^{-1} \sum_{t=1958}^{1976}$ (growth rate of $T_t^p \cdot Y_t^{-1} \cdot 100$) = 1.66;

$18^{-1} \sum_{t=1958}^{1975}$ (growth rate of $T_t^p \cdot Y_t^{-1} \cdot 100$) = 1.61; $18^{-1} \sum_{t=1958}^{1975}$ (growth rate of $T_t^d \cdot Y_t^{-1} \cdot 100$) = 3.67.

Table 8. Governmental Budget. Deflated Disbursements as a Percentage of the Deflated GNP at Market Prices

Year	Expenditures						
	Total Expen- ditures	Consump- tion $C_t^g Y^{-1}100$	Subsidies & Transfers			Interest on Public Debt	Savings $S_t^g Y_t^{-1}100$
			Total $(Z_t+T_t^r)Y_t^{-1}100$	Subsidies $Z_t Y_t^{-1}100$	Transfers $T_t^r Y_t^{-1}100$		
1951		13.53		0.50			
1952		13.85		1.08			
1953		11.09		0.41			
1954		12.05		0.32			
1955		11.53		0.11			
1956		12.23		0.52			
1957		11.38		0.23			
1958	16.29	11.36	5.61	0.41	5.20		0.92
1959	18.05	11.68	6.37	0.67	5.70		0.01
1960	17.78	11.71	5.80	0.13	5.67	0.27	2.28
1961	17.63	11.28	6.04	0.34	5.70	0.31	2.94
1962	18.54	11.59	6.57	0.33	6.24	0.38	4.15
1963	19.04	11.26	7.27	0.52	6.75	0.51	3.65
1964	20.01	11.65	7.85	0.88	6.97	0.51	3.07
1965	20.61	11.72	8.21	1.11	7.10	0.68	3.05
1966	21.54	11.82	9.08	1.64	7.44	0.64	3.71
1967	23.62	13.02	9.92	1.82	8.10	0.68	2.59
1968	23.54	12.89	9.89	1.44	8.46	0.75	3.78
1969	22.51	12.72	8.98	0.91	8.07	0.81	4.67
1970	22.41	12.63	8.84	0.83	8.01	0.94	4.42
1971	22.75	12.52	9.24	1.20	8.04	0.99	3.88
1972	22.03	12.16	8.88	1.26	7.62	0.99	4.57
1973	21.12	11.45	8.67	1.84	6.83	1.00	4.29
1974	24.81	13.72	9.84	2.58	7.26	1.25	1.98
1975	26.68	15.16	10.14	2.52	7.62	1.38	0.55
1976	27.32	15.20	10.51	2.41	8.10	1.61	2.22
1977	27.81	15.47	10.92	3.05	7.87	1.42	0.73
Mean	21.74	12.47	8.43	1.08	7.14	0.84	2.87
Average Growth Rate	2.76	0.76	3.58	30.92	2.35	10.96	1200.39

Sources: Tables 13 and 17 adduced in the statistical appendix.

Note: $20^{-1}\sum_{t=1958}^{1977} C_t^g Y_t^{-1}100 = 12.55$; $19^{-1}\sum_{t=1958}^{1976}$ (growth rate of $C_t^g Y_t^{-1}100$) = 1.80;

$20^{-1}\sum_{t=1958}^{1977} Z_t Y_t^{-1}100 = 1.29$; $19^{-1}\sum_{t=1958}^{1976}$ (growth rate of $Z_t Y_t^{-1}100$) = 22.28;

$17^{-1}\sum_{t=1960}^{1977}$ (growth rate of $C_t^g Y_t^{-1}100$) = 1.83; $17^{-1}\sum_{t=1960}^{1976}$ (growth rate of $S_t^g Y_t^{-1}100$) = 12.14

deflated expenditures in the real GNP at market prices, which merely runs to approximately 22 %, but the very fact that it is growing with an average speed of 2.26 % per annum, leads to the firm conviction that the government of Greece is trying with great prudence to expand its economic activity. A rough idea of the intensity with which Wagner's empirical "Law of permanent diastole of the government's economic activity" occurs may now easily be obtained from an inspection of the data available through Table 5, as well as through Tables 16 and 17 both annexed in the statistical appendix. Accordingly, the GNP at market prices, the total revenues, and the total expenditures grow annually with average rates which amount to 6.44 %, 9.11 %, and 9.25 %, respectively in the nineteen years 1958–1976. It, then, follows that the GNP under consideration moves upwards with a speed which makes up nearly 71 % of the one realized by revenues, and only 70 % of that achieved by expenditures.

To conclude the general aspects of fiscal policy, it should still be mentioned that, in the specific case of Greece, the fact that the classical approach of governmental thriftiness and Wagner's Law co-exist cannot give reason for assuming the existence of a theoretic contradiction in the country's fiscal policy. Such an inconsistency in the theoretic conception which lies behind and motivates the fiscal actions of the country's policy makers would really be on hand, if, and only if, comparison of the rates with which the GNP in question and the governmental savings are growing could entail that the former surpasses the latter in size. However, it simply does not! On the contrary, the reverse is true. Clearly, in the most moderate instance of the last seventeen years, 1960–1976, as one can easily see from Tables 5 and 17, the speed of growth of the GNP under consideration, which on the annual average is estimated to cover 6.73 %, constitutes merely 34 % of the one that on an average level of 19.7 % per year was reached by governmental savings.

Next, the exposition will be carried on to shed light upon those structural aspects of Greece's fiscal policy that may be of importance. For the sake of remaining systematic, the discussion is going to depart from the governmental receipts. Their composition is shown in some detail by Tables 7 and 16. Generally speaking, the statistics in these tables give the impression that the government of Greece is literally struggling through various types of obstacles to gain control over a part of the deflated GNP at market prices which should be characterized only as moderate, if not even as low, relative to the corresponding parts scored by other countries of the western world. Obviously, up to 1977, the former dared not go on to extend its firm grip on more than 29 % of the latter. The bulk of these revenues stem from taxes, which with 27 % of the GNP under consideration contribute 93.1 % to the total receipts, rather than from others, such as profits of governmental enterprises and/or the so-called transfers.

Compared with the industrially developed countries of the western world, the burden of taxation in Greece is not, in fact, very heavy. Karageorgas (11: Chapter II, § 4, p. 35 ff.) shows that direct taxes in Greece are milder than those in the USA and/or Great Britain, as well as Federal Republic of Germany, etc., although the former have been more progressive than the latter since 1955 when, for the first time in the modern history of the country's economic life, income taxes became progressive. This holds true still today. In 1976, total direct taxes were about 12 % of the deflated GNP under consideration, but less than 46 % of total taxes. Here the genuine income taxes, which derive from the direct taxes after deduction of social insurance, are only 5.23 % of the GNP in question and contribute 42.14 % to the direct taxes and 19.31 % to the total taxes.

Taking absolute terms into consideration, of course, one may insist that the same is valid with respect to the indirect taxes. But, Break & Turvey (2: Part II, Chapter 4, p. 129 ff.) point out that in Greece, unlike what is going on in the USA and/or England, etc., indirect taxes make up the main source of financing the governmental budget. This situation was not changed very much since then. In 1976, for instance, the indirect taxes absorbed almost 15 % of the deflated GNP at market prices, yet they contributed nearly 50 % to the total revenue of the government and more than 54 % to the total taxes.

At this point, one should be aware of the fact that direct governmental intervention in the affairs of Greece's private economy through taxation is increasing with the passing of time. The participation of total taxes in the deflated GNP at market prices rose from 17.89 % in 1958 to 26.7 % in 1977—scoring, thus, a growth rate of 2.19 % on average per annum. Furthermore, there is an unequivocal tendency behind this trend: direct taxes in general, and especially the income taxes, will, *ceteris paribus,* become the most important source of financing the governmental budget some time in the future. For the eigtheen years 1958–1975, Table 7 shows that, while the share of the price taxes in the GNP under consideration grows with a rate of only 1.61 % on average per annum, that of the direct taxes achieved a growth rate of 3.67 % on average per year, where the corresponding rates of growth with regard to income taxes and social insurance as well run to 4.17 % and 3.84 %, respectively. Obviously, the first rate of growth amounts to 38.61 % of the third one, 41.93 % of the fourth one, and 43.87 % of the second one.

It is apparent that the relatively large size of the indirect taxes reflects only one of the main inefficiencies which ought to be ascribed to the present stand attained by the Greek system of taxation. There must be, however, another, Georgakopoulos (7: Chapter 4 et sequence), who has in fact elaborated the ideas of Break & Turvey (op. cit.), emphasized that the Greek system of indirect taxes suffers from a remarkable complexity and has to be simplified in line with the prototype applied in the EEC countries. The removal of this complexity is an institutional problem which may be solved very soon since it is already agreed that Greece will become a full partner of the EEC on January 1st, 1981.

Meanwhile, it is interesting to measure the degree of direct intervention in the affairs of Greece's private economy that her government has practised during the last twenty years 1958–1977. Since the revenues of the government exceed its expenditures and since the primal source of the former are the taxes, it is appropriate to quantify this degree by computing the overall propensity to tax. The theory underlying our computations is formulated in the first chapter of Johnston's "Econometric Models" (10). The data to which Johnston's simple linear regression model is applied are adduced in the statistical appendix. In accordance with contemporary macroeconomics, we suppose that the amount of revenues yearly received from levying taxes depends upon the level of GNP at market prices. Moreover, the former is assumed to rise with an increase in the latter. Instead of a marginal propensity to tax, the relation of the first increment to the second will henceforth reflect the "degree of governmental intervention" or, if you wish, the "degree of governmental interventionism", denoted by $\beta_T = dT_t/dY_t$, for all t = 1958, ..., 1977. On the basis of twenty observa-

tions introduced in the statistical appendix to this chapter, the computation of the relation of the total taxes, T_t, to the GNP at market prices, Y_t, yields
a) the coefficient of correlation $R_T^2 = 0.99$ as well as
b) the slope or, equivalently, the
   degree of governmental intervention $\hat\beta_T = 0.29$ and
c) the intercept $\hat\alpha_T = -15\,140.$

The remarkable pragmatism which marks the least square estimates $\hat\beta_T$ and $\hat\alpha_T$ is confirmed by the statements

$$\Pr[0.27 < \beta_T < 0.31] = 0.95$$

and

$$\Pr[-15\,144 < \alpha_T < -15\,136] = 0.95$$

respectively. In addition, the calculation errors which are given by the standard deviations

$$\sigma(\hat\beta_T) = 0.0076$$

and

$$\sigma(\hat\alpha_T) = 2.0403,$$

show that the least square estimates are highly significant. Now, in the straight line expressed by the equation

$$\hat T = 0.29\,Y - 15\,140,$$

the estimated parameter $\hat\beta_T = 0.29$ evaluates the degree of governmental interventionism exercised in Greece during the time span under consideration. It tells us that the Greek government seems to be dedicated through levying taxes to withdrawing twenty-nine lepta from each drachma of the additional GNP at market prices. No doubt, our assessment of the interventionism prevailing in Greece hardly differs from what is going on in reality. With a probability of 95 %, the true value β_T lies within the fairly narrow interval 0.27 and 0.31. In consequence, β_T is expected to be a close neighbour of $\hat\beta_T = 0.29$, and something analogous holds for α_T, with respect to $\hat\alpha_T$. Compared, on the other hand, with the standards adopted by some other EEC countries, the degree of governmental interventionism in Greece proves to be relatively low. This is apparently because the price taxes in this country are too high in comparison with the income taxes.

We conclude this section with an analysis of governmental expenditures, which are presented here with the aid of Tables 8 and 17. Let us start from the governmental consumption, i.e., the expenditures of the Greek government for commodities. It is true that their shares in the GNP at market prices have been raised during the 27 years under consideration. But this increase is very slow, as is clearly shown by the average growth rates adduced in Table 8. The shares of other types of public disbursements appear to grow faster. At the same time, one can easily verify that the participation of consumption in the total expenditures of the government has fallen from 67 % in 1958 to 56 % in 1977. In the light of this situation, one may assert that governmental consumption regarded as a policy instrument has in Greece lost much of the significance attributed to it by the standard expenditure model of modern macroeconomics. This attitude of the policy makers is not utterly unjustified. In an industrially underdeveloped country like Greece, the government well knows that the domestic supply is completely, or nearly completely, inelastic. Consequently, heavy demand for commodities on the part of the government is anticipated to create inflationary pressures and, of course, a rise in the imports rather than incentives for an increase in the domestic supply of commodities.

Under these circumstances, it seems to be the case that the *modus operandi* of Greece's fiscal policy to keep domestic production in motion, and/or even to stimulate it, are subsidies rather than transfers. After all, since a system of welfare payments like the one which exists and flourishes in almost all the industrially developed countries has not yet been established in Greece, the transfers do not appear to be of importance to the fiscal policy. Indeed, without subsidies, neither agriculture would exist in the chronically ailing fashion in which it does today, nor the small sector of manufacturing whose products can hardly be said to be technically very competitive with those fabricated in the old industrial countries. Table 8 confirms that among all kinds of governmental expenditures the highest rate of growth on a yearly average is shown by the share of the subsidies in the deflated GNP at market prices. In addition, it can be easily discerned that their participation in the total expenditures deflated rose from 2.45 % in 1958 to 10.97 % in 1977; that is an increase of nearly 448 %.

Attention must finally be paid to another form of direct governmental intervention which will help to recognize an interesting characteristic of Greece's economic system. In what follows, we are going to argue that Greek capitalism pertains to the category of mixed economies. The system permits, it should be recalled, private ownership of the means of production. Yet it does not exclude the state from taking part in the ownership. So, nowadays, the Greek government comes up as an important owner of means of production in each one of the three sectors of production. Historically, the modern state of Greece was founded with the privilege of being by far the biggest of all the landowners in the country. In the time period between the two World Wars of the present century, the government founded two relevant banks, the Bank of Greece and the Agricultural Bank of Greece, which have been its property ever since. After the Second World War, especially after the Civil War, it started to become a respectable industrialist. In this last capacity, it used to act either as an absolute owner of the enterprise or as a significant partner in the ownership of the firm's capital. For example, the nation-wide net of factories producing hydroelectric and thermoelectric energy was gradually built up by the government and remains its property until today. For $ 250 million, on the other hand, the Greek government recently bought a share of the Austrian Steyr producing army trucks in Salonica; the purchase allows it to control 60 % of the unit's own capital. To finance all these operations, the government resorts to its own savings and, naturally since they never suffice, to borrowings from the private capital market. The information in Table 8 leaves plenty of space of speculations that the public debt for long running investments must have been growing rapidly in the last eighteen years. Correspondingly, the shares of interest paid on public debt in the deflated GNP at market prices have been raised from 0.27 % in 1960 to 1.42 % in 1977–which, of course, implies a growth rate of 10.96 % on average per year and/or the very fact that the latter amount is 526 times greater than the former. To be sure, its growing ownership of means of production in the manufacturing sector of the economy does not mean at all that the Greek government has decided to smother private enterprise. The governmental operations are actually conditioned by the country's needs for industrialization and by the readiness with which the private investors are responding to these needs. And they reveal that the government of Greece is making great efforts to bridge the huge gap which has been left open in the industrialization of the country by the lack of initiative on the part of the private investors.

V. Indirect Governmental Intervention

We must recall what was said in the previous section: the indirect intervention of the Greek government in the affairs of the private economy will be expressed by its monetary policy. This definition seems, however, to be a little narrow. For the sake of generalization, it is adequate to extend it in order to include all that has bearing on the monetization of the economic process. In the lines that follow, we make an attempt to expound in a concise form both institutional and economic-theoretical aspects of the mechanism which exists in Greece for the monetization of the domestic economy.

As in other western countries, money and means of payments–generally speaking, funds to keep alive and/or to stimulate the short term and long run process of indirect exchange–are supplied in Greece by two sources: the Central Bank, i.e., the Bank of Greece, and a certain number of financial intermediaries which include both banks and near-banks sometimes called nonbank (financial) intermediaries. (By the way, the above terminology corresponds to what in the language of the OECD's Economic Survey are named "commercial banks" and "special credit institutions", respectively.) Psilos (18: Part III) gives a fairly detailed account of the institutional structure that marks the sector of the financial intermediaries. In addition, besides the Bank of Greece and the Agricultural Bank of Greece, there exist, he reports, several financial intermediaries that are the property of the Greek State. Moreover, he underlines that the Bank of Greece is not only entitled to make monetary policy; it is empowered to exercise institutional controls over bank and nonbank (financial) intermediaries. On the other hand, it should be kept in mind that the Greek industry of credit creation is featured by a high degree of concentration, an institutional phenomenon which is by no means uncommon in continental Europe. Indeed, a small number of mainly commercial banks control almost all bank and nonbank (financial) establishments which operate in both the money market and the capital market.

Table 9, 10 and 11 give a rough idea of the way in which financial intermediation operate in Greece. Corresponding to the first of them, the lenders which enter Greece's institutionally organized markets for money and capital consist of the Central Bank, the commercial banks, and other credit institutions. Here it may be interesting to notice that the commercial banks of Greece have unofficially always been engaged in long term financing of industrial projects, but since 1957 they are officially permitted to devote a maximum of 15 % of their deposits to that kind of business. So, while the organized money market is served by the amounts of means of payments supplied by the Bank of Greece and the commercial banks, the capital market enjoys the credits of the latter beside the amounts brought in both by private financial intermediaries, such as insurance and mortgage banks, as well as investment banks, and by public banks, i.e., the EDFO (= Economic Development Financing Organisation) and the IDC (= Industrial Development Corporation). On the other hand, borrowers of funds for short run and long term ventures in the economic field are both the private and the public sectors.

Another thing which may deserve our attention in the present context is the fact that the Bank of Greece, although it belongs to the State, should not be understood as an agent whose essential role in the financial markets is confined to a mere implementation of the government's economic policy. Zolotas has recently again underlined that the central bank of the country has to be considered primarily as a policy maker and only secondarily, by tradition, as an executor of economic policy (25: p. 17 f.). Its Governor is an *ex officio* member of the Currency Committee which is chaired by the Minister of Coordination and manned by the Heads of the Economic Ministries and is entitled to mould the main objectives of the country's general economic policy. The Committee offers, as Zolotas reports (op. cit., p. 17), a "forum for analysis and assessment of the monetary impact of general economic measures", guarantees "harmony between monetary and fiscal policies", and chooses "the best possible policies to serve short- and long-term economic acitivities".

Even though Greece's monetary policy institutionally has broken with the tradition of isolationism and become an integral part of the overall economic policy, there seems to be little evidence that the rupture has been extended far enough to capture economic-theoretical aspects of the issue. On the contrary, there are signs in Zolotas' work which suggest that Greece's monetary policy has hardly any alternative other than to adhere to the already tested principles of Classics and/or Neoclassics. In an open economy like that of Greece, which suffers above all from the existence of technically rather primitive sectors of primary and secondary production as well as from a lasting deficit in the balance of payments of respectable size, maintenance of real economic growth without being exposed to the danger of declaring national bankruptcy requires first and foremost monetary equilibrium. Now, the *sine qua non* for monetary equilibrium is that the country's monetary policy retains the traditional objective of preserving both the drachma's external and internal value. But, in such an instance, its chief target remains the regulation of the quantity of money in circulation. Hence, the economic tenets that in the time period under consideration have influenced monetary policy in Greece must be sought in Ricardo's currency principle, which in the era of the gold standard inspired monetary theories formulated by economists like Wicksell and Pigou or Irving Fisher, whose contemporary followers appear to be Hicks and Patinkin, rather than in Tooke's banking principle, which after the collapse of the gold standard surfaced in the well known theories of loanable funds and liquidity preference shaped by D. H. Robertson and Keynes as well as by Tobin. With this situation in mind, a general equilibrium theorist would assert that up to our days the quantity of money in Greece continues to be viewed and treated as a variable exogenously given to the economy of the country, whereas the rate of interest is regarded as an endogenous variable of the money market. Apart from value judgements, the fact of the matter here is that this kind of approach to the quantity of money and/or the rate of interest stands in sheer contrast to Keynes' macroeconomics which tackles things in precisely the opposite way. Correspondingly, the monetary quantity required for indirect exchange during a certain period of time is endogenously determined for the economy's money and capital markets, while the money rate of interest makes up a policy parameter.

Table 9. Quantitative Structure of the Greek Banking

Year	Percentage of the Total Liquid Assets					
	Total Amount of Money and Credit Supplied and/or Demanded	Lenders			Borrowers	
		Bank of Greece	Commercial Banks	Special Credit Institutions	Private Sector	Public Sector
1960	88.05	29.97	34.44	23.64	78.71	9.34
1961	82.63	24.98	35.98	21.67	73.40	9.23
1962	78.89	20.61	36.93	21.35	69.47	9.42
1963	79.01	18.76	40.58	19.67	69.20	9.81
1964	79.23	4.73	38.61	35.89	68.37	10.86
1965	79.85	4.77	36.14	38.94	67.07	12.78
1966	78.81	4.84	35.28	38.69	64.96	13.85
1967	79.78	3.47	37.17	39.14	67.79	11.99
1968	78.81	3.69	36.33	38.79	65.26	13.55
1969	81.58	3.28	37.07	41.23	67.92	13.66
1970	82.92	3.15	37.20	42.57	69.89	13.03
1971	82.85	2.59	37.02	43.24	70.48	12.37
1972	81.64	1.80	36.72	43.13	70.37	11.27
1973	84.44	3.21	35.65	45.58	71.96	12.48
1974	84.64	3.09	35.77	45.78	71.91	12.73
1975	83.65	2.92	38.20	42.53	71.60	12.05
1976	83.26	2.57	40.16	40.53	71.59	11.67
1977	83.44	2.43	40.73	40.28	72.66	10.79
Annually Average Rate of Change	−0.29	−8.78	1.08	4.56	−0.42	1.19

Sources: Estimated according to the information conveyed by tables 19 and 20 of the statistical appendix to this article.

Note: The annually average rates of change harboured in the last row of the table reveal degrees with which shifts happen in the demand for liquidity as well as the intensity with which the various categories of financial intermediaries are financing the process of indirect exchange.

Like the central banks of the industrially developed countries, the Bank of Greece is equipped with all three policy tools whose alternative or cumulative utilization ensures automatic control over the quantity of money and credit supplied. So, it is capable of imposing minimum reserve requirements on financial intermediaries, to operate on the open market with the assistance of interest-bearing assets (i. e., governmental bonds and treasury bills) as well as of gold and foreign currencies, and to manipulate the bank rate *ad hoc.* During the time period under review, however, the Currency Committee was of the opinion that both the bank rate policy and the part of the open market policies which are implemented with the aid of governmental bonds and treasury bills cannot be operative in Greece, a country which still has an extremely weak market for money and a negligible market for capital. As a result of this opinion, we find that the monetary authority in Greece manages to control the supply of money and credit with the help of open market operations on the market for gold sovereigns and foreign exchange, minimum reserve requirements imposed on the commercial banks only and, finally, direct quantitative controls, such as shiftings in both public entity funds and deposits of private economic agents with the "Postal Savings Bank" as well as credit rationing.

Detailed description and economic justification of the aforementioned techniques applied by the Bank of Greece in its struggle to manœuvre the supplied quantities of money and credit into channels fostering the economic growth of the country without jeopardizing the internal and external value of its currency have already been made by Zolotas. From the specific angle, however, from which we are looking at the financial sector of Greece's economic system, it is of considerable relevance to expound explicitly the main tendencies which dominate the monetary policy practiced during the last twenty-seven years. There are two of them worth emphasizing. First and foremost, economic theorists and politicians may find it highly interesting that Greece experiences a rapid growth of the national income and enjoys at most the immense benefits of this type of development under a stubborn insistence of its Currency Committee to enforce severe limitations upon the expansion of money and credit. The second column of Table 9 bears witness to a strictly restrictive monetary policy. It reveals that, at least in the eighteen years 1960–1977, the institutionally organized lenders of Greece have never furnished its borrowers with the total amount of funds available to them. Clearly, there is no year observed between 1960 and 1977 in which the total amount of funds available to the economy's entire financial sector – i.e., the total amount of liquid assets – does not exceed the total quantity of money and credit supplied to its deficit units. Moreover, the latter, whenever it is expressed in relative terms, tends to get increasingly tight with the passing of time. Indeed, the average annual rate of change which is performed by the share of the supplied quantity of money and credit in the total amount of liquid assets available runs to -0.29%; *ergo,* it is negative.

On the other hand, the information conveyed by the columns 3 to 5 of Table 9 as well as by the Tables 10 and 11 shows that its fairly conservative policy of money and credit supply did not impede the monetary authority in Greece from taking tremendous pains to raise the degree of liquidity which at times distinguishes the economy in Greece. In the endeavour to boost the ability of the banks to create loanable funds without permanent recourse to the central bank, the Bank of Greece has been exceptionally successful. The *modus operandi* that the monetary authority used to achieve a gradual restoration of the reputation which the Greek banks happened to lose among the surplus units due to the inconceivably strong inflation of the war period was and remains the rates of interest on bank deposits. As a consequence of adequate manipulation made of the latter, the supply of money and credit in Greece becomes more and more elastic. The reader will obtain a first indication of this fact from the statements of Table 11. Accordingly, yet contrary to the old and new versions of the quantity theory of money, there is an annual change in all kinds of velocity of circulation of money that can be measured in Greece; and, moreover, the yearly average rate of this change is negative. According to Table 10, the causes of this change ought to be attributed to shiftings in the relative composition of liquid assets which are looked upon as sources enabling creation of funds for the monetization of the economic process. Apparently, the demand deposits and, hence, the anglo-saxon custom of paying with the aid of cheques could not gain much ground in the Greek eco-

Table 10. Quantitative Structure of Liquid Assets Available (Percentage of the Total Liquid Assets)

Year	Keynesians' Concept of Money			Total Term Deposits
	Total Means of Payments	Money	Demand Deposits	
1960	46.76	31.64	15.12	53.24
1961	45.15	30.84	14.31	54.85
1962	42.62	29.86	12.76	57.38
1963	41.10	29.24	11.86	58.90
1964	42.42	30.35	12.07	57.58
1965	43.57	31.37	12.20	56.43
1966	41.13	29.94	11.19	58.87
1967	43.61	33.59	10.01	56.39
1968	38.83	28.40	10.43	61.17
1969	35.99	26.05	9.94	64.01
1970	33.52	23.99	9.53	66.48
1971	31.45	21.89	9.56	68.55
1972	31.18	20.73	10.45	68.82
1973	33.08	23.04	10.04	66.92
1974	32.96	23.72	9.24	67.04
1975	30.47	21.67	8.80	69.53
1976	30.14	21.04	9.10	69.86
1977	28.55	20.18	8.37	71.45
Annually Average Rate of Change	−2.74	−2.37	−3.26	1.80

Sources: Calculated on the basis of the statistical numbers which are provided by Table 20 of the statistical appendix to this article.

Note: (1) It is not checked up whether the total liquid assets that are presented by the statistics of the Bank of Greece correspond to the concept of money formulated by the Monetarists or to a broader one advocated by the Radcliffe-Report and Gurley & Shaw.

(2) The term "money" which is used here to give expression to the "currency in circulation" conforms with the classical and neoclassical concept of money.

(3) The total term deposits are composed of saving deposits, time deposits, and other, (unspecified term) deposits.

(4) The annually average rates of change presented in the last row of the table state the strength with which shifts occur in the structure of the assets.

nomy. The profile of money within the total amount of liquid assets available has deliberately been kept low by the monetary authority. What really won a relative significance to the supply of credit are the term deposits. It, then, is hardly surprising, as indicated by columns 3 to 5 of Table 9, that, within the institutionally organized group of lenders, the relative importance of the Bank of Greece to the supply of money declines continuously, and the corresponding relevance of the so-called special credit institutions rises faster than that of commercial banks.

To conclude this section, it is still highly interesting to examine the demand for money and credit. We are here particularly concerned with the activities in which two institutionally distinct groups of borrowers are engaged in, and which are described here in relative terms in columns 6 and 7 of Table 9. A look at these figures would

Table 11. Alternative Velocities of Circulation of Money

Year	The Relation of the Nominal GNP at Market Prices to the			
	Total Liquid Assets	Total Means of Payments	Quantity of Money	Total Supply of Money & Credit
1960	3.17	6.77	10.01	3.60
1961	3.00	6.65	9.74	3.64
1962	2.62	6.15	8.77	3.32
1963	2.45	5.96	8.37	3.10
1964	2.38	5.61	7.84	3.00
1965	2.42	5.56	7.72	3.03
1966	2.29	5.58	7.66	2.91
1967	2.17	4.98	6.46	2.72
1968	2.01	5.18	7.09	2.55
1969	1.96	5.44	7.52	2.40
1970	1.84	5.50	7.69	2.22
1971	1.68	5.34	7.68	2.03
1972	1.55	4.97	7.47	1.90
1973	1.72	5.20	7.46	2.04
1974	1.68	5.11	7.09	1.99
1975	1.59	5.22	7.35	1.90
1976	1.52	5.04	7.21	1.82
1977	1.50	5.24	7.42	1.79
Annually Average Rate of Change	−4.19	−1.39	−1.57	−3.95

Sources: Calculated according to the information of tables 19 and 20 adduced in the statistical appendix of this article.

Definition: Let Y_t^* denote the nominal GNP at market prices, t the time variable, M the money stock whatsoever, and V_t the velocity of circulation of money. Then, in the general case, we have that $V_t = Y_t^* M^{-1}$ for all t.

Assumption: That both $\delta V_t / \delta Y_t^* = M^{-1} > 0$ and $\delta V_t / \delta M = -V_t M^{-1} < 0$ hold true follows from the previous definition.

Note: (1) The second and fifth columns of the table are substitutes for they express approximation to the velocity which had derived from usage of a Monetarists' similar concept of money.

(2) The annually average rates of change of velocity adduced in the last row of the table shows the speed with which the economy becomes liquid.

convince one that the lion's share of the quantity of money and credit that at times is offered in Greece by the institutionally organized group of its lenders is permanently received by the private sector of the economy. Nonetheless, it is also easy to see, especially from the very last row of the columns under consideration, that the intensity of borrowing on the part of the sector in question shows a tendency to decline as time lapses, whereas that of the public sector tends to go up over time. There are two possibilities that may yield a reasonable explanation for this phenomenon. One of them is to argue that the private sector of the Greek economy is gradually liquid enough to prefer increasing self-financing of the own business. Although such a possibility is by no means inconceivable, one should take into consideration that the

Greek government, deeply involved in the construction of an infrastructure absolutely necessary for the industrialization of the country, is compelled to obtain rising quantities of funds indispensable for the implementation of its projects. It is likely that the second explanation is more realistic than the first one.

VI. Behavior of the Economy's Private Sector

Beyond economic activity on the part of the government, the decisions of the private economy have played perhaps the largest and most resolute role in determining the rapidity with which economic progress occurred in Greece after the Civil War. The reason seems to lie in the specific attitude which characterizes the majority of the economic agents in Greece. Generally speaking, it would not be a great exaggeration to insist on the fact that nearly every Greek, whether he/she acts in the capacity of a consumer or an investor, is literally imbued with the very spirit of capitalism.

To establish the validity of this assertion, there is no need to resorting to the gigantic tradition of a history which Greece started to write some three thousand years ago. The deflated statistics annexed in the appendix to the present chapter offer the opportunity to accomplish the same task in a fairly easy and sophisticated fashion, namely by analysing in line with Johnston's econometrics mentioned above the macroeconomic behaviour which is displayed in Greece by consumers and investors.

On purely statistical grounds, we have preferred to assume in the following analysis that the real consumption by private households, denoted by C_t, is correlated with the real GNP at market prices, designated by Y_t. In this connection, it will be expected with Keynes that the marginal propensity to consume, symbolized henceforth by $\beta_C = dC_t/dY_t$ for all $t = 1951, \ldots, 1977$, is nonnegative and, at the same time, does not exceed the unity. Usually, growing economies are supposed to have a propensity to consume, i.e. a β_C that lies somewhere between zero and one. Indeed, the private households of progressive economies are not only anticipated to increase consumption with the rise of income, they are presumed to keep the former increment short of the latter. So, the positive difference between these two increments gives expression to a change in the macroeconomic savings. According to Karl Marx, on the other hand, savings and/or variations in them can be afforded only by the capitalists of *laissez-faire* economies, not really by the proletarians who are enforced by the instinct of survival to spend the total amount of their earnings on consumption goods. In addition to this theory, now, it happens that industrially underdeveloped societies, like the Greek one, are composed of a very large number of relatively poor households with a fairly restricted capability to save, and of a rather small number of relatively rich households with considerable possibilities to save. Granted this, one should except that the marginal propensity to consume by Greek households taken as a whole is relatively high. Nevertheless, our estimates indicate that it is not so.

Indeed, the regression which we have run on the basis of twenty-seven observations as to what concerns the dependence of C_t upon Y_t yields the following results:
a) the coefficient of correlation $\qquad \qquad R_C^2 = 0.998$ as well as
b) the slope which estimates the
   marginal propensity to consume $\qquad \hat{\beta}_C = 0.62 \qquad$ and

c) the intercept $\qquad\qquad\qquad\qquad\qquad\qquad$ $\hat{\alpha}_C = 21880.4.$

In addition, we have

$$Pr[0.61 < \beta_C < 0.64] = 0.95$$

and

$$Pr[21876.3 < \alpha_C < 21884.5] = 0.95.$$

Furthermore, the calculation errors of the least square estimates $\hat{\beta}_C$ and $\hat{\alpha}_C$ are provided by the standard deviations

$$\sigma(\hat{\beta}_C) = 0.0081$$

and

$$\sigma(\hat{\alpha}_C) = 1.98,$$

respectively. Under these circumstances, there cannot be any doubt that the values of $\hat{\beta}_C$ and $\hat{\alpha}_C$ are quite realistic. In particular, β_C, which mirrors the true inclination of the private households in Greece to consume, lies within the remarkably narrow interval 0.61 and 0.64 with a probability of 95 percent. But, $\hat{\beta}_C$, which gives expression to the estimated marginal propensity to consume on the part of the private households in Greece, comes to approximately 0.62. Consequently, the latter must be extremely close of the former.

By identifying $\hat{\beta}_C = 0.62$ in the straight line expressed by the equation
$\hat{C} = 21880.4 + 0.62Y,$
we have calculated that private households in Greece used to spend merely 62 lepta on consumption goods out of each deflated drachma of the additional GNP at market prices. That means that 38 % of the increment by which the national income rises per year is saved in the sense of exclusion from private consumption. This, of course, expresses a notably high propensity to save which can be realized only if the absolute majority of Greek households is thrifty. But, according to Marx, thriftiness is a virtue which characterizes capitalists. Hence, the majority of the Greeks behave like the capitalists. With this behaviour, private households have been extremely conducive to the high rate of growth that Greece has realized since the Civil War.

Next, attention will be paid to the behaviour of the investors. Here it should be noted that lack of adequate statistics make it difficult to carry out a probabilistically satisfactory separation of private investments from governmental ones–whose part in total investments is, one should note, of considerable size. So, what is going to be expounded in the remainder of the present section refers to the Greek investor in general rather than to private one. It is, however, an acceptable indicator of how the private investors do behave in Greece.

From our specific standpoint, it is sufficient to examine only two aspects of investment behaviour. To begin with, the analysis focuses first of all upon the marginal propensity to invest on a macroeconomic level, denoted henceforth $\beta_{IY} = dI_t^f / dY_t$ for all $t = 1951, \ldots, 1977$. Generally speaking, β_{IY} measures the degree of sensitivity shown by the investments I_t^f, i.e., by the gross fixed capital formation to the GNP at market prices, Y_t. The measurement whose numerical value usually lies between zero and one takes place in terms of changes in the magnitudes under consideration. At the same time, it should be recognized that β_{IY} does not only tell us the amount by which the gross fixed capital must be expected to go up whenever national income rises by one single unit. It can reasonably stand proxy for the capital-output ratio which plays a very important role in the theory of production and growth. In such a case, of course, the reciprocal of the capital-output ratio states with a certain bias in marginal terms the expected productivity of capital, i. e.–precisely speaking–the amount by which income should be anticipated to rise with a unitary increase in the gross fixed capital stock.

With these assumptions in mind, we shall argue in the subsequent lines that the marginal propensity to invest on fixed capital stock in Greece appears to be relatively high, perhaps one of the highest propensities in the capitalist world. Indeed, the regression we have run on the basis of twenty-seven observations available in the statistical appendix of the present chapter deliver the following results with respect to the numerical dependence of I_t^f upon Y_t:

a) the coefficient of correlation $\qquad\qquad R_{IY}^2 = 0.98$ as well as

b) the slope which estimates the
marginal tendency to invest on fixed
capital stock $\qquad\qquad\qquad\qquad \hat{\beta}_{IY} = 0.28$ and

c) the intercept $\qquad\qquad\qquad\qquad\qquad \hat{\alpha}_{IY} = -13429.$

That the least square estimators $\hat{\beta}_{IY}$ and $\hat{\alpha}_{IY}$ must be regarded as realistic ensues from

$$Pr[0.25 < \beta_{IY} < 0.30] = 0.95$$

and

$$Pr[-13435 < \alpha_{IY} < -13423] = 0.95$$

respectively. In addition, they are good in the sense that the calculation errors, which are given here by the standard deviations

$$\sigma(\hat{\beta}_{IY}) = 0.01$$

and

$$\sigma(\hat{\alpha}_{IY}) = 2.73$$

respectively, turn out to be fairly low. Now, $\hat{\beta}_{IY} = 0.28$, which obviously is the component that interests us in connection with the straight line expressed by the equation

$$\hat{I}^f = 0.28Y - 13429,$$

shows that the average investor in Greece–and, hence, her average private investor–is inclined to invest of fixed capital stock 28 lepta out of each one drachma of the additional GNP at market prices. This is high indeed, in particular because the marginal productivity of the corresponding investments seems to be low. Contrary to investors in the OECD countries, the Greek investor may be said to insist on building up fixed capital stock although, roughly speaking, each single drachma invested cannot be expected to bring in much more national income than drachmae 3.64. On the other hand, it is easy to see that real investments on fixed capital virtually absorb some 74 % of real savings, i.e., of the 38 % of the deflated GNP at market prices which is not consumed by the private households.

Finally, the second aspect of our analysis is in order. Let us examine the incentives which cause the investors to form fixed capital stock and, of course, for the reactions of the latter to changes in the former. In the macroeconomic world of Keynes, investors are supposed to react in a positive manner to changes in the money (market) rate of interest. Although the examination of this hypothesis is desirable, a lack of suitable statistics with respect to changes in the rate of interest on the money and capital market in Greece makes it nonfeasible. Therefore, we check here the assumption of the Classics and/or Neoclassics which is, as is well known, Marxian, too.

Accordingly, the households of the capitalists only are able to invest, and the level of their investments on fixed capital, denoted here by I_t^f, reacts in a positive fashion to variations in the distributed gross profits, designated here by π_t, i.e., in their own incomes–which in the language of OECD economists are called "operating surplus". The relation of changes in investments on fixed capital to variations in the distributed gross profits is henceforth symbolized by $\beta_{I\pi} = dI /d\pi_t$ for all $t = 1958, \ldots, 1977$. Its numerical value lies as a rule between zero and one, expresses the extent to which fixed capital investments should be expected to increase whenever profits are rising by one unit, and reflects a kind of marginal propensity that the households of the Greek capitalists have to invest in fixed capital. It should now be noted that stating the rate of return by the relation of distributed gross profits to fixed capital investments taken here in lieu of the total capital stock is theoretically incorrect, but the error is tolerable. From this specific angle, the reciprocal of the marginal propensity to invest on fixed capital, i.e., $\beta_{I\pi}^{-1}$ turns out to express a marginal rate of return rendering with a certain bias the extent to which gross profits distributed ought to be expected to increase with a rise in the fixed capital investments by one unit.

In the light of the above specifications, we are going to emphasize in the subsequent lines that Greek capitalists show a considerable tendency to invest in fixed capital stock. Evidently, the regression we have run on the basis of twenty observations available in the statistical appendix to the present chapter furnishes us with the following results as to what concerns the dependence of I_t^f upon π_t:

a) the coefficient of correlation $\qquad\qquad R_{I\pi}^2 = 0.95$ as well as
b) the slope, i.e., the capitalist's
   propensity to invest on fixed
   capital $\qquad\qquad\qquad\qquad\qquad\qquad \hat{\beta}_{I\pi} = 0.57$ and
c) the intercept $\qquad\qquad\qquad\qquad\qquad \hat{\alpha}_{I\pi} = -16691.$

The high degree of pragmatism which characterizes the least square estimates $\hat{\beta}_{I\pi}$ and $\hat{\alpha}_{I\pi}$ is provided by

$$\Pr[0.49 < \beta_{I\pi} < 0.65] = 0.95$$

and

$$\Pr[-16702 < \alpha_{I\pi} < -16680] = 0.95,$$

respectively. Moreover, their high significance is endorsed by the standard deviations

$$\sigma(\hat{\beta}_{I\pi}) = 0.04$$

and

$$\sigma(\hat{\alpha}_{I\pi}) = 5.16,$$

respectively. Now, in the straight line represented by the equalition

$$\hat{I}^f = 0.57\pi - 16691,$$

the component $\hat{\beta}_{I\pi} = 0.57$ warns against an unjust accusation that Greek capitalists are lavish with profits. After all, of each drachma that stems from additional gross profits distributed they tend to relegate 57 lepta to investments in fixed capital. This is an amount of respectable size since it stands for some 60 % of their income. So, the capitalists of Greece give the impression of being eager investors, and the open question here has bearings merely on the magnitude of profits they expect to have from the investments. An answer to this question, biased though it is, can be obtained by inverting our least square estimate for the capitalists' marginal propensity to invest,

0.57. Accordingly, each drachma invested in fixed capital is expected to bring in a gross profit distributed which comes to drachmae 1.75. Albeit the estimate gives only a crude picture of the profit expectations that have prevailed in Greece during the past twenty years, it indicates that the (marginal) rate of return must be pretty high in this corner of the world.

To conclude this section, we feel it necessary to mention that Table 15 gives in deflated terms a detailed account of the ways by which the Greeks have monetized the changes of their capital stock in the last nineteen years. Unfortunately, the limited space of the present chapter does not allow an analysis of the problem, but the curious reader will be able to conclude from the table in question that the domestic sources of financing investments in Greece far exceed foreign ones.

VII. Shifts in Income Distribution

Although the discussion about patterns of income distribution applying at times to capitalist countries receded into the background of academic economics after the adoption of Keynes' philosophy, spelled out clearly in his "General Theory...", income distribution is an economic fact, and followers of Ricardo and/or Marx, etc., would insist that this is the issue which makes up the kernel of political economy, not Keynes' problem of employment. Whatever the philosophical disputes lying behind economic doctrines, Greece's scheme of income distribution shows some interesting aspects, and we feel that they should briefly be reported.

To the best of our knowledge, the competent literature on Greece provides little information about her macroeconomic income distribution and above all, its dynamics which may be taken as an important criterion for appreciating the performance of capitalism in this specific area of the country's economic life. For that reason, we are compelled to base the analysis upon the limited information conveyed by Table 12.

Clearly, the first part of the table, in which factor incomes are exposed as a percentage of what we called an alternative pattern of the GNP at factor cost, evidences that the lion's share of the national income is enjoyed by a small number of households belonging to the capitalists of the country. In particular, we may roughly say that some 40 % of the deflated GNP at factor cost under consideration is allotted to the households of the blue and white-collar workers, and the remainder, or about 60 %, is retained by the households of capitalists. This is by no means an astonishing scheme. Something similar to this pattern should have been expected; after all, the Greeks opted for the rules of the game which govern the economic life of their country after the Civil War. What really may be striking in this table is the indication that the income distribution changes in Greece with the passing of time. Moreover, it is surprising that the variations in question come up in favour of the workers' income and at the cost of the capitalists' income.

Columns 3 and 6 of the table under consideration confirm the correctness of this impression. Indeed, the shares of the wages and salaries in the deflated GNP at factor cost in question, which are realized by employees in domestic production, have been raised from 31.88 % in 1958 to 38.53 % in 1976, which implies an increase of

Table 12. Shifts in the Income Distribution (Factor Incomes)

Year	As Percentage of an Alternative GNP at Factor Cost						In Terms of Growth Rates					
	Labourer's Income			Profits			Labourer's Income			Profits		
	W_t	W_t^d	W_t^e	π_t	π_t^d	π_t^e	W_t	W_t^d	W_t^e	π_t	π_t^d	π_t^e
1958	32.87	31.88	0.99	67.13	66.31	0.82	6.54	6.79	−1.42	1.92	1.79	12.97
1959	33.86	32.92	0.94	66.14	65.25	0.89	6.99	6.82	12.94	1.93	1.50	32.83
1960	34.95	33.93	1.02	65.05	63.91	1.14	7.40	7.19	14.16	13.51	13.28	26.29
1961	33.70	32.65	1.05	66.30	65.00	1.30	2.75	4.32	2.23	−1.39	−1.54	6.00
1962	34.96	33.89	1.07	65.04	63.67	1.37	9.31	8.16	−6.00	11.20	10.89	25.24
1963	34.24	33.33	0.91	65.76	64.20	1.56	10.30	11.29	−25.89	7.42	6.85	30.76
1964	34.84	34.21	0.63	65.16	63.28	1.88	10.71	10.42	26.42	8.83	9.19	−3.19
1965	35.23	34.51	0.72	64.77	63.11	1.66	8.99	9.51	−16.02	3.18	2.99	10.40
1966	36.49	35.91	0.58	63.51	61.77	1.74	9.09	8.65	37.05	2.74	2.86	−1.52
1967	37.89	37.14	0.75	62.11	60.48	1.63	10.03	9.71	25.96	3.12	2.95	9.72
1968	39.43	38.53	0.90	60.57	58.88	1.69	8.21	8.51	−4.59	9.76	10.03	−2.88
1969	39.11	38.33	0.78	60.89	59.38	1.51	7.43	7.34	11.92	8.44	8.61	1.77
1970	38.89	38.08	0.81	61.11	59.69	1.42	8.62	7.75	60.95	8.01	7.59	26.06
1971	39.07	37.87	1.20	60.93	59.28	1.65	10.33	9.95	22.27	8.28	8.20	11.03
1972	39.52	38.17	1.35	60.48	58.80	1.68	1.08	1.10	0.66	14.01	13.68	25.43
1973	36.68	35.43	1.25	63.32	61.38	1.94	0.32	0.08	7.19	−3.42	−4.00	14.98
1974	37.57	36.21	1.36	62.43	60.15	2.28	10.16	9.80	19.76	−0.30	0.36	−17.52
1975	39.94	38.36	1.58	60.06	58.25	1.81	5.29	5.34	4.15	4.64	4.05	23.71
1976	40.09	38.53	1.56	59.91	57.78	2.13	12.44	--	--	9.01	--	--
1977	40.83	--	--	59.17	--	--	--	--	--	--	--	--
$18^{-1}\sum_{t=1958}^{1975}$	--	--	--	--	--	--	7.42	7.37	10.65	5.66	5.52	12.89
$19^{-1}\sum_{t=1958}^{1976}$	36.81	35.78	1.02	63.19	61.61	1.58	7.68	--	--	5.84	--	--

Source: Table 18 attached to the statistical appendix of this chapter. In this table, there is also an explanation of the meaning of the symbols used in the present table.

Note: $20^{-1}\sum_{t=1958}^{1977} W_t = 37.01$ & $20^{-1}\sum_{t=1958}^{1977} \pi_t = 62.99$.

20.86 %, whereas the corresponding profits were reduced from 66.31 % in 1958 to 57.78 % in 1978, which involves a decrease of 12.86 %.

Now the second part of our table—in particular, columns 9 and 12—shows that all the types of factor income have a positive rate of growth on average per year. Nonetheless, for the time period 1958–1975, the contractually fixed incomes aforementioned with 7.37 % grow faster on average per year than the residual ones corresponding to them, whose rate is only 5.52 %.

It requires a special investigation in order to be able to say that the income redistribution which occurred in Greece during the last twenty years disqualifies an application of Marx' theory of capitalism to this specific country. On the other hand, proceeding industrialization and, in addition, the generous policy of the Greek government with respect to the contractually fixed incomes during the period under consideration may be important reasons for the redistribution in question.

VIII. Concluding Remarks

In the preceding pages, an attempt has been made to explain concisely and precisely that the economic system in Greece can by no means be regarded as pure capitalism in the sense that the citizens of this country are free to enjoy the economic privileges of an absolute *laissez-faire, laissez-aller.* It can, however, be classified in the category of (free) market economies which can endure the economic pains that governmental intervention inflicts upon the country's private enterprises and households. On the other hand, the direct intervention of the government in the private affairs of the economy turns out to be pretty mild in comparison with what is happening in other countries of the western hemisphere, while its indirect intervention as well as its policy of wages and salaries bear a regulatory character. As a matter of fact, it is governmental intervention which to a certain extent should be made responsible for the good performance of capitalism in Greece after the Civil War.

To be sure, the performance of Greek capitalism proves to be really good only in the specific area of citizens' welfare. Yet, the system can claim very little success with regard to the industrialization of the country in a technically complete sense. In some respects, as for instance the complete association of Greece with the EEC in 1981, etc., this is a serious weakness of the prevailing economic system which cannot be removed easily since there is a total lack of a defence industry. Indeed, in all these years since the Civil War the market economy in Greece has been unable to create a defence industry which in turn would economically boost the construction and sustenance of a heavy industry with technical maturity.

IX. Statistical Appendix

Table 13. Incomes and the General Price Index (Millions of Drachmae at 1979 Prices)

Year	Gross Incomes			Net Incomes			General Price Index
	GNP at Market Prices Y_t	GNP at Factor Cost Y_t^f	Gross Disposable Income Y_t^d	NNP at Market Prices Y_t^n	NNP at Factor Cost Y_t^{fn}	Net Disposable Income Y_t^{dn}	
1951	86253			82268			45.62
1952	86880			82707			47.47
1953	98793			94433			54.70
1954	101881			96716			61.26
1955	109566			104422			65.75
1956	118920			113664			69.88
1957	126701			120994			70.63
1958	132568	125196	116281	126445	119073	110158	70.75
1959	137451	130714	121380	130595	123858	114524	70.89
1960	143377	135227	125282	136123	127973	118028	73.35
1961	159372	150031	138879	151654	142313	131161	74.44
1962	161815	152506	139748	153180	143871	131113	77.87
1963	178209	168411	154666	168939	159141	145396	78.96
1964	192941	182793	167971	183008	172860	158038	81.89
1965	211066	200439	182785	200347	189720	172066	85.17
1966	223925	212403	192134	212186	200664	180395	89.31
1967	236197	225072	202566	223431	212306	189800	91.49
1968	251942	239008	213740	238082	225148	199880	93.08
1969	276899	260323	232588	261987	245411	217676	96.23
1970	298917	281950	251811	282057	265090	234951	100.00
1971	320182	304371	270646	301149	285338	251613	103.16
1972	348617	331098	294158	326708	309189	272249	108.35
1973	374150	356476	319399	350529	332855	295778	129.40
1974	360503	350651	310094	355623	325771	285214	157.86
1975	382805	367491	327517	355768	340454	300480	175.92
1976	405005	388212	337941	375107	358314	308043	199.01
1977	429957	412282	362100	......	......	......	228.43

Definitions: For all t = 1951, ..., 1977, $Y_t = C_t + C_t^g + I_t + (E_{xt} - I_{mt})$ & $Y_t^n = Y_t - D_t$

$$Y_t^f = Y_t - [T_t^P - (Z_t + T_t^r)] \qquad \& \ Y_t^{fn} = Y_t^f - D_t$$
$$Y_t^d = Y_t^f - T_t^d \qquad\qquad\qquad \& \ Y_t^{dn} = Y_t^d - D_t$$

As to the meaning of C, C^g, E_x, I_m, D, T^P, Z, T^r, and T^d, see the other tables of the present appendix.
Sources: OECD, National Accounts of the OECD Countries, Vol. I (1976), pp. 70 & 71 as well as OECD Economic Surveys: Greece (1978), pp. 59 & 60.

Table 14. Expenditures on the GNP at Market Prices (Millions of Drachmae at 1970 Prices)

Year	Private Consumption C_t	Governmental Consumption C_t^g	Gross Investments			Balance of Trade	
			Total I_t	Fixed Gross Investments I_t^f	Changes in Stocks I_t^s	Exports Ex_t	Minus Imports $-Im_t$
1951	73952	11670	10991	11745	− 754	4044	−14404
1952	78148	12033	4158	11072	− 6914	4618	−12077
1953	81185	10954	12360	12124	236	8201	−13907
1954	85184	12279	11321	13562	− 2241	10165	−17068
1955	89805	12628	12885	14824	− 1939	12502	−18254
1956	95504	14546	17059	17132	− 73	12177	−20366
1957	101535	14413	19970	17313	2657	13962	−23179
1958	103666	15067	24257	22430	1827	14106	−24529
1959	107613	16063	22352	24164	− 1812	13755	−22338
1960	110784	16779	26671	27275	− 604	13086	−23943
1961	120849	17982	31879	29062	2817	14790	−26128
1962	120333	18752	34320	32504	1816	15725	−27315
1963	134265	20061	38027	34286	3741	17868	−32012
1964	139818	22478	49626	40589	9037	17674	−36655
1965	154701	24746	55517	45537	9980	18929	−42827
1966	164321	26448	49935	48504	1431	25210	−41989
1967	170167	30747	52727	47949	4778	25166	−42610
1968	183358	32472	58251	58422	− 171	24165	−46304
1969	194784	35199	71747	68157	3590	26914	−51745
1970	202174	37742	84009	70663	13346	29988	−54996
1971	216645	40095	89422	80746	8676	33066	−59046
1972	232143	42402	103073	96754	6319	40886	−69887
1973	243835	42847	128574	104851	23723	53249	−94355
1974	251338	49456	95709	79410	16299	55660	−91660
1975	270857	58036	94835	79679	15156	62272	−103195
1976	282272	61555	99794	88237	11557	70097	−108713
1977	282669	66519	105787	97623	8164	85475	−110493

Sources: OECD, National Accounts of OECD Countries, Vol. I (1976), pp 70 & 71 what covers the period 1951–1976. For 1977 see OECD Economic Surveys: Greece (1978), pp. 59 & 60.

Note that the statistics provided by these sources are deflated by the price index adduced elsewhere in the present context and adjusted to remove statistical discrepancies.

Table 15. Sources of Financing the Investments (Millions of Drachmae at 1970 Prices)

Year	Domestic Sources						Borrowing from Foreign Countries
	Total	Savings			Deprecia-tions	Capital Transfers from the Rest of the World	
		Total	Private	Govern-mental			
		S_t	S_t^p	S_t^g	D_t		
1951					3985		
1952					4173		
1953					4360		
1954					5165		
1955					5144		
1956					5256		
1957					5707		
1958	20975	13580	12360	1220	6123	1272	3282
1959	21999	13137	13129	8	6856	2006	353
1960	24559	15316	12054	3262	7254	1989	2112
1961	30244	20655	15972	4684	7718	1871	1635
1962	34324	23154	16433	6721	8635	2535	−4
1963	36113	24908	18404	6504	9270	1935	1914
1964	42893	31352	25434	5918	9933	1608	6733
1965	43760	32490	26052	6438	10719	551	11758
1966	45471	33641	25325	8316	11739	91	4464
1967	47666	34786	28677	6109	12766	114	5061
1968	49166	35249	25730	9519	13860	57	9085
1969	60742	45737	32797	12940	14912	93	11005
1970	74761	57847	44645	13202	16860	54	9248
1971	84643	65576	53159	12417	19033	34	4779
1972	98736	76808	60888	15920	21909	19	4337
1973	114307	90674	74614	16060	23621	12	14267
1974	83922	59023	51879	7144	24880	19	11787
1975	78343	51061	48938	2123	27037	245	16492
1976	87747	57683	48706	8977	29898	166	12047
1977	.....	.....	.....	3119	.....	....	.....

Sources: OECD, National Accounts of OECD Countries, Vol. I (1976), pp. 70 & 71.
Note that the statistics provided by these sources are firstly adjusted to remove a few statistical dis-crepancies and, secondly, deflated by the price index adduced elsewhere in the present appendix.

Definition: $S_t^p = S_t - S_t^g$ for all t = 1951, ..., 1977, where S_t^g is taken from the table of governmental disbursements.

Table 16. Government Receipts (Millions of Drachmae at 1970 Prices)

Year	Total Revenues	Taxes					Others		
		Total Taxes T_t	Direct Taxes			Price (= Indir.) Taxes* T_t^p	Total	Entrepreneurial Income (= Profits*)	Current Transfers
			Total T_t^d	Social Insurance* T_t^s	Income Taxes* T_t^y				
1951						7692			
1952						8690			
1953						9399			
1954						9827			
1955						10944			
1956						11868			
1957						13071			
1958	23726	23726	8915	4961	3954	14811			
1959	24830	24830	9334	5666	3668	15496			
1960	28752	26417	9945	6289	3656	16472	2335	2335	
1961	32781	30118	11152	7177	3975	18966	2663	2663	
1962	36716	32691	12758	8163	4595	19933	4025	2887	1138
1963	40436	36506	13745	9027	4718	22761	3930	3021	909
1964	44527	40118	14822	9476	5346	25296	4409	3085	1324
1965	49957	45604	17654	12125	5529	27950	4353	3727	626
1966	56544	52133	20269	13573	6696	31864	4411	3656	755
1967	61899	57063	22506	14987	7519	34557	4836	4091	745
1968	68821	63130	25268	16846	8422	37862	5691	4741	950
1969	75269	69189	27735	18329	9406	41454	6080	5118	962
1970	80198	73545	30139	19655	10484	43406	6653	5678	975
1971	85270	79124	33725	21245	12480	45399	6146	5138	1008
1972	92738	85418	36940	23689	13251	48478	7320	6201	1119
1973	95079	87174	37077	23609	13468	50097	7905	6674	1231
1974	96602	85889	40557	22930	17627	45332	10713	8743	1970
1975	104246	94111	39974	25591	14383	54137	10135	9010	1125
1976	119650	109680	50271	29069	21202	59409	9970	8849	1121
1977	122700	114799	50182			64617	7901	7901	

Sources:

1. OECD, Economic Surveys: Greece (1971), pp. 67 & 72 covering the period 1958-61. - 2. OECD, National Accounts of OECD Countries, Vol. II (1962-73), p. 292 covers the period 1962-64. - 3. OECD, National Accounts of OECD Countries, Vol. II (1976), p. 180 covers the period 1965-76. - 4. OECD Economic Surveys: Greece (1978), p. 64 covers the year 1977 only. 5. The price taxes of the period 1951-76 are extracted from OECD, National Accounts of OECD-Countries, Vol. I (1976), pp. 70 & 71.

Note: The data provided in these sources has been deflated with the aid of the price index introduced elsewhere in this appendix.

Table 17. Governmental Disbursements (Millions of Drachmae at 1970 Prices)

Year	Governmental Expenditures						Govern-mental Savings S^g_t
	Total Expenditures	Consumption C^g_t	Subsidies and Transfers			Interest on Public Debt	
			Total $(Z_t + T^r_t)$	Subsidies Z_t	Total Transfers T^r_t		
1951		11670		434			
1952		12033		940			
1953		10954		406			
1954		12279		330			
1955		12628		117			
1956		14546		618			
1957		14413		286			
1958	22506	15067	7439	551	6888		1220
1959	24822	16063	8759	931	7828		8
1960	25490	16779	8322	191	8131	389	3262
1961	28097	17982	9625	540	9085	490	4684
1962	29995	18752	10624	537	10087	619	6721
1963	33932	20061	12963	918	12045	908	6504
1964	38609	22478	15148	1694	13454	983	5918
1965	43519	24746	17323	2344	14979	1450	6438
1966	48228	26448	20342	3673	16669	1438	8316
1967	55790	30747	23432	4301	19131	1611	6109
1968	59302	32472	24928	3616	21312	1902	9519
1969	62329	35199	24878	2521	22357	2252	12940
1970	66996	37742	26439	2489	23950	2815	13202
1971	72853	40095	29588	3834	25754	3170	12417
1972	76818	42402	30959	4409	26550	3457	15920
1973	79019	42847	32423	6871	25552	3749	16060
1974	89458	49456	35480	9302	26178	4522	7144
1975	102123	58036	38823	9654	29169	5264	2123
1976	110673	61555	42616	9788	32828	6502	8977
1977	119581	66519	46942	13116	33826	6120	3119

Sources: 1. For C^g_t & Z_t of the period 1951-76, see OECD, National Accounts of OECD Countries, Vol. I (1976), pp. 70 & 71. – 2. For Z_t, T^r_t which consists of the "social assistance grants" and the "not elsewhere classified current transfers paid to the rest of the world", see OECD Economic Surveys: Greece (1971), pp. 67 & 72 covering the period of 1958-61, OECD, National Accounts of the OECD Countries, Vol. II (1962-73), p. 292 covering the period 1962-64, and OECD, National Accounts of OECD Countries, Vol. II (1976), p. 180 covering the period 1965-76. – 3. For 1977 see OECD Economic Surveys: Greece (1978), pp. 63 & 64. The deflation has been made with the aid of the price index introduced elsewhere in this statistical appendix.

Table 18. Income Distribution (Millions of Drachmae at 1970 Prices)

Year	An Alterna-tive GNP at Factor Cost Y_t^{af}	Labourer's Income (1)			Profits (2)		
		Total W_t	From Do-mestic Employment W_t^d	From the r.o.w. (3) W_t^e	Total π_t	From Do-mestic Activities π_t^d	From the r.o.w. (3) π_t^e
1951	75721			769			- 59
1952	75827			902			- 32
1953	86408			1064			- 97
1954	88643			1489			- 64
1955	95022			1562			-135
1956	104590			2039			137
1957	111167			2775			183
1958	114264	37564	36435	1129	76700	75767	933
1959	118197	40021	38908	1113	78176	77122	1054
1960	122499	42817	41560	1257	79682	78282	1400
1961	136432	45985	44550	1435	90447	88679	1768
1962	137132	47942	46475	1467	89190	87316	1874
1963	150822	51646	50267	1379	99176	96829	2347
1964	163496	56964	55942	1022	106532	103463	3069
1965	179004	63063	61771	1292	115941	112970	2971
1966	188360	68731	67646	1085	119629	116349	3280
1967	197892	74982	73495	1487	122910	119680	3230
1968	209254	82504	80631	1873	126750	123206	3544
1969	228284	89281	87494	1787	139003	135561	3442
1970	246643	95913	93913	2000	150730	147227	3503
1971	267219	104413	101194	3219	162806	158390	4416
1972	291478	115195	111259	3936	176283	171380	4903
1973	317415	116441	112479	3962	200974	194824	6150
1974	310911	116817	112570	4247	194094	187023	7071
1975	322203	128683	123597	5086	193520	187688	5832
1976 (4)	337998	135491	130194	5297	202507	195292	7215
1977	373099	152344	152344		220755	220755	

Definitions: For all t = 1951, . . ., 1977 we have that $Y_t^{af} = Y_t^f$ + (statistical differences) = $W_t + \pi_t$ where $W_t = W_t^d + W_t^e$ and $\pi_t = \pi_t^d + \pi_t^e$.

Terminology: (1) labourers' income = compensation of employees, (2) profits = operating surplus, and (3) r.o.w. = rest of the world. (4) as a rough approximation, 130194 = (325 x 40) x 100^{-1}. Hence 195292 = 325486 − 130194.

Sources: OECD, National Accounts of OECD Countries, Vol. I (1976), pp. 70 & 71 and, for the year 1977 specifically, OECD Economic Surveys: Greece (1978), p. 63.

Note: The deflation has been made with the aid of the price index introduced in elsewhere in the present statistical appendix.

Table 19. Supply of and Demand for Money and Credit
(Million Drachmae at Current Prices)

Year	Total Amount of Money and Credit Supplied and/or Demanded	Lenders			Borrowers	
		Bank of Greece	Commercial Banks	Special Credit Institutions	Private Sector	Public Sector
1960	29234	9949	11436	7849	26133	3101
1961	32635	9865	14213	8558	28990	3645
1962	37947	9914	17764	10269	33414	4533
1963	45400	10780	23316	11303	39762	5638
1964	52632	3137	25651	23844	45416	7216
1965	59264	3543	26820	28901	49777	9487
1966	68717	4219	30762	33736	56644	12073
1967	79434	3450	37017	38967	67492	11942
1968	91823	4294	42327	45202	76039	15783
1969	111004	4461	50437	56106	92424	18580
1970	134390	5097	60296	68997	113277	21113
1971	162816	5083	72759	84974	138502	24314
1972	199149	4380	89567	105202	171657	27492
1973	237725	9049	100369	128307	202600	35125
1974	286284	10433	120995	154856	243229	43055
1975	353793	12334	161556	179903	302823	50971
1976	442035	13660	213222	215153	380083	61953
1977	547689	15952	267355	264382	476886	70803

Sources: OECD, Economic Surveys: Greece, (a) February 1971, p. 73. – (b) November 1972, p. 73. – (c) June 1975, p. 62. – (d) July 1978, p. 72.

Note: Similar to the total amount of liquid assets, the total amount of money and credit supplied and/or demanded may be viewed as an acceptable approximation to Monetarists' concept of money rather than to the one proposed by the Radcliffe – Report and/or by Gurley & Shaw. Under these circumstances it is obvious that the approximations "total amount of liquid assets" and "total amount of money and credit supplied and/or demanded", though quantitatively different, may be used in theoretic discussion as substitutes. –

Table 20. Quantitative Structures of Liquid Assets Available and the Nominal GNP at Market Prices
(Million Drachmae at Current Prices)

Year	Liquid Assets*					GNP at Market Prices
	Total Liquid Assets	Keynesians' Concept of Money			Total Term Deposits***	
		Total Means of Payments	Money**	Demand Deposits		
1960	33201	15526	10505	5021	17675	105167
1961	39495	17831	12178	5653	21664	118637
1962	48099	20502	14362	6141	27597	126005
1963	57462	23615	16802	6813	33847	140714
1964	66433	28181	20160	8021	38252	157999
1965	74212	32335	23278	9057	41877	179765
1966	87191	35859	26099	9760	51332	199988
1967	99565	43417	33446	9971	56148	216097
1968	116520	45241	33094	12147	71278	234508
1969	136070	48972	35441	13531	87098	266460
1970	162074	54326	38878	15448	107748	298917
1971	196523	61798	43007	18791	134725	330300
1972	243933	76055	50556	25499	167878	377726
1973	281519	93138	64859	28279	188381	484151
1974	338257	111474	80212	31262	226783	569090
1975	422939	128887	91647	37240	294052	673430
1976	530898	160002	111721	48281	370896	806000
1977	656363	187360	132436	54924	469003	982150

Sources: (1) OECD, Economic Surveys: Greece, (a) February 1971, p. 73. – (b) November 1972, p. 73. –
(c) June 1975, p. 62. – (d) July 1978, pp. 59 & 72. – (2) OECD, National Accounts of OECD Countries,
Vol I (1976), pp. 70 & 71.

  *Here it has not been ascertained whether this concept of liquid assets conforms with the one the
    Monetarists or the broader one formulated by the Radcliffe – Report and by Gurley & Shaw.

  **This is a classical and neoclassical concept of money expressing only currency in circulation.

  ***The total term deposits are compounded of savings deposits, time deposits, and other (term) deposita.

Literature

[1] Baade, F., u. G. Kartsaklis: Methoden, Kosten und Erfolgsaussichten der Entwicklungshilfe; dargestellt anhand einer Strukturanalyse des Landes Griechenland. Report prepared by the Forschungsinstitut
für Wirtschaftsfragen der Entwicklungsländer on behalf of the BMZ (Bundesministerium für wirtschaftliche Zusammenarbeit). Bonn u. Kiel 1964.

[2] Break, G. F., and R. Turvey: Studies in Greek Taxation. Athens 1964 (Centre of Planning and Economic Research: Research Monograph Series 11).

[3] Coutsoumaris, G.: The Morphology of Greek Industry. Athens 1963 (Centre of Economic Research:
Research Monograph Series 6).

[4] Eiden, R., and S. Viotti: Economic Systems; How Resources are Allocated. With a foreword by Assar
Lindbeck. New York 1978 (A Halster Press Book, John Wiley & Sons).

[5] Ellis, H.: Industrial Capital in Greek Development. In collaboration with D. D. Psilos and R. M. Westebbe and Calliope Nicolaou. Athens 1964 (Centre of Economic Research: Research Monograph Series 8).

[6]) Friedman, M.: Comments on Monetary Policy, in: Review of Economics and Statistics, 33. 1951, pp. 186–191. Reprinted in: Friedman, M. (ed.): "Essays in Positive Economics". Chicago 1953 (University of Chicago Press), pp. 263–272.

[7]) Georgakopoulos, T. A.: Ὁ φόρος ἐπὶ τῆς προστιθεμένης ἀξίας εἰς τὴν Ἑλλάδα· οἰκονομικαὶ ἐπιδράσεις (Indirect Taxes in Greece; Economic Effects). Athens 1976 (Centre of Planning and Economic Research: Research Monograph Series 21).

[8]) Hayek, F. A.: The Use of Knowledge in Society, in: American Economic Review, 35. 1945, pp. 519–530. Reprinted as: The Price System as a Mechanism for Using Knowledge, in: Bornstein, M. (ed.): Comparative Economic Systems; Models and Cases. Chapter 4, pp. 39–50. Homewood, Illinois 1965 (Richard D. Irwin).

[9]) Hayek, F. A.: Socialist Calculation: The Competitive "Solution", in: Econometrica, New Series, 7. 1940, pp. 125–149. Reprinted as chapter 8, pp. 95–115, in Bornstein's "Comparative Economic Systems", op. cit.

[10]) Johnston, J.: Econometric Methods. New York 1963 (McGraw-Hill).

[11]) Karageorgas, D. P.: Ἡ προοδευτικότης τοῦ ἑλληνικοῦ φόρου εἰσοδήματος καὶ ἡ σταθεροποιητικὴ αὐτοῦ ἐπίδρασις (The Progressiveness of the Greek Income Taxes and their Stabilizings Effects). Athens 1963 (Bank of Greece, Department of Economic Studies: Special Study Series 5).

[12]) Koopmans, T., and J. M. Montias: On the Description and Comparison of Economic Systems, in: Eckstein, A. (ed.): Comparison of Economic Systems: Theoretical and Methodological Approaches. Berkeley, Los Angeles 1971 (University of California Press). Chapter 2, pp. 27–78.

[13]) Krengel, R., and D. Mertens: Fixed Capital Stock and Future Investment in Greek Manufacturing. Athens 1966 (Centre of Planning and Economic Research: Research Monograph Series 16).

[14]) Montias, J. M.: The Structure of Economic Systems. New Haven 1976 (Yale University Press).

[15]) Neuberger, E., and W. J. Duffy: Comparative Economic Systems. A Decision Making Approach. With the collaboration of A. A. Brown as well as of F. R. Johnson and J. A. Licari. Boston 1976 (Allyn & Bacon).

[16]) OECD: a. Economic Surveys. Greece: aa. February 1971. – bb. November 1972. – cc. June 1975. – dd. July 1978. – b. National Accounts of OECD Countries: ee. Vol. 2, 1962–1973. – ff. Vol. 1, 1976. – gg. Vol. 2 1976.

[17]) Papandreou, A. G.: A Strategy for Greek Economic Development. Athens 1962 (Centre of Economic Research: Research Monograph Series 1).

[18]) Psilos, D. D.: Capital Market in Greece. Athens 1964 (Centre of Economic Research: Research Monograph Series 9).

[19]) Robinson, J.: Economic Philosophy. Harmondworth, Middlesex 1964 (Pelican Books A 653).

[20]) Schumpeter, J. A.: Theorie der wirtschaftlichen Entwicklung. Eine Untersuchung über Unternehmergewinn, Kapital, Kredit, Zins und den Konjunkturzyklus. 5. Aufl. Berlin 1952 (Duncker & Humblot).

[21]) Zolotas, X.: Νομισματικὴ σταθερότης καὶ οἰκονομικὴ ἀνάπτυξις (Monetary Stability and Economic Development). Athens 1958 (Bank of Greece: Papers and Lectures 1).

[22]) Zolotas, X: Monetary Equilibrium and Economic Development. With Special Reference to the Experience of Greece, 1950–1963. Princeton, New Jersey 1965 (Princeton University Press).

[23]) Zolotas, X.: International Monetary Issues and Development Policies; Selected Essays and Statements, with an Introduction by H. S. Ellis. Athens 1977 (Bank of Greece).

[24]) Zolotas, X.: Inflation and the Monetary Target in Greece; An Address. 1978 (Bank of Greece: Papers and Lectures 38).

[25]) Zolotas, X.: Speech: The Fifty Years of the Bank of Greece. Athens 1978.

Industry, Handicraft and Tourism

Richard M. Westebbe, Washington D.C.

I. Industry and Handicraft

1. Early Background

After 1830, Greece emerged from four centuries of Ottoman occupation as a basically poor underdeveloped country, one-third its present size, and consisting of relatively isolated agricultural communities, whose farmers produced for their own needs and to some extent for the few small urban centers. The principal exception was shipbuilding and commerce in which the Greeks had begun to develop important interests in the 18th and early 19th centuries. The main Aegean islands were building 6 to 7 ships a year up to 1808 and huge profits were made defying the Continental blockade, during the Napoleonic period. In the North, Salonica and several inland towns and villages developed handicraft industries producing and exporting yarn and other products[1].

The new state lacked financial resources and could do little to foster internal development. The entrepreneurial class was few in number and looked abroad for opportunities as the country lacked raw materials and its domestic markets were small. Nevertheless, independence did bring an influx of artisans from the Ionian islands and the Bavarians, who followed King Otto, contributed the introduction of new techniques and products[2].

Industrial growth remained restricted for several decades. The first signs of new industrial development occurred on a limited scale based on the domestic handicraft tradition, the imported European craftsmen and new market opportunities in goods manufacturing, tanning, clothing and ship building by 1860. Industries in glass, textiles, paper and sugar were imported from Western Europe along with technicians to run them. The 1857 tariff regime offered, in this respect, a modest degree of protection against competing imported products and lower duties on primary goods imports. Greek capitalists from the Ottoman Empire began investing their wealth in Greece, particularly in banking and Greek ships were dominating trade on the Danube. A Greek middle class began to grow in the last decade of the 19th century with

[1] Mouzelis, N. P.: Modern Greece. New York 1978. (Holmes and Meier Publishers) p. 10.

[2] Kartakis, E.: Le développement industriel de la Grèce. Lausanne 1970. (Centre de Recherches Européennes) pp. 1–3; Alexander, A. P.: Greek Industrialists. Athens 1964. (Centre of Planning and Economic Research) pp. 5/6.

the expansion of economic activity facilitated by a sizeable Government program to build roads and other infrastructure.

The tariff of 1884 further contributed to the protection of Greek industry although its primary aim was to raise revenues for the state. Commerce was the main beneficiary of this activity, but industrial output grew despite relatively low returns and the high rate of interest on borrowed funds. As the manufacturing sector began to emerge from the artisan level, Greek capital was invested primarily in low risk small scale industry based on the domestic market while foreign capital began to exploit Greece's mineral resources[3]).

2. The Inter-War Period

The First World War and its aftermath brought a great expansion of Greek territory and large profits to domestic industry which benefitted from rising prices, a devalued currency and shortages of imported goods. The large Greek Army was a major source of demand for local industry. Despite the political and social upheavals following the war, the influx of some 1.4 million Greeks from Asia Minor was a major source of new technical skills, entrepreneurship and modernization in Greece after 1923. It was an era when national attitudes towards industry changed from hostility to appreciation. Instead of resentment of tariffs for their impact on the cost of living, a greater awareness grew of the value of industry to achieve self sufficiency during the blockade[4]). In this climate, a sharp rise in tariffs was instituted in 1923 and 1926 which in turn led to the growth of many small and inefficient industrial enterprises but also to a more than doubling of industrial output between 1926 and 1939, admittedly from a very low base (see Table 1). In effect, the Government's protectionist policy of the twenties was continued during the period of world wide autarchy in the 1930's. By 1939 the average ad valorem tariff reached 60 percent. The necessity of absorbing the refugees was succeeded by the imperative of protecting the balance of payments and employment during the great depression[5]). The slowdown in industrial output after 1931 was followed by a renewed expansion of industrial activity as devaluation, exchange controls and quantitative restrictions added further to protectionism.

Table 1. Index of Industrial Production (1938 = 100)

1924 = 48	1930 = 63	1936 = 84
1925 = 50	1931 = 65	1937 = 91
1926 = 50	1932 = 61	1938 = 100
1927 = 56	1933 = 66	1939 = 106
1928 = 59	1934 = 76	
1929 = 61	1935 = 76	

Source: Alexander, op.cit., p. 36, quoted from Supreme Economic Council of Greece. The Greek Economy during 1938.

---

[3]) Kartakis, op. cit., pp. 3–5, 7; Alexander, op. cit., p. 18.
[4]) Alexander, op. cit., p. 63.
[5]) Ellis, H.; Psicos, D. D.; Westebbe, R. M., and Nicolaou, C.: Industrial Capital in Greek Development. Athens 1964. (Centre of Economic Research) pp. 254, 261.

Under these circumstances, industrial activity was primarily import substitution in light consumer goods with some industries based on producer goods for agriculture, construction and the demand of the consumer goods industries. The share of industry in the national income may not have risen dramatically. One estimate places this share of industry at between 8 and 10 percent between 1911 and 1930 and between 10 and 12 percent for the rest of the decade of the 1930's. In 1940 industry reportedly contributed 18 percent of the national income and, including cottage industry, probably employed no more than 15 percent of the active population[6]).

The comparatively rapid industrialization of Greece during the difficult inter-war years may be ascribed to a combination of factors: the Asia Minor debacle led to a major expansion of the population who brought not only skills but who also settled largely in or near urban centers, thereby creating concentrated low cost labor supplies as well as potential demand for manufactured consumer goods. It is noteworthy that the modern Greek textile industry was based on the entrepreneurial talent of the refugees. In 1961 a survey revealed that 20 percent of Greek industrialists had been born in Turkey[7]). The absorption of these refugees required large public works and housing expenditures which, in turn, stimulated the economy. Finally, the necessity to resettle the refugees put pressure on the Government to carry out a major land reform in 1923, which in turn improved the distribution of income and increased the market for manufactured consumer goods on the part of the lower income classes. The land reform was not an unmixed blessing as, by fragmenting farms, it impaired the ability of the agricultural sector to supply industrial raw materials and foodstuffs. Energy was not plentiful in Greece.

Despite the expansion in population, Greece represented a small market with wide disparities in income and a transport and communication system providing limited geographical coverage. A substantial part of the agricultural economy was still non monetized and Government policy fostered self sufficiency and over diversification as a defense against farm underemployment and balance of payment problems.

Inefficient and arbitrary Government administration frustrated and distorted industrial growth. There was a tendency to protect established interests, job security and to generally take actions which imposed higher costs on industrial firms. The unfavorable environment for industry was further eroded by an antiquated legal system, cumbersome distribution facilities for industrial products and inefficient financial institutions. The high degree of family control over industry served to place a great value on security of capital over risk taking[8]).

The lack of industrial credit was an important factor explaining the type of industrialization which took place in the inter-war period. The big banks mistrusted domestic industry, believing it could never compete with foreign industry. The Government, while providing protection against competition, did little to provide finance. The Agricultural Bank of Greece was established in 1929, but it was not until 1954 that the first industrial credit institution was set up. Lack of national capital was

---

[6]) Coutsoumaris, G.: The Morphology of Greek Industry. Athens 1963. (Centre of Economic Research) p. 21; Alexander, op. cit., p. 63.
[7]) Alexander, op. cit., p. 62.
[8]) Coutsoumaris, op. cit., pp. 25–28.

not the problem. Rather Greek private capital preferred to invest in commerce, shipping and even agriculture. As foreign capital was generally not available for Greek industry in this period, industry had to depend on its own limited resources. Small size and the failure of large scale manufacturing firms to develop are at least in part due to the absence of adequate credit and capital[9]).

3. Post-War Reconstruction

Greece operated a war economy through 1949 as the occupation was followed by the guerrilla war. In 1949 some 700,000 persons or almost 10 percent of the population were still awaiting resettlement to their devastated villages and towns. The state was aiding close to a third of the population. The dislocation of the national economy left Greece at the beginning of the fifties with inadequate domestic production of basic foodstuffs, a chaotic state of public finances, a paralysis of the money and credit structure and an internal price level well above the rest of the world. Monetary instability was reflected in an acute balance of payments deficit which, in turn, was kept in check by a system of rigid import and foreign exchange controls. Germany had been a major market for Greek products on a bilateral trade basis and the loss of this market seriously accentuated the post-war balance of payments problem.

The turning point in post-war economic history was the devaluation of the drachma in 1953 and the accompanying stabilization program. Internal demand was kept in check and import controls were relaxed. The recovery of domestic agricultural output was accompanied by a resumption of traditional exports as Greece's export prices were once again competitive following the devaluation. From 1950 through 1963 the gross national income in real terms rose at an annual rate of 6.3 percent. Gross investment, excluding ships, rose from 10 percent of the gross domestic product in 1953 to over 25 % in the mid sixties. The striking feature of this period was the rapid expansion of domestic savings which enabled the economy to be financed without resort to the printing press or undue foreign borrowing[10]).

By 1950 industrial output had already returned to pre-war levels as most of the factories were located in the urban areas not seriously damaged by the fighting. Ten years later manufacturing output had doubled and electricity output tripled (see Table 2). The sharp rises in output in 1950 and 1953/54 were due respectively to the effects of inflation and exceptionally high levels of agricultural income and output. High tariffs and controls on competition imports also played a role. The average annual rate of increase of industrial output was closer to 5 percent in the second half of the 1950's. By 1956, when the rise in the internal prices had largely offset the effects of the devaluation, the textile industry began to lay off workers and domestic industry demanded and received additional tariff protection. The most rapidly expanding branches of manufacturing were electrical appliances, building materials, paper and machinery. These branches, however, represented negligible proportions of industrial value added. In 1959, 63 percent of value added were accounted for by textiles, food, beverages and tobacco, clothing and chemicals.

---

[9]) Kartakis, op. cit., pp. 11/12.
[10]) Westebbe, R. M.: Greece's Economic Development, in: International Development Review. March 1966, p. 12.

Table 2. Index of Industrial Production (1939 = 100)

Year	Index	Percentage Change
1950	100	–
1951	114	+ 14.0
1952	111	– 2.6
1953	125	+ 12.6
1954	155	+ 24.0
1955	160	+ 3.2
1956	162	+ 1.3
1957	174	+ 7.4
1958	193	+ 10.6
1959	195	+ 1.0
1960	210	+ 7.7
1961	223	+ 6.2
1962	233	+ 4.7

Source: Alexander, op. cit., p. 65, Derived from Association of Greek Manufacturers.

Attempts to provide financial assistance to industry did not have the desired effect. In 1949 the Central Loan Committee was set up to provide capital to industry from U.S. owned counterpart funds and dollar funds. Much of the capital was lost as firms did not meet repayment schedules and devaluation raised the cost of repayment in drachmas beyond the means of many to repay. The Central Loan Committee was succeeded by the Economic Development Financing Organization in 1954[11]).

The relatively modest growth of industrial output in the fifties was matched by stagnating investment. Gross investment in manufacturing rose from 10.8 percent of total investment in 1955 to 15.1 percent in 1958 and fell below 9 percent in 1960 and 1961. In the late fifties the rate of return on industrial capital averaged between 5 and 11 percent, well below the returns available in other sectors. For example, commercial companies were earning rates of return double that of manufacturing in this period and real estate investments, both residential and commercial, were even more attractive. Financing was also a problem. The commercial banks were not able to satisfy the demand for short term industrial credit until 1957. Much of investment had to be financed with short term renewable bank credit as long term finance was unobtainable. Of the 14 billion drachmas in industrial credits extended by the banking system from 1955 through 1960, only 10 percent was long term financing of fixed capital. Industry continued to supply mainly the protected domestic market and only in textiles was there a modest rise in manufactured exports. Entrepreneurs were weary of making long term commitments and the closed family control of the larger firms inhibited the use of modern management and entrepreneurial initiatives. A new element of uncertainty was added in 1962 when Greece became an associate member of the Common Market with a 22 year period of adjustment until it would become a full member[12]). This development will be discussed later in connection with an analysis of the most recent period.

[11]) Ellis, op. cit., pp. 235–237, 243.
[12]) Westebbe, op. cit., p. 13; Alexander, op. cit., pp. 66–71; Ellis, op. cit., 238/239.

4. The Structure of Industry

Greek industry has experienced a significant growth in number of establishments classified as industrial and in employment. The striking fact is that about 94 percent of these establishments still employed under 10 people each in 1958 continuing through 1973 as shown in Table 3.

Table 3. Number of Establishments by Size

	1958		1965		1969		1973	
	No. of Units	% of Total	No. of Units	% of Total	No. of Units	% of Total	100 4 Units	% of Total
Units employing under 10 people	103,569	94.8	113,110	94.9	118,437	94.9	113,479	93.5
10 – 20 people	3,434	3.1	3,505	2.9	3,438	2.8	4,240	3.5
Over 20	2,233	2.1	2,491	2.2	2,776	2.9	3,638	3.0
Total	109,236	100.0	119,106	100.0	124,651	100.0	121,357	100.0

Sources: National Statistical Service of Greece: Census of Manufacturing, Artisan and Commercial Establishments, 1958. – Census of Industrial and Commercial Establishments 1963 and 1969. – Annual Industrial Surveys.

In 1930 98.9 percent of manufacturing establishments employed fewer than 25 persons and 93.2 percent fewer than 5 persons, according to official data which are not entirely comparable with Table 3. The number of the very smallest firms, those employing 5 or less declined from 93.2 percent of the total in 1930 to 84.9 percent in 1958. Firms employing fewer than 10 persons may be considered more of the nature of handicraft or intermediate industries whose rapid growth after the war was stimulated by the entry of skilled workers producing textile handicrafts for the expanding tourist trade and by the high protective tariffs and low wage rates which permitted smaller firms to survive[13]). That some shake out may be taking place is indicated by the 5000 decline in the number of smaller units between 1958 and 1973. Between 1958 and 1968 the number of firms producing olive oil fell by some 6000. In contrast, the number of units employing twenty or more rose from 2.1 to 3.0 percent of the total between 1958 and 1973, a rise of over 1400 establishments.

Total employment in manufacturing rose from 368000 in 1928 to 434000 in 1940 although the labor force in manufacturing declined slightly as a percentage of total active labor force in this period[14]). By 1958 manufacturing employment had fallen below pre-war levels despite, as has been noted, markedly higher output. In the postwar period manufacturing employment rose by 191000 between 1958 and 1973. Firms with less than 10 employees accounted for 44000 of this. Firms with between 10 and 20 for 15000 and firms employing over 20 people accounted for 131000 or 69 percent of the increase (see Table 4). Between 1961 and 1971, according to the national census, manufacturing employment as a percentage of total active labor

---

[13]) Coutsoumaris, op. cit., pp. 26, 37, 39.
[14]) Ibid., p. 65; Germidis, D., and Negreponti-Delivanis, M.: Industrialisation Employment and Income Distribution in Greece. A Case Study. Paris 1975. (OECD: Employment Series 12.)

force rose from 15.9 percent to 17 percent. Women accounted for 27 percent of the manufacturing labor force in 1971 compared with less than their 22 percent share of the national labor force. In the decade 1960/71 construction and public works employment rose by 89 000 to 256 000 and total non form employment by 244 000 to 1.9 million. In summary, manufacturing accounted for 44 percent of the rise in employment between 1961 and 1971 and construction for another 36 percent. The unemployment rate in 1971 was only 3.2 percent. Accordingly, industry by the seventies was beginning to play the dominant role in creating new employment, particularly through the growth of the larger industrial units.

Table 4. Employed by Establishment Size

	1958 Employment	%	1965 Employment	%	1969 Employment	%	1973 Employment	%
Units employing under 10 people	211,111	51.0	264,517	53.7	247,497	49.4	255,016	42.2
10 - 20 people	41,473	10.0	47,799	9.7	46,213	9.2	56,379	9.4
Over 20 people	161,958	39.0	180,051	36.6	207,812	41.4	242,416	48.4
Total	413,642	100.0	492,367	100.0	501,522	100.0	604,041	100.0

Sources: Census of Manufacturing, Artisan and Commercial Establishments, 1958. – Census of Industrial and Commercial Establishments, 1963 and 1969. – Annual Industrial Surveys.

Despite the rising importance of larger scale firms in employment, Greek industry remained predominantly small scale and in some industries such as bakeries and other food, beverages and furniture, the number of firms rose sharply while employment changed little. Even in chemicals, machinery and canneries, where the number of firms and employment both rose significantly, the number of establishments rose at a faster rate than employment. Textiles, clothing, foundries and metal industries accounted for about 30 percent of both value added in employment in industry in the period of the 1960's[15]).

The largest firms, employing 500 or over, experienced a decline in employment while most of the increase was in the middle to larger firm (50 to 499). The smallest firms (employing up to 2) fell in both employment and share in the number of establishments but the next largest class (3 – 9) showed a significant rise in establishments.

In 1968 there were 40 firms employing over 500 workers totaling some 45 000 workers. This compares to 866 firms in this category in Spain. In Japan in 1969 84 percent of total establishments employed one to ten employees comprising only 17 percent of total industrial employment in contrast to 95 percent and 49 percent respectively in Greece. Manufacturing output rose by an annual rate of 9 percent in the period 1963/69; manufacturing investment by 14 percent and employment manufacturing by less than 1 percent. Industry was therefore becoming more capital intensive, and industrial exports rose by 33 percent a year in this period[16]).

---

[15]) Nicolaou, K.: Interindustry Efficiency Differenciated in Greek Manufacturing. Athens 1978. (Centre of Planning and Economic Research) pp. 25 – 27.

[16]) Ibid., p. 29; Kartakis, op. cit., p. 20.

Table 5. Employment by Establishment Size 1963 – 1969

Establishment	Share of Employment		Share of Establishment		Average Size
	1969 %	Change in Share 1963 – 1969 %	1969 %	Change in Share 1963 – 1969 %	1969 No. of Persons
0 – 2	23.3	– 6.2	72.10	– 2.7	1.3
3 – 9	25.2	1.4	22.90	8.5	4.3
10 – 49	20.3	1.3	4.70	4.4	18.9
50 – 499	22.8	6.5	.76	4.4	125.5
over 500	8.4	– 5.4	.04	0	890.5

Source: Nikolaou. op. cit., p. 27.

Several important features characterized Greek industry: entrepreneurs and their family members continued to constitute about 30 percent of the work force. In 1963 particularly, in the food, footwear, clothing, woodworking, furniture, and metal products industries with predominantly small unit structures. In industry as a whole, 26 percent of the industrial labor force in 1958 was self employed[17]). Inter-industrial links were lacking and Greek firms rarely were part of complementary networks of activities. They tended to be independent vertically integrated units. Lack of specialization tended to raise costs and the diffusion of new technology was slow due to the essentially closed enterprises[18]). High costs and small size also made difficult the acquisition of funds from outside so that the bulk of the industries of smaller size were largely self financed[19]).

5. *The Entrepreneurs*

Greek society does not contain sharp lines of demarcation, so a good deal of mobility is permitted on the part of entrepreneurs and the structure and values of society are favorable to entrepreneurial activity. The country lacks a long industrial tradition so that the supply of entrepreneurs has inevitably come mainly from other backgrounds. The reticence on the part of entrepreneurs and resources to move more rapidly into industry may be explained by economic factors inhibiting this sector and to the attractiveness of opportunities in other fields[20]).

Some 30 percent of industrialists inherited their positions from their fathers, 80 percent of whom were formerly craftsmen or merchants; crafts accounted for half of this category alone. In industry as a whole 20 percent of industrialists were formerly craftsmen and 21 percent were big merchants. 1 percent were small merchants: Professional classes contributed 5 percent, business executives 8 percent. Thus, when account is taken of first and second generations, the craftsman tradition is dominant. These individuals are predominant in the category of firms employing between 50 and 100 persons (smaller firms are not included in this sample) while former mer-

---

[17]) Coutsoumaris, op. cit., p. 74; Nicolaou, op. cit., p. 28.
[18]) Kartakis, op. cit., p. 21.
[19]) Ellis, op. cit., p. 123.
[20]) Alexander, op. cit., p. 82.

chants predominate in the firms of 200 or more employees. It is suggested that this heavy influence of the artisan class in industrial management and ownership is not conducive to entrepreneurial procedures as such firms grew slowly without passing the "test of entrepreneurship". They operate without abrupt changes in organization or product and decision makers are conservative in attitude and are reluctant to take risks while maintaining a high degree of personal control. Big merchants in contrast are already entrepreneurs, sensitive to market forces and familiar with risk taking. They are thus more likely to seize opportunity for investment and expansion although they do not necessarily possess industrial management and planning skills[21]).

While the circumstances have been favorable for entrepreneurship, a number of factors continue to make for inefficiency. Greek firms suffer from over-centralization of authority. There is a lack of separation between ownership and management and lack of professionally qualified managers. In part this is due to the small producer mentality of the former craftsmen and to some extent to the relatively low educational backgrounds of the past generation of industrialists. There is also a preoccupation with the commercial aspects of the enterprise at the expense of other features due in part to the high level of protective tariffs which permit high unit profits in the domestic market. Contributing to this is the absence of a mass market and a history of a good deal of instability which puts a premium on timing in buying and selling at the expense of cost cutting and innovation[22]).

6. Location

Industry is heavily concentrated in the Athens area. In 1969 it accounted for 47 percent of industrial employment and 33 percent of the establishments, a concentration particularly marked in the case of the larger size firms. Athens has been the preferred location because of its concentrated and growing high income market, its port which is important because of the dependence of most Greek industry on imported materials, and the availability of external economies in the form of trained people, energy, financing, and government administration. The Government, in order to foster decentralization of industry gave substantial incentives for industries locating outside the Athens area. For example, business turnover taxes were reduced 20 or 30 percent for existing or newly established enterprises locating elsewhere on the mainland and even more on the islands. Proceeds reinvested in assets were exempt from taxes and imported equipment was permitted to enter duty free. Depreciation rates are higher for firms settling outside Athens. Other tax and social cost reductions and exemptions were granted[23]). The share of Athens in total manufacturing establishments rose from 64 percent in 1958 to 68 percent between 1959 and 1969 but Salonica rose from 16 to 18 percent in the same period. It is not clear to what extent the decentralization incentive system worked. Most significantly Athens' share of establishments compared with all eight industrial centers rose from 23 to 30 percent in the period under review. Metal manufacturers tended to concentrate in Athens as this is the main market for their products and is near the sources of raw

---

21) Ibid., pp. 42–53, 45–47, 100/101; Kartakis, op. cit., pp. 24, 27.

22) Alexander, op. cit., pp. 120/121.

23) A Survey of Greek Manufacturing Industry and its Performance. Athens 1972. (Federation of Greek Industries and National Investment Bank for Industrial Development) pp. 25–27.

materials. Only 13 percent of industries based on agricultural products such as food and tobacco are in Athens as these are more widely dispersed near to their sources of raw materials. Salonica, in particular, enjoyed significant growth in textiles, wood, footwear in the consumer goods category, in petrochemicals in the intermediate goods category, and in non metallic minerals and in transport equipment in the capital goods category.Salonica has acquired many of the traditional advantages of Athens in that it has a large provincial market, an industrial zone with modern facilities, a port and free zone, transport infrastructure and finally an impressive industrial base[24].

7. *Productivity and Structure of Output*

A recent study of the 1963/69 period, based on estimating production functions, concludes that the medium size (10–49 employees) is the most efficient scale of manufacturing in Greece. The smallest firms are, as expected, the least efficient particularly in furniture, textiles, footwear and clothing although the figures reveal considerable variations. The technological gap between the medium and larger firms is not great. The smallest firms operate under conditions of close to perfect competition with price mark ups close to marginal costs with medium scale firms obtaining 30 percent mark ups and the largest firms (50 and over employees) marking up prices 104 percent over marginal cost. Large firms' wages are about 50 percent of the marginal product of labor. For manufacturing as a whole, the estimated rate of return on capital was 30 percent but was 50 percent for larger scale industry[25].

In terms of efficiency the predominantly small scale Greek industry and the existence of market conditions approaching perfect competition for many does not necessarily mean that cost and price approach the competitive level. For reasons explained earlier, such as craftsman origin, excessive family control, difficulty in obtaining capital, these firms often are not efficient either in private or social terms. Tobacco manufacturing is a notable exception[26]. At the larger scale monopolies and oligopolies are prevalent. The highly protectionist Government policy in the past was a significant factor. The granting of an establishment permit through at least 1962 was based primarily on the criteria of protecting existing establishments[27]. In beer manufacturing a single family owned firm maintained virtually complete control of the domestic market until 1961, when a Dutch firm was given permission to establish a brewery with Greek partners. Only one firm was found in iron and steel making and in chemical fertilizers. Since 1963, three other firms were established with commercial and development bank support. Even foreign enterprise did not always operate to produce internationally competitive products. A polystyrene plant, set up in 1960, sold its products on the domestic market for close to double the world price partly due to its small scale of output. However, where there are a small number of producers such as in cement, and interindustry agreements exist, systematic improvement in productivity managed to lead to substantial exports[28].

---

[24]) Germides, op. cit., pp. 82/83.
[25]) Nicolaou, op. cit., pp. 81/82, 164/165, 168/169.
[26]) Ellis, op. cit., pp. 119/120.
[27]) Ibid., pp. 182/183.
[28]) Kartakis, op. cit., pp. 47/48; Ellis, op. cit., p. 293.

In terms of changing structure, the most rapidly expanding industries after the war were in basic metal manufactures, transport equipment and chemicals. The groups comprising food, textiles and clothing fell from 53 percent of value added in 1960 to 46 percent in 1976.

Table 6. Composition of Value Added in Manufacturing (based on constant prices)

Subsectors	1938	1960	1970	1976	Percentage Change in Labor Productivity 1951–1969
Food, beverages & tobacco	23.2	22.6	18.8	17.7	3.2
Textiles	24.0	16.7	14.1	18.6	6.4
Clothing	8.9	13.6	9.4	9.4	7.0
Wood products	8.1	5.5	6.2	5.1	5.4
Paper	1.7	4.4	4.1	3.5	6.0
Chemicals	20.1	10.3	11.2	12.6	11.0
Slate clay & glass	3.0	6.4	7.6	7.6	5.9
Basic metal manufactures	0.3	2.1	7.4	6.4	15.1
Metal manufacture, Engineering and electrical equipment	4.7	12.9	12.8	12.1	6.6
Transport equipment	5.9	2.7	5.3	4.0	9.2
Other	–	2.5	2.6	3.0	6.2
	100	100	100	100	6.7

Sources: Coutsoumaris, op. cit., p. 58 (1938 figures). – Ministry of Coordination, National Accounts of Greece. A Survey of the Greek Manufacturing, Industry and its Performance. Athens 1972, p. 28.

As Table 6 shows, the most rapid rises in labor productivity from 1951/69 were in the same branches which experienced the greatest rise in value added.

Consumer goods industries accounted for some 80 percent of the total in 1969, virtually the same as in 1958. In contrast, intermediate goods industries accounted for close to 9 percent of all establishments in 1958 and fell to 3 percent in 1969. The biggest rise was in the capital goods industries which rose from 11 to 16.5 percent of the total in the period. Increasing competition and reorganization for export in the consumer goods industries led to falls in the number of firms in footwear, apparel and leather and increases in other categories.

In intermediate goods the decline in the number of firms producing olive oil has been noted. In capital goods machinery and equipment including electrical equipment accounted for most of the rise and not, as might have been expected, basic metal industries. In capital goods industries, employing more than 10 persons the ratio of value added to size rose from 16 percent in 1963 to 21 percent in 1969 leading to a sharp rise in value added per establishment as well as relative stability in employment. Small and larger scale consumer industries experienced declines in value added with some relative rise in employment while intermediate goods of the smaller size fell in relative value added. Value added to size rose in the larger establishments due primarily to the rise in employment[29].

---

[29] Germides, op. cit., pp. 78–81.

Table 7. Value Added and Employment in Manufacturing

	Small scale 0–9 persons						Larger scale (over 10 persons)					
	No. of Estab- lish- ments	1963 Value Added	Em- ploy- ment	No. of Estab- lish- ments	1969 Value Added	Em- ploy- ment	No. of Estab- lish ments	1963 Value Added	Em- ploy- ment	No. of Estab- lish- ments	1969 Value Added	Em- ploy- ment
Consumer Goods In- dustries	81.26	22.36 (0.27)	38.60 (0.47)	77.12	19.10 (0.25)	41.70 (0.54)	3.29	42.61 (12.01)	34.30 10.41	3.42	39.85 (11.7)	29.50 (8.6)
Intermediate Goods In- dustries	2.19	1.61 (0.75)	1.76 (0.81)	2.53	1.46 (0.58)	2.10 (0.83)	0.50	11.15 (25.7)	5.05 (10.1)	0.48	13.89 (28.9)	5.99 (52.5)
Capital Goods Industries	11.76	4.36 (0.37)	7.94 (0.68)	15.38	2.99 (0.19)	8.80 (0.57)	1.10	17.2 (15.6)	12.32 (11.2)	1.07	22.7 (4.2)	11.91 (11.1)

Note: Figures in brackets refer respectively to ratios of value added and employment to the number of establishments.
Source: Germides, op. cit., p. 80.

The output of Greek manufacturing is mainly absorbed on the domestic market although industry now accounts for a substantial share of total exports. In 1960 1.6 percent of total industrial output was exported and in 1969 6.6 percent. On a net basis, subtracting exports from imports of industrial products, Greece had a net deficit. In 1960, imports of industrial products amounted to $ 556 million and exports $ 34 million. In 1969 the comparable figures were $ 1222 million and $ 257 millon respectively. Notable gains in exports were made in the food, clothing, textiles, and basic metals industries. Only in basic metals where 45 percent of the value of output was exported, primarily aluminium, did the share of output going to export exceed 7 percent. The precise share of industry in total exports is a matter of interpretation. According to the Federation of Greek Industries this share rose from 8.8 percent in 1955 to 66 percent in 1975. These figures include as industrial a number of exports such as primary materials, processed foods and petroleum products which are not, strictly speaking, regarded as manufactured or handicraft output. Using the Bank of Greece definition, manufactured goods including handicrafts exports rose from about 10 percent in 1966 of the total to 52 percent in 1977. About one third of manufactured goods export consists of textiles, another 13 percent of cement, 10 percent metal manufactures and the bulk of the balance of chemical and pharmaceuticals, aluminium-alumina, nickel and ferrous nickel, footwear and leather articles and machinery and transport equipment[30]). The range of manufactured goods exports is still narrow and heavily concentrated in textiles or in basic metals and cement. More than half of manufactured exports in 1968 were based on foreign capital investments such as in aluminium and chemicals. Greek industry reflected the continued influence of high protectionism in encouraging production for import substitution and expanding in fields with well-known technologies[31]).

---

[30]) Zolotas, X.: Report for the Year. 1977. Athens 1978. (Bank of Greece) p. 66; National Statistical Service of Greece; The State of Greek Industry in 1975. Athens 1976. Union of Greek Industries) pp. 14/15.
[31]) Kartakis, op. cit., pp. 58/59.

8. Financing of Industry

As has been noted the rapid growth of savings after 1952 made Greece to a great extent self financing in the post-war period. In 1960 domestic savings amounted to 15 percent of the GNP in current market prices and in 1976 to 20.9 percent. Foreign savings accounted for 3.7 percent of the GNP in 1960 and to 2.9 percent in 1976. The bulk of the rise in domestic savings was from the private, mainly household sector. Public savings between 1960 and 1976 fell from 23 percent of domestic savings to 8.3 percent. Accordingly the conclusion was reached early in the 1960's that the supply of savings was no longer the growth inhibiting factor in Greek industrial develop-ment[32]). The issue was the channeling of the surplus savings mainly from the house-hold sector to productive enterprises. The 1966/70 plan proposed measures to im-prove the composition of bank deposits, introduce foreign banks, levy progressive taxes on real property and develop the capital market in order to assist priority sec-tors such as industry to acquire adequate long term financing[33]).

The capital market in Greece has never been an important source of industrial ca-pital although it has been important in raising funds for such public entities as the Public Power Corporation (Dimosia Epicheirisi Ilektrismou) and private commer-cial banks. In its 1977 report, the Bank of Greece complained about the inhibiting ef-fect of a lack of new shares on the growth of the capital market[34]). The strong family control of Greek industry and the reticence to expand the circle of owners make it difficult to encourage new issues or active trading in existing issues (many firms pay no dividends). With a small volume of issues traded the risk of manipulation is high. Commercial banks also hold substantial quantities of industrial issues in their portfo-lios and this further limits turnover and trading. The Government did take steps to provide tax incentives on private shares to make them as attractive as bank deposits and public securities. The rise in private demand for shares has, however, not been matched by a corresponding supply of securities from the industrial sector[35]).

In order to assist industry the Government took a number of actions in the banking field. In 1954 the Economic Development Financing Organization was set up and in 1959 the Industrial Development Corporation. These institutions were merged in 1964 into a new institution called the Hellenic Bank for Industrial Development. The Bank does long term lending and buys equity. Its main activity in practice has been in granting long term loans to industry, tourism and shipping. Two private indus-trial banks were established by the two largest commercial banking groups in the 1960's. In 1970, after a period of rapid expansion, these public and private invest-ment institutions had made some $ 54 million (1.6 billion drachmas) in long term loans to industry which may be compared with $ 384 million in total manufacturing and mining investment in 1970[36]).

---

[32]) Ellis, op. cit., p. 32.

[33]) Draft of the Five Year Economic Development Plan for Greece (1966–1970). Athens 1975. (Centre of Planning and Economic Research) pp. 123–125.

[34]) Zolotas, op. cit., p. 53.

[35]) Ellis, op. cit., pp. 95–98; Kartakis, op. cit., pp. 133–142; A Survey of Greek Manufacturing, op. cit., p. 43.

[36]) A Survey of Greek Manufacturing, op. cit., pp. 42, 47.

Since then these institutions have both made long term loans and taken equities in competitive and export oriented medium size industries and have contributed to the establishment of industries outside the Athens area. By the end of 1977 the total credits extended to the economy by the HIDB amounted to 23.7 billion drachmas and by the two private investment banks 13.6 billion drachmas. The resources to finance this lending were largely derived from bond issues placed on the domestic market. These banks also received substantial loans from external financial institutions, some of which own equity in them as well. Total long term loans to manufacturing and mining by the banking system amounted to 60.5 billion drachmas at the end of 1977 and loans to small scale industry or handicraft amounted to 23.5 billion drachmas[37]). The role of the development banks is thus quite important in providing long term finance for Greek industry.

The main source of external financing for Greek industry has traditionally been the commercial banking system. While the commercial banks make predominantly working capital loans they have never been reluctant to finance fixed capital formation for a small part of their portfolios and indeed have had to do this in the absence of an effective capital market. Further, many short term credits are in fact renewable and become long term in practice as industrialists use such credit for fixed investments. Government in the post war period encouraged the commercial banks to finance industrial investment by requiring them to devote first 10 and then 15 percent of their resources to long term manufacturing loans (up to 10 years). It should be noted that the biggest commercial bank, the National Bank of Greece, with some 65 percent of the banking systems deposits can be controlled by the Government through its direct and indirect share holdings. Since 1966 the commercial banks were obliged to reserve 6 percent of the increase in their deposits for loans to handicraft industries with a Government guarantee for 65 percent of the value of such loans[38]).

Between 1966 and 1976 banking system credit to manufacturing and mining amounted to about 43 percent of total banking system credit to the private sector. Of

Table 8. Sources of Financing Capital Formation

Total increase in gross assets	1965 100	1967 100	1970 100	1974
Gross fixed asset formation	76.3	50.6	56.0	
Non- fixed assets	23.7	49.1	44.0	
Source of financing	100	100	100	100
Self-financing	39.8	35.8	43.5	49
of which: retained profits	6.5	9.8	18.8	
Depreciation allowance	11.2	20.1	15.4	
Increase in capital	22.1	6.0	9.2	
Borrowing	60.2	64.2	56.5	51
Medium & long term	24.0	20.7	18.4	
Short term	36.2	43.5	38.0	

Sources: A Survey of the Greek Manufacturing Industry, op. cit., p. 35. - State of Greek Industry in 1975, op. cit., pp. 143 – 165.

---

[37]) Zolotas, op. cit., pp. 47/48, 50.
[38]) Kartakis, op. cit., p. 155; A Survey of Greek Manufacturing, op. cit., pp. 30/31.

this long term loans to manufacturing accounted for about 12 percent[39]). Banking system loans accounted for some 60 percent of total industrial financing and were thus the main source of both short and long term capital.

The table shows a rise in percentage of capital formation which was self financed by industry. In this period the number of firms covered rose from 761 to 1651. This self financing may be attributed to high rates of profits permitting a higher ratio of retained profits. Also depreciation allowances were high in the period and greatly exceeded the rates that would correspond to the life span of the equipment. By 1975 the Federation of Greek Industries was reporting a decline in depreciation allowances as a source of self financing of fixed capital as they are calculated on the basis of acquisition price and not replacement cost[40]).

The rise in the proportion of self financed industrial capital formation may augur well for the growth of the larger industrial firms although it does little to increase the mobility of capital and encourage more optimal investment policies. The predominantly smaller sized establishments are in a far less favorable position. These firms have traditionally not had ready access to bank credit as they could offer little collateral. Even short term loans must be backed by government or other securities[41]).

9. Recent Development and the Common Market

In the period of the 1960's manufacturing output experienced rapid rates of growth. The index of manufacturing output almost doubled between 1959 and 1967 and rose by another 50 percent by the end of the decade. In the period from 1970 through 1977 manufacturing output rose by another 70 percent (see Table 9). Capital goods output rose by 3.5 times in the 1960's and consumer goods output by 2.3 times. The situation was reversed in the first seven years of the 1970's when capital goods output rose by 1.6 times and consumer goods output by 1.7 times.

Table 9. Index of Industrial Production

1959 = 100	Percentage Change	1970 = 100	Percentage Change
1961 – 118	4.2	1971 – 110	15.4
1962 – 123	8.1	1972 – 127	15.7
1963 – 133	10.5	1973 – 147	12.1
1964 – 147	10.8	1974 – 144	4.2
1965 – 163	11.5	1975 – 150	10.6
1966 – 187	2.7	1976 – 166	1.2
1967 – 192	10.7	1977 – 168	
1968 – 206	11.1		
1969 – 229	11.0		
1970 – 254			

Source: National Statistical Service of Greece: Monthly Statistical Bulletin.

[39]) Bank of Greece, Monthly Statistics Bulletin Greece; Greece. Paris 1977. (OECD Economic Surveys).
[40]) A Survey of Greek Manufacturing, op. cit., p. 34.
[41]) Ellis, op. cit., p. 62.

The slow growth in 1967 had its origin in the forcible imposition of the Junta by the Army after which private manufacturing and construction investment fell sharply. Foreign investment and receipts from tourism and emigrant remittances also fell. In 1976 the fall in industrial output was in part due to the political upheaval during the last period of rule of the Junta which was followed by uncertainty regarding Greece's application to enter the Common Market as a full member and in part to a general recession. The fall in the rate of growth in 1977 was due to a slackening in demand for Greek exports of basic metallurgical products and textiles[42]).

Gross domestic asset formation in 1970 prices fluctuated in much the same way as industrial output, with sharp declines in 1967 and 1974 before rising again. In real terms manufacturing investment doubled between 1958 and 1966 and doubled again by 1976. As a percentage of gross fixed asset formation, manufacturing investment rose from 10 percent in 1960 to 13 percent in 1966 and to 16 percent in 1976 after which it fell to 13 percent in 1977[43]). Most significantly manufacturing investment fell each year in real terms between 1974 and 1977.

In the 1950's and 1960's the development policies pursued by the authorities followed the 1953 devaluation included development financing, fiscal advantages, and strong guarantees and concessions for foreign industrial investment which met development criteria related to type of industry, foreign exchange and employment. Between 1954 and 1973 foreign capital financed some 16 percent of total manufacturing investment and amounted to some $800 million[44]). The long term average rate of growth of industrial output was 9 percent, well above the growth of the national economy. The rapid rate of expansion was from a low base but it enabled Greece to reduce the gap in industrial output per head, compared with OECD Europe from 4 to 5 times in the early 60's to between 2 and 3 in 1977. Nevertheless, Greece's share of manufacturing investment to GDP was about 3 percent in the 1960/1976 period which is well below that of most other countries including Portugal, Spain, and Italy. Exports, as has been shown, are based on a narrow range of products such as clothing, footwear and leather products. Even in textiles they consist mainly of yarn and thread and carpets produced by handicraft industries. Aside from the large scale export of processed raw materials (cement, nonferrous metals, aluminum and iron and steel), manufactured exports are heavily small scale handicraft production. Greece's manufactured exports per head of population are between one third and one half that of other southern European industrializing countries[45]).

Despite the rapid growth of industry and of the entire economy, Greece could not provide employment for all those seeking work. The exodus of poor workers from rural areas together with urban workers seeking work and higher wages led to a massive exodus of Greeks to western Europe, particularly West Germany. Gross emigration to Western Europe rose from 9800 in 1959 to peak annual rates of between 80000 and 90000 by the mid sixties. In the fifteen years to 1973 some 800000 had emigrated abroad on a gross basis, which amounted to up to a third of the labor force.

[42]) Zolotas, op. cit., p. 27.
[43]) Greece, op. cit., p. 48; Greece. Paris 1978. (OECD Economic Surveys) p. 62.
[44]) And Greece Makes Ten, in: The Economist, 14 August 1976.
[45]) Greece (OECD Economic Surveys) 1978, op. cit., p. 30.

Since 1974 with lower levels of activity in Western Europe and restrictions on foreign workers, a net annual outflow of some 40000 persons was replaced by a net annual outflow approaching 15000 annually. There were some 200000 Greek workers in Europe in 1977[46]). Greece was able to solve its surplus labor problem by exporting workers to Europe in the 1960's but will increasingly have to absorb them at home as she prepares to enter the Common Market.

The 1962 Treaty of Association with the EEC (European Economic Community) provided for the progressive establishment of a custom union for goods produced in Greece. Complete tariff disarmament was called for in 22 years or by 1984 and for goods not produced in Greece tariffs were to be dismantled in 12 years or by 1974. A financial protocol provides for a $125 million loan from the European Investment Bank. This was suspended when the Junta took power in 1967 although only $70 million of the amount had been committed. The other provisions of the association agreement continued in force. By 1968 Greek manufacturers enjoyed complete freedom of entry into the EEC area. By May 1, 1977 Greece had put into effect a 52 percent cumulative reduction in duties on community exports of products manufactured in Greece in 1961.

In May 1979 after three years of difficult negotiation, Greece won acceptance of the European Economic Community to become a full member as of Jan. 1, 1981 with a five year transition period before the EEC would have full access to the Greek market. Prime Minister Karamanlis said "Greece irrevocably accepts the historical challenge and her European destiny while conserving her national identity". Opposition leader Andreas Papandreou claimed that membership would make Greece a "provincial backwater" of a region dominated from Brussels[47]). The full membership of Greece was in part designed to insulate the political system against a return to dictatorship as well as to achieve the structural transformation of the economy and provide productive employment for its labor force by stimulating the growth of mainly industrial exports financed in part with major imports of capital and technology. Full membership was welcomed by the Federation of Greek Industry which represents larger sized establishments[48]).

The EEC Commission in its report on Greece's proposed entry pointed to a number of problems which Greece's full membership would create for Greece and the EEC. While acknowledging the progress made during the period of the customs union, the Commission noted that agricultural integration was effectively frozen during the period of the Junta from 1967 to 1974. Reference was also made to Greece's relatively weak industrial base, which would call for structural changes to overcome disparities between industries and regions and the need to create competitive industries. The Community would have to bear a share of the cost of these changes. It was estimated that Greece would be eligible for annual transfers of some 450 million units of account or 6 percent of the EEC budget on a gross basis[49]).

---

[46]) Greece (OECD Economic Surveys) 1977, op. cit., p. 12.
[47]) Greece Becomes 10th Member of the Common Market, in: New York Times, 29 May 1979.
[48]) Pezmazaglou, J.: Objectifs et Implications de l'Accord d'Athenes. Athens 1966 (Banque de Grèce: Essais et Conferences 20), p. 40.
[49]) Communication of the Economic Community Commission to the Council of Ministers. April 24, 1978.

Governor Zolotas of the Bank of Greece pointed to the spectacular achievements of the Greek economy since 1962 when the Athens Agreement came into force. Greece had achieved not only a higher rate of sustained industrial growth than the EEC between 1962 and 1977 but had raised industrial employment at an annual rate of 3.3 percent compared with a 0.5 percent in the EEC. The share of Greek manufacturing industry in the GDP rose from 14.5 percent to 21.5 percent in the period with, as has been shown, a rising share of capital goods to total industrial production. The share of industrial products in total exports to the Community rose from 1.8 percent in 1962 to 60.3 percent in 1977. He attributed this performance to the reduction in tariffs during the period, concluding that Greece's and the Community's industrial sector has already borne the consequences of accession to a large extent[50].

Although these figures indeed show vividly the dynamic potential of Greek industry, it nevertheless remains true that substantial protection, including non tariff barriers, still exists for the large number of small relatively inefficient manufacturing establishments, and some of the newer hot house types, which have low percentages of value added to total production generally and which may not be competitive in the face of larger scale European firms. Output per employed person in Greece was still only 60 percent of the EEC average in 1977. The locational advantages of Greece in terms of raw materials, access to the Middle East and light industry freight advantages over competing imports from Europe, may be partly offset by the recasting of foreign investment incentive laws which in the past helped to attract the multinational firms to Greece. To the extent foreign investment incentive laws encouraged foreign firms seeking a protectionist and monopolistic local market, the amendment of such laws will improve the competiveness of the investment sector[51].

The preliminary 1978/82 plan takes full account of Greece's prospective entry into the EEC, and cites as a major objective the rapid growth of manufacturing in new lines and greater specialization to encourage competiveness. Small and medium scale companies are to receive public aid to improve organization and management. Measures are to be taken to facilitate the introduction of modern technology, improve the efficiency of the banking sector and the capital market, and to promote forward and backward linkages in industry. Manufacturing output is expected to grow at slower rates than in the past and to approach the expected 5 to 6 percent growth rate of GDP in the period[52].

II. Tourism

Greece has traditionally been attractive to foreigners because of its cultural wealth, its physical beauty and its favorable climate. The country has an average of over 300 sunny days a year. It has one of the longest coastlines of any major tourist

---

[50]) Zolotas, X.: The Positive Contribution of Greece in the European Community. Athens 1978 (Bank of Greece: Papers and Lectures 40), pp. 17/18, 20/21.

[51]) Ellis, op. cit., p. 301, for a discussion of the economic activities for a considerable part of foreign investment through 1962.

[52]) Greece (OECD Economic Surveys) 1978, op. cit., pp. 37/38.

country. Assuming 7 million arrivals representing a peak inflow of 450 000 the ratio of this peak to Greece's coastline would amount to 13 500 km compared with ratios of 6500 and 9000 km for Spain and Italy respectively[53]). Only some 4000 km of this coast line is on the mainland so that the bulk of the coastal areas are far removed from the main centers of population and from the principal points of entry into Greece. A good part of the coast line is barren and rocky and prime sites for major tourist complexes are not numerous. To have access to much of this shoreline requires expensive road, ferry and other infrastructure investments.

Until after Second World War the number of tourists who came to Greece represented a negligible proportion of the Greek population and were motivated to a large extent by an interest in antiquity. Links with the outside world were not convenient and the lack of interior transport and other facilities made travel difficult. The postwar growth of tourism throughout the Mediterranean is a consequence of rising standards of living in Europe and America, the considerable rise in the number of people entitled to long vacations, the desire to be in the sun and the marked improvement in the availability and cost of transportation.

1. Structure of Growth

As in the case of industry, the devaluation of 1953 followed by the leveling off in price inflation after 1955 led to a dramatic increase in the growth of Greek tourism. Between 1955 and 1966 the number of tourist arrivals in Greece rose from 208 000 to 1.1 million. By 1970 the number of arrivals reached 1.6 million and by 1976 4.2 million, or approximately half the size of the Greek population. The annual average rate of growth of arrivals rose from 17 percent between 1955 and 1963 to over 25 percent a year through 1966[55]).

Basically during the post-war period the rate of growth of tourism in Greece was a function of the capacity of the country to absorb the growing demand on the part of mainly Europeans and Americans for Mediterranean vacation facilities. Between 1955 and 1966 the number of hotels rose from 442 to 865 and number of beds from 20 000 to 55 000. By 1976 the number of beds reached 175 000. The percentage of these beds in class A and class AA hotels declined from 33 to 30 percent of the total in the 1955/66 period and rose again to 34 percent by 1974[56]). Despite this spectacular growth, Greece's share in the number of tourists coming to Mediterranean countries constituted only 3 percent of the total in 1965.

In the early sixties, Greece was attracting a high proportion of upper income tourists. Tourists in the mid sixties were spending $140 on the average, much higher than in most European countries. This may be ascribed to the longer length of stay of the average tourist amounting to 8 to 9 days. Tourists coming from Europe rose from 38 percent of the total in 1954 to 58 percent in 1966 while those from America stayed at about 17 percent of the total. Close to half the overnight stays were in the Athens

---

[53]) Long Term Prospects for the Greek Economy. Athens 1968. (Royal Hellenic Foundation) p. 84.
[54]) Merryman, J. H.: Some Problems of Greek Shoreland Development. Athens 1965, pp. 13/14.
[55]) Draft of the Five Year Plan (1966–1970), op. cit., pp. 66–70, 311; National Statistical Service of Greece. Monthly Bulletin. Athens.
[56]) National Statistical Service of Greece, op. cit.

area. Summer vacation areas took 22 percent and archeological sites only 9 percent[57]). About half of the arrivals were by air although those arriving by car rose from 7 percent in 1958 to 16 percent in 1963 and 18 percent in 1970. By 1976, 65 percent of the tourists came from Europe and 14 percent from America. British tourists constituted 10 percent of total visitors and the number of Japanese was increasing.

Table 10. Tourist Arrivals (in thousands)

Year	Total number of arrivals	Of which Greeks from abroad	Arrivals of Foreigners from America	from Europe
1955	208.4	24.4	35.6	110.5
1960	399.4	28.1	75.3	169.9
1965	976.1	30.7	184.9	546.6
1966	1131.7	30.7	211.0	659.7
1967	996.6	27.9	193.8	539.3
1968	1017.6	92.7	218.0	467.6
1969	1306.0	91.6	339.0	623.6
1970	1609.2	153.0	357.0	761.8
1971	2257.9	199.7	503.7	1129.4
1972	2731.5	202.1	626.6	1423.8
1973	3177.7	226.5	697.4	1714.4
1974	2188.3	190.3	425.6	1166.0
1975	3173.0	197.5	522.5	1907.6
1976	4243.6	173.2	575.1	2780.6

Source: National Statistical Service of Greece: Monthly Statistical Bulletin.

2. Costs and Benefits of Tourism

Tourism on the scale experienced by Greece has become a major factor in all facets of life including economic, social, environmental, and cultural. In terms of the non quantitative aspects tourism poses a number of basic problems for Greek society. Merryman put the access question as follows, "The question is who will be able to enjoy this valuable, limited natural resource under what conditions over the foreseeable future?" Although Greek law states that the shore up to the high water mark belongs to the Greek people, the fact is that preferential treatment is given to tourist and industrial developments and Governmental approval is required for many shoreland uses. Access is, in practice, restricted by military, industrial, tourist and private uses of existing shoreline and comprehensive land use planning did not exist[58]). The influx of foreign money to buy prime shoreland developments led to a form of xenophobic resistance in Greece on the part of those who raised national security arguments and to those preoccupied with the cultural shock of the massive introduction of foreign ideas and customs accompanied by the creation of a large essentially servant class of Greeks to provide the labor force for the new industry. The reality is, of course, that the concerns expressed are equally valid for any kind of tourist development based on foreign tourism. A considerable part of Greek tourist development is

---

[57]) Long Term Prospects, op. cit., p. 81.
[58]) Merryman, op. cit., pp. 16, 21/22.

directed in whole or in part by Greeks. In addition, tourism on a large scale poses the issue of preservation of the environment against pollution and desecration. Tourism is by its nature highly seasonal in the North Mediterranean. In Greece the percentage of foreign bed nights in the peak month was 20.7 in 1969 but declined to 18.5 by 1973, a phenomenon observed in competitor countries[59]). Finally, tourism is highly vulnerable to changing world economic and political conditions and perhaps more importantly, to conditions within Greece itself. The greatest disruptions in the flow of tourists in the last twenty years were caused by the uncertainties associated with conflict over Cyprus and the rise and fall of the Greek Junta (see Table 10).

If the non economic aspect of tourism may be seen to raise serious issues relating to social costs, the direct economic benefits have been impressive. Gross tourism foreign exchange receipts on a balance of payments basis rose from 12 percent of gross exports, goods and services (see Table 11) in 1960 to 14.9 percent in 1966 and 17.6 percent in 1976. By 1976 tourism receipts from abroad had drawn ahead of emigrant's remittances as a source of foreign exchange receipts and were close in importance to shipping. By 1976 gross tourism receipts were equivalent to one-fourth of the trade deficit, up from 16 percent in 1960.

Table 11. Gross Earnings from Tourism, Merchandise Exports, Transportation and
Emigrants Remittances (Millions of Dollars)

	1960	1966	1970	1976
Tourism	51.4	143.5	193.6	823.7
Percentage of total	(12.0)	(14.9)	(13.6)	(17.6)
Exports	208.6	403.5	612.2	2227.5
Transport	76.5	182.3	269.8	914.1
Emigrants remittances	90.4	235.0	342.9	803.2
Total exports of goods and non factor sets vice income	426.9	964.3	1418.5	4668.5

Source: Bank of Greece: Monthly Bulletin.

The rise in gross tourist receipts in 1976 of 28 percent was less than the 35 percent rise in the number of foreign arrivals. As noted this may reflect a fall in expenditure per traveller. The OECD suggests that a possible explanation may also lie in the practice of travel agencies which organize package tours and which enter offsetting receipts into their accounts by deducting the expenditure by Greeks abroad from what they would otherwise send to Greece as foreign currency[60]). Of course, tourism's contribution to the balance of payments cannot be measured solely in terms of gross foreign exchange earnings. Tourists are consumers of high quality foods and other goods, part of which must be imported, although a precise measurement is not available. For example, Greek imports of food and livestock for consumption by Greeks and foreigners rose from $168 million in 1966 to $522 million in 1976, a period when gross tourism receipts rose by $773 million. Greek tourism must also be

---

[59]) Prospective Study of Tourism in the Mediterranean Basin. 1976.
[60]) Greece (OECD Economic Surveys) 1977, op. cit., p. 19.

put in the perspective of the service the industry performs for Greeks in supplying their desires to travel in their own country. In 1965 foreign tourist nights amounted to 3.8 million while domestic hotel nights came to 6.1 million. In 1973 foreign nights had risen to 14.3 million and domestic to 9.7 million. Foreign tourist nights had grown by 21 percent in this period and domestic by 6.7 percent. A growth rate of 9 percent was projected for foreign hotel nights through 1980 and 6.8 percent for domestic nights, rates which are substantially lower than the more optimistic figures used by industry planners as is explained in the last section[61]). A substantial part of the income, employment and investment impacts of tourism is, accordingly, attributable to Greeks themselves.

In terms of employment the impact of tourism is difficult to measure. In 1971 commerce, restaurants, and hotels employed 455000 workers compared with 563000 in manufacturing. By 1975 the total in the former category had risen by 35000 to 490000 and in manufacturing to 603000. Tourism tends to be a low productivity and low wage employer. Nevertheless, a considerable part of the employment generated is in the poorer regions which often lack alternative sources of producing income and which welcome the opportunity for seasonal jobs for the essentially non professional potential work force consisting of housewives and others lacking full time jobs.

3. Investment in Tourism

Investment in tourism accounted for 1.4 percent of Greece's fixed asset formation between 1962 and 1966. Tourism took 2.2 percent of public investment and 1.1 percent of private in this period. The four year plan 1968/72 called for a rise in tourism investment to 4.7 percent of the total with tourism accounting for 2.4 percent of public investment and 5.9 percent of private.

Investment in tourism received significant Governmental support in the form of incentives relating to taxation, import duties and credit. Tourism investment with foreign capital (whether owned by Greeks or foreigners) is eligible for the constitutional guarantees against expropriation contained in legislative decree 2687 of 1953. Annual repatriation of capital of up to 10 percent is permitted and of profits 12 percent. Repatriation of 10 percent interest on loans is also permitted. Various laws passed between 1961 and 1971 provide for exemption of invested profits from taxation and accelerated depreciation in various regions. Imported equipment is exempt from duties and taxes on net profits are reduced by 25 percent in general and 40 percent in the islands. Turnover taxes in the islands are also reduced for tourist projects[62]). Official lending has also been an important source of tourism financing. The Hellenic Industrial Development Bank granted some 1.1 billion drachmas in long term loans to build tourist facilities between 1967 and 1971. In that period loans could cover 30 to 70 percent of the total cost of investment depending upon the priority of the area, and were to be repayable over an 18 year period at 4.5 percent interest during a 5 year grace period. In the early seventies foreign tourism agencies were reported to be willing to finance hotels against future receipts. From 70 to 80 percent

[61]) Prospective Study, op. cit.
[62]) Ellis, op. cit. 272–301; Tourism in Greece 1972. Athens 1972 (Hellenews), p. 37.

of the arrivals in Rhodes, Corfu and Crete came as a result of organized tourism. Annual rates of return on investment capital of between 15 and 20 percent were estimated. Athens had annual bookings of between 80 to 85 percent of capacity whereas Rhodes with 4 to 8 months' occupancy reported annual bookings of from 35 to 65 percent of total capacity. Industry sources estimated that bookings of 35 percent of capacity would be sufficient to cover costs and yield a small profit. By the end of 1977 outstanding long term loans to tourist enterprises amounted to 25.6 billion drachmas and new long term loans were rising at the rate of 14 percent a year and amounted to 3.2 billion drachmas in 1977[63]).

4. Growth versus Expectations

The five year plan 1966/70 estimated that tourism would grow by 20 percent a year and that 2 million would arrive in Greece by 1970. Actual arrivals were 1.6 million in that year. In 1968 a long term projection of the Greek economy estimated that a 15 percent annual average growth of tourists was possible, which by 1980 would mean that 7 million tourists would be arriving each year, requiring a capacity of 250000 beds.

By 1972 an average annual increase of 15 percent was being forecast with 8 million tourist arrivals by 1980. This was regarded as a conservative figure in the light of the Greek experience of the 1960's and the growth of tourism in Spain[64]). In 1972 establishments were under construction with some 30000 beds and plans and loans had been approved for a further 57000 beds. The total number of beds available in that year was 128000 of which 118000 in class C to AA hotels. By the end of the Junta in 1974 it was evident that a good deal of overbuilding in poorly planned hotels had taken place in the intervening 7 years, many of which were built with officially sponsored financing and incentives. In 1975 about 100 hotels were reported to be either unfinished or bankrupt. In 1977 following a 33 percent rise in arrivals, the fore-cast was for a 10 percent rise in tourism compared with a prediction of 20 percent. According to the Hellenic Association of Travel Agents the levelling out in the number of tourists arriving was due to competition from the Spanish market which benefitted from a currency devaluation and the fact that several tour operators had taken over their own hotels in Spain. Greece was said to be suffering from high costs; hotel rates were increased by 25 percent and on islands like Rhodes with 10 percent of total hotel capacity and which depends on tour operators, the rise was even greater as a 20 percent discount off printed rates was cancelled under pressure from Corfu and Crete. Rhodes which had been adding 2000 beds a year in new capacity had no new ones planned in 1977 due to the fall in demand and perhaps because the National Tourist Organization had stopped granting loans on liberal terms.

The industry hoped to base further growth on North and South Americans higher incomes in order to compensate for the shortfall in growth of revenue. In 1976 17.4 percent of the increase in arrivals was from America and only 1.8 percent from

[63]) Tourism in Greece, op. cit., pp. 40/41; Zolotas, Report, op. cit., p. 50.
[64]) Tourism in Greece 1972, op. cit., p. 36; Draft of the Five Year Plan (1966–1970), op. cit., pp. 312/313; Long Term Prospects, op. cit., p. 83.

Europe. In 1977 the number of tourist arrivals rose by 8 percent with a rise in average expenditure per tourist particularly from high income areas such as the U.S. (31.1 percent) and Scandinavia (13.5 percent). It was also apparant that in real terms the expenditures of tourists were declining. Between 1970 and 1975 the average expenditure per foreign tourist rose from $ 154 to $ 226. In 1976 the average expenditure fell to $ 214. In real terms, taking into account the rise in consumer prices between 1966 and 1976, the average expenditure per foreign tourist was under $ 100 in 1976 (in 1966 prices) compared with $ 140 in 1966 as noted earlier.

Average expenditures per day in Greece by Tourists were less than in Spain, Italy, Morocco and Turkey in 1973, although Greece benefitted from a longer stay per tourist with 12 days in 1973 versus 5.6 in Italy and 8 in Spain. Greek tourists had managed to maintain the extraordinary growth of the 1960's through the 1970's by increasingly appealing to the mass market of European and to some extent Americans attracted by relatively low prices and large scale low cost air service, and by extending the average stay of those who came. The provisional 1968/72 plan predicted a conservative 10 percent annual growth in tourism. Future growth prospects would be critically affected by the ability of Greece to restrain costs in relation to competitor nations, to continuing to attract higher income tourists and to the international factors over which it has little control, namely the state of prosperity and hence income generation in the countries where the tourists might originate.

Land- und Forstwirtschaft

Harriet Austen, München

I. Einleitung

Griechenland kann heute nicht mehr als ausgesprochenes Agrarland bezeichnet werden, sondern weist nennenswerte Industrialisierungsansätze auf[1]). In den letzten zehn Jahren haben grundlegende Veränderungen in der griechischen Wirtschaftsstruktur zu einem Rückgang der ehemals dominierenden Stellung der Landwirtschaft zugunsten des Industrie- und Dienstleistungssektors geführt. Im Vergleich zu der Europäischen Gemeinschaft, der Griechenland 1981 beitreten wird, nimmt der Agrarsektor allerdings noch einen verhältnismäßig großen Platz in der Wirtschaftstätigkeit des Landes ein. Die relativ niedrige jährliche Wachstumsrate des Bruttoagrarproduktes seit 1960 von durchschnittlich 3,7 % zeigt allerdings, daß die Landwirtschaft hinter dem Industrialisierungsboom zurückgeblieben ist. Die Wachstumsraten der Industrieproduktion mit 6,2 % und des Dienstleistungssektors mit 5,9 % liegen dagegen über dem gesamtwirtschaftlichen Durchschnitt von 5,6 %. Die landwirtschaftliche Produktivität ist in Griechenland vergleichsweise gering, da ein Viertel der Erwerbsbevölkerung nur 14 % des Bruttoinlandsproduktes erzeugt. Ursache für die relativ schwache Entwicklung des Agrarsektors ist eine Reihe struktureller

Tabelle 1. Die Landwirtschaft in der Gesamtwirtschaft

	Griechenland		EG
	1966	1976	1976
Landwirtschaftliche Erwerbsbevölkerung in % der Gesamtzahl der Erwerbstätigen	53,8*	25,0**	8,2
Beitrag der Landwirtschaft zum Bruttoinlandsprodukt in %	23,9	14,0	5,4
Landwirtschaftliche Exporte in % der Gesamtexporte	62,5	31,7	7,5
Landwirtschaftliche Importe in % der Gesamtimporte	13,7	7,9	21,0

*) Angabe nur aus der Volkszählung 1961 verfügbar.
**) Nach neuesten Angaben der Agrarbank Griechenlands.

Quelle: National Statistical Service of Greece (NSSG): Statistical Yearbook of Greece 1967, 1977. Athens 1968, 1978, im folgenden NSSG: Statistical Yearbook. – EUROSTAT: Agrarstatistisches Jahrbuch 1974 – 1977. Brüssel 1975 – 1978.

---

[1]) Kommission der Europäischen Gemeinschaft: Stellungnahme zum griechischen Beitrittsgesuch. Bulletin der EG. Beilage 2/76. Brüssel 1976, S. 11.

und institutioneller Probleme, die eine Modernisierung und Umstrukturierung des Sektors entsprechend den in- und ausländischen Erfordernissen hemmen. Die Hauptschwächen der Landwirtschaft liegen in den kleinen, unproduktiven Betriebsgrößen, der Flurzersplitterung, dem niedrigen Mechanisierungsgrad und der damit einhergehenden niedrigen Arbeitsproduktivität. Eine bisher eher einkommens- als strukturorientierte Agrarpolitik ließ zudem bestehende Anbau- und Produktionsmethoden unangetastet.

II. Natürliche Regionen und ihre landwirtschaftliche Nutzung

Griechenland setzt sich aus einem kontinentalen Teil (Makedonien, Thrakien, Thessalien, Epirus und Zentralgriechenland), der Halbinsel der Peloponnes und einer Vielzahl von Inseln verschiedener Größenordnung zusammen. Das Festland wird von zahlreichen, bis zu 2500 m hohen Gebirgszügen zerklüftet. Die wenigen, verstreut liegenden und in ihrer Größe beschränkten Ebenen sind größtenteils aus trockengelegten Sümpfen, Seen und Flußtälern sowie aus Schwemmland an den Küsten entstanden. Als ausgesprochenes Gebirgsland – zwei Drittel der Gesamtfläche sind Hügel- und Bergland – bietet Griechenland denkbar ungünstige Voraussetzungen für eine produktive landwirtschaftliche Nutzung.

Von der Gesamtfläche des Landes (13,2 Mill. ha) sind lediglich ein Drittel (14,2 Mill. ha) für eine landwirtschaftliche Nutzung geeignet[2]). Tab. 2 zeigt, daß sich die Flächennutzung entsprechend der vertikalen Gliederung des Landes in drei naturräumliche Einheiten – Tiefland, halbbergiges und bergiges Land – entwickelt hat. Der Hauptanteil der pflanzlichen Produktion – mit Ausnahme von Frischobst, Oliven- und Weinerzeugnissen, die zur Hälfte aus halbbergigen und bergigen Gebieten stammen – wird im Flachland angebaut. Mit zunehmender Höhenlage nimmt dieser Anteil zugunsten der vom Ackerbau getrennt betriebenen Viehzucht (Weideflächen) und der Forstwirtschaft ab. Die steinigen, trockenen Böden in Hügel- und Gebirgslagen sind stark erosionsgefährdet und werden daher überwiegend für die Schaf- und Ziegenhaltung genutzt.

Die landwirtschaftliche Anbaufläche (ohne Brache 3,6 Mill. ha) ist zu zwei Drittel auf Acker-, Gemüse- und Gartenbauland aufgeteilt, 21 % sind mit Baumplantagen bedeckt, 5,4 % sind Weingärten. Das unbewässerte Land wird hauptsächlich für den Anbau von Ölbäumen, Weinstöcken und Getreide (Weichweizen) genutzt, die auf trockenem Boden gedeihen können. Insgesamt sind nur 27 % der landwirtschaftlichen Kulturfläche künstlich bewässert. „Der Minimumfaktor Wasser läßt eine volle Nutzung der übrigen natürlichen Produktionsfaktoren (insb. Wärme, Belichtung, Sonnenscheindauer, Bodenqualität) nicht zu."[3]) Bewässerte Flächen können intensiver und vielseitiger genutzt werden, da sie eine Ertragssteigerung um das Vielfache erlauben. Sie werden in Griechenland mit Obst, Gemüse, Industrie- und Futterpflanzen bebaut.

---

[2]) Das Statistische Amt Griechenlands zählt zur landwirtschaftlichen Fläche (agricultural land) nur das Ackerland, die Dauerkulturen und die Schwarzbrache dazu, nicht aber die 5,2 Mio. ha Wiesen und Weiden.

[3]) Burberg, P.-H.: Die Landwirtschaft in Griechenland. Struktur, Probleme, Agrarpolitik, in: Bougoukios, G. u. a.: Griechenland vor dem Beitritt zur EG. Münster 1977, S. 77.

Tabelle 2. Verteilung der Nutzflächen auf die naturräumlichen Einheiten (in 1 000 ha)

	Insgesamt	Ebene	Hügelland	Bergland
Gesamtfläche	13,19	4,0	3,5	5,7
davon: Landwirtschaftliche Fläche	3,57	2,10	0,85	0,60
darunter bewässert	0,94	0,66	0,16	0,11
Wiesen und Weiden	5,2	1,1	1,5	2,7
Waldfläche	2,6	0,29	0,72	1,86
Andere nichtlandwirtschaftliche Fläche	1,4	....	....	....
Ackerland	2,48	1,60	0,53	0,35
Gemüse- und Gartenbau	0,11	0,07	0,03	0,02
Weingärten	0,20	0,10	0,05	0,04
Baumplantagen	0,77	0,34	0,24	0,19
Brache	0,49	....	....	....

Anmerkung: Die griechische Nomosstatistik unterscheidet je nach Höhenlagen und Reliefverhältnissen:
1) Ebenen-Gemeinden *(pedinai koinotites)*: bis 199 m ü. d. M.; Flachrelief,
2) Hügelland-Gemeinden *(imiorinai koinotites)*: 200 – 499 m ü. d. M.; stärkeres Relief, und
3) Bergland-Gemeinden *(orinai koinotites)*: ab 500 m Höhe und starkes Relief.

Quelle: National Statistical Service of Greece: Agricultural Statistics of Greece 1976. Athens 1977, S. 15. – Loukakis, P.: Regionale Strukturprobleme in Griechenland unter Berücksichtigung des wachsenden Industrialisierungsprozesses. Aachen 1976, S. 52.

Flächenmäßig bleiben der griechischen Landwirtschaft nur geringe Expansionsmöglichkeiten. Produktionssteigerungen können daher nur über eine intensivere Nutzung vorhandener Anbauflächen erreicht werden.

Entsprechend der landwirtschaftlichen Nutzung lassen sich in Griechenland folgende Landbauzonen unterscheiden[4]):
1. Ackerbaugebiete nichtmediterranen Klimas
2. Mediterrane Anbauzone an den Küsten und auf den Inseln
3. Bergweiden und Hutungen.

Die *Ackerbaugebiete nichtmediterranen Klimas* spielen innerhalb der griechischen Landwirtschaft die bedeutendste Rolle, denn dazu zählen die ertragreichsten und am dichtesten besiedelten Gebiete des Landes. Sie umfassen die relativ großräumigen Ebenen im Norden Griechenlands – die „Thessalische Ebene" mit einer Fläche von 250 000 ha, die „Thessaloniki-Giannitsa-Ebene" mit 230 000 ha und die Großbeckenzone von Serres und Drama – sowie die kleineren Ebenen an den Küsten der West-Peloponnes (Arkadien, Ileia). Das Klima wird dort von trockenen, heißen Sommern mediterranen Typs sowie von strengen, kontinentalen Wintern geprägt. Der Boden im Flachland Nordgriechenlands besteht vorwiegend aus schwachsandigem, etwas humosem Lehm; in der westlichen Peloponnes dominiert kalkhaltiger Boden. Becken, Ebenen und Täler Nordgriechenlands dienen vor allem dem Anbau von Weizen, Mais, Reis, Industriepflanzen (Tabak, Baumwolle, Zuckerrüben) und Früchten, während in der West-Peloponnes der Anbau von Weizen, Mais, Wein und Baumwolle überwiegt.

---

[4]) Burberg, P.-H.: Die Landwirtschaft in Griechenland, a.a.O., S. 60.

Die *mediterranen Anbauzonen* sind in verhältnismäßig kleinen Ebenen entlang den Küsten und auf den größten Inseln, vor allem Kreta, verteilt. Zu den Landbauzonen dieses Typs gehören die westthrakische Küstenzone, die westliche Chalkidike-Halbinsel, der Küstenhof von Volos und Lamia, Südeuböa, die Ostattische Küstenzone, das Küstenland in Westgriechenland (Thesprotia, Akarnania), die Argolis, die Ionischen und Ägäischen Inseln sowie Kreta. Dort befinden sich – meist in Polykulturen – die Hauptanbaugebiete der typisch mediterranen Produkte, wie Zitrusfrüchte, Oliven, Wein und Tafeltrauben, Obst und Gemüse.

Bergweiden und Hutungen ziehen sich in halbbergigen und bergigen Regionen entlang den ackerbaulich genutzten Zonen. Aufgrund der Hangneigung, der Bodenbeschaffenheit und der geringen Mechanisierungsmöglichkeiten tritt hier der Ackerbau fast völlig zurück, eingestreut sind lediglich kleinere Getreideanbauflächen. Etwa 40 % der Gesamtfläche Griechenlands entfallen auf diese dünnbesiedelte Landbauzone, die in höher gelegenen Regionen in Wald, Macchia, Phrygana und unbewachsene Felsflächen übergeht. In den Berggebieten überwiegt eine extensive Schaf- und Ziegenhaltung, die nur zu 11 % bei Schafen und 8 % bei Ziegen noch als Wanderhirtentum betrieben wird. Eine besondere Form der Wechselweidewirtschaft (Transhumanz) ist noch auf der Peloponnes zu finden. Dort werden die Herden im Frühjahr von den Winterweideplätzen im Flachland in die bergigen Gebiete getrieben und kehren im Herbst wieder in die Täler zurück[5].

Die größten Regionen dieser dritten Landbauzone sind das Zentralhellenische und Epirotische Gebirgsland, das Bergland der nördlichen und westlichen Peloponnes, das Ostarkadisch-Lakonische Bergland und das Rhodope-Gebirge in Thrakien.

III. Organisation und Struktur der Landwirtschaft

Die Struktur der griechischen Landwirtschaft ist durch das Vorherrschen von Kleinstbetrieben, einer ungleichen regionalen Verteilung und einem hohen Zersplitterungsgrad des landwirtschaftlichen Besitzes gekennzeichnet. Diese Faktoren sowie die geringe Mechanisierung und die schwierigen Bebauungsbedingungen behindern die notwendige Erhöhung der Arbeitsproduktivität in diesem Sektor.

1. Betriebsgrößenstruktur und Eigentumsverhältnisse

Nach den Ergebnissen der Stichprobenerhebung 1971 (neuere Daten liegen noch nicht vor) gibt es in Griechenland insgesamt 1 036 600 landwirtschaftliche Betriebe mit einer Anbaufläche von 3,59 Mill. ha. Aus Tabelle 3 wird ersichtlich, daß 95 % aller Betriebe kleine Familienbetriebe mit weniger als 10 ha Land sind. Dabei bewirtschaften sie fast drei Viertel der gesamten Kulturfläche. Die Durchschnittsgröße eines Betriebes liegt bei 3,4 ha in Relation zur EG mit 15,5 ha. Ein Vergleich mit den Ergebnissen des Agrarzensus von 1961 zeigt eine Abnahme der Größenkategorien bis zu 10 ha um lediglich 100 000 Einheiten (–9,9 %) zugunsten der Mittel- und Großbetriebe.

---

[5]) Ebenda, S. 84.

Tabelle 3. Betriebsgrößenstruktur nach Anzahl der Betriebe und Verteilung der Anbaufläche 1971

Betriebsgrößenklassen	Betriebe		Anbaufläche (in 1 000 ha)	
	Anzahl	vH	Fläche	vH
0,1 - 0,9 ha	225 820	21,7	1 134	3,1
1 - 2,9 ha	384 320	37,0	7 025	19,5
3 - 4,9 ha	209 640	20,2	7 924	22,1
5 - 9,9 ha	164 340	15,9	10 929	30,5
10 - 19,9 ha	42 760	4,1	5 529	15,4
20 - 49,9 ha	8 840	0,8	2 432	6,8
50 ha und mehr	880	0,08	889	2,4
Insgesamt	1 036 600	100	35 862	100

Quelle: NSSG: Statistical Yearbook 1977, S. 174 ff.

Mit der kleinbetrieblichen Struktur hängt die Streulage des Landbesitzes eng zusammen. Ursache dafür sind die Realteilung bei Erbschaften, die Aussteuersitten und nicht zuletzt die Agrarreformen von 1917, 1923 und 1952, die eine Aufteilung des staatlichen und privaten Großgrundbesitzes zugunsten besitzloser Kleinbauern zum Ziel hatten. In Griechenland gehören im Durchschnitt 7,6 Parzellen mit einer durchschnittlichen Parzellengröße von 0,54 ha zu jedem landwirtschaftlichen Betrieb. Die 1953 gestarteten Flurbereinigungsprogramme umfaßten bisher 550 000 ha, d.h. 15 % der gesamten zu bereinigenden Fläche von 3,59 Mill. ha. Weitere 1 000 000 ha sind in den nächsten Jahren noch dafür vorgesehen; die Beteiligung kann freiwillig erfolgen, aber auch zwangsweise durchgeführt werden. Die Ergebnisse der Flurbereinigung werden jedoch vielfach durch erneute Teilung des Bodens aufgrund von Erbschaften oder Mitgift zunichte gemacht. Wegen der geringen Durchschnittsgröße der zusammengelegten Teilstücke erreicht man nur in seltenen Fällen eine für moderne Bewirtschaftungsmethoden erforderliche Größe.

Die Differenzierung nach Regionen zeigt ein Überwiegen von Klein- und Zwergbetrieben auf den Inseln, während in Makedonien, Thessalien und Thrakien, den landwirtschaftlich ertragreichsten Gebieten Griechenlands, eine relativ größere Anzahl von Mittel- und Großbetrieben zu finden sind. Auf diese Regionen konzentrieren sich 41 % aller landwirtschaftlichen Betriebe und fast die Hälfte der gesamten Anbaufläche.

Schätzungen zufolge wird 70 % der Kulturfläche von Eigentümern bebaut, ein Viertel ist verpachtet, der Rest gemischt bewirtschaftet[6]). Die Anzahl der Landwirte sinkt mit zunehmender Emigration und Abwanderung in die Städte; dabei sind Verkauf oder Verpachtung dieses Besitzes nicht so verbreitet wie in anderen Teilen Europas. Gegenwärtig arbeitet die Regierung einige Gesetzentwürfe aus, die auf eine Enteignung des mehr als acht Jahre verlassenen Landes zielen, um die Bodenmobilität zu fördern.

---

[6]) Panhellenic Confederation of Unions of Agricultural Cooperatives (PASEGES): Greek Agriculture. Athens 1978, S. 21.

2. Genossenschaftswesen und Kreditversorgung

Alle griechischen Genossenschaften[7]) sind auf Initiative der Agrarbank entstanden und werden von ihr kontrolliert. Die 6984 Genossenschaften verfügen über insgesamt 704 500 Mitglieder, d. h., 70 % aller Landwirte sind in Kooperativen organisiert. Mehr als zwei Drittel der Genossenschaften sind Kreditgenossenschaften, die als Vermittler der Agrarbank vor allem die kurzfristigen Kreditgeschäfte abwickeln. Produktionsgenossenschaften machen einen Anteil von 20 % aus, der Rest besteht aus einer unbedeutenden Anzahl von Absatz-, Input- und Konsumgenossenschaften. Die griechischen Kleinbauern lehnen aufgrund ihres ausgeprägten Individualismus und Mißtrauens gegenüber staatlichen Interventionen engere Kooperationsformen auf der Produktionsstufe ab. Größeres Interesse läßt sich eher für Marketing- und Verkaufsgenossenschaften erkennen, da diese eine Verminderung der Abhängigkeit der Landwirte von der monopolartigen Stellung der Händler und Vermittler zur Folge hätten.

Die 1929 gegründete Agrarbank ist die Hauptbankorganisation, die den landwirtschaftlichen Sektor mit kurz-, mittel- und langfristigen Krediten versorgt. Ihre Aufgabe besteht in der Realisierung und Überwachung der staatlichen Agrarprojekte. Daneben zeigt sie vielfältige Aktivitäten im Bereich des Genossenschafts- und Versicherungswesens, in der Errichtung von Verarbeitungsbetrieben und in der Versorgung der Landwirte mit Betriebsmitteln zu einheitlichen Preisen. Der Staat, d. h. die Notenbank, versorgt die Agrarbank zu 70 % mit Kapital, der Rest setzt sich zu 13 % aus Kundeneinlagen und zu 5 % aus Eigenkapital zusammen. Die starke Abhängigkeit der Agrarbank und damit des Genossenschaftswesens vom Staat wird als eine der Hauptschwächen der landwirtschaftlichen Organisation in Griechenland angesehen.

Das Kreditvolumen der Agrarbank betrug 1977 insgesamt 73,51 Mill. Drs.[7a]); dabei handelte es sich zu drei Viertel um kurzfristige Kredite mit Laufzeiten von bis zu einem Jahr[8]). Der Schwerpunkt liegt in diesem Bereich bei Anbaukrediten und bei Krediten an landwirtschaftliche Organisationen wie Genossenschaften und Agroindustrien. Mittel- und langfristige Kredite werden hauptsächlich zur Anschaffung von Maschinen und Geräten, zur Gründung und Erweiterung von landwirtschaftlichen Betrieben und Verarbeitungsanlagen sowie für Bewässerungsprojekte vergeben.

Neben den staatlichen Investitionsprogrammen dienen die Fonds der Europäischen Gemeinschaft gemäß den Verpflichtungen aus dem Assoziationsabkommen und Mittel internationaler Entwicklungsorganisationen wie der Weltbank und der Kreditanstalt für Wiederaufbau als weitere Finanzierungsquellen der griechischen Landwirtschaft. Sämtliche Mittel werden von der Agrarbank verwaltet und in die Investitionsprojekte geschleust.

---

[7]) Für die näheren Einzelheiten vgl. auch das Kapitel „Politisches System", Abschnitt „Parteien und Verbände" von Michael Kelpanides in diesem Band.
[7a]) Zum Kurs der Drachme: 1976 waren 1 DM = 13,4 Drs.
[8]) Agricultural Bank of Greece: Summary Report for 1977. Athens 1978.

IV. Landwirtschaftliche Produktion

Das Strukturbild der landwirtschaftlichen Produktion ist weder an inländischen Bedürfnissen noch an der Auslandsnachfrage orientiert.

Tabelle 4. Zusammensetzung der landwirtschaftlichen Produktion (in %)

	1960	1974
Pflanzliche Produktion	67,9	64,6
Tierische Produktion	26,1	30,8
Forstwirtschaft und Fischerei	6,0	4,6

Mit dem stark angestiegenen inländischen Verbrauch an höherwertigen Nahrungsmitteln, vor allem Fleisch, kann die tierische Produktion, die in Griechenland relativ unbedeutend ist, nicht Schritt halten. Qualität und ausgeführte Menge pflanzlicher Überschußprodukte, wie Obst, Gemüse, Tabak und Baumwolle, entsprechen häufig nicht den Erfordernissen des Weltmarktes. Forstwirtschaft und Fischerei decken kaum die Hälfte des inländischen Bedarfs.

1. Pflanzliche Produktion

Die Agrarlandschaft Griechenlands ist durch die jahrhundertealte Dreiheit von Getreideanbau, Weinreben- und Olivenkulturen gekennzeichnet. Allein die Anbaufläche von *Getreide* umfaßt 63 % des Ackerlandes, wobei die wichtigsten Getreidearten Weizen (vor allem Weichweizen), Gerste und Mais sind. Trotz sinkendem Pro-Kopf-Verbrauch steigen Produktion und Hektarerträge des im Ausland schwer absetzbaren und immer noch stark subventionierten Weichweizens. Die Regierung strebt – allerdings bisher mit geringem Erfolg – eine Verlagerung der Produktion auf Hartweizen (Durum-Weizen) an, dessen Absatzchancen auf dem Weltmarkt wesentlich günstiger beurteilt werden[9]. Zur Diversifizierung des Getreideanbaus wurde die Gerstenanbaufläche seit 1950 verdoppelt und die Produktion mehr als verdreifacht. Entgegen den inländischen Erfordernissen sank die Anbaufläche von Mais, der überwiegend als Futtermittel verwendet wird, von über 200000 ha im Jahre 1960 auf 125000 ha im Jahre 1975. Trotz des verminderten Anbaus stieg die Erzeugung aufgrund zunehmender Hektarerträge; der erhebliche Einfuhrbedarf konnte jedoch noch nicht reduziert werden. In den letzten Jahren mußten 700000–900000 Tonnen Mais jährlich importiert werden. Hauptanbaugebiete von Getreide, dem sich über die Hälfte aller landwirtschaftlichen Betriebe widmen, sind Makedonien, Thrakien und Thessalien, da sämtliche Getreidesorten zu 60 % im Flachland angepflanzt werden.

Die wichtigsten *Industriepflanzen,* auf die insgesamt 12 % des Ackerlandes und 20 % der pflanzlichen Produktion entfallen, sind Baumwolle, Tabak und Zuckerrü-

---

[9] Kersten, L.; Sommer, U., und Uhlmann, F.: Die zweite Erweiterung der EG. Probleme einer Erweiterung der Europäischen Gemeinschaften um Griechenland, Portugal und Spanien am Agrarmarkt. Braunschweig 1977, S. 23f.

Karte 7:   Landwirtschaftliche Anbaugebiete Griechenlands

aus: Rundschau für Soziologische Forschungen

ben. In den sechziger Jahren waren Tabak und Baumwolle noch die Hauptexport-
produkte Griechenlands; heute sind sie lediglich mit insgesamt 10 % an den Ge-
samtausfuhren beteiligt. Die Exportmöglichkeiten von Tabak werden durch überhöhte Erzeugerpreise, rückläufige Bedeutung des in Griechenland überwiegend an-
gebauten Orienttabaks sowie die zu langsame Umstellung der Produktion auf nach-
frageintensivere Tabaksorten wie Burley und Virginia begrenzt. Der Tabakanbau
ermöglicht eine effektivere Nutzung weniger fruchtbarer Böden Nordgriechenlands,
dem Hauptanbaugebiet dieses Erzeugnisses. Daraus entstehen wichtige Einnahme-
quellen für Kleinbetriebe, denen sich aufgrund der Bodenqualität begrenzte Pro-
duktionsalternativen bieten. Vom Tabakanbau leben allein 124 000 Familien, weitere 50 000 sind in der Weiterverarbeitung beschäftigt.

Der Schwerpunkt des Baumwollanbaus liegt in Thessalien – dort ist die Hälfte der
Anbaufläche konzentriert – sowie in Makedonien und Thrakien. Die wachsenden
Hektarerträge der letzten Jahre sind auf die zunehmende Bewässerung der Baum-
wollfelder sowie auf die steigende Anzahl der Baumwollpflückmaschinen (350
Stück) zurückzuführen. Etwa 80 000 Familien sind mit dem Anbau von Baumwolle
beschäftigt, der ebenso wie die Rohtabakerzeugung einen relativ hohen Arbeitsauf-
wand erfordert und nur begrenzte Mechanisierungsmöglichkeiten bietet. In beiden
Bereichen macht sich bereits ein durch die „Gastarbeiter-Bewegung" und allgemein
die Landflucht ausgelöster Arbeitskräftemangel bemerkbar. Zwischen 1961 und
1971 ist die Bevölkerung in den Hauptanbaugebieten von Tabak und Baumwolle bis
zu 10 % zurückgegangen. Als Exportprodukt entspricht die griechische Baumwolle
nicht immer den ausländischen Erfordernissen, da größere Mengen oft nur in unterschiedlicher Qualität lieferbar sind. Ein weiterer Faktor, der den Baumwollexport in
den letzten Jahren reduziert hat, ist der steigende Bedarf der stark expandierenden
inländischen Textilindustrie. Im Jahre 1976 wurden Rohbaumwolle im Wert von 1,6
Mrd. Drs. und Textilerzeugnisse im Wert von 7 Mrd. Drs. ausgeführt.

Mit der Inlandserzeugung von Zuckerrüben wurde erst 1960 begonnen, um Devisen für die hohen Zuckerimporte zu sparen und um die Diversifizierung der griechischen Landwirtschaft zu fördern. Der vollständig mechanisierte Anbau ist staatlich
geregelt, die Landwirte schließen Abnahmeverträge mit der „griechischen Zuckerindustrie" ab, die ihnen feste Preise garantiert. Im Jahre 1975 erreichte Griechenland mit einer Produktion von 282 000 Tonnen Zucker erstmalig die Selbstversorgung. Die fünf Betriebe der staatlichen „griechischen Zuckerindustrie" wurden in
den Hauptanbaugebieten von Zuckerrüben – Zentral- und Nordgriechenland – errichtet.

Der ständig steigende Lebensstandard der griechischen Bevölkerung hat zu einem
höheren Konsum von Obst und Gemüse geführt. Dementsprechend wurde die Produktion in den letzten Jahren ausgeweitet und intensiviert, wobei die Landwirte in
zunehmendem Ausmaß exportierbare Überschüsse erzielen. Allerdings sind nur
2 % der Gemüse- und 8 % der Obstproduktion für den Export vorgesehen.

Die *Gemüseanbaufläche* konzentriert sich auf die Küstengebiete in der Peloponnes, Ost-Makedonien, Thrakien, Thessalien, Euböa und Kreta. Der Schwerpunkt
liegt auf dem Anbau von Tomaten, auf die ein Drittel des Gemüsefreilandes entfällt.
Weitere wichtige Erzeugnisse sind Gurken, Paprika und Kartoffeln. Ausgeführt
wird vor allem Tomatenmark, wobei Griechenland neben Portugal, Spanien und Ita-

lien zu den wichtigsten Exporteuren zählt. Restriktive Einfuhrpraktiken behinderten in den letzten Jahren jedoch zunehmend den Absatz in der Europäischen Gemeinschaft, dem Hauptabnehmer des griechischen Tomatenkonzentrats, zugunsten des Mitgliedslandes Italien. Die wichtigsten *Obstsorten* sind Zitrusfrüchte, Pfirsiche, Aprikosen, Birnen und Äpfel. Zitrusbaumanlagen befinden sich hauptsächlich in der Argolis, auf Kreta (Chania) und im Epirus (Arta); Obstbaumplantagen sind dagegen weiter nördlich in den nichtmediterranen Anbauzonen verbreitet. Aus Makedonien kommen 70 % der Äpfel- und 92 % der Pfirsichproduktion, während 85 % der Aprikosenerzeugung aus Korinth und Arkadia stammen. Traditionelles Bestimmungsland der griechischen Pfirsiche, Aprikosen und Tafeltrauben ist die Bundesrepublik Deutschland, die 1976 allein 60–80 % der Exporte dieser Erzeugnisse aufnahm. Zitrusfrüchte werden vor allem vom Ostblock importiert.

Tabelle 5. Anbaufläche und Produktion der wichtigsten pflanzlichen Erzeugnisse seit 1960

Produkte	1960	1965	1970	1975	1978*
	Anbaufläche in 1 000 ha				
Getreide	1 765	1 174	1 593	1 545	1 528
davon: Weizen	1 142	1 258	975	910	954
Gerste	181	203	343	404	366
Mais	210	144	170	135	120
Baumwolle	165	136	143	135	155
Tabak	94	132	98	98	104
Zuckerrüben	25	16	26	44	46
Tomaten	27	27	34	40	40
Kartoffeln	38	56	59	54	56
Tafeltrauben	20	19	19	20	....
Sultaninen und Korinthen	81	84	82	69	....
Zitrusfrüchte	34	40	42	45	....
Sonstige Früchte	34	38	51	57	....
Olivenprodukte	416	463	518	572	....
	Produktion in 1 000 Tonnen				
Getreide	....	2 935	3 372	3 750	4 355
davon: Weizen	1 166	2 072	1 931	2 120	2 660
Gerste	240	338	737	916	955
Mais	288	249	511	488	536
Baumwolle	184	228	328	366	406
Tabak	64	126	95	119	127
Zuckerrüben	231	690	1 450	2 666	2 800
Tomaten	462	470	1 011	1 025	1 758
Kartoffeln	423	517	756	895	902
Tafeltrauben	87	188	193	227	223
Sultaninen und Korinthen	120	177	169	155	146
Zitrusfrüchte	283	570	593	811	663
Sonstige Früchte	....	519	693	915	745
Olivenprodukte	88	225	257	352	320

*) Vorläufige Zahlen nach Angaben des Agrarministeriums
Quelle: NSSG: Statistical Yearbook 1960–1976.

Innerhalb der Baumplantagen ist der Ölbaum mit 108 Mill. Bäumen am stärksten vertreten. Griechenland steht in der Welt an dritter Stelle, was die Anzahl der Bäume und die Olivenölproduktion betrifft, und an zweiter Stelle als Exporteur von Tafeloliven. Die Olivenölerzeugung dient fast ausschließlich dem heimischen Verbrauch, während etwa ein Drittel der Tafelolivenproduktion ausgeführt wird. Olivenöl wird hauptsächlich in der Peloponnes, auf Kreta sowie auf den Ägäischen und Ionischen Inseln hergestellt; Tafeloliven stammen aus Zentral-, Nord- und Nordwestgriechenland und der Südpeloponnes (Messenien, Lakonien). Etwa 420 000 Familien leben vom Olivenanbau, der eine Nutzung karger, unfruchtbarer und trockener Böden in den Mittelmeerländern erlaubt.

Der *Trauben- und Weinproduktion* dienen die Küstenregionen in Kreta, in der Peloponnes (Korinth, Achaia) und Attika; Korinthen und Sultaninen, weitere wichtige Exportprodukte des Landes, stammen zu 98 % aus der Peloponnes (Korinth, Ileia). Griechenland steht in der Weltproduktion von Korinthen an erster und von Sultaninen an dritter Stelle. Großbritannien importiert fast die Hälfte der Korinthenproduktion, Sultaninen werden hauptsächlich vom Ostblock aufgenommen. Die Ausdehnung der Weinausfuhren in die Hauptabnehmerländer der EG ist allerdings im Rahmen des Assoziationsvertrages durch Kontingente begrenzt, die über 15 Jahre nicht verändert wurden. Tabelle 5 faßt die Anbaufläche und die Produktion der wichtigsten pflanzlichen Erzeugnisse zwischen 1960 und 1978 zusammen.

2. Viehzucht

Im Vergleich zu den meisten europäischen Ländern, in denen die Viehzucht den Schwerpunkt der landwirtschaftlichen Produktion bildet, ist diese in Griechenland relativ unbedeutend. Die Gründe dafür liegen in der begrenzten Anzahl von Tieren guter Qualität, der geringen natürlichen Vegetation, dem Fehlen größerer Viehzuchtbetriebe und in der ineffizienten Nutzung des Weidelandes. In der Nutzviehhaltung dominieren Schafe mit 8,3 Mill. Stück und Ziegen mit 4,5 Mill. Stück, die vorwiegend in den heißen und trockenen Regionen der halbbergigen und bergigen Gemeinden gehalten werden. Der wesentlich niedrigere Rinderbestand (1,1 Mill. Stück) ist auf bewässertes Acker- und Weideland mit Grünfutteranbau angewiesen. Nur 1 % aller landwirtschaftlichen Betriebe widmet sich ausschließlich der Viehzucht; auf einen Betrieb entfallen im Durchschnitt drei Rinder, zehn Ziegen und 28 Schafe. Obwohl die Fleischproduktion in den letzten Jahren stark angestiegen ist (vor allem Rind-, Schweine- und Geflügelfleisch – s. Tabelle 6), kann die tierische Produktion den heimischen Bedarf nicht decken. Importe von Fleisch, lebenden Tieren, Milch und Molkereiprodukten sind mit derzeit 8 Mrd. Drs. und einem Anteil von 41 % an den gesamten landwirtschaftlichen Einfuhren relativ hoch. In den letzten Jahren sind daher die Fleischimporte durch staatliche Maßnahmen, vor allem durch Streichung der Verbrauchersubventionen, begrenzt worden[10].

---

[10] Bundesstelle für Außenhandelsinformation: Griechenland. Landwirtschaft und Ernährungsindustrie. Köln 1977, S. 21.

Tabelle 6. Entwicklung der tierischen Produktion (in 1 000 Tonnen)

Produkte	1960	1965	1970	1975	1978*
Fleisch insgesamt	159	215	304	472	480
Rindfleisch	29	62	90	123	101
Schweinefleisch	28	47	52	110	124
Schaf- und Lammfleisch	53	53	60	77	80
Ziegenfleisch	28	25	31	39	39
Geflügelfleisch u. a.	20	27	71	114	132
Milch	920	1 109	1 358	1 692	1 696
Butter	11	7	7	7	7
Käse	83	98	116	146	154
Eier	53	82	96	107	118
Schafwolle	11	8	8	9	9
Häute und Felle (in Stück)	6 602	6 781	7 591	7 841	. . . .

*) Vorläufige Daten nach Angaben des Agrarministeriums
Quelle: NSSG: Statistical Yearbook 1960–1976. Athens 1961–1977.

3. Forstwirtschaft

Nach Angaben des Landwirtschaftsministeriums sind 19 % der Gesamtfläche Griechenlands mit Wald bedeckt (2,5 Mill. ha), im Vergleich zu fast 50 % bis Mitte des 19. Jahrhunderts. Nur 4 % der Waldfläche wird intensiv genutzt, weitere 24 % werden in geringem Umfang bewirtschaftet, und die übrigen 72 % bleiben forstwirtschaftlich ungenutzt[11]). Die Waldbestände Griechenlands lassen sich in vier Kategorien einteilen: Kaltzonen-Koniferen (Tannen, Schwarzkiefern, Fichten), Mittelmeer-Koniferen (Aleppo-Kiefern, Strandkiefern, Pinien, Zypressen), Edellaubbäume (Eiche, Kastanie, Buche usw.) und Edelnadelholzbäume[12]). Die Wälder mit dem größten Holzanteil befinden sich im Pindos-Gebirge, das sich in Zentralgriechenland von Norden nach Süden erstreckt. Zwei Drittel der Wälder gehören dem Staat, der Rest ist in Besitz von Privatleuten, Klöstern und Genossenschaften.

Aufgrund von Erosion, Waldbränden, Viehfraß – die Hälfte des Waldes wird noch als Viehweide benutzt – und unsachgemäßer Abholzung ist der Zustand der Wälder stark beeinträchtigt. Außerdem ist der Großteil der Bäume mangels Holzqualität nur als Brennholz verwendbar, nur 900 000 cbm des jährlichen Ertrages von etwa 2,8 Mill. cbm sind als Nutzholz (Säge- und Industrieholz) geeignet. Tab. 7 gibt Auskunft über die wichtigsten forstwirtschaftlichen Produkte, wozu in den Mittelmeerländern nicht nur Holz, sondern auch die Harzgewinnung vor allem aus Aleppo-Kiefern zählt.

Der heimische Bedarf an Holz und Holzprodukten kann durch die Forstwirtschaft und ihre insgesamt 11 748 Verarbeitungsbetriebe nur zu einem Viertel gedeckt werden. Daher sind beträchtliche Importe vor allem von Schnitt- und Rundholz er-

---

[11]) „Griechenland – Forstwirtschaft noch wenig entwickelt", in: Nachrichten für Außenhandel 78 vom 21.4. 1976. Frankfurt/M.
[12]) Tsoumis, G.: Die griechische Forstwirtschaft – aktuelle Lage und Ausblick, in: Verband der europäischen Landwirtschaft. 29. Generalversammlung. Athen 1978.

forderlich. Für Holz und Holzprodukte wurden im Jahre 1976 Devisen in Höhe von 4,5 Mrd. Drs. aufgewendet. Durch die Wiederaufforstung, die aufgrund unzureichender staatlicher Mittel nur langsam voranschreitet, könnte innerhalb von 15 Jahren eine zusätzliche Holzerzeugung von 1 Mill. cbm erzielt werden[13]). Die jährlich wiederaufgeforstete Fläche schwankte bisher zwischen 26 000 und 62 000 ha. Vom Staat wurden beispielsweise der Landwirtschaft zwischen 1964 und 1974 insgesamt 278,5 Mrd. Drs. gewährt, der Forstwirtschaft lediglich 2,3 Mrd. Drs. Erst seit 1975 sind die jährlichen Aufwendungen für diesen Sektor gegenüber 1974 verdreifacht worden.

Tabelle 7. Entwicklung der forstwirtschaftlichen Produktion seit 1970

Produkte	1970	1971	1972	1973	1974	1975	1976
in 1 000 cbm							
Rundholz (Bauholz)	427	436	444	382	381	480	414
in 1 000 Tonnen							
Brennholz	572	599	591	592	496	497	533
Holzkohle	10	11	35	23	19	19	15
Harz	22	23	20	20	21	24	23
Buschwerk	341	252	324	202	175	...	...
Oregano	2						

Quelle: NSSG: Statistical Yearbook 1977, S. 207. – dass.: Agricultural Statistics of Greece 1976. Athens 1977, S. 103.

4. Fischerei

Die geographische Struktur Griechenlands läßt mit einer ausgedehnten Küstenlinie von ca. 15 000 km und den zahlreichen Inseln günstige Voraussetzungen für den Fischfang vermuten; die Selbstversorgung bei Fisch beträgt jedoch schätzungsweise nur 50 %[14]). Die Hauptschwächen dieses Sektors bestehen in der niedrigen Produktivität, den hohen Kosten, den veralteten Fangmethoden, dem mangelhaften System der Kühlhaltung sowie der Verarbeitung und Verteilung. Problematisch sind außerdem die nachlassenden Fischvorkommen und der anhaltende Rückgang der Arbeitskräfte.

Das Fangergebnis ging in den letzten Jahren trotz der steigenden Anzahl der Schiffe (1972: 2194, 1976: 3152) ständig zurück. Im Jahre 1973 wurden noch 120 000 Tonnen Fisch angelandet. 1975 waren es nur noch 93 000 Tonnen. Über die Hälfte des Fangergebnisses wird von der Atlantik- und Hochseefischerei erzielt; die Küstenfischerei als traditioneller Typ ist quantitativ weit weniger bedeutend. Die griechische Fischverarbeitung nimmt nur 3500 Tonnen des jährlichen Fischaufkommens auf, ihre Verarbeitungskapazität, die bei 4500 Tonnen im Jahr liegt, wird nicht voll ausgelastet. Außerdem ist der Gewerbezweig in zunehmendem Ausmaß dem ausländischen Konkurrenzdruck – vor allem aus der Europäischen Gemein-

---

[13] „Griechenland – Forstwirtschaft noch wenig entwickelt", a.a.O.
[14] Bundesstelle für Außenhandelsinformation: Griechenland. Landwirtschaft und Ernährungsindustrie, a.a.O., S. 39.

schaft – ausgesetzt, da die Fischkonserven von diesen Ländern wesentlich billiger angeboten werden. Die 1976 importierten frischen und verarbeiteten Fische in der Größenordnung von 26000 Tonnen entsprachen einem Wert von 989 Mill. Drs. Dem Wirtschaftszweig werden in Zukunft geringe Entwicklungschancen zugesprochen, da sich die Schwierigkeiten aufgrund des EG-Beitritts noch verschärfen können.

V. Maschinenbestand, Handelsdünger und Pflanzenschutzmittel

Aus dem saisonalen Arbeitskräftemangel infolge steigender Landflucht ergab sich in zunehmendem Ausmaß die Notwendigkeit zur *Mechanisierung* der Landwirtschaft. Der Maschinenpark umfaßte 1976 in diesem Sektor 167000 Traktoren, 245185 Pumpen, 90672 Beregnungsanlagen, 44476 Sämaschinen und 5511 Mähdrescher[15]). Seit 1955 konnte der Grad der Mechanisierung erheblich gesteigert werden, was auch durch die abnehmende Ackerfläche pro Traktor zum Ausdruck kommt: Im Jahre 1955 entfielen 250 ha Ackerland auf einen Traktor, 1975 waren es nur noch 14,5 ha. Der Bestand an landwirtschaftlichen Maschinen und Geräten entspricht noch immer nicht den Erfordernissen einer modernen Landwirtschaft. Nur 46 % aller Betriebe verfügen über einen Traktor, der Prozentsatz variiert jedoch stark mit der Betriebsgröße. Großbetriebe ab 20 ha Land sind zu 80–90 % mit eigenen Zugmaschinen ausgerüstet, Kleinbetriebe mit weniger als 20 ha nur zu 17,4 %. Dabei erweisen sich die „Minifundien" als Haupthindernis gegen die volle Ausnutzung landwirtschaftlicher Maschinen.

Nach dem Zweiten Weltkrieg ist die inländische Produktion von landwirtschaftlichen Maschinen und Geräten zwar beträchtlich gefördert worden, kann aber dem heimischen Bedarf nicht voll gerecht werden. Für den Import entsprechender Erzeugnisse mußte Griechenland 1976 Devisen im Wert von 3,3 Mrd. Drs. aufwenden.

Infolge der vom Ackerbau getrennt betriebenen Viehzucht entfällt die Versorgung der Ackerflächen mit natürlichem Dünger. Unter den fast ausschließlich verwendeten *Handelsdüngersorten* steht der Verbrauch von Stickstoff mit 255000 Tonnen an erster Stelle, gefolgt von Phosphat- und Kalidüngemitteln mit 157000 Tonnen und 25100 Tonnen[16]). Seit 1965 hat sich der Verbrauch an künstlichen Nährstoffen verdoppelt, ist aber mit 109 kg/ha im Vergleich zur EG mit 152 kg/ha und besonders der Bundesrepublik Deutschland mit 241 kg/ha noch zu niedrig. Das Monopol der Düngemittelverwaltung liegt in Griechenland in Händen der vom Staat abhängigen Agrarbank, die den Dünger zu festgesetzten Preisen aus der inländischen Produktion kauft und ihn über ihre Beratungsstellen an die Landwirte verteilt. Um die Produktionskosten der Bauern möglichst niedrig zu halten, wird der Handel mit Düngemitteln vom Staat subventioniert. In den letzten Jahren sind die Importe von Düngemitteln ständig zurückgegangen, da mittlerweile vier inländische Firmen den gesamten Bedarf an Stickstoff- und Phosphatdüngemitteln decken.

Der Markt für *Schädlingsbekämpfungs- und Pflanzenschutzmittel* hat erst seit 1972 eine beträchtliche Expansion erlebt. In diesem Zeitraum wurden acht griechi-

---

[15]) National Statistical Service of Greece: Agricultural Statistics of Greece 1976. Athens 1978, S. 70.
[16]) PASEGES: Greek Agriculture, a.a.O., S. 25.

sche Firmen gegründet, Produktion und Einfuhr stiegen von insgesamt 0,7 Mrd. Drs. im Jahre 1971 auf 1,2 Mrd. Drs. 1975. Schätzungsweise ein Drittel des Angebots stammt vom inländischen Markt, auf dem die Agrarbank (Marktanteil 30 %) und private Unternehmen konkurrieren. Die Industrie befürchtet eine Beeinträchtigung des Einsatzes moderner Agrochemikalien durch zunehmende Aktivitäten der Agrarbank, da diese sich für den Schutz des Verbrauchers vor gesundheitsschädlichen Mitteln und für Preisstabilität verantwortlich fühlt.

In der regionalen Verteilung liegen die Gebiete mit der relativ günstigsten Betriebsgrößenstruktur – Thessalien, Makedonien und Thrakien – sowohl im Mechanisierungsgrad als auch in der Düngemittelverwendung an erster Stelle. Dabei besteht ein direkter Zusammenhang zwischen Bodentopographie und Technisierung der Betriebe, da in diesen Regionen der Flachlandanteil überwiegt.

VI. Agrarpolitik

1. Ziele und Instrumente der Agrarpolitik

Hauptziele der griechischen Agrarpolitik sind die Steigerung der landwirtschaftlichen Produktion durch Produktivitätserhöhungen sowie die Sicherung der Agrareinkommen. Das erste, eher langfristig orientierte Ziel beinhaltet die Umstrukturierung und Modernisierung der landwirtschaftlichen Betriebe im Hinblick auf die Harmonisierung der Agrarpolitik Griechenlands und der Europäischen Gemeinschaft. Das kurzfristige soziale Ziel umfaßt die Steigerung der landwirtschaftlichen Einkommen, das Schließen der Lücke zwischen Agrareinkommen und demjenigen anderer Wirtschaftssektoren sowie eine Nivellierung der Schwankungen der landwirtschaftlichen Einkommen aufgrund unterschiedlicher Wetterbedingungen[17]).

Seit 1967 werden die Ziele der Agrarpolitik mit folgenden, damals modifizierten preis- und einkommenspolitischen Maßnahmen verfolgt:

1. Interventionspreissystem und produktgebundene Ausgleichszahlungen für nichtverderbliche Erzeugnisse (Weizen, Gerste, Mais, Reis, Hülsenfrüchte, Olivenöl, Rosinen, Tabak und getrocknete Feigen). Die Interventionspreise beziehen sich auf das EG- bzw. Weltmarktpreisniveau. Übersteigen die Produktionskosten den Mindestpreis, erhalten die Erzeuger eine Beihilfe, die mit steigender Produktivität abgebaut wird. Diese kompensatorischen Zahlungen werden heute nur noch bei Tabak, Baumwolle und Rosinen angewandt.

2. Für verderbliche Güter wie Obst und Gemüse erfolgt die Preisstützung indirekt über Ausfuhrerstattungen an die Exporteure unter der Bedingung, daß sie den Produzenten einen festgesetzten Preis zahlen.

3. Bestimmte Formen der Preispolitik beziehen sich nur auf ein Produkt. Im Fall von Baumwolle garantiert der Staat einen Mindestpreis, die Produzenten können jedoch auch zu laufenden Marktpreisen verkaufen. Fällt der Marktpreis unter den Mindestpreis, zahlt ihnen der Staat die Differenz. Für Zuckerrüben wird jedes Jahr ein Garantiepreis festgesetzt, der den Ernteergebnissen angepaßt ist. Die staatlich

---

[17]) Eine präzise Formulierung der agrarpolitischen Ziele erfolgt in den jeweiligen Fünf-Jahres-Plänen.

kontrollierte griechische Zuckerindustrie ist verpflichtet, zu diesem Preis die gesamte Produktion derjenigen Landwirte abzukaufen, mit denen sie Abnahmeverträge abgeschlossen hat.

4. Für tierische Erzeugnisse existieren keine vergleichbaren Garantien, wie sie in Form von Mindestpreisen oder Stützungszahlungen für die meisten pflanzlichen Produkte vorgesehen sind. Nur gelegentlich werden für Geflügelfleisch, Eier und Schweine interventionspolitische Maßnahmen angewandt; einzig für Schafmilch existiert ein garantierter Mindestpreis. Für Rinder und Kälber wird ein Höchstpreis auf der Erzeugerstufe festgesetzt; die Preise aller anderen Produkte bilden sich frei am Markt.

5. Einkommenspolitische Maßnahmen bestehen hauptsächlich in Inputbeihilfen für den Kauf von Maschinen, Düngemitteln und Saatgut und variieren je nach Art des pflanzlichen Produktes. Für die Viehzucht sind hohe Beihilfen für die Errichtung von Gebäuden, die maschinelle Ausstattung und den Kauf von Tieren vorgesehen. Daneben werden direkte Einkommensbeihilfen für bestimmte Produkte an Kleinbetriebe (Weichweizen, Gerste, Baumwolle, Rinder- und Hammelzucht) sowie für die Produktion in bergigen Gebieten (Weizen, Gerste) gewährt.

Die staatliche Preis- und Einkommenspolitik wurde bisher weniger als Lenkungsinstrument im Hinblick auf die notwendige Umstrukturierung des Sektors eingesetzt, sondern vielmehr als Mittel zur Stützung der landwirtschaftlichen Einkommen. Dadurch erreichte man eine Konservierung bestehender Anbau- und Produktionsmethoden. Erst im Rahmen des Beitrittsgesuchs Griechenlands zur EG zählt die Anpassung der Produktionsstrukturen, der Gesetzgebung und der Organisation der Landwirtschaft an den EG-Standard zu den wichtigsten Zielen[18]).

Dabei stehen primär die Intensivierung der Erzeugung und Verringerung der Flurzersplitterung im Vordergrund; erst sekundär wird eine Betriebsvergrößerung angestrebt.

2. Die Bedeutung des griechischen EG-Beitritts für die Agrarpolitik

Die Harmonisierungsbestrebungen der Agrarpolitik Griechenlands und der Europäischen Gemeinschaft gemäß dem Assoziationsabkommen von 1962 blieben bis 1974 aufgrund von Meinungsverschiedenheiten zwischen den Verhandlungspartnern und dem „Einfrieren" der Beziehungen während der griechischen Diktatur wenig erfolgreich. Erst in Verbindung mit dem Beitrittsgesuch wurden auch die Harmonisierungen im Agrarbereich wiederaufgenommen. Für Griechenland ist die Vollmitgliedschaft, die 1981 vollzogen sein wird, mit der Übernahme aller Bestimmungen der gemeinsamen Agrarpolitik, insbesondere der EG-Marktordnungen, Abschöpfungen und Ausfuhrerstattungen sowie eine Beteiligung an den Agrar- und Regionalfonds verbunden. Während einer Übergangszeit, die je nach Produktart 5–7 Jahre beträgt[19]), wird Griechenland eine Angleichung seiner erheblich differie-

---

18) „Griechenlands Landwirtschaft im Zeichen des EG-Beitritts", in: Nachrichten für den Außenhandel 201 vom 16. 10. 1978. Frankfurt/M.
19) Eine Übergangszeit von 7 Jahren ist nur für Pfirsiche und Tomaten vorgesehen, Produkte, die in der bisherigen EG bereits im Überfluß produziert werden.

renden Preis- und Einkommenspolitik an die EG-Regelungen vornehmen. Bei den meisten unter die EG-Marktordnungen fallenden Produkten liegen die Erzeugerpreise in Griechenland niedriger als in der Gemeinschaft (insbesondere bei Obst, Gemüse und Wein). Eine Agrarpreisangleichung führt daher zu Einkommenssteigerungen bei den betreffenden Landwirten sowie zu einer Produktionsstimulierung. Damit eng verbunden ist die Gefahr einer Überschußbildung bestimmter, in der EG bereits reichlich vorhandener Erzeugnisse (Wein, Orangen, Pfirsiche und Tomatenmark), wobei Griechenland vor allem mit Italien und Frankreich konkurrieren wird. Aufgabe der griechischen Agrarpolitik ist es daher, „schon jetzt die Produktion von Agrarerzeugnissen zu drosseln, die im Mittelmeerraum als empfindlich gelten, und dafür die Produktion seiner spezifischen Komplementärerzeugnisse auszubauen"[20]), um somit eine Ausrichtung auf die Absatzmöglichkeiten in der EG vorzunehmen.

Als erster Schritt sind die Weltbankkredite im Wert von 30 Mill. US-Dollar und ergänzende Mittel der griechischen Regierung in Höhe von 54 Mill. US-Dollar zu werten, die in den nächsten fünf Jahren der Verbesserung von Produktivität und Absatz außersaisonaler Obst- und Gemüsesorten für Nordeuropa dienen sollen.

Weitere Probleme ergeben sich aus dem allgemein niedrigen Entwicklungsstand der Landwirtschaft, der hohen Anzahl der in diesem Sektor Tätigen und ihrem niedrigen Einkommen sowie aus den bestehenden strukturellen und institutionellen Schwächen. Nur eine konsistente und funktionsfähige griechische Agrarpolitik kann in Zusammenarbeit mit den zuständigen Gremien der EG den vielfältigen Problemen und Anforderungen, die sich nach dem Beitritt für die griechische Landwirtschaft ergeben, begegnen.

---

[20]) Europäische Gemeinschaft: Studie des Wirtschafts- und Sozialausschusses über: „Die Beziehungen zwischen der Gemeinschaft und Griechenland". Brüssel 1978, S. 126.

Foreign Economic Relations

George A. B. Kartsaklis, Halifax, Nova Scotia

1. The Place of Greece in World Economy – II. The Balance of Payments Deficit and its Cause – III. Balance of Payments Strategy – IV. The Balance of Trade Deficit and its Long Run Management – V. Some: Aspects of Greek Exports – VI. Greece's Propensity to Import and Related Issues – VII. Greece and the European Community – VIII. Concluding Remarks – IX. Statistical Annex

I. The Place of Greece in the World Economy

If we assume, as does modern economic theory [5] [6] [19] [32], that the export and import of commodities might satisfactorily measure a country's contribution to international economic activity, Table 1 suggests that, from an international or even from a European perspective, the Greek contribution is quite insignificant. Obviously, world economy could flourish very well without Greece's participation. However, from a Greek perspective, it is important to notice that the country maintains intensive economic relations with the rest of the world. Consequently, one of the main tasks of the present chapter is to ascertain the nature and strength of the links between the Greek and the world economies.

Since exchange of goods and services as well as autonomous movements of financial wealth are undertaken in the contemporary world by means of money and credit, the international economic relations of Greece are reflected by her balance of payments rather than by her balance of trade. The latter quantitative concept which is used in this chapter to include both goods and services is narrower than the former [13; p. 62]; they coincide with each other if, and only if, autonomous movements of funds (= financial wealth) are either balanced or zero. Our first task then will be to cast light on the situation and the trend which prevailed in the balance of payments of Greece during the last thirty years. Within this broad framework, there is ample opportunity to touch on a variety of related issues, including *inter alia* the *intra*-Greek dispute about the vital question of whether the national economy and wealth can be expected to gain from the country's accession to the EEC (= European Economic Community). Of course, the extent of our exposition is severely restricted, more due to the limited space and time available for preparation than to shortage of statistics.

It is said that the situation which at times dominates over the balance of payments, as well as its variations, ought to be viewed as circumstances void of value judgements [17; p. 289] [40; p. 135]. Nonetheless, the purpose of this argument does not seem to be a refutation of the fairly common thesis in economics that the balance of payments and its alternations turn out to exert a lasting influence upon the activity of the domestic economy [8; p. 176] [10; p. 356 ff.] [18] [42] [59; Chapter IX, pp. 162–202] [60; p. 2f.] [70; p. 121). Clearly, the history of economies with (institutionalized) systems of indirect (= nonbarter) exchange demonstrates that not so much the short-run outcome of the balance of payments as the long-run, i.e. a purely pecu-

Table 1. Greece's Percentage Share in World Trade

Year	World		EEC		Industrial Countries		Other Europe	
	EX	IM	EX	IM	EX	IM	EX	IM
1958	0.18	0.52	0.88	2.61	0.34	0.90	5.88	12.24
1959	0.17	0.49	0.79	2.46	0.30	0.85	5.56	11.76
1960	0.46	0.14	2.14	0.65	0.82	0.24	10.34	4.08
1961	0.52	0.16	2.08	0.65	0.82	0.25	10.71	5.00
1962	0.57	0.15	2.11	0.60	0.87	0.23	11.48	4.65
1963	0.60	0.21	2.14	0.82	0.90	0.32	11.59	6.38
1964	0.60	0.19	2.15	0.72	0.91	0.28	11.54	5.77
1965	0.67	0.17	2.43	0.65	1.02	0.26	12.36	5.36
1966	0.67	0.26	2.34	0.93	0.97	0.37	10.91	6.58
1967	0.64	0.30	2.26	1.05	0.92	0.42	10.43	7.32
1968	0.66	0.27	1.73	0.71	0.95	0.37	11.76	6.90
1969	0.73	0.27	1.89	0.71	1.05	0.38	11.84	6.36
1970	0.74	0.27	1.91	0.70	1.08	0.37	11.67	6.35
1971	0.76	0.24	1.97	0.61	1.10	0.34	12.00	5.56
1972	0.80	0.26	2.04	0.65	1.14	0.36	12.45	5.68
1973	0.82	0.30	2.10	0.76	1.19	0.42	12.61	6.58
1974	0.69	0.29	1.86	0.83	1.04	0.45	10.41	7.17
1975	0.69	0.34	1.93	0.94	1.09	0.51	10.64	8.19
1976	0.74	0.33	2.02	0.92	1.14	0.50	11.80	7.79
1977	0.72	0.33	2.00	0.92	1.10	0.51	11.54	7.73
1978	0.72	0.34	1.96	0.91	1.10	0.50	12.37	7.62

Sources: Estimations made according to the statements of table "Greece in World Trade".

niary phenomenon, affects either both the financial sector of a given economy and its real sector, or the latter through anomalies occurring in the former or, even, the former via irregularities emerging in the latter [55] [67]. In particular, the first case usually ensues whenever both the balance of trade and the balance of autonomous movements of financial assets are upset at the same time. The second instance surfaces in the wake of disturbances in the balance of autonomous movements of financial wealth. Finally, the last event takes place when the trade of goods and services can no longer be balanced.

At this point, it should be borne in mind that reciprocity of the state of affairs constitutes an essential characteristic of economics. This means that in economics everything depends on everything else, and only the kind of information we want to obtain may force us to decide what is cause and what is effect. Thus, as soon as economic relations are explicitly formulated, they prove to be reversible. In our context, this fact is of immense importance. The recognition that the economic relations of Greece with the rest of the world happen to have a certain effect on the domestic economy should by no means stop us from realizing that the activity of the domestic economy is responsible to a large extent for the pattern that the foreign economic relations of Greece show today. Given the sovereignty to the country, it is realistic to attach more relevance to the second type of causal nexus than to the first.

Indeed, it is the major task of the present chapter to illustrate this second aspect of Greece's economic relations with the world. Nevertheless, by analysing the impact of

Greece's domestic economy upon her balance of payments, we are implicitly examining a significant, if not the most important, dimension of the performance which Greek capitalism has accomplished over the last thirty years. The present chapter is therefore a natural continuation of the chapter "Economic System". It follows that all the economic and econometric concepts that have been utilized there apply here, too.

II. The Balance of Payments Deficit and its Cause

Since the era of mercantilism [67; Chapters I & II], which implanted the notion of national economy in the history of economic thought, macroeconomics has never ceased to pay particular attention to the balance of payments and, above all, to changes in its composition. As a result, contemporary economists are simply not aware of the fact that the economic activity of a sovereign nation is subjected to restrictions posed *inter alia* by the balance of payments [8; op. cit.] [10; loc. cit] [43; Chapter IV, p. 82ff] [44; p. 35ff] [60; ib.] [65; Chapter IV; p. 55f] [66; p. 52ff] [75; Part II, Chapter III, p. 475ff]. By neglecting the "cosmopolitan" aspects of the mutual relations between different economies in favour of the "national" doctrine [14; p. 251ff], some economists like Zolotas who are charged with the responsibility of policy-making feel compelled to stress that "... external deficits are very dangerous for the domestic economy" [70; p. 120]. Among other things, macroeconomics uses the state of the balance of payments as a criterion to judge the performance of an economic system. No doubt, the international esteem enjoyed by the capitalism of (West) Germany and Japan is largely attributable to the balance of payment surpluses that really distinguish these countries.

Lasting deficits in the balance of payments have always bewildered economists in industrial societies. Since shortcomings of the balance of autonomous movements of funds are in essence directly uncontrollable by economic policy and quantitatively of minor significance in several countries of the world, the deficits under consideration are usually ascribed to deficiencies of the balance of trade which reflect the inability of a given economic system to cope with the pace of industrial development.

Granted this, Tables 25 and 2 indicate that, despite the obviously great success in the area of consumer welfare, Greece's *laissez-faire* system has so far failed to create economic forces capable of keeping pace with the industrial development of the world. Evidently, domestic production could not be shaped in such a way and extended up to a point which would permit the exports of the country to pay at least for its imports. According to Table 25, the discrepancy between the export and import of goods and services underwent a dramatic expansion of 3,197.06 % during the time period 1953–1977; in other words, the balance of trade deficit has increased from $ 102 million in 1953 to $ 3,261 million in 1977. On average, the annual rate at which this difference grew over the period was a respectable 17.28 %.

To be sure, the industrial backwardness of the Greek economy to which the balance of trade deficit is attributable does not seem to stem from a lack of natural resources. Long ago, Greece's huge reserves of white bauxite were exploited to supply Pechiney's manufacturing of aluminium products in France. In addition, recently discovered reserves of petroleum are said to exist in abundance within the territory of Greece. Finally, Zolotas [76; pp. 45–50] came in 1978 to endorse the truth of and,

Table 2. Tendencies in the Undeflated Balance of Payments

| Year | Growth Rates in the Balance of | | | |
	Trade	Invisibles	Money & Capital Movements	Borrowing from Abroad
1953	55.88	11.90	280.00	
1954	−8.18	25.53	26.32	
1955	58.22	21.19	−16.67	
1956	9.09	30.07	50.00	
1957	−1.19	−8.60	23.33	
1958	−2.81	7.06	56.76	
1959	19.42	14.29	−15.52	
1960	13.15	12.50	73.47	
1961	11.93	24.79	−16.47	
1962	12.84	21.92	5.63	
1963	26.63	−1.69	88.00	
1964	23.71	17.71	34.75	
1965	8.19	16.75	14.74	
1966	−20.43	−23.08	−7.80	
1967	18.31	8.11	46.77	
1968	15.48	0.75	19.66	
1969	21.29	24.81	9.92	
1970	21.99	49.30	13.06	430.77
1971	18.74	27.43	66.21	11.59
1972	80.33	27.80	52.25	−57.14
1973	1.20	−1.31	−22.94	292.42
1974	3.89	21.87	−21.28	50.58
1975	9.55	15.02	44.31	−73.85
1976	17.43	17.20	29.07	51.96
Mean	17.28	15.06	34.76	100.91

Sources: Estimations based on the statements of table "Balance of Payments in Millions of Undeflated U.S.A. Dollars and the U.S.A. Price Level".

Note: During the 23-year-period, 1954–1976, money and capital movements grew at an average annual rate of 24.09 %.

virtually, to promulgate in the English language what Greek-speaking intellectuals knew before 1948 when Dimitris Mpatsis published his scholarly monumental study entitled "I Vareia Viomichania stin Ellada" (= Heavy Industry in Greece), namely; that Greece possesses a "wide variety of largely unexploited... deposits of minerals and ores and primary energy resources (petroleum, uranium, geothermal energy)" which "are considerable" [76; p. 45f]. Thus, the main reason that the country is still an industrially underdeveloped one ought to be sought in the remarkable unwillingness of its capitalists to provide the nation with industrial management which is internationally competitive. This unhealthy attitude of the nation's important businessmen has its intellectual support in the undeservingly celebrated "Ekthesis epi tou Oikonomikou Provlimatos tis Ellados" (= Report on the Economic Problem of Greece, Athens 1952) of K. Varvaresos who most eloquently spelled out the historically incorrect theory that the long Hellenic tradition predetermines that Greece is and must remain an agrarian economy.

III. Balance of Payments Strategy

In spite of the huge and steadily increasing deficit in the balance of trade, it is noteworthy that Greece's free market economy has not yet declared bankruptcy, as has
recently happened to her neighbour, Turkey. This can only be explained by taking
into consideration the entire composition of Greece's balance of payments; that is,
the balances of invisibles and of autonomous movements of money and capital as
well as of foreign support. Of course, the foreign exchange reserves held by the Bank
of Greece have fluctuated, as Table 25 shows, over the past twenty-five years. But
thanks to these three balances, reserves seem to have increased substantially between 1953–1977.

It should be noted that before 1966 the financial support from industrially
developed countries to Greece was known as foreign aid. In 1966, Greece consoli-
dated and regulated her international debt [11; p. 13]. With this settlement, financial
assistance to Greece from abroad became commercialized, and the foreign lenders
opened a new credit account for the country. As can be seen in Table 2, Greece made
intensive use of this privilege in the years 1969–1976. Indeed, the rate with which
her economic system has borrowed funds from the rest of the world during the time
period under consideration in order to eliminate the nearly permanent deficit of the
balance of payments and, eventually, boost the Bank of Greece's meager reserves of
dollars, amounts to the considerable magnitude of 100.91 % on average per annum.

Without foreign credit, it is hardly conceivable for Greece ever to be solvent. The
trade deficit measured in terms of undeflated dollars increases, as indicated in Tables
25 and 2, to an extent that cannot be covered by the giant stream of dollars flowing
into the country from abroad in the form of autonomous movements of financial
wealth. These movements are classified in two main items: the so-called "invisibles",
which consists of dollar checks sent by emigrants to relatives in Greece, as well as the
factor income from abroad (shown here separately in Table 3), on the one hand, and,
on the other hand, the "proper" movements of money and capital.

It should now be noted that the policy-makers of Greece have taken tremendous
pains to enlarge the dollar inflow under consideration. In particular, it is fallacious to
view dollar receipts from invisibles as manna falling upon Greece from heaven. The
truth about their actual source and character lies in the fact that they reflect repercus-
sions which result from past policies of control over Greece's population. As already
emphasized in the chapter "Economic System", the strategy applied by the policy-
makers of Greece's decentralized economy to diffuse and even neutralize politically
devastating effects which arose from population pressure consisted in an opening of
the country's doors in order to facilitate a mass exodus of the adventurous sector of
the economically and technically redundant manpower. The exodus has succeeded.
The more venturesome emigrants, on the one hand, who could not stand the economic paternalism which prevails in most western European countries, landed outside
Europe with firm intentions of becoming wealthy. Thus, a great portion, perhaps the
greatest, of the foreign currency checks arriving in the form of invisibles stems from
genuine emigrants. The remainder, on the other hand, as Table 3 reveals in detail as
"Factor Income from Abroad", is composed of foreign exchange remittances from
Greek sailors working on international transport lines and from Greek *Gastarbeiter*.

There are therefore three sources from which the invisibles pump up foreign exchange to enhance the low reserves of the Bank of Greece and, hence, strengthen the free market economy in its desperate struggle to cope with the liabilities from the immense and steadily increasing excess of imports over exports. But the economic springs from which they draw are neither inexhaustible nor eternal. At the same time they do not constitute the same reliable instruments that can be applied to pursue a promising balance of payments strategy in the long run. In the jargon of mathematical economics, they are called variables exogenously given to the economic system, and there are, as we shall see in the next section, certain signs which indicate that the policy-makers of Greece's contemporary *laissez-faire* economy are aware of this fact. Nevertheless, in their attempt to create the impression that the capitalism of modern Greece is economically not shaky (through artificial injections into the population's welfare), the Greek politicians have tried to utilize them as if they were policy parameters. Apparently, for cultural reasons, this has worked in the case of Greece, as it has in the case of Israel. Moreover Tables 2 and 3 demonstrate that it has worked well so far. Yet, since that part of the invisibles which derives from sailors' factor income from abroad may be expected to increase rather than to diminish in the future, the durability of those foreign exchange sources depends primarily upon two factors, namely upon how long the restrictions imposed on the number of immigrants and *Gastarbeiter* by the host countries will continue to be exercised, as well as upon whether the growth rate of the Greek population will go up. If the growth rate of the population remains at its current low level over the next twenty years, one could expect that not only will the surge of emigration die down and, for that matter, a considerable amount of dollar remittances will consequently be lost, but that Greece will be inhabited mainly by senior citizens. Even if, on the other hand, the outlook with respect to the expansion of the Greek population turns out to be less pessimistic, Greece's free enterprise economy may face a reduction of foreign exchange revenues as long as "stagflation" continues to plague the western world. Clearly, there is no immediate hope that the restrictions on immigration imposed in the U.S.A., Canada and Australia will be removed soon. At the same time, West Germany, which according to Yannopoulos [68; p. 118] has employed the majority of the Greek *Gastarbeiter* working in Europe, desperately wants to get rid of them. The increase in the deflated factor income from abroad between 1951–1976, which is shown in Table 3, may be ascribed to positive changes in the revenue from seamen rather than to a positive variation in the number of *Gastarbeiter*.

We now turn to the second *modus operandi* of Greece's balance of payments policy designed to cover the balance of trade deficit and to ensure the solvency of the national economy. This is the autonomous movements of money and capital, whose development between 1953 and 1977 is presented by the 4th column of both Tables 2 and 25. As has been noted in the occasion of illustrating Greece's Economic System, Greek capitalism has made every effort and considerable concessions in the field of attracting foreign money and capital [2; p. 18ff] [3; p. 232ff] [15; p. 272ff]. Obviously, these concessions have led to a sizable inflow of money and capital. Furthermore, according to Table 2, the average rate of 34.76 % with which the net inflow of money and capital has been growing annually over the twenty-four years 1953–1976 lies, with 230.81 %, far above double the corresponding growth rate of the invisibles,

Table 3. Factor Income from Abroad

Year	Undeflated				Deflated			
	in Absolute Terms		in Relative Terms		in Absolute Terms		in Relative Terms	
	Billions of Drachmae	Growth Rate	Percent of the Y_t	Growth Rate	Billions of Drachmae in 1970 Prices	Growth Rate	Percent of the Y_t in 1970 Prices	Growth Rate
1951	0.3	33.33	0.77	25.97	0.7	14.29	0.81	13.58
1952	0.4	25.00	0.97	-4.12	0.8	12.50	0.92	-1.09
1953	0.5	80.00	0.93	54.84	0.9	66.67	0.91	61.54
1954	0.9	0.00	1.44	-13.19	1.5	-6.67	1.47	-12.93
1955	0.9	66.67	1.25	44.80	1.4	50.00	1.28	38.28
1956	1.5	40.00	1.81	29.83	2.1	42.86	1.77	33.90
1957	2.1	-28.57	2.35	-31.91	3.0	-30.00	2.37	-33.33
1958	1.5	0.00	1.60	-3.75	2.1	0.00	1.58	-3.16
1959	1.5	33.33	1.54	23.38	2.1	28.57	1.53	22.88
1960	2.0	20.00	1.90	6.32	2.7	18.52	1.88	6.91
1961	2.4	8.33	2.02	1.98	3.2	3.13	2.01	1.49
1962	2.6	11.54	2.06	0.00	3.3	12.12	2.04	1.96
1963	2.9	17.24	2.06	4.37	3.7	13.51	2.08	4.81
1964	3.4	5.88	2.15	-6.98	4.2	0.00	2.18	-8.72
1965	3.6	8.33	2.00	-2.50	4.2	4.76	1.99	-1.01
1966	3.9	10.26	1.95	2.05	4.4	6.82	1.97	1.02
1967	4.3	16.28	1.99	7.04	4.7	14.89	1.99	7.54
1968	5.0	0.00	2.13	-11.74	5.4	-3.70	2.14	-12.15
1969	5.0	6.00	1.88	-5.85	5.2	1.92	1.88	-5.85
1970	5.3	49.06	1.77	35.03	5.3	45.28	1.77	35.59
1971	7.9	21.52	2.39	6.28	7.7	15.58	2.40	6.25
1972	9.6	36.46	2.54	6.69	8.9	13.48	2.55	5.88
1973	13.1	36.64	2.71	16.24	10.1	11.88	2.70	15.93
1974	17.9	7.26	3.15	-9.52	11.3	-3.54	3.13	-8.95
1975	19.2	26.69	2.85	8.42	10.9	14.68	2.85	8.42
1976	24.9	21.69	3.09	-0.32	12.5	6.40	3.09	0.00
1977	30.3		3.08		13.3		3.09	
Mean		21.38		7.05		13.61		6.88

Sources: IMF, International Financial Statistics a) 1972 Supplement (pp. 64 & 65),
b) Vol. XXXI 3 of 1978 (p. 156), and
c) Vol. XXXII 5 of 1979 (p. 162).
See, in addition, Table 13 of the statistical appendix attached to chapter "Economic System".

which amounts to 15.06 %, and also exceeds slightly with 201.16 %, double the annual growth rate of the balance of trade deficit, which averages 17.28 %. Nonetheless, one may feel that the degree of mobility of foreign money and capital toward Greece, which we have established above, compared with the extremely high degree of mobility of Greek labour toward the rest of the world, which is discernible from the notably steep increase in the country's net revenues of foreign exchange from invisibles, does not appear to be particularly impressive. This feeling arises not only from the narrow scope of the aforementioned concessions. It emanates, moreover, from the entire spectrum of advantages that Greece currently offers to the western world. For the sake of systematization and, above all, simplicity, we shall classify them here into two distinct categories. First and foremost, it has been emphatically stressed, at least since 1964 when Fritz Baade and I recommended a complete commercialization of foreign aid to Greece, that the country's geographic position exactly at the junction of three continents does not merely offer invaluable benefits of military significance to the western world, but also renders considerable emoluments of economic relevance to foreign investors [2; p. 18]. Secondly, we have, as has already been mentioned above, Greece's valuable variety of natural resources on the basis of which Zolotas tried to bargain hard during the controversy over the country's accession to the EEC [76; op. cit.].

Table 4. Deflated Balance of Trade Expressed in Relative Terms

Year	As a Percentage of the Deflated GNP at Market Prices			Rates of Change in these Percentages		
	Exports	Imports	Deficit	Exports	Imports	Deficit
1951	4.69	16.70	12.01	13.43	−16.77	−28.56
1952	5.32	13.90	8.58	56.02	1.29	−32.63
1953	8.30	14.08	5.78	20.24	18.96	17.13
1954	9.98	16.75	6.77	14.33	−0.54	−22.45
1955	11.41	16.66	5.25	−10.25	2.82	31.24
1956	10.24	17.13	6.89	7.62	6.77	5.52
1957	11.02	18.29	7.27	−3.45	1.15	8.12
1958	10.64	18.50	7.86	−5.92	−12.16	−20.61
1959	10.01	16.25	6.24	−8.79	2.77	21.31
1960	9.13	16.70	7.57	1.64	−1.86	−6.08
1961	9.28	16.39	7.11	4.74	2.99	0.70
1962	9.72	16.88	7.16	3.19	6.40	10.89
1963	10.03	17.96	7.94	−8.67	5.79	23.93
1964	9.16	19.00	9.84	−2.07	6.79	15.04
1965	8.97	20.29	11.32	25.53	−7.59	−33.83
1966	11.26	18.75	7.49	−5.42	−3.79	−1.34
1967	10.65	18.04	7.39	−9.95	1.88	18.94
1968	9.59	18.38	8.79	1.36	1.69	2.05
1969	9.72	18.69	8.97	3.19	−1.55	−6.69
1970	10.03	18.40	8.37	2.99	0.22	−3.11
1971	10.33	18.44	8.11	13.55	8.73	2.59
1972	11.73	20.05	8.32	21.31	25.79	32.09
1973	14.23	25.22	10.99	8.50	0.83	−9.10
1974	15.44	25.43	9.99	5.38	6.02	7.01
1975	16.27	26.96	10.69	6.39	−0.45	−10.85
1976	17.31	26.84	9.53	14.85	−4.25	−38.93
1977	19.88	25.70	5.82	...	...	...
Mean	10.90	19.13	8.22	6.53	2.00	−0.68

Source: Tables 13 and 14 of the statistical appendix attached to the chapter "Economic System".

Although, finally, the management of the balance of trade deficit is but a constituent part of the balance of payments strategy which should be discussed in the present section, we have decided to deal with the problem separately in the next section. The separation has been preferred because the treatment of this issue involves complex theoretical aspects that are of immense importance for the speed with which Greece's industrial development takes place and for the technological maturity of her production apparatus.

IV. The Balance of Trade Deficit and its Long-Run Management

Tables 2 and 25 paint a fairly pessimistic picture of the deficit which occurs annually in Greece's trade of goods and services with the rest of the world. It is striking that the balance of trade deficit which amounted to merely $ 102 million in 1953, has climbed to $ 3,261 million in 1976 at an average speed of 17.28 % per annum. However, these values are expressed in absolute terms which may make them look excessively alarming. By contrast, Table 4 which presents Greece's international trade in relative terms, i.e. as a percentage of her GNP at market prices, suggests that the situation should perhaps be regarded with reserved optimism. Indeed, the ratio of Greece's exports to the GNP at market prices may fall below the corresponding import ratio, but the former with an annual average rate of 6.53 % has grown faster than the latter, whose corresponding rate of growth is restricted to 2 %: the latter with 30.63 % is less than $1/3$ of the former. Furthermore, the ensuing deficit of the balance of trade declined at an average rate of 0.68 % a year.

To create such a favourable trend, Greece's economic system seems to have applied two distinct theories of balance of trade management simultaneously. In what follows, an attempt is made to explain the intellectual background of Greece's balance of trade strategy, though it must be admitted that there is little reason to believe that the spokesmen of Greek capitalism were always completely aware of the nature and the consequences of the economic theory which was pursued at various times.

It seems to be the case that the advocates of the long term balance of trade management and the interrelated strategy of industrial development in Greece have been inspired primarily by the principles of the comparative advantage doctrine [17; Part I] [18] [19] [21; Chapter 7] [22; Chapter 5] [35; Chapter 12] [41] [51] [57] [65] [66] [67; Chapter VIII] rather than by the tenets of its rival, the so-called balanced growth theory [1] [8] [9] [16] [22] [31; Chapter 8] [36; p. 276ff] [43] [44] [50] [52] [58] [61] [69]. The fundamental ideas of the comparative advantage doctrine are straightforward. Because the things desirable on earth are neither alike nor equally distributed among sovereign nations, a national economy which wants to avoid internal and external trouble in its pecuniary affairs has to monetize expenses for imports by receiving worldwide means of exchange from exports. This would mean that if the economic agents of a perfectly competitive economy wish to increase their imports they are under an obligation to ensure a corresponding rise of their exports, but not necessarily *vice versa*. Contrary to the widely accepted assumption of the standard income-expenditure model, such a prescription of the procedure which must govern international trade in essence propounds that exports of a decentralized economy have to be treated as if they were a macroeconomic variable endogenously determined by the economic system. The natural way of converting exports from an exogenously defined constant into an endogenously conditioned variable of the macroeconomic scheme, i.e. into a component sensitive to policy manipulations, is to confine the country's entire production to a certain number of special commodities which can be manufactured at the lowest possible cost in the world and, hence, sold on the international market at the lowest conceivable price. According to this theory, it must be remembered, it is immaterial what relationships should be maintained between the number of the special commodities in question and the total number of the commodities traded in the international market; nor does it matter whether the commodities for which specialization is feasible are marketable at all. Moreover, articulate proponents of Ricardo's or Heckscher-Ohlin's philosophical views about the best manner in which economic order can take place on a worldwide basis without international authority still insist that there is no reason to regard deficits arising from involvement in the activity of the international market as economically harmful [17; p. 289] and to view development of the secondary sector of production as a vehicle of national prosperity [65; Chapter III, p. 42ff & Chapter VI, pp. 122–117].

A number of special studies conducted by Greek economists working for the Research Department of the Bank of Greece in the sixties reflect the basic ideas of the comparative cost dogma. Along with Varvaresos and other Greeks adhering to the classical or neoclassical school of economics, Chalikias recommends that the only way to industrialize Greece's predominantly non-industrial economy and, thereby gradually to close the balance of trade gap is to abolish the economically unhealthy protection of the existing branches of production from foreign competition [7; p. 88] and to foster the export industry of consumption goods with a comparative advantage of production [7; p. 81 & 92] since Greece cannot or should not produce and export capital goods [7; p. 105]. On the basis of these guidelines for Greece's industrial development and to cure the balance of trade deficit, Kevork ascertains through an econometric inquiry that Greece's comparative advantage from the production of cotton will never be fully realized if the shortage of qualified manpower is not eliminated, if the small size of the farms producing cotton continues to persist and, finally, if this kind of agricultural production continues to lack adequate mechanization [34; p. 183ff]. In a similar vein, Devletoglou examines various deterministic models of an open economy to conclude that, even if the high degree of abstractions inherent in theoretical economics causes some obfuscation of the matter, the fact is that devaluation of the domestic currency will always benefit the balance of trade of the devaluating country [12; p. 57]. Unfortunately, the realization of Devletoglou's proposal had to wait for seven years until the dictatorship of Konstantin II and his unsophisticated colonels broke down and the democratic government that took over at once introduced floating exchange rates [45; a.cc., p. 49].

To be a genuine disciple of the Classics and Neoclassics it is not necessary to adopt unconditionally the theory of comparative advantage. As Meier and Baldwin point out, this theory and the theory of balanced growth form subdivisions of neoclassical economics [39; Chapter 3, p. 71ff]. From the modern standpoint, however, economists are aware that the sovereignty of nations is more respected today than it was in the previous century and that, despite Haberler's aphorisms [18; p. 534ff], economic nationalism finally dominates, the dispositions arranged in markets of politically independent economies, as Svennilson [60] has shown. Under these circumstances, the former has hardly been received with enthusiasm by the industrially underdeveloped countries, and it looks obsolete as far as the so-called old industrial countries are concerned. Greece's administration seems also to be influenced by ideas of economic nationalism. Thus, according to Marmatakis' report [38; p. 60ff], the government participates in domestic investment, excluding ships, with an annual share ranging from 20 % to 40 %, and it intervenes intensively in the affairs of the country's private banking sector.

With regard to the first aspect of these qualifications, it should be noted that there is no objective criterion that decides which country ought to be industrialized and which ought not. The question of industrialization appears to be a problem of the given society's ruling class. For instance, Japan, with a complete lack of natural resources, managed to become industrialized because Emperor Hirohito together with his generals and the capitalists of the country wanted it, whereas Rhodesia with an abundance of natural resources remains an agrarian economy because British rule and the white minority have insisted upon it. Furthermore, Hicks [20; p. 129f] and Svennilson [59; Chapter IX] have identified a common phenomenon in the history of industrialization: that not only has one country after another built up a technologically complete sector of secondary production, i.e. manufacturing industry, but also that the comparative advantage in the manufacturing industry has been tranferred from country to country in response to technical progress. Apparently, industrialization of "unbalanced economies" is, as Myrdal stresses, a matter of necessity [42; p. 224]. No doubt, as both Scitovsky [53; p. 210ff] and Streeten [58; p. 12] observe, since the publication of Friedrich List's "Nationales System der politischen Ökonomie" in 1841 (Heinrich Waentig edition) it has been clear to economists that endeavors to become industrialized and to remove unfavorable situations surfacing in the balance of trade are based on the country's intention to attain the highest degree of economic autarchy feasible Svennilson's important treatise on European growth and stagnation furnishes us with evidence of the historical event that, in the last fifty years or so, not only the United Kingdom but also France as well as Germany and the United States of America have achieved an extremely high level of national self-sufficiency in manufacturing products [59; p. 170ff]; today one might also add Japan to the list of these countries. The impetus to such a development in big industrial countries and the desperate struggle of small nations to reach permanently rising levels of economic autarchy in the sector of secondary production may be found to come from what Singer [56; p. 476ff] and Johnson [25; p. 72] [26; p. 82ff] have described as a balance of trade disadvantage attributable to an exclusive specialization of the country's economic activity on the production and exportation of primary commodities, i.e. goods prepared by the primary sector of production which is likely to occur at the expense of the manufacturing industry. Correspondingly, growth effected in an entirely specialized world by capital accumulation with or without technical progress will favour the balance of trade of industrial countries over agrarian (= non-industrialized) economies. Clearly, in the contemporary history of economic life, manufactured goods always prove, as Brown [4; p. 154] among very many other development economists has observed, to have a higher demand elasticity than the primary commodities.

The balance of trade disadvantage arising from specialization by the industrially underdeveloped countries may now be used as a bridge that smoothly leads to the second aspect of our two initial qualifications, namely, that the comparative advantage argument of the theory of international trade is admittedly too obsolete to successfully serve modern interest in the maintenance of the international *status quo* now possessed by liberal capitalism. To express things in the way in which Myint did, the doctrine presents a "nineteenth-century pattern of international trade" [41; p. 317] Following Scitovsky's commentary on the history of economic thought [53; pp. 207–210] it may be said that Ricardo invented the device of absolute specialization in international production and trade in order to create an intellectual scheme *à l'ordre naturel* whose international application would enable England to retain and perpetuate her economic hegemony in the world. Hirschman [21; p. 123] mentioned that Ricardo's influence on economic thought before the First World War is most intelligibly reflected by Karl Dietzel's publication: *Ist Maschinenausfuhr wirtschaftlicher Selbstmord?* (Berlin 1907). Contemporary economists, however, do not react in the uncompromising manner in which Dietzel did. Since Ricardo's academic artifice has not sold as well for the international economic policy as it did for the pure theory of international trade, it is not surprising that the long-lasting debate about its applicability to relations in the twentieth century between industrially advanced and industrially underdeveloped countries created three main lines along which Ricardo's principle underwent certain modifications. All these modifications are in essence Ricardian in character. Yet they are at variance with the master's original proposition at one key point: his rigid postulate of absolute specialization has categorically been rejected. The denial of Ricardo's worldwide *ordre naturel* now allows an extension of industrialization to developing countries which, in turn, will cause the volume of the international trade to expand. But expansion of the international trade volume results in an immense benefit for the old industrial countries. According to Singer [57; p. 65], on the one hand, the reason for this optimism is circumstantial in the sense that during the long process of industrialization, agrarian economies as well as developing countries are compelled to import technical progress and capital goods from well-established old industrial nations which are the only ones capable of producing them. Scitovsky [52; p. 145ff] and Hirschman [21; Chapter 4, p. 62ff] [23; p. 10], on the other hand, see optimism in the long chain of fierce disequilibria which will be prompted by continuing industrialization and which can be mitigated by imports from the old industrial countries. Finally, it should be noted that both the preceding arguments avoid the strain of coming to grips with the problem of economic nationalism, especially in the case of small countries, and its unpredictable effects on the continuous expansion of the volume of international trade. In this case, Triffin [63] suggests and Scitovsky [54] acknowledges that economic integration of countries at various stages of industrial developments is the only effective vehicle to achieve two goals at one stroke: to destroy the barriers erected by economic nationalism against the incessant expansion of the volume of world trade on the one hand, and on the other, to capitalize on the stabilizing influence of such a trade expansion upon the economics of the member countries.

Zolotas [70] [73] [76] as well as Pesmazoglou [48] and many other influential economists in Greece have espoused the Triffin-Scitovsky solution of trade and development in the sense that they have strongly recommended and skilfully engineered the country's accession to the EEC. It is easy to see that Greece's policy of international trade and domestic development is fundamentally classical, or neoclassical. At the same time however, it should be realized that it may not be unequivocal to label it pure Ricardian. Clearly, there are some signs in Greek literature which point to the possibility that Adam Smith's notions of balanced growth elaborated in the present century by Allyn Young [69], Rosenstein-Rodan [50], Nurkse [43] [44], Keirstead [31; Chapter 8], Arthur Lewis [36; p. 274ff], and Scitovsky [52] on the basis of Joan Robinson's concept of external economies [49; p. 340f] and Jacob Viner's extensions of it [64] as well as the advice contained in these notions for import substitution adopted by Chenery [8][9] and Tinbergen [61; p. 120] and others, might have exerted some influence upon the economic actions of the Greek authorities. For example, Zolotas stresses that "... increase in housing investment... and... expansion in public investment... is not the proper way to reflate an economy and ensure monetary stability and economic progress" [71; p. 16]. In his opinion, one has to "... increase investment mainly in manufacturing, ... modernise... industry, ... and introduce structural changes" [71; p. 17]. To bring about the structural changes in question, the Greek administration plans to set up a consortium consisting of Greece's four major banks whose task will be the founding of *sociétés anonymes* only in those branches of industrial production in which private initiative shows no interest in getting involved [71; p. 17] [72; p. 14]. Zolotas wants the new *sociétés anonymes* to engage in activities which entail a tangible curtailment of the foreign exchange outflow for imports [72; p. 18ff]. Consequently, the industrial establishments under consideration will be oriented towards import substitution by means of (a) transforming Greek raw materials and minerals into domestic products, (b) fabricating intermediate factors of production, and (c) producing capital goods [72; ibidem]. This is because swift "... industrialization, accompanied by balanced growth of the whole economy, is an imperative need in Greece..." [70; p. 194].

If Zolotas' views about the proper direction towards which the economic development of Greece must move in the years to come should be analysed in a manner intelligible to professional economists, then one has no choice but to apply economic dynamics which in an unformalized fashion is best expressed by the theory of balanced growth. The establishment of new *sociétés anonymes* with the purpose of cutting off imports would generate more than just economic growth. Additional installations in Greece's secondary sector of production would create, as Joan Robinson explains [49, p. 340f], external economies which may be, as Viner points out [64, p. 217ff], of a technological and/or pecuniary nature. In the case of Greece, it might be realistic to assume that the external economies bear both a technological character because they will prompt an improvement in the organization of the markets for primary and intermediary factors of production and, at the same time, a pecuniary feature because they are going to squeeze the prices of the new domestic products, by at least the amount of the import duties. Moreover, in the case of Greece and all the industrially underdeveloped countries in which installations of new branches of production in the manufacturing sector can only be compared with innovations, the technological and pecuniary external economies coincide with what Keirstead [31, p. 137ff] once named "linked advances", i.e. innovations that are strategic and destined to introduce further innovations into the production process. According to Allyn Young [69, p. 528ff], external economies of that particular kind first of all disturb specific economic equilibria through both quantitative and qualitative alternations in the country's traditional structure. Secondly, they promote, as Rosenstein-Rodan points out [50, p. 205 f], the economy's relative stability in the course of bringing into existence Jean Baptist Say's Law of the markets which did not apply in the domestic economy before their appearance because of lacking "complementarity" – or, by the same token, interdependence–between the effective demand and the supply stemming from the domestic sector of secondary production. And, thirdly, they enhance, as Nurske points out [43; p. 12 ff] [44; p. 41 ff], the growth of the country's industrial production capacity in the wake of activating Ernst Engel's Law of income behaviour which gives rise to substantial inducements to make domestic investments. To be sure, balanced growth is regarded in a relative sense. Thus, Scitovsky regards "as excessive and prohibitively expensive any attempts to render an economy completely self-contained and independent of foreign trade" [53; p. 212], and we have no reason at all to believe that Zolotas thinks differently. Besides, Streeten has suggested that processes of industrialization which are accompanied by disproportionate growth should be classified into the category of unbalanced growth according to the turnpike theorem [58; p. 50 f]. But it seems to be the case that in the history of industrialization economic growth has never been proportional.

V. Some Aspects of Greek Exports

It is not only the comparative advantage theory which links a country's economic development to its ability to export. Taking into consideration the rules of the game governing international economic relations, as well as the fact that the concept of national autarchy cannot be taken in an absolute sense, Ragnar Nurske, a fierce opponent of Ricardo's *ordre naturel international* after the Second World War, conceded that the theory of balanced growth by no means excludes the establishment and development of an efficient industry for exports [44; p. 46 ff]. In accordance with these generally accepted views in economics, Zolotas [70; Chapter IX, p. 193 ff] urged once again in 1976 [74], presumably on the occasion of the negotiations for the accession of Greece to the EEC, that the Greek economy must take all the steps necessary to evolve, in addition to its successful tourist sector, a strong and, above all, competitive branch manufacturing exportable goods. Unfortunately, we cannot verify the extent to which Zolotas' suggestions have been implemented nor whether the Greek administration has adopted his proposal for a qualitative reform of the so-called "Committee for the Promotion of Exports" [74; p. 22 f] and has imposed sanctions necessary for the removal of bureaucratic obstacles which hinder a further advance of the country's exports [74; p. 19 f]. However, there is enough information to outline the export policies of Greek capitalism on the one hand, and on the other hand, the geopolitical orientation of its exports.

It is illustrative to classify the policies of Greece's free enterprise economy aiming at the diversification and expansion of exports into two distinct groups: measures designed to stimulate them indirectly, and manipulations of the exchange rate [70; Chapter 4, pp. 126 and 140] [74; pp. 18 and 20 ff]. The steps taken to encourage exports include a liberal credit policy and a discriminating fiscal policy. In particular,

1959 seems to be the year in which Greece's monetary authority, for the first time after the Second World War, dropped *ceteris paribus* all the restraints on credits granted to the country's exporters. Parallel to this step, the Currency Committee (= Nomismatiki Epitropi) decided to bid down substantially the interest rates burdening export loans. Both measures were extended in 1962 to encourage exports of both manufactured and handicraft products. At the same time, the exchequer supported the goodwill of the Currency Committee by introducing three beneficial regulations for exporters. A premium was allotted to those exporters who could prove that the added value of their exports exceeded 25 %. As for the rest, apparently all exporters enjoy a tax reduction or exemption, a tax allowance on gross earnings, and an increased rate of depreciation.

One should realize that these monetary and fiscal measures which reverberated around the world resulted in the deep disappointment of Greece's policymakers with the typical failure of the classical and neoclassical devaluation procedures to create favorable conditions for the occurrence of a stable equilibrium in the balance of trade. In 1953, Greece devalued the drachma by one hundred per cent with the tacit hope that two things would be accomplished at one stroke, as predicted by classical and neoclassical economics: that the domestic economy would be challenged to speed up both growth and industrialization in response to an accelerating increase of exports and that, simultaneously, the balance of trade would acquire the prerequisites for future stability as a result of rising exports and falling imports. Yet the outcome obviously was not worth the sacrifice. No wonder, as Lewis [37; p. 585ff] and Svennilson [59; p. 170ff] have explained, competition in the export markets of the industrially advanced countries in particular is tremendously fierce. In appraising its effects, Zolotas [70; p. 127ff] soberly remarked in 1965 that the devaluation of 1953, heightened by the relative stability which Greek prices had shown in comparison with foreign prices and by the relatively quick increase in incomes abroad, may not have markedly favored the country's exports since they comprise a narrow spectrum of commodities with low income elasticities of demand. However, it benefitted the expansion in both the invisibles and the import of capital enormously. With this positive experience in mind, the administration of Karamanlis' Nea Dimokratia (= New Democracy) introduced the status of floating exchange rates in March 1975 which has remained unchanged ever since, in order to stimulate the inflow of both invisibles and money and capital.

The geopolitical structure of Greek exports is in a certain order. Tables 5 to 13 shed light upon the distribution of Greece's exports. From the first three tables, one can obtain relatively satisfactory information about the main directions of geopolitical significance towards which the annual export stream branched off during the twenty-one year period 1958–1978. Here the ramification of Greek exports in a geopolitical alternative is shown by the two patterns contained in them: the "D.O.T. Pattern", and the "Alternative Pattern". The last six tables add to the information conveyed by the first three by breaking down their items further. The purpose of this analysis is to ascertain, if only roughly, those places in the modern world where there is a strong likelihood for Greek exports to succeed. To cast light upon this issue, it will suffice to take into consideration only the last rows of the tables in question.

Table 5. Rates of Change in the Undeflated Exports of Greece. Worldwide Distribution

| Year | Exports to the World Classified according to | | | | | |
| | the D.O.T. Pattern | | | an Alternative Pattern | | |
	Economically Developed Countries	Economically Less Developed Countries	Communist Countries	E.E.C.	Other Western Countries	Socialist Countries
1958	−12.19	−11.86	−6.47	−13.94	−9.70	−6.45
1959	−7.63	1.92	33.02	−12.90	1.33	32.92
1960	8.80	−8.18	17.97	−0.46	15.84	17.92
1961	15.62	12.33	−5.01	31.83	−2.71	−1.60
1962	17.60	3.66	14.98	4.81	32.17	14.63
1963	6.41	−15.88	11.38	16.78	−6.50	8.51
1964	1.76	21.68	17.96	6.36	−1.69	17.97
1965	20.25	74.71	27.23	13.91	37.48	28.39
1966	34.24	−3.29	−8.01	33.45	28.30	−9.28
1967	−1.36	−13.27	−21.60	7.60	−14.04	−21.64
1968	15.90	27.84	28.16	14.01	20.68	28.22
1969	16.33	16.87	15.91	20.97	9.61	16.09
1970	6.93	14.44	−22.13	4.41	12.30	−21.92
1971	30.62	26.61	38.82	30.44	30.05	39.03
1972	68.20	117.03	33.18	74.72	67.56	32.86
1973	39.06	30.80	51.81	27.25	55.40	52.08
1974	11.82	33.25	6.75	12.08	15.71	6.78
1975	10.66	18.68	6.59	11.57	11.20	7.22
1976	3.27	23.37	25.13	2.43	9.00	25.45
1977	26.74	13.51	11.95	31.80	17.45	11.42
Mean	15.65	19.21	13.88	15.86	16.47	13.93

Sources: The statistics set up above have been produced on the basis of the numerical data given by table "World Distribution of the Greek Exports".

Table 6. Percentage Presentation of the Worldwide Distribution of the Undeflated Exports of Greece

| Year | Exports to the World Classified according to | | | | | |
| | the D.O.T. Pattern | | | an Alternative Pattern | | |
	Economically Developed Contries	Economically Less Developed Countries	Communist Countries	E.E.C.	Other Western Countries	Socialist Countries
1958	77.89	7.57	14.54	49.70	35.71	14.59
1959	77.13	7.53	15.34	48.24	36.37	15.39
1960	71.73	7.73	20.54	42.30	37.11	20.59
1961	71.36	6.48	22.16	38.50	39.30	22.20
1962	74.44	6.57	18.99	45.79	34.50	19.71
1963	75.34	5.87	18.79	41.31	39.24	19.45
1964	75.61	4.65	19.74	45.50	34.60	19.90
1965	72.67	5.34	21.99	45.70	32.13	22.17
1966	70.07	7.49	22.44	41.75	35.42	22.83
1967	77.18	5.94	16.94	45.71	37.29	17.00
1968	80.51	5.45	14.04	52.02	33.90	14.08
1969	78.89	5.89	15.22	50.14	34.59	15.27
1970	78.92	5.92	15.16	52.16	32.60	15.24
1971	81.95	6.58	11.47	52.89	35.55	11.56
1972	81.53	6.34	12.13	52.55	35.21	12.24
1973	82.10	8.24	9.66	54.95	35.32	9.73
1974	81.77	7.72	10.51	50.09	39.31	10.60
1975	80.96	9.11	9.93	49.70	40.27	10.03
1976	80.72	9.74	9.54	49.96	40.35	9.69
1977	77.68	11.20	11.12	47.69	40.99	11.32
1978	79.64	10.28	10.08	50.85	38.94	10.21
Mean	77.53	7.22	15.25	47.98	36.60	15.42

Source: The statistics exposed above ensue from the statements of the table "World Distribution of the Greek Exports".

Table 7. Rates of Change in the Percentage Presentation of the Worldwide Distribution of the
Undeflated Exports of Greece

Year	Exports to the World Classified according to					
	the D.O.T. Pattern			an Alternative Pattern		
	Economically Developed Countries	Economically Less Developed Countries	Communist Countries	E.E.C.	Other Western Countries	Socialist Countries
1958	−0.98	−0.53	5.50	−2.94	1.85	5.48
1959	−7.00	2.66	33.90	−12.31	2.03	33.79
1960	−0.52	−16.17	7.89	−8.98	5.90	7.82
1961	4.32	1.39	−14.31	18.94	−12.21	−11.22
1962	1.21	−10.65	−1.05	−9.78	13.74	−1.32
1963	0.36	−20.78	5.06	10.14	−11.82	2.31
1964	−3.89	14.84	11.40	0.44	−7.14	11.41
1965	−3.58	40.26	2.05	−8.64	10.24	2.98
1966	10.15	−20.69	−24.51	9.49	5.28	−25.54
1967	4.31	−8.25	−17.12	13.80	−9.09	−17.18
1968	−2.01	8.07	8.40	−3.61	2.04	8.45
1969	0.04	0.51	−0.39	4.03	−5.75	−0.20
1970	3.84	11.15	−24.34	1.40	9.05	−24.15
1971	−0.51	−3.65	5.75	−0.64	−0.96	5.88
1972	0.70	29.97	−20.36	4.57	0.31	−20.51
1973	−0.40	−6.31	8.80	−8.84	11.30	8.94
1974	−0.99	18.01	−5.52	−0.78	2.44	−5.38
1975	−0.30	6.92	−3.93	0.52	0.20	−3.39
1976	−3.77	14.99	16.56	−4.54	1.59	16.82
1977	2.52	−8.21	−9.35	6.63	−5.00	−9.81
Mean	0.18	2.68	−0.78	0.44	0.70	0.58

Sources: The statistics adduced above have been created on the basis of the allegations introduced by the table
"Percentual Presentation of the Worldwide Distribution in the Undeflated Exports of Greece".

Table 8. Tendencies in the Greek Exports to the Economically Developed Countries

Year	Rates of Growth			
	Industrial Countries	Other Europe	Australia, N. Z., South Africa	Oil Exporting Countries
1958	−14.19	4.82	100.00	0.00
1959	−8.48	−5.75	50.00	27.78
1960	5.61	35.37	0.00	0.00
1961	13.35	28.38	100.00	4.35
1962	25.50	−25.26	−8.33	33.33
1963	4.56	9.86	36.36	84.32
1964	0.10	2.14	13.33	54.24
1965	12.48	79.92	58.82	28.57
1966	40.38	2.56	40.74	29.91
1967	0.06	−5.90	−15.79	−14.47
1968	12.95	42.41	56.25	−6.15
1969	17.24	7.61	60.00	13.93
1970	5.78	4.25	−22.50	71.22
1971	34.36	0.00	3.23	52.94
1972	66.80	106.03	21.88	31.04
1973	26.89	50.88	70.51	255.56
1974	9.45	−19.94	−7.52	69.69
1975	11.20	−16.73	3.25	24.08
1976	−0.16	23.65	10.74	10.03
1977	29.69	5.47	25.71	24.36
Mean	14.68	16.49	29.81	39.74

Sources: Table "Distribution of the Greek Exports Undeflated in the Area of Economically Developed
Countries".

Table 9. Shares of the Economically Developed Countries in the Entire Exports of Greece

Year	Percentages			
	Industrial Countries	Other Europe	Australia, N. Z., South Africa	Oil Exporting Countries
1958	69.93	7.10	0.09	0.77
1959	67.68	8.39	0.19	0.87
1960	62.36	7.97	0.29	1.12
1961	60.21	9.86	0.27	0.02
1962	61.58	11.42	0.48	0.96
1963	66.52	7.34	0.38	1.10
1964	65.59	7.61	0.49	1.92
1965	62.01	7.34	0.52	2.79
1966	55.94	10.59	0.67	2.88
1967	64.43	8.91	0.77	3.07
1968	68.13	8.87	0.68	2.78
1969	65.11	10.68	0.90	2.20
1970	65.63	9.88	1.24	2.16
1971	67.42	10.00	0.94	3.59
1972	68.99	7.62	0.74	4.18
1973	68.88	9.40	0.54	3.28
1974	62.60	10.16	0.66	8.36
1975	60.67	7.20	0.54	12.56
1976	60.78	5.40	0.50	14.04
1977	56.55	6.22	0.51	14.39
1978	59.33	5.31	0.52	14.48
Mean	63.83	8.44	0.57	4.69

Sources: See sources and note of the table "World Distribution of the Greek Exports".

Table 10. Changes in the Shares of the Economically
Developed Countries in the Entire Exports of Greece

Year	Rates of Growth			
	Industrial Countries	Other Europe	Australia, N. Z., South Africa	Oil Exporting Countries
1958	−3.22	18.17	111.11	12.99
1959	−7.86	−5.01	52.63	28.74
1960	−3.45	23.71	−6.90	−8.93
1961	2.28	15.82	77.78	−5.88
1962	8.02	−35.73	−20.83	14.58
1963	−1.40	3.68	28.95	74.55
1964	−5.46	−3.55	6.12	45.31
1965	−9.79	44.28	28.85	3.23
1966	15.18	−15.86	14.93	6.60
1967	5.82	−0.45	−11.69	−9.45
1968	−4.50	20.41	32.35	−20.86
1969	0.80	−7.49	37.78	−1.82
1970	2.73	1.21	−24.19	66.20
1971	2.33	−23.80	−21.28	16.43
1972	−0.16	23.36	−27.03	−21.53
1973	−9.12	8.09	22.22	154.88
1974	−3.08	−29.13	−18.18	50.24
1975	0.18	−25.00	−7.41	11.78
1976	−6.96	15.19	2.00	2.49
1977	4.92	−14.63	1.96	0.63
Mean	−0.64	0.66	13.96	21.01

Sources: Table "Shares of the Economically Developed Countries in the Entire Exports of Greece".

Table 11. Tendencies in the Greek Exports to the Economically Less Developed Countries

Year	Rates of Growth			
	Other Western Hemisphere	Other Middle East	Other Asia	Other Africa
1958	18.64	−39.18	−33.33	38.89
1959	−7.14	37.29	50.00	−76.00
1960	−4.62	−9.88	−33.33	0.00
1961	−62.90	21.92	1750.00	83.33
1962	8.70	31.46	−70.27	9.09
1963	−44.00	−9.40	−81.82	41.67
1964	−57.14	30.19	0.00	41.18
1965	216.67	71.74	750.00	25.00
1966	0.00	−1.27	−58.82	−3.33
1967	31.58	−10.68	−71.43	−44.83
1968	−40.00	30.14	200.00	106.25
1969	20.00	6.25	383.33	18.18
1970	11.11	20.07	−72.41	30.77
1971	30.00	22.19	137.50	43.14
1972	38.46	128.07	147.37	83.56
1973	97.22	20.37	25.53	87.31
1974	−8.45	26.12	27.18	81.67
1975	4.62	31.68	10.67	−17.67
1976	422.06	13.66	43.37	−4.00
1977	−70.70	14.70	62.18	70.56
Mean	30.21	21.77	158.28	30.73

Sources: Table "Distribution of the Greek Exports Undeflated in the Area of Economically Less Developed Countries".

Table 12. Shares of the Economically Less Developed Countries in the Entire Exports of Greece

Year	Percentages				
	Other Western Hemisphere	Other Middle East	Other Asia	Other Africa	Special Categories
1958	2.52	4.15	0.13	0.77	0.00
1959	3.38	2.85	0.10	1.21	0.00
1960	3.16	3.93	0.15	0.29	0.19
1961	2.75	3.24	0.09	0.27	0.13
1962	0.92	3.57	1.48	0.44	0.16
1963	0.86	4.03	0.38	0.41	0.17
1964	0.46	3.45	0.07	0.55	0.13
1965	0.18	4.24	0.06	0.74	0.12
1966	0.47	5.84	0.42	0.74	0.02
1967	0.38	4.73	0.14	0.59	0.04
1968	0.53	4.47	0.04	0.34	0.06
1969	0.27	4.92	0.11	0.60	0.00
1970	0.28	4.49	0.45	0.61	0.09
1971	0.30	5.24	0.12	0.77	0.15
1972	0.30	4.87	0.22	0.84	0.11
1973	0.25	6.65	0.32	0.92	0.10
1974	0.35	5.74	0.29	1.24	0.11
1975	0.28	6.40	0.33	1.99	0.10
1976	0.27	7.60	0.33	1.47	0.07
1977	1.30	8.05	0.44	1.32	0.10
1978	0.31	7.47	0.57	1.82	0.12
Mean	0.93	5.04	0.30	0.85	0.09

Sources: See sources and note of the table "World Distribution of the Greek Exports".

Table 13. Changes in the Shares of the Economically Less Developed Countries in the Entire Exports
of Greece

Year	Rates of Growth			
	Other Western Hemisphere	Other Middle East	Other Asia	Other Africa
1958	34.13	−31.33	−23.08	57.14
1959	−6.51	37.89	50.00	−76.03
1960	−12.97	−17.56	−40.00	−6.90
1961	−66.55	10.19	1544.44	62.96
1962	−6.52	12.89	−74.32	−6.82
1963	−46.51	−14.39	−81.58	34.15
1964	−60.87	22.90	−14.29	34.55
1965	161.11	37.74	600.00	0.00
1966	−19.15	−19.01	−66.67	−20.27
1967	39.47	−5.50	−71.43	−42.37
1968	−49.06	10.07	175.00	76.47
1969	3.70	−8.74	309.09	1.67
1970	7.14	16.70	−73.33	26.23
1971	0.00	−7.06	83.33	9.09
1972	−16.67	36.55	45.45	9.52
1973	40.00	−13.68	−9.38	34.78
1974	−20.00	11.50	13.79	60.48
1975	−3.57	18.75	0.00	−26.13
1976	381.48	5.92	33.33	−10.20
1977	−76.15	−7.20	29.55	37.88
Mean	14.13	4.83	121.50	12.81

Sources: Table "Shares of the Economically Less Developed Countries in the Entire Exports of Greece".

Table 14. Rates of Change in the Undeflated Imports of Greece from the World

Year	Imports from the World Classified According to					
	the D.O.T. Pattern			an Alternative Pattern		
	Economically Developed Contries	Economically Less Develo- ped Countries	Communist Countries	E.E.C.	Other Western Countries	Socialist Countries
1958	2.06	−31.09	3.02	−6.56	!1.56	−8.94
1959	24.43	17.67	34.72	8.77	43.74	32.94
1960	−2.84	21.73	−9.62	13.21	−15.80	−9.84
1961	0.93	3.15	8.03	11.92	−14.03	8.97
1962	13.02	54.47	17.29	4.37	33.56	9.14
1963	12.74	−8.95	7.29	15.86	4.89	6.76
1964	26.22	42.77	38.40	22.01	43.88	37.97
1965	8.11	10.66	0.11	9.10	7.56	−1.02
1966	−2.88	9.51	−7.68	2.24	−7.63	−7.21
1967	19.84	−7.68	12.93	15.47	21.29	10.21
1968	13.04	73.22	−14.01	9.68	26.13	−8.76
1969	25.17	13.65	−0.48	18.19	31.78	−2.76
1970	8.44	−6.37	7.89	9.32	4.86	6.92
1971	10.96	14.86	24.25	20.85	−0.29	29.72
1972	46.62	67.75	37.70	34.85	67.61	32.57
1973	21.44	92.66	13.14	9.82	47.52	15.86
1974	20.36	15.62	43.31	18.40	21.19	37.19
1975	15.77	−14.75	38.88	5.56	16.88	38.21
1976	15.24	0.39	−2.24	20.76	8.74	−2.50
1977	7.57	28.63	74.98	16.20	3.98	72.88
Mean	14.31	19.58	16.40	13.00	17.42	15.42

Sources: Derived from table "Worldwide Sources of the Greek Imports".

First of all it may be appropriate to exclude from our discussion the export relations of Greece to the "Communist Countries" or, even, to the "Socialist Countries". Although Greece has a vital interest in exporting her products to the countries in question and maintains centuries old economic links with them, Tables 5 to 7 unequivocally indicate little encouraging development. The phenomenon is difficult to explain. One may blame the degree of anti-communist passion characterizing postwar Greek governments. Or one may choose to adopt Kalamoutousakis' version, thanks to which the association with the EEC has prevented Greece from expanding her trade with the Soviet block [28; p. 155].

Granted this, Table 5, supplemented by Tables 8 and 11, leaves no doubt that in the years 1958–1977 the world, no matter how it is classified, has responded favorably to the export products of Greece. But if we take a closer look at the trends, we see that the best export opportunities have been offered to Greece by the "Economically Less Developed Countries". Clearly, the annual average overall speed with which they have absorbed additional increases of Greek commodities amounts to 19.21 %, as Table 5 shows. Among them and among the "Economically Developed Countries" as well, the best possibilities of penetration seem to lie, as Table 11 and Table 8 show, in the "Other Asia", whose capability of absorbing additional export goods from Greece is expressed by an average growth rate of 158.28 % per annum, rather than in the "Other Africa" or the "Other Western Hemisphere" – not to mention the "Other Middle East". At the same time, the worst export chances for Greece are rendered by the "Economically Developed Countries" whose yearly average rate of receiving additional consumption and capital goods from Greece runs only to 15.65 %. In this context, however, one can find exceptions. With an average growth rate of 39.74 % per year, the "Oil Exporting Countries" yield the second-best export opportunities in the world for Greece. Fair chances for a penetration of Greek exports are provided by "Australia-New Zealand-South Africa"; they have an average rate of increase 29.81 % per annum in their import of goods from Greece. This possibility is somewhat inferior to the ones existing in the "Other Africa" and the "Other Western Hemisphere" which exceed the above mentioned countries by 0.92 % and 0.40 %, respectively. Moreover, the export opportunities in the "Other Middle East", which buys additional Greek products at an average rate of 21.77 % per annum, are definitely larger than the possibilities of the "Other Europe" whose speed in increasing the inflow of imports from Greece is shown by the relatively small rate of 16.49 % on average per year. Almost equally large chances are given to Greece by the "Other Western Countries" which import additional amounts of Greek products at an average rate of 16.47 % each year. In a comparative sense, one may find the export possibilities offered to Greece by the EEC disappointing and, even more, those offered by the "Industrial Countries". Yet their ability to absorb additional Greek products is relatively high; in the former case, it is shown by a rate of 15.86 % on the average per annum, and in the latter case, by a rate of 14.68 %.

Let us now consider the next group of tables, namely: Table 6 in conjunction with Tables 9 and 12. They sketch the worldwide distribution of the Greek exports as a percentage of the country's total exports. This will help explain why some geographic regions of the globe seem to be more adequate for further expansion of the nation's exports than others. Precisely speaking, since the "Economically Developed Countries" are purchasing more than three quarters of the yearly exports, exactly 77.53 % on average per annum, and these are mainly composed of agricultural products with a low income elasticity of demand, as well as of a very small number of raw materials, Greece ought not to have great hopes for substantially expanding her foreign exchange revenue in this part of the world. This revenue is badly needed, as Zolotas has repeatedly stressed, for the sustenance of the country's monetary equilibrium and for the implementation of her industrialization plans. It should be understood that economically developed countries are saturated for the most part with consumption goods and, consequently, the competition on markets for such commodities turns out to be extremely stiff. By analogy, the same can be asserted in the case of the EEC which buys 47.98 % of Greece's total exports on average per year, or in the case of the "Industrial Countries" which acquire 63.83 %. The place where there might really be a field still open to Greek exports—under the proviso, of course, that the composition of the products offered will be enlarged to cover manufactures with large income elasticity of demand—is to be found in nearly all those groups of countries which enter the picture with a relatively low degree of percentual participation in Greece's total exports.

Finally, by revealing the rates of change in the percentage participation of the various groups of countries in Greece's total exports, Table 7 together with Tables 10 and 13 furnishes us with a general idea about the manner in which the geopolitical pattern of Greece's worldwide export distribution has altered over time. At the same time, these estimates provide us with evidence of the strategy which has been pursued to increase the country's foreign exchange revenue. By and large, Greece's export strategy during the period 1958–1977 may be interpreted as following three striking directions simultaneously. First of all, the estimates of Table 7 indicate that, since the national disasters of the Civil War which occurred only thirty-five years ago and left Greece's reigning political leadership with an extreme apprehension of anything that has any relation to communism or socialism, the country's economic authority in charge during the time span under consideration has deliberately denied the opportunity to profit from the huge export opportunities traditionally offered by the "Communist Countries"—which has by definition affected the picture we obtain from the country's export relations with the "Socialist Countries". Moreover, a successful attempt has been made to diminish Greece's economic dependence upon the Soviet-block countries, resulting in the noteworthy achievement that the relative size of Greek exports to the "Communist Countries" has declined over time at an annual average rate of change running to 0.78 %. The possibility cannot be completely ruled out that the radically anticommunist attitude of Greece's free enterprise economy will not alter with an increasing strength of the pressure which the NATO Allies are putting on Greece to make concessions favoring Turkey in the Cyprus question and in the Aegean dispute. But, the probability for such a metamorphosis under the status quo seems to be fairly small. On the other hand, the figures of Table 10 taken together with the figures of the previous table hint at the dramatic endeavor made by the Greek government to generate a shift in the country's exports within the "Economically Developed Countries". In this context, the share of the "Industrial Countries" in Greece's total exports shrinks over time at a rate of variation amounting to 0.64 % on the average per annum. At the same time, the annual average rate of

Table 15. Percentage Contribution of the World to the Imports of Greece

| Year | Imports from the World Classified according to | | | | | |
| | the D.O.T. Pattern | | | an Alternative Pattern | | |
	Economically Developed Countries	Economically Less Developed Countries	Communist Countries	E.E.C.	Other Western Countries	Socialist Countries
1958	85.97	6.92	7.11	55.15	36.43	8.42
1959	87.88	4.78	7.34	51.61	40.71	7.68
1960	87.58	4.50	7.92	44.95	46.87	8.18
1961	87.07	5.60	7.33	52.07	40.38	7.55
1962	86.82	5.36	7.82	57.58	34.30	8.12
1963	84.90	7.17	7.93	52.00	39.63	8.37
1964	86.42	5.89	7.69	54.39	37.54	8.07
1965	85.13	6.57	8.30	51.80	39.51	8.69
1966	85.53	6.75	7.72	52.51	39.49	8.00
1967	85.12	7.58	7.30	55.02	37.38	7.60
1968	87.00	6.00	7.00	54.19	38.66	7.15
1969	85.72	9.01	5.27	51.81	42.51	5.68
1970	87.39	8.34	4.27	49.87	45.63	4.50
1971	88.41	7.28	4.31	50.87	44.64	4.49
1972	87.74	7.48	4.78	54.98	39.81	5.21
1973	87.05	8.49	4.46	50.17	45.16	4.67
1974	83.16	12.87	3.97	43.34	52.40	4.26
1975	82.95	12.34	4.71	42.53	52.63	4.84
1976	84.91	9.30	5.79	39.69	54.39	5.92
1977	86.72	8.27	5.01	42.48	52.41	5.11
1978	82.78	9.44	7.78	43.80	48.36	7.84
Mean	86.01	7.62	6.37	50.04	43.28	6.68

Sources: Derived from table "Worldwide Sources of the Greek Imports".

Table 16. Rate of Change in the Percentage Contribution of the World to the Imports of Greece

| Year | Imports from the World Classified according to | | | | | |
| | the D.O.T. Pattern | | | an Alternative Pattern | | |
	Economically Developed Countries	Economically Less Developed Countries	Communist Countries	E.E.C.	Other Western Countries	Socialist Countries
1958	2.22	−30.92	3.23	−6.42	11.75	−8.79
1959	−0.34	−5.86	7.90	−12.90	15.13	6.51
1960	−0.58	24.44	−7.45	15.84	−13.85	−7.70
1961	−0.29	−4.29	6.68	10.58	−15.06	7.55
1962	−2.21	33.77	1.41	−9.69	15.54	3.08
1963	1.79	−17.85	−3.03	4.60	−5.27	−3.58
1964	−1.49	11.54	7.93	−4.76	5.25	7.68
1965	0.47	2.74	−6.99	1.37	−0.05	−7.94
1966	−0.48	12.30	−5.44	4.78	−5.34	−5.00
1967	2.21	−20.84	−4.11	−1.51	3.42	−5.92
1968	−1.47	50.17	−24.71	−4.39	9.96	−20.56
1969	1.95	−7.44	−18.98	−3.74	7.34	−20.77
1970	1.17	−12.71	0.94	2.01	−2.17	−0.22
1971	−0.76	2.75	10.90	8.08	−10.82	16.04
1972	−0.79	13.50	−6.69	−8.75	13.44	−10.36
1973	−4.47	51.59	−10.69	−13.61	16.03	−8.78
1974	−0.25	−4.12	18.66	−1.87	0.44	13.62
1975	2.36	−24.64	22.93	−6.68	3.34	22.31
1976	2.13	−11.08	−13.47	7.03	−3.64	−13.68
1977	−4.54	14.15	55.29	3.11	−7.73	53.42
Mean	−0.17	3.86	1.70	−0.85	1.89	0.85

Sources: Derived from table "Percentual Contribution of the World to the Imports of Greece".

0.66 % at which the relative participation of the "Other Europe" increases in Greece's total export is by no means impressive; and, the same holds for true in the case of the "Other Western Countries", whose relative portion grows at a rate of 0.70 % on the average per year or, even, of the EEC whose relative portion goes up at a growth rate of only 0.44 % on the average per annum. Apparently, the great thrust of Greece's export boom has been made in the area of "Australia, New Zealand, South Africa", whose share in Greece's total exports grows at an annual average rate of 13.96 %, as well as in the field of the "Oil Exporting Countries" where the corresponding share increases at a rate of 21.01 % on the average per annum. Finally, the estimates of Tables 13 and 7 reveal that the "Economically Less Developed Countries" may constitute the most attractive regions in the world for a continuous expansion of Greek exports, especially of the country's new manufactures. Certainly, in spite of the fact that the "Other Middle East", whose share in Greece's total exports rises at a rate of 4.83 % on the average per annum, may not appear to be as lucrative a part of the world as the "Oil Exporting Countries" do, is does turn out to be superior to most of the other geographic areas we have already considered above. But the other geographic aggregates which form the "Economically Less Developed Countries" happen to represent much more promising areas for Greek experts than the one mentioned above. Indeed, the "Other Asia" increases its share in Greece's total exports with a giant growth rate of 121.50 % on average per annum, while the "Other Western Hemisphere" and the "Other Africa" as well are doing the same with positive rates of annual average variations amounting to 14.13 % and 12.81 %, respectively.

VI. Greece's Propensity to Import and Related Issues

The crux of Greece's balance of trade problem lies not only in the fact that the world does not buy as many goods from Greece as the country's *laissez-faire* system wishes to sell. It rests also on the corresponding fact that Greece is purchasing more commodities from the rest of the world than she is able to pay for on her own, i.e. without the support of financial aid from foreign countries and/or borrowing from international organizations. One reason for this phenomenon must be sought in the country's chronic lack of adequate industrialization which would enable the domestic supply of commodities to meet the quantitative and qualitative requirements of the country's effective demand for them. It should be noted that the lack in question emerges in the sphere of manufactured goods rather than in the section of primary commodities. For example, Kevork [33; Part I, pp. 11–130] has shown on the solid basis of an econometric investigation that, whilst the effective demand of Greece's laborer and capitalist households for private cars proves to be explosive, there is no automobile industry to match the growing standards of her population. And the automobile market is not the only case. Something similar holds true in domestic markets for the majority of durable consumption goods which are characterized by a relatively high degree of technological sophistication – barring, of course, the capital goods. The other reason ought to be sought in all the prejudices and preoccupations which haunt the investment behaviour of the Greek government. Indeed, while the government in Greece constitutes, according to Marmatakis' indications [38; p.

Table 17. Tendencies in the Greek Imports from Economically Developed Countries

Year	Rates of Growth			
	Industrial Countries	Other Europe	Australia, N. Z., South Africa	Oil exporting Countries
1958	−3.43	17.41	−34.88	250.59
1959	28.09	7.85	75.00	−13.09
1960	−4.19	8.63	12.24	6.18
1961	4.67	−15.63	9.09	−46.91
1962	6.28	71.47	41.67	115.75
1963	17.98	−30.87	91.76	−23.81
1964	22.29	56.58	55.21	67.08
1965	10.48	−6.02	−32.02	6.48
1966	−4.54	3.04	11.63	18.74
1967	18.63	40.75	14.06	17.75
1968	15.45	1.63	−2.74	−6.87
1969	26.46	10.87	79.34	−1.08
1970	6.17	22.39	100.26	−17.27
1971	8.89	9.53	12.55	85.27
1972	40.17	47.11	51.22	175.44
1973	15.97	15.80	7.37	92.08
1974	21.59	4.38	−1.86	27.40
1975	16.05	19.83	−29.30	23.32
1976	17.48	41.51	21.86	−8.96
1977	6.03	18.46	−4.40	14.52
Mean	13.53	17.23	23.90	39.13

Sources: Table "Greek Imports from Economically Developed Countries".

Table 18. Percentage Presentation of the Greek Imports from the Economically Developed Countries

Year	Percentages			
	Industrial Countries	Other Europe	Australia, N. Z., South Africa	Oil Exporting Countries
1958	78.43	5.25	0.77	1.52
1959	75.86	6.17	0.50	5.35
1960	77.82	5.34	0.70	3.72
1961	76.29	5.93	0.81	4.04
1962	78.89	4.94	0.87	2.12
1963	72.54	7.33	1.07	3.96
1964	77.27	4.58	1.85	2.72
1965	73.75	5.59	2.24	3.55
1966	75.71	4.88	1.42	3.52
1967	74.06	5.16	1.62	4.28
1968	74.94	6.19	1.58	4.29
1969	75.41	5.48	1.34	3.49
1970	77.68	4.95	1.95	2.81
1971	76.94	5.65	3.65	2.17
1972	74.94	5.54	3.67	3.59
1973	71.08	5.51	3.76	6.70
1974	64.84	5.02	3.18	10.12
1975	65.34	4.34	2.58	10.69
1976	67.05	4.60	1.61	11.65
1977	69.80	5.78	1.74	9.40
1978	65.68	6.07	1.48	9.55
Mean	73.54	5.44	1.83	5.20

Sources: See the ones introduced in the table "Worldwide Sources of the Greek Imports".

Table 19. Changes in the Percentage Presentation of the Greek Imports from the Economically
Developed Countries

Year	Growth Rates			
	Industrial Countries	Other Europe	Australia, N. Z., South Africa	Oil Exporting Countries
1958	−3.28	17.52	−35.06	251.97
1959	2.58	−13.45	40.00	−30.47
1960	−1.97	11.05	15.71	8.60
1961	3.41	−16.69	7.41	−47.52
1962	−8.05	48.38	22.99	86.79
1963	6.52	−37.52	72.90	−31.31
1964	−4.56	22.05	21.08	30.51
1965	2.66	−12.70	−36.61	−0.85
1966	−2.18	5.74	14.08	21.59
1967	1.19	19.96	−2.47	0.23
1968	0.63	−11.47	−15.19	−18.65
1969	3.01	−9.67	45.52	−19.48
1970	−0.95	14.14	87.18	−22.78
1971	−2.60	−1.95	0.55	65.44
1972	−5.15	−0.54	2.45	86.63
1973	−8.78	−8.89	−15.43	51.04
1974	0.77	−13.55	−18.87	5.63
1975	2.62	5.99	−37.60	8.98
1976	4.10	25.65	8.07	−19.31
1977	−5.90	5.02	−14.94	1.60
Mean	−0.80	2.45	8.09	21.43

Sources: See table "Percentual Presentation of the Greek Imports from the Economically Developed Countries".

Table 20. Tendencies in the Greek Imports from Economically Less Developed Countries

Year	Rates of Growth			
	Other Western Hemisphere	Other Middle East	Other Asia	Other Africa
1958	−34.03	−49.53	−23.33	8.62
1959	−4.76	18.52	65.22	44.44
1960	40.83	7.81	2.63	14.29
1961	−3.55	−1.45	2.56	−6.73
1962	58.90	76.47	20.00	46.39
1963	−18.92	−29.17	77.08	−4.23
1964	25.24	98.82	8.24	58.09
1965	33.84	−6.51	−2.17	1.40
1966	21.31	−4.43	−8.89	4.59
1967	−10.30	−31.79	−1.22	14.04
1968	42.04	192.23	40.74	82.31
1969	27.39	9.97	6.14	−0.42
1970	−26.84	46.83	4.96	−16.31
1971	−18.15	36.42	56.69	17.97
1972	110.60	37.71	17.59	97.42
1973	−24.49	232.75	29.91	79.89
1974	9.70	−2.17	74.67	39.58
1975	26.66	−44.92	53.11	−8.48
1976	40.46	−20.95	−5.66	1.09
1977	17.62	105.41	25.81	−4.31
Mean	16.82	33.60	22.20	23.48

Sources: See table "Greek Imports from Economically Less Developed Countries".

Table 21. Percentage Presentation of the Greek Imports from Economically Less Developed Countries

| Year | Percentages | | | | |
	Other Western Hemisphere	Other Middle East	Other Asia	Other Africa	Special Categories
1958	3.42	1.92	0.54	1.04	.
1959	2.27	0.97	0.41	1.13	.
1960	1.73	0.92	0.55	1.30	.
1961	2.49	1.01	0.57	1.53	.
1962	2.37	0.99	0.58	1.41	0.01
1963	3.26	1.51	0.60	1.79	0.01
1964	2.38	0.97	0.97	1.54	0.03
1965	2.33	1.49	0.82	1.91	0.02
1966	2.90	1.30	0.74	1.79	0.02
1967	3.60	1.27	0.69	1.93	0.09
1968	2.76	0.75	0.59	1.88	0.02
1969	3.41	1.89	0.72	2.97	0.02
1970	3.54	1.69	0.62	2.41	0.08
1971	2.42	2.32	0.60	1.88	0.06
1972	1.77	2.83	0.85	1.98	0.05
1973	2.52	2.63	0.68	2.65	0.01
1974	1.50	6.89	0.70	3.75	0.03
1975	1.36	5.59	1.00	4.35	0.04
1976	1.53	2.72	1.35	3.52	0.18
1977	1.89	1.91	1.13	3.15	0.19
1978	1.98	3.48	1.26	2.67	0.05
Mean	2.45	2.15	0.76	2.22	0.04

Sources: Table "Greek Imports from Economically Less Developed Countries".

Table 22. Changes in the Percentage Presentation of the Greek Imports from Economically Less Developed Countries

| Year | Rates of Growth | | | |
	Other Western Hemisphere	Other Middle East	Other Asia	Other Africa
1958	−33.63	−49.48	−24.07	8.65
1959	−23.79	−5.15	34.15	15.04
1960	43.93	9.78	3.64	17.69
1961	−4.82	−1.98	1.75	−7.84
1962	37.55	52.53	3.45	26.95
1963	−26.99	−35.76	61.67	−13.97
1964	−2.10	53.61	−15.46	24.03
1965	24.46	−12.75	−9.76	−6.28
1966	24.14	−2.31	−6.76	7.82
1967	−23.33	−40.94	−14.49	−2.59
1968	23.55	152.00	22.03	57.98
1969	3.81	−10.58	−13.89	−18.86
1970	−31.64	37.28	−3.23	−21.99
1971	−26.86	21.98	41.67	5.32
1972	42.37	−7.07	−20.00	33.84
1973	−40.48	161.98	2.94	41.51
1974	−9.33	−18.87	42.86	16.00
1975	12.50	−51.34	35.00	−19.08
1976	23.53	−29.78	−16.30	−10.51
1977	4.76	82.20	11.50	−15.24
Mean	0.88	15.27	6.83	6.92

Sources: Table "Percentual Presentation of the Greek Imports from Economically Less Developed Countries".

60 ff], the country's most significant investor, it does not focus its investment activities on projects which could attract the interest of private initiative, but which are in the position to enrich the Greek markets with products that have a high income elasticity of domestic demand and, hence, would reduce the foreign exchange outflow.

As a consequence of domestic capitalism's failure to pursue a technologically systematic policy of import substitution, Greece's contemporary economy suffers from the chronic disease of a very high marginal propensity to import. In what follows, we shall verify the truth of the preceding assertion by estimating Greece's marginal propensity to import, symbolized henceforth by β_{Im}, over a twenty-seven-year period. For the purpose of the estimation in question, three different tools will be used: first, deflated statistics of income and imports, respectively denoted by Y_t and Im_t for all $t = 1951, \ldots, 1977$ which are available from Tables 13 and 14 in the appendix to the chapter "Economic System" in the present volume; second, Johnston's simple econometric model utilized in the aforementioned chapter; and, third, the well-known hypothesis of Keynesian macroeconomics according to which the propensity under consideration is determined by the behavioural fraction dIm_t/dY_t reflecting both the dependence of the imports upon the national income and their endogeneity, so that the definition $\beta_{Im} = dIm_t/dY_t$ always holds true for all $t = 1951, \ldots, 1977$ – where d gives expression to the operator for continuous infinitesimal variations. Being a (behavioural) parameter, β_{Im} is presupposed to lie somewhere between zero and one.

Granted this, the regression which we have obtained on the basis of twenty-seven observations concerning the dependence of Im_t upon Y_t gives the following outcome:
a) the coefficient of correlation $\qquad\qquad$ $R^2_{Im} = 0.97$ as well as
b) the slope which estimates the $\qquad\qquad$ $\hat{\beta}_{Im} = 0.28$ and
   marginal propensity to import
c) the intercept $\qquad\qquad\qquad\qquad$ $\hat{\alpha}_{Im} = -15578.75$
That the least-squares estimators $\hat{\beta}_{Im}$ and $\hat{\alpha}_{Im}$ must be regarded as highly realistic ensues from the probabilistic statements
$$\Pr\,(0.25 < \beta_{Im} < 0.31) = 0.95$$
and
$$\Pr\,(-15585 < \alpha_{Im} < -15572) = 0.95.$$
Moreover, the calculation errors provided by the standard deviations
$$\sigma(\hat{\beta}_{Im}) = 0.01$$
and
$$\sigma(\hat{\alpha}_{Im}) = 3.16$$
show that our least-squares estimates $\hat{\beta}_{Im}$ and $\hat{\alpha}_{Im}$ are highly significant. Indeed, $\hat{\beta}_{Im}$ reveals that Greece's true inclination to import commodities from abroad lies within the notably narrow interval 0.25 and 0.31 with a probability of 95 percent. But, $\hat{\beta}_{Im}$ which express the country's estimated tendency to import amounts to 0.28, approximately. Hence, nothing can prevent us from inferring that the latter has to be an utterly close neighbor of the former. On the other hand, by identifying $\hat{\beta}_{Im} = 0.28$ in the straight line which yields the equation
$$\hat{Im} = 0.28Y - 15578.75$$
we have found that Greece's market economy is compelled to spend 28 lepta out of each deflated drachma of additional GNP at market prices on foreign commodities if

it wishes to keep both the population's present standard of living and the warranted rate of economic growth intact. Thus, the country annually pays more than one quarter of its additional national income to foreigners.

Tables 14 to 22, which are constructed according to exactly the same pattern that has been utilized to construct Tables 5 to 13 adduced above, convey information about the geopolitical sources of Greek imports. They yield some evidence of the tendencies that exist in relation to Greece's economic dependence on foreign production and supply. One may have already noticed from Tables 14 and 16 that the "Economically Developed Countries" which have made the biggest relative contribution to Greece's total imports are losing ground at an annual average rate of 0.17 % in favor of the "Economically Less Developed Countries" and the "Communist Countries" which are gaining ground at annual average rates of 3.86 % and 1.70 %, respectively. A similar phenomenon occurs in the case of the EEC, but the degree of loss here is much higher. The rate at which the relative contribution of the EEC to Greece's total imports declines runs to 0.85 % on average per year – and this apparently leaves plenty of opportunity for both the "Other Western Countries" and the "Socialist Countries" to raise their relative contributions to Greece's total imports at annual average rates of 1.89 % and 0.85 %, respectively. On the other hand, Tables 17 to 19 show that the tempo with which the Greek imports are geographically reshuffled at the cost of the "Economically Developed Countries" would be faster if the "Oil Exporting Countries" did not belong to this category. Finally, Tables 19 to 22 disclose that the "Other Middle East" comprises a group of countries whose relative contribution to Greece's total imports is growing more quickly than any one of the others making up the "Economically Less Developed Countries".

VII. Greece and the European Community

Given the essential characteristics of the Greek economy which have been treated at some length in the present volume and given the fact that many writers–like Triantis [62; p. 63ff.], Kakavas [27; p. 92ff.], Kazakos [30; p. 49ff.], and others–have dealt in detail with nature and content of the EEC, the task of the present section is confined to a brief examination of the internal debate in Greece regarding the country's accession to the EEC. Although the EEC has already awarded Greece with full membership effective as of January 1, 1981, for the sake of the history of economic thought in Greece, it is worth summarizing the intellectual dispute in Greece which preceded the decision on integration. Furthermore, recounting the controversy may cast light upon the nature of Greece's capitalism, namely that it is parasitic in nature and survives in the present industrial world due to its ingenious method of borrowing from abroad Schumpeterian entrepreneurs who are in the position to maintain the country's economic development.

The question of whether Greece's economic commitment to the EEC would benefit the country's market economy was raised at the very beginning of the sixties when negotiations for her association commenced. According to Kaloudis and Charalampopoulos [29; p. 14] this was agreed upon on June 9, 1961, and became effective on

November 1, 1962. Greek economists took two diametrically opposing stands to the matter: approval of the country's integration, and rejection of it. We shall see nonetheless that these postures come from two different lines of economic thought, the comparative cost theory and the theory of balanced growth.

Although one cannot find an explicit statement in their writings, there is no doubt that the opponents of the integration are, consciously or unconsciously, followers of the latter theory. To see this, let us first and foremost briefly set forth the argument against Greece's entrance into the EEC. In this context, it is not argued that economic integration of politically sovereign nations is *per se* something bad or good; as a matter of fact, Kakavas [27] feels that it is a natural stage of development in international capitalism. It is nevertheless emphasized by Triantis [62] as well as by Papandreou [46] [47] and Kakavas [27] that integration can by no means serve the economic interest of the domestic economy in the sense of accelerating the process of industrialization and economic growth. As a matter of fact, fears have been expressed that integration would put a stop to the nation's economic progress and might, furthermore, destroy the technologically still immature sector of secondary production, thereby throwing the country's economic structure back to a primitive pattern similar to that which existed before industrialization set in. It is said that such an impoverishment would then force the Greeks to resort to international markets and voluntarily sell out (!) the most valuable part of their wealth. There is, it has been pointed out, a chain of anticipated events that would inevitably occur because Greece belongs to the special category of countries which are still economically frustrated, i. e. which do not yet possess an internationally competitive economy. For that reason, the opponents of integration hold it for most probable that both the primary and secondary sectors of domestic production which are economically and technologically underdeveloped will not be able to stand up to the severe competition from the EEC's monopolies and oligopolies whose economic technology is extremely advanced. It is here soberly recognized and emphatically stressed that integration introduces Greece to the terrain of the EEC's cutthroat competition with no important comparative advantage other than that of antiques whose uniqueness is exemplarily decorated by the lovely climate and the beautiful landscape to create exotic effects saleable to fastidious tourists.

The theory behind the argument against Greece's integration with Europe is obvious. The implicit suggestion is that Greece's capitalism would be better off in effecting the country's industrialization on its own, no matter how long this would require. This is perceived as the only feasible alternative to avoid decisive losses of wealth to foreigners and to prevent the majority of indigenous Greeks from being turned into Europe's nice butlers, but unqualified proletarians for industrial production. A safe way of doing so is not really to neglect the expansion and technological improvement of the export industries, but to accelerate the formation and establishment of new industries to replace imports. However, the advice to build up import-substituting industries in addition to the branches of production for exports constitutes the core of Adam Smith's nationalistic theory of balanced growth rather than Ricardo's comparative advantage theory for international hegemony.

Unlike the former, the latter theory, which presupposes *inter alia* the perfect mobility of capital, which is contrary to the contemporary experience of the common practice in international capitalism, and to which the ownership of the capital stock is irrelevant, seems to be the intellectual source that inspired Zolotas [73] [76] and Pesmazoglou [48] to originate the official policy of Greece's incorporation into the EEC. Indeed, the extremely poor effects of the drachma's devaluation in 1953 upon an improvement of the grave situation prevailing in the country's balance of trade as well as of the relatively low degree marking the mobility of foreign capital toward Greece in spite of moderate labour cost were two striking events. These events revealed the immaturity of Varvaresos' understanding of the basic ideas underlying the comparative cost doctrine, which was epitomized in a typical overestimation of the real value that Greece's precious products like tobacco (!) had on foreign markets. They also convinced contemporary theorists of the country's economic *laissez-faire* sympathizing with Ricardo's capitalistic *ordre naturel international* that additional economic concessions represented good incentives to attract increasing amounts of industrial capital from abroad which proves to be an absolutely neccessary injection to help evade devastating consequences that could cause serious crises upon decentralized economic systems with an admittedly fragile stability like the one of Greece. The establishment of the EEC in 1957 appeared to offer an excellent op-

Table 23. Rates of Change in Greece's Percentage Share in World Trade

Year	World		E.E.C.		Industrial Countries		Other Europe	
	EX	IM	EX	IM	EX	IM	EX	IM
1958	−5.56	−5.77	−10.23	−5.75	−11.76	−5.56	−5.44	−3.92
1959	170.59	−71.43	170.89	−73.58	173.33	−71.76	85.97	−65.31
1960	13.04	14.29	−2.80	0.00	0.00	4.17	3.58	22.55
1961	9.62	−6.25	1.44	−7.69	6.10	−8.00	7.19	−7.00
1962	5.26	40.00	1.42	36.67	3.45	39.13	0.96	37.20
1963	0.00	−9.52	0.47	−12.20	1.11	−12.50	−0.43	−9.56
1964	11.67	−10.53	13.02	−9.72	12.09	−7.14	7.11	−7.11
1965	0.00	52.94	−3.70	43.08	−4.90	42.36	−11.73	22.76
1966	−4.48	−15.38	−3.42	12.90	−5.15	13.51	−4.40	11.25
1967	3.13	10.00	−23.45	−32.38	3.26	−11.90	12.75	−5.74
1968	10.61	0.00	9.25	0.00	10.53	2.70	0.68	−7.83
1969	1.37	0.00	1.06	−1.41	2.86	−2.63	−1.44	−0.16
1970	2.70	−11.11	3.14	−12.86	1.85	−8.11	2.83	−12.44
1971	5.26	8.23	3.55	6.56	3.64	5.88	3.75	2.16
1972	2.50	15.38	2.94	16.92	4.39	16.67	1.29	15.85
1973	−15.85	−3.33	−11.43	9.21	−12.61	7.14	−17.45	8.97
1974	0.00	17.24	3.76	13.25	4.81	13.33	2.21	14.23
1975	7.25	−2.94	4.66	−2.13	4.59	−1.96	10.90	−4.88
1976	−2.70	0.00	−0.99	0.00	−3.51	2.00	−2.20	−0.77
1977	0.00	3.03	−2.00	−1.09	0.00	−1.96	7.19	−1.42
$18^{-1}\sum_{1960}^{1977}$	2.74	6.27	−0.17	3.28	1.80	5.15	1.27	4.34
$20^{-1}\sum_{1958}^{1977}$	10.72	1.79	7.88	−1.01	9.70	0.77	5.17	0.44

Sources: Estimations based upon the statements of the table "Greece's Percentual Share in the World Trade".

portunity for making such additional concessions on a limited scale. In the face of this change in the intra-European scene, the Greek proponents of Europe's economic integration did not hesitate to advocate Greece's active participation in the movement to reduce economic nationalism which prohibits a further development in international capitalism; and they succeeded.

It is beyond doubt that Greece's association with the EEC has brought about an increase in the stream of foreign capital which has flown into the country during the past eighteen years; and one hopes that this trend will continue at least, and even be strengthened, with the country's accession to the EEC. Nevertheless, a permanently rising capital inflow does not theoretically mean that it is necessarily accompanied by an amendment of the unfavourable constellations dominating the balance of trade. To be sure, Greece's balance of trade statistics are not adequate for dealing with the theoretical issue raised above. As a matter of fact, they may lead to some confusion if they are not treated properly. For instance, Table 23 provides a fairly pessimistic picture of Greece's fate within the European Economic Community during the eighteen-year period 1960–1977. It shows the percentage share of Greece's exports to the EEC in the entire world exports is declining, while the corresponding share of the country's imports from the EEC in the world's total rises. Tables 7 and 16, however, convey information for the same period which challenges the impression created by the previous table. According to these tables, Greece must have enjoyed a complete advantage from her association with the EEC. Indeed, Greece's exports to the EEC, expressed as a percentage of her total exports, tended to go up, whereas the country's imports from the EEC, measured as a percentage of its total imports, tended to go down. These optimistic indications are endorsed by Tables 5 and 14. Thus, Greece's foreign trade revenues from the EEC are growing faster than her foreign exchange payments to the EEC.

VIII. Concluding Remarks

In the preceding sections, we have made an attempt to show that Greece's economic system may not have severe balance of payments problems, but faces formidable difficulties with her balance of trade. The main reason seems to be that the policymakers after the Second World War applied too much comparative cost theory at the expense of the theory of balanced growth. As a result, Greece's *laissez-faire* economy has never developed into a mature form of industrial capitalism; unfortunately, it remains mainly at the ancient level of mercantile capitalism whose character is said to be more parasitic than productive.

It should be noted, however, that these trends changed somewhat after the collapse of the dictatorship in 1974. A consortium of banks has recently been established with the purpose of supporting, as mentioned above, the expansion of the export industry and of establishing an import-substituting industry. This is a big leap ahead. The consortium will attempt to utilize an optimal combination of tenets derived from both the comparative cost theory and the theory of balanced growth to raise the country's level of industrialization.

IX. Statistical Annex

Table 24. Greece in World Trade

Year	Greece		World		EEC		Industrial Countries		Other Europe	
	EX	IM	EX	IM	EX	IM	EX	IM	EX	IM
1958	0.2	0.6	109.7	114.7	22.8	23.0	59.2	66.7	3.4	4.9
1959	0.2	0.6	117.4	121.5	25.2	24.4	65.9	70.6	3.6	5.1
1960	0.6	0.2	129.9	139.1	28.1	30.6	73.2	81.8	5.8	4.9
1961	0.6	0.2	116.0	121.3	28.9	30.9	73.5	80.3	5.6	4.0
1962	0.7	0.2	122.6	130.0	33.1	33.5	80.4	86.4	6.1	4.3
1963	0.8	0.3	134.1	141.2	37.4	36.7	88.5	93.5	6.9	4.7
1964	0.9	0.3	150.9	158.6	41.8	41.5	99.1	105.8	7.8	5.2
1965	1.1	0.3	163.5	172.5	45.3	46.5	107.6	116.4	8.9	5.6
1966	1.2	0.5	179.3	190.9	51.2	53.6	123.1	134.9	11.0	7.6
1967	1.2	0.6	188.2	201.0	53.0	57.4	130.5	143.0	11.5	8.2
1968	1.4	0.6	212.4	225.4	80.8	85.0	147.5	160.6	11.9	8.7
1969	1.8	0.7	246.0	258.4	95.2	98.9	170.7	184.2	15.2	11.0
1970	2.1	0.8	282.6	297.1	109.8	114.4	195.2	214.2	18.0	12.6
1971	2.4	0.8	315.3	331.5	121.9	130.1	218.1	238.6	20.0	14.4
1972	3.0	1.0	376.1	388.0	147.0	154.9	263.3	279.3	24.1	17.6
1973	4.3	1.6	523.4	535.0	204.7	211.3	361.5	378.8	34.1	24.3
1974	5.3	2.3	767.6	784.1	284.4	276.9	510.2	508.6	50.9	32.1
1975	5.5	2.8	792.5	812.7	284.4	298.5	503.1	544.8	51.7	34.2
1976	6.7	3.0	902.9	921.1	331.3	325.7	589.8	600.3	56.8	38.5
1977	7.4	3.5	1029.0	1063.7	370.6	379.8	671.0	686.9	64.1	45.3
1978	8.6	4.2	1190.4	1241.9	438.9	463.5	781.4	838.7	69.5	55.1

Sources: IMF, (a) Direction of Trade Annual, Vol. 1 for 1958–62 (p. 2), Vol. 2 for 1960–64 (pp. 2, 6, 8), Vol. 3 for 1961–65 (pp. 2 & 4), Vol. 4 for 1962–66 (pp. 2, 6, 8), Vol. 5 for 1963–67 (pp. 2, 6, 8), Vol. 6 for 1964–68 (pp. 2 & 8), Vol. 7 for 1966–70 (pp. 2 & 6), Vol. 8 for 1968–72 (p. 2 & 6), Vol. 11 for 1969–75 (pp. 2 & 6) and Vol. 12 for 1970–76 (pp. 2 & 6), as well as (b) Direction of Trade Yearbook, 1979 (pp. 2 & 6).

Note: EX = Exports; IM = Imports. The concept of "Other Europe" is the one adopted in source (b) above.

Legend to Table 25.

Sources: * OECD, Economic Surveys: Greece 1964 (p. 26), 1967 (p. 28), and 1978 (p. 71).
** OECD, National Accounts of OECD Countries. Vol. I, 1976 (pp. 30 & 31). For the year 1977, see IMF (International Monetary Fund), International Financial Statistics, Vol. XXXI, = 3, 1978 (pp. 372 & 373) as well as Vol. XXXII, = 5, 1979 (pp. 390 & 391).

Note: The Price Index of 1977 has been calculated firstly by converting the GNP of 1977 at 1975 prices to a GNP of 1977 at 1970 prices and then by using this result to divide the undeflated GNP of 1977.

Legend to Table 26.

Sources: IMF, Direction of Trade 1958–62 (pp. 160 f.), 1960–64 (pp. 210 f.), 1964–68 (pp. 189 f.), 1966–70 (pp. 150 ff.), 1969–75 (pp. 120 f), 1970–76 (pp. 130 f.), and 1979 (pp. 135 f.).

Note: (a) The statistics adduced above have been produced on the basis of the scheme of classification introduced by the Direction of Trade 1979 loc. cit. – (b) The concept of "Communist Countries" is identical with what D.O.T. (= Direction of Trade) calls "USSR, Eur., China, etc." – (c) The "Socialist Countries" are composed of the "Communist Countries", Afghanistan, Kampuchea, Laos, Vietnam, South Yemen, Angola, Congo, Ethiopia and Mozambique.

Table 25. Balance of Payments in Millions of Undeflated U.S.A. Dollars and the U.S.A. Price Level

Year	Trade*	Balance of Invisibles*	Money & Capital Movements*	Aid Indemnities, Errors & Omissions*	Foreign Support IMF Credit Official Accounts Allocation of SDR's	Change in Reserves of the Bank of Greece	The U.S.A. Price Index**
1953	−102	84	5	60		47	0.6437
1954	−159	94	19	58		11	0.6572
1955	−146	118	24	59		55	0.6691
1956	−231	143	20	73		5	0.6900
1957	−252	186	30	22		−15	0.7126
1958	−249	170	37	21		−21	0.7257
1959	−242	182	58	39		37	0.7409
1960	−289	208	49	47		15	0.7539
1961	−327	234	85	30		29	0.7614
1962	−366	292	71	58		56	0.7764
1963	−413	356	75	16		35	0.7866
1964	−523	350	141	20		−12	07993
1965	−647	412	190	14		−31	0.8159
1966	−700	481	218	23		22	0.8423
1967	−557	370	201		−1	13	0.8675
1968	−659	400	295			36	0.9053
1969	−761	403	353			−5	0.9509
1970	−923	503	388		26	−6	1.0000
1971	−1126	751	441		138	204	1.0511
1972	−1337	957	733		154	507	1.0943
1973	−2411	1223	1116		66	−6	1.1569
1974	−2440	1207	860		259	−114	1.2662
1975	−2535	1471	677		390	3	1.3874
1976	−2777	1692	977		102	−6	1.4616
1977	−3261	1983	1261		155	138	1.5503

Table 26. World Distribution of the Greek Exports

Year	Millions of U.S. Dollars from Exports to the						
	World Classified According to the D.O.T. Pattern				World Classified According to an Alternative Pattern		
	Entire World	Economically Developed Countries	Economically Less Developed Countries	Communist Countries	E.E.C.	Other Western Countries	Socialist Countries
1958	233.8	182.1	17.7	34.0	116.2	83.5	34.1
1959	207.3	159.9	15.6	31.8	100.0	75.4	31.9
1960	205.9	147.7	15.9	42.3	87.1	76.4	42.4
1961	225.2	160.7	14.6	49.9	86.7	88.5	50.0
1962	249.6	185.8	16.4	47.4	114.3	86.1	49.2
1963	290.0	218.5	17.0	54.5	119.8	113.8	56.4
1964	307.5	232.5	14.3	60.7	139.9	106.4	61.2
1965	325.6	236.6	17.4	71.6	148.8	104.6	72.2
1966	406.0	284.5	30.4	91.1	169.5	143.8	92.7
1967	494.8	381.9	29.4	83.8	226.2	184.5	84.1
1968	467.9	376.7	25.5	65.7	243.4	158.6	65.9
1969	553.4	436.6	32.6	84.2	277.5	191.4	84.5
1970	643.6	507.9	38.1	97.6	335.7	209.8	98.1
1971	662.7	543.1	43.6	76.0	350.5	235.6	76.6
1972	870.1	709.4	55.2	105.5	457.2	306.4	106.5
1973	1453.7	1193.4	119.8	140.5	798.8	513.4	141.5
1974	2029.5	1659.5	156.7	213.3	1016.5	797.8	215.2
1975	2292.2	1855.7	208.8	227.7	1139.3	923.1	229.8
1976	2544.0	2053.5	247.8	242.7	1271.1	1026.5	246.4
1977	2730.0	2120.6	305.7	303.7	1302.0	1118.9	309.1
1978	3374.6	2687.6	347.0	340.0	1716.1	1314.1	344.4

Table 27. Distribution of the Greek Exports Undeflated in the Area of Economically
Developed Countries

Year	Millions of U.S. Dollars			
	Industrial Countries	Other Europe	Australia, N. Z., South Africa	Oil Exporting Countries
1958	163.5	16.6	0.2	1.8
1959	140.3	17.6	0.4	1.8
1960	128.4	16.4	0.6	2.3
1961	135.6	22.2	0.6	2.3
1962	153.7	28.5	1.2	2.4
1963	192.9	21.3	1.1	3.2
1964	201.7	23.4	1.5	5.9
1965	201.9	23.9	1.7	9.1
1966	227.1	43.0	2.7	11.7
1967	318.8	44.1	3.8	15.2
1968	319.0	41.5	3.2	13.0
1969	360.3	59.1	5.0	12.2
1970	422.4	63.6	8.0	13.9
1971	446.8	66.3	6.2	23.8
1972	600.3	66.3	6.4	36.4
1973	1001.3	136.6	7.8	47.7
1974	1270.5	206.1	13.3	169.6
1975	1390.6	165.0	12.3	287.8
1976	1546.3	137.4	12.7	357.1
1977	1543.8	169.9	14.0	392.9
1978	2002.2	179.2	17.6	488.6

Sources: See sources and note of the table "World Distribution of the Greek Exports".

Table 28. Distribution of the Greek Exports Undeflated in the Area of Economically Less
Developed Countries

Year	Millions of U.S. Dollars				
	Other Western Hemisphere	Other Middle East	Other Asia	Other Africa	Special Categories
1958	5.9	9.7	0.3	1.8	.
1959	7.0	5.9	0.2	2.5	.
1960	6.5	8.1	0.3	0.6	0.4
1961	6.2	7.3	0.2	0.6	0.3
1962	2.3	8.9	3.7	1.1	0.4
1963	2.5	11.7	1.1	1.2	0.5
1964	1.4	10.6	0.2	1.7	0.4
1965	0.6	13.8	0.2	2.4	0.4
1966	1.9	23.7	1.7	3.0	0.1
1967	1.9	23.4	0.7	2.9	0.2
1968	2.5	20.9	0.2	1.6	0.3
1969	1.5	27.2	0.6	3.3	.
1970	1.8	28.9	2.9	3.9	0.6
1971	2.0	34.7	0.8	5.1	1.0
1972	2.6	42.4	1.9	7.3	1.0
1973	3.6	96.7	4.7	13.4	1.4
1974	7.1	116.4	5.9	25.1	2.2
1975	6.5	146.8	7.5	45.6	2.4
1976	6.8	193.3	8.3	37.5	1.9
1977	35.5	219.7	11.9	36.0	2.6
1978	10.4	252.0	19.3	61.4	3.9

Sources: See sources and note of the table "World Distribution of the Greek Exports".

Table 29. Worldwide Sources of the Greek Imports

| Year | Millions of U.S. Dollars Paid to Imports from the | | | | | | |
| | World Classified According to D.O.T. Pattern | | | | World Classified According to Alternative Pattern | | |
	Entire World	Econo- mically Developed Countries	Economi- cally Less Developed Countries	Communist Countries	E.E.C.	Other Western Countries	Socialist Countries
1958	558.0	479.7	38.6	39.7	307.7	203.3	47.0
1959	557.1	489.6	26.6	40.9	287.5	226.8	42.8
1960	695.6	609.2	31.3	55.1	312.7	326.0	56.9
1961	679.8	591.9	38.1	49.8	354.0	274.5	51.3
1962	688.1	597.4	36.9	53.8	396.2	236.0	55.9
1963	795.3	675.2	57.0	63.1	413.5	315.2	66.6
1964	880.8	761.2	51.9	67.7	479.1	330.6	71.1
1965	1128.6	960.8	74.1	93.7	584.6	445.9	98.1
1966	1214.5	1038.7	82.0	93.8	637.8	479.6	97.1
1967	1185.2	1008.8	89.8	86.6	652.1	443.0	90.1
1968	1389.6	1208.9	82.9	97.8	753.0	537.3	99.3
1969	1594.2	1366.5	143.6	84.1	825.9	677.7	90.6
1970	1957.3	1710.4	163.2	83.7	976.1	893.1	88.1
1971	2097.8	1854.7	152.8	90.3	1067.1	936.5	94.2
1972	2345.6	2057.9	175.5	112.2	1289.6	933.8	122.2
1973	3466.1	3017.2	294.4	154.5	1739.0	1565.1	162.0
1974	4406.2	3664.2	567.2	174.8	1909.7	2308.8	187.7
1975	5316.6	4410.3	655.8	250.5	2261.0	2798.1	257.5
1976	6012.8	5105.8	559.1	347.9	2386.9	3270.3	355.9
1977	6785.1	5883.7	561.3	340.1	2882.0	3556.1	347.0
1978	7646.2	6329.1	722.0	595.1	3348.8	3697.5	599.9

Sources: See sources and note adduced in table "World Distribution of the Greek Imports".

Table 30. Greek Imports from Economically Developed Countries

| Year | Millions of U.S. Dollars | | | |
	Industrial Countries	Other Europe	Australia, N. Z., South Africa	Oil Exporting Countries
1958	437.6	29.3	4.3	8.5
1959	422.6	34.4	2.8	29.8
1960	541.3	37.1	4.9	25.9
1961	518.6	40.3	5.5	27.5
1962	542.8	34.0	6.0	14.6
1963	576.9	58.3	8.5	31.5
1964	680.6	40.3	16.3	24.0
1965	832.3	63.1	25.3	40.1
1966	919.5	59.3	17.2	42.7
1967	877.8	61.1	19.2	50.7
1968	1041.3	86.0	21.9	59.7
1969	1202.2	87.4	21.3	55.6
1970	1520.3	96.9	38.2	55.0
1971	1614.1	118.6	76.5	45.5
1972	1757.6	129.9	86.1	84.3
1973	2463.7	191.1	130.2	232.2
1974	2857.1	221.3	139.8	446.0
1975	3473.9	231.0	137.2	568.2
1976	4031.3	276.8	97.0	700.7
1977	4735.9	391.7	118.2	637.9
1978	5021.6	464.0	113.0	730.5

Sources: See table "Worldwide Sources of the Greek Imports".

Table 31. Greek Imports from Economically Less Developed Countries

Year	Millions of U.S. Dollars				
	Other Western Hemisphere	Other Middle East	Other Asia	Other Africa	Special Categories
1958	19.1	0.7	3.0	5.8	.
1959	12.6	5.4	2.3	6.3	.
1960	12.0	6.4	3.8	9.1	.
1961	16.9	6.9	3.9	10.4	.
1962	16.3	6.8	4.0	9.7	0.1
1963	25.9	12.0	4.8	14.2	0.1
1964	21.0	8.5	8.5	13.6	0.3
1965	26.3	16.9	9.2	21.5	0.2
1966	35.2	15.8	9.0	21.8	0.2
1967	42.7	15.1	8.2	22.8	1.0
1968	38.3	10.3	8.1	26.0	0.2
1969	54.4	30.1	11.4	47.4	0.3
1970	69.3	33.1	12.1	47.2	1.5
1971	50.7	48.6	12.7	39.5	1.3
1972	41.5	66.3	19.9	46.6	1.2
1973	87.4	91.3	23.4	92.0	0.3
1974	66.0	303.8	30.4	165.5	1.5
1975	72.4	297.2	53.1	231.0	2.1
1976	91.7	163.7	81.3	211.4	11.0
1977	128.8	129.4	76.7	213.7	12.7
1978	151.5	265.8	96.5	204.5	3.7

Sources: See table "Worldwide Sources of the Greek Imports".

Literature

[1]) Arndt, H.W.: External Economies in Economic Growth, in: Economic Record. 31.1955, pp. 192–214.

[2]) Baade, F.; Kartsaklis, G.: Methoden, Kosten und Erfolgsaussichten der Entwicklungshilfe. Dargestellt anhand einer Strukturanalyse des Landes Griechenland. Bonn/Kiel 1964.

[3]) Break, G.F.; Turvey, R.: Studies in Greek Taxation. Athens 1964.

[4]) Brown, A.J.: Introduction to the World Economy. London 1959.

[5]) Chacholiades, M.: International Monetary Theory and Policy. New York 1978.

[6]) Chacholiades, M.: International Monetary Theory and Policy. New York 1978.

[7]) Χαλικιᾶς, Δ. Ἰ.: Οἰκονομικὴ ἀνάπτυξις τῆς Ἑλλάδος καὶ ἰσοζυγίου πληρωμῶν (Economic Growth in Greece and the Balance of Payments). Athens 1963.

[8]) Chenery, H.B.: The Application of Investment Criteria, in: Journal of Economics. 67.1953, pp. 76–96. Reprinted in: Agarwala, A.N.; Singh, S.P. (eds.): Accelerating Investment in Developing Economics. London 1969, pp. 158–181.

[9]) Chenery, H.B.: Patterns of Industrial Growth, in: American Economic Review. 50.1960, pp. 624–654.

[10]) Delivanis, D.J.: Existing International Payments and Exchange Systems in Relation to Problems of Growth. 2., in: Harrod, R.; Hague, D. (eds.): International Trade Theory in a Developing World. Proceedings of a Conference Held by the International Economic Association. London/New York 1964, pp. 354–371.

¹¹) Delivanis, D. J.: Der Beitrag des Auslandskapitals zur Wirtschaftsentwicklung. Sonderdruck aus: Akrothinia Petros Vallindas. Hrsg. von der Rechts- und Staatswissenschaftlichen Fakultät der Universität Thessaloniki. Salonica 1966.

¹²) Devletoglou, E. A.: Devaluation and the Stability of the Trade Balance. Athens 1966.

¹³) Δρακάτος, Κ. Γ.: Ἑλληνικαί στατιστικαί ἐξωτερικοῦ ἐμπορίου καί ἰσοζυγίου πληρωμῶν (Greek Statistics for International Trade and the Balance of Payments). Athens 1966.

¹⁴) Ellis, H. S.; Fellner, W.: External Economies and Diseconomies, in: American Economic Review. 33.1943, pp. 493–511. Reprinted in: Singler, G. J.; Boulding, K. E. (eds.): Readings in Price Theory. London 1953, pp. 242–263.

¹⁵) Ellis, H. S.: Industrial Capital in Greek Development. In collaboration with D. D. Psilos, R. M. Westebbe and C. Nicolaou. Athens 1964.

¹⁶) Fleming, M.: External Economies and the Doctrine of Balanced Growth, in: Economic Journal. 65.1955, pp. 241–256.

¹⁷) Grubel, H. G.: International Economics. London/Homewood 1977.

¹⁸) Haberler, G.: Some Factors Affecting the Future of International Trade and International Economic Policy, in: Harris, S. E. (ed.): Economic Reconstruction. London/Montreal 1945, chapter 18. Reprinted in: Ellis, H. S.; Metzler, L. S. (eds.): Readings in the Theory of International Trade. 1950, pp. 530–554.

¹⁹) Harrod, R. F.: International Economics. Cambridge Economic Handbooks 8. London 1948.

²⁰) Hicks, J. R.: An Inaugural Lecture, in: Oxford Economic Papers. 5.1953, pp. 117–135.

²¹) Hirschman, A. O.: The Strategy of Economic Development. New Haven 1958.

²²) Hirschman, A. O.: Development Projects Observed. Washington D. C. 1967.

²³) Hirschman, A. O.: The Strategy of Economic Development, in: Agarwala, A. N.; Singh, S. P. (eds.): Accelerating Investment in Developing Economies, op. cit., pp. 3–11.

²⁴) IMF = International Monetary Fund:
a) Balance of Payments Yearbook, aa. Vol. 17, 1960–1964; bb. Vol. 21, 1964–1968; cc. Vol. 28, 1969–1976; dd. Vol. 29, December 1978; ee. Vol. 30, 7, July 1979.
b) Direction of Trade, Annual, ff. Vol. 1, 1958–1962; gg. Vol. 2, 1960–1964; hh. Vol. 3, 1961–1965; ii. Vol. 4, 1962–1966; jj. Vol. 5, 1963–1967; kk. Vol. 6, 1964–1968; ll. Vol. 7, 1966–1970; mm. Vol. 8, 1968–1972; nn. Vol. 11, 1969–1975; oo. Vol. 12, 1970–1976.
c) Direction of Trade, Yearbook, International Financial Statistics, pp. 1979; qq. Supplement, 1972; rr. Vol. 31, 3, 1978; ss. Vol. 32, 5, 1979.

²⁵) Johnson, H. G.: Economic Expansion and International Trade, in: The Manchester School of Economic and Social Studies. 23.1955, pp. 95–112. Reprinted in: Johnson, H. G.: International Trade and Economic Growth. Studies in Pure Theory. 1958, pp. 65–93.

²⁶) Johnson, H. G.: Economic Development and International Trade, in: Nationaløkonomisk Tidsskrift. 97.1957, pp. 253–272. Reprinted in: Johnson, H. G.: Money, Trade and Economic Growth. Survey Lectures in Economic Theory. 1962, pp. 75–98.

²⁷) Κακαβᾶς, Ἀ. Θ.: Ἡ Εὐρωπαϊκή Οἰκονομική Κοινότης ὑπό τό πρίσμα τῶν νόμων τῆς οἰκονομικῆς (The European Economic Community Regarded from the Viewpoint of the Laws of Economics). Diss. Athens 1966.

²⁸) Kalamoutousakis, G. J.: Greece's Association with the European Community. An evaluation of the First Ten Years, in: Shlaim, A.; Yannopoulos, G. N. (eds.): The EEC and the Mediterrean Countries. New York 1976, pp. 141–160.

²⁹) Καλούδης, Θ. – Γ. Χαραλαμπόπουλος: Λεξικόν τῆς Ἐ. Ο. Κ. ῞Ενας πρακτικός ὁδηγός τῶν Εὐρωπαϊκῶν Κοινοτήτων καί τῶν ἑλληνοκοινοτικῶν σχέσεων (Dictionary of the EEC. A Practical Guide to the European Communities and the Relations between Greece and the Community). Athens 1979.

³⁰) Καζάκος, Π. Β.: Εὐρωπαϊκή Οἰκονομική Κοινότητα – Παρουσίαση καί κριτική τῆς οἰκονομικῆς ὁλοκλήρωσης στήν δυτική Εὐρώπη (The European Economic Community – Presentation and Critique of the Economic Integration in Western Europe). Athens 1978.

³¹) Keirstead, B. S.: The Theory of Economic Change. Toronto 1948.

³²) Kemp, M. C.: The Pure Theory of International Trade. Englewood Cliffs 1964.

³³) Κεβόρκ, Κ. ῞Η. – Ἀ. Σ. Σπαρίδης – Π. Θ. Τζωρτζόπουλος: Ἡ ζήτησις διαρκῶν καταναλωτικῶν ἀγαθῶν. Οἰκονομετρική διερεύνησις (The Demand for Durable Consumption Goods. An Econometric Inquiry). Athens 1964.

³⁴) Κεβόρκ, Κ. Ἠ.: Προσδιοριστικοί παράγοντες τῆς καλλιεργείας βάμβακος ἐν Ἑλλάδι (The Determinants of Cultivation and Production of Cotton in Greece). Athens 1966.

³⁵) Kindleberger, C.P.: Foreign Trade and National Economy. New Haven 1962.

³⁶) Lewis, W.A.: Theory of Economic Growth. London 1955.

³⁷) Lewis, W.A.: International Competition in Manufactures, in: American Economic Review: Papers and Proceedings. 47.1957, pp. 578–587.

³⁸) Μαρματάκης, Ν.Γ.: Ὁ ρόλος τῶν φορέων τῆς οἰκονομικῆς ἀναπτύξεως (The Role of the Carriers of Economic Growth). Athens 1964.

³⁹) Meier, G.M.; Baldwin, R.E.: Economic Development; Theory, History, Policy. New York 1957.

⁴⁰) Mundell, R.A.: International Economics. Toronto/London 1968.

⁴¹) Myint, H.: The "Classical Theory" of International Trade and the Underdeveloped Countries, in: Economic Journal. 68.1958, pp. 317–337.

⁴²) Myrdal, G.: An International Economy. Problems and Aspects. New York 1956.

⁴³) Nurske, A.: Problems of Capital Formation in Underdeveloped Countries. 9. Imp. Oxford 1964.

⁴⁴) Nurke, R.: Patterns of Trade and Development. Stockholm 1959/London 1961.

⁴⁵) OECD: a. Economic Surveys. Greece: aa. February 1971. – bb. November 1972. – cc. June 1975. – dd. July 1978. – b. National Account of OECD Countries: ee. Vol. II, 1962–1973. – ff. Vol. I, 1976. – gg. Vol. II 1976.

⁴⁶) Παπανδρέου, ᾽Α.Γ.: Ἡ ἔνταξη στήν Κοινή ᾽Αγορά. Καίσιο πλῆγμα στήν ἀγροτική μας οἰκονομία (The Accession to the Common Market. A Fatal Blow against our Agriculture), in: ᾽Εξόρμηση. 2. Sept. 1977. Reprinted in: Πασόκ: „῾Ελλάδα καί Κοινή ᾽Αγορά. ᾽Αντίλογος" (Greece and the Common Market. A Rejoinder). 4th. ed. Athens 1978, pp. 174–180.

⁴⁷) Παπανδρέου, ᾽Α.Γ.: Συνέντευξη ... στόν „Οἰκονομικό Ταχυδρόμο" (Interview ... with the "Financial Post"), in: ῾Ο Οἰκονομικός Ταχυδρόμος. September 1977. Reprinted in: Πασοκ (ed.): ῾Ελλάδα καὶ κοινή ᾽Αγορά, op. cit., pp. 181–211.

⁴⁸) Pesmazoglou, J.: Greece's Proposed Accession to the EEC, in: The World Today. 321976, pp. 142–151.

⁴⁹) Robinson, J.: The Economics of Imperfect Competition. London/New York 1933.

⁵⁰) Rosenstein-Rodan, P.M.: Problems of Industrialization of Eastern and South-Eastern Europe, in: Economic Journal. 53.1943, pp. 202–211.

⁵¹) Samuelson, P.A.: International Trade and Equalization of Factor Prices, in: Economic Journal. 58.1948, pp. 163–184.

⁵²) Scitovsky, T.: Two Concepts of External Economies, in: Journal of Political Economy. 62.1954, pp. 143–151.

⁵³) Scitovsky, T.: Growth–Balanced or Unbalanced?, in: Abramovitz, M. et al.: The Allocation of Economic Resources. Essays in Honor of Bernard Francis Haley. Stanford 1959, pp. 207–217.

⁵⁴) Scitovsky, T.: International Trade and Economic Integration as a Means of Overcoming the Disadvantages of a Small Nation, in: Robinson, E.A.G. (ed.): Economic Consequences of the Size of Nations. Proceedings of a Conference Held by the International Economic Association. London/New York 1960, pp. 282–290.

⁵⁵) Scitovsky, T.: Money and the Balance of Payments. Chicago 1969.

⁵⁶) Singer, H.W.: The Distribution of Gains between Investing and Borrowing Countries, in: American Economic Review: Papers and Proceedings. 40.1950, pp. 473–485. Reprinted in: Singer, H.W.: International Development. Growth and Change. New York 1964, pp. 164–172. Reprinted recently in: Singer, H.W.: The Strategy of International Development. Essays in the Economics of Backwardness. Edited by Sir Alec Cairncross and M. Puri. New York/London 1975, pp. 41–57.

⁵⁷) Singer, H.W.: The Distribution of Gains Revisited, in: Singer, H.W.: The Strategy of International Development ... op. cit., pp.58–66.

⁵⁸) Streeten, P.: Unbalanced Growth, in: Economic Integration. Leiden 1961, pp. 106–152. Reprinted in: Agarwala, A.N.; Singh, S.P. (eds.): Acceleration Investments in Developing Economies, op. cit., pp. 12–63.

⁵⁹) Svennilson, I.: Growth and Stagnation in European Economy. Geneva 1954.

⁶⁰) Svennilson, I.: The Concept of Nation and Its Relevance to Economic Analysis, in: Robinson, E.A.G. (ed.): Economic Consequences of the Size of Nations... op. cit., pp. 1–13.

[61] Tinbergen, J.: International. National, Regional, and Local Industries, in: Baldwin, R. A. et al.: Trade, Growth and the Balance of Payments. Essays in Honor of Gottfried Haberler. Chicago 1965, pp. 116–125.

[62] Triantis, S. G.: Common Market and Economic Development. The EEC and Greece. Athens 1965.

[63] Triffin, R.: The Size of the Nation and Its Vunerability to Economic Nationalism, in: Robinson. E. A. G. (ed.): Economic Consequences of the Size of Nations... op. cit., pp. 247–264.

[64] Viner, J.: Cost Curves and Supply Curves, in: Zeitschrift Nationalökonomie. 3.1931, pp. 23–46. Reprinted in: Stigler, G. J.; Boulding, K. E. (eds.): Readings in Price Theory. 1953, pp. 198–232.

[65] Viner, J.: International Trade and Economic Development. London 1953.

[66] Viner, J.: Stability and Progress. The Poorer Countries Problems, in: Hague, D.: Stability and Progress in World Economy. The First Congress of the International Economics. London/New York 1958, pp. 41–65.

[67] Viner, J.: Studies in the Theory of International Trade. London 1964.

[68] Yannopoulos, G. N.: Migrant Labour and Economic Growth. In Post-War Experiance of the EEC Countries, in: Shlaim, A.; Yannopoulos, G. N. (eds.): The EEC and the Mediterranean Countries, op. cit., pp. 99–138.

[69] Young, A.: Increasing Returns and Economic Progress, in: Economic Journal. 38.1928, pp. 527–542.

[70] Zolotas, X.: Monetary Equilibrium and Economic Development, Princeton 1965.

[71] Zolotas, X.: Developments and Prospects of the Greek Economy. An Adress. Athens 1975.

[72] Zolotas, X.: Guidelines for Industrial Development in Greece. An Address. Athens 1976.

[73] Zolotas, X.: Greece in the European Community. Athens 1976.

[74] Ζολώτας, Χ.: Ἡ συμβολή τῶν ἐξαγωγῶν στήν οἰκονομική ἀνάπτυξη (The Contribution of the Exports to the Economic Development). Athens 1976.

[75] Zolotas, X.: International Monetary Issues and Development Policies. Athens 1977.

[76] Zolotas, X.: The Positive Contribution of Greece to the European Community. Athens 1978.

348

Verkehrswesen und Infrastruktur

Dimitrios J. Delivanis, Saloniki

I. Verkehrswesen: 1. Eisenbahnverkehr – 2. Straßenverkehr – 3. Seeverkehr – 4. Luftverkehr –
II. Infrastruktur: 1. Wasser – 2. Gas – 3. Elektrizität – 4. Fernmeldewesen

I. Verkehrswesen

1. Eisenbahnverkehr

Das griechische Eisenbahnnetz umfaßt insgesamt 2502 km, von denen 1565 km die internationale Spurbreite, 915 km die Spur 1 m und 22 km die Spur 0,60 m haben. Bei einer Landesfläche von 131990 km² kommt somit auf je 52,75 km² Fläche 1 km Eisenbahnstrecke[1]. Nur die elektrische Schnellbahn Piräus–Athen–Kifisia (22 km), die Strecken Athen–Oinoi (61 km) und Saloniki–Platy (38 km) sind zweispurig ausgebaut. Mit Ausnahme der Schnellbahn werden im Personenverkehr Dieseltriebwagen und Diesellokomotiven eingesetzt. Aufgrund des unbefriedigenden Schienenzustandes und der häufig großen Höhenunterschiede ist die Geschwindigkeit im allgemeinen niedrig. Für den Gütertransport werden zum Teil noch Dampflokomotiven verwandt. Da die meisten Strecken eingleisig sind, gefährdet jede technische Störung die Einhaltung des Fahrplans relativ stark. Eine Entlastung des Eisenbahnnetzes brachte der Umbau der Strecke Larissa–Volos (63 km) auf internationale Spur: auf diese Weise entfällt das Umsteigen bzw. Umladen in Larissa zwischen Piräus und Volos einerseits und Saloniki und Volos andererseits.

Der Aufbau des griechischen Eisenbahnnetzes wurde zumeist von privaten Gesellschaften mit staatlicher Unterstützung durchgeführt. Eine Ausnahme bildet die Schnellbahn Piräus–Athen, die völlig ohne Staatsgelder gebaut worden ist. Unter Regie der staatlichen Eisenbahnverwaltung wurden folgende Strecken angelegt: die neue Strecke Agra–Arnissa, die eine ältere, überschwemmungsgefährdete ersetzte, und die 60 km lange Strecke Amyntaion–Kozani (in den 20er bzw. 50er Jahren). Die Strecken auf der Peloponnes und in Thessalien, alle in der Spur 1 m, wurden zum größten Teil vor 1900 dem Verkehr übergeben, die in internationaler Spurweite angelegte Strecke Piräus–Athen–Larissa–Papapouli (bis 1912 Grenze zum Osmanischen Reich) 1909. Zu ihrer Finanzierung wurden Sonderanleihen aufgelegt, von denen besonders zwei hervorzuheben sind, die 1890 bzw. 1902 im Ausland aufgelegt wurden. Die 89 km lange Strecke von der ehemaligen türkischen Grenze nach Platy wurde in den Jahren 1914 bis 1916 gebaut. Die Finanzierung erfolgte durch den

---

[1] Die im folgenden angegebenen Daten wurden, wenn nicht anders vermerkt, entnommen aus: Statistical Yearbook of Greece 1977. Athen 1978.

Verkauf des nicht vergebenen Teiles der Auslandsanleihe von 1914. Die Strecken Saloniki–Platy–Florina–Kremenitza (209 km), Saloniki–Alexandroupolis–Python–Svilengrad (621 km) und Saloniki–Eidomeni (77 km) wurden von der „Compagnie des Chemins de Fer Orientaux" errichtet. Die Finanzierung erfolgte durch Anleihen, die in Paris und Wien aufgelegt wurden. Die Strecke Piräus–Papapouli und die makedonischen Strecken wurden ebenso wie die Strecke von Toxotai bis Alexandroupolis 1920 verstaatlicht. Aufgrund der Bestimmungen des Versailler Vertrages brauchte der griechische Staat den deutschen und österreichischen Aktionären dieser Bahnen keine Entschädigung zu zahlen. Die Strecke Alexandroupolis–Python–Svilengrad wurde 1948 vom griechischen Staat erworben und der Staatsbahn zum Betrieb überlassen.

Die Sidirodromoi tou Ellenikou Kratous (Eisenbahnen des griechischen Staates – seit 1973 umbenannt in Organismos Sidirodromon Ellados, Körperschaft der griechischen Eisenbahnen) übernahmen im Laufe der Zeit alle Strecken der Privatgesellschaften mit Ausnahme der Schnellbahn Piräus–Athen–Kifisia, die seit 1975 aber auch vom Fiskus betrieben wird. Seither ist die Strecke defizitär, obwohl sie den Aktionären vorher über lange Jahre Dividenden gebracht hatte.

Bei den griechischen Eisenbahnen waren 1976 12915 Personen beschäftigt, davon 83 % in unkündbarem und 17 % in kündbarem Arbeitsverhältnis (das Personal der elektrischen Schnellbahn nicht eingerechnet). 1976 wurden durch die Staatsbahn (die elektrische Schnellbahn wiederum nicht eingeschlossen) 1582 Mill. Passagierkilometer und 845 Mill. Tonnenkilometer Fracht abgewickelt. Die Einnahmen betrugen in diesem Jahr 3,2 Milliarden Drachmen (20 Drachmen waren im März 1979 ca. 1 DM); davon waren allerdings 0,7 Milliarden Drachmen ein Vorschuß des Staates. Da die Ausgaben 3,9 Milliarden Drachmen betrugen, ergab sich ein Defizit von 1,4 Milliarden Drachmen. Dies wiegt um so schwerer, als die Pensionen seit 1971 aus der Staatskasse gezahlt werden. Die Gründe für die desolate Lage der griechischen Eisenbahnen sind in der Konkurrenz mit der Straße und dem Luftverkehr sowie in einer wenig glücklichen Streckenplanung zu suchen (die Schmalspurbahnen Sarakli–Stavros in Makedonien, Kryoneri–Agrinion in Westgriechenland und Volos–Mileai wurden stillgelegt; die Strecke Diakofto–Kalavryta in der Peloponnes ist noch in Betrieb).

2. Straßenverkehr

Das griechische Straßennetz ist im Vergleich zum Eisenbahnnetz gut entwickelt. Im Jahre 1976 umfaßte es 36721 km, von denen 8624 km auf Nationalstraßen und 28097 km auf Provinzstraßen entfielen. Daraus ergibt sich ein Erschließungsverhältnis von 1 km Straße auf 3,6 km² Fläche. Mit Ausnahme weniger entlegener Bergdörfer ist jeder griechische Ort über eine Straße zu erreichen. Die Strecken Piräus–Saloniki–Evzonoi an der jugoslawischen Grenze (570 km) und Piräus–Patras (220 km) wurden als Autobahnen ausgebaut.

Während die Nationalstraßen zu 99,9 % asphaltiert sind, ist dies nur bei 85,28 % der Provinzstraßen der Fall (24061 von 28097 km). Der Straßenzustand wurde vom Ministerium für öffentliche Bauten für 1976 wie folgt ermittelt (Angaben in %):

Tabelle 1. Straßenzustand

	Nationalstraßen	Provinzstraßen
in gutem Zustand	93,50	47,54
in befriedigendem Zustand	5,44	32,66
in schlechtem Zustand	0,96	14,13
nur zeitweise benutzbar	0,10	5,67
	100,00	100,00

1,06 % der Nationalstraßen und 19,80 % der Provinzstraßen entsprechen demnach nicht den Anforderungen heutigen Autoverkehrs. Neben diesem unzureichenden Straßenzustand sind eine hohe Unfallquote und starke Abnutzung der Fahrzeuge allerdings auch auf überhöhte Geschwindigkeit und allgemein ungenügendes Fahrverhalten zurückzuführen. Für Ausbau und Erhaltung der Straßen sind bei den Nationalstraßen der Staat, bei den Provinzstraßen die Nomoi (Provinzen) und bei Gemeindestraßen die Gemeinden zuständig. Die Finanzierung ist jedoch in fast allen Fällen nur durch Zuweisungen der Zentralregierung möglich. Das griechische Steuersystem läßt Provinzen und Gemeinden keine Einnahmen, die zur Finanzierung einer kontinuierlichen Strukturplanung auf lokaler wie regionaler Ebene dienen könnten. Der Straßenbau vollzieht sich daher stets projektgebunden und wird durch Mittelzuweisungen oder Bewilligung von Anleihen durch die Zentralregierung gesteuert. Die Dominanz des Staates kann dazu führen, daß kommunale Belange den Verteidigungsinteressen, der Parteipolitik oder auch nur der allgemeinen Konjunkturlage untergeordnet werden. Besonders betroffen sind hiervon die ländlichen Regionen, die abseits von den Ballungszentren wenig Einfluß auf die Tagespolitik haben. Aber auch auf die Städte wirkt sich die Verkehrspolitik aus: das Stadtinnere ist wegen der angespannten Finanzlage der Gemeinden in manchen Fällen vom Verkehr schlechter erschlossen als die Überlandstrecken zwischen den Städten. Eine gewisse Ausnahme bilden hier insbesondere Athen als Landeshauptstadt und Saloniki als Hauptstadt Nordgriechenlands, wo sich die Regierung neben der Gemeinde direkt für die Infrastruktur verantwortlich fühlt.

Die Durchführung von Straßenbauprojekten wird durch staatliche Ausschreibung an Privatfirmen vergeben. Eine im geltenden Recht vorgesehene Arbeitspflicht von Gemeindeeinwohnern zur Förderung des Straßenbaus wird aus politischen Gründen (sie gilt als undemokratisch) nicht angewendet.

Die Bedeutung der Straßen wird im Vergleich mit dem Verkehrsaufkommen deutlich. Im Jahre 1976 verkehrten in Griechenland:

Tabelle 2. Verkehrsaufkommen

(in Tausend)	Insgesamt	Großathen	Provinz
Kraftfahrzeuge:	747	372	375
davon Autobusse	14	7	7
PKW	510	309	201
LKW	223	56	167
Motorräder	91	41	50

Bei einer Gesamtbevölkerung von ca. 9 Mill. Einwohnern stellt Großathen mit ca. 3 Mill. Einwohnern (1978) etwa die Hälfte des gesamten Kraftverkehrsaufkommens Griechenlands.

Dies spiegelt die überragende Rolle Großathens als wirtschaftliche, politische und kulturelle Metropole des Landes wider. Die hohe Konzentration von Autobussen in Großathen ist durch die große Ausdehnung der Stadt bedingt, der verhältnismäßig geringe Anteil Großathens an der Gesamtzahl aller LKW ist dagegen darauf zurückzuführen, daß viele LKW, die überwiegend von Kleinspediteuren gehalten werden, in der Umgebung Großathens registriert sind, obwohl sie z.T. zur Versorgung der Stadt eingesetzt werden.

Die Motorisierung, die bereits 1976 ein beträchtliches Niveau erreicht hatte (Großathen: 1 Kraftwagen auf 6 Einwohner; Provinz: 1 Kraftwagen auf 16 Einwohner), zeigt trotz ständig steigender Kosten eine weiter zunehmende Tendenz. Als Gründe hierfür dürfen die Landflucht, soziales Prestige und allgemeine Vorstellungen über den Lebensstandard angenommen werden. In Griechenland ist von 1963 bis 1976 die Zahl der zugelassenen Kraftwagen von 125 000 auf 747 000, also um 497 % gestiegen, was einer durchschnittlichen jährlichen Steigerungsrate von 35 % entspricht.

Tabelle 3. Motorisierungsgrad

(in Tausend)	1963	1976	Zunahme 1963 – 76	Zunahme jährlich
Autobusse	8	14	75 %	5,4 %
PKW	68	510	650 %	46,5 %
LKW	49	223	459 %	32,8 %
Motorräder	41	91	122 %	7,6 %

Bei den angegebenen Werten ist allerdings zu berücksichtigen, daß die aus dem Verkehr gezogenen Fahrzeuge statistisch nicht abgezogen wurden, die Zahlen für die tatsächlich fahrenden Kraftwagen also nach unten zu bereinigen sind. Die Tendenz zur Motorisierung hat jedoch in den Jahren 1977 und 1978 weiter zugenommen, die Zahl der Neuzulassungen überschritt 1978 erstmals 120 000 Fahrzeuge (Erklärung des zuständigen Verkehrsministers).

Ein großer Teil des Personenmassenverkehrs wird ebenfalls – durch Busse – über die Straße abgewickelt. Für 1976 ergeben sich:

Tabelle 4. Omnibusverkehr

	Insgesamt	Innerhalb der Städte	Zwischen den Städten
Autobusse	6 194	2 734	3 460
Millionen Fahrtkilometer	491	191	300
Millionen Passagiere	996	805	191
Millionen Passagierkilometer	–	–	4 766

Das griechische Straßennetz bindet das Land in bedeutendem Maße an den internationalen Verkehr an. So verkehrten im Jahre 1975 international 95 282 LKW, von denen 32 343 (33,94 %) in griechischem Besitz waren. Der größte Teil des grenzüberschreitenden LKW-Verkehrs wurde mit 87 714 Einheiten (87,86 %) über die griechisch-jugoslawische Grenze bei Evzoni abgewickelt. Die Richtung des von Athen ausgehenden Verkehrs und der Anteil ausländischer Fahrzeuge wird aus der folgenden Verkehrszählung für 1976 ersichtlich.

Tabelle 5. Täglicher Autoverkehr

Täglicher Autoverkehr	Elevsina	Skismatari	Tembi
Inländische Fahrzeuge	13 580	11 488	6 142
Ausländische Fahrzeuge	595	490	461

Der Autoverkehr ist fast ausschließlich durch importierte Güter aufrechtzuerhalten. Dies gilt sowohl für die große Mehrzahl der Fahrzeuge selbst als auch besonders für Benzin und Reifen. Speziell durch die Abhängigkeit vom Erdölimport (seit 1974 größter Einfuhrposten) verschlechtert sich die griechische Außenhandelsbilanz, hinzu kommt die Gefahr politischer Abhängigkeiten. Der Zug zur Straße als bevorzugtem Verkehrsweg entzieht der Eisenbahn außerdem unbedingt notwendige Einnahmen. Aus Gründen der Landesverteidigung ebenso wie für den Katastrophenfall kann auf das Massentransportmittel Eisenbahn jedoch in keinem Fall verzichtet werden. Nicht zuletzt verursacht der Autoverkehr erhebliche Umweltschäden und trägt zur Zerstörung der Landschaft bei.

3. Seeverkehr

Der Schiffsverkehr hat in Griechenland seit jeher eine bedeutende Rolle gespielt. Im Güterverkehr ist seine Führungsrolle auch heute noch unumstritten. Der Personenverkehr hat zwar dem Umfang nach an Bedeutung eingebüßt, nach wie vor ist aber das Schiff einziges allgemein zugängliches Verkehrsmittel zwischen einer großen Anzahl von Inseln und dem Festland.

Die griechische Handelsflotte gehört zu den größten der Welt. So nahm sie 1975 nach Liberia, Japan, Großbritannien und Norwegen mit einer Tonnage von 24,8 Mill. BRT den fünften Platz unter den Handelsflotten der Welt ein. Hierbei sind zudem nur Schiffe erfaßt, die unter griechischer Flagge registriert sind. Es kommt hinzu, daß griechische Reedereien eine große Anzahl von Schiffen unter ausländischen Flaggen fahren lassen. Hierbei ist zwischen „Billigflaggen" wie Liberia, Panama und Zypern sowie Ländern wie den USA, Kanada und Großbritannien zu unterscheiden. Während im erstgenannten Fall Kostenersparnisse durch niedrige Löhne, den Fortfall von Sozialleistungen und Gebühren das Motiv bilden, stehen im zweiten Fall Verpflichtungen griechischer Reeder diesen Ländern gegenüber im Vordergrund; Verpflichtungen, die oftmals mit dem Verkauf von Schiffen an griechische Reedereien verbunden sind. Da zudem viele griechische Reedereien ihren Geschäftssitz im Ausland unterhalten, weil dies für den Abschluß von Frachtverträgen günstiger ist, läßt sich der „Anteil" griechischer Reeder an der Welthandelsschiffahrt nicht genau beziffern. Einen gewissen Aufschluß kann man aber immerhin aus der Versicherung von Offizieren und Mannschaften bei der Navtikon Apomachikon Tameion (Pensionskasse für Seeleute) gewinnen, bei der auch die Seeleute von Schiffen in griechischem Besitz, die unter Fremdflaggen fahren, registriert sind. Dort waren am 1. Juli

1976 Mannschaften und Offiziere von insgesamt 1107 Schiffen mit einer Tonnage
von 17,8 Mill. BRT unter Fremdflaggen versichert. Rechnet man diese Tonnage zu
der von 3321 Schiffen unter griechischer Flagge mit 27,4 Mill. BRT hinzu, so verfügte Griechenland über eine Flotte von 4428 Schiffen mit einer Gesamttonnage von
45,2 Mill. BRT.

  Die griechische Schiffahrt zeigt eine deutliche Tendenz zur Expansion, sowohl
was die Zahl der Schiffe, als auch was die Tonnage betrifft. So fuhren im Dezember
1976 bereits 3509 Schiffe, die größer als 100 BRT waren, unter griechischer Flagge.
Davon entfielen auf:

Frachter und Tanker:	2969 Schiffe mit	27,6 Mill. BRT
Passagierschiffe:	327 Schiffe mit	0,9 Mill. BRT
sonstige:	213 Schiffe mit	0,1 Mill. BRT

Nach dem Alter der Schiffe ergab sich:

- 22,2 % jünger als 5 Jahre
- 21,3 % zwischen 5 und 10 Jahren
- 19,2 % zwischen 10 und 15 Jahren
- 19,1 % zwischen 15 bis 20 Jahren
- 11,0 % zwischen 20 und 25 Jahren
- 3,4 % zwischen 25 und 30 Jahren
- 3,8 % älter als 30 Jahre

  Die Investitionsfreudigkeit griechischer Reeder wird aus diesen Zahlen deutlich.
Grund hierfür dürfte die stürmische Entwicklung in der Schiffahrt in den sechziger
Jahren gewesen sein, die einen strukturellen Umbruch, besonders im Tanker- und
Frachter(Container)-Bereich nach sich gezogen hat. (Zum Vergleich: 1938 waren
68,5 % aller griechischen Schiffe älter als 20 Jahre.) Diese Entwicklung drückt sich
auch in der Größe der Schiffe aus: 1976 entfielen 57,7 % der Gesamttonnage auf
Schiffe von mehr als 15 000 BRT und 19,8 % auf solche von 10 000 bis 15 000 BRT.

  Die griechische Schiffahrt betreibt ausschließlich Seeschiffe unter Einschluß des
regen Küstenverkehrs. Binnenschiffahrt gibt es in Griechenland nicht.

  Das Transportvolumen der Schiffahrt ist in Griechenland aufgrund der geographischen Gegebenheiten des Landes bedeutend. In der Passagierbeförderung hat die
Konkurrenz der Luftfahrt zwar einen relativen Rückgang des Anteils der Schiffahrt
am Gesamtverkehr bewirkt, doch nimmt die absolute Zahl der beförderten Personen aufgrund der ständigen Expansion des Reiseverkehrs weiter zu. Dabei spielt der
innergriechische Verkehr nach wie vor eine große Rolle, während die Bedeutung der
internationalen Schiffspassagen gegenüber der Luftfahrt in den Hintergrund tritt.
Der Überseeverkehr zu Schiff ist praktisch zum Erliegen gekommen. Im Verkehr
von und nach ausländischen Mittelmeerhäfen reisten 1976 356 000 Passagiere nach
Griechenland. 369 000 Passagiere benutzten den Seeweg in andere Mittelmeerländer von Griechenland aus. 53,8 % dieser Passagen wurden auf griechischen Schiffen
gebucht. Im innergriechischen Schiffsverkehr, der mit Ausnahme von Mittelmeer-
rundreisen, bei denen griechische Häfen angelaufen werden, griechischen Schiffen
vorbehalten ist, wurden 1976 18,2 Mill. Passagiere befördert. 60,8 % dieser Passagen entfielen auf die Fährverbindungen zwischen den Inseln untereinander und dem
Festland, die auch Busse, PKW und LKW transportieren. Solche Fähren, von denen
die größten seit 1978 mit 25 000 BRT zwischen Piräus und Kreta verkehren, haben

eine große Bedeutung für das griechische Verkehrswesen. Die Fähren zwischen Brindisi, Korfu, Igoumenitsa und Patras sind darüber hinaus ein Anschluß an ausländische Häfen.

Der zu Schiff beförderte Gütertransport umfaßte 1976 im Auslandsverkehr 39,2 Mill. Tonnen (davon: Einfuhr 25,9 Mill. Tonnen, von der 39,8 % auf griechischen Schiffen befördert wurden, und Ausfuhr 13,3 Mill. Tonnen, wovon 51,9 % auf griechischen Schiffen transportiert wurden). Im innergriechischen Güterverkehr zur See wurden 1976 25,8 Mill. Tonnen befördert.

Eine differenzierte Analyse des Gesamtverkehrsaufkommens zeigt, daß Passagier- und Frachtrouten nicht deckungsgleich sind. Im Passagierverkehr ergeben sich für 1976 folgende Zahlen (Häfen dem Verkehrsaufkommen nach):

Tabelle 6. Schiffsverkehr I: Passagiere

Auslandsverkehr (in Tsd. Passagieren)		Inlandsverkehr	
Patras	287,4	Piräus	5 416,9
Piräus	145,0	Aigina	1 302,2
Korfu	133,8	Heraklion	554,4
Igoumenitsa	130,0	Tinos	367,5
		Souda (Chania)	313,1

In der Reihe der größten Frachthäfen taucht mit Ausnahme von Piräus keiner der genannten Häfen wieder auf:

Tabelle 7. Schiffsverkehr II: Güter

(in Tsd. Tonnen)	Total	Inland	Ausland
Elevsis	11 936,0	3 156,2	8 779,8
Saloniki	8 580,1	1 937,5	6 642,6
Piräus	8 540,1	3 264,6	5 275,5
Isthmia	7 608,7	–	7 608,7
Megara	3 261,4	–	3 261,4
Volos	2 719,5	1 925,4	794,1

Elevsis, Isthmia und Megara müssen hier allerdings weitgehend als Ausweichhäfen für Piräus angesehen werden: mangelnde Kapazitäten, lange Wartezeiten, hohe Hafen- und Staugebühren zwingen zu einer teilweisen Verlagerung des Güterverkehrs in andere Häfen. Unter Anrechnung der dort angelandeten, aber eigentlich für Piräus bestimmten Güter ergäbe sich, daß fast 50 % aller per Schiff beförderten Fracht für den Ballungsraum Athen-Piräus bestimmt sind. Dies hebt die außerordentliche Bedeutung dieses Gebiets für das griechische Verkehrswesen wie für die gesamte Volkswirtschaft einmal mehr hervor.

Die Verwaltung der griechischen Häfen sowie die Aufsicht über die gesamte Schiffahrt unterstehen dem griechischen Staat. Die autonome Verwaltung der wichtigsten Häfen unterliegt Verwaltungsräten, die von der Regierung jeweils auf Zeit ernannt werden. Dabei muß zwischen zwei Gruppen von Beamten unterschieden werden. Während die eine mit der Abwicklung des routinemäßigen Hafenbetriebes vertraut ist, gehört die andere Verwaltungs- und Aufsichtsbehörden an, denen die Aufgabe obliegt, für die Einhaltung von Gesetzen und Verordnungen Sorge zu tragen. Die Laufbahn der letztgenannten Beamten entspricht der der Polizeioffiziere und Mannschaften. Sie können bis zum Grad eines Admirals aufrücken und besetzen auch die griechischen Hafenbehörden in großen ausländischen Häfen. Ihre Zuständigkeit erstreckt sich dort auf die Schlichtung von Differenzen, die zwischen Reedern, Offizieren und Mannschaften griechischer Schiffe auftreten können. Darüber hinaus überwachen sie die ordnungsgemäße Abführung der Beiträge an das Navtikon Apomachikon Tameion (Pensionskasse für Seeleute) und stehen für Auskünfte und Beratungen bereit.

Obwohl die griechische Handelsschiffahrt so gut wie ausschließlich privatwirtschaftlich organisiert ist, geht die Staatsaufsicht dennoch sehr weit. Betriebserlaubnisse, Fahrpläne und Tarife des Küstenverkehrs unterliegen der Aufsicht des Ministeriums für Handelsschiffahrt und sind genehmigungspflichtig, was auch für Passagier-Auslandsrouten gilt. Schiffahrtslinien dürfen ohne Erlaubnis des Ministeriums nicht eingestellt werden. Obwohl der Zugriff des Ministeriums auf Schiffe, die überwiegend außerhalb griechischer Gewässer verkehren, eingeschränkt ist, besteht doch hinsichtlich des Seefahrtsrechts und der Sicherheitsbestimmungen die Oberhoheit des Staates über alle griechischen Schiffe.

Auf Schiffen unter griechischer Flagge fuhren 1976 rund 56 000 Seeleute, davon 2100 Kapitäne, 11 500 Offiziere, 39 700 Matrosen im Mannschaftsrang sowie 2700 Kandidaten und Angehörige des Sanitätsdienstes. Die Zahl der griechischen Seeleute auf Schiffen, die unter Fremdflaggen fahren, aber in griechischem Besitz sind, läßt sich weder aus Unterlagen der Pensionskasse für Seeleute noch aus anderen Quellen ermitteln. Vorsichtigen Schätzungen zufolge kann mit einer Gesamtzahl von etwa 100 000 griechischen Seeleuten (1975) gerechnet werden.

Die Beschäftigung in der Seefahrt stellt angesichts der Gesamtzahl der Erwerbspersonen (nach der letzten Volkszählung von 1971: 2,3 Mill. Männer und 0,9 Mill. Frauen) keinen besonders großen Beschäftigungsfaktor dar. Regional, besonders auf vielen kleinen Inseln, wo die Wirtschaftsstruktur noch unterentwickelt ist und wo sich der Fremdenverkehr noch nicht entwickelt hat, ist die Seefahrt aber auch als Arbeitgeber von Bedeutung. Allgemein gesehen, stellt die Seefahrt in Griechenland einen der wenigen Bereiche dar, in denen das Angebot an Arbeitsplätzen die Nachfrage übersteigt.

Der Anteil der Schiffahrt am griechischen Nationaleinkommen besteht vor allem in den durch Passagier- und Frachtverkehr produzierten Dienstleistungen sowie in Reparatur- und Wartungsaufträgen an griechische Werften (gebaut werden die Schiffe meist außerhalb des Landes). Da die griechische Schiffahrt Devisen einbringt, ist ihre Bedeutung für die Zahlungsbilanz nicht zu unterschätzen. Erst 1978 wurde sie vom Tourismus aus der Stellung als erster Devisenbringer der unsichtbaren Einnahmen des Landes verdrängt.

4. Luftverkehr

Der Flugverkehr in Griechenland befindet sich in ununterbrochenem Aufschwung. Die geopolitische Lage des Landes macht die Landverbindungen umständlich, während die Schnelligkeit in der Überwindung langer Strecken durch das Flugzeug dazu geführt hat, daß das Schiff im Langstrecken-Passagierverkehr der Konkurrenz der Luftfahrt durchweg erlegen ist.

Das Gesamtaufkommen der griechischen Flughäfen nimmt in allen Bereichen – Passagiere, Fracht und Luftpost – kontinuierlich zu. Dabei gewinnt auch der internationale Transitverkehr in absoluten Zahlen weiter an Bedeutung. Für 1976 ergeben sich folgende Zahlen:

Tabelle 8. Gesamtaufkommen der griechischen Flughäfen I

		Transit
An- und Abflüge	153 000	
Passagieraufkommen	10 527 000	1 895 000
Frachtaufkommen (t)	58 900	47 600
Postaufkommen (t)	7 600	2 300

Die Entwicklungstendenz wird bei einem Vergleich zwischen 1967 und 1976 deutlich:

Tabelle 9. Gesamtaufkommen der griechischen Flughäfen II

(1967 = 100)	1976
An- und Abflüge	199,2
Passagieraufkommen	367,3
Transitpassagiere	264,8
Gelöschte und abgefertigte Fracht	236,5
Transitfracht	285,5
Gelöschte und abgeschickte Post	129,3
Transitpost	88,6

Die Zunahme innerhalb dieses Zeitraumes war, mit Ausnahme einiger Tage im Jahre 1974, als wegen des griechisch-türkischen Konflikts die Flughäfen geschlossen waren, gleichmäßig verteilt. Der einzige (relativ) rückläufige Posten, der Posttransit, kommt wahrscheinlich durch die internationale Tendenz zu mehr Direktflügen und größeren Flugzeugen zustande. So erklärt sich auch, daß der Anteil der Transitpassagiere am gesamten Passagieraufkommen 1976 nur 15,25 % betrug (Passagiere und Post werden in der Regel im gleichen Flugzeug befördert). Der hohe Anteil des Transits am Frachtverkehr dürfte darin begründet sein, daß Athen internationaler Umschlagplatz für Lufttransporte nach Übersee ist.

Das Verkehrsaufkommen der griechischen Flughäfen weist große Unterschiede auf; dasjenige von Athen übertrifft den Umfang aller übrigen Flughäfen zusammen. Dies zeigen die Angaben für 1976 (in Tausenden):

Tabelle 10. Verkehrsaufkommen nach einzelnen Flughäfen

	Starts und Landungen	Passagiere	Fracht	Post
Athen	61,1	60,6	76,0	86,8
Saloniki	7,63	7,83	9,49	4,32
Heraklion	4,66	6,33	4,02	1,85
Rhodos	6,83	9,74	2,89	1,79

Der Versuch der griechischen Luftfahrtgesellschaft, den gesamten internationalen Verkehr über Athen abzuwickeln, wurde aufgegeben, nachdem ausländische Gesellschaften Saloniki, Rhodos, Heraklion und Korfu in ihre Flugpläne aufgenommen haben. Trotz der deutlichen Unterlegenheit Salonikis gegenüber dem Verkehrsaufkommen des Flughafens Athen schneidet dieser zweitgrößte griechische Flughafen im Vergleich mit denen anderer Balkanhauptstädte vorteilhaft ab.

Die seit 1974 staatliche Fluggesellschaft Olympic Airways wurde 1956 als Privatgesellschaft gegründet. Sie trat die Nachfolge von TAE (privat) und HELLAS (von Pensionskassen betrieben) an, die 1946 bzw. 1948 gegründet worden waren. Nach dem Konkurs beider Unternehmen wurde ein Teil der Flugzeuge von den Olympic Airways übernommen, die seither einzige griechische Fluggesellschaft ist. Olympic Airways hält das Inlandsmonopol und ist berechtigt, Gegenseitigkeitsabkommen mit ausländischen Fluggesellschaften auszuhandeln. Die Bemühungen von Olympic

Karte 8: Verkehrswege

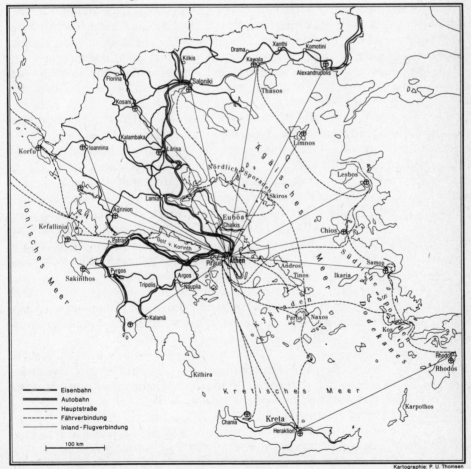

Airways, die Aktivität ausländischer Gesellschaften im Verkehr nach Griechenland einzuschränken, waren wenig erfolgreich, insbesondere was den Charterverkehr angeht. 1976 wickelte Olympic Airways 11,48 % aller Auslandsflüge von und nach Griechenland ab, beförderte dabei aber 21,4 % aller Auslandspassagiere, was für eine im Vergleich zu den ausländischen Fluggesellschaften bessere Auslastung der eingesetzten Flugzeuge spricht. Beim griechischen Publikum ist die eigene Fluggesellschaft, nicht zuletzt aus sprachlichen Gründen, sehr beliebt.

II. Infrastruktur

1. Wasser

Wie in den meisten Mittelmeerländern bildet die Wasserversorgung auch in Griechenland ein zentrales Problem der Infrastruktur. Erschließung und Aufbereitung von Trink- und Nutzwasser sind besonders kapitalintensiv. Die stetige Zunahme der Bevölkerung, zunehmende Ansprüche an die Hygiene und nicht zuletzt die zunehmende Industrialisierung führen zu einer ständigen Zunahme der benötigten Wassermenge. In Athen und Piräus wird seit 1925 mit Erfolg eine Strukturplanung im Bereich der Wasserversorgung betrieben, freilich sind Erweiterungen vonnöten. Ihre Finanzierung durch Sondersteuern – in Großathen und Saloniki – auf Einkommen aus Gebäuden stellt eine große Belastung für die Hausbesitzer dar. 1977 erreichte der Wasserverbrauch im Großraum Athen-Piräus 211,2 Mill. Kubikmeter bei 1 Mill. belieferter Betriebe und Haushalte. Dabei wurden 1,3 Milliarden Drachmen eingenommen (bei Kosten von 1,2 Milliarden Drachmen).

In Saloniki, wo die Wasserversorgung später als in Athen organisiert wurde, ist die Problematik bis 1978 noch nicht zur Zufriedenheit zu lösen gewesen. Auch viele andere Städte und Dörfer benötigen zusätzlich zur bestehenden Wasserversorgung weitere Anlagen, um ihren Bedarf zu decken. Die Bedeutung ausreichender Wassermengen für die Landwirtschaft wird daraus ersichtlich, daß bei geeigneter Versorgung die Erträge bis zu 200 %, z.T. sogar 300 % gesteigert werden können. In einigen Bereichen haben Bauern versucht, unterirdische Wasseransammlungen nutzbar zu machen. Die Folgen für die künftige Wasserversorgung sind jedoch einstweilen ebensowenig abzusehen wie die ökologischen Auswirkungen.

Die technisch mögliche Meerwasserentsalzung ist zu kostspielig, zudem wären große Anlagen nötig, um eine spürbare Entlastung des Wasserhaushaltes herbeizuführen. Auch ist nicht abzusehen, ob ein Einsatz von Atomkraftwerken zur Meerwasserentsalzung wirtschaftlich und politisch zu vertreten wäre.

So bleibt die Abhängigkeit der Wasserwirtschaft vom Grundwasser auf absehbare Zeit bestehen. Dies wiederum hängt unmittelbar von der Niederschlagsmenge ab. Eine gewisse Erhöhung der verfügbaren Wassermenge kann erzielt werden, wenn verhindert wird, daß das Regenwasser ins Meer abfließt.

Eine Übersicht über die geographische Verteilung der durchschnittlichen Niederschlagsmengen weist auf ein weiteres Problem in der Wasserwirtschaft: Verhältnismäßig dünnbesiedelten Gebieten im Westen des Landes mit größeren Niederschlagsmengen stehen dichter besiedelte und niederschlagsärmere Gebiete im Osten

gegenüber. Dies zeigt eine Übersicht über die durchschnittliche Niederschlagsmenge in einigen Städten Griechenlands von 1951 bis 1970, wobei zum Vergleich
die Werte von 1976, eines ausgesprochenen Dürrejahres, gegeben werden:

Tabelle 11. Durchschnittliche Niederschlagsmenge

(in Millimeter/Jahr)	Durchschnitt	
	1951 – 1970	1976
Athen	61,3	38,8
Korfu	189,9	95,7
Heraklion	100,3	(keine Angabe)
Ioannina	185,1	81,1
Patras	191,6	(keine Angabe)
Rhodos	195,8	139,5
Saloniki	40,5	33,3

Das Wasser der in Griechenland nicht zahlreichen Seen und der nur in Thessalien,
Makedonien und Thrakien vorhandenen Flüsse wird außerhalb ihrer unmittelbaren
Umgebung nicht in nennenswertem Umfang genutzt. Dies ist im Falle der Seen außer aus Kostengründen unverständlich. Was die Flüsse angeht, so scheinen starke
Schwankungen in der geführten Wassermenge eine rationelle Nutzung zu verhindern. Es muß jedoch darauf hingewiesen werden, daß exakte Erhebungen über vor-
handene Reserven nicht vorliegen.

2. Gas

Gas wird im Gegensatz zur Elektrizität in Griechenland nur in unbedeutendem
Ausmaß verwendet. Gasleitungsnetze existieren überhaupt nur in Athen und Piräus.
(Das Gaswerk in Saloniki wurde 1917 zerstört und nicht wiederaufgebaut.) Zudem
ist auch hier die Tendenz rückläufig. So betrug die Erzeugung in den Athener Gas-
werken 1976 nur 7,3 Mill. Kubikmeter, das entspricht 48,7 % der Menge von 1959.
In gewissem Umfang wird Butangas in den Haushalten verwendet, auch in Athen
und Piräus. Auf diese Weise werden vor allem Holz und Kohle als Hausbrandmittel
ersetzt.

3. Elektrizität

Die Stromerzeugung in ganz Griechenland untersteht der 1950 begründeten Dimosia Epiheirisi Ilektrismou (Public Power Corporation). Anlagen privater Elektri-
zitätsgesellschaften und gemeindeeigene Betriebe wurden in diese Gesellschaft
übernommen. Auf dem gesamten Festland und den küstennahen Inseln, u. a. Euböa
und Thasos, besteht ein Verbundnetz, das mit dem jugoslawischen Netz verbunden
ist. Auf allen Inseln, die dem nationalen Netz nicht angeschlossen sind, wurden eigene Verbundnetze installiert. Insgesamt bestanden 1976 75 Anlagen zur Elektrizi-
tätserzeugung mit einer Belegschaft von 25 000 Personen und einer Kapazität von
3,6 Mill. kW. Rund 10 % dieser Anlagen bestanden im Raum Athen-Piräus mit einer Belegschaft von 3682 Personen. 1976 erreichte die Kapazität 4,8 Mill. kW, davon 3,4 Mill. (70,8 %) thermoelektrisch und 1,4 Mill. kW (29,2 %) hydroelektrisch.

Vom gesamten Stromverbrauch in Höhe von 15,0 Mill. kWh im Jahre 1976 entfielen 5,4 Mill. kWh (36 %) auf Großathen. Nach Verbrauchern aufgeschlüsselt verteilte sich die Abnahme wie folgt:

Tabelle 12. Stromverbrauch I

	Mill. kWh	%	davon Athen-Piräus Mill. kWh	%
Haushalte	3,7	24,7	2,2	60,0
Handel	1,9	12,7	0,9	47,4
Industrie	8,6	57,3	2,1	24,4
Landwirtschaft	0,24	1,6	–	–
Behörden	0,4	2,7	0,13	30,7
Straßenbeleuchtung	0,16	1,0	0,06	37,7

Somit verbrauchte die Bevölkerung im Bereich Athen-Piräus, die ca. 33 % der griechischen Bevölkerung ausmacht, 36 % der erzeugten Elektrizität. Die eigentliche Bedeutung für die demographische Struktur des Landes besteht jedoch darin, daß 60 % aller für private Haushalte und 47,4 % für den Handel verbrauchter Elektrizität in diesem Raum genutzt wurde, während die Industrie hier nur 24,4 % der Landeserzeugung beanspruchte. Dies weist einerseits auf die relativ kleinere Bedeutung der Industrie als Stromverbraucher in Athen-Piräus hin und belegt andererseits die deutlich höhere Kaufkraft und Entwicklung des Lebensstandards der Bevölkerung dieses Gebietes. Da hier ca. 33 % der Gesamtbevölkerung auf nur 3,25 % der gesamten Landesfläche leben, ist der hohe Anteil für Behörden und öffentliche Beleuchtung erklärlich. Von den übrigen Landesteilen treten Zentralgriechenland und Makedonien als die größten Stromverbraucher hervor:

Tabelle 13. Stromverbrauch II

In Mill. kWh	Insgesamt	Haushalte	Handel	Industrie	Landwirtsch.	Behörden
Zentralgriechenland	4,3	0,2	0,2	3,7	0,06	0,04
Makedonien	2,9	0,6	0,32	1,83	0,02	1,10

Während die Industrie in Zentralgriechenland eindeutig größter Stromverbraucher ist, ergibt sich der hohe Verbrauch der Haushalte und Behörden in Makedonien aus der Lage Salonikis in diesem Gebiet.

Die Dimosia Epiheirisi Ilektrismou (Public Power Corporation) erwirtschaftet in der Regel Überschüsse, die zu weiteren Investitionen verwendet werden. Dies ist u. a. der Tatsache zu verdanken, daß die Stromtarife automatisch an steigende Kosten bei Brennstoffen und Löhnen angeglichen werden, die Kosten also auf die Konsumenten abgewälzt werden. Zur Finanzierung von Vorhaben, die aus eigenen Mitteln nicht bestritten werden können, werden darüber hinaus Anleihen mit Staatsbürgschaft im In- und Ausland aufgelegt.

4. Fernmeldewesen

Telefon, Telegramm- und Postdienst werden in Griechenland von zwei verschiedenen Körperschaften verwaltet. Das Fernmeldewesen untersteht dem Organismos Tilepikoinonion Ellados A.E. (Körperschaft des Fernmeldewesens Griechenlands A.G.), während die Post, die bis 1970 eine Abteilung des Verkehrsministeriums war, als unabhängige Körperschaft Ellenika Tachydromia (Griechische Post) geführt wird. Trotz des unabhängigen Charakters beider Körperschaften übt die Regierung durch Ernennung der Führungskräfte einen bedeutenden Einfluß aus. Der Gewinn im Fernmeldebereich wird teilweise zur Deckung von Defiziten bei der Post verwendet (1976: 0,5 Milliarden Drachmen). Von dem im Jahre 1976 erwirtschafteten Überschuß des Organismos Tilepikoinonion Ellados A.E. (13,6 Mrd. Drachmen Einnahmen gegenüber 11,3 Mrd. Ausgaben) verblieben somit noch 1,8 Mrd. Drachmen, die zusammen mit dem Erlös von Anleihen und staatlichen Subventionen zur Erweiterung und Modernisierung des Fernmeldewesens investiert wurden. Trotz dieser Investitionsfreudigkeit kann allerdings den Wünschen nach weiteren Telefonanschlüssen nicht immer mit gewünschter Schnelligkeit nachgekommen werden.

1976 bestanden in Griechenland 1077 automatische Telefonzentralen mit einer Kapazität von 1,9 Mill. Anschlüssen, von denen 1,8 Mill. belegt waren. 2,2 Mill. Telefonapparate und 27 Telexeinheiten waren in Betrieb. Insgesamt wurden 670,4 Mill. Telefongespräche geführt, davon 173,8 Mill. Auslandsgespräche. 4,6 Mill. Telegramme im Inland und 0,7 Mill. Auslandstelegramme wurden aufgegeben. An Schiffe und von Schiffen wurden 0,6 Mill. Telegramme und 1,0 Mill. Radiotelegramme versandt. Im Fernmeldewesen waren 1976 26 800 Personen beschäftigt, davon 129 in leitender Position.

Eine Auswertung von Verkehrswesen und Infrastruktur Griechenlands muß zu dem Schluß kommen, daß Griechenland zwar nicht den Standard der westlichen Industrieländer erreicht, im Vergleich mit den sozialistischen Ländern und der Dritten Welt aber eine führende Position einnimmt.

362

Sozialstruktur

Franz Ronneberger, Nürnberg,
unter Mitarbeit von Georg Mergl, Athen

I. Entwicklungstendenzen der griechischen Gesellschaft

Mißt man den Entwicklungsstand eines Landes am Prozentsatz der in der Landwirtschaft Beschäftigten, so liegt Griechenland mit einem Anteil von rund 40 %, das sind 1 311 260 landwirtschaftlich Tätige, an der Gesamtzahl von 3 234 996 Beschäftigten (1977) noch relativ weit von der 10 %-Grenze der Vollindustrialisierung entfernt. Nichtsdestoweniger hat es in den letzten Jahrzehnten eine stürmische Entwicklung erlebt, und es ist zu erwarten, daß der Industrialisierungsprozeß schnell voranschreitet. Freilich werden die Bodenverhältnisse in Griechenland eine vergleichsweise Mechanisierung der landwirtschaftlichen Produktion ohnehin nicht erlauben, so daß auch im günstigsten Fall die Beschäftigtenzahlen in der Landwirtschaft entschieden über der 10 %-Marke liegen werden. Noch verzeichnen wir sinkende Tendenz. Sie wird bedeutsam durch die negative Wanderungsbilanz der ländlichen und kleinstädtischen Gemeinden signalisiert (vgl. das Kapitel über die Bevölkerungsstruktur, S. 386 ff.).

Mit diesen Daten und Trends fügt sich Griechenland in das Bild ein, das die Gesellschaften der südosteuropäischen Länder in Vergangenheit und Gegenwart bieten. Wenn auch die Zahlen der ländlichen im Vergleich zur städtischen Bevölkerung nicht ohne weiteres mit den Beschäftigtenzahlen verglichen werden können, so ist doch die Tatsache eindrucksvoll, daß 1879 noch 82 % der Bevölkerung in Gemeinden unter 5000 Einwohnern lebten; 1920 waren es 73 %[1]), und erst nach dem Zweiten Weltkrieg begann das Abschmelzen dieses Überhanges. Folgt man der Einteilung der heutigen amtlichen Statistik, die ländliche Gemeinden nur bis zu 2000 Einwohnern anerkennt, so liegt der Anteil 1971 sogar bereits bei 35,2 %; er dürfte gegenwärtig, wenn man die Abwanderungstendenz hochrechnet, die 30 %-Marke erheblich unterschritten haben.

Diese Entwicklung korrespondiert zwar in erster Linie mit der Verlagerung der Verdienstmöglichkeiten zwischen Stadt und Land, dürfte aber im griechischen Falle außerdem durch die Komponente der nationalen Mentalität verschärft werden. Das Image des Griechentums verbindet sich eher mit dem Typus des Städters, Händlers und Seefahrers als mit dem des Bauern, was selbstverständlich nicht ausschließt, daß die Masse der Bevölkerung bis hoch in unser Jahrhundert hinein von der Landwirtschaft lebte. Verglichen mit anderen südosteuropäischen und mediterranen Kulturen, erscheint uns die griechische deutlich als eine urbane, und es ist daher anzunehmen, daß der Drang in die Stadt in der Gegenwart nicht allein ökonomisch bedingt

---

[1]) Voyatzis, B.: Das griechische Dorf, in: Ronneberger, F., u. Teich, G. (Hrsg.): Von der Agrar- zur Industriegesellschaft. Sozialer Wandel auf dem Lande in Südosteuropa. Darmstadt 1968. 17. Beitrag, S. 1.

ist. Vor allem muß damit gerechnet werden, daß sich in Griechenland das allgemeine Entwicklungsgesetz, wonach beim Abbau des primären Sektors (Landwirtschaft, Fischfang usw.) nicht der sekundäre Sektor (Handarbeit in Gewerbe und Industrie), sondern gleich der tertiäre Sektor (administrative „geistige" Tätigkeiten) angestrebt wird, in besonderem Maße auswirkt. Das Wachsen der großstädtischen Verwaltungs- und Entscheidungszentralen (mit Athen und Saloniki an der Spitze) verdeutlicht diesen Trend unübersehbar.

Die bedeutsamste Folge einer so überstürzten Vergroßstädterung ist die Zunahme der aus anderen Entwicklungsländern bekannten sozialen Konfliktsituationen zwischen der eingesessenen und zugezogenen Großstadtbevölkerung sowie in der Enttäuschung der Neuankömmlinge über die Aufstiegs- und Berufschancen, die den Erwartungen und Hoffnungen nicht entsprechen. Sie äußern sich in steigender Kriminalität und politischer Radikalisierung. Gleichlaufend ist der ständige Funktionsverlust der ländlichen Bevölkerung zu beklagen: Das Leben auf dem Dorfe und nicht minder in den Kleinstädten wird qualitativ defizitär.

Es darf allerdings nicht übersehen werden, daß die Entwertung der „Provinz" nicht einheitlich verläuft. So hat eine Untersuchung über die Veränderung der industriellen Struktur zwischen 1963 und 1969 gezeigt, daß Mittelgriechenland und Euböa ebenso wie Makedonien durchaus noch überproportionale Wachstumsraten zeigten, während beispielsweise die Verhältnisse auf der Peloponnes, in Thrakien und auf Kreta ausgesprochen unbefriedigend waren[2]). Zwar vermittelt diese Untersuchung nur einen Teilaspekt des Problems, doch das Ungleichgewicht zwischen den einzelnen Regionen dürfte nicht beim industriellen Sektor haltmachen.

Das Gefälle von Stadtregion zum Land kommt auch in der Auswanderung zum Ausdruck. Es ist das Fehlen von Versorgungseinrichtungen (Wasser, Strom), der Verkehrserschließung (Eisenbahn und die Bus- und Autoverbindungen zu Versorgungs- und Absatzmärkten), der Nachrichtenübermittlung (Zeitung, Radio, Fernsehen), der kulturellen Einrichtungen, des Gesundheitswesens und der Ausbildungsmöglichkeiten, die die Menschen zur Auswanderung veranlaßt. „Dorfbewohner, die in den Städten oder im Ausland eine gute Schul- und Fachausbildung erhalten haben, kehren nur selten in ihre Heimatgemeinden zurück, in denen sie die erworbenen Kenntnisse kaum anwenden können. Wie andere Entwicklungsländer ist Griechenland daher nicht nur auf geldliche Unterstützungen, sondern auch auf technische Hilfe und die Stellung von Führungskräften durch das Ausland angewiesen[3]).

II. Beschäftigungsstruktur

Aussagen über den vertikalen Aufbau einer Gesellschaft ermöglicht weniger die Verteilung der Beschäftigten auf die unterschiedlichen Erwerbszweige als vielmehr ihre Tätigkeit in abhängigen und unabhängigen Berufen, woraus sich die jeweiligen Positionen im Erwerbsprozeß ergeben. Die folgende Tabelle zeigt die Einordnung der Berufe nach sozialen Kategorien aufgrund einer entsprechenden Erhebung während der Volkszählung von 1971 (Tab. 1).

---

[2]) Andrikopoulos, A.: Industrial Structure and Regional Change, in: The Greek Review of Social Research. 32. 1978, pp. 106–116.
[3]) Banco, I.: Studien zur Verteilung und Entwicklung der Bevölkerung von Griechenland. Bonn 1976, S. 175.

Tabelle 1. Erwerbsbevölkerung nach Beschäftigten-Hauptgruppen, Geschlecht und Wohngebieten

	Geschlecht	Erwerbsbevölkerung	Akademiker und freie Berufe mit techn. Personal	Höhere Angestellte in Verwaltung u. Wirtschaft	Büroangestellte aller Art	Kaufleute und Händler	In Dienstleistungen beschäftigte Personen	In Landwirtschaft, Viehzucht u. Forstwirtschaft besch. Personen	Handwerker und Arbeiter (nicht in Landwirtsch.) und Transportgewerbe	Nicht einzuordnende Personen	Ohne Angaben
gesamt Gebiete	beide Geschl.	3234996	183480	19880	244008	232508	238888	1313336	966488	2704	33704
	männlich	2329588	119700	18308	162456	187540	153868	835420	825220	1872	25204
	weiblich	905408	63780	1572	81552	44968	85020	477916	141268	832	8500
städtische Gebiete	beide Geschl.	1543300	141584	18248	209168	179196	177636	84712	705780	2016	24960
	männlich	1180136	91648	16772	143024	143720	108776	65048	599700	1396	19052
	weiblich	363164	49936	1476	75144	35476	68860	19664	106080	620	5908
kleinstädt. Gebiete	beide Geschl.	365828	15152	1128	16648	23896	24460	174076	106856	248	3328
	männlich	275248	9540	1076	12928	19968	17148	118464	93388	196	2540
	weiblich	90580	5612	52	3756	3928	7312	55612	13468	52	788
ländliche Gebiete	beide Geschl.	1325868	26744	504	18156	29416	36792	1054548	153852	440	5416
	männlich	874204	18512	460	15504	23852	27944	651908	132132	280	3612
	weiblich	451664	8332	44	2652	5564	8848	402640	21720	160	1804

Quelle: Statistical Yearbook of Greece 1977. Athens 1978, S. 86 f.

Tabelle 2. Erwerbsbevölkerung nach Erwerbszweigen, Geschlecht und Wohngebieten

Gebiete	Geschlecht	Erwerbsbevölkerung	Landwirtsch., Viehzucht, Forstwirtsch., Jagd, Fischerei	Bergwerke, Steinbrüche, Salinen	Industrie und Handwerk	Stromerzeugung, Gas, Dampf, Wasserversorgung	Baugewerbe	Handel, Restaurants, Hotels	Transport, Lagerung, Verkehr	Banken, Versicherungen, Immobilien	Sonstige Dienstleistungen	Ohne Angaben
gesamt	beide Geschl.	3234996	1312600	21096	554380	24816	256424	362024	211672	78524	349104	64356
	männlich	2329588	834424	19528	404268	22160	254908	284504	198656	57376	227980	25784
	weiblich	905408	478176	1568	150112	2656	1516	77520	13016	21148	121124	38572
städtische Gebiete	beide Geschl.	1543300	83416	5364	439400	19328	172440	275724	160436	71464	262572	53156
	männlich	1180136	63608	5092	322364	16848	171396	215436	148944	51948	165132	19368
	weiblich	363164	19808	272	117036	2480	1044	60288	11492	19516	97440	33788
kleinstädt. Gebiete	beide Geschl.	365828	174424	4688	50016	2540	31948	37140	22716	4424	33840	4092
	männlich	275248	118772	4372	36892	2424	31792	30248	21868	3420	23096	2364
	weiblich	90580	55652	316	13124	116	156	6892	848	1004	10744	1728
ländliche Gebiete	beide Geschl.	1325868	1054760	11044	64964	2948	52036	49160	28520	2636	52692	7108
	männlich	874204	652044	10064	45012	2888	51720	38820	27844	2008	39752	4052
	weiblich	451664	402716	980	19952	60	316	10340	676	628	12940	3056

Quelle: Statistical Yearbook of Greece 1977, S. 88, 89, 90.

Es fällt auf, daß die Verteilung in städtischen, kleinstädtischen (semi-urban) und ländlichen Gebieten außerordentlich unterschiedlich ist. Von einer Angleichung der Beschäftigtenstruktur, wie sie in vollentwickelten Industriegesellschaften vor allem zwischen Stadt und Land anzutreffen ist, kann hier nicht die Rede sein. Wir haben es deutlich mit einer Gesellschaft im Übergang zu tun, die sich durch Disproportionen zwischen hoch- und unterentwickelten Regionen auszeichnet. Freilich kann man im griechischen Fall nicht mehr von einer dualen, d. h. einer weiterentwickelten groß-städtischen und einer sehr zurückgebliebenen bäuerlich-kleinstädtischen Kultur sprechen. Disproportionen zeigen sich jedoch auch bei der Verteilung der Beschäf-tigten auf die einzelnen Erwerbszweige (Tab. 2). Beachtlich sind in beiden Statisti-ken die Unterschiede, ja Gegensätze zwischen Männern und Frauen.

Hinsichtlich der Gehälter und Löhne treten die Unterschiede noch deutlicher her-vor, sowohl zwischen unterschiedlichen Erwerbszweigen wie zwischen Männern und Frauen (Tab. 3).

Tabelle 3. Jahresdurchschnitt der monatlichen Einkünfte von Beschäftigten in Industrie- und Handwerksbetrieben mit 10 Personen und darüber (in Drachmen*)

Branchen	1975			1976		
	gesamt	männlich	weiblich	gesamt	männlich	weiblich
Gesamt	11471	12706	6962	14094	15525	8622
Nahrung	10130	11302	6255	12243	13660	7664
Getränke	10902	11590	6499	13351	14197	8137
Tabak	11527	12250	7794	14332	15282	9889
Textil	10862	12119	7303	13043	14375	8973
Bekleidung und Schuhe	8243	10096	6319	9722	11581	7738
Holz und Kork	11254	12355	6480	14301	15702	8338
Möbel	8082	8940	5970	9952	10886	7583
Papier	10718	11142	7625	13678	14433	8691
Druck und Verlag	11176	12507	7607	14905	16237	10367
Leder	11820	13696	5979	14889	17089	7277
Gummi und Plastik	10954	12629	6433	13178	14916	8183
Chemie	11612	13435	7397	13754	15659	9097
Raffinerieprodukte	12788	13370	7737	15425	16389	8904
Nichtmetall. Mineralprod.	11881	12605	7039	15060	16004	8409
Metall-Schwerbetriebe	18876	19931	10858	22444	23491	13352
Metallverarbeitung	11786	13619	6555	14344	16325	8361
Maschinenindustrie	9976	11237	6000	12276	13934	7762
Elektroindustrie	11012	12320	6683	13552	15238	8214
Transportausstattung	12222	13035	6802	15383	16245	8785
Verschiedenes	10914	12880	7054	13081	15697	9175

Quelle: Statistical Yearbook of Greece 1977, S. 97.
* 1 Drachme = 0,07 DM (Stand 1976)

Typisch sind die unverhältnismäßig hohen Löhne in der Metallurgie und in der Maschinenindustrie. Ihre Bevorzugung ist bezeichnend für die Situation von Ent-wicklungsländern im Stadium des Übergangs zur Industrialisierung. Die sich immer mehr verstärkende Umschichtung der Beschäftigten zugunsten der großstädtischen Regionen, insbesondere Groß-Athens, kommt auch in den Relationen zwischen Ar-beitsuchenden und Vermittelten zum Ausdruck (Tab. 4).

Tabelle 4. Jahresdurchschnittliche Veränderungen bei Arbeitsuchenden nach Geschlecht und Wohnort

Geographische Gebiete	1975			1976		
	gemeldete Arbeits- suchende	unter- gebracht	arbeits- los	gemeldete Arbeits- suchende	unter- gebracht	arbeits- los
			beide Geschlechter			
Gesamt	51026	46455	34969	53591	49572	28474
Groß-Athen	22246	20992	7002	23249	22728	5476
Rest von Mittel- griechenland u. Euböa	4329	4465	2139	4134	4247	1588
Peloponnes	3227	3055	1771	3561	3356	1424
Ionische Inseln	650	495	1497	742	537	1335
Epirus	875	556	2007	877	582	1381
Thessalien	2345	2010	2574	2607	2199	1962
Makedonien	14298	12213	14151	14965	13015	11775
Thrakien	816	621	1470	921	683	1306
Ägäische Inseln	846	770	1459	1056	912	1337
Kreta	1396	1278	899	1488	1313	890
			männlich			
Gesamt	31847	29076	22887	33053	30770	17567
Groß-Athen	13886	13103	4664	14551	14369	3373
Rest von Mittel- griechenland u. Euböa	3158	3332	1619	3058	3229	1170
Peloponnes	1734	1604	1284	1900	1759	928
Ionische Inseln	421	320	948	474	356	783
Epirus	568	340	1486	586	368	989
Thessalien	1626	1416	1769	1788	1503	1313
Makedonien	8394	7136	8742	8534	7332	6930
Thrakien	594	480	950	561	438	815
Ägäische Inseln	598	542	912	698	615	774
Kreta	867	804	514	903	801	492
			weiblich			
Gesamt	19179	17380	12082	20538	18802	10907
Groß-Athen	8359	7890	2339	8699	8359	2103
Rest von Mittel- griechenland u. Euböa	1171	1133	521	1076	1018	419
Peloponnes	1493	1451	487	1661	1596	496
Ionische Inseln	228	176	549	268	181	552
Epirus	307	216	521	290	214	392
Thessalien	718	595	804	820	696	649
Makedonien	5904	5076	5410	6431	5683	4845
Thrakien	221	141	520	350	245	492
Ägäische Inseln	247	228	547	358	297	562
Kreta	530	475	384	585	513	397

Quelle: Statistical Yearbook of Greece 1977, S. 103.

Die Darstellung zeigt, daß 1976 in Groß-Athen lediglich ein Viertel der Arbeit-suchenden nicht vermittelt werden konnte, während in Thrakien und auf den Inseln die Zahl der Arbeitslosen die der Arbeitsuchenden übersteigt. Im Landesdurch-schnitt beträgt das Verhältnis rund 1:2. Die Furcht vor Arbeitslosigkeit, die für das

Entwicklungsstadium, in dem sich Griechenland gegenwärtig befindet, typisch ist, scheint indessen nach einer Untersuchung von Apel[4]) weitgehend verschwunden zu sein. Unter ihr habe das Land in den fünfziger Jahren noch äußerst gelitten. Die Wendung sei mit der Hoffnung auf Arbeitsmöglichkeiten in Westeuropa eingetreten, die sich ja zunächst auch tatsächlich erfüllt haben. Es darf vermutet werden, daß diese Hoffnung angesichts der Erwartungen, die durch den Beitritt Griechenlands zur Europäischen Gemeinschaft erweckt werden, anhält.

III. Die ländliche Gesellschaft

Man kann nach wie vor davon ausgehen, daß ländliche und städtische Gesellschaft in Griechenland unterschiedlich strukturiert sind, wenn sich der Abstand auch ständig verringert. Die natürlichen Bedingungen der Landwirtschaft erlauben nur z.T. den Einsatz moderner rationeller Verfahren; die Bodenbearbeitung erfordert im Durchschnitt einen erheblichen Aufwand an Menschen- und Maschinenkraft sowie an chemischen Mitteln. Die soziale Problematik auf dem Lande wird von diesen Faktoren stark beeinflußt, jedoch nicht allein bestimmt. Ein gleichwertiger Faktor ist das Verharren in überkommenen Sozialformen. Zwar hat sich die alte Agrarverfassung, die durch eine erstaunliche (historisch bedingte) Vielfalt gekennzeichnet war[5]) – Hirtenpartnerschaft (Tseligato), Gutsdorf (Çift-lik), Großfamiliendorf (Patria), Hauptdorf (Kefalochori), Sammeldorf (Haufendorf), Bergdorf, Fischerdorf und Schiffahrtsdorf –, in den ersten Jahrzehnten dieses Jahrhunderts aufgelöst, doch die zu jenen Sonderformen bäuerlichen Daseins gehörenden Bewußtseinslagen verschwinden nicht so schnell. Daher konnte sich eine der modernen Bewirtschaftung entsprechende durchgehend rationale Organisation von Familie und Dorfgemeinschaft noch nicht durchsetzen.

Zunächst ist darauf hinzuweisen, daß im Jahrzehnt von 1912 bis 1922 mit den allgemeinen politischen Veränderungen in Griechenland sich auch die ländliche Gesellschaft grundlegend wandelte. Die Zahl der Dörfer verdoppelte sich nahezu. Das Land mußte rund 1,4 Mio. Auslandsgriechen aufnehmen, die zur z.T. in der Landwirtschaft unterkommen konnten. 145 127 Familien, zusammen 560 136 Personen, wurden in 1952 Dörfern angesiedelt. Für die Ansiedlung der Auslandsgriechen stellte die griechische Regierung Flächen von 8 390 444 Ar zur Verfügung, deren größter Teil aus Ländereien der ausgetauschten türkischen und bulgarischen Bevölkerung bestand. So betrug die Bodenfläche pro vertriebene Familie ungefähr 47,2 Ar, während für die einheimischen besitzlosen Familien ungefähr 520 Ar ausgegeben wurden. Die bedeutendste Änderung brachte jedoch die große Agrarreform von 1928. Wie Tab. 5 zeigt, wurden 850 000 ha neu verteilt. Das bedeutete, daß 60 % des Ackerlandes und 40 % der Böden den Eigentümer wechselten. Weitaus der größte Teil des zur Verfügung gestellten Bodens lag in Makedonien und Thrakien.

Am Ende war eine Agrarstruktur entstanden, die kaum noch größere Besitzungen kennt. Das heutige Griechenland ist ein ausgesprochenes Kleinbauernland. 73 %

---

[4]) Apel, H.: Bulgarien und Griechenland. Ein Systemvergleich wirtschaftlicher und sozialer Nachkriegsentwicklung, in: Osteuropa. 26. 1976, S.271–286.

[5]) Vgl. Voyatzis, B.: a.a.O.

Tabelle 5. Änderungen der Besitzstruktur auf dem Lande

Besitz ausgetauschter türkischer Bauern	etwa 518000 ha
Besitz ausgetauschter bulgarischer Bauern	etwa 94000 ha
eingezogene Großgüter	etwa 95000 ha
staatlicher Besitz	etwa 54000 ha
Besitz fremder Staatsangehöriger	etwa 29500 ha
verschiedene (Kloster- und Gemeinde-) Güter	etwa 59000 ha
insgesamt	etwa 850000 ha

Quelle: Voyatzis, B.: Das griechische Dorf, a.a.O., S. 11.

der bäuerlichen Betriebe sind bis zu 3 ha groß, weitere 9 % bis zu 4 ha. Wenn man bedenkt, daß die Parzellen dieser Betriebe durchschnittlich aus 8–9 verstreuten Äckern, auf Kreta und im Epirus sogar aus 10–18 Äckern bestehen, von denen ein Teil auf hügeligem Gelände und an Berghängen liegt, versteht man, daß der griechische Bauer nur bedingt rationell wirtschaften kann. Auch der Einsatz von Maschinen ist begrenzt. „Griechenland war nicht auf die Bodenreform vorbereitet, wie es notwendig gewesen wäre, um die Anwendung kleinlicher Maßstäbe im Namen der ‚gerechten Verteilung‘ und die Parzellierung produktiver Bodeneinheiten zu vermeiden. So rettete man das griechische Landvolk wohl von der Skylla des Großgrundbesitzes, verfiel aber auf die Charybdis der Zwergbetriebe."[6] Bei allem Vorbehalt gegen Vergleiche: Die griechische Agrarstruktur von heute ähnelt derjenigen der übrigen Balkanländer vor 1945. Während aber die durch die sozialistischen Agrarreformen noch weitergetriebene Parzellierung des Bodens durch Zwangskollektivierung und freiwillige Genossenschaftsbildung (Jugoslawien) wenigstens teilweise wettgemacht wurde, hinkt Griechenland in dieser Hinsicht nach. Wenn auch die Zahl der genossenschaftlichen Zusammenschlüsse erheblich zugenommen hat (allein im Zeitraum von 1915 bis 1956 von 150 auf 6925), so reicht sie doch offenbar nicht aus, die vordringlichen Probleme der Kreditbeschaffung, des Ein- und Verkaufs zu lösen, von der genossenschaftlichen Produktion gar nicht zu reden. Vermutlich bildet der ausgesprochene, vielfältig bezeugte Individualismus des griechischen Menschen hier eine Barriere.

Immerhin hat wie in den kommunistischen Nachbarländern das Genossenschaftswesen auch in Griechenland eine Veränderung der dörflichen politischen Kultur eingeleitet. Die Bedeutung des Eigentums an Grund und Boden als soziales Schichtmerkmal geht zurück. Durch die Entmachtung der Grundbesitzer war bereits die Spitze der bäuerlichen Hierarchie in Frage gestellt; mit den Genossenschaftstechnikern und -organisatoren entstand eine neue Führungsgruppe, der sich insbesondere die Klein- und Kleinstbesitzer unterordneten. Sie standen und stehen auch gegenwärtig noch in Konkurrenz mit der Schicht der größeren Bauern, der Händler und der Selbständigen (Ärzte, Lehrer, Staatsbeamte usw.), doch es zeichnet sich ab, daß insbesondere ihr politischer Einfluß auf die Parteien wächst. Dann folgt wie bisher die mittlere Schicht der Kleinbauern, Kleinhändler und der ausgesprochen dörflichen Handwerker[7]. In dem Maße, wie die Genossenschaftsarbeit sich auswirkt,

---

[6] Ebenda, S. 13.

[7] Mouzelis, N., and Attalides, M.: Greece, in: Archer, M.; Scotford and Giner, S. (Hrsg.): Contemporary Europe. Class, Status and Powers. London 1971, p. 183.

vor allem durch Kreditbeschaffung, entsteht eine moderne Agrargesellschaft, wie wir sie in den hochindustrialisierten Ländern kennen. Mit ihr wird auch der Abstand zur städtischen Kultur verringert, denn durch den Einzug der elektronischen Nachrichtenmittel und Massenmedien nimmt die ländliche Bevölkerung am nationalen und internationalen politischen Geschehen teil. Ob freilich dieser Strukturwandel ausreicht, die im Gang befindliche Landflucht zu bremsen, läßt sich noch nicht entscheiden. Die Entwicklung dürfte nicht zuletzt davon abhängen, ob in den Klein- und Mittelstädten sich genügend Industrie ansiedelt, die den durch Rationalisierung auf dem Dorfe frei werdenden Arbeitskräften sowie den landwirtschaftlich Tätigen zusätzliche Arbeitsmöglichkeiten (Pendler, gemischtes System des Zuerwerbs) bietet. Auf diese Weise könnten auch die Lebensverhältnisse auf dem Lande durch den Ausbau von Handwerk und Kleinhandel verbessert werden.

Vom Strukturwandel ist schließlich die bäuerliche Familie betroffen. Der allgemeine Trend in modernisierenden Gesellschaften, die überkommenen großfamilialen Systeme abzubauen, läßt sich auch in griechischen Dörfern beobachten. Freilich vollzieht sich dieser Prozeß nur langsam, er hält nicht immer mit den veränderten ökonomischen Verhältnissen Schritt. Die Statistik bietet leider keine Anhaltspunkte für die Familiengrößen in unterschiedlichen Regionen. Voyatzis[8] gibt an, daß im größten Nomos Griechenlands, in Kozani, wo die Bevölkerung noch zu 92 % in der Landwirtschaft beschäftigt ist, jede landwirtschaftliche Familie durchschnittlich aus 5,1 Familienmitgliedern besteht. Dies wäre gegenüber den städtischen Verhältnissen noch ein signifikanter Unterschied. Es kann ferner angenommen werden, daß mit zunehmender Schulbildung der Kinder sich nicht nur deren Abhängigkeit von der Elterngeneration verringert, es dürften auf diesem Wege auch die städtischen Verhaltensnormen Einzug ins Dorf halten. Generell muß freilich in bezug auf die griechische Familie (ländliche wie städtische!) festgehalten werden, daß der Zusammenhalt und die gegenseitige Unterstützung beim Fortkommen zwischen Verwandten, selbst ungeachtet ihrer Haushaltsgröße, noch immer erstaunlich groß ist. Auch die Stellung der Frau ist noch stärker traditionsbestimmt als beispielsweise in benachbarten sozialistischen Ländern. Sie spielt „immer noch die traditionelle Rolle von Mutter, Hausfrau und Bettgenossin ihres Ehemanns, der seinerseits sich in der Gesellschaft von Freunden im Kaffeehaus wohler fühlt als in seiner häuslichen Rolle"[9].

IV. Die städtische Gesellschaft

Wenn auch, wie im Kapitel über die Bevölkerung dargelegt, das Wachstum der griechischen Städte sich nicht einheitlich vollzieht, so zeigt doch der statistische Vergleich zwischen 1971, 1961 und 1951, daß sich in der Rangordnung der größten städtischen Agglomerationen keine Veränderungen ergeben haben, während freilich an anderen Stellen Schwankungen bis zu 15 Rangstellen zu verzeichnen sind (Tab. 6). Tonangebend sind unangefochten die Städte Athen, Saloniki, Patras, Volos, Heraklion, Larissa, Chania, Kavala, davon die ersten drei mit über 100 000 Einwohnern.

---

[8] A.a.O., S. 16.
[9] Apel, H.: a.a.O., S. 274.

Tabelle 6. Größenordnung griechischer Städte nach Bevölkerung und Jahr

Städtische Agglomerationen	1971		1961		1951	
	Bevölkerung	Rang	Bevölkerung	Rang	Bevölkerung	Rang
1. Groß-Athen	2540241	1	1852709	1	1378586	1
2. Groß-Saloniki	557360	2	380654	2	302124	2
3. Groß-Patras	120847	3	103941	3	86267	3
4. Groß-Volos	88096	4	80846	4	73817	4
5. Groß-Heraklion (Kreta)	84710	5	69983	5	54758	5
6. Larissa	72336	6	55391	6	41016	7
7. Groß-Chania	53026	7	49058	7	37788	9
8. Kavala	46234	8	44517	8	42102	6
9. Groß-Agrinion	41794	9	33281	13	26582	19
10. Serres	41091	10	41133	9	37207	10
11. Groß-Kalamata	40402	11	39256	10	39940	8
12. Ioannina	40130	12	34997	11	32315	11
13. Trikkala	38740	13	31885	15	27914	17
14. Lamia	38297	14	33170	14	25288	22
15. Chalkis	36300	15	24745	24	23786	24
16. Rhodos	33100	16	28119	20	24280	23
17. Komotini	32219	17	31845	16	31893	12
18. Kerkyra (Korfu)	31461	18	29896	18	30811	13
19. Drama	30627	19	33536	12	30740	14
20. Groß-Katerini	30512	20	30095	17	26503	21
21. Verroia	30425	21	26677	23	22569	25
22. Groß-Chios	30021	22	28755	19	29157	16
23. Xanthi	27040	23	27802	21	27283	18
24. Karditsa	25830	24	23708	25	18543	29
25. Alexandroupolis	25136	25	20918	29	18580	27
26. Mytilini	24376	26	26846	22	26525	20
27. Kozani	24020	27	21537	28	17651	32
28. Groß-Aigion	23756	28	22698	27	18562	28
29. Giannitsa	21188	29	23555	26	20187	26
30. Korinth	20773	30	15892	37	17728	31
31. Pyrgos	20599	31	20558	30	17996	30
32. Arta	20538	32	17654	33	13645	38
33. Tripolis	20209	33	18500	32	17585	33
34. Argos	19878	34	17627	34	14026	37
35. Naousa	17443	35	15752	39	12782	40
36. Ptolemaïs	16588	36	12747	45	8816	50
37. Levadeia	16271	37	13595	42	12059	44
38. Ermoupolis	16082	38	20113	31	29812	15
39. Kastoria	16043	39	10872	50	10049	49
40. Theben	15971	40	15779	38	12582	41
41. Rethymnon	15373	41	15576	40	11790	45
42. Edessa	14671	42	16145	35	15458	35
43. Amalias	14615	43	16108	36	15350	36
44. Sparta	13432	44	15538	41	15538	34
45. Preveza	12973	45	12865	46	12296	42
46. Kilkis	12555	46	13466	43	10937	46
47. Orestias	12513	47	12908	44	10846	47
48. Mesolongi	12399	48	12618	47	13042	39
49. Florina	11164	49	12004	48	12270	43
50. Tyrnavos	10687	50	11074	49	10756	48

Quelle: Nicolacopoulos, I., and G. S. Tsouyopoulos: Structural aspects of the network of Greek cities. A methodological note, in: The Greek Review of Social Research, 26./27. 1976, S. 55.

Es wurde bereits darauf hingewiesen, daß das Wachstum der städtischen Bevölkerung hauptsächlich auf dem Zuzug aus dem Lande beruht und daß Athen hierfür das augenfälligste Beispiel ist. In der Tat geht aus Tab. 7[10]) hervor, wie sich die Herkunft der Athener auf die Altersjahrgänge verteilt.

Tabelle 7. Herkunft der in Athen geborenen Lohnempfänger im Jahre 1964 nach Geburtsort der Mutter

Alter	Geschlecht	Mutter geboren									
		in Athen	in Griechenl.	in Kleinasien	in Istanbul	in Ägypten	in Osteuropa	in Zypern	in Albanien	in anderen Ländern	Gesamt
weniger als 20 J.	m	33,7	46,9	16,2	1,3	1,3	1,3	–	–	–	13,5
	w	28,9	44,8	21,4	3,7	–	0,9	–	–	–	26,9
20–24 J.	m	27,6	44,6	23,4	4,2	–	–	–	–	–	8,5
	w	27,2	25,9	31,1	9,0	2,5	2,5	–	1,2	–	19,3
25–29 J.	m	12,0	48,2	36,2	1,7	–	–	–	–	1,7	10,5
	w	21,9	30,1	31,5	9,5	1,3	5,4	–	–	–	18,3
30–34 J.	m	20,0	42,1	31,5	5,2	–	1,0	–	–	–	17,2
	w	14,0	35,9	40,6	6,2	–	1,5	–	–	–	16,1
35–39 J.	m	17,9	48,7	24,7	7,6	0,8	–	–	–	–	21,1
	w	18,1	36,3	39,3	6,0	–	–	–	–	–	8,3
40–44 J.	m	21,5	58,4	10,7	3,0	1,5	3,0	–	–	1,5	11,7
	w	28,0	48,0	20,0	4,0	–	–	–	–	–	6,2
45–49 J.	m	22,5	65,0	10,0	–	–	2,5	–	–	–	7,2
	w	33,3	66,6	–	–	–	–	–	–	–	2,2
50–54 J.	m	26,9	69,2	3,8	–	–	–	–	–	–	4,7
	w	50,0	50,0	–	–	–	–	–	–	–	1,5
55–59 J.	m	42,1	57,8	–	–	–	–	–	–	–	3,4
	w	33,3	33,3	–	–	–	–	–	–	–	0,7
60–64 J.	m	37,5	62,5	–	–	–	–	–	–	–	1,6
	w	–	–	–	–	–	–	–	–	–	–
65 J. u. mehr	m	–	100,0	–	–	–	–	–	–	–	0,1
	w	–	–	–	–	–	–	–	–	–	–
Gesamt	m	22,8	50,8	21,1	3,6	0,5	0,9	–	–	0,3	100,0
	w	24,4	37,8	28,7	6,2	0,7	2,0	–	0,2	–	100,0

Quelle: Burgel, G.: La condition industrielle à Athènes. 2. Mobilité géographique et mobilité sociale. Étude socio-géographique. Paris 1972, S. 125

Besonders fällt der hohe Anteil junger Frauen/Mädchen unter 20 Jahren auf, deren Mütter nicht in Athen geboren sind, während von den über 65jährigen überhaupt niemand aus Athen stammt. (Die Zahlen finden sich in einer 1964 durchgeführten repräsentativen Untersuchung unter 2811 Industriearbeitern und -arbeiterinnen.) Die Bearbeiter stellten fest, daß 85 % der eingewanderten Frauen direkt aus ihrem Geburtsort nach Athen gekommen waren, bei den Männern nur 66 %[11]). Es ergäbe sich darüber hinaus eindeutig eine allgemeine Tendenz, unmittelbar vom Geburtsort, also ohne Zwischenaufenthalt an einem anderen Ort, nach Athen zu mi-

---

[10]) Burgel, G.: La condition industrielle á Athènes. 2. Mobilité géographique et mobilité sociale. Étude socio-géographique. Paris 1972, p. 152.
[11]) Ebenda. S. 30 f.

grieren. Das bedeutet, daß andere griechische Städte zugunsten der Landeshauptstadt an Bedeutung verlieren. Sie können in bezug auf die ländliche Bevölkerung, die ehedem zuerst in die nahegelegene Stadt abwanderte, ihre prägenden Kräfte nicht mehr entfalten. Noch läßt sich zwar die städtische Gesellschaft Griechenlands nicht mit der Gesellschaft Athens identifizieren; wir haben es hier eher mit einer Metropolengesellschaft internationalen Maßstabs zu tun, die durch geringe Verwurzelung und Identität ihrer Bürger bestimmt ist. Doch im weiteren Verlauf der Verstädterung dürfte die griechische städtische Gesellschaft immer mehr vom Typus der Großstadt anstelle der einstigen Mittel- und Kleinstadt geprägt werden. Das führt zwangsläufig zu einer mehr kosmopolitischen Mentalität und zu einem Verlust an spezifisch griechisch-urbaner Kultur.

Folgt man Mouzelis[12]), so läßt sich die städtische Gesellschaft in Griechenland (bei besonderer Betonung der Großstadt) durch vier soziale Schichten charakterisieren: Die Oberschicht setzt sich aus Reedern, Bankiers, Großkaufleuten und Unternehmern sowie aus erfolgreichen und wohlhabenden Freiberuflern, höheren Angestellten und Beamten zusammen. Innerhalb dieser Oberschicht läßt sich noch eine höchstprivilegierte Gruppe in Gestalt jener Familien unterscheiden, die ihre Herkunft bis auf die Phanarioten des Befreiungskrieges zurückführen können und eine Verbindung zusammen mit den wohlhabend gebliebenen Großgrundbesitzern von einst eingegangen sind. Ihre Herkunft in Verbindung mit ihrem Reichtum verleihe ihnen den Anspruch einer „Aristokratie", bemerkt Mouzelis. Der Rest der Oberschicht besteht aus Familien, die erst seit einer oder zwei Generationen reich sind und daher als weniger kultiviert im Sinne eines kosmopolitischen Anspruchs gelten.

Die obere Mittelklasse setzt sich aus Selbständigen, älteren Offizieren und höheren Beamten und kleinen Unternehmern zusammen, während die untere Mittelklasse kleine Kaufleute, Angestellte, mittlere Beamte und Handwerker umfaßt. Beide Mittelklassen bilden die Masse der städtischen Gesellschaft.

Zur Unterschicht gehören alle diejenigen, die weder über Eigentum noch über Bildung verfügen, also Arbeitnehmer, insbesondere Industriearbeiter, Dienstboten usf.

Bezeichnend ist, daß sich diese Schichtstruktur nicht nach „unten" wie in den entwickelten Industriegesellschaften, sondern nach „oben" hin differenziert. In den komplexeren Gesellschaften der westlichen Industrieländer unterscheidet man weit mehr soziale Schichten im mittleren und unteren Bereich. Leider verfügen wir über keine spezielle sozialwissenschaftlich-empirische Untersuchung der griechischen Schichtungsverhältnisse; immerhin lassen die in Tab. 1 verzeichneten Berufsstrukturen erkennen, daß die Mehrheit der Erwerbstätigen eher in der unteren Hälfte des Schichtungsgebäudes zu finden ist als in den mittleren Etagen, wie dies in hochentwickelten Industriegesellschaften der Fall ist. In Griechenland erinnert die zahlenmäßige Verteilung der sozialen Schichten eher an die Gestalt einer Pyramide, während sie beispielsweise in der Bundesrepublik mehr durch Zwiebelform bestimmt ist.

Auch Mouzelis weist darauf hin, daß Vergleichszahlen für die Ausdehnung der sozialen Schichten in Griechenland den vorhandenen Statistiken nicht zu entnehmen sind. Als Annäherung bietet er eine OECD-Tabelle (Tab. 8) an:

---

[12]) Mouzelis, N., and Attalides, M.: a.a.O., S. 183.

Tabelle 8. Die griechischen Erwerbstätigen in beruflicher Schichtung

Berufsgruppen	Anzahl	% aller Erwerbstätigen
Akademische Berufe, Manager, höhere Beamte	136190	4,1
Büroangestellte und Kaufleute	411410	12,6
Gelernte und angelernte Arbeitnehmer	581000	17,8
Ungelernte Arbeiter	408600	12,5
Landwirte und Landarbeiter	1722100	52,8
	3259300	

Quelle: OECD: The Mediterranean Regional Project: Country Reports. Greece. Paris 1965.

V. Mobilität

Horizontale ebenso wie vertikale Mobilität entsprechen der griechischen Mentalität. Die Bereitschaft, die Heimat zu verlassen, um anderswo mehr zu verdienen und sein Glück zu machen, ist in der Tradition dieser Kultur tief verwurzelt. Ebenso der Wille, den Kindern durch Schulbildung und Beruf die Chance für ein besseres Fortkommen zu ermöglichen. Wenn es gelingt, einen Sohn auf die Universität zu schicken und aus ihm einen Akademiker zu machen, bedeutet dies einen entschiedenen Prestigegewinn für die gesamte Familie, die daraus auch ihrerseits Gewinn zu ziehen sucht. Man rechnet damit, daß sich der Avancierte in Athen oder Saloniki erkenntlich zeigt für das von der Familie gebrachte Opfer und andere Angehörige protegiert. Während im allgemeinen in voll entwickelten Industriegesellschaften der erfolgreiche soziale Aufstieg eines einzelnen als seine eigene Leistung gilt, wird er in Griechenland eher als eine Familienleistung bewertet, die er der familiären Unterstützung verdankt und die daher auch zum Aufstieg der anderen Familienangehörigen führen muß. Mouzelis berichtet von einer Befragung an der Athener Universität: „Glauben Sie, daß in unserem Lande persönliche Fähigkeit allein einen jungen Mann oder eine junge Frau zum Erfolg führen kann?" 82 % der männlichen und 86 % der weiblichen Studenten verneinten die Frage.

Die Chancen für den sozialen Aufstieg durch bessere Schulbildung sind indessen in Griechenland durchaus mit denen in Industriegesellschaften zu vergleichen. Fast 90 % der Kinder kommen der sechsjährigen Schulpflicht nach, d. h., sie besuchen die Schule sechs Jahre und beenden sie mit Abschluß. Von ihnen besucht fast die Hälfte eine weiterführende Schule, und 40 % vollenden sie. 43 % der Mittelschüler gelangen zur Universität: das bedeutet, daß sich unter den Studenten ein hoher Prozentsatz von Abkömmlingen aus den unteren sozialen Schichten befindet.

Der Bereitschaft zur vertikalen Intergenerations-Mobilität entspricht das Verhalten der Arbeitnehmer, den Job bzw. den Beruf zu wechseln, wenn sozialer Aufstieg damit verbunden ist (Intragenerationsmobilität). Bei einer jüngsten Untersuchung[13]) stellte sich heraus, daß 74 % der Befragten bereits mindestens einen Jobwechsel hinter sich hatten, wobei Männer häufiger wechselten als Frauen. Interes-

---

[13]) Kassimati, K.: Industrial Movements in Greek Industry. Intragenerational Trends, in: The Greek Review of Social Research. 29. 1977, pp. 127–140.

sant ist, daß Verheiratete eher zum Wechsel neigen als Alleinstehende. Die Bearbeiter vermuten, daß dies aus Pflichterfüllung und Sorge für das Familienwohl geschieht. Erwartungsgemäß haben die meisten Befragten aus ländlichen Gebieten zwischen ein- und dreimal gewechselt, während die Befragten aus Städten einen drei- und mehrmaligen Wechsel hinter sich hatten. Diese Beobachtungen legen den Schluß nahe, daß der soziale Wandel in Griechenland nicht an Mobilitätsbarrieren scheitern wird. Wenn in traditionellen Gesellschaften erfahrungsgemäß die Bereitschaft zum Orts- und Berufswechsel gering ist und wenn selbst in entwickelten Gesellschaften mit hohem Berufsethos (Berufung!) der Berufswechsel negativ stigmatisiert ist, scheinen in Griechenland günstige Bedingungen für industriegesellschaftliche Modernisierung zu bestehen. Jedenfalls kann an der positiven Bewertung des sozialen Aufstiegs nicht gezweifelt werden; insofern haben wir es mit einer deutlichen (möglicherweise christlich stimulierten) Gegenbewegung zu orientalischen Einflußmöglichkeiten zu tun.

Höhere Mobilität einer Gesellschaft wirkt sich auch positiv auf das Bewußtsein der sozialen Sicherheit aus. Mit allem Vorbehalt gegenüber Vergleichsuntersuchungen mit sozialistischen Ländern seien hier die Ergebnisse aus einer Untersuchung der beiden Nachbarländer Griechenland und Bulgarien angeführt. Ein repräsentativer Durchschnitt der Bevölkerung wurde gefragt, wie er den ,,Schutz gegen die materiellen Folgen von Schwangerschaft, Krankheit, Invalidität, Alter und Arbeitslosigkeit" bewerte. Die Antworten wurden nach A (Großstädte), B (Kleinstädte) und C (Landbezirke) ausgewiesen. D bezeichnet den Durchschnitt. Aus Tabelle 9 geht eine ziemlich ausgeglichene Beurteilung hervor[14]).

Tabelle 9. Soziale Sicherheit (in Prozentzahlen der Antworten)

Bewertung	A	B	C	D
»1« – Sehr gut	9	8	6	8
»2« – Gut	25	26	19	23
»3« – Weder gut noch schlecht	28	22	23	25
»4« – Schlecht	26	31	29	28
»5« – Sehr schlecht	12	13	23	16

Quelle: Osteuropa. 26.1976, S. 276.

Ähnliche Ergebnisse brachte die Frage nach der ,,allgemeinen Lebenserwartung". Die Befragten sollten ihre ,,jetzige Lebenssituation als Ganzes" bewerten.

Tabelle 10. Allgemeine Lebenserwartung (in Prozentzahlen der Antworten)

Bewertung	A	B	C	D
»1« – Sehr gut	2	10	4	6
»2« – Gut	20	30	23	24
»3« – Weder gut noch schlecht	46	45	46	46
»4« – Schlecht	25	14	18	19
»5« – Sehr schlecht	7	1	9	5

Quelle: Osteuropa. 26.1976, S. 276.

---

[14]) Apel, H.: a.a.O., S. 276.

Bevölkerungsstruktur

Franz Ronneberger, Nürnberg,
unter Mitarbeit von Georg Mergl, Athen

I. Bevölkerung und Bevölkerungsdichte – II. Bevölkerungsaustausch, Nationalstaat und Minderheiten – III. Geburtenrate, Alterspyramide – IV. Binnenwanderung, Landflucht, Verstädterung – V. Aus-, Ab- und Rückwanderung – VI. Soziale Lage: 1. Wohnverhältnisse – 2. Beschäftigung

I. Bevölkerung und Bevölkerungsdichte

Die Bevölkerung Griechenlands entwickelte sich wie folgt[1]):

Tabelle 1. Bevölkerungsentwicklung 1821 – 1971

Jahr der Zählung	Bevölkerung	Änderungen		Gebiet in qkm	Einwohner je qkm
		Absolut	%		
1821	938765	--	--	47516	19,76
1828	753400	- 185365	- 19,75	47516	15,86
1838	752077	- 1323	- 0,18	47516	15,83
1839	823773	71696	9,53	47516	17,34
1840	850246	26478	3,21	47516	17,89
1841	861019	10773	1,27	47516	18,12
1842	853005	- 8014	- 0,93	47516	17,95
1843	915059	62054	7,27	47516	19,26
1844	930295	15236	1,67	47516	19,58
1845	960236	29941	3,22	47516	20,21
1848	986731	26495	2,76	47516	20,77
1853	1035527	48796	4,95	47516	21,79
1856	1062627	27100	2,62	47516	22,36
1861 (12 III - 10 V)	1096810	34183	3,22	47516	23,08
1870 (2 - 17 V)	1457894	361084	32,92	50211	29,04
1879 (15 - 21 IV)	1679470	221576	15,20	50211	33,45
1889 (16 IV)	2187208	507738	30,23	63606	34,39
1896 (6 X)	2433806	246598	11,27	63606	38,26
1907 (27 X)	2631952	198146	8,14	63211	41,64
1909 (19 XII)	5016889	2384937	90,61	127000	39,50
1920 (16 IV)	6204684	1187795	23,68	129281	47,99
1940 (16 X)	7344860	1140176	18,38	129281	56,81
1951 (7 IV)	7632801	287941	3,92	131990	57,83
1961 (19 III)	8388553	755752	9,90	131990	63,55
1971 (14 III)	8768641	380088	4,53	131990	66,43

[1]) Statistical Yearbook of Greece 1976. Athen 1977, S. 15; Μεγάλη Ἑλληνικὴ Ἐγκυκλοπαιδεία (Große Griechische Enzyklopädie). Bd. 10. Athen o. J., S. 576.

Das Gebiet Griechenlands, wie es durch das Erste Londoner Protokoll (3.2. 1830) festgesetzt wurde, umfaßte 47516 qkm. Nach dem Anschluß der Ionischen Inseln (1864) wuchs es auf 50211 qkm an, nach jenem Thessaliens und Artas (1881) auf 63606 qkm. Nach dem für Griechenland verlorenen Krieg gegen das Osmanische Reich von 1897 erfolgte eine Grenzberichtigung zugunsten des Osmanischen Reiches, wodurch die Fläche auf 63211 qkm sank. Nach den Balkankriegen wuchs die Fläche durch die Eingliederung Makedoniens, des Epirus, der Ostägäischen Inseln und Kretas auf 121794 qkm. Durch die Verträge von Neuilly (1919) und Sèvres (1920) kamen West- und Ostthrakien sowie die Inseln Imbros und Tenedos dazu, eine Fläche von insgesamt 150176 qkm.

Im Vertrag von Lausanne (1923) mußte Griechenland Ostthrakien, Imbros und Tenedos wieder an die Türkei abtreten. Die Fläche betrug nun 129281 qkm. Mit dem Anschluß des Dodekanes (1947) erhielt Griechenland seinen heutigen Umfang von 131990 qkm (nach der Gebietsvermessung von 1963, die 1973 revidiert wurde).

1821 wurde keine Volkszählung durchgeführt, sondern die Bevölkerung aufgrund der Zählung von 1828 rückwirkend ermittelt. Der starke Rückgang um fast ein Viertel erklärt sich durch die Verluste während des Befreiungskrieges sowie durch die Abwanderung von Türken, die allein auf der Peloponnes auf 90000 geschätzt werden[2]). Von zwei geringen Ausnahmen, die vermutlich auf fehlerhafte Zählungen zurückzuführen sind, abgesehen, ist seither eine ständige Bevölkerungsvermehrung festzustellen. Die Vermehrung zwischen 1861 und 1870 geht zum Großteil auf die Bevölkerung der Ionischen Inseln (229516) zurück, während die Vermehrung zwischen 1879 und 1889 dem Anschluß von Thessalien und Arta (344067) zu verdanken ist. Die gewaltige Vermehrung zwischen 1907 und 1920 (fast eine Verdoppelung) ist vor allem auf die Eingliederung Makedoniens, des Epirus, der Ostägäischen Inseln und Kretas (2666011) zurückzuführen. 1920 waren auch Ostthrakien, Imbros und Tenedos griechisch. Die Zahlen wurden aber in obiger Tabelle nicht berücksichtigt. Die Vermehrung zwischen 1920 und 1928 geht auf den Zustrom der Flüchtlinge hauptsächlich aus Kleinasien zurück, von denen aber die abgewanderten Türken und Bulgaren abgezogen werden müssen. Dieser Faktor spielt auch noch eine überragende Rolle in der Vermehrung zwischen 1928 und 1940. Die Vermehrung von 1940 bis 1951 ist zum Teil auf den Anschluß des Dodekanes (121480) zurückzuführen[3]). Die Bevölkerungsdichte hat sich zwischen 1828 und 1971 mehr als vervierfacht. Seit 1951 werden alle zehn Jahre Volkszählungen durchgeführt, wobei der Fragebogen jedesmal neu erstellt wird[4]).

---

[2]) Chouliarakis, M.: Γεωγραφική, Διοικητική καὶ Πληθυσμιακὴ ᾿Εξέλιξις τῆς ῾Ελλάδος 1821–1971 (Geographische, administrative und demographische Entwicklung Griechenlands 1821–1971). Bd. 1/1, Athen 1973, S. 31.

[3]) Μεγάλη ῾Ελληνικὴ ᾿Εγκυκλοπαιδεία (Große Griechische Enzyklopädie). Bd. 10. Athen o. J., S. 576.

[4]) Chouliarakis, M.: Γεωγραφική, Διοικητική καὶ Πληθυσμιακὴ ᾿Εξέλιξις τῆς ῾Ελλάδος 1821–1971 (Geographische, administrative und demographische Entwicklung Griechenlands 1821–1971). Bd. 3, Athen 1976, S. 348ff.

II. Bevölkerungsaustausch, Nationalstaat, Minderheiten

Die Zahl der 1821 auf dem heutigen Staatsgebiet Griechenlands lebenden Türken ist nicht bekannt. Sie hatten einige wenige Landstädte gegründet, die alten Festungen besetzt und sich im Rahmen des osmanischen Lehnssystems in den Ebenen Makedoniens, Thessaliens, Ätoliens und der Peloponnes niedergelassen, außerdem als Hirten (Jürüken) und Kleinbauern (Koniariden) an den Gebirgsrändern Makedoniens und Thessaliens[5]). Nach Schätzungen erreichten sie zwischen 20 und 30 % der Bevölkerung, also mehr als heute beispielsweise auf Zypern. Dazu kommen aus opportunistischen Gründen oder zwangsweise zum Islam übergetretene Griechen, wie die Wala'aden in Makedonien und viele Kreter. Die Türken bzw. Muslime aus dem ursprünglichen Staatsgebiet wanderten nach Errichtung des Königreiches, jene aus Thessalien nach dessen Anschluß freiwillig ab. Aufgrund der Konvention von Lausanne (30.1. 1923) verließen 434000 Türken bzw. Muslime Makedonien, Epirus und Kreta, davon rund 25000 bis 30000 aus Kreta. (Es handelt sich um Höchstziffern, wobei anzumerken ist, daß die statistischen Angaben erheblich schwanken.) Dafür kamen 1350000 Griechen aus der Türkei nach Griechenland: über 650000 aus Westkleinasien, je zwischen 250000 und 300000 aus Ostthrakien und aus dem Pontus, größere Gruppen aus Kilikien, von der Südküste Kleinasiens, aus Istanbul, aus dem Raum Brussa, schließlich über 60000 aus der Sowjetunion (Kaukasus). Bei der Volkszählung 1928 bestand die Bevölkerung Griechenlands zu rund 20 % aus Flüchtlingen. Sie waren ungleichmäßig verteilt: besonders stark vertreten in Makedonien und Thrakien (30–50 %), in den Regierungsbezirken Edessa, Kavala und Drama über 50 %, dagegen auf der Peloponnes und im Epirus unter 10 %. Das Abkommen über den Bevölkerungsaustausch, ebenso die Minderheitenschutzbestimmungen des Friedensvertrages von Lausanne (24.7. 1923)[6]) sprechen nicht von Griechen und Türken, sondern von Muslimen und Christen bzw. Nichtmuslimen. Infolgedessen gibt es noch heute in der Türkei Griechisch sprechende islamische Dörfer im Pontus, ebenso die Dörfer (um Ayvalik) der aus Griechenland ausgesiedelten islamischen Kreter, andererseits mußte Griechenland sprachlich türkisierte, aber christlich gebliebene Griechen aufnehmen (die aber sehr bald gräzisiert wurden). Vom obligatorischen Bevölkerungsaustausch waren ausgenommen die Griechen in Istanbul (damals 250000, heute 5000) und die Muslime in West-, also in Griechisch-Thrakien (damals 118903, heute rund 120000). Der Vertrag von Lausanne enthält in Art. 37–43 und in Art. 45 Minderheitenschutzbestimmungen. Griechenland hatte bereits am 10.8. 1920 einen Minderheitenschutzvertrag unterzeichnet. Die Bestimmungen traten am 8.8. 1924 in Griechenland in Kraft: Selbstverwaltung für Muslime und Juden. Die übrigen nationalen Minderheiten erhielten die Selbstverwaltung nicht. Die religiösen Minderheiten (Katholiken usw.) erhielten ebensowenig eine rechtliche Selbstverwaltung, haben aber weitgehend eine faktische.

1920 wurde zum Vertrag von Neuilly ein griechisch-bulgarisches Zusatzabkommen unterzeichnet, das den erleichterten, nichtobligatorischen Bevölkerungsaustausch vorsah. Insgesamt sind 123000 (wobei die statistischen Angaben schwankend

---

[5]) Vakalopoulos, A.: Ἱστορία τοῦ Νέου Ἑλληνισμοῦ (Geschichte des Neu-Griechentums). Bd.1, 2. Aufl., Thessaloniki 1974, S. 268–278; Bd. 2/1, Thessaloniki 1964, S. 14f.

[6]) Martens, Ch. de: Nouv. Recueil Général des Traités, 3me série, tome XIII, Paris 1925, p. 342 ff.

und ungenau sind) Slawen nach Bulgarien gegangen, doch dürfte ihre Zahl insgesamt 250000 betragen, da schon vor der vertraglichen Regelung viele ausgewandert waren. Dafür kamen 50000, davon nach der vertraglichen Regelung 30000 Griechen aus Bulgarien nach Griechenland. Weiterhin sind zwischen den beiden Weltkriegen Walachen (Walachen, Kutsowlachen, Makedorumänen, in Jugoslawien Tzintzaren, eigene Bezeichnung Arumänen, Arumunen, in Nordwestgriechenland und im angrenzenden Albanien und Jugoslawien: der Rest der latinisierten nordbalkanischen Bevölkerung, ihre Sprache ist aufs engste verwandt dem Dakoromanischen, das heute in Rumänien gesprochen wird) nach Rumänien ausgewandert; Zahlen sind nicht vorhanden.

Nach dem Bürgerkrieg (1946–1949) erfolgte eine zweite Abwanderung; insgesamt wird sie – ohne die geraubten Kinder, deren Zahl etwa 30000 beträgt – auf 65000 geschätzt. Ein großer Teil von ihnen entfiel auf Walachen, Albaner und Bulgaren (bzw. Slawo-Makedonen).

Griechenland hatte eine Aufschlüsselung seiner Bevölkerung nach Religion und Muttersprache letztmalig aufgrund der Volkszählung von 1951 veröffentlicht. Auch damals wurden nur Gesamtziffern für das ganze Land veröffentlicht, keine Einzelangaben für die Regierungsbezirke und Gemeinden. Bei den Volkszählungen von 1961 und 1971 wurde die Muttersprache nicht mehr erhoben, wohl aber die Religionszugehörigkeit, deren Zahlen aber niemals veröffentlicht wurden und auch im Statistischen Zentralamt nicht erhältlich sind.

Von der Volkszählung vom 7. 4. 1951 wurden folgende zwei Aufstellungen veröffentlicht[7]):

Tabelle 2. Volkszählung von 1951

a) *Religionszugehörigkeit der Bevölkerung Griechenlands:*

Griechisch-Orthodoxe	7472559
Katholiken	28430
Protestanten	7034
Monophysiten	1205
sonstige Christen	4438
Muslime	112665
Juden	6325
Sonstige	24
Konfessionslose	121
	7632801

b) *Bevölkerung nach der Muttersprache:*

Griechisch	7297878
Türkisch	179895
Slawisch	41017
Walachisch	39855
Albanisch	22736
Pomakisch	18671
Armenisch	8990
Zigeunerisch	7429
Russisch	3815
Französisch	2101
Rumänisch	2082
Englisch	1456
Spanisch	1339
Deutsch	1301
Italienisch	894
Jiddisch	853
Sonstige	2489
	7632801

[7]) Μεγάλη Ἑλληνικὴ Ἐγκυκλοπαιδεία (Große Griechische Enzyklopädie). Bd. 10. Athen o. J., S. 583

Obwohl die Addition beider Tabellen stimmt und beide wieder mit der ausgewiesenen Gesamteinwohnerschaft übereinstimmen, geben diese zwei Tabellen in mannigfacher Beziehung unlösbare Rätsel auf. Es sei nur die Frage der Türken und Muslime herausgegriffen. Sondert man von den ausgewiesenen 112665 Muslimen die 18671 Pomaken und die 7492 Zigeuner aus, verbleiben 86656 sonstige Muslime, die also Türken sein müssen. Mit türkischer Muttersprache aber werden 179895 Personen angeführt! Wie sind dann die 93740 nichtmuslimischen Türken einzuordnen? Wie bereits erwähnt, wurden Christen türkischer Muttersprache aus der Türkei nach Griechenland umgesiedelt. Es muß jedoch bezweifelt werden, daß es fast drei Jahrzehnte nach der Umsiedlung noch 90000 gewesen sein sollen.

Unter „Slawen" faßt hier die griechische Statistik alle für Griechenland relevanten südslawischen Völker zusammen: Makedo-Slawen, Bulgaren und Serben. Doch sind die ausgewiesenen 41000 „Slawen" wohl ausschließlich Makedo-Slawen. Diese werden weder von Griechen noch von Bulgaren als eigenes Volk anerkannt (das sie erst unter Tito wurden). Wenn genau präzisiert werden soll, daß es sich um die Sprache der Makedo-Slawen handelt, spricht man in griechischen Veröffentlichungen vom „Dialekt von Skopje".

Im einzelnen ergibt sich folgendes Bild: Muslime gab es in Thrakien 105092 (an versteckten Stellen veröffentlicht!), 112665 im ganzen Land, die Differenz von 7573 entfällt auf die Türken im Dodekanes (Rhodos, Kos). Zieht man von diesen 105092 Muslimen Thrakiens die Pomaken und die Zigeuner dieser Provinz ab, verbleiben für Thrakien etwas über 80000 Türken. Heute kann die muslimische Minderheit Thrakiens mit 120000 angenommen werden. Sie sind auf die drei Regierungsbezirke dieser Provinz ungleichmäßig verteilt. Der Bezirk (nomos) Hebros (Evros), der an die Türkei angrenzt, hat bei einer Bevölkerung von (1971) 138998 nur etwa 5000 bis 6000 Muslime (nur Türken). Dagegen hat der Nomos Rhodopen (Hauptstadt Komotini) bei einer Bevölkerung von (1971) 107677 heute schätzungsweise 67000 Muslime (62 % der Bevölkerung), davon etwa 8000 Pomaken, der Nomos Xanthi bei einer Bevölkerung von (1971) 82917 mindestens 46000 Muslime, also 55 % der Bevölkerung, davon etwa 20000 Pomaken. Die Pomaken sind slawisierte, später islamisierte Nachkommen der alten Thraker (nach den gängigsten, vor allem deutschen Theorien): sie sprechen Bulgarisch, sind aber strenge Muslime. Ihre Masse siedelt jenseits der griechisch-bulgarischen Grenze, am Nordhang der Rhodopen. Schulen – soweit vorhanden, sind es zwei-, höchstens dreiklassige – haben sie ausschließlich türkische. Die – vertraglich geschützte – muslimische Minderheit Thrakiens hat ein eigenes Schulwesen (279 Volksschulen, 2 Medresen, 1 Gymnasium), eigene religiöse Institutionen (259 Moscheen, 3 Muftis, die für Eheschließungen und -scheidungen, Alimente und Vormundschaften, Erbfolge ab intestat [ohne Testament] usw. zuständig sind).

Die andere vertraglich geschützte Minderheit ist die jüdische. In Saloniki wurden jährlich etwa 1500 Juden angesiedelt, die 1470 aus Bayern (Aschkenasim), 1492 aus Spanien (Sephardim) vertrieben worden waren: zusammen – überwiegend Sephardim – rund 30000[8]). Sie machten in Saloniki stets die Mehrheit aus. 1941 waren

---

[8]) Vakalopoulos, A.: Ἱστορία τοῦ Νέου Ἑλληνισμοῦ (Geschichte des Neu-Griechentums). Bd. 2/1. Thessaloniki 1964, S. 345 f.; derselbe: A history of Thessaloniki. Thessaloniki 1963, S. 76–80.

es über 60 000. Außerdem gab es einige Juden in den übrigen makedonischen Städten und auf Korfu. Diese Juden haben die deutsche Besetzung während des Zweiten Weltkrieges nicht überlebt. Ihre heutige Gemeinde ist bedeutungslos.

Alle anderen Minderheiten genießen keinen Minderheitenschutz. Die bedeutendste sind die Walachen im Pindos und in Westmakedonien; aber auch jenseits der Nordgrenzen Griechenlands, in Albanien und Jugoslawien leben Walachen. Von der Mitte des 19. Jahrhunderts bis zum Zweiten Weltkrieg kümmerte sich Rumänien um diese Volksgruppe, stellte beispielsweise Schulen zur Verfügung u. a. m. Viele Makedo-Rumänen (Walachen, Kutsowalachen, Aromänen, Aromunen) wanderten, zuletzt nach dem Bürgerkrieg, nach Rumänien ab. Um die Verbliebenen kümmert sich Rumänien heute nicht mehr. Diese halten wohl an ihrer walachischen Sprache fest, bekennen sich im übrigen politisch und kulturell als Griechen: sie wollen keine rumänischen Schulen, keinen rumänischen Gottesdienst. Aus den Reihen der Walachen sind viele bedeutende Griechen hervorgegangen, wie Ioannis Kolettis (1774–1847), Ministerpräsident, Führer der „französischen" Partei; Evangelos Averof-Tositsas (1951/52 u. 1956–1963 Außenminister, seit 1974 Verteidigungsminister), Spyridon Lambros (bedeutender Historiker, 1851–1919, 1916/17 auch Ministerpräsident), Zalokostas (Dichter), Sina (Bankier in Wien, schenkte der griechischen Nation das marmorne Gebäude der Akademie), Tositsas (spendete die Technische Hochschule), Averof der Ältere (spendete vor den Balkankriegen den nach ihm benannten Panzerkreuzer, den einzigen, den Griechenland je hatte) u. v. a. Ihre Zahl wird von der Volkszählung 1951 mit 40 000 ausgewiesen. Averof-Tositsas aber, „ungekrönter König der Kutsowalachen", in Trikkala (Thessalien) begütert, als Wohltäter in Metsoo (Pindos) beheimatet, erklärt, die Volkzählungen seien nicht zuverlässig, da sehr viele Walachen sich einfach als Griechen deklarieren. Er schätzt die Zahl der Walachen im heutigen Griechenland, die noch Walachisch als Muttersprache sprechen, auf 150 000 bis 200 000[9]. Dazu kommen jene Walachen, die sich ihrer walachischen Herkunft wohl bewußt sind, aber bereits Griechisch als Umgangs- oder sogar Muttersprache sprechen. Averof gibt ihre Zahl nicht an, aber jeder Kenner der Verhältnisse weiß, daß ihre Zahl die der noch Walachisch Sprechenden beträchtlich übersteigt. Sie zeichnen sich durch ein ausgeprägtes Stammesbewußtsein und Zusammengehörigkeitsgefühl aus.

Von einem solchen kann bei der albanischen Minderheit nicht die Rede sein. Die Albaner siedeln in Griechenland seit dem 14. Jahrhundert, zum Teil von Fürsten angesiedelt, zum Teil freiwillig eingewandert. Attika, Megaris, das südliche Drittel von Euböa, Korinth und Umgebung, die Argolis, Elis in der West-Peloponnes wurden albanischer Siedlungsboden. Es handelte sich um christliche Albaner, die in den Kleftenkämpfen gegen die Türken und im griechischen Befreiungskrieg auf der Seite der Griechen mitkämpften, ja selber Führer im Kampf stellten. Im Epirus, an der albanischen Grenze, kam es seither – Ende des Zweiten Weltkrieges mit britischer Hilfe – durch freiwilligen Bevölkerungsaustausch und Wanderbewegungen zu einer Gleichsetzung der nationalen mit den Staatsgrenzen: Heute leben im Epirus keine

---

[9]) Averof-Tositsas, E.: Die politische Seite der kutsovlachischen [= aromunischen] Frage. Athen 1948.

Albaner mehr[10]). Die Albaner in den übrigen Landesteilen (Attika, Peloponnes), die alle nur Griechen sein wollen, sind längst hellenisiert, höchstens noch zweisprachig. Ähnlich steht es mit der slawischen Minderheit. Von 1913 bis etwa 1926 sind zahlreiche Slawen ausgewandert, überwiegend nach Bulgarien, daneben (vor allem nach dem Bürgerkrieg) auch nach Jugoslawisch-Makedonien. Das Nationalbewußtsein der Verbliebenen (41 000 lt. Zählung 1951) ist schwach entwickelt. Immerhin gibt es einige Slawen, namentlich im Nomos Florina an der Nordwestecke des Landes. Wenn aber von Jugoslawisch-Makedonien gelegentlich mit Berufung auf eine „starke slawische Minderheit" in Griechenland Ansprüche auf ganz oder einen Teil Griechisch-Makedoniens erhoben werden, entbehren sie der ethnischen Grundlage.

Die Katholiken Griechenlands sind keine ethnische Minderheit. Sie haben eine durchgebildete kirchliche Organisation (zwei Erzbischöfe in Athen und Korfu, mehrere Bischöfe), ein eigenes Schulwesen, aber – sie sind Griechen, die unter der langen Venezianerherrschaft auf den Inseln katholisch geworden waren.

Auch die Protestanten gelten nicht als ethnische Minderheit. Sie sind Griechen: magere Ergebnisse der amerikanischen Mission in Kleinasien, die sich, da jede Missionierung unter den Türken verboten war, auf die Griechen konzentrierte, von denen einige zum Protestantismus übertraten. Gemeinden in Athen und Volos.

Griechenland ist also heute ein Nationalstaat. Besonders hat dazu beigetragen die Klärung der Bevölkerungsverhältnisse in Makedonien, das bis zu den Balkankriegen ein buntes Mosaik aus Griechen, Türken, Bulgaren, Juden, Zigeunern war, wobei die Griechen wahrscheinlich nicht einmal die Mehrheit hatten. Anstelle der Abgewanderten hat man dort den Großteil der griechischen Flüchtlinge aus Kleinasien angesetzt. Bei der Volkszählung von 1951 machten die Griechen 95,6 % der Gesamtbevölkerung aus (7 297 878 von 7 632 801). Seither dürfte sich dieser Prozentsatz weiter erhöht haben. Es gibt eine einzige nennenswerte Minderheit, die muslimische (Türken und Pomaken), die aber nur 1,3 % der Gesamtbevölkerung des Landes ausmacht (120 000 bei einer für 1979 berechneten Bevölkerung von 9 300 000). Alle übrigen „Minderheiten" (Walachen, Albaner, Slawen) dürfen zwar ein hohes geschichtliches und folkloristisches Interesse beanspruchen, bekennen sich aber (selbst bei Beibehaltung ihrer Muttersprache wie die Walachen) als Griechen und werden über kurz oder lang restlos im Griechentum aufgehen (wieder mit Ausnahme der Walachen).

III. Geburtenrate, Alterspyramide

Über Eheschließungen, Geburten, Todesfälle und Säuglingssterblichkeit liegt folgende Aufstellung vor[11]):

---

[10]) Kirsten, E.: Der Nordwesten der griechischen Halbinsel, in: Philippson, A.: Die griechischen Landschaften. Bd. 2. Frankfurt/M. 1956, S. 203 ff., insbesondere S. 241; Kirsten, E./W. Kraiker: Griechenlandkunde. 5., ergänzte Aufl., Heidelberg 1967, S. 717.
[11]) Statistical Yearbook of Greece 1976. Athen 1977, Tabelle 2/23, S. 39.

Tabelle 3. Eheschließungen, Geburten, Todesfälle und Säuglingssterblichkeit

Jahr	Ehe-schließungen		Lebend-geburten		Todesfälle		Säuglings-sterblichkeit	
	absolut	auf 1000 Einw.	absolut	auf 1000 Einw.	absolut	auf 1000 Einw.	absolut	auf 1000 Einw.
1921	28343	5,61	106935	21,18	68839	13,63	...	...
1922	30356	5,96	109636	21,51	81718	16,03	...	...
1923	44165	7,35	113926	18,96	102042	16,98	...	...
1924	44451	7,41	117014	19,50	93320	15,55	...	...
1925	48462	8,13	156367	26,25	88633	14,88	...	...
1926	44188	7,31	181278	30,01	84136	13,93	...	...
1927	44243	7,22	176527	28,81	100020	16,32	...	...
1928	41262	6,64	189250	30,47	105665	17,01	...	...
1929	44450	7,07	181870	28,93	115561	18,38	...	...
1930	44649	7,01	199565	31,34	103811	16,30	...	...
1931	45517	7,04	199243	30,83	114369	17,70	26661	133,81
1932	39283	6,00	185523	28,35	117593	17,97	22785	122,81
1933	46263	6,98	189583	28,62	111447	16,82	23268	122,73
1934	47301	7,03	208929	31,06	100651	14,96	23329	111,66
1935	45690	6,68	192511	28,16	101416	14,83	21708	112,76
1936	38750	5,59	193343	27,87	105005	15,14	22074	114,17
1937	45833	6,52	183878	26,16	105674	15,04	22469	122,19
1938	46027	6,46	184509	25,91	93766	13,17	18345	99,43
1939	47559	6,59	178852	24,77	100459	13,91	21132	118,15
1940	32830	4,49	179500	24,53	93830	12,82	...	...
1949	42128	5,63	139108	18,59	59450	7,94	5833	41,93
1950	58482	7,73	151134	19,98	53755	7,10	5357	35,45
1951	63265	8,27	155422	20,31	57508	7,51	6773	43,58
1952	49664	6,42	149637	19,33	53377	6,90	6066	40,54
1953	60909	7,78	143765	18,37	56680	7,24	6107	42,48
1954	63535	8,05	151892	19,23	55625	7,04	6432	42,35
1955	66274	8,31	154263	19,35	54781	6,87	6713	43,52
1956	55233	6,88	158203	19,70	59460	7,40	6128	38,73
1957	68818	8,50	155940	19,26	61664	7,62	6884	44,15
1958	69178	8,46	155359	19,01	58160	7,12	6063	39,03
1959	74213	8,99	160199	19,40	60852	7,37	6510	40,64
1960	58165	6,98	157239	18,88	60563	7,27	6300	40,07
1961	70914	8,44	150716	17,94	63955	7,61	6006	39,85
1962	70675	8,36	152158	18,01	66554	7,88	6144	40,38
1963	78038	9,20	148249	17,48	66813	7,88	5825	39,29
1964	76042	8,94	153109	18,00	69429	8,16	5488	35,84
1965	80728	9,44	151448	17,71	67269	7,87	5197	34,30
1966	71666	8,32	154613	17,95	67912	7,88	5253	33,97
1967	81706	9,37	162839	18,68	71975	8,26	5590	34,33
1968	65371	7,43	160338	18,21	73309	8,33	5518	34,41
1969	72544	8,21	154077	17,44	71825	8,13	4899	31,80
1970	67439	7,67	144928	16,48	74009	8,42	4290	29,60
1971	73350	8,31	141126	15,98	73819	8,36	3797	26,90
1972	60144	6,77	140891	15,85	76859	8,65	3851	27,33
1973	73762	8,26	137526	15,40	77648	8,70	3320	24,14
1974	68059	7,59	144069	16,08	76303	8,51	3448	23,93
1975	76452	8,45	142273	15,73	80077	8,85	3409	23,96
1976	63540	7,00	146566	16,00	81818	8,90	3300	22,50

Demnach hatte die Zahl der Lebendgeburten ein Maximum von durchschnittlich 25–30 v. T. in den Jahren 1925–1938. In der Nachkriegszeit ist sie unter 20 v. T. gesunken, seit 1970 hält sie sich auf rund 16 v. T. Trotzdem bleibt die natürliche Bevölkerungsvermehrung beachtlich, da auch die Zahl der Todesfälle stark zurückgegangen ist: von rund 14–18 v. T. im letzten Vorkriegsjahrzehnt auf rund 7–8 v. T. in der Nachkriegszeit. Auch die Säuglingssterblichkeit konnte erheblich herabgedrückt werden. Lag sie im letzten Vorkriegsjahrzehnt bei 100–133 Todesfällen (unter einem Jahr) auf 1000 Lebendgeburten, wurde diese Zahl in der Nachkriegszeit mehr als halbiert, später noch weiter herabgedrückt, seit 1970 liegt sie ständig unter 30, mit weiterer Abwärtstendenz hatte sie 1976 einen Tiefststand von 22,5 erreicht.

Die natürliche Bevölkerungsvermehrung (Lebendgeburten minus Todesfälle), die vor dem Kriege bei etwa 12 v. T. lag, konnte auch in den Nachkriegsjahren mit durchschnittlich über 12 v. T. gehalten werden, da die Todesfälle stärker zurückgingen als die Geburten. Erst etwa seit 1969 sank die natürliche Vermehrung pro Jahr auf weniger als 10 v. T. (= 1 %), sie liegt jetzt etwas über 7 v. T., und auf etwa 8 v. T. (0,8 %) liegen auch die Voraussagen für die nächsten Jahre bis 1985[12]).

Die Alterspyramide ist nicht ideal: Bei den im Jahre 1971 25–30jährigen fällt, besonders bei den Männern, ein gewaltiger Einschnitt auf – die Folgen der Kriegsjahre.

Tabelle 4. Alterspyramide (1961 und 1971)[13])

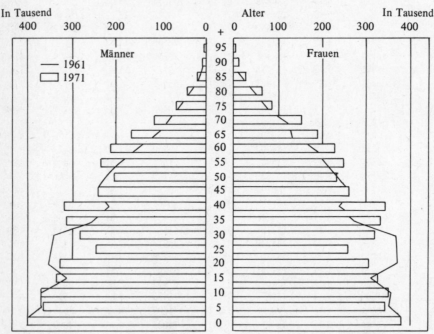

[12]) Nationales Institut für soziale Forschungen: Ἐξελίξεις καὶ προοπτικαὶ τοῦ πληθυσμοῦ τῆς Ἑλλάδος (Entwicklung und Perspektiven der Bevölkerung Griechenlands 1920–1985). 1. Athen 1973, S. 23.
[13]) Statistical Yearbook of Greece 1976. Athen 1977, Tafel (ohne Seitenzahl) am Anfang.

In absoluten Zahlen ausgedrückt, denen die Angaben der Volkszählungen von 1951 und 1971 zugrunde liegen[14]):

Tabelle 5. Altersstruktur

Altersgruppen	Gesamt	Männlich	Weiblich	Gesamt	Männlich	Weiblich
	Zählung 7. April 1951			Zählung 14. März 1971		
Gesamt	7632801	3721648	3911153	8768372	4286748	4481624
0 - 4 Jahre	785156	403427	381729	787752	405248	382504
5 - 9 Jahre	637230	328249	308981	711420	365760	345660
10 - 14 Jahre	778065	396728	381337	724732	371448	353284
15 - 19 Jahre	784645	390401	394244	666096	338544	327552
20 - 24 Jahre	769683	377003	392680	636176	328808	307368
25 - 29 Jahre	567049	270192	296857	504440	245176	259264
30 - 34 Jahre	477934	222927	255007	604248	283708	320540
35 - 39 Jahre	528638	256422	272216	647716	314580	333136
40 - 44 Jahre	493060	240791	252269	664912	320780	344132
45 - 49 Jahre	416857	208784	208073	503680	243940	259740
50 - 54 Jahre	367964	170451	197513	439796	205876	233920
55 - 59 Jahre	252129	117976	134153	480324	233064	247260
60 - 64 Jahre	260292	111277	149015	439964	211160	228804
65 - 69 Jahre	189130	87831	101299	357696	168816	188880
70 - 74 Jahre	160706	69967	90739	268632	114872	153760
75 Jahre u. darüber	164263	69222	95041	330788	134968	195820

Der Anteil der Alten ist größer geworden, doch kann man von einer Überalterung nicht sprechen: er dürfte vor allem auf die längere Lebenserwartung zurückgehen, wie sie sich aus den gebesserten hygienischen Verhältnissen ergab. Nach Geschlechtern aufgeteilt, ergibt sich folgendes Bild[15]):

Tabelle 6. Geschlechtsspezifische Altersstruktur

Jahr der Zählung	Bevölkerung			Von 100 Einwohnern waren		Frauen auf 100 Männer
	Gesamt	Männer	Frauen	Männer	Frauen	
1861	1096810	567334	529476	52	48	93
1870	1457784	754176	703718	52	48	93
1879	1679470	880952	798518	52	48	91
1889	2187208	1133625	1053583	52	48	93
1896	2433806	1266816	1166990	52	48	92
1907	2631952	1324942	1307010	50	50	99
1920	5016889	2495316	2521573	50	50	101
1928	6204684	3076235	3128449	50	50	102
1940	7344860	3658393	3686467	50	50	101
1951	7632801	3721648	3911153	49	51	105
1961	8388553	4091894	4296659	49	51	105
1971	8768372	4286748	4481624	49	51	105

---

[14]) Statistical Yearbook of Greece 1976. Athen 1977, Tabelle 2/13, S. 29.
[15]) Statistical Yearbook of Greece 1976. Athen 1977, Tabelle 2/2, S. 15.

Bis über die Jahrhundertwende hinaus zeigt sich überraschenderweise ein z.T. sehr beträchtlicher Männerüberschuß; seither ist, wie auch anderswo, die geringe Überzahl der Frauen festzustellen.

IV. Binnenwanderung, Landflucht, Verstädterung

Die Landflucht hat in Griechenland schon sehr früh, Mitte des vergangenen Jahrhunderts, eingesetzt, etwas später begann das sprunghafte Anwachsen weniger Großstädte. Um Raum zu sparen, begnügen wir uns vornehmlich mit den Daten ab 1920. Die griechische Statistik unterscheidet „städtische" (Gemeinden mit über 10000 Einwohnern), „kleinstädtische" (2000–10000 Einw.) und „ländliche" (Gemeinden unter 2000 Einw.) Bevölkerung. Außerdem hat sie in letzter Zeit den Terminus „ Πολσοδομικόν Συγρότημα " geschaffen, „urbaner Komplex". Damit werden hier aus mehreren selbständigen Gemeinden bestehende Konglomerate bezeichnet, z.B. Groß-Athen, das aus 56 Stadt- und Landgemeinden besteht, die aber eine einzige Siedlung bilden. Aus politischen Gründen zieht es die griechische Regierung vor, nicht (wie in der Bundesrepublik Deutschland) einzugemeinden, sondern die Selbständigkeit den Gemeinden zu belassen, jede mit eigenem Bürgermeister und Gemeinderat. Die großen öffentlichen Institutionen wie Strom- und Wasserversorgung, Fernsprechnetz, Kanalisation, Durchgangsstraßen usw. werden ohnehin zentral geleitet, ohne Mitentscheidungsrecht der Gemeinden.

Tabelle 7. Aufgliederung der Bevölkerung nach städtischer, kleinstädtischer und ländlicher Siedlungsweise[16])

Jahr der Zählung	Bevölkerung				in Prozenten		
	Gesamt	Städtisch	Kleinstädtisch	Ländlich	Städtisch	Kleinstädtisch	Ländlich
1920	5016889	1148341	760500	3108048	22,9	15,2	61,9
1928	6204684	1931937	899466	3373281	31,1	14,5	54,4
1940	7344860	2411647	1086079	3847134	32,8	14,8	52,4
1951	7632801	2879994	1130188	3622619	37,7	14,8	47,5
1961	8388553	3628105	1085856	3674592	43,3	12,9	43,8
1971	8768641	4667489	1019421	3081731	53,2	11,6	35,2

Die ländliche Bevölkerung ist in diesem Zeitraum im großen und ganzen gleichgeblieben, aber ihr Anteil an der Gesamtbevölkerung hat sich ständig verringert, auch in den Jahren 1920–1940, wo sie absolut zunahm. Besonders schroff ist der Rückgang im Jahrzehnt 1961–1971; im laufenden Jahrzehnt 1971–1981 bis zur Volks-

---

[16]) Statistical Yearbook of Greece 1976. Athen 1977, Tabelle 2/5, S. 17.

zählung 1981 wird er noch ausgeprägter sein. Die Landbevölkerung gibt also ihren gesamten Bevölkerungsüberschuß an die Stadt ab. Auf dem Lande herrscht Unterbeschäftigung, mit der weiteren Rationalisierung und Mechanisierung der Landwirtschaft wird sie noch stärker hervortreten. Die überzähligen Bauern ziehen wegen der dort weit höheren Löhne in die Stadt, so daß z.B. bei Saisonarbeiten (Olivenernte z.B.) bereits Mangel an Arbeitskräften besteht.

Von dieser Landflucht sind besonders die Bergdörfer betroffen. Die griechische Statistik gliedert die Bevölkerung auch nach Gemeinden in der Ebene (mit ebenem oder schwach geneigtem Gebiet, unter 800 m Seehöhe), hügeligen Gemeinden (am Abhang der Berge, unter 800 m) und Grenzdörfern (mit Höhenunterschieden in der Gemeinde bis zu 400 m sowie alle über 800 m). 1971 lebten noch 11,95 % der Bevölkerung (= 1047894) in Bergdörfern (ältere statistische Angaben liegen nicht vor). Dieser Prozentsatz schwankt natürlich zwischen den einzelnen Regierungsbezirken sehr stark. Es gibt solche, wo die gesamte Bevölkerung im Gebirge lebt (Evritanien), die Hälfte und mehr sind es in Fokis (82,85 %), Samos (54,38 %) und Ioannina (50,76 %). Aber die Zahl der Gebirgler sinkt ständig weiter. Wie groß die Verluste schon sind, mögen einige Beispiele zeigen. Die Gemeinde Magouliana (Arkadien) hatte 1829, bei der von der französischen Expedition[17]) durchgeführten Zählung 1711 Einwohner, bei der Volkszählung von 1971[18]) nur 314. Die entsprechenden Zahlen lauten für Vytina (Arkadien) 1830 und 1000, Alonistaina (Arkadien) 1426 und 114, für Dimitsana 1692 und 996 (Bischofssitz!), für Ypsous (früher Stemnitsa) 1956 und 406, für Vordonia (Lakonien) 604 und 151, für Kastania (Lakonien) 904 und 121 usw. Manche der kleineren Bergdörfer sind heute Wüstungen – solche Wüstungen findet man aber auch auf den Inseln, z.B. Alimia (Nebeninsel von Rhodos), 7 qkm groß, hatte 1947 29 Einwohner, heute keinen einzigen mehr[19]). Der Metropolit von Gortyn, mit dem Sitz in dem oben erwähnten Dimitsana, hat in der Zeitung Elevtheros Kosmos vom 2.5.1979 einen wehmütigen Artikel über diese sterbenden Bergdörfer veröffentlicht. Er weist mit Recht darauf hin, daß, wer von Städtern noch ein Haus in seiner alten Heimat, dem Bergdorf, besitzt und dort die Ferien (Sommer, Ostern, Weihnachten) verbringt, dies bald nicht mehr wird tun können, da einfach die heute als unbedingt erforderlich angesehene zivilisatorische Substruktur (Strom- und Wasserversorgung usw.) nicht mehr vorhanden sein wird.

Ebenso verhält es sich mit der kleinstädtischen Bevölkerung (in Gemeinden von 2000–10000 Einwohnern). Sie hat zwar seit 1940 ihre Zahl mit knapp über 1 Million gehalten, aber ihr Anteil an der Gesamtbevölkerung sank ebenfalls ständig. Das dürfte auch so bleiben. Berechnungen ergaben für 1985 wiederum 1 Million[20]), das

---

[17]) Blouet, A. (Ed.): Expédition scientifique de la Morée; Bory de St. Vincent, J.-B.G. (Ed.): Vol. 2. Paris 1834, S. 64ff.

[18]) La Population de la Grèce au recensement du 14 Mars 1971, par départements, éparchies, dèmes, communes. Athen 1972.

[19]) Kolodny, E. Y.: La population des îles de la Grèce. Aix-en-Provence 1974. Vol. 1, S. 135, 263; Vol. 2, S. 695.

[20]) Ἐξελίξεις καὶ προοκτικαὶ τοῦ πληθυσμοῦ τῆς Ἑλλάδος 1920–1985 (Entwicklung und Perspektiven der Bevölkerung Griechenlands 1920–1985). 1. Athen 1973. Nationales Institut für soziale Forschungen, S. 41.

gilt namentlich für die Kleinstädte Ostmakedoniens und Thrakiens, Thessaliens und des Epirus, aber der Anteil an der Gesamtbevölkerung wird weiterhin sinkende Tendenz zeigen.

Dagegen zeigt sich ein gänzlich anderes Bild bei den Städten. Bei der Volkszählung von 1971 hatte Griechenland 56 Gemeinden mit mehr als 10000 Einwohnern[21] (die „urbanen Komplexe" jeweils nur einmal gerechnet – somit erscheint z. B. Piräus nicht in der Liste der 56 Gemeinden). Davon gibt es aber nur drei, die als Großstädte im herkömmlichen Sinn anzusprechen sind: Athen, Saloniki und Patras, weitere vier (Volos, Heraklion, Larissa und Chania) sind größere Mittelstädte mit einer Bevölkerung zwischen 50000 und 100000 Einwohnern; weitere elf (Kavala, Agrinion, Kalamata, Ioannina, Lamia, Chalkis, Trikkala, Rhodos, Katerini und Chios) haben eine Bevölkerung zwischen 30000 und 50000, die übrigen 38 sind eigentlich Landstädte. Bei den wachsenden Städten (abgesehen von Groß-Athen und Groß-Saloniki) kann man die Gründe für das Wachstum meist eindeutig feststellen. Es sind Handel und Verkehr, vor allem aber Industrie in Volos (1920: 35025, 1951: 73187, 1961: 80846, 1971: 88096 Einwohner), Heraklion (entsprd. 24976, 54758, 69983, 84710 Einw.), Larissa (21257, 41253, 55858, 72760), Kavalla (22645, 42563, 44978, 46887), Agrinion (12757, 26582, 33281, 41794), Chalkis (13280, 23786, 24745, 36300), Elevsis (3428, 11190, 15527, 18535) und Ptolemais (7103, 8816, 12747, 16588). Hier muß aber vor allem Patras erwähnt werden, das in der angegebenen Zeit seine Bevölkerung mehr als verdoppelt hat (56227, 86267, 103941, 120847). Ioannina, das schon in seiner Blütezeit unter den Türken im 18. Jh. 40000 Einwohner hatte, verdankt sein erneutes Aufleben der Universität, die dort neu gegründet wurde (20765, 32315, 34997, 40130). Im Falle von Rhodos (Bevölkerung ab 1951: 24280, 28119, 33100) und Kerkyra (29560, 30811, 29896, 31461) ist es der Fremdenverkehr. Acharnai (4952, 12630, 15964, 28083), Salamis (11133, 12823, 17073, 18364) und Ano Liosia (1019, 1660, 3348, 11388) sind Pendlergemeinden im Einzugsgebiet von Groß-Athen. Doch nicht alle diese als Städte bezeichneten Orte sind gewachsen. Manche sind, besonders in den Jahrzehnten seit 1951, stabil oder fast unverändert geblieben, wie Kalamata (1971: 40402), Serrai (39897), Katerini (30512), Chios (30021), Komotini, Aigion, Pyrgos, Theben, Rethymnon, Sparta, Mesolongion, Preveza, Florina, Orestias, Kilkis und Tyrnavos. Vor allem die zuletzt genannten 12 fungieren nur als Marktplatz für ihre Umgebung, die ein weiteres Wachstum nicht gestattet, solange sich keine bedeutenderen Industrien ansiedeln. In manchen Städten ist sogar ein Rückgang der Bevölkerung zu verzeichnen. So in Drama, Xanthi, Mytilini, Giannitsa, Amalias, Edessa. Die Schaffung eines „städtebaulichen Komplexes" konnte auch Hermoupolis auf Syros nicht retten: die Einwohnerzahl geht unaufhörlich zurück (1951: 29812, 1961: 20113, 1971: 16082).

Bleibt Groß-Athen, heute: ein riesiger „Wasserkopf", oder sagen wir, mit Groß-Athen ist Griechenland außerordentlich kopflastig wie kein zweites Land in Europa. Die Entwicklung Athens ist namentlich seit dem letzten Kriege rasant. Nachdem

---

[21] Statistical Yearbook of Greece, Athen 1977, Tabelle 10, S. 27.

Athen in der Türkenzeit eine verhältnismäßig blühende Stadt von etwa 10000 Einwohnern gewesen war, verschlechterte sich seine Lage während des Befreiungskrieges so rapide, daß es 1834 nur noch 3000 Einwohner zählte. Dann war es lange Jahre ein kleines Residenzstädtchen von rund 30000 Einwohnern (1848: 26256, 1856: 30969); es wuchs sehr langsam, 1870 waren es 44510 Einwohner, 1879 hatte es (mit Vorstädten, die inzwischen eigene Stadtgemeinden sind) 68677, 1889 war erstmalig die Grenze von 100000 überschritten (mit Vorstädten, also ungefähr das heutige Gebiet von Groß-Athen ohne Piräus, mit Vorstädten waren es 114355). 1907 hatte man schon die Großstadtgrenze mit 167479 Einwohnern erreicht. 1928 war man durch den Zustrom namentlich der kleinasiatischen Flüchtlinge auf 538904 gekommen (einschließlich Piräus). Ebenso eindrucksvoll ist der Aufstieg von Piräus: 1834 gab es Piräus nur als geographische Lagebezeichnung, kein bewohnbares Haus, kein einziger Einwohner. 1848 waren es immerhin 5279. Etwa auf der Höhe von rund 6000 hielt sich die Stadt so lange, bis das zentral in der Ägäis gelegene Hermoupolis als zentraler Umschlaghafen für Griechenland entthront war und Piräus an seine Stelle trat, die es bis heute innehat. Dies gelang in den 70er Jahren des vergangenen Jahrhunderts: 1879 hatte es bereits eine Bevölkerung von 21618, zehn Jahre später waren es 34327. 1907 war es schon ein bedeutender internationaler Hafen mit 74580 Einwohnern. 1951 hatte es seinen bisherigen Höchststand mit 192626 erreicht, seither ist, bedingt durch das phänomenale Anwachsen seiner Vorstädte, die Bevölkerungszahl leicht zurückgegangen, auf 187458 (1971). Mit seinen sechs Vorstädten (die Stadtgemeinden Ioannis Rentis, Drapetsona, Keratsinion, Korydallou, Nikaia und Perama) ist es eine Großstadt (zwar mit dem Siedlungskomplex Groß-Athen zusammenhängend, aber doch deutlich getrennt) von 439138 Einwohnern, die drittgrößte Griechenlands, nach dem eigentlichen Athen und Saloniki, auch wenn sie nicht gesondert in der Statistik erscheint.

Seit 1951 gibt es den „Siedlungskomplex" Groß-Athen, in welchem also Piräus mit den erwähnten sechs Vorstädten inbegriffen ist. Das Herzstück ist die Stadtgemeinde Athen, die „City", die, anders als in anderen europäischen Großstädten, in den letzten Jahrzehnten ein erstaunliches Wachstum zeigt. 1951 hatte sie 555484 Einwohner, 1961: 627564, 1971: 867023, also ein Wachstum zwischen 1951 und 1961 von 13%, im darauffolgenden Jahrzehnt sogar von 38,2%. Zu Groß-Athen gehören, außer den sieben Stadtgemeinden von Piräus und Vorstädten und außer der Stadtgemeinde von Athen, 29 Stadtgemeinden und 19 Landgemeinden (Groß-Athen also insgesamt 37 Stadtgemeinden und 19 Gemeinden, zusammen 56). Die meisten haben eine erstaunliche Entwicklung hinter sich. Bis zum Ersten Weltkrieg waren es kleine Dörfer mit wenigen hundert Einwohnern, heute sind es Großstädte: Peristeri mit über 118000 Einwohnern, Kallithea mit über 82000, Aigaleon mit rund 80000, Zografou und Neon Liosion mit je 56000, Nea Ionia mit rund 55000 (Zahlen von 1971). Auch unter den Landgemeinden gibt es sehr große, wie z. B. Petroupolis mit 1971 18631 Einwohnern, andere blieben bescheiden wie Hekali (die kleinste) mit 1292. Das prozentuale Wachstum beträgt in den meisten Fällen während der beiden Jahrzehnte je über 100%, die Gemeinde Argyroupolis wuchs von 1951 auf 1961 sogar um 846%. Einen Rückgang zeigt allein die Gemeinde Vouliagmeni (Arbeiter, Bauern und Fischer sind weggezogen, jetzt ist es ein vornehmer Villenvorort), von 1674 im Jahre 1951 auf 1469 im Jahre 1971. Groß-Athen insgesamt hat folgende Einwohnerzahlen: 1951: 1378586, 1961: 1852709, 1971: 2540241. Die seitherige Entwicklung hat jedoch alle Berechnungen hinfällig werden lassen. Im März 1979 wurde die Bevölkerung bereits auf rund 3,6 Mio. geschätzt bzw. berechnet: 40 % der Bevölkerung des ganzen Landes[22])! Unter diesen Umständen ist es nicht zu verwundern, daß jene Familien, die schon vor 150 Jahren Athener waren, an den Fingern abgezählt werden können. Praktisch die gesamte athenische Bevölkerung stammt vom Land: entweder ist sie selbst zugezogen, oder aber sie ist erst in der ersten, seltener in der zweiten, allerhöchstens in der dritten Generation Athener.

Alle Bemühungen und Pläne aller Regierungen des Landes in den letzten 30 Jahren, das Wachstum Athens zu stoppen, das Land wirtschaftlich und politisch zu dezentralisieren, schlugen fehl. Es wurden mit steuerlichen Erleichterungen in verschiedenen Provinzstädten Industriezonen geschaffen, man machte gelegentlich zaghafte Versuche, das Land administrativ zu dezentralisieren – nichts gelang. Athen ist nicht nur der Sitz aller obersten Regierungsorgane, größte Hochschulstadt des Landes, Sitz nahezu der gesamten staatlichen Verwaltung, sondern auch Standort des weitaus größten Teils der Industrie („schmutzige" Industrien wurden im Westen außerhalb von Groß-Athen, gegen Elevsis zu, angesiedelt), alle großen Handels-, Import- und Exportfirmen haben hier ihren Sitz, alle namhaften Banken des ganzen Landes, die großen Verkehrsunternehmen usw. Athen zieht die Menschen vom Land wie ein Magnet an, da sie annehmen, nur hier könne man Geld verdienen. Die Regierung hat neuerdings einen Regulierungsplan[23]) für Groß-Athen ausgearbeitet, der die Aufteilung der Stadt in neun große Abteilungen mit eigenem Zentrum vorsieht, jedes wieder unterteilt in kleinere Bezirke und Siedlungskomplexe – für die nächsten 20 Jahre, da man für das Jahr 2000 eine Bevölkerung der Riesenstadt von 6,5 Mio. voraussieht –, mit anderen Worten: Die Regierung hat vor der Entwicklung kapituliert, sie versucht nicht mehr, sich ihr entgegenzustemmen, sondern sie nur noch zu regeln.

Eine ähnliche Entwicklung, wenn auch in kleinerem Rahmen, hat Saloniki durchgemacht. Die Stadt hatte 1913 157889 Einwohner. 1961 zählte der Siedlungskomplex Groß-Saloniki 380648 (trotz der Vernichtung von über 60000 Juden), 1971 557360 Einwohner. Heute nähert sich Groß-Saloniki stark der Millionengrenze (der Siedlungskomplex besteht außer der Stadt Saloniki aus fünf Stadtgemeinden und neun Landgemeinden). Man kann annehmen, daß bei der nächsten Volkszählung 1981 Griechenland etwa 9,5 Mio. Einwohner haben wird, von denen mindestens 4,5 Mio. in den beiden Großstädten Athen und Saloniki leben werden, eine durchaus ungesunde Entwicklung.

Die starke Landflucht dauert an. Das Nationale Soziologische Forschungsinstitut veröffentlichte eine interessante Studie[24]), der wir folgende Aufstellung entnehmen:

---

[22]) Frankfurter Allgemeine Zeitung vom 29. 3. 1979, S. 8.
[23]) Athener Pressemeldungen (aus Regierungsquelle) vom 13. 4. 1979.
[24]) Nationales Institut für soziale Forschungen: Ἐξελίξεις καὶ προοπτικαὶ τοῦ πληθυσμοῦ τῆς Ἑλλάδος 1920–1985 (Entwicklung und Perspektiven der Bevölkerung Griechenlands 1920–1985). 1. Athen 1973, S. 23.

Tabelle 8. Entwicklung der Landflucht

Regional-Verwaltung	Volkszählung 1971	Voraussicht 1985	Jährliche Veränderung in v. H.
Griechenland gesamt	8769	9900	0,85
1. Attika und Inseln	3496	4600	2,00
2. Mittel- und West-Makedonien	1440	1690	1,15
3. Peloponnes und Mittelgriechenland	1324	1255	– 0,40
4. Kreta	457	444	– 0,20
5. Thessalien	879	868	– 0,10
6. Epirus	428	380	– 0,85
7. Ost-Makedonien und Thrakien	745	663	– 0,85

Die Studie wurde 1973 unter der Militärdiktatur veröffentlicht, also mit Angaben nach den damals bestehenden Regionalverwaltungen. Dies verfälscht insoweit das Bild, als zu Attika auch sämtliche Ägäis-Inseln (außer Kreta) dazugerechnet wurden: man sieht also weder das Wachstum Athens noch die Verödung der Inseln. Aber selbst dann ist es ersichtlich, daß man mit einer Bevölkerungsvermehrung nur in den Städten Athen und Saloniki rechnet (durch Zuzug vom Lande), während sämtliche übrigen Regionen einen Bevölkerungsschwund aufweisen werden. Das sind besonders Gegenden mit einem starken Anteil der Bergdörfer und, was nicht außer acht gelassen werden sollte, darunter auch die beiden Gebiete, die an Albanien (Epirus) und an Bulgarien (Thrakien) angrenzen, die eine höhere Bevölkerungsdichte als jene beiden Grenzprovinzen haben.

Ein Wort sollte noch über die Inseln gesagt werden. Mitte des vergangenen Jahrhunderts lebten auf den Kykladen, den Argosaronischen Inseln, Euböa und den nördlichen Sporaden auf 15 % der Landesfläche 24 % der Bevölkerung. 1870 hatte die „Insularität" Griechenlands ihren Höhepunkt erreicht: 19,3 % der Fläche, 32,1 % der Bevölkerung. In den letzten 50 Jahren hat sich dies gewaltig geändert. In dieser Zeit wuchs die Bevölkerung Griechenlands um 71 %, während die Inseln auf ihren Stand von 1920 zurückfielen. 1971 hat Insel-Griechenland mit einer Bevölkerungsdichte von 52 je qkm um ein Drittel weniger als das kontinentale Land (70 je qkm).

Manche Inseln haben schon „Phantomdörfer", wie Chios (Anavalos; das „Mistra von Chios", 24 Einwohner 1971, Spartounda 29) oder Kefalonia (Riza 20 Einw., Digaleton 14, Fiskardon, einst ein bekannter Hafen, 80), Tilos (Dodekanes) hat in den letzten 20 Jahren zwei Drittel seiner Bevölkerung verloren. Wir können auch eine andere Rechnung aufmachen: 1870 hatten die Kykladen mit 123 299 Menschen mehr als doppelt so viele Einwohner wie Athen (59 154). Dieses Übergewicht behielten sie bis zum Ersten Weltkrieg bei. 1971 aber hat Athen mit seinen 2 540 241 Einwohnern mehr als doppelt so viel wie die Kykladen, die Ionischen Inseln und Kreta zusammen. Von 1920 bis 1971 wuchs die Bevölkerung Griechenlands um 71,2 %, aber die Athens um 460,8 %, des übrigen Kontinentalgriechenlands um 44,2 %, die der Inseln aber nur um 3,9 %. Es sind vor allem die kleinen Inseln, die in den letzten Jahren einer Entvölkerung entgegengehen: Kastellorizo, die Diaponti, Kastos und Kalamos, die Oinoussai. Aber auch größere Inseln haben mehr als ein Fünftel ihrer Bevölkerung verloren, wie Kythira, Ithaka, Santorin, Lemnos, Samos und Kefalonia. Wenige Inseln nur haben, dank ihrer speziellen Funktion, einen Zuwachs in diesem Zeitraum zu verzeichnen, wie Spetses, Mykonos, Aigina, Skiathos. Nur wenige Inseln haben 1971 ihren Bevölkerungshöchststand erreicht: Rhodos, Salamis, Skiathos. Aber 18 Inseln haben ihre Bevölkerungszahl aus der Zeit von 1839 bis 1879 nicht wieder erreicht, 25 weitere hatten ihren Höchststand vor den Balkankriegen. In Syros konnten auch 3000 dort angesiedelte Kleinasiaten der Insel ihre Bevölkerung von 1889 nicht wiedergeben. Kastellorizo hat heute 3 % seiner Bevölkerung von 1912. Kythira hat 72 % seit 1860 verloren. Dazu bemerkt man auf den großen oder größeren Inseln eine Konzentration der Bevölkerung in den Inselstädten, so besonders auf Kreta, während auf der kleinen Nachbarinsel Gaudos die Bevölkerung schon seit 1861 abwanderte und in der Sphakia, im Hinterland von Kydonia und von Apokoronas jedes Wachstum seit 1900–11 aufgehört hat. Zwei Tabellen vermitteln ein anschauliches Bild dieser Entwicklung[25]):

Tabelle 9. Veränderung der Bevölkerung 1940 - 1971, in %

Region, Nomos	Bevölkerung 1971 in Tausend	1940 – 51	1951 – 61	1961 – 71	1940 – 71
Griechenland	*8768,6*	*2,1*	*9,9*	*4,5*	*17,3*
Groß-Athen	*2540,2*	*22,6*	*34,4*	*37,1*	*126,0*
Insel-Griechenland	*1298,1*	*– 2,7*	*– 2,9*	*– 8,3*	*– 13,4*
Ionische Inseln	*184,5*	*– 8,8*	*– 7,0*	*– 13,2*	*– 26,4*
Kerkyra	92,9	– 5,5	– 3,5	– 8,7	– 16,7
Levkas	24,6	– 1,9	– 4,9	– 15,2	– 20,7
Kefalonia	36,8	– 18,3	– 15,2	– 20,7	– 45,0
Zakynthos	30,2	– 7,5	– 6,7	– 15,0	– 26,7
Euböa, Sporaden	*175,2*	*– 1,2*	*0,5*	*– 0,4*	*– 1,0*
Argosaronische Ins. u. Kythira	*47,6*	*– 17,0*	*6,6*	*1,7*	*– 10,0*
Ägäis	*417,8*	*– 6,0*	*– 9,7*	*– 12,5*	*– 25,7*
Kykladen	86,3	– 2,4	– 20,6	– 13,6	– 33,1
Dodekanes	121,0	– 6,0	1,3	– 1,6	– 6,4
Samos	41,7	– 13,6	– 12,9	– 19,8	– 39,7
Chios	54,0	– 11,9	– 6,9	– 13,3	– 28,9
Lesvos	114,8	– 2,7	– 9,4	– 18,2	– 27,8
Thasos, Samothrake	*16,3*	*9,2*	*1,4*	*– 17,3*	*– 8,4*
Kreta	*456,7*	*5,5*	*4,6*	*– 5,5*	*4,2*
Chania	119,8	0,3	3,6	– 8,6	– 5,0
Rhethymno	61,0	– 0,2	– 3,1	– 12,9	– 15,7
Heraklion	209,7	12,5	9,9	0,6	24,3
Lasithi	66,2	3,7	0,1	– 10,4	– 6,9
Übriges Kontinentalgriechenland	*4930,3*	*– 1,1*	*6,8*	*– 3,7*	*1,6*
Mittelgriechenland	779,1	1,5	8,3	2,8	13,0
Peloponnes	986,9	– 2,4	– 2,9	– 10,0	– 14,6
Epirus	310,3	– 0,5	6,7	– 12,0	– 6,6
Thessalien	650,0	6,8	10,8	– 4,4	13,1
Makedonien	1877,4	– 3,0	11,2	– 0,2	7,7
Thrakien	326,6	– 6,5	6,0	– 7,4	– 8,8

[25]) Kolodny, E. Y.: La population des îles de la Grèce. Aix-en-Provence 1974. Vol. 2, S. 462, 467.

Während also Groß-Athen erheblich zugenommen hat, zeigt das gesamte Insel-Griechenland eine ständige Abnahme. Eine Ausnahme stellen wir nur auf Kreta für den Nomos Heraklion fest, die einzig auf das Anwachsen der Stadt Heraklion zur Großstadt zurückzuführen ist. Das Land nimmt auch dort ab. Das restliche Kontinentalgriechenland (außer Athen) zeigt in den 30 Jahren nur eine Zunahme von 1,6 %; auch hier haben drei Gebiete eine Abnahme zu verzeichnen: Epirus, Thrakien und besonders stark die Peloponnes, alles Gebiete mit großem Anteil der Bergdörfer.

Tabelle 10. Bevölkerungszunahme und Wanderungsbilanz

Region, Nomos	Bevölkerung		in %		
	1961	1971	Veränderung	Bevölkerungs-überschuß	Wanderungs-bilanz
Griechenland	8388553	8768641	4,5	10,0	- 5,5
Groß-Athen	1852709	2540241	37,1	11,1	26,0
Insel-Griechenland	1394615	1279927	- 8,2	7,3	- 15,5
Ionische Inseln	212573	184443	- 13,2	4,8	- 18,0
Kerkyra	101770	92933	- 8,7	4,6	- 13,3
Levkas	28980	24581	- 15,2	4,8	- 20,0
Kefalonia	46314	36742	- 20,7	3,8	- 24,5
Zakynthos	35509	30187	- 15,0	6,6	- 21,6
Euböa (Nomos)	166097	165369	- 0,4	9,9	- 10,3
Argosaronische Insel und Kythira	55211	55660	0,8	6,6	- 5,8
Ägäis	477476	417813	- 12,5	5,2	- 17,7
Kykladen	99959	86337	- 13,6	5,7	- 19,3
Dodekanes	123021	121017	- 1,6	10,5	- 12,1
Samos	52022	41709	- 19,8	0,4	- 20,2
Chios	62233	53948	- 13,3	4,2	- 17,5
Lesvos	140251	114802	- 18,2	2,6	- 20,8
Kreta	483258	456642	- 5,5	9,5	- 15,0
Chania	131061	119797	- 8,6	7,8	- 16,4
Rhethemno	69943	60949	- 12,9	8,3	- 21,2
Heraklion	208374	209670	0,6	12,2	- 11,6
Lasithi	73880	66226	- 10,4	5,9	- 16,3
Übriges Kontinental-griechenland[a])	5141229	4948473	- 3,7	10,4	- 14,1
Mittelgriechenland	749641	771048	2,8	11,3	- 8,3
Peloponnes	1096390	986912	- 10,0	7,8	- 17,8
Epirus	352604	310334	- 12,0	10,5	- 22,5
Thessalien	689927	659913	- 4,4	10,9	- 15,3
Makedonien	1896112	1890684	- 0,3	11,0	- 11,3
Thrakien	356555	329582	- 7,6	11,2	- 18,8

[a]) Einschließlich der Inseln Thasos, Samothraki und der nördlichen Sporaden.

Man sieht also, daß einzig Groß-Athen einen Wanderungsgewinn zu verzeichnen hat (und Saloniki, was hier nicht ersichtlich wird), das ganze übrige Land hatte einen Wanderungsverlust, der in diesem einzigen Jahrzehnt durchschnittlich bei 15 % lag, bei Kefalonia erreichte er sogar 24,5 %. In diesem Jahrzehnt ist die städtische Bevölkerung Griechenlands um 27,6 % gewachsen, seine Landbevölkerung hat um 13,5 % abgenommen, der Anteil der Stadtbevölkerung stieg von 44 auf 54 %. Diese Entwicklung geht unaufhaltsam weiter, man kann auf die Ergebnisse der Volkszählung 1981 gespannt sein.

V. Aus-, Ab- und Rückwanderung

Der Wanderungsverlust der gesamten griechischen Provinz kam aber nicht allein der Hauptstadt zugute, es fand und findet auch eine beträchtliche Auswanderung statt. In dem noch kaum industrialisierten Land mußte der ländliche Bevölkerungsüberschuß auswandern, meist nach Übersee, hier wieder vorzüglich in die Vereinigten Staaten. Der Höhepunkt lag im Jahrfünft 1911–1915 mit 128521 (davon 118916 in die USA). Wenn seither auch die USA als bevorzugtes Land zurückgingen, waren es doch von 1966 bis 1970 noch 58270 Personen. Die Griechen in Amerika zählen zur jungen Einwanderung. Insgesamt sind über eine halbe Million ausgewandert, die sich dort natürlich vermehrt haben. Ihre Zahl kann nur geschätzt werden, aber selbst wenn sie sprachlich anglisiert sind, halten sie an ihrem orthodoxen Bekenntnis fest, gehören der griechischen Kirche Amerikas an (mit einem Erzbischof an der Spitze) und bekennen sich als Griechen. Viele von ihnen sind zu Wohlstand gelangt, man findet Gouverneure und Senatoren unter ihnen, ihr Einfluß ist so bedeutend, daß man z. B. vor Präsidentenwahlen um sie wirbt. Wenn USA-Bürger in der Statistik des Touristen-Zustromes nach Griechenland seit geraumer Zeit an erster Stelle stehen, so ist dies im wesentlichen jenen Amerika-Griechen zu verdanken. In der Nachkriegszeit ging allerdings nur eine Minderheit der überseeischen Auswanderer nach den Vereinigten Staaten, die meisten hatten Australien, daneben Kanada, als Ziel. Die Auswanderung nach europäischen Ländern war unbedeutend, einzig nach Belgien gingen 1955–1957 Arbeiter in die Kohlenbergwerke. Dies wurde mit einem Schlag anders, als die Bundesrepublik Deutschland auf den Plan trat. Allerdings besteht hier ein wesentlicher Unterschied, denn die Überseeauswanderer wandern endgültig aus, nur eine Minderheit der Alten kehrt als Rentner zurück, hinterläßt aber in Amerika ihre Kinder. Die Auswanderer nach Europa, vor allem in die Bundesrepublik Deutschland, hingegen wandern in der Regel auf Zeit aus, für mehrere Jahre, bis sie ein als genügend erachtetes Kapital erspart haben, um dann heimzukehren. Waren es 1959 2543 Personen, die in die Bundesrepublik Deutschland gingen, so wurden daraus 1960 21532, 1961: 31107, 1962: 49532. 1971 waren es 40052. Erst seit 1972, als die Bundesrepublik die Zuwanderung ausländischer Arbeitskräfte beschränkte, ist ein Rückgang zu verzeichnen: 1972 waren es 26783, 1975: 7338, 1976 nur 6829, wobei die Bundesrepublik Deutschland als Zielland noch immer an erster Stelle stand. Der deutschen Statistik[26]) zufolge lebten in der Bundesrepublik (jeweils am 30.9.) 192000 (1969),

---

[26]) Amtliche Nachrichten der Bundesanstalt für Arbeit, ab 1974.

242000 (1970), 268400 (Ende Januar 1973), 250000 (1973), 229200 (1974) und 196200 (1975), darunter 83600 Frauen, 18175 waren nichterwerbstätige Familienangehörige. Da aus Griechenland von 1960 bis 1973 381922 Personen angeworben wurden[27]), hat also bereits eine erhebliche Rückwanderung stattgefunden. Immerhin lebten 1977 rund 200000 griechische Arbeitnehmer in der Bundesrepublik Deutschland, von denen über 95 % schon über fünf Jahre hier weilten, also Anspruch auf eine Arbeitserlaubnis hatten, davon nochmals etwa 50 % über zehn Jahre, mit einem Anspruch auf unbefristete Arbeitserlaubnis. Die angeworbenen Arbeitnehmer stammten zum überwiegenden Teil aus Nordgriechenland (Makedonien und Thrakien), z.B. in den Jahren 1970–1973 entsprechend 54,1; 51,6; 55,6 und 74,5 %.

Daneben verzeichnet Griechenland auch die vorläufige Auswanderung, d.i. wer für weniger als ein Jahr das Land verläßt. 1976 waren es beispielsweise 84896 Personen, davon entfielen 78389 auf Seeleute. Seit 1968 werden auch die Rückwanderer erfaßt. Von 1968 bis 1975 erhöhte sich ihre Zahl ständig von 18882 (davon 4734 aus Übersee) auf 34214 (davon 4646 aus Übersee). 1976 betrug ihre Zahl 32067 (davon 5353 aus Übersee).

Griechenland hatte 1971 rund 85000 Ausländer unter seinen Einwohnern, doch waren davon weit über die Hälfte Griechen: 17500 hatten die türkische Staatsbürgerschaft (Griechen aus Istanbul), 7800 waren Zyprioten, 20700 Amerikaner, zum überwiegenden Teil Rückwanderer aus den USA.

Die ehemals blühenden Kolonien von Griechen in den Nachbarländern Griechenlands bestehen praktisch nicht mehr. Aus Bulgarien begann die Rückwanderung schon 1906 nach antigriechischen Ausschreitungen, dauerte bis etwa 1926 an; heute leben praktisch keine Griechen mehr in Bulgarien. Ehemals bevölkerten sie besonders die südlichen Schwarzmeerstädte wie Agathopolis (Achtopol), Vasilikon (Mitschurin), Sozopolis (Sozopol), Pyrgos (Burgas), Anchialos (Pomorje), Mesemvria (Nessebar), aber auch Städte im südlichen Landesinneren wie Philippopel (Plovdiv), Stenimachos (Assenovgrad), Nevrokop (Goze Deltschev) und Melenikon (Melnik). Ähnlich steht es in Jugoslawien, wo es namentlich in den Städten Jugoslawisch-Makedoniens starke griechische Kolonien gab, so in Monastir (Bitolia), Perlepe (Prilep) und Krušovo, aber selbst in Veles und Skopje. Spätestens nach dem Ersten Weltkrieg sind die Griechen von dort abgewandert. Jene Griechen, die nach dem Bürgerkrieg in die kommunistischen Länder geflohen sind, bilden für dieses bodenständige Bürgertum keinen Ersatz. Außerdem sind sie nur zum geringsten Teil in Bulgarien und Jugoslawien verblieben, die meisten zogen weiter und wurden in Bukarest, Taschkent, Ost-Berlin konzentriert. Die ehemals sehr starke griechische Kolonie in Istanbul, wo vor dem Ersten Weltkrieg ein Viertel der Einwohnerschaft griechisch war, ist ebenfalls praktisch vernichtet. Heute schätzt man die Zahl der Griechen dort auf 5000, die der griechische Staat unter allen Umständen dort behalten will, um dem Ökumenischen Patriarchat eine Gemeinde zu erhalten. Aber die Jugend zieht weg, wenn nicht nach Griechenland, so in die Vereinigten Staaten. Auch die ehemals reiche und blühende Kolonie der Griechen in Ägypten besteht nicht

---

[27]) Mündliche Mitteilung der Deutschen Kommission in Griechenland der Bundesanstalt für Arbeit.

mehr. Nasser mit seinen nationalistischen Maßnahmen hat sie zur Auswanderung veranlaßt. Anders liegen die Verhältnisse in Albanien. Der Epirus reicht, historisch und geographisch gesehen, weit nach Südalbanien hinein. Für die Griechen ist Südalbanien der Nordepirus, der bis zum Akrokeraunischen Vorgebirge reicht [28]). In Südalbanien lebte eine starke griechische Minderheit, Schätzungen berichten von weit über 100 000, die neben dem flachen Land vor allem die Städte Koritsa (Korçe), Argyrokastron (Gjinokaster), Moschopolis und Dyrrhachion (Durazzo, Dures) bevölkerten. Unter dem kommunistischen Regime ist diesen Griechen die Auswanderung nicht gestattet, sonst wären sie heute wohl alle in Griechenland. Ihre beiden Erzbischöfe sind seit dem letzten Kriege genötigt, in Griechenland zu residieren. Unbestätigten Meldungen zufolge hat das albanische Regime diese Griechen aus dem Nordepirus ausgesiedelt und über Mittel- und Nordalbanien zerstreut. Jedenfalls hält Griechenland seine theoretischen Ansprüche auf den Nordepirus aufrecht, trotz der seit 1971 bestehenden, d. h. nach einer Unterbrechung von mehr als drei Jahrzehnten wiederaufgenommenen diplomatischen Beziehungen.

VI. Soziale Lage

1. Wohnverhältnisse

Griechenland hatte 1920 1 113 340 Haushalte mit 4 777 109 Mitgliedern (4,29 Mitglieder je Haushalt), 1971 2 491 916 Haushalte mit 8 440 292 Mitgliedern (3,39 je Haushalt). Von (in dieser Beziehung gezählten) 2 478 492 Haushalten ist das Verhältnis zwischen Zimmern und Haushaltsmitgliedern aus Tabelle 11 (S. 397) zu ersehen[29]).

Hinsichtlich der Ausstattung der einzelnen Wohnungen gibt Tabelle 12 (S. 397) eine Übersicht[30]).

2. Beschäftigung

Von der Bevölkerung über 10 Jahre entfallen 3 333 676 auf Männer, 3 721 392 auf Frauen, zusammen 7 055 068. Davon gehören 2 347 404 Männer und 897 364 Frauen zur wirtschaftlich aktiven Bevölkerung, zusammen also 3 244 768. Davon haben Arbeit 3 143 040 (2 280 396 Männer und 862 364 Frauen), arbeitslos sind 67 008 Männer und 34 720 Frauen, zusammen 101 728. Die Zahl der Arbeitslosen beträgt also in bezug auf die aktive Bevölkerung nur 3,1 %. Doch muß man die von keiner Statistik erfaßten Unterbeschäftigten, namentlich in der Landwirtschaft, hinzurechnen. 3 810 300 Personen entfallen auf die wirtschaftlich nicht aktive Bevölkerung. Alle diese Daten beruhen auf der Volkszählung von 1971; sie können sich

---

[28]) Nach: Statistical Yearbook of Greece 1976, Athen 1977, Tabelle 2/16, S. 33; Papadakis, B. P.: Histoire Diplomatique de la Question Nord-Epirote (Idryma Meleton Chersonisou tou Haimou 10). Athen 1958.
[29]) Statistical Yearbook of Greece 1976, Athen 1977, Tabelle 2/18, S. 34.
[30]) Statistical Yearbook of Greece 1976, Athen 1977, Tabelle 2/20, S. 36.

Tabelle 11. Wohnverhältnisse 1

Zahl der Zimmer	Haushalte gesamt	Anzahl der Haushalts-Mitglieder									
		1	2	3	4	5	6	7	8	9	10 und mehr
Gesamt	2478492	278332	531840	527124	593052	317640	145756	56056	17872	6700	4120
1 Zimmer	174288	76856	46492	22584	15952	7096	3152	1360	460	204	132
2 Zimmer	413076	76968	114632	83860	74896	36520	15888	6252	2444	1056	560
3 Zimmer	657156	61984	158000	151160	157952	77216	32364	12124	4028	1464	864
4 Zimmer	701064	38724	129344	159392	198060	105476	45552	16732	5036	1740	1008
5 Zimmer	341176	14392	54964	72836	97944	56956	28156	10980	3088	1184	676
6 Zimmer	120636	5120	18212	24376	31572	21820	12188	4868	1520	540	420
7 Zimmer	41036	1908	5840	7492	10152	7612	4768	2116	664	525	232
8 Zimmer	16304	752	2340	2980	3720	2816	2168	932	356	140	100
9 Zimmer	5576	292	704	904	1292	1036	744	376	148	52	28
10 Zim. u. mehr	5484	384	868	1040	1076	884	672	288	116	64	92
nicht erklärt	2696	952	444	500	436	208	104	28	12	4	8

Tabelle 12. Wohnverhältnisse 2

Zahl der Personen je Raum	Gesamt		Küche		Bad oder Dusche		Elektrizität, Strom		WC	
	Haushalte	Mitglieder	Haushalte	Mitglieder	Haushalte	Mitglieder	Haushalte	Mitglieder	Haushalte	Mitglieder
Gesamt	2478492	8398028	1833464	6367576	891544	2924500	2200292	7479388	2300600	7832496
wenig. als 1,0	1030052	2566308	888868	2280884	464316	1216576	938920	2385876	973444	2458444
1,0–1,4	922664	3390876	690964	2766100	330476	1267916	834496	3118748	865172	3226048
1,5–1,9	228648	1073444	149028	758884	54876	259544	199168	941300	210460	994352
2,0–2,9	214816	959400	87684	464368	33488	145992	172148	769768	186936	840404
3,0–3,9	47052	229252	11628	69768	4720	19528	33220	157524	37852	182252
4,0	32564	171592	3748	23208	2692	12352	20080	100416	24308	124708
nicht erklärt	2696	7156	1544	4364	976	2592	2260	5756	2428	6288

mittlerweile erheblich geändert haben. Von der wirtschaftlich aktiven Bevölkerung (3244768) entfallen auf[31]):

Tabelle 13.   Berufsstruktur

Wissenschaftliche u. freie Berufe, deren technisches Hilfspersonal	183480
Leitendes und höheres Verwaltungspersonal	19880
Büroangestellte aller Art	244008
Kaufleute, Verkäufer	232508
In Dienstleistungen beschäftigte Personen	238888
In der Landwirtschaft, Viehzucht, Forstwirtschaft usw. beschäftigte Personen	1313336
Techniker und Arbeiter (außer Landwirtschaft) u. im Transportgewerbe Beschäftigte	966488
Nicht einzuordnende Personen	2704
Ohne Angabe	33704
Von den regelmäßig Beschäftigten 3234996 waren tätig[32])	
in der Landwirtschaft, Viehzucht, Forstwirtschaft, Jagd, Fischerei	1312600
in den Bergwerken, Steinbrüchen, Salinen	21096
in Industrie und Handwerk	554380
bei der Erzeugung von elektr. Strom, Gas, Dampf, in d. Wasserversorgung	24816
im Baugewerbe, bei öffentl. Arbeiten	256424
Handel, Restaurants, Hotels	362024
Transport, Lagerung, Verkehr	211672
Banken, Versicherungen, Immobilien, Rechtsgeschäfte	78524
sonstige Dienstleistungen	165132
Ohne Angabe	19368
Von den 3234996 regelmäßig Beschäftigten waren ferner[33])	
Arbeitgeber	132136
Auf eigene Rechnung Arbeitende	1115760
Mithelfende, unbezahlte Familienangehörige	593852
Lohn- und Gehaltsempfänger	1369844
Ohne Angabe	23404

Von der wirtschaftlich nicht aktiven Bevölkerung entfielen[34])

	von 1004088 Männern auf	von 2815984 Frauen auf
Schüler und Studenten	500100	421392
Haushalt	–	1961224
Krankheit, Invalidität	116024	98196
Sonstige Gründe	387964	335172

Die Durchschnittsgehälter der Angestellten in Industrie und Handwerk (Betriebe mit mehr als 10 Beschäftigten) betrugen monatlich (in Drachmen, wobei im Jahre 1979 1 DM = 19,50 Drs. bei schwankendem Kurs betrug[35])

1975		1976	
bei Männern	Frauen	Männern	Frauen
12706	6962	15525	8622

Der durchschnittliche Wochenlohn der Arbeiter in der Industrie und im Handwerk (Betriebe mit mehr als 10 Beschäftigten)

1728	1101	2168	1421

[31]) Statistical Yearbook of Greece 1976, Athen 1977, Tabelle 3/3, S. 84.
[32]) Statistical Yearbook of Greece 1976, Athen 1977, Tabelle 3/4, S. 86.
[33]) Statistical Yearbook of Greece 1972, Athen 1973, Tabelle 3/5, S. 91.
[34]) Statistical Yearbook of Greece 1976, Athen 1977, Tabelle 3/7, S. 95.
[35]) Statistical Yearbook of Greece 1976, Athen 1977, Tabelle 3/9, S. 97.

Im Durchschnitt arbeiteten die Arbeiter in der Industrie und im Handwerk wöchentlich 43,0 (1975: 44,0) Stunden, Frauen 40,2 (1975: 40,7) Stunden.

Der monatliche Durchschnittslohn eines Verkäufers in den Einzelhandelsgeschäften betrug 1976 8838 Drachmen bei Männern, 6508 bei Frauen.

Die Seeschiffahrt (Schiffe mit mehr als 100 BRT) wies im Durchschnitt der letzten Jahre folgende Beschäftigte aus[36]):

Tabelle 14. Seeschiffahrt

Jahr	Gesamt	Kapitäne	Höheres Personal	Niederes Personal	Schiffsjungen u. Sanitäts- personal
1967	38058	923	6920	28031	2184
1968	39544	1034	7327	28803	2380
1969	42505	1115	7904	30792	2694
1970	47202	1373	9129	33738	2802
1971	49833	1507	10338	35046	2942
1972	51257	1555	10752	35889	2068
1973	53013	1675	12383	36021	2984
1974	53110	1957	12030	36194	2923
1975	52313	1917	11161	36453	2762
1976	55959	2076	11519	39693	2628

Griechenland erteilt nur höchst ungern Ausländern eine Arbeitsbewilligung. So ist es nicht zu verwundern, daß fast ein Drittel der gewährten Arbeitsbewilligungen auf Auslandsgriechen (Zypern, Türkei) entfällt (26032 von 88435), doch dürften Auslandsgriechen auch unter Amerikanern und Briten versteckt sein. Ansonsten erhalten Arbeitsbewilligungen nur die Direktoren ausländischer Firmen und absolut notwendige Techniker. Doch hat es der Mangel an Arbeitskräften mit sich gebracht, daß als Hausangestellte, Diener, Kellner, Hotelpersonal usw. immer mehr Libanesen, Pakistaner, Ägypter, Sudanesen tätig sind. Für diese Kategorien wurden 2711 Arbeitsbewilligungen ausgewiesen, doch dürfte die Dunkelziffer erheblich größer sein.

Griechenland besitzt insgesamt 724 Krankenhäuser aller Art mit 58574 Betten, 9233 Ärzten, 1465 Hebammen, 3824 gelernten und 10497 ungelernten Krankenschwestern. Im übrigen hat das ganze Land 19340 Ärzte (davon 11072 in Groß-Athen), und 2738 Apotheken (davon 1297 in Groß-Athen). An Infektionskrankheiten wurden 1976 nur 52940 registriert, davon 20623 infektiöse Grippe, 8027 Masern, 7777 Keuchhusten, 4967 Windpocken und 4166 Mumps[37]).

---

[36]) Statistical Yearbook of Greece 1976, Athen 1977, Tabelle 3/15, S. 103.
[37]) Statistical Yearbook of Greece 1976, Athen 1977, Tabellen 4/1, 4/4, 4/8, S. 105, 108, 117.

Massenmedien

Ursula Diepgen, Athen

I. Vorbemerkung

Die Entwicklung der öffentlichen Medien in Griechenland wurde, wie auch in anderen Ländern, wesentlich von der politischen, wirtschaftlichen und gesellschaftlichen Entwicklung des Landes mitbestimmt. Insbesondere die Presse, das älteste dieser Medien, war seit ihren Anfängen Sprachrohr, Vorkämpfer oder Opponent bei den mannigfachen politischen Wandlungen und tiefgreifenden Umwälzungen der neugriechischen Geschichte. Sie geriet in den Strudel jeder sozialen und politischen Veränderung, in den Wirbel von Staatsstreichen, Militärputschen, ausländischer Besatzung, nationaler Spaltung, von Bürgerkrieg und Diktatur. Und dies von der Gründung des griechischen Staates an bis hin zur jüngsten Militärdiktatur von 1967 bis 1974.

Die ersten griechischen Zeitungen erschienen nicht in Griechenland, das zu jener Zeit unter türkischer Herrschaft stand. Sie wurden vielmehr zunächst in Wien, später auch in Paris und London herausgegeben. In Wien, zu jener Zeit ein Zentrum der heimlichen Vorbereitung für den Befreiungskampf der Griechen, wurde 1784 die erste griechische Zeitung gedruckt, deren Titel nicht bekannt ist. 1790 erschien – ebenfalls in Wien – ein zweites griechisches Blatt unter dem Namen „Efimeris" (Zeitung). Ihr Mitherausgeber Georgios Poulios wurde 1798 als Mitarbeiter von Rigas Ferraios festgenommen, worauf auch die Zeitung schließen mußte.

Nach dem Beginn des Befreiungskampfes gegen die Türken erschien im August 1821 unter dem Namen „Salpinx Elliniki" (Griechische Trompete) die erste Zeitung auf griechischem Boden. Sie galt als Organ der damaligen Revolutionsregierung. Zu den Zeitungen, die an verschiedenen Orten Griechenlands während des Befreiungskampfes gedruckt wurden, gehörte 1824 in Mesolongi die „Ellinika Chronika" (Griechische Chronik). Ihr Herausgeber, der Schweizer Arzt und Philhellene Johann Jakob Meyer, kam mit seiner Familie beim Ausbruch aus dem belagerten Mesolongi ums Leben. Zur selben Zeit erschien in Mesolongi auch die Zeitung „Ellinikos Tilegrafos" (Griechischer Telegraph) gleichzeitig in vier Sprachen: Englisch, Französisch, Deutsch und Italienisch, an der unter anderen Lord Byron mitarbeitete. Die Zeitung war dazu bestimmt, die europäischen Philhellenen über das Geschehen in Griechenland zu unterrichten.

Schon bald nach der Begründung des ersten griechischen Staates wurde die Presse unter Kapodistrias und König Otto mit Gesetzen „Über die Autonomie der Presse" und „Über die Verbrechen des Pressemißbrauches" unterdrückt. Viele Blätter mußten schließen. Bezeichnend ist ein sarkastischer Vierzeiler des zeitgenössischen Dichters Alexandros Soutsos: „Die Presse ist frei, wenn sie nur nicht schadet, den Ämtern, den Beamten, den Richtern, den Ministern und den Ministerfreunden. Die Presse ist frei, wenn sie nur nicht schreibt."[1])

Mit der Verfassung von 1864 erhielt die Presse größere Freiheiten. Zahlreiche Zeitungen und Zeitschriften wurden gegründet, darunter 1873 die erste Tageszeitung Griechenlands unter dem Titel „Efimeris". 1883 brachte der Erneuerer des Pressewesens in Griechenland, Vlasis Gavriilidis, in Athen die erste großformatige Zeitung heraus, die „Akropolis", die – mit 9 Jahren Unterbrechung – bis heute erscheint. Es war die erste griechische Zeitung, die ein Korrespondenznetz im In- und Ausland besaß. 1894 wurde die spätere Tageszeitung „Estia" (Herd), zunächst als Zeitschrift, gegründet. In die ersten Jahrzehnte des 20. Jahrhunderts reicht eine Reihe anderer heute noch bestehender Zeitungen zurück: „I Kathimerini" (Die Tägliche, gegründet 1919), „To Vima" (Die Tribüne), „I Vradyni" (Die Abendzeitung), beide seit 1922, und „Ta Nea" (Die Neuigkeiten).

Während der italienischen und deutschen Besetzung Griechenlands im Zweiten Weltkrieg mußten zahlreiche Zeitungen ihr Erscheinen einstellen, die übrigen standen unter Zensur. Trotz alledem wurden in dieser Zeit von Widerstandsgruppen über 100 verschiedene Zeitungen herausgegeben, oft unter äußerst schwierigen Bedingungen und von wiederholten Säuberungsaktionen der Besatzungstruppen unterbrochen.

Einen schweren Rückschlag erlitt die griechische Presse schließlich während der siebenjährigen Militärdiktatur. Von den damals vierzehn Athener Tageszeitungen mußten sieben schließen. Von ihnen sind drei bis heute nicht wieder erschienen.

II. Presse

1. Verfassungs- und Rechtsgrundlagen

Die Verfassung, die dem neuerrichteten demokratischen Staat 1975 gegeben wurde, legt in Artikel 14 den Grundsatz der Pressefreiheit und das Verbot der Zensur und jeder anderen präventiven Maßnahme fest[2]). Nach Artikel 14 darf jeder seine Gedanken unter Beachtung der Gesetze mündlich, schriftlich und auch durch die Presse ausdrücken und verbreiten. Die Beschlagnahme von Zeitungen und anderen Druckschriften, sei es vor oder nach ihrer Veröffentlichung, ist verboten. Ausnahmsweise ist die Beschlagnahme auf Anordnung des Staatsanwaltes nach der Veröffentlichung zulässig:

a) wegen Verunglimpfung der christlichen und jeder anderen bekannten Religion,
b) wegen Verunglimpfung der Person des Präsidenten der Republik,
c) wegen einer Schrift, die die Zusammensetzung, die Ausrüstung und die Verteilung der Streitkräfte oder Landesbefestigungen offenbart oder die den gewaltsa-

---

[1]) Zit. nach Χατζόπουλος, Δ.: Γενικά περί τύπου και δημοσιογραφίας (Allgemeines über Presse und Journalismus). Argos 1977.
[2]) Die griechische Verfassung von 1975 wird zitiert nach: Das Parlament. Athen 1976, in der deutschen Übersetzung von P. Dagtoglou. Siehe auch unten S. 584/5. im Text der Verfassung.

men Umsturz der Staatsform bezweckt oder gegen die Unverletzlichkeit der Staatsgrenzen gerichtet ist,

d) wegen unzüchtiger Schriften, die das öffentliche Schamgefühl offensichtlich verletzen, in den durch das Gesetz bestimmten Fällen.

In allen Fällen muß der Staatsanwalt binnen 24 Stunden nach der Beschlagnahme die Angelegenheit einer Gerichtskammer vorlegen, die binnen weiterer 24 Stunden über Aufrechterhaltung oder Aufhebung der Beschlagnahme zu befinden hat. Anderenfalls ist die Beschlagnahme ipso jure aufgehoben. Die Rechtsmittel der Berufung und der Revision stehen sowohl dem Herausgeber der beschlagnahmten Zeitung oder anderen Druckschrift als auch dem Staatsanwalt zu.

Nach mindestens drei Verurteilungen innerhalb von fünf Jahren wegen Straftaten, derentwegen die Beschlagnahme zulässig ist, verfügt das Gericht – nach Absatz 6 des Verfassungsartikels 14 – die endgültige oder vorläufige Einstellung der Herausgabe der Druckschrift sowie in schweren Fällen das Verbot der Ausübung des Journalistenberufes durch den Verurteilten.

Artikel 14 bestimmt ferner, daß Pressedelikte als flagrante Delikte abgeurteilt werden sollen. Die Art der vollständigen Berichtigung unrichtiger Veröffentlichungen durch die Presse sowie die Voraussetzungen und die Anforderungen für die Befähigung zur Ausübung des Journalistenberufes sollen nach dem Verfassungsartikel durch Gesetze bestimmt werden. Ein Gesetz kann schließlich bestimmen, daß die Finanzierungsmittel von Zeitungen und Zeitschriften offengelegt werden müssen.

Der Verfassungsartikel 14 der neuen Verfassung entspricht im wesentlichen den Bestimmungen des Artikels 14 der Verfassung von 1952. Aus dem Verbot der Verunglimpfung des Königs, des Kronprinzen, ihrer Gatten und Kinder ist 1975 das Verbot der Verunglimpfung des Staatspräsidenten geworden. In der alten Verfassung war nur die christliche Religion und nicht auch jede andere bekannte Religion vor Verunglimpfung durch die Presse geschützt. Eine Bestimmung der 1952er Verfassung, die das Herausgeben einer Zeitung nur griechischen Staatsangehörigen erlaubte, ist aus der neuen Verfassung verschwunden. Die Möglichkeiten des zeitweiligen oder endgültigen Verbots einer Zeitung sowie der journalistischen Berufsausübung sind in der neuen Verfassung geringer geworden. Neu ist die Möglichkeit eines Gesetzes, das die Offenlegung der Finanzierungsquellen der Presse vorschreibt.

In den Debatten, die der Verabschiedung der neuen Verfassung vorausgingen, wurde von der parlamentarischen Opposition Kritik daran geübt, daß der Artikel über die Pressefreiheit zu viele Einschränkungen enthalte. Bemängelt wurde unter anderem die Bestimmung, daß Pressedelikte als flagrante Delikte ohne die üblichen Vorverfahren abgeurteilt werden sollen. Es muß allerdings anerkannt werden, daß dies in der Praxis nach 1975 kaum noch geschieht.

Kritiker der Verfassungsbestimmungen über die Presse- und Meinungsfreiheit haben darauf hingewiesen, daß diese Bestimmungen bereits seit der Verfassung von 1911 mit immer mehr Zusätzen befrachtet werden, die Ausnahmen vom Grundsatz der Pressefreiheit und vom Zensurverbot legitimieren. 1952 war Artikel 14 der längste aller Verfassungsartikel und enthielt die meisten Einschränkungen der grundsätzlich anerkannten Pressefreiheit. Erstmals sah er außer der Möglichkeit der Beschlagnahme auch die des zeitweiligen oder endgültigen Verbots einer Druckschrift vor. Nach dem Urteil führender Verfassungsjuristen übertrifft in der neuen Verfassung nur der Artikel über das Erziehungswesen den Artikel über die Pressefreiheit an Länge und Einschränkungen. Es muß allerdings auch hier hinzugefügt werden, daß die Verfassungswirklichkeit in den Jahren seit dem Zusammenbruch der Militärdiktatur der Presse einen sehr großen Freiheitsspielraum gibt und daß sowohl die Regierung als auch die Justiz in ihrer Haltung zur Presse ein hohes Maß von Duldung selbst bei offensichtlichen Vergehen an den Tag legt.

Ein sehr viel komplizierteres Bild bietet die Pressegesetzgebung[3]). Nach der Wiederherstellung der Demokratie im Sommer 1974 wurden durch Gesetz Nr. 10/1975 das drakonische Pressegesetz der Militärdiktatur (Gesetz 346/1969) außer Kraft gesetzt und die vorher geltenden Bestimmungen wieder für gültig erklärt. Auch ein Gesetz (Gesetzesverordnung 2493) aus dem Jahre 1953, das pressefeindliche Bestimmungen enthielt, wurde bis auf einen Artikel außer Kraft gesetzt. Ein einheitliches Pressegesetz gibt es bis heute nicht. Gegenwärtig gelten im Presserecht:

1. das Gesetz 5060 aus dem Jahre 1931,
2. das Ausnahmegesetz 1092 aus dem Jahre 1938 der Diktatur Metaxas,
3. Artikel 30 der Gesetzesverordnung 2493 von 1953,
4. das Ausnahmegesetz 582 aus dem Jahre 1945 über Zeitungspapierzuteilungen,
5. Artikel 4 des Gesetzes 73 aus dem Jahre 1944 über Herausgabe und Vertrieb der Zeitungen,
6. die Gesetzesverordnung 2943 aus dem Jahre 1954 über die Art des Verkaufs von Zeitungen und Zeitschriften.

Ferner Bestimmungen des Strafgesetzbuches und der Strafprozeßordnung.

Das Gesetz 5060/1931 regelt in seinen noch heute geltenden Teilen vorwiegend Fragen unzüchtiger Veröffentlichungen sowie einige verfahrensrechtliche Fragen. Aufgrund des Gesetzes können Zeitungen wegen Verunglimpfung der christlichen Religion, des öffentlichen Schamgefühls sowie wegen Nachrichten über Bewegungen der Streitkräfte beschlagnahmt werden. Wegen unzüchtiger Schriften sind Gefängnisstrafen von mindestens einem Monat, bei Rückfall mindestens sechs Monaten sowie zusätzlich Geldstrafen vorgesehen.

Ausnahmegesetz 1092 (aus der Diktatur Metaxas) regelt die Bestrafung der Pressedelikte (d.h. der im Strafgesetzbuch verankerten Straftaten, wenn sie durch die Presse verübt werden) sowie der Pressepolizeidelikte (d.h. der Verstöße gegen das Verbot bestimmter Veröffentlichungen). Das Gesetz enthält einen Verbotskatalog für Veröffentlichungen, die Gerichtsverfahren betreffen, darunter das Verbot, Personen vor dem Urteil als Straftäter zu bezeichnen, und das Verbot der Kommentierung von Gerichtsurteilen, bevor sie rechtskräftig werden. Es gibt dem Staatsanwalt die Möglichkeit, jede Veröffentlichung über Verbrechen während der Dauer der Ermittlungen zu verbieten.

Das Gesetz enthält Bestimmungen darüber, wer bei rechtswidrigen Veröffentlichungen als Verantwortlicher abzuurteilen ist. Es bestimmt, daß der Mißbrauch der Pressefreiheit zur Verübung einer Straftat als zusätzlich belastender Umstand gewertet und daß bei Straftaten, für die sowohl Gefängnisstrafen als auch Geldstrafen vorgesehen sind, wenn sie durch die Presse verübt werden, beide Strafformen ver-

---

[3]) Die vor 1966 verabschiedeten Gesetze sind abgedruckt in: Σταθᾶτος, N.: Τό δίκαιον τοῦ ἑλληνικοῦ τύπου (Das griechische Presserecht). Athenai 1966.

hängt werden sollen. Im Falle wiederholten Mißbrauchs der Pressefreiheit zur Verübung einer Straftat müssen die Gerichte nach dem Gesetz befristete Berufsverbote
für die schuldigen Journalisten verhängen. Das Gesetz verbietet u. a. die Veröffentlichung von Mobilmachungsplänen und Angaben über die Organisation und Zusammensetzung der Streitkräfte sowie die Bekanntgabe der Namen von Personen, die
für griechische und ausländische Geheimdienste arbeiten. Es legt hohe Entschädi-
gungssummen fest für durch die Presse zugefügte Schäden und hohe Mindestgeld-
strafen für Beleidigung, Verleumdung und üble Nachrede durch die Presse. Das Gesetz sieht die Freistellung des Zeitungspapiers von Zöllen vor, erlaubt aber zugleich
die Beschränkung der Seitenzahl und Auflagenhöhe.

Der noch geltende Artikel 30 der Gesetzesverordnung 2493/1953 verpflichtet die
Gerichte, bei einer Reihe von Pressedelikten, darunter Amtsbeleidigung, andere
Beleidigungs- und Verleumdungsdelikte sowie Aufforderung zur Verübung von
Straftaten und Gewaltakten, außer Haft- und Geldstrafen auch die Aufhebung der
Zollbefreiung für das Zeitungspapier zu verhängen.

Die übrigen geltenden Gesetze und Verordnungen zum Presserecht enthalten
vorwiegend Bestimmungen über Fragen der Papierzuteilung, der Zeitungspreise,
-formate, des Vertriebs u. a. Dazu gehört unter anderem, daß Extrablätter nur mit
Genehmigung des Presseamtes erscheinen dürfen. Das Presseamt der Regierung hat
auch die Möglichkeit, Umfang, Preis und Vertriebsart der Zeitungen sowie den Anteil der Verleger, Vertriebsagenturen, Zeitungsverkäufer und Sozialversicherungs-
kassen am Zeitungspreis festzulegen sowie die Vertriebsagenturen zu kontrollieren.
Die Zeitungen sind verpflichtet, den Dienst der staatlichen Athener Nachrichtenagentur zu beziehen, für den die Regierung die Gebühren festlegt.

Ein neues einheitliches Pressegesetz liegt bis heute – fünf Jahre nach dem Zusammenbruch der Diktatur – noch nicht vor. Wiederholte Versuche der Regierung, ein
neues Presserecht zu schaffen, das nach ihrer Vorstellung von einem breiten Konsensus der im Pressewesen Tätigen getragen sein sollte, sind bisher stets auf halbem
Wege steckengeblieben. Vorschläge der Regierung und von ihr eingesetzter Expertenkommissionen trafen stets auf den Widerstand der Verleger und der Journalisten.
Eine offene Konfrontation mit diesen Gruppen wünschte die Regierung bisher zu
vermeiden. Deshalb ist keiner der nach 1974 erarbeiteten Entwürfe bis ins Parlament gelangt.

Zahlreiche Politiker und Juristen stimmen zwar darin überein, daß ein neues Presserecht geschaffen werden müßte, das den Erfordernissen der Presse und der Demokratie gerecht würde, doch gehen die Ansichten über die einzelnen Inhalte einer
solchen Gesetzgebung weit auseinander. Kritiker der gegenwärtigen rechtlichen
Grundlagen – sie sind durchaus nicht nur im Lager der Opposition anzutreffen – weisen darauf hin, daß das geltende Presserecht ein Sammelsurium von Bestimmungen
vielfach diktatorischer Inspiration sei und weitgehend den Charakter von Ausnah-
memaßnahmen trage. Ziel der einzelnen rechtlichen Festlegungen sei es gemeinhin
gewesen, die Interessen der jeweiligen politischen Regime zu schützen, von denen
sie verabschiedet wurden, und zwar einerseits durch Restriktionen und andererseits
durch die Vergabe von Privilegien wie beispielsweise die Zollbefreiung für das Zeitungspapier bei gleichzeitiger Zuteilungsbefugnis durch die Regierung. Damit entstand nach Ansicht der Kritiker ein Mechanismus staatlicher Reglementierung und

Bevormundung der Presse, von dem zwar die verschiedenen Regierungen in unterschiedlichem Umfang Gebrauch machten, der aber, solange er in den Gesetzen verankert bleibt, eine Gefahr für die demokratische Fortentwicklung des Pressewesens bedeute. Alle von der Regierung oder von Expertenkommissionen erarbeiteten Entwürfe zu einem einheitlichen Pressegesetz wurden in der erklärten Absicht geschaffen, die Presse aus diesem Teufelskreis zu befreien und verfassungswidrige Restriktionen und Privilegien abzubauen. Vorgesehen war unter anderem: die schrittweise Abschaffung der Zollbefreiung für das Zeitungspapier, die Einführung einer Auskunftspflicht der Behörden gegenüber der Presse, der Schutz des journalistischen Berufsgeheimnisses und die Anerkennung des Rechts auf Zeugnisverweigerung unter bestimmten Voraussetzungen, die Erlaubnis der Veröffentlichung auch geheimer staatlicher Dokumente, wenn damit verfassungswidrige oder rechtswidrige Handlungen aufgedeckt werden, die Offenlegung der Finanzen der Presseunternehmen und die Festlegung objektiver Kriterien, unter denen Subventionen an Pressebetriebe erlaubt sein sollten, die Einführung eines vom Staat unabhängigen Presserates sowie eine „Entkriminalisierung" der Presserechtsbestimmungen.

Kritiker dieser Entwürfe, darunter der mächtige Berufsverband der Athener Zeitungsredakteure, sind jedoch der Ansicht, daß die erklärten guten Absichten der Entwürfe mit zu vielen Einschränkungen verbunden seien, so daß sich statt einer Lockerung eine Vermehrung der bestehenden Beschränkungen ergeben würde. Vor allem treffen die Aussagen des jüngsten Entwurfs über die Zusammensetzung des Presserates, in dem die Journalisten in der Minderheit sein würden, auf scharfe Kritik, ferner die Bestimmungen über das mit viel zu vielen Vorbedingungen und Einschränkungen verbundene Zeugnisverweigerungsrecht, ebenso die allzu strengen Maßstäbe für die Sorgfaltspflicht der Presse. Allgemein sind die Kritiker der Meinung, daß ebenso die Entwürfe für eine neue Pressegesetzgebung wie auch die noch in Kraft befindlichen Gesetze zu sehr von dem Bedürfnis geprägt seien, den Staat, seine Einrichtungen und Repräsentanten vor der Presse und ihrer möglichen Kritik zu schützen. Der Gesichtspunkt der allgemeinen Informationspflicht und des Kontrollrechts der Presse träte dahinter zurück.

2. Bestand

a) Statistischer Bestand

In Griechenland erschienen 1979 nach einer Zusammenstellung des Presse- und Informationsamtes der Regierung 1649 Zeitungen und Zeitschriften aller Art. Davon waren 115 Tageszeitungen aller Art, darunter 12 große politische Tageszeitungen in Athen und 3 in Saloniki, 3 fremdsprachige Tageszeitungen in Athen (2 englischsprachige und 1 in armenischer Sprache), 10 Wirtschaftszeitungen in Athen (bei denen allerdings auch weitgehend auf Anzeigen und Ausschreibungen spezialisierte Blätter mitgezählt sind), 3 Sportzeitungen in Athen und Saloniki, 8 nur örtlich bedeutsame Tageszeitungen in Piräus, 75 Tageszeitungen in den Provinzstädten sowie das Amtsblatt der Regierung. Hinzu kommen 270 nicht täglich erscheinende Zeitungen in der Provinz, darunter 5 in türkischer Sprache für die muslimische Minderheit in den Bezirken Xanthi und Rodopi. 483 nicht tägliche Zeitungen aller Art erscheinen im Raum von Athen-Piräus, darunter sind u. a. auch Mitteilungsblätter von Berufsverbänden und Heimatvereinen, Betriebs- und Firmenzeitungen usw. Darüber hinaus werden 641 Zeitschriften aller Art im Raum von Athen-Piräus sowie 103 Zeitschriften in der Provinz und schließlich 37 periodische Druckschriften verschiedener Art mit unterschiedlichen Erscheinungsdaten herausgegeben.

Die Gesamtauflage der griechischen Zeitungen und Zeitschriften betrug nach dem Jahrbuch 1977 des Statistischen Amtes 1976[4]):

248 232 251 Tageszeitungen von Athen
 26 517 605 Tageszeitungen von Saloniki
    713 355 Wirtschaftszeitungen
 19 359 987 Sportzeitungen von Athen
  1 252 757 Sportzeitungen von Saloniki
 81 838 786 Zeitschriften

Tabelle 1. Auflage der politischen Tageszeitungen Athens im Februar 1978 und 1979 in ganz Griechenland.

Zeitungen		in Athen	in der Provinz	zusammen	durchschnittliche tägliche Auflage
Akropolis	1978	752015	748793	1500808	62533
	1979	721710	674329	1396039	58168
To Vima	1978	733425	356202	1089627	45401
(Die Tribüne)	1979	689385	263088	952473	39686
Rizospastis	1978	466775	317349	784124	32671
(Der Radikale)	1979	426815	283132	709947	29581
I Kathimerini	1978	490360	132673	623033	25959
(Die Tägliche)	1979	395980	117208	513188	21382
Elevtheros Kosmos	1978	341215	156821	498036	20751
(Freie Welt)	1979	264505	199422	463927	19330
I Avgi	1978	178890	80421	259311	10804
(Die Morgenröte)	1979	121490	46058	167548	6981
Proïni					
(Morgenzeitung)	1979	514065	370806	884871	36869
Ta Nea	1978	3754090	1269497	5023587	209316
(Die Neuigkeiten)	1979	3403910	1175538	4579448	190810
Elevtherotypia	1978	2377450	1262883	3640333	151680
(Freie Presse)	1979	2167810	1165992	3333802	138908
Apogevmatini	1978	2432915	980768	3413683	142236
(Nachmittagszeitung)	1979	2180350	960119	3140469	130852
I Vradyni	1978	1080090	573731	1653821	68909
(Die Abendzeitung)	1979	994310	486904	1481214	61717
Estia	1978	214855	27410	242265	10094
(Herd)	1979	199080	22951	222031	9251
Zusammen	1978	12822080	5906548	18728628	
	1979	12079410	5765547	17844957	

---

[4]) National Statistical Service of Greece: Concise Statistical Yearbook of Greece 1977. Athens 1978, S. 12, Tabelle a 9.

Tabelle 2. Auflagen von Wochen-Zeitschriften im Februar 1979

Zeitschriften	in Athen	in der Provinz	zusammen
Romantzo (Romanze)	305645	349978	655623
Domino	188135	319771	507906
Fantazio	202783	189125	391908
Tachydromos (Post)	198602	164986	363588
Marina (Marina)	143572	170766	314338
Test (Test)	149705	147225	296930
Radiotileorasi (Rundfunk und Fernsehen)	192920	101202	294122
Kazanovas (Casanova)	94731	180823	275554
Vedeta (Star)	116541	158255	274796

Tabelle 3. Auflage der politischen Tageszeitungen Salonikis im Februar 1978 und 1979 in ganz Griechenland

Zeitung		in Saloniki	in der Provinz	zusammen
Makedonia	1978	709220	364690	1073910
	1979	696902	367112	1064014
Ellinikos Vorras	1978	146001	197121	343122
(Griechischer Norden)	1979	143781	194829	338610
Saloniki	1978	548856	98921	647777
	1979	622710	114311	737021
Zusammen	1978	1404077	660732	2064809
	1979	1463393	676252	2139645

Tabelle 4. Jahresauflage der Athener Tageszeitungen in ganz Griechenland (in 1000)

	1974	1975	1976	1977	1978
Morgenzeitungen	78208	80208	72538	79956	72092
Abendzeitungen	169210	166851	170430	164945	170886
Zusammen	247418	247059	242968	244901	242978

Tabelle 5. Zeitungspapierversorgung für die Herausgabe von Zeitungen und Zeitschriften in Griechenland (in Tonnen)

1974	1975	1976	1977	1978
86457	98518	90371	97077	89915

Quelle: ICAP Hellas S.A.: The Greek Economic Diary 1979. Athen 1978, S. 151.

b) Presse und soziales System

Die weit verbreitete und auch von der UNESCO geteilte Ansicht, Griechenland gehöre zu den zeitungsfreudigen Ländern, stimmt mit der Wirklichkeit der Auflagenziffern nicht überein. Die Auflagen sind im Vergleich zur Bevölkerung – gemessen an anderen wirklich zeitungsfreudigen Ländern – gering und dazu in der jüngsten Zeit noch rückläufig. Allerdings liegen keine Statistiken darüber vor, von wieviel

Personen jeweils ein Zeitungsexemplar – beispielsweise im Dorfkaffeehaus – gelesen wird. Auch gibt es nach wie vor eine unbekannte Dunkelziffer von sogenannten „Schmuggellesern", die sich trotz strengen Verbotes eine Zeitung am Kiosk ausleihen und sie nach der Lektüre zurückgeben.

Eine systematische Forschung über Verbreitung und Wirkung der Presse in Griechenland sowie soziologische und sozialempirische Untersuchungen fehlen. Selbst die vorliegenden Statistiken sind häufig lückenhaft. Aussagen können sich deshalb nur auf Anhaltspunkte und Erfahrungswerte stützen.

Die griechische Tagespresse ist in erster Linie eine politische Presse. Früher galt es als selbstverständlich, daß die einzelnen Zeitungen im Dienst einer Partei oder einer politischen Gruppierung standen, mit der sie Aufstieg und Sturz teilten. Den Interessen „ihrer" Partei ordneten die Zeitungen alle übrigen Gesichtspunkte unter. Wenn man eine Zeitung zur Hand nahm, wußte man auf den ersten Blick, welchem Herrn sie diente, dem König beispielsweise oder Elevtherios Venizelos, den Liberalen oder der monarchistischen Volkspartei. Sie waren keine wirtschaftlichen Unternehmen im üblichen Sinn, sondern Sprachrohre und Kampforgane eines politischen Lagers.

Heute hat die Presse in Griechenland aufgehört, in diesem Maße fanatisiert und parteiisch zu sein. Auch jetzt dienen die Zeitungen im allgemeinen aber immer noch einer bestimmten politischen Richtung oder stehen ihr zumindest nahe. Die Zeitungsverlage haben sich aber zu modernen Unternehmen entwickelt, die Rücksicht auf Auflage-Gesichtspunkte nehmen. Außer den beiden Tageszeitungen der Kommunisten ist keine der griechischen Tageszeitungen ein Parteiorgan. Fast alle bewahren sich selbst von den Parteien, denen sie politisch nahestehen, ein hohes Maß an Unabhängigkeit.

Mit dem sozialen Wandel, den die Parteienstruktur in Griechenland durchläuft, hat sich auch die Rolle der Presse im politischen System geändert. Dem Absterben des alten Klientelsystems und dem Aufkommen moderner Massenparteien mit immer mehr Macht des Parteiapparates entspricht ein Rückgang der machtvollen Stellung der Zeitungsverleger im politischen Geschehen. Während man früher in Griechenland nicht zu Unrecht davon sprach, daß gewisse Athener Verleger in der Lage seien, nicht nur Minister, sondern auch Ministerpräsidenten zu „machen" und zu stürzen, sind die direkten politischen Einfluß- und Interventionsmöglichkeiten der Verleger gerade in den letzten Jahren entschieden zurückgegangen. In der kleinen Welt der Provinzstädte ist die Macht der Zeitungsverleger über das örtliche politische Geschehen allerdings nach wie vor groß. Der Rückgang des politischen Einflusses wird am Folgenden deutlich: Von den dreizehn Athener politischen Tageszeitungen treten gegenwärtig nur drei praktisch ohne Vorbehalte für die konservative Regierung ein, zwei andere unterstützen die Regierung mit Einschränkungen, alle übrigen stehen – jede auf ihre Weise – in der Opposition, darunter auch diejenigen mit den höchsten Auflagen. Trotzdem gelang es ihnen bis heute nicht, die Position der Regierung ernsthaft zu erschüttern oder eine große Zahl von Wählern der Regierungspartei abzuwerben. Selbst in Fällen, in denen die Zeitungen Mißstände enthüllen, bleibt dies gewöhnlich ohne Folgen für die verantwortlichen Politiker oder Angehörigen des Staatsapparates. Die griechische Presse befindet sich im Privatbesitz. Sie gehört aber keinen großen oder nur größeren Unternehmensgruppen oder Monopolen, wenn auch ein Teil der Zeitungen von Zeit zu Zeit direkt oder indirekt solchen Gruppen dient. Natürlich gibt es auch Rücksichtnahme auf die Firmen, die bedeutende Werbeaufträge zu vergeben haben.

In der jüngsten Zeit entwickeln sich die Verleger der großen und politisch einflußreichen Tageszeitungen in wachsendem Maße zu einem begrenzten Presse-Establishment. Noch bis in die Jahre vor der Militärdiktatur war es Personen ohne großen Kapitalrückhalt möglich, mit Hilfe geringen Eigenkapitals, günstiger Kredite und der Mitarbeit idealistisch eingestellter Journalisten im Lohndruck eine Zeitung herauszugeben. Eine Reihe solcher Blätter lebte jahrelang und erreichte hohe Auflagen. Heute gehört auch in Griechenland ein solcher Kapitalaufwand dazu, eine neue Zeitung herauszubringen, daß nur ein vergleichsweise kleiner Kreis von Menschen diese Möglichkeit tatsächlich hat. Hinzu kommen der harte Konkurrenzkampf, erhöhte Arbeitslöhne vor allem für das technische Personal der Zeitungsdruckereien und auch ein Mangel an befähigten Journalisten.

Wenn die Presse auch nicht mehr das politische Leben entscheidend bestimmen kann, so ist ihr Einfluß auf die öffentliche Meinungsbildung aber doch unverkennbar. Der Präsident der Athener Akademie, Petros Charis, nannte in einem Presseseminar die Zeitung für den Griechen einen täglichen Gesprächspartner, dem die breite Masse des Volkes einen großen Teil ihrer wie immer gearteten Bildung verdanke. ,,Für die breite Leserschaft ist die Zeitung der einzige Kanal, der sie in Kontakt bringt mit der Welt der Wissenschaften und der Künste. Die Zeitung formt indirekt die öffentliche Meinung der Gebildeten, der Wenigen. Aber dem einfachen Menschen, den Vielen, bietet sie viel mehr: sie weckt sie auf, sie macht sie zu bewußten Menschen und bewußten Staatsbürgern, denn sie führt sie aus dem Dunkel des Unwissens und bringt sie dem Licht näher, das das Wissen ausstrahlt...''[5]).

,,Es stand in der Zeitung'', sagt der einfache Grieche, wenn er über ein aktuelles Thema diskutiert und einen glaubwürdigen Zeugen für die Richtigkeit seiner Informationen oder Anschauungen benennen will. Noch heute geschieht es in abgelegenen Dörfern, daß sich die Männer im Kaffeehaus versammeln und der Gebildete unter ihnen mit lauter Stimme aus der Zeitung vorliest, möglicherweise der einzigen, die im Dorf vorhanden ist. Weil Rundfunk und Fernsehen bei den aktuellen Fragen meist nur an der Oberfläche des Geschehens bleiben und außerdem gemeinhin einseitig unterrichten, spielt die Presse für die Bildung der öffentlichen Meinung nach allen Anzeichen nach wie vor eine wichtigere Rolle. Man kann davon ausgehen, daß die Zeitungen den Griechen im allgemeinen glaubwürdiger scheinen als die Massenmedien Rundfunk und Fernsehen. Es ist allerdings unverkennbar, daß die Zeitungen in der Folge der Diktatur, während der sie zunächst unter Zensur erschienen und später unter dem Damoklesschwert eines drakonischen Pressegesetzes und willkürlicher Übergriffe der Militärpolizei standen, einen Teil ihrer Vertrauenswürdigkeit beim Leser eingebüßt haben.

c) Äußere und innere Pressefreiheit

Seit dem Ende der Militärdiktatur erfreut sich die griechische Presse eines hohen Maßes an Freiheit. Die allgemeine Atmosphäre ist trotz der nach wie vor vorhande-

---

[5]) ῞Ενωσις Συντακτῶν ῾Ημερησίων ᾿Εφημερίδων ᾿Αθηνῶν: Προβλήματα τύπου καί δημοσιογραφίας (Verband der Redakteure Athener Tageszeitungen: Probleme der Presse und des Journalismus). Athenai 1977, S. 30.

nen und daher jederzeit reaktivierbaren strengen Pressegesetze von Toleranz gekennzeichnet. Die für die Demokratie wichtige Pluralität der Presse ist gewahrt, wenn auch drei Athener Verlagshäuser rund drei Viertel der Auflage der Athener politischen Tageszeitungen kontrollieren. Eine Besorgnis hinsichtlich eines Aufkommens von Zeitungsmonopolen dürfte auch für die absehbare Zukunft in Griechenland unbegründet sein.

Auch die tatsächliche Freiheit der Verbreitung von Zeitungen ist seit dem Ende der Diktatur wesentlich größer geworden. Dennoch wirken lange eingefahrene Gewohnheiten aus der Zeit während und nach dem Bürgerkrieg noch nach und lassen es dem Bewohner kleiner Orte, Beamten oder Wehrdienstleistenden vielfach geraten erscheinen, sich beim Kauf einer Zeitung konformistisch zu verhalten und regierungstreuen Blättern den Vorzug zu geben. Noch lange Jahre nach dem Bürgerkrieg gehörten Unabhängigkeit und politischer Mut dazu, in kleineren Orten der Provinz sogar bürgerliche Oppositionsblätter wie „To Vima", „Ta Nea" oder „Elevtheria" (Freiheit) zu kaufen, und selbst in Athen reichten rücksichtsvolle Kiosk-Besitzer dem Käufer der kommunistischen „I Avgi" das Blatt so zusammengefaltet, daß Umstehende nicht sehen konnten, welche Zeitung er erworben hatte.

Der volle Gebrauch der Pressefreiheit durch die Zeitungen wird im übrigen teilweise durch Abhängigkeiten wirtschaftlicher oder personeller Art behindert, beispielsweise, wenn ein Verleger auf einen Bankkredit angewiesen ist. Die innere Pressefreiheit, das heißt der Grad der Unabhängigkeit der Journalisten von ihren Verlegern, ist zwar nirgendwo in Griechenland durch Redaktionsstatute gesichert, in der Praxis aber zumindest bei angesehenen politischen Kommentatoren groß. Nachteilig auf den Gebrauch der Pressefreiheit wirkt sich aber die Tatsache aus, daß eine große Zahl von Journalisten außer bei Zeitungen bei den staatlichen Medien Rundfunk und Fernsehen, bei Regierungspressestellen oder in Public-relations-Stellen arbeitet. Die sieben Jahre der Diktatur und Presseknebelung haben zudem Lücken in der Ausbildung des journalistischen Nachwuchses hinterlassen. Viele erfahrene Zeitungsredakteure zogen sich in diesen Jahren aus dem aktiven Journalismus zurück, und der Nachwuchs blieb unter Bedingungen der Knebelung und staatlichen Gängelung der Zeitungen jahrelang ohne ausreichende Führung. Eine immer wieder geforderte journalistische Ausbildung auf Hochschulniveau gibt es in Griechenland nach wie vor nicht.

d) Einzeldarstellungen

Überregionale Tagespresse. Die politisch bedeutenden überregionalen Tageszeitungen Griechenlands erscheinen in Athen und Saloniki. In Athen kommen sieben politische Morgenblätter und sechs Nachmittagszeitungen heraus, in Saloniki zwei Morgenzeitungen und ein Abendblatt. Von der Gesamtauflage der Athener politischen Tageszeitungen entfallen auf die Nachmittagsblätter mehr als zwei Drittel. Der Stil der politischen Tageszeitungen in Griechenland hat sich in den letzten Jahren gewandelt. Die Nachrichtenberichterstattung drängt in wachsendem Maße Leitartikel und Kommentar zurück, die früher in den griechischen Tageszeitungen intensiv gepflegt wurden. Der Leitartikel, meist täglich, häufig unter ganzseitiger Überschrift die halbe Titelseite füllend, war bis in die Jahre vor der Militärdiktatur der Mittelpunkt der Zeitung. Die führenden Kommentatoren waren häufig die Herausgeber selbst, wie Georgios Vlachos von der „I Kathimerini" und Panos Kokkas von der „Elevtheria". Heute sind große Leitartikel selten geworden. Aber auch Kurzkommentare werden nur noch von einigen Zeitungen und meist auf den inneren Seiten des Blatts gepflegt. In der aktuellen Berichterstattung ist ein Vordringen der Inlandsnachrichten zu beobachten. In früheren Jahren stellten demgegenüber die Auslandsnachrichten den überwiegenden Anteil.

In wachsendem Maße berücksichtigt die griechische Tagespresse auch Themen außerhalb der Politik. Sehr deutlich wird das an dem immer größeren Anteil der Sportberichterstattung. Von einer Entpolitisierung der Tagespresse kann jedoch in Griechenland, einem Land mit fast ständig elektrisierter politischer Atmosphäre, keine Rede sein.

In der Auslandsberichterstattung stützt sich die griechische Tagespresse in erster Linie auf die staatliche Athener Nachrichtenagentur, die eine Nachrichtenauswahl aus den von ihr bezogenen Diensten der internationalen Agenturen, vorwiegend von Reuter, AFP und UPI, trifft. Darüber hinaus beziehen einige Zeitungen direkt den Dienst der amerikanischen Agentur AP. Eigene Auslandskorrespondenten der griechischen Tageszeitungen gibt es nur wenige und nur in einigen der wichtigsten internationalen Hauptstädte. Nach wie vor drucken die griechischen Zeitungen viele Artikel ausländischer Zeitungen nach, wenn auch nicht mehr ganz so viel wie noch vor einigen Jahren. Wie lückenhaft das Netz der Auslandskorrespondenten der Athener Nachrichtenagentur und der griechischen Zeitungen ist, läßt sich u.a. daran ablesen, daß nur ein einziger ständiger griechischer Korrespondent in der Türkei arbeitet – und das erst seit 1980 – (während fünf Korrespondenten türkischer Zeitungen und Agenturen in Athen tätig sind), obwohl der Konflikt mit der Türkei um Zypern und die Ägäis schon seit Jahren einen breiten Raum in der griechischen Presse einnimmt.

Die Inlandsberichterstattung der griechischen Tageszeitungen beeinträchtigt der eingeschränkte Zugang zur Information bei den öffentlichen Behörden und Regierungsstellen. Geheimniskrämerei und Verschleierungstaktiken der Regierung werden oft gerügt. Vom Ideal einer offenen Informierung der Öffentlichkeit, ja sogar des Parlaments über grundlegende Fragen der Politik ist die griechische Wirklichkeit weit entfernt. Eine Tendenz der Regierung, Mißstände und echte Probleme zu beschönigen oder durch eine rein formale Unterrichtung darüber hinwegzugehen, ist unverkennbar. Aber auch bei der Opposition herrscht Scheu vor offener Unterrichtung, beispielsweise, wenn es um innerparteiliche Auseinandersetzungen geht. Den Umgang der Ämter mit der Presse kennzeichnet eine weitverbreitete Abneigung der Amtsspitzen, Verantwortung zu delegieren, und der Beamten, Verantwortung für Auskünfte zu tragen. Recherchen ersticken im Dschungel der Bürokratie. Auf mangelnde Auskunftsfreudigkeit auf der Seite der Informanten reagiert die Presse ihrerseits vielfach durch spekulative, übertriebene und teilweise auch entstellende Darstellungen. Trotz all dieser Schwächen tragen Temperament und Charakter der Griechen dazu bei, die Zeitungen zu einem lebendigen und informativen Diskussionsforum der öffentlichen Angelegenheiten und zum Austragungsfeld des Widerstreits der Meinungen zu machen.

Unter den sieben Athener Morgenblättern werden „To Vima" und „I Kathimerini" von den politisch gemäßigten und von den an geistigen und kulturellen Fragen interessierten Lesern bevorzugt. Beide Zeitungen bemühen sich um einen verantwort-lichen politischen Journalismus und zeigen wenig Interesse für die Themengruppe sex und crime. Sie vermitteln dem Leser innerhalb der griechischen Presselandschaft wohl das höchste Maß an Information auf innen- und außenpolitischem, wirtschaftli-chem und kulturellem Gebiet.

„To Vima" steht in Opposition zur heutigen Regierung und ist politisch in der li-beralen bis linken Mitte angesiedelt. Die Zeitung bietet Politikern und Intellektuel-len dieser Richtung ein Diskussionsforum, verfügt über einige hervorragend infor-mierte Korrespondenten im Ausland, und es gelingt ihr wiederholt, wichtige Hinter-gründe des politischen Geschehens auszuleuchten.

„I Kathimerini", das führende gemäßigt-konservative Blatt, steht zwar freundlich zur Regierung, bewahrt sich aber einen großen Unabhängigkeitsspielraum und übt nicht selten lebhafte Kritik vor allem in Fragen demokratischer Versäumnisse und Schwächen der Regierung. Ihre Herausgeberin, Frau Eleni Vlachou, hatte ihre bei-den Zeitungen, „I Kathimerini" und das Nachmittagsblatt „I Mesimvrini" (Die Mit-tagszeitung), unmittelbar nach dem Militärputsch vom 21. April 1967 aus Protest gegen die Einführung der Pressezensur geschlossen und war später aus dem Hausar-rest, unter den sie von dem Diktaturregime gestellt wurde, ins Ausland geflohen. „Mesemvrini" erscheint wieder als politisch eingestellte und regierungsfreundliche Zeitung in neuem Verlag seit Ende Januar 1980.

„Akropolis" wendet sich an einen Leserkreis, für den die ausführliche Schilderung von Verbrechen, privaten Lebensschicksalen und Skandalen von großem Interesse ist. Sie hat – nicht zuletzt dank ihrer großen Verbreitung in der Provinz – die größte Auflage unter den Morgenzeitungen, eine gut informierte innenpolitische Berichter-stattung und unterstützt die konservative Regierung uneingeschränkt. Während der Diktatur war „Akropolis" juntafreundlich, vorher royalistisch eingestellt.

„Eleftheros Kosmos", während der Diktatur leidenschaftliche Anhängerin des Papadopoulos-Regimes und Vorkämpferin für die Entthronung König Konstantins, vertritt die äußerste Rechte. Heute wirbt sie um die Gunst der von der Abschaffung der Monarchie enttäuschten Royalisten. Sie steht in scharfer Opposition von rechts zur Regierung und ist betont antikommunistisch. In ihrem Nachrichtenteil gibt sie jedoch auch sehr ausführlich politische Standpunkte wieder, die von ihren eigenen abweichen.

„Proïni", die jüngste Neugründung unter den griechischen Tageszeitungen, sucht noch nach ihrer Form. Das Blatt ist eine Fortentwicklung der Sonntagszeitung „Ky-riakatiki Eleftherotypia" (Freie Sonntagspresse), konnte aber deren Auflagenerfolg nicht wiederholen.

Unter den beiden Blättern der Linken hat das Zentralorgan der moskautreuen Kommunistischen Partei Griechenlands „Rizospastis" die weitaus höhere Auflage. Erst nach der Aufhebung des aus dem Jahre 1947 stammenden KP-Verbots nach dem Ende der Diktatur konnte „Rizospastis" wieder erscheinen. Sein Inhalt besteht im wesentlichen aus ideologisch eingefärbter politischer Berichterstattung, sehr vie-len Berichten über Gewerkschaftsfragen, Arbeitskämpfe und Streiks sowie Material zu Fragen des internationalen Kommunismus in sowjetfreundlicher Darstellung. Die Berichterstattung ist bewußt unvollständig, denn „Rizospastis" ist nach den Worten des KP-Generalsekretärs Charilaos Florakis ein ideologisches und politisches Kampforgan, das die Publikationswürdigkeit von Nachrichten daran mißt, ob sie den Interessen des arbeitenden Volkes und den Zielen der kommunistischen Bewegung nützen oder nicht. „I Avgi" vertritt als Zentralorgan der Kommunistischen Partei/Inland den Eurokommunismus. Das Blatt hat die kleinste Auflage der Athener Tageszeitungen und auf Grund seiner sehr beschränkten Mittel auch zahlreiche Berichterstattungslücken, wenngleich es sich durch Ernst und Verantwortlichkeit in der Berichterstattung auszeichnet.

Von der Gesamtauflage der Athener politischen Tageszeitungen entfallen, wie schon erwähnt, mehr als zwei Drittel auf die Nachmittagsblätter, die von 12 Uhr mittags an im Straßenverkauf angeboten werden. Wegen ihrer frühen Erscheinungszeit und angesichts des Umstandes, daß die meisten von ihnen hohe Auflagen haben und daher bereits in den frühen Morgenstunden gedruckt werden – während für die Morgenblätter Redaktionsschluß gegen Mitternacht ist –, enthalten die Nachmittagsblätter vergleichsweise nur selten wirklich neues Nachrichtenmaterial. Der Nachrichteninhalt der Morgenblätter wird aber neu aufbereitet, vielfach unter Beimischung von mehr Interpretation oder auch Spekulation. Die meisten Athener Nachmittagsblätter haben viele Seiten mit vermischtem Inhalt und einen großen Kleinanzeigenteil. Der scharfe Konkurrenzkampf, in dem vor allem gerade die Nachmittagsblätter stehen, hat in den letzten Jahren zu einer Verminderung der Verantwortlichkeit und Genauigkeit in der Berichterstattung zugunsten riesiger und häufig alarmierender Überschriften und sensationeller Darstellungsweisen geführt.

Von den sechs Athener Nachmittagszeitungen stehen drei – „Ta Nea", „Eleftherotypia" und „Estia" – in Opposition zur Regierung. „Ta Nea" und „Eleftherotypia", die um die Gunst der oppositionellen Leser der Mitte und der Linken wetteifern, stellen zusammen mehr als zwei Drittel der Auflage der Athener Nachmittagspresse. „Estia", unter der Diktatur pro Junta, wendet sich als Blatt der betont antikommunistischen und rechten Opposition mit einer Fülle von Leitartikeln und Kommentaren vor allem an konservative, rechtsextreme und nationalistische Kreise. Unter den beiden regierungstreuen Nachmittagsblättern ist „I Vradyni" das mehr politisch eingestellte Blatt, während „Apogevmatini" ihr Hauptaugenmerk auf vermischte Themen richtet.

Neben den Athener Tageszeitungen haben die drei Tageszeitungen von Saloniki überregionale Bedeutung, wenn auch geringeren politischen Einfluß. Die modern gestalteten Zeitungen sind „Makedonia" mit ihrem Abendblatt „Thessaloniki" und „Ellinikos Vorras". Die Zeitungen stehen den Athener Blättern an Vollständigkeit der Berichterstattung nicht nach. Kommentare und Kulturberichte bieten sie allerdings weniger.

Provinzpresse. Rund 350 Zeitungen, davon etwa 80 Tageszeitungen, erscheinen in der griechischen Provinz. In den großen Provinzstädten Patras und Volos haben sie das Format der Athener Tagespresse, in den anderen Städten ein kleineres Format und meist auch erheblich geringeren Umfang. Die Provinzpresse übt einen großen Einfluß auf das örtliche politische Geschehen aus. Angehende oder sogar arrivierte Politiker, die von dieser örtlichen Presse ignoriert werden, haben nur noch verminderte Chancen. Im allgemeinen stehen die Provinzzeitungen einer bestimmten politischen Partei oder Richtung nahe. Sie dienen deren Popularisierung und der Werbung für die örtlichen Vertreter-Kandidaten, Abgeordnete und Minister. Viele

Provinzzeitungen veröffentlichen fast in jeder Ausgabe Leitartikel oder Kommentare. Da sie mit einem geringen Aufwand an Ausgaben für Herstellung und Vertrieb erscheinen und mit wenig Personal auskommen, gewöhnlich aber viel Werbung bringen, werfen viele von ihnen – im Gegensatz vor allem zu den meist defizitären Morgenblättern Athens – Gewinn ab, obwohl Auflagen von 5000 bis 6000 Exemplaren bei ihnen schon an der Spitze liegen. Die technische Ausrüstung der Provinzzeitungen hat sich in den letzten rund 20 Jahren erheblich verbessert.

Inhaltlich beschäftigen sich die Provinzzeitungen mit örtlichen Angelegenheiten, führen aber meist als Aufmacher ein überregionales oder internationales Thema. Als Quellen dienen ihnen neben der Athener Nachrichtenagentur auch die großen Athener Blätter. Wenn auch das Niveau der Provinzjournalisten vielfach unter dem der Athener Redakteure liegt, so sind sie doch meist so erfahren und so sehr mit ihren Blättern verbunden, daß sie eine Zeitung von A bis Z, vom Leitartikel über die Auslandsnachrichten und die Reportagen usw. alleine schreiben könnten.

Sportzeitungen. In Athen und Saloniki erscheinen drei Sport-Tageszeitungen sowie mehrere Sport-Wochenzeitungen und -Zeitschriften. Die Sportblätter wenden sich mit knalliger, häufig mehrfarbiger Aufmachung und riesigen Überschriften an die große Masse der Sportfreunde. Sie widmen den größten Teil ihrer Aufmerksamkeit dem Fußball. Die Unterrichtung über olympische Disziplinen und klassische Sportarten ist äußerst lückenhaft. Die Auflagen sind rückläufig. Dies wird vor allem auf die Konkurrenz des Fernsehens mit seinen ausgedehnten Übertragungen sportlicher Wettkämpfe, auf das niedrige Niveau sowie auf den größeren Raum zurückgeführt, den die Tagespresse in den letzten Jahren der Sportberichterstattung zur Verfügung stellt.

Wirtschaftspresse. In Athen erscheinen drei Wirtschafts-Tageszeitungen: ,,Express" (Express), ,,Imerisia" (Tageszeitung) und ,,Navtemboriki" (Schiffahrts- und Handelsblatt). Sie unterrichten über Fragen der innergriechischen Wirtschaftsentwicklung und die wichtigsten internationalen Wirtschaftsereignisse und geben in kurzer Form die innen- und außenpolitischen Tagesnachrichten wieder. Sie sind um gründliche Analysen der wirtschaftlichen Entwicklung im Inland bemüht und verfolgen die Wirtschaft des Auslands aufmerksam. Häufig sind bestimmte Beilagen der Wirtschaft eines Landes gewidmet. Die Konkurrenz unter den drei Wirtschaftsblättern ist hart, die Auflagen bei 10 000 bis 14 000 Exemplaren nicht hoch, doch sind sie wegen ihres großen Reklameteils finanziell gesund.

Außer den drei Wirtschaftszeitungen erscheinen das Wirtschaftswochenblatt ,,Oikonomikos Tachydromos" (Wirtschaftspost) sowie die beiden Monatszeitschriften ,,Oikonomiki Poreia" (Wirtschaftsgang) und ,,Epilogi" (Auswahl). Alle drei enthalten Artikel und Kommentare, ausführliche Statistiken und Analysen. Darüber hinaus erscheint eine Reihe von spezialisierten Wirtschaftszeitschriften verschiedener Wirtschaftszweige, beispielsweise der Fremdenverkehrswirtschaft und der Handelsschiffahrt.

Zeitschriften. In Griechenland gibt es über 700 Zeitschriften verschiedenen Umfangs und verschiedener Erscheinungshäufigkeit. Unter ihnen sind ,,Politika Themata" (Politische Themen) und ,,Anti" (Anti) als wichtigste politische Zeitschriften zu nennen, die jedoch nur kleine Auflagen haben. ,,Politika Themata" (wöchentlich) wendet sich an Leser der rechten Mitte, während ,,Anti" (vierzehntäglich) die Linke, vor allem die unabhängige linke Intelligenz, anzusprechen sucht. Beide Blätter entstanden während der Diktatur aus der Gegnerschaft zum Militärregime. Zu den politischen Monatszeitschriften gehören Organe und Sprachrohre verschiedener politischer Parteien. Nur „Exormisis" (Sturm), das Organ der linkssozialistischen „Panhellenischen sozialistischen Bewegung" (PASOK), hat als politische Wochenzeitung eine vergleichsweise befriedigende Auflage erreicht. Früher gab es zahlreiche politische Wochenzeitungen, häufig Organe einer politischen Partei, deren Platz heute politische Wochenzeitschriften einnehmen.

Unter den Zeitschriften mit allgemeinem und vermischtem Inhalt bringen „Tachydromos" (Post) und „Epikaira" (Aktuelles) zwar auch politische Reportagen und Untersuchungen zu aktuellen Fragen, wie etwa Umweltschutz, Verkehr, Erziehungswesen, Europäische Gemeinschaft usw., daneben aber viel Lesestoff nach dem Muster der Illustrierten. Ihre Auflagen sind wesentlich höher als die der rein politischen Zeitschriften. Sie bleiben trotzdem noch weit hinter den Auflagen einer anderen Kategorie, nämlich den Trivial-Zeitschriften, zurück, die sich an Schichten mit niedrigem Bildungsniveau wenden und einen hohen Anteil ihrer Leserschaft in der Provinz haben. Der Hauptinhalt dieser Zeitschriften besteht aus Geschichten aus dem Leben der Film- und Fernsehstars, aus Kriminal- und Spionageaffären, Romanen, Glossen und viel Sex. Die ernsteren unter ihnen bringen von Zeit zu Zeit Untersuchungen zu aktuellen Fragen und Material zu Fragen der Gesundheit. Die vierzehntäglich erscheinende Frauenzeitschrift „Gynaika" (Frau) beschäftigt sich außer mit aktuellen Frauenthemen mit Mode, Handarbeit, Kochrezepten, Kindererziehung und Gesundheit.

Eine besondere Eigenart der griechischen Presselandschaft sind die zahlreichen kleinen Heimatblätter, die von Vereinen in den größeren Städten herausgegeben werden („I foni tis Ithakis", Die Stimme Ithakas; „I oreia Samarina", Das schöne Samarina). Ziel dieser Blätter ist es, den Kontakt der in die Städte abgewanderten Mitbürger zum Ort ihrer Herkunft zu pflegen. Die große Zahl dieser Blätter kann als Zeichen der emotionalen Bindungen der griechischen Stadtbewohner an ihre engere, meist ländliche Heimat gelten. Diese Blätter bringen neben volkskundlichem Material Neuigkeiten aus dem Dorf oder von der Insel, behandeln Probleme, die die Menschen dort beschäftigen, und berichten über Hochzeiten, Geburten, Verlobungen, Todesfälle usw.

e) Krise des Pressewesens

Die griechische Presse macht gegenwärtig eine ernste und offensichtlich langfristige Krise durch. In dieser Einschätzung stimmten Vertreter der Regierung, der politischen Parteien und der Journalisten bei einem Presseseminar überein, das im Frühjahr 1977 veranstaltet wurde. Diese Krise läßt sich an den vergleichsweise niedrigen Auflagen der Zeitungen ablesen. Im Durchschnitt kauft nur einer von sechs bis sieben Bewohnern Athens täglich eine Zeitung. Die Relationen in der Provinz liegen noch niedriger. Am stärksten sind von der Krise die sieben Athener Morgenzeitungen betroffen. Die durchschnittliche tägliche Auflage der einzelnen Zeitungen liegt zwischen den rund 58 000 Exemplaren der „Akropolis" und den knapp 7000 der „I Avgi". Da zudem die Athener Morgenzeitungen das wesentliche Forum für den politischen Dialog darstellen und den stärksten politischen Einfluß ausüben, berührt die Krise auch die politische Bewußtseinsbildung. In dem Seminar wurden verschiedene Vorschläge für Formen der Presse-Subventionierung gemacht, um auf diese Weise die Pressepluralität zu bewahren.

Die niedrige Auflage der Morgenzeitungen hat verschiedene Gründe. Sie hängt zusammen mit der mangelhaften Organisation des Vertriebes, auf Grund deren die Morgenzeitungen für den Bedarf der Berufstätigen zu spät in die Wohnungen kommen. Weiter spielen die modernen Lebensbedingungen in der Großstadt Athen eine Rolle, wo die Mehrzahl der Menschen wegen großer Entfernungen, wegen chaotischer Verkehrsverhältnisse und der mangelhaften Nahverkehrsmittel gezwungen ist, ihre Wohnungen lange vor Beginn ihrer Arbeit zu verlassen. Diese Situation führt dazu, daß die Nachmittagszeitungen in eine günstigere Lage kommen, zumal sie mit ihren vielen Seiten und ihrem vielfältigen Lesestoff einen größeren Kreis von Lesern ansprechen als die mehr auf die Politik ausgerichteten Morgenblätter. Die meisten Morgenzeitungen arbeiten mit Verlust oder halten sich nur mühsam an der Grenze der roten Zahlen. Weil im selben Verlagshaus auch eine Nachmittagszeitung erscheint, das gilt für die Zeitungspaare „To Vima" – „Ta Nea" – „Akropolis" – „Apogevmatini" – Proïni" – „Elevtherotypia", können die Verluste allerdings weitgehend oder vollständig ausgeglichen werden. Die geringen Auflagen und die steigenden Herstellungskosten haben aber zur Folge, daß entweder die notwendige Modernisierung der technischen Einrichtungen der Zeitungen unterbleibt oder daß Bankkredite aufgenommen werden müssen, was nicht zuletzt angesichts der engen Verbindung zwischen Banken und Regierung einen Verlust an Unabhängigkeit mit sich bringt.

Man kann davon ausgehen, daß der gegenwärtige Verkaufspreis der Tageszeitungen von zehn Drachmen, von denen dem Verleger nach Abzug der Vertriebskosten etwa 6,60 Drachmen[6]) zur Finanzierung seines Blattes bleiben, nur bei hohen Auflagen die Herstellungskosten deckt oder übertrifft. Außer dem Verkaufspreis der Zeitung müssen private und staatliche Werbung, Kleinanzeigen, bezahlte Regierungsmitteilungen, die gesetzlich vorgeschriebene Veröffentlichung von Bilanzen der Wirtschaftsunternehmen und die Zollbefreiung für das Zeitungspapier (eine Art indirekter Subvention) zur Finanzierung der Zeitungen beitragen.

Der scharfe Konkurrenzkampf unter den Zeitungen, vor allem unter den Nachmittagsblättern mit hohen Auflagen, hat im übrigen nicht dazu geführt, die Zahl der Zeitungsleser insgesamt auszuweiten. Er läuft vielmehr darauf hinaus, daß sich die Blätter mit großen und schreienden Überschriften und oft auch mit unseriösen Geschichten und nicht zuletzt mit aufwendiger Werbung im Fernsehen gegenseitig ein paar tausend Leser abzujagen suchen. Als großer Konkurrent der griechischen Presse wird schließlich das Fernsehen bezeichnet, schon allein dadurch, daß es einen sehr hohen Prozentsatz der Werbung an sich zieht und damit die Lebensfähigkeit der Presse beeinträchtigt. Versprechungen der Regierung, die Werbezeiten beim Fernsehen einzuschränken, sind bisher nicht verwirklicht worden. Die Zeitungsverleger werfen dem Fernsehen um so mehr unlauteren Wettbewerb vor, als Rundfunk- und

---

[6]) Umrechnungskurs der Drachme bei schwankendem Kurs: 10 Drs. = 0,50 DM; in diesem Falle bei 6,60 Drs. = 0,33 DM. Stand: 1979.

Fernsehgebühren mit den Stromrechnungen praktisch zwangsweise eingezogen werden. Auf der anderen Seite muß bemerkt werden, daß sich die Zeitungen inhaltlich noch nicht genügend umgestellt haben, um mit der Konkurrenz des Fernsehens besser fertig zu werden.

Die Krise der Presse hat auch moralische Gründe und hängt mit einer gewissen allgemeinen Schwächung der politischen Moral zusammen. Ein führender Vertreter der Verleger hat auf den Mangel an gerichtlichen wie auch gesellschaftlichen Sanktionen hingewiesen, der sich durch die jüngere griechische Vergangenheit zieht. Von den Kollaborateuren der Besatzungsmächte im Zweiten Weltkrieg bis hin zu den Stützen und Mitarbeitern der Militärdiktatur, von Korruptionsfällen im Wirtschaftsleben bis zu den Verantwortlichen für die Vergeudung staatlicher Mittel sind viele ungeschoren geblieben. In einer solchen Atmosphäre kann es nicht wundernehmen, wenn die Bereitschaft der Presse, Mißstände aufzudecken und Sanktionen zu fordern, nachläßt, was wiederum zu einer Vertrauenskrise zwischen Presse und Leserschaft führt. In diesem Zusammenhang spielt auch die emotionale Bindung des griechischen Lesers an „seine" Zeitung eine Rolle, so daß er dieser politische Kurswechsel oder Versäumnisse nicht leicht verzeiht. Es gibt in der jüngsten griechischen Geschichte Beispiele, in denen Zeitungen für politische Stellungswechsel mit schroffem Sturz der Auflagen bezahlen mußten oder durch heftige Reaktionen der Leser (die z. B. Zeitungen unter Protest vor den Verlagshäusern verbrannten) zur Rückkehr zur alten Linie gezwungen waren. Einem Teil der Zeitungen wird auch ihre Haltung während der Diktatur vorgeworfen und ihr mangelndes Interesse nach deren Ende an der Bereinigung der Vergangenheit mitzuarbeiten.

Trotz all dieser Schwächen und Schwierigkeiten wird man – überschaut man die Gesamtheit der griechischen Presse – feststellen dürfen, daß vor allem die seriösen Zeitungen ihren politischen und demokratischen Auftrag, nämlich den, Öffentlichkeit herzustellen und eine bestimmte Kontrolle des öffentlichen Lebens auszuüben, durchaus wahrnehmen.

III. Rundfunk und Fernsehen

1. Verfassungs- und Rechtsgrundlagen

In Artikel 15 legt die griechische Verfassung von 1975 fest, daß „die Vorschriften des vorhergehenden Artikels zum Schutz der Presse" auf Lichtspiel, Tonaufnahmen, Hörfunk, Fernsehen und jedes ähnliche Mittel zur Übertragung von Wort und Bild keine Anwendung finden. Eine ähnliche Bestimmung war bereits in der Verfassung von 1952 enthalten, nahm jedoch nicht ausdrücklich auch auf das Fernsehen Bezug, welches es damals in Griechenland noch nicht gab. Nach Absatz 2 des Artikels 15 stehen Hörfunk und Fernsehen unter der unmittelbaren Kontrolle des Staates. Sie haben nach dieser Bestimmung zur Aufgabe, objektiv und unter Bedingungen der Gleichberechtigung Informationen und Nachrichten zu übertragen und Werke der Literatur und Kunst zu vermitteln. Dabei haben sie in ihren Sendungen einen ihrer sozialen Aufgabe entsprechenden Qualitätsstand zu wahren, um die kulturelle Entwicklung des Landes zu fördern.

In der Verfassungsdebatte wurden von den Oppositionsparteien der Mitte und der Linken erhebliche Bedenken gegen die Bestimmung angemeldet, welche wichtige Medien der Nachrichtenübermittlung und Meinungsbildung von der Pressefreiheit ausnimmt. Eine undemokratische Neigung zu staatlicher Kontrolle über die Massenmedien werde hierin deutlich. Vorschläge, die Kontrolle über Rundfunk und Fernsehen dem Parlament zu übertragen oder andere Kontrollgremien zu schaffen, fanden aber bei der konservativen Regierungsmehrheit in der verfassunggebenden Versammlung keine Gegenliebe.

Die Kritik an der staatlichen Kontrolle über Rundfunk und Fernsehen und an dem Gebrauch, den die Regierung von ihren Kontrollrechten macht, hat auch nach der Verabschiedung eines neuen Rundfunk- und Fernsehgesetzes wenige Monate nach Verabschiedung der Verfassung nicht aufgehört. Es ist überhaupt so, daß das Fernsehen als ein für Griechenland vergleichsweise neues Medium das Parlament und die öffentliche Meinung viel stärker beschäftigt als die Presse.

Nach dem Rundfunk- und Fernsehgesetz 230, das seit dem 14. Dezember 1975 in Kraft ist[7]), werden Hörfunk- und Fernsehsendungen in Griechenland von zwei Anstalten ausgestrahlt: der im alleinigen Staatsbesitz befindlichen ERT (Elliniki Radiofonia Tileorasis: Griechischer Rundfunk und Fernsehen) und der YENED (Ypiresia Enimeroseos Enoplon Dynameon: Unterrichtungsdienst der Streitkräfte). Das Gesetz bestimmte, daß YENED binnen zwei Jahren – also bis zum Dezember 1977 – mit ERT fusioniert werden sollte, „sofern die dafür notwendigen wirtschaftlichen, technischen und organisatorischen Voraussetzungen bestehen". Trotz dieses eindeutigen Gesetzauftrages ist die Fusion bisher – wohl aus Rücksicht auf die Streitkräfte – nicht erfolgt.

Nach Gesetz 230 ist die Unterrichtung, Bildung und Unterhaltung des griechischen Volkes die Aufgabe der Rundfunk- und Fernsehanstalten. Das Gesetz verbietet jede Verbreitung von Ton und Bild mit den Methoden des Rundfunks und des Fernsehens durch andere natürliche oder juristische Personen außer ERT und YENED. Die Sendungen müssen „von demokratischem Geist, kulturellem Verantwortungsbewußtsein, von Humanität und Objektivität erfüllt und der griechischen Wirklichkeit angepaßt sein". ERT ist nach dem Gesetz verpflichtet, auf Wunsch des Ministers beim Ministerpräsidenten jederzeit Mitteilungen der Regierung auszustrahlen. Der Minister beim Ministerpräsidenten oder sein Staatssekretär ist ebenfalls berechtigt, in Ausnahmefällen, die im Gesetz nicht genauer umschrieben sind, Sendungen zu verschieben oder ganz abzusetzen.

2. Finanzierung, Ausbau und Organisationsform

Die Finanzierung der Rundfunk- und Fernsehanstalt ERT erfolgt durch Gebühren, die zusammen mit der Stromrechnung von allen natürlichen Personen, Büros usw. eingezogen werden, die über einen Stromzähler verfügen. Dies gilt unabhängig davon, ob sie Rundfunk- und Fernsehgeräte haben oder nicht, so daß die ERT-Gebühr praktisch einer Steuer gleichkommt. An diesem Verfahren ist viel Kritik geübt worden. Die Abgeordnete der PASOK (Panhellenische Sozialistische Bewegung)

---

[7]) Vgl. Rundfunk- und Fernsehgesetz, in: Δαγτόγλου, Π. Δ.: Ραδιοτηλεόρασις καί Σύνταγμα (Rundfunk, Fernsehen und Verfassung). 2. Aufl. Athenai 1977, S. 173 ff.

Melina Merkouri hat versucht, eine Freistellung von der Gebühr auf dem Klage-
wege durchzusetzen mit der Begründung, daß sie von dem nach ihrer Ansicht min-
derwertigen Angebot von Hörfunk und Fernsehen keinen Gebrauch mache und
auch nicht zu machen wünsche. Das Verfahren läuft noch. Nach der letzten Jahresbi-
lanz der Anstalt machten die Gebühren etwa zwei Drittel der Einnahmen der ERT
aus. Das restliche Drittel wurde im wesentlichen durch Werbung aufgebracht. Das
Gesetz erlaubt auch die direkte Subventionierung ERT's aus dem Staatshaushalt,
doch hat die Regierung bisher von dieser Möglichkeit keinen Gebrauch gemacht,
obwohl ERT ein hohes Defizit – nach der letzten Bilanz 133,4 Millionen
Drachmen – durch die Jahre schleppt.

Der siebenköpfige Verwaltungsrat der ERT wird vom Ministerrat auf drei Jahre
berufen. Ebenso wird der Präsident und Vizepräsident des Verwaltungsrates bestimmt. Jahresbericht, Bilanz und Ausbauvorschläge des Verwaltungsrates müssen
dem Minister beim Ministerpräsidenten und der Generalversammlung der Anstalt
zur Billigung vorgelegt werden. Als Auswahlkriterien für die Bestellung der Verwal-
tungsratsmitglieder legt das Gesetz nur sehr allgemein fest, daß es Personen von an-
erkanntem Ruf sein müssen, die geeignet sind, aus Kenntnis und Erfahrung zum Erfolg der Anstalt wirksam beizutragen. Entsprechende Kriterien schreibt das Gesetz
auch für den Generaldirektor der Anstalt und seine beiden Stellvertreter vor. Gegenwärtig steht ein ehemaliger Pilot der Zivilluftfahrt an der Spitze der Anstalt.
Ebenso wie die Auswahlkriterien und das Verfahren für die Berufung des Verwaltungsrates und der Generaldirektion der Anstalt außerordentlich umstritten sind, so
ist es auch die Zusammensetzung der Generalversammlung der ERT. Ihr Präsident
ist der jeweilige Gouverneur der Bank von Griechenland, ihre 19 anderen Mitglieder sind je ein Vertreter der Athener Akademie, der Universitäten Athen und Saloniki und der Athener Technischen Hochschule, ein Jurist im Staatsdienst, sieben
hohe Ministerialbeamte, ein Vertreter der Streitkräfte und schließlich sechs angesehene Personen, von denen drei vom Ministerpräsidenten und drei vom Vorsitzenden
der stärksten Oppositionspartei benannt werden. Sie dürfen keine Parlamentsabgeordneten sein. Außer der Billigung der Bilanz, des Jahresberichtes und der Entwick-
lungsvorschläge des Verwaltungsrates hat die Generalversammlung nur beratende
Funktion. PASOK, als größte Oppositionspartei, hat es seit den Wahlen vom November 1977 abgelehnt, Vertreter in die Generalversammlung des ERT zu entsenden. Die Partei ist der Ansicht, daß sich die Vertreter der Opposition ohnehin in einer hoffnungslosen Minderheit innerhalb der Versammlung befinden. Zudem sei
diese nicht viel mehr als eine Farce, da sie nur einmal im Jahr zusammentrete und
keine wesentlichen Zuständigkeiten habe.

Kritiker dieser Organisationsform der ERT sind der Ansicht, daß der Verwaltungsrat der Anstalt das Vertrauen nicht nur der Regierung, sondern auch der Opposition genießen müßte. Weiter sollte sichergestellt werden, daß der in der Verfassung
verankerte Auftrag an Rundfunk und Fernsehen, objektiv und unter Bedingungen
der Gleichberechtigung Informationen und Nachrichten auszustrahlen, erfüllt wird.
Der Verwaltungsrat müßte nach Ansicht dieser Kritiker repräsentativ sein für die
politischen, wirtschaftlichen, sozialen, religiösen und geistigen Gruppen des Landes
und die Möglichkeit haben, den Generaldirektor zu kontrollieren, bei dem gegenwärtig praktisch alle Macht in der Anstalt konzentriert ist.

YENED untersteht dem griechischen Verteidigungsministerium und unterliegt damit praktisch keiner öffentlichen Kontrolle. Der Leiter der Anstalt wird vom Verteidigungsminister berufen. Die Finanzierung erfolgt durch Werbung. Mehr noch als die staatliche Kontrolle und Bevormundung der ERT ist das Fortbestehen einer Rundfunk- und Fernsehanstalt der Streitkräfte Gegenstand heftiger Kritik in der griechischen Öffentlichkeit. Führende, auch konservative Staatsrechtler halten die Existenz einer solchen Anstalt für unvereinbar mit den Verfassungsgrundsätzen der Gleichberechtigung aller Staatsbürger einerseits und der politischen Neutralität der Streitkräfte andererseits, zumal diese Neutralität nach den bitteren Erfahrungen der sieben Jahre Militärdiktatur in der neuen Verfassung mit besonderem Nachdruck gefordert wird. Zudem ist die Rolle der YENED als Sprachrohr und Propagandaapparat der Militärdiktatur unvergessen.

Die Geschichte des Rundfunks geht in Griechenland zurück auf das Jahr 1923, als eine Dienststelle der Kriegsmarine zum erstenmal eine Rundfunk-Übermittlung vornahm. Am griechischen Nationalfeiertag 1938 wurde durch die 1936 gegründete „Dienststelle für Rundfunksendungen" offiziell die erste Rundfunksendung von einem 15-Kilowatt-Sender ausgestrahlt. Schon 1936 gab es aber eine private Rundfunkstation in Saloniki, die erste auf dem Balkan. Die ersten Fernsehprogramme wurden vom 23. Februar 1966 an täglich vom damaligen EIR (Ethnikon Idryma Radifonias: Nationale Rundfunkanstalt) in Athen ausgestrahlt. Mit dem Ausbau des Fernsehens wurde EIR im Dezember 1970 in EIRT (Ethnikon Idryma Radiofonias Tileoraseos: Nationale Rundfunk- und Fernsehanstalt) umbenannt, aus der mit dem Gesetz 230 von 1975 die heutige ERT hervorgegangen ist.

Die griechischen Streitkräfte haben seit 1948 ein eigenes Rundfunkprogramm. Dies wendet sich keineswegs nur an das Militär, sondern entspricht einem normalen Rundfunkprogramm mit nur wenigen speziell auf die Streitkräfte abgestimmten Sendungen. Seit 1968 haben die entsprechenden Dienststellen der Streitkräfte, die seit dem Juli 1968 den Namen YENED tragen, auch ihr eigenes Fernsehprogramm.

3. Sendezeiten und technische Ausrüstung

Gegenwärtig sendet der Rundfunk der ERT wöchentlich in den drei für Griechenland bestimmten Programmen 367 Stunden, und zwar 141 Stunden im ersten, 108 Stunden im zweiten und 118 Stunden im dritten Programm. Die wöchentliche Sendezeit des Rundfunks der YENED beträgt 144 Stunden. Die Fernsehprogramme beider Anstalten sind seit Mitte April 1979 zur Einsparung von Energie um die Mittagssendungen an den Wochentagen außer Samstag und Sonntag gekürzt worden. Sie umfassen jetzt 56 Sendestunden pro Woche bei ERT und 52 Stunden und 45 Minuten bei YENED. Bei ERT kommen noch wöchentlich 12 bis 13 Stunden Schulfernsehen hinzu, an das nach dem Jahresbericht 1978 1510 von den 1845 höheren Schulen des Landes sowie 1500 Grundschulen angeschlossen waren. Darüber hinaus sendet ERT von zwei Kurzwellensendern in Avlis in Attika wöchentlich 179 Stunden und 40 Minuten Sendungen in Griechisch und fremden Sprachen in alle Welt. Diese Programme wenden sich unter anderem an die große Zahl der im Ausland lebenden Griechen und an die griechischen Seeleute.

Hörfunk und Fernsehprogramme des ERT werden von jeweils 17 Sendern überall im Lande ausgestrahlt, das dritte Programm des Hörfunks auch von drei Ultrakurzwellensendern in Athen, Saloniki und Volos, die für stereophonische Sendungen ausgerüstet sind. Neben der zentralen Station in Athen unterhält ERT sieben örtliche Stationen in Saloniki, Korfu, Chania auf Kreta, Patras, Rhodos, Volos und Komotini in Thrakien. Sie übernehmen zwar im wesentlichen das 1. und 2. Programm aus Athen, produzieren aber auch einige eigene Programme für den örtlichen Bedarf. YENED verfügt über ein Netz von zwölf Hörfunk- und zehn Fernsehsendern. Dank des technischen Ausbaus des Fernsehnetzes in den letzten Jahren können beide Fernsehprogramme trotz der ungünstigen geographischen Verhältnisse (zahlreiche Gebirge und weit verstreute Inseln) in fast allen Teilen des Landes empfangen werden. Zur weiteren Verbesserung des Empfanges wurde der Ausbau von Relaisstationen für das Fernsehen in den Grenzgebieten 1978 mit Vorrang fortgesetzt.

1978 hat ERT versuchsweise auch farbige Programme nach den beiden europäischen Systemen Pal und Secam ausgestrahlt, um sich auf regelmäßige Farbfernsehsendungen vorzubereiten. Die volle Umstellung auf Farbfernsehen in Griechenland wird aber wegen der hohen Kosten der Umrüstung der gesamten technischen Einrichtungen noch auf sich warten lassen. Die Regierung hat sich mittlerweile für das französische Secam-System entschieden, für welches die französische Regierung einen Kredit bereitzustellen geneigt ist. Ob ein Abkommen zwischen ERT und einem zypriotischen Privatunternehmer zustande kommt, der Farbfernsehprogramme für einen gesondert zahlenden beschränkten Empfängerkreis anbieten will, ist noch unklar. Das Projekt hat in der griechischen Öffentlichkeit lebhaften Widerspruch hervorgerufen.

Rund 91 Prozent der griechischen Haushalte verfügen über mindestens einen Rundfunkempfänger. Darüber hinaus waren im letzten Jahr etwa 2,28 Millionen Fernsehempfänger in Griechenland in Betrieb, davon entfielen 835 000 auf den Raum von Groß-Athen, wo auch zirka ein Drittel der griechischen Bevölkerung lebt.

4. Programmgestaltung

Die Programme des ERT-Hörfunks sind nach Wort- und Musiksendungen gegliedert. Mit den Wortsendungen werden im 1. Programm unter anderem täglich Frauen und Kinder als besondere Zielgruppen angesprochen, denen die jeweiligen Sendungen Bildung und aktuelle Information vermitteln wollen. Im ersten Programm des Hörfunks werden täglich neunmal Nachrichten gesendet, im zweiten Programm fünf Minuten Kurznachrichten jede Stunde von 7 bis 24 Uhr und im Hörfunk der YENED 17 Nachrichtensendungen binnen 24 Stunden. Zweimal in der Woche bietet das erste Programm des ERT-Hörfunks Theateraufführungen aus der neugriechischen Literatur und dem klassischen ausländischen Repertoire. Es gibt Programme für die berufliche Orientierung der Jugend und zur Elternberatung. Die Musikprogramme umfassen alle Sparten der Musik: byzantinische Hymnen, ernste ausländische und griechische Musik, Unterhaltungsmusik, Jazz, Blues und Pop. Das zweite Programm des ERT-Hörfunks ist stark mit Werbung befrachtet und vom Geschmack werbender Schallplattenfirmen mitbestimmt. Es bringt im Verhältnis 65 zu 35 Prozent viel griechische und ausländische Unterhaltungsmusik, wobei bei der ausländischen englische und amerikanische Kompositionen im Vordergrund stehen. Als originell und von hoher Qualität kann das dritte Programm des ERT-Hörfunks bezeichnet werden, das von dem Komponisten Manos Chatzidakis geleitet wird. Seit wenigen Jahren werden die Sendungen des 3. Programmes nicht wie früher am Abend, sondern auch tagsüber ausgestrahlt. Es bringt in erster Linie ernste Musik, in zweiter Linie Literatur. Eine Reihe von Sendungen sind der Pflege der heute noch lebendigen Tradition der griechischen Volksmusik gewidmet. Das dritte Programm ist auch um die Wiedergabe der wichtigsten ausländischen Festspiele bemüht. Kritiker dieses Programms befürchten gelegentlich, daß es zu sehr auf den Geschmack einer intellektuellen Elite ausgerichtet sei.

Von den 56 wöchentlichen Sende-Stunden des ERT-Fernsehens entfällt der Löwenanteil, rund 33 Wochenstunden, auf Unterhaltungssendungen. Bei YENED sind es bei knapp 53 wöchentlichen Sendestunden 23 Stunden und 30 Minuten. An zweiter Stelle stehen bei beiden Anstalten mit 15 bzw. 12½ Stunden die Sendungen zur Information und Unterrichtung. Zu ihnen zählen bei beiden Anstalten jeweils drei tägliche Nachrichtensendungen von insgesamt etwa einstündiger Dauer. Auf Sendungen aus dem Gebiet der Bildung und Kultur entfallen bei ERT sechs, bei YENED elf Stunden wöchentlich. Zwei bzw. drei Stunden pro Woche sind normalerweise dem Sport gewidmet, doch wird die Sendezeit für den Sport bei Übertragungen wichtiger internationaler und griechischer Fußballspiele oder internationaler Wettkämpfe in anderen Sportarten häufig zu Lasten anderer Programme länger ausgedehnt.

YENED gibt die Dauer der Werbespots in der Woche mit zweieinhalb Stunden an, ERT mit mindestens 30 Minuten, eine Zahl, die hinter der Wirklichkeit weit zurückbleibt. Die Werbespots sind so angeordnet, daß sie in vorher nicht bekannter Länge vor Beginn und unmittelbar nach Beginn einer Sendung, zum Beispiel nach dem Vorspann eines Films, eingeblendet werden. Der Zuschauer ist so gezwungen, die Werbung über sich ergehen zu lassen, will er nicht Gefahr laufen, den Anfang eines Programms zu verpassen. Über die Unpünktlichkeit im Beginn der einzelnen Sendungen und das Überschreiten der im Programm vorgesehenen Sendezeiten wird übrigens auch unabhängig von der Werbung vielfach geklagt. Eine Höchstgrenze der für die Werbung bereitgestellten Sendezeit, wie sie in der Öffentlichkeit immer wieder verlangt worden ist, gibt es bisher nicht. Die Regierung erwägt aber durch das Verbot der Werbung für bestimmte Waren, beispielsweise für Alkohol, und durch Erhöhungen der Preise für die Werbespots auf eine Verringerung der Fernsehwerbung hinzuwirken. Für Zigaretten und Tabakwaren darf auf Beschluß der Regierung aus Gesundheitsgründen in Rundfunk und Fernsehen nicht geworben werden.

Bei beiden Fernsehanstalten ist der Anteil der im Ausland gekauften Programme groß. Da nicht alle ausländischen Sendungen synchronisiert werden, wird fast 39 Prozent des Programmes der YENED und rund 25 Prozent der ERT in den jeweiligen Originalsprachen mit griechischen Untertiteln ausgestrahlt. Der Anteil der im Ausland gekauften Sendungen am Gesamtprogramm beträgt bei YENED 41,2 Prozent. 33,6 Prozent des wöchentlichen Programms werden von YENED selbst hergestellt, die restlichen 25,2 Prozent von griechischen privaten Produzenten geliefert. ERT produziert die Sendungen der Sparte Unterrichtung und Information fast ausschließlich selbst und kauft auf dem Sektor Bildung und Kultur knapp über 50 Prozent der Sendungen im Ausland. Von den 33 Sendestunden auf dem Sektor Unterhaltung werden 17 Stunden mit ausländischem Material bestritten, 11 Stunden von privaten griechischen Produzenten geliefert und nur 5 Stunden von ERT selbst hergestellt.

An der Qualität der griechischen Produktionen und der Auswahl des im Ausland für das griechische Fernsehen gekauften Programme wird in der griechischen Öffentlichkeit viel Kritik geübt. Mangelnde Erfahrung mit dem neuen Medium und zu wenig Mut der Verantwortlichen, auch kontroverse Themen ins Bild zu bringen, tragen zweifellos dazu bei, daß die Bemühungen um eine Hebung des Niveaus nur langsam vorankommen. Auch die chronischen finanziellen Schwierigkeiten, die nicht zuletzt auf den hohen Anteil der Personalkosten aufgrund eines übertrieben aufgeblähten Apparats zurückzuführen sind, spielen in diesem Zusammemhang eine Rolle. Dennoch sind Fortschritte unverkennbar, und eine Reihe von Sendungen hat durchaus Niveau. So können etwa die Live-Übertragungen von Konzerten, Theater- und Ballettaufführungen von den internationalen Athener Festspielen als Beitrag zur Volksbildung angesehen werden, ebenfalls die von Eurovision übernommenen Programme über andere Festspiele, klassische Musik und Tanz, eine Reihe interessanter Dokumentarserien zu wissenschaftlichen Themen, zeitgeschichtliche Filme aus dem Ausland und schließlich die für ERT produzierten wöchentlichen Aufführungen eines Werkes der internationalen Theaterliteratur sowie gelegentlich hochstehende Werke ausländischer Filmkunst. Ein sehr großes Echo bei Kindern und Erwachsenen hat die täglich einstündige Kindersendung gefunden, die seit dem Oktober 1978 bei ERT eingeführt wurde. Zu den teilweise bemerkenswerten Verfilmungen neugriechischer Literatur für das Fernsehen muß leider angemerkt werden, daß sich das Fernsehen niemals an Werke echter Aktualität gewagt hat.

Auf eindeutig niedrigem Niveau steht eine Reihe von Unterhaltungssendungen, insbesondere Serien mit Trivialcharakter aus dem griechischen Alltagsleben. Sie erfreuen sich aber großer Beliebtheit bei einem breiten Publikum. Auch von den Möglichkeiten des Fernsehens als echtem Kommunikationsmedium macht man in Griechenland bisher nur geringen Gebrauch. Es gibt nur eine Sendung in der Woche, in die sich die Hörer durch Telefonanrufe direkt einschalten können. Auch der Anteil an Live-Sendungen ist sehr gering. Unverkennbar ist jedoch, daß das Fernsehen in Griechenland immer dann eine außerordentliche Lebendigkeit gewinnt, wenn Menschen, vor allem Menschen aus dem Volk, direkt vor der Fernsehkamera angesprochen werden. Das griechische Temperament bewirkt, daß die Menschen sich völlig unverkrampft und in schöner Spontaneität vor der Kamera verhalten. Sehr lebendig sind auch die Sportsendungen des Fernsehens. Das Schwergewicht liegt dabei eindeutig auf dem Fußball, eben weil er in Griechenland außerordentlich populär ist. Erst in zweiter Linie steht die Leichtatheltik. Der Anteil der Kriminalserien, meist ausländischer (vorwiegend amerikanischer) Produktion, am Programm ist in der letzten Zeit bewußt eingeschränkt worden.

Der problematischste Aspekt des griechischen Fernsehens sind die Programme auf dem Gebiet Unterrichtung und Information. Die Programme dieser Kategorie umfassen neben den täglich etwa einstündigen Nachrichtensendungen einige Round-table-Diskussionen, Untersuchungen zu aktuellen Fragen, Kurzinterviews, Wochenüberblicke über das aktuelle Geschehen u.a. Bei den Nachrichtensendungen halten sich Auslands- und Inlandsnachrichten im allgemeinen die Waage. Dabei wird die Nachrichtenauswahl zu innergriechischen Themen eindeutig aus der Perspektive der Regierung getroffen. Die Opposition wird, wenn überhaupt, gewöhnlich lediglich erwähnt, ohne daß aber ihr Standpunkt inhaltlich dargestellt würde. Eine Ausnahme machen seltene Übertragungen parlamentarischer Debatten im Fernsehen, bei denen aber die jeder Partei zufallende Sendezeit weitgehend nach dem Proporz der Fraktionsstärken gemessen wird. Auffallend ist bei den Nachrichtensendungen das Vorherrschen rein formaler Mitteilungen über die Tätigkeiten der Regierung, ohne daß Sachinhalte dargelegt werden. Hinzu kommt das Verlesen langatmiger Regierungsmitteilungen und die ausführliche Wiedergabe ausländischer Pressestimmen, von denen fast ausschließlich nur die für die Regierung positiven ausgewählt werden. Auch die Kommentare, die häufig in die Hauptnachrichtensendung am Abend eingeblendet werden, geben den Standpunkt der Regierung wieder.

Über das außenpolitische Geschehen wird in den Nachrichten ausführlich, schnell und lebendig informiert. Es fehlen aber in den Programmen fast völlig analysierende Korrespondentenberichte über Vorgänge im Ausland, ebenso zusammenfassende Darstellungen über das Weltgeschehen, auch über diejenigen Aspekte der internationalen Politik, von denen Griechenland unmittelbar berührt wird.

Kritiker der Nachrichtengestaltung und der politischen Sendungen des Fernsehens finden sich nicht nur im Lager der Opposition. Führende Rechtswissenschaftler sind der Auffassung, daß das Fernsehen seinem Verfassungsauftrag, objektiv und unter Bedingungen der Gleichberechtigung zu informieren, nicht gerecht wird, sondern die Rolle eines Sprachrohrs der Regierung spielt. Nach Auffassung dieser Kritiker wäre die Regierung aufgrund der Verfassung verpflichtet, auch den anderen Parteien in Rundfunk und Fernsehen angemessen Gelegenheit zur Teilnahme am politischen Wettbewerb zu geben. In der Praxis geschieht dies nur äußerst selten. Der Vorsitzende der oppositionellen Zentrumsunion, Ioannis Zigdis, hat deshalb die Verantwortlichen der ERT wegen mangelnder Objektivität in ihren Nachrichtensendungen verklagt und zugleich der Regierung vorgeworfen, als Aufsichtsbehörde der ERT für den Mangel an objektiver Unterrichtung der Öffentlichkeit verantwortlich und damit der Verfassungsverletzung schuldig zu sein. In der Klage wurden Fälle aufgezählt, in denen ERT in den Nachrichtensendungen die Standpunkte der Regierungsmitglieder dargestellt, die Standpunkte der Opposition und der Gewerkschaften dagegen verschwiegen oder entstellt habe. Das Verfahren ist noch nicht abgeschlossen. Kritiker auch aus dem konservativen Lager sind der Auffassung, daß die Einseitigkeit der Darstellung in Rundfunk und Fernsehen die Glaubwürdigkeit dieser Medien in der griechischen Öffentlichkeit beeinträchtigt.

Die kritischen Bemerkungen zum Fernsehprogramm kann man folgendermaßen zusammenfassen: Unbeschadet aller Fortschritte mangelt es an echter Information, an analysierenden, kritisch wertenden Darstellungen. Die soziale und politische Wirklichkeit wird meistens nur nach rein formalen Kriterien wiedergegeben. Dieser Tendenz zum Wirklichkeitsfernen entspricht im Bereich der Unterhaltung die Neigung zu klischeehafter und sentimentaler Darstellung. Die griechische Wirklichkeit und die Fragen, die die Bevölkerung tatsächlich beschäftigen, bleiben zu einem hohen Grade ausgespart.

Kirchen und Religionsgemeinschaften

Friedrich Heyer, Heidelberg

I. Die Orthodoxe Kirche: 1. Die Aufteilung der dem Erzbischof von Athen und der dem Ökumenischen Patriarchen unterstehenden Eparchien – 2. Das Verhältnis Kirche und Staat – 3. Die Konfliktsthemen innerhalb der Kirche in den vergangenen 60 Jahren – 4. Die Diakonie – Mission – ökumenische Kontaktpflege – 5. Das Klosterwesen – 6. Der Gottesdienst – 7. Die Verehrung der Gottesmutter und der Heiligen – 8. Die Pflegestätten akademischer Theologie – II. Die nicht-orthodoxen Religionsgemeinschaften: 1. Die katholische Kirche des lateinischen Ritus – 2. Die mit Rom unierte griechische Kirche – 3. Die Armenische Apostolische Kirche – 4. Die evangelische Kirche in Griechenland – 5. Die evangelische Gemeinde deutscher Sprache – 6. Die als sektiererisch oder nichtchristlich angesehenen Religionsgemeinschaften

I. Die Orthodoxe Kirche

1. Die Aufteilung der dem Erzbischof von Athen und dem Ökumenischen Patriarchen unterstehenden Eparchien

Die Orthodoxe Kirche Griechenlands umfaßt rund neun Millionen orthodoxe Gläubige in etwa 80 Bistümern. Eine Tendenz herrscht vor, allzu volkreiche urbane Eparchien aufzuteilen: So wurde Piräus von Athen, Neapolis von Saloniki abgetrennt. Die Kirche wird von der Hl. Synode der Hierarchie, die jeweils im Oktober zusammentritt, regiert. Zwölf Metropoliten bilden unter Vorsitz des Erzbischofs von Athen die „permanente Synode". Jedes Jahr werden deren Mitglieder ausgewechselt.

Die Kirche von Hellas deckt nicht das gesamte Staatsgebiet Griechenlands ab. Das hat historische Gründe: Als am 25.3. 1821 die griechische Erhebung gegen die türkische Herrschaft losbrach, ausgerufen durch den Metropoliten von Patras in der Lavra, machte die osmanische Regierung den Ökumenischen Patriarchen Gregorios V. für den Aufstand verantwortlich und erhängte ihn am Eingangstor zum Phanar in Konstantinopel. Die folgenden Patriarchen gerieten in den Geruch, die Griechen zum Niederlegen der Waffen bewegen zu wollen. Dies begründete die Entfremdung vom ökumenischen Stuhl, so daß Theofilos Farmakides gutes Echo fand, als er 1826 die Idee einer Autokephalie des jungen griechischen Staates lancierte und Ministerpräsident Kapodistrias die Loslösung der nationalgriechischen Kirche vom Phanar 1833 vollzog. Erst 1850 bestätigte der Patriarch die Autokephalie.

Doch weitere griechisch besiedelte Territorien wurden hinzugewonnen: 1864 die Jonischen Inseln, 1881 Thessalien, 1900 die Insel Kreta, im letzten Balkankrieg 1913 die nordgriechischen Provinzen, 1947 wurden die bis dahin von Italien beherrschten Inseln des Dodekanes abgetreten. Diese Vorgänge spiegeln sich in der aufgeteilten Jurisdiktion des orthodoxen Hellenentums: Kreta (acht Metropolien, vom Erzbischof von Heraklion zusammengefaßt) und der Dodekanes (vier Metropolien, geleitet vom Erzbischof von Rhodos) blieben unter Konstantinopler Jurisdiktion. Der Versuch des Obristenregimes, 1969 diese Gebiete der Kirche von Hellas zu inkorporieren, wurde vom ökumenischen Stuhl zurückgewiesen. Für die 1913 hinzugewonnenen nordgriechischen Provinzen gewährte der Ökumenische Patriarch 1928 eine „Praxis" (Synodalakt), die die Eingliederung in die Orthodoxe Kirche Griechenlands ermöglichte, doch behielten die dortigen Metropoliten bei kirchengerichtlichen Entscheidungen das Recht zur Berufung auf das Patriarchat. Die 20 Klöster des Berges Athos unterstehen der Konstantinopler Jurisdiktion.

2. Das Verhältnis Kirche und Staat

Die Kirchenverfassungsentwicklung des befreiten Griechenland durchlief vier Phasen: 1. König Otto von Bayern ließ die Kirche durch Minister Maurer als reine *Staatsanstalt* organisieren. Der König, obwohl beim katholischen Glauben verbleibend, wurde als „Haupt und Führer" der Kirche in allen äußeren Angelegenheiten anerkannt. Er hatte die fünf Mitglieder der Synode zu ernennen. Nach russischem Vorbild nahm ein Prokuror die königlichen Rechte in der Synode wahr, zwar ohne Stimmrecht, aber mit Vetorecht.

2. 1923 wurde unter *liberalen* Vorzeichen unter Mitwirkung des Kanonisten Prof. Alevizatos ein neues Kirchengesetz erlassen, das die Grundlage auch für die Kodifikation von 1949 bot. Im Ministerium für Erziehung und kirchliche Angelegenheiten wurde eine Generaldirektion für Kirchenfragen eingerichtet. Das Prokurorenamt konnte entfallen.

3. Bei der Machtergreifung des *Militärs* 1967 zeigten sich gewisse kirchliche Kreise willig, den Mangel an Ideologie, der das Obristenregime kennzeichnete, durch ihren Antikommunismus und ihre Betonung der Heilsrelevanz des Griechentums auszugleichen. Dabei war der Schock bestimmend, den die kirchenzerstörerischen Aktionen der Kommunisten 1946–49 in Nordgriechenland ausgelöst hatten. In der Ende des Zweiten Weltkrieges von deutschen und italienischen Besatzungstruppen befreiten Region richteten sich kommunistische Partisanen ein, die sich an die Titopartisanen in Serbien anlehnen konnten. In den drei Jahren kommunistischer Herrschaft wurden annähernd 300 Priester getötet und zahlreiche Kirchen zerstört. Auch sprach mit, daß der Professor der Jurisprudenz Tsirindanis seit längerem Einfluß auf die kirchliche Öffentlichkeit mit seinem Appell gewonnen hatte, mehr soziale Verantwortung zu ergreifen. Eingriffe des Staates in die kanonische Ordnung fanden nur in einem Teil der Hierarchie (geführt von Metropolit Panteleimon von Korinth) Widerspruch, und diese Opposition blieb ohne Wirkung.

4. Bei den *heutigen* Kirchenrechtslehrern finden die Rechtsformen, in die die Orthodoxe Kirche Griechenlands durch Minister Maurer und wiederum durch das Obristenregime gepreßt wurde, als „unkanonisch" eine schroffe Verurteilung. Der Kanonist der Universität Thessaloniki, Rodopoulos[1]) verdeutlicht die jetzt vorherrschende Tendenz: Staatseingriffe ins innere Leben der Kirche gelten für das pastorale Werk der Kirche als schädlich, auch für die Nation, innerhalb derer die Kirche eine wichtige Institution ist. Dabei läßt sich von Artikel 3 § 1 der neuen Verfassung

[1]) Rodopoulos, P.: Church and State in Greece according to the Constitution of the Greek Republic (1975), in: Leisching, P.; Potschnig, F.; Potz, R. (Hrsg.): Ex Aequo et Bono. Willibald M. Plöchl zum 70. Geburtstag. Innsbruck 1977, S. 559ff.

der griechischen Republik vom 11. Juni 1975 aus argumentieren. Dort heißt es, daß die orthodoxe Kirche – die vorherrschende Religion in Griechenland – „in dogmatischer Hinsicht unauflöslich eins mit der Großen Kirche von Konstantinopel und mit jeder anderen Kirche" sei, „welche die gleiche Lehre und ebenso unerschütterlich die heiligen, apostolischen und synodalen Kanones und die hl. Traditionen festhält. Sie ist autokephal und durch die hl. Synode der aktiven Bischöfe regiert und durch eine Permanente hl. Synode, die aus ihr gebildet ist und zusammengesetzt, wie es in der Verfassungsurkunde der Kirche festgelegt ist, dabei immer die Bestimmungen des Patriarchalen Tomos vom 29. Juni 1850 und den Synodalakt vom 14. September 1928 aufrechterhaltend."

Auf das letztere wird nun der Akzent gesetzt: Der Patriarchale Tomos von 1850 und der Synodalakt von 1928 – in Übereinstimmung mit der orthodoxen ekklesiologischen Tradition abgefaßt – sind mit ihren Bestimmungen für die Kirche Griechenlands obligatorisch, unabhängig davon, was die staatliche Gesetzgebung über die Kirche festlegen mag. Im Tomos von 1850 wird aber mit deutlicher Spitze gegen jede staatliche Einmischung gesagt: „Wir haben die Synode als oberste kirchliche Autorität eingesetzt, daß sie die die Kirche betreffenden Fragen konform mit den göttlichen Kanones frei und ohne Hinderung durch Einmischung einer säkularen Instanz regele." Das wird von den heutigen Kanonisten in dem Verlangen, Freiheit von staatlicher Gängelung zu erreichen, hervorgekehrt. Der Tomos zählt unter den Beschlußmaterien der griechischen Synode ausdrücklich die „Wahl der Bischöfe, die Scheidungsfragen, die Priestererziehung und die Verdammung antireligiöser Literatur" auf.

Rodopoulos erinnert daran, daß die Bedingungen, unter denen der Patriarch die Autokephalie an die griechische Kirche verlieh, anhand seiner Enzyklika zu interpretieren ist, die er zugleich mit dem Tomos an die griechische Hierarchie ausgehen ließ. Dort hieß es: „Wir befehlen der hl. Synode (der nunmehr autokephalen griechischen Kirche), die Kirchensachen in Übereinstimmung mit den göttlichen Kanones... und mit den hl. Traditionen... zu regeln." Auch der Regierung wurde Tomos und Enzyklika mit einem patriarchalen Brief vom 29. 6. 1850 zugeleitet, in dem der Patriarch das Prinzip kirchlicher Unabhängigkeit von säkularen Instanzen hervorkehrt. Und dies Prinzip bestätigte die Regierung ihrerseits. Weil nun der Verfassungstext von 1975 die Orthodoxe Kirche Griechenlands erneut an den Tomos und den Synodalakt bindet, läßt sich argumentieren, daß jeder säkulare Eingriff in die Orthodoxe Kirche Griechenlands auch „verfassungswidrig" sei.

Das scheint einer Regelung des Verhältnisses von Kirche und Staat Vorschub zu leisten, die man als *Trennung der beiden Gewalten* beschreiben kann. Diese Konsequenz wird aber von der Mehrzahl der Bischöfe und Theologen abgelehnt[2]). Als am 6. 2. 1979 gemäß dem jährlichen Brauch das Fest des Patriarchen Photios begangen wurde, hielt der Athener Kirchenhistoriker Vlasios Feidas ein viel beachtetes Referat über „Das Verhältnis zwischen Kirche und Staat nach dem hl. Photios" und ver-

---

[2]) Prof. Savvas Agouridis (Athen) steht mit der Forderung nach Trennung von Kirche und Staat etwas isoliert. In der „Kathimerini" Januar 1977 verglich er die jetzt geltende Beziehung zwischen Staat und Kirche mit den Verhältnissen im Osmanischen Reich und in der absolutistischen Periode der Regentschaft. Nach Trennung der Gewalten solle eine aus Laien und Geistlichen zu bildende Körperschaft das Kirchenstatut entwerfen.

trat dabei unter allgemeiner Zustimmung die These: „Die orthodoxe Lehre von der Symphonie zwischen Kirche und Staat, die in Byzanz galt, läßt die Trennung der Gewalten, wie sie zur Zeit in Griechenland diskutiert wird, als der orthodoxen Tradition fremd erscheinen und muß als Gegenindikation gegen die Gefahren genutzt werden, die heute den geistlichen Fundus des griechischen Volkes bedrohen."

Neuralgischer Punkt, an dem sich erkennen läßt, wie problematisch das Verhältnis zwischen Staat und Kirche wurde, ist die Auseinandersetzung um ein reformiertes *Scheidungsrecht*. 1958 hatte die Kirche zum ersten Mal zu Abänderungsvorschlägen im Astikos Kodix Stellung zu nehmen. Es ging um die „automatische Scheidung" im Falle von „Zerrüttung". Als äußerste Möglichkeit gestand die Kirche damals „kat' oikonomian" eine einmalige Sanierungsaktion zu. Während eines abgegrenzten halben Jahres sollte im Falle einer bereits zehnjährigen Trennung der Ehepartner eine Ehe geschieden werden können. Doch diese Lösung stieß auf Widerspruch, weil auch dem schuldigen Teil Klagerecht zugestanden war und die Terminierung willkürlich erschien[3]).

Im Frühjahr 1976 leitete das Justizministerium der Kirche den jetzt zur Debatte stehenden Entwurf zu, der nach 6 Jahren Trennung die Scheidung auf den Tatbestand der Zerrüttung gründen will, aber ein Recht auf Scheidung dort abstreitet, wo der Beklagte sich unter Berufung auf außergewöhnliche Härte der Scheidung widersetzt. Die Synode reagierte darauf mit einem Hirtenwort, das am 28.11. 1976 im Sonntagsgottesdienst verlesen wurde und die „wachsende Unruhe" ausdrückte, mit der die Kirche die Reformtendenzen verfolgt. In der Zeit vom 23. bis 26.1. 1979 mußte die bischöfliche Synode zu einer außerordentlichen Sitzung zusammengerufen werden, um noch einmal vor der Verabschiedung des abgeänderten Scheidungsrechtes zu verdeutlichen, daß die Hierarchie „auf ihrer Stellungnahme gegen die automatische Scheidung beharrt, weil ein solches Gesetz antievangelisch, antikanonisch und unsozial" sei. Die Kirche halte den Schutz des schuldlosen Teils für nötig und müsse dem schuldigen Teil Beweispflicht zuschieben, daß Wiederaufnahme der ehelichen Beziehungen unmöglich sei. Vor Prozeßbeginn müsse das Paar seinen Fall vor eine kirchliche Konsultativinstanz bringen, der fünf Metropoliten angehören.

Im Fall der Reform des Scheidungsrechtes laufen kanonisches Recht und im Staat praktiziertes Recht auseinander – ein folgenreicher Vorgang, wenn man bedenkt, daß es bei Gründung des griechischen Staates rechtspolitischer Grundsatz war, daß sich das bürgerliche Recht auf dem kanonischen Recht gründe. Die Regierung jedoch steht unter Zugzwang, da sich die Öffentlichkeit an der westeuropäischen Gesetzesentwicklung orientiert.

Nach der Beseitigung des Militärregimes wurde die griechische Gesellschaft von den gleichen Problemen überfallen, die sich 1968 zur Zeit der Studentenrevolte in Westeuropa gestellt hatten. In der Athener Studentenschaft setzte sich eine Linksorientierung mit antiklerikalen Implikationen durch. In der Presse wurde die orthodoxe Kirche einer schonungslosen Kritik ausgesetzt. Die These, mit der sich die Kirche legitimiert, nämlich, daß sie es gewesen sei, die in der Zeit der türkischen Unter-

[3]) Larentzakis, G.: Ehe, Ehescheidung und Wiederverheiratung in der orthodoxen Kirche, in: Theol. Prakt. Quartalschrift 125, 3. 1977, S. 250–261; Blanck, B., OSA: Aus den Stellungnahmen der Kirche von Griechenland zu staatlichen Gesetzentwürfen einer Reform des Ehescheidungsrechts, in: Ostk. Stud. 4. 1978, S. 327–329.

drückung das Hellenentum gerettet und den Aufstand von 1821 ausgelöst habe, wurde in Zweifel gezogen. Daß die Kirche der Forderung des Staates nach einer Zession von 4/5 des Kirchengutes Widerstand entgegensetzt, wurde demagogisch ausgeschlachtet. Im Blick auf noch nicht abgeschlossene Prozesse gegen einzelne Bischöfe wurde der Episkopat insgesamt angegriffen. Die Kirche reagierte 1977 mit einer Enzyklika an die Gläubigen, in der diese Angriffe als „Komplott" hingestellt wurden, „das Ansehen der Kirche im Bewußtsein der Griechen zu vernichten". Die ideologische Kampagne zugunsten des Atheismus und des Sektentums favorisiere Bewegungen, die vom Ausland eingeschleppt seien. – Sinnvoller reagiert eine Gruppe von Bischöfen, die in Kallinikos Karousos, dem Metropoliten von Piräus (zuvor Leiter von Apostoliki Diakonia) ihren geistlichen Vater sieht und der die Metropoliten von Dimitrias und Neapolis angehören. Auf einer Versammlung der Hierarchie in Penteli im Oktober 1978 traten sie für einen „offenen Dialog" mit Atheisten und fernöstlichen Meditationskulten, denen die junge Generation anhängt, ein und für eine Zurüstung dafür in besonderen Forschungszentren.

Am 17. 5. 1977 hatte das Parlament über ein neues Statut für die Kirche abzustimmen. Daß auf Wunsch der Kirche dabei das Recht zur Berufung auf den Ökumenischen Patriarchen (ekkliton), das bisher nur den Metropoliten der Nordprovinzen zustand, auf die Metropoliten der Altprovinzen ausgedehnt wurde, zeigt an, daß die Orthodoxe Kirche Griechenlands angesichts des Schwundes von Anlehnungsmöglichkeiten im eigenen Staat Rückendeckung im Gefüge des früher zuständigen altkirchlichen Patriarchates sucht.

Auch in den staatskirchlichen Perioden hatten sich die Geistlichen von politischer Einmischung zurückgehalten, weder aktives noch passives Wahlrecht ausgeübt. Davon stach freilich die Haltung der Hierarchie ab. Folge davon war, daß die Kirche von Hellas, äußerlich als Staatskirche zusammengehalten, doch durch gegensätzliche Parteirichtungen tief gespalten war.

3. Die Konfliktthemen innerhalb der Kirche in den vergangenen 60 Jahren

1917 mißbrauchte der Staat die Kirche politisch, indem auf Wunsch König Konstantins der republikanische Politiker Venizelos durch die Synode anathematisiert wurde. Als Venizelos den König vertrieb, übte er Rache an der Kirche, verdammte durch eine neue Synode den bisherigen Erzbischof Theoklitos und erhob seinen Vertrauensmann Meletios Metaxakis, einen geschickten Reformer. Die Kirche spaltete sich in Venizelisten und Royalisten.

In ähnlicher Weise trennte die Frage, ob sich Griechenland dem vom Ökumenischen Patriarchen 1923 vollzogenen Übergang vom Julianischen zum Gregorianischen Kalender anschließen solle oder nicht. Eine schismatische Hierarchie von „Altkalendariern" mit Sitz in Kifisia spaltete sich ab, der ungefähr 200 000 Gläubige folgten und welcher die russische Kirche im Exil bei der Neuweihe von Bischöfen assistierte.

Im November 1965 belastete ein Streit um die kanonische Frage, ob das „Metatheton" kanonisch zulässig sei[4]), das heißt, ob Bischöfe von Stühlen, für die sie ge-

---

[4]) Im Kirchenstatut, über welches das Parlament am 17. 5. 1977 abstimmte, wurde das Metatheton für rechtlich zulässig erklärt. In der Synode wurde das Metatheton mit 2/3-Mehrheit gutgeheißen.

weiht waren, auf wichtigere (und besser dotierte) Stühle versetzt werden könnten. Ein Bischof galt wie in einer Ehe mit seiner Eparchie verbunden. Im Gegensatz zu den von den Staatsbehörden vertretenen orthodoxen Kreisen traten damals 36 Metropoliten zusammen, um 15 vakante Bischofsstühle zum Teil unter Anwendung des Metatheton zu besetzen.

Nach der Machtergreifung des Militärs (21.4.1967) kam es zu einem politisch begründeten innerkirchlichen Gegensatz. Die Regierung veranlaßte den 87jährigen Erzbischof Chrysostomos zum Rücktritt und ließ den bisherigen Hofprediger Kotsonis durch eine eigens zusammengestellte – also unkanonische – „Synode der Besten" zum neuen Erzbischof wählen. Erzbischof Ieronymos – so nannte sich Kotsonis nach seiner Thronbesteigung – besetzte, um sich eine Mehrheit in der Synode zu verschaffen, vakante Bischofsstühle mit Mitgliedern der *Zoï-Bruderschaft.* Um eine „Säuberung" (Katharsis) der Hierarchie einzuleiten, nutzte er eine Regierungsverordnung vom 12.12.1967, die zwei kirchliche Gerichtshöfe (für Priesterschaft und Mönche und für den Episkopat) errichtete. Metropolit Panteleimon von Saloniki, der zweitmächtigste Kirchenfürst, und Metropolit Iakovos von Attika verloren ihre Ämter. Ein Gesetz, demzufolge Bischöfe bei Erreichung der Altersgrenze von 70 Jahren zu emeritieren sind, half im gleichen Sinne. Obwohl Erzbischof Ieronymos sogleich bei seiner Inthronisationsrede im November 1967 ein Reformprogramm vorgelegt hatte, das alle für die Kirche von Hellas notwendigen Maßnahmen zusammenfaßte (bessere Priesterbildung, Angleichung der Pfarreinkommen aneinander, Hebung der Laienverantwortung, Aufteilung der Großstadteparchien, Entwicklung der Äußeren Mission), beschworen des Erzbischofs Strategie der Auffüllung der Synode und seine politische Servilität eine Vertrauenskrise herauf. Das Problem der unkanonischen Bestellung des Erzbischofs wurde hochgespielt.

Die Macht in der Kirche war in einem Augenblick an die Zoï-Bruderschaft gefallen, wo sich diese bereits in Dekadenz befand. Das darf die geschichtliche Tatsache nicht verdecken, daß die geistliche Wiedererweckung des Volkes und die Stiftung neuer Lebensformen nicht von der Amtskirche ausging. Vielmehr brachte die Zoï-Bewegung in die Kirche ein, was wir „Kirchliche Werke" nennen. Fragt man nach den Anfängen, so muß man über ein Jahrhundert auf Apostolos Makrakis zurückgreifen, einen autodidaktischen Laientheologen, der seit 1866 vom Kloster Kaisariani aus tägliche Besuche in Athen zur Predigt auf dem Omonia-Platz unternahm. Die eigene Zeitung (Titel: Gerechtigkeit) zeigte eine gleiche polemische Note gegen Freimaurerei, kirchliche Administration und Regierung. Besonders griff Makrakis die Universität Athen als „Verfinsterungsanstalt" (Panskotistirion statt Panepistimion) an. Eine Anklage bei der hl. Synode markiert den Bruch mit den kirchlichen Behörden. Hier wurde der Grund für einen gewissen antihierarchischen Affekt der Nachfolgeorganisation – der Zoï – gelegt. Aber auch ein anderer Zug der Zoï-Bruderschaft läßt sich schon bei Makrakis feststellen, nämlich die Behauptung einer Heilsrolle des griechischen Volkes. Des Makrakis beste Schüler waren es, die in der Zoï-Bruderschaft führend wurden, vor allem Evsevios Matthopoulos, Beichtvater des Makrakiskreises. Im Augenblick der kirchenoffiziellen Verurteilung des Meisters begann Evsevios seine evangelistische Wirksamkeit und gründete 1907 die in ihrem Typus völlig neue Theologenbruderschaft unter dem Namen Zoï mit zentralem Sitz in Athen, die eine erstaunliche Umwandlung des christlichen Lebens im griechischen Volk bewirkte und bis in die Gegenwart eine Meisterschaft im Organisieren zeigt.

Erzbischof Ieronymos wurde in der Spätphase des Obristenregimes durch Erzbischof Serafim abgelöst. Dieser konnte nach dem Regimewechsel als erster Hierarch weiterwirken. Von den 25 neuberufenen Bischöfen wurden 11 vom Dienste suspendiert, darunter auch 5 aus Zoï stammende[5]).

4. Die Diakonie – Mission – ökumenische Kontaktpflege

Die Makrakische Bewegung führte nicht nur zur zölibatären Theologenbruderschaft der Zoï, sondern auch zu weiteren religiösen Initiativgruppen: zur Vereinigung Anaplasis (1887), über die Kronprinz Konstantin das Protektorat übernahm und aus der weitere Zusammenschlüsse hervorgingen, so die Gruppe „Aktines". Von Zoï löste sich unter Führung des Professors für Praktische Theologie, Trembellas, der konservative Flügel „Sotir" ab, der mit der verbleibenden Zoï in Prozesse über das Editionsrecht der Volkssprachenbibel geriet[6]). Die monastische Bruderschaft Chrysopigi wurde als jüngste vom heutigen Metropoliten Amvrosios von Kalavryta mitbegründet.

Die älteren Bruderschaften mußten einen Funktionsverlust hinnehmen, als die griechische Synode 1936 in Gründung der *Apostoliki Diakonia* eine eigene Institution der Amtskirche zur Wahrnehmung der außerparochialen Aufgaben schuf (Verwaltung: Moni Petraki, Iasou 1, Athen 140, Tel. 745940, gleicher Klosterkomplex, in dem auch die hl. Synode[7]) ihren Sitz hat). Man wandte gegen Zoï ein, daß es hier an ekklesialem Bewußtsein, wie es für die Orthodoxie unaufgeblich sei, fehle. Karitative Arbeit, Neustiftung des Diakonissenwesens, Gründung von Studentenheimen, Anleitung zur Sonntagsschule, Rundfunkarbeit falle in kirchliche Verantwortung. Eine Edition der griechischen Kirchenväter und des NT (nach dem vom Ökumenischen Patriarchat 1903 festgelegten offiziellen Text) wurden herausgebracht, zu jedem Festtag ein Verteilblatt ($\phi\omega\nu\grave{\eta}$ $K\nu\rho\acute{\iota}o\nu$ = Stimme des Herrn) – kirchenjahrsmäßig thematisiert – zur Massenverbreitung in den Gemeinden hergestellt. Apostoliki Diakonia richtete Ausbildungskurse für Katecheten ein.

Von Apostoliki Diakonia ging ein sozialpolitischer Impuls aus, als man den mit den Problemen der griechischen Gastarbeiter in Deutschland vertrauten Dr. Alevizopoulos eine eigene Abteilung einrichten ließ, und dieser nicht allein vom Schreibtisch aus wirkte, sondern in einer Arbeitergemeinde zu experimentieren begann.

---

[5]) Das Parlament räumte der hl. Synode im Mai 1977 freie Entscheidung darüber ein, einzelne der 1974 wegen Kooperation mit der Militärregierung abgesetzten Metropoliten für neu zu schaffende Metropolien einzusetzen.

[6]) Bratsiotis, P.: Die geistigen Strömungen und die religiösen Bewegungen in der orthodoxen Kirche Griechenlands, in: Die orthodoxe Kirche in griechischer Sicht. Stuttgart 1970, S. 255–275. Adresse von Zoï: Athen, Karytsi 14, von Sotir: Solonos 100.

[7]) Die Zahlen der den einzelnen Metropolien zugehörenden Kirchen, Klöster und Mönche finden sich bei Konidaris, G.:'Εκκλησιαστικὴ ἱστορία τῆς 'Ελλάδος (Kirchengeschichte Griechenlands) II. Athen 1970, S. 295ff.; eine Liste der Bischofssitze mit Namen, Kurzbiographie und Anschrift der Amtsinhaber bei Proc, A. (Hrsg.): Jahrbuch der Orthodoxie – Schematismus 1976/77. München 1976.

Freilich: Die Kühnheit des Industriepfarrers Georgios Pirounakis, der bewußt die
Gruppen, die den Umbruch tragen (Studenten, Künstler, Arbeiter) anspricht und
seit 1974 wieder in Elevsis wirken kann, geht darüber hinaus. Pirounakis' Tätigkeit
abseits jeder Normalspur findet Bewunderer und Kritiker. In gleiche Richtung weist
die Initiative des Juristen Psaroudakis, der nach den Schrecken des Bürgerkrieges
von 1945 bis 1949 die Christlich-Sozialistische Jugend Griechenlands (EXON) ins
Leben rief. In der Zeit der Militärdiktatur (1967–1974) tauchte EXON unter und
verteilte 7 Jahre lang das einzige christliche Widerstandsblatt Christianiki. Zudem
war Psaroudakis drei Jahre in einem Konzentrationslager inhaftiert. Jetzt kandidiert
EXON erfolgreich mit antiautoritären Parolen bei studentischen Wahlen. Methoden
von „pressure groups" werden gegen wohlhabende Kreise und gegen die orthodoxe
Kirche angewandt, dies aber „im Namen des inkarnierten Logos". Durch den Abgeordneten Papathemelis (Zentrum) reicht die Bewegung ins Parlament. EXON
scheut sich nicht vor Diskussionen über „Christentum und Marxismus" mit dem
Kommunistenführer Iliou.

In Apostoliki Diakonia wurde auch die junge Bemühung um *Äußere Mission* inte-
griert. Ein entscheidender Schritt in dieser Richtung wurde vollzogen, als der Reli-
gionswissenschaftler der Athener Fakultät Bischof Anastasios Giannoulatos (Studium der Afrikanistik in Marburg, früher in Zoï engagiert) die Gesamtleitung von
Apostoliki Diakonia übernahm. Der 1953 gegründete übernationale Zusammenschluß orthodoxer Jugendverbände Syndesmos, dessen griechischer Zweig von
Giannoulatos geleitet wurde, hatte einen ersten Anstoß zur Missionsaktivität gegeben, als er auf seiner 4. Generalversammlung 1958 in Saloniki die Mission zu seiner
Aufgabe machte. Bisher hatte man in der Orthodoxie missionarische Initiativen
vermißt. Die Zeitschrift Porevtentes lieferte den interessierten Kreisen erste Infor-
mationen, später durch die Zeitschrift $\phi\tilde{\omega}\varsigma$ $\dot{\epsilon}\vartheta\nu\tilde{\omega}\nu$ = Licht der Völker abgelöst. Zur
Bildung einer „Missionsgesellschaft" als Basis kam es nicht. Doch konnte Bischof
Anastasios im Februar 1979 Delegierte der verschiedenen Metropolien im Interorthodoxen Zentrum Penteli zu einem Informationstreffen versammeln. In der in
Uganda und Kenia durch Reuben Spartas spontan ausgelösten Bewegung (weg von
den anglikanischen Missionaren, hin zur Orthodoxie, die man aus einem Lexikonar-
tikel kannte) bot sich die erste Möglichkeit zur Aktivität (in Uganda 14 Gemeinden,
Kenia 36) Zaïre (4 Stationen), Ghana (ein Team, 1973) und Südkorea wurden ein-
bezogen.

Die Jurisdiktion über die afrikanischen Missionsgemeinden muß man dem Patriarchat Alexandria überlassen. Doch da die Mission ohne den griechischen Suk-
kurs nicht auskommt, wurde 1979 ein „Verbindungsdienst" in Alexandria organisiert, in dem Griechen wie Prof. V. Feidas und E. Konstantinidis Sitz und Stimme
haben.

Amtlich nimmt die Orthodoxe Kirche Griechenlands an keiner innergriechischen
ökumenischen Unternehmung, wie sie von Nichtorthodoxen initiiert werden, teil.
Die theologischen Dialoge mit der römischen und den evangelischen Kirchen sind
dem Ökumenischen Patriarchat überantwortet. An der Basis ist das ökumenische
Wissen unentwickelt. Zur Frage, ob die Orthodoxe Kirche Griechenlands im Welt-
rat der Kirchen weiter mitgliedschaftlich mitarbeiten oder ausscheiden solle, wird in
unterschiedlichem Milieu unterschiedlich beantwortet. Metropolit Varnavas von Ki-

tros (Tzortzatos), der dem Synodalausschuß für kirchliche Außenbeziehungen präsidiert, empfing 1978 eine Delegation des Weltrates, um die Forderung der griechischen Kirche nach strukturellen Änderungen der Arbeit des Weltrates zur Geltung zu bringen. Metropolit Varnavas, der eine Serie von Publikationen über einzelne autokephale orthodoxe Kirchen geschaffen hat, ist vorrangig an der interorthodoxen Kontaktpflege interessiert. Dem dient auch die Einrichtung des Klosters Penteli als Interorthodoxes Zentrum, das Erzbischof Serafim, der die Gründung seines Amtsvorgängers zunächst geschlossen hatte, wieder eröffnete. Der Kirchenhistoriker Gerasimos Konidaris gründete 1978 ein Institut Oikoumeniki Orthodoxia mit einem typisch auf orthodoxe Ekklesiologie eingeengten Ökumeneverständnis: Die ökumenische Dimension der orthodoxen Kirche in ihrer Qualität als Fortführung der Urkirche sei international bekanntzumachen.

Daß der Vatikan 1976 den erzbischöflichen Stuhl der unierten Griechischen Kirche neu besetzte, löste auf orthodoxer Seite Verstimmungen aus. Die Athosklöster nahmen 1977 in einem Kommuniqué gegen den geplanten Abschluß eines Konkordats des griechischen Staates mit dem Vatikan Stellung. Das würde die Zahl der Renegaten vermehren. Doch weithin schwinden die antirömischen Ressentiments der Orthodoxen vornehmlich infolge der verständnisvollen Geste der römischen Kirche, Reliquien, die in der Zeit des Osmanensturms nach Italien gebracht waren, zurückzugeben. So wurde das Haupt des Apostels Andreas nach Patras zurückgebracht, das Titushaupt nach Heraklion. 1976 fand die Translation der Kyrillos-Reliquien statt. Am 26.10. 1978 konnte Metropolit Panteleïmon von Saloniki die Kopfreliquie des hl. Demetrios, die 800 Jahre lang im Dorf San Lorenzo in Campo aufbewahrt war, zum Fest des Heiligen in der Kirche, die über der Stätte seines Martyriums errichtet ist, deponieren.

Die konservativen orthodoxen Kreise freilich werteten die römische Bereitschaft zur Reliquienrückgabe nicht als freundschaftliche Akte: Sie vermuteten dahinter eine kirchenpolitische Strategie.

Gegen den Kabinettsbeschluß, diplomatische Beziehungen zwischen Griechenland und dem Vatikan herzustellen, nahm nicht nur der orthodoxe Episkopat Stellung, der gegen eine derartige Aufwertung der katholischen Kirche die Öffentlichkeit alarmierte, sondern im September 1979 auch der Staatsrat, die oberste Rechtsinstanz Griechenlands, der die Regierungsentscheidung für verfassungswidrig beurteilte. Ministerpräsident Karamanlis und Außenminister Rallis wurden von den Richtern belehrt, daß nach ihrer Auffassung des Völkerrechts der Vatikan nicht als Staat anzusehen sei. Die Regierung macht demgegenüber geltend, daß über 80 Länder den „Kirchenstaat" anerkannt haben, und bereitet einen Gesetzentwurf für das Parlament vor. Die hl. Synode läßt durch einen Sonderausschuß die Frage der Entsendung eines griechischen Botschafters an den Vatikan erneut prüfen.

5. Das Klosterwesen

Seit Adamantios Koraïs, der Übermittler westlicher Aufklärung, das griechische Bildungsleben anregte, gibt es Kritik am Mönchtum. Am 25.9. 1833 wurden mehr als 400 Männerklöster durch königliche Verordnung aufgelöst und ihr Besitz einge-

zogen. Ein halbes Jahr später wurden die Frauenklöster von einer gleichen Maßnahme betroffen. Dennoch zählt man heute rund 200 Klöster in Griechenland, zum
Teil energische Neugründungen, mit insgesamt 12 000 Mönchen. Mit dem Zustrom
der Pilgermassen (bis zu 30 000) zu den Patronatsfesten und mit der Beichtpraxis
einzelner erfahrener Mönche, die vom Bischof als Beichtiger der Eparchie bestimmt
sind, erfüllen die Klöster eine wesentliche Funktion.

Als Innovation muß gelten, daß sich orthodoxe Nonnen zur Übernahme *karita-*
tiver Arbeit bereitfanden. Der Mönchsreformer von Patmos, Amfilochios Makris,
wählte 1947 aus seinen nach byzantinischem Vorbild in strenger Weltdistanz gehaltenen Nonnen des Evangelismos-Klosters Pflegeschwestern für das große Waisen-
haus von Rhodos. Der Anstoß dazu war ganz äußerlich: Die katholischen Schwe-
stern italienischer Nationalität, die die 200 Waisen vom Säuglingsalter an versorgt
hatten, waren beim Übergang des Dodekanes zum griechischen Staat abgezogen.

Grundsätzlicher war der Ansatz von Apostoliki Diakonia gemeint. Gemäß dem
Amtsauftrag dieser Institution, die Kirche zu sozialer Aktivität zu führen, verfaßte
ihr Leiter, der Theologieprofessor Andreas Fytrakis 1950 sein Buch: „Die Mönche
als soziale Lehrer und Arbeiter in der alten Anatolischen Kirche", in dem die praktische Tätigkeit in der Frühzeit des östlichen Mönchtums erwiesen wird, um neuen aktiven Einsatz von Nonnen und Mönchen zu legitimieren. Professor Evangelos Theodorou, gleichfalls in Apostoliki Diakonia und in der Theologischen Fakultät tätig,
brach mit Publikationen von 1949 und 1954 der Erneuerung des Diakonissenamtes
Bahn.

Dies führte nicht nur in der Gründung eines orthodoxen Diakonissenwesens in
Athen zu praktischen Konsequenzen. Der 1957 zum Bischof von Moires auf Kreta
erhobene Timotheos (seit 1978 Metropolit in Heraklion und damit Primas von Kreta), der beim Auslandsstudium in Lille Anregungen des französischen Sozialkatholi-
zismus aufgenommen und anschließend in Apostoliki Diakonia amtiert hatte, wandelte das Trümmerfeld eines im Kriege zerstörten Dorfes in eine Stätte christlicher
Liebesarbeit um: Panagia Kalyviani idrymata (Institutionen der Gottesmutter von
Kaliviani) entstand mit Altersheimen, Waisenhäusern und Lehrwerkstätten, gepflegt von Nonnen eines neuen Typs unter Zustrom von Novizen[8]).

Diese Innovation rief freilich eine schroffe Reaktion in traditionellen Mönchskrei-
sen hervor. Unter den Athosmönchen war es Vater Theoklitos vom Kloster Diony-
siou, der die Apologie der meditativen, asketischen Tradition des Mönchtums zu
seiner Aufgabe machte. In seiner Gegenschrift gegen Fytrakis (Zwischen Himmel
und Erde. Athen 1950) betonte er den sozialen Postulaten gegenüber die „egozen-
trischen" Züge des Christentums. „Es befiehlt nicht: Rette Deine Brüder!, sondern:
Rette Dich!" Es gebe Beispiele von „großen Männern, die ganzen Generationen ge-
nützt haben, und doch hat Gott sie verworfen". Mancher habe sich durch den Einfluß der Welt so in Sünde verstrickt, daß er nur durch Zuflucht zur Einsamkeit die
verlorengegangene Gottebenbildlichkeit in Bußübungen wieder erlangen könne.
Gegen Fytrakis wird der Vorwurf erhoben, daß er sich auf westliche, katholische und

---

[8]) Heyer, F.: Karitatives Nonnenwesen in der Orthodoxie, in: Die Innere Mission. Zft. des Diakoniewer-
kes. 59. 1969, S. 109 ff.

protestantische Literatur stütze. Die Katholiken aber wollen „den Mönch in der lärmenden Welt". Fytrakis habe nur auf die Anfänge des Mönchtums gesehen, in denen die Mönche den Mangel staatlicher Armenfürsorge abfangen mußten, nicht aber auf seine „endgültige Kristallisierung". „Wir glauben an die rein geistige Sendung des Mönchtums." Theoklitos Dionysiatis benennt als Ziel des Mönchtums: Das Gedächtnis des anfänglichen Zustandes des Menschen zu bewahren, die Stigmata des adamitischen Verderbens, die jeder bis zu seinem Tode trägt, auszulöschen[9]).

Die 20 Konvente des Athos, deren Vertreter die Regierung der Mönchsrepublik (Koinotis) in Karyai konstituieren, und die Bewohner der Skiti des hl. Berges begingen 1963 die Tausendjahrfeier des Gründungsereignisses, der Errichtung der zönobitisch organisierten Lavra durch den Mönchsvater Athanasios unter Begünstigung des byzantinischen Kaisers Nikephoros Phokas. Nicht lange nach der Gründung der Lavra war von dem Georgier Euthymios das Kloster Iviron gestiftet worden, das noch das Manuskript der georgischen Bibelübersetzung bewahrt und als berühmteste Athosikone die Portaïtissa, von der es heißt, der Mönch Gabriel habe die von Ikonoklasten ins Meer geschleuderte Ikone, als sie angeschwemmt wurde, aus den Wellen geborgen. Das Kloster Vatopedi, einst Erziehungsstätte byzantinischer Prinzen, bewahrt das Triptychon der Kaiserin Theodora, also Ikonen der Herrscherin, die dem Ikonoklasmus ein Ende setzte und das Fest „Triumph der Orthodoxie" begründete. In einem Kellion, das der Kirche des Hauptortes, dem Protaton, gehört, lokalisiert die Tradition die Erscheinung des Erzengels Gabriel, der den Text des von den Griechen am häufigsten gesprochenen Mariengebetes Axion esti (Wahrhaft würdig ist es) an einen Mönch übermittelte.

Ende der 60er Jahre gerieten die Athosmönche in einen doppelten Konflikt: Einerseits mit dem Ökumenischen Patriarchen Athenagoras, unter dessen Jurisdiktion der Athos stand, begründet im Antiökumenismus der Mönche, der sich gegen die vom Patriarchen angestrebte Aussöhnung der Kirchen wandte. Zahlreiche Klöster gaben die pflichtgemäße Kommemoration des Patriarchennamens auf. Die Mönche von Esfigmenou übernahmen die Thesen der „Altkalendarier". Andererseits entstand eine Konfrontation zur damaligen Militärregierung, die die Kontrolle über den Athos in die Hand zu bekommen suchte und mit der Notverordnung 124 des Jahres 1969 dem im Athener Außenministerium residierenden Athosgouverneur Vollmachten zusprach, die die 1000jährige, auf Kaiser Johannes Tzimiskes zurückgehende Autonomie des Klosterberges verletzten.

Auf dem Heiligen Berg, auf dem man vor einer Generation noch 6000 Mönche zählte, ist die Zeit der Dekadenz, die zu einer Minderung des Mönchsbestandes bis auf 1146 Mönche im Jahr 1972 führte, aufgefangen. Aus den orthodoxen slawischen Schwesternationen kommt den nichtgriechischen Klöstern (Panteleïmon, Zografou und Chilandar) Nachwuchs zu. Die Bewegung, von der idiorrhythmischen Lebensform zur zönobitischen überzugehen, hält an. Um kraftvolle Abtpersönlichkeiten gruppiert sich (etwa in Stavronikita und Grigoriou) eine junge Mönchsgeneration. In der Person des Patristikers Tsamis der Theologischen Fakultät Saloniki wurde ein

---

[9]) Gnoth, K.: Antwort vom Athos. Die Bedeutung des heutigen griechisch-orthodoxen Mönchtums für Kirche und Gesellschaft nach der Schrift des Athosmönchs Theoklitos Dionysiatis „Metaxy Ouranou kai Ges." Diss. Marburg 1979 (MS).

mit der Koinotis glücklich zusammenwirkender Athosgouverneur von Regierungs-
seite ernannt[10]).

Als Beispiele von Männerklöstern größerer Ausstrahlung seien das Johanneskloster auf Patmos und das Longovardakloster auf Paros, das Megaspilaion auf der Peloponnes und die Meteora-Klöster bei Trikkala genannt. Von den Seldschuken aus dem kleinasiatischen Latrongebirge vertrieben, langte eine byzantinische Mönchsgruppe unter Führung des hl. Christodoulos 1088 auf der Insel Patmos an, die bislang wegen des Schreckens, den die sarazenischen Piraten verbreiteten, öde und menschenleer gelegen hatte. Um den Evangelisten Johannes zu ehren, der auf Patmos die Visionen der Apokalypse erfuhr, gründeten sie das mittelbyzantinische Kloster, das seither die Insel überragt, basierend auf den Regeln des Basilius. Bei der Apokalypsis-Grotte erbaute Christodoulos die St.-Annen-Kirche. In dieser Namensgebung drückte sich der Dank gegenüber der Kaiserin-Mutter Anna Komnene aus, die sich bei ihrem Sohn Kaiser Alexius I. für die Überlassung der Insel an die Mönche eingesetzt hatte. Im 18. Jahrhundert gründeten aus Kleinasien ausgewiesene Mönche an diesem Ort die berühmte Schule von Patmos (Patmiada), deren Schüler den griechischen Aufstand in Mitarbeit mit der Verschwörergruppe der Filiki Etaireia vorbereiteten. Als die Osmanen die Apostelkirche in Konstantinopel, die nach Eroberung der Stadt als Patriarchensitz gedient hatte, in eine Moschee umwandelten, bargen fromme Orthodoxe die dort aufbewahrte Reliquie des Thomashauptes im Kloster von Patmos.

Im Bereich der Kykladen besitzt das Longovarda-Kloster auf Paros Mönche von auffallend hohem Bildungsrang[11]). Das Kloster verdankt seinen Namen der Tatsache, daß der Gründer-Mönch im 17. Jahrhundert einer lombardischen Familie entstammte, die in Kreta ansässig gewesen war, das die Osmanen damals den Venezianern wegnahmen. Longovarda ist der Gottesmutter geweiht, die den Titel Zoodochos Pigi (lebendige Quelle) trägt. (Der spätere Kaiser) Leon, noch einfacher Soldat, entdeckte nach der Überlieferung eine Quelle, mit deren Wasser er einen verdurstenden Blinden tränken, ja heilen konnte. Auf den Kaiserthron gelangt, erbaute er über der Quelle eine Kirche, deren Kuppel, mit einem Marienbild geschmückt, sich im Wasser spiegelte. Die Ikonenmaler des Klosters bevorzugen die festgelegte Ikonographie der Zoodochos Pigi als ihr Thema.

Das Kloster Megaspilaion, von Diakofto am Korinthischen Meerbusen durch die Schlucht des Ouraïkos-Flusses erreichbar, verdankt seinen Namen seiner Anlage in einer Aushöhlung einer schroffen Felswand. Eine mächtige weiße Fassade mit achtstöckigen Aufbauten erhebt sich vor der Höhlung mit Dachluken, Loggien und Galerien. Der Überlieferung nach soll ein Mädchen kaiserlichen Blutes (Euphrosyne) im 8. Jahrhundert eine wundertätige Ikone der Gottesmutter in der Höhlung gefun-

---

[10]) In der griech. Verfassung von 1927, Art. 109–112, wurde die Autonomie der Mönchsrepublik und ihre Unterstellung unter die kirchliche Jurisdiktion des Ökumenischen Patriarchats statuiert, ebenso in Art. 103 Syntagma 1952. Auf dem Lausanner Vertrag von 1923 basiert der Katastatikos Chartis des Agion Oros von 1924. Im Beitrittsabkommen zwischen griech. Staat und EG 1979 wurde in einem Sonderprotokoll festgelegt, daß der Athos von der sonst im EG-Bereich geltenden Niederlassungsfreiheit ausgenommen sei.
[11]) Über die literarische Produktivität des Archimandriten Filotheos Zervakos vgl. Threskeutike kai Ethike Enklyklopaideia (im folgenden ΘHE) V Sp 12, 15.

den haben. Das daraufhin angelegte Kloster wurde von den Paläologen ausgebaut. Die landwirtschaftlich tätigen Mönche bearbeiteten weite Ländereien auf der Peloponnes[12]).

Die Meteoraklöster bieten den Anblick nadelförmig spitzer Felsen, riesigen Pilastern gleich, die als Bekrönung „die im Himmel schwebenden Klöster" tragen, im 14. Jahrhundert unter dem damals in Thessalien herrschenden Serbenkönig errichtet. Der Zönobit Athanasios gründete mit 9 Mönchen, die er mit sich nahm und strenger Regel unterwarf, das große Meteoron. Von den ursprünglich 24 Klöstern sind nur noch wenige bewohnt, gewinnen aber trotz der Beeinträchtigung durch Touristenströme neue monastische Kraft[13]).

6. Der Gottesdienst

In der Orthodoxen Kirche Griechenlands leben die liturgischen Formen, die sich in Byzanz bis zum 8. Jahrhundert entwickelt hatten, als unverwandt festgehaltenes Erbe weiter – Herzmitte des Kirchenlebens. Die Göttliche Liturgie – Vergegenwärtigung des ganzen Heilsgeschehens – wird nach drei Formularen zelebriert: am gebräuchlichsten als Chrysostomos-Liturgie, an 10 Tagen im Jahr als Basileios-Liturgie (jeweils dreigeteilt nach Proskomidie, Katechumenenmesse mit dem „Kleinen Einzug" des Evangelienbuches und eucharistischem Teil, beginnend mit dem „Großen Einzug" des vom Proskomidietisch zum Altar zu tragenden Kelchs und Diskos). In der Quadragesima (außer Samstag und Sonntag) und an den drei ersten Tagen der Karwoche wird die Liturgie der vorgeweihten Gaben gehalten, gekennzeichnet durch den Verzicht auf Konsekrierung von Brot und Wein zum Zeichen, daß Christus in dieser Zeit selbst sein Opfer vollbrachte[14]). Im Unterschied zum russischen Brauch bedarf es eines Antiminsions[15]) nur, wenn die Eucharistie außerhalb einer geweihten Kirche gefeiert werden soll. Auch getaufte Säuglinge kommunizieren unter beiderlei Gestalt. Am Karfreitag wird der Epitaphios (eine kostbar auf Tuch gestickte Darstellung der Grablegung Christi) in Kirchenmitte aufgebahrt.

Der Kranz der Stundengebete (geregelt durch Τυπικὸν und Ὡρολόγιον = Typikon und Horologion) umgibt die eucharistische Liturgie. Am Vorabend von Sonn- und Festtagen wird die Große Vesper gehalten (Μέγας καὶ ἀσματικός = Große gesungene Vesper). Als Beispiel sei deren Aufbau vorgeführt: Das Schöpfungslob in Ps. 104 (nach orthodoxer Zählung 103) am Beginn bringt zum Ausdruck, daß man mit dem Anheben des gottesdienstlichen Tageszyklus zum ganzen Kosmos hinblickt, in den sich der Glaubende hineinversetzt weiß. Die königliche Pforte der Bilderwand ist geschlossen als Anzeichen dafür, daß dem gefallenen Menschen das Paradies verschlossen blieb. Der die Ektenie betende Diakon repräsentiert den gefallenen Adam. So rezitiert er denn auch Ps. 141 (nach orth. Zählung 140) „Herr, ich rufe zu

---

[12]) ΘΗΕ VIII Sp 871–881.
[13]) ΘΗΕ VIII Sp 1075–1096.
[14]) Genauere Analysen der Göttlichen Liturgie: Felmy, K.C.: Gottesdienst, in: Heyer, F.: Konfessionskunde. Berlin – New York 1977, S. 105–132; Salaville, S. (Hrsg.): Nicolaus Cabasilas, Explication de la Divine Liturgie (Sources Chrétiennes 4 bis). Paris 1967; Theodorou, E.: Λειτουργία, Θεία (Messe, Heilige), in: ΘΗΕ VIII Sp 179–193 u. Λειτουργικοὶ τύποι (Liturgische Formen), in: ΘΗΕ VIII Sp 199–210.
[15]) Tuch, das neben einer Grablegungsdarstellung eine bischöfliche Bevollmächtigung zeigt und in das ein Reliquienpartikel eingenäht ist. Kelch und Diskos sind darauf zu deponieren.

Dir" (Κύριε ἐκέκραξα). Wenn nach einem ersten Proprium zu Ehren des Tagesheiligen und dem Einzug der Priesterschaft der Abendhymnus (Φῶς ἱλαρόν = heiteres Licht), den der Märtyrer Athenagoras im 2. Jahrhundert schuf, erklingt, orientiert sich die Betergemeinde auf den, der die Schöpfung erlöst hat. Damit man sich im erneuerten Status erhalte, wird der Kehrreim wiederholt: „Würdige uns, den Abend sündlos zu begehen." Das Canticum des Symeon findet nicht anders als im abendländischen Brauch seinen Platz, auch das Trishagion und Vaterunser, die in keinem Gottesdienst fehlen.

Das Mitternachtsgebet (Μεσονυκτικόν) ist meist in der Morgenstunde mit dem Orthros verbunden, der die Gläubigen in die Geschichtswelt hineinversetzt, darum auch den Troparien und dem Synaxarion des Heiligen, dessen an diesem Tage zu gedenken ist, einen Platz gibt.

Der Ablauf der Kasualien ist im Euchologion festgelegt. Der Pate, nicht etwa die Mutter, bringt den Täufling zum Becken zur Tauchtaufe. Das Kind empfängt die Salbung mit Myron. In der Trauung werden die Brautleute mit Kronen geziert und vom Priester mit ineinandergelegten Händen dreimal um einen Tisch geführt. Die Weihe von Diakonen und Diakonissen, Priestern und Bischöfen kann nur im Vollzug der Göttlichen Liturgie unter Bestätigung durch das teilnehmende Volk mit dem dreimaligen Axios vorgenommen werden[16]).

7. Die Verehrung der Gottesmutter und der Heiligen

An den Festtagen der *Gottesmutter* (z. B. Tag der Evangelistria oder der Koimisis) und an den Festtagen der Heiligen strömen Pilger aus weitem Umkreis zu den Kirchen oder Klöstern, die dem jeweiligen Festtagsthema geweiht sind (Panigyri), zum Kloster Xenias bei Volos z. B. bis zu 30000, zur Höhle des hl. Photios in Westkreta 10000. Hier entwickeln sich Volksfeste mit volkstümlichen Tänzen, Musik und Feuern, an denen Hammel am Spieß gebraten werden. Da nicht nur der in den Menäen aufgenommenen Heiligen der universalen Kirche gedacht wird, sondern auch der Ortsheiligen (Topikoi Agioi), für die besondere Akolouthien, jeweils mit dem Synaxarion des Heiligen, geschaffen sind, wird für das hierhin und dorthin wandernde Volk die örtliche Kirchengeschichte lebendig erhalten.

Die griechische Marienverehrung hat ihren Mittelpunkt auf der Insel Tinos. Anlaß zur Anlage der doppelstöckigen Kirche, zu der alljährlich am Tag Mariä Himmelfahrt Pilger aus ganz Griechenland strömen, war die Ausgrabung einer Evangelistria-Ikone im Jahre 1823. Man hatte nach der Ikone nachzugraben begonnen, als eine 70jährige Nonne des Kechrovounion-Klosters in einer Marienvision erfahren hatte, daß in einem Acker, dessen Lage genau beschrieben war, ein solches Bild in der Erde liege. Die Gottesmutter hatte die Nonne angewiesen, in der Stadt bekanntzugeben, daß man nach ihrer Ikone suchen solle. Der Bischof der Kykladen, Gavriïl, rief durch Glockengeläut das gläubige Volk von Tinos zusammen. Als die Grabungskampagne nur die Fundamente einer früheren Kirche bloßlegte, sonst aber

---

[16]) Zizipoulas, A.: Questiones Disputatae 50, in: Vorgrimler, H. (Hrsg.): Der priesterliche Dienst V. O.O. 1973, S. 72–113. Zizipoulas arbeitet die Notwendigkeit des Zusammenwirkens der weihenden Bischöfe mit der bestätigenden, mitfeiernden Gemeinde heraus.

ohne Ergebnis verlief, wurde das Volk des Grabens müde. Jetzt mahnte eine Epidemie, die auf der Insel ausbrach, daran, daß man nicht ohne Gefahr den gebotenen Dienst versäumen könne. Am 30. Januar 1823 stieß einer der Bauern des Dorfes Falatados an ein Stück Holz, das, von Erde gereinigt, mit der Darstellung eines Lilienengels sich als Teil einer Evangelistria-Ikone zu erkennen gab. Bald war der fehlende Teil hinzugefunden. Das herbeiströmende Volk war der Überzeugung, eine vom Evangelisten Lukas gemalte authentische Ikone der Gottesmutter zu besitzen. Daß das Verkündigungsbild von Tinos in der Zeit des griechischen Freiheitskampfes gegen die türkische Unterjochung visionär angezeigt und freigegraben wurde, empfanden die gegen die Türken segelnden griechischen Kämpfer als eine Bestätigung ihres Freiheitswillens. Die Führer der Freiheitsbewegung – Kanaris, Miaoulis, Kolokotronis – wallfahrteten nach Tinos und zündeten Kerzen vor der Evangelistria-Ikone an. Seitdem nehmen Regierung, Militär- und Gerichtsbehörden regelmäßig an den Inselfesten teil.

Die Wallfahrtskirche, in 8 Jahren erbaut, nahm weder monastischen Status an noch wurde sie Pfarrkirche, sondern – eine kanonische Singularität – organisierte sich als selbständige juristische Person. Von einem Fünf-Köpfe-Kuratorium verwaltet konnte diese Kirche dank der Pilgerspenden die Universitätsgründung in Athen finanzieren helfen und die Rehabilitation der griechischen Flüchtlinge aus Kreta oder Kleinasien fördern.

Wie in den *Heiligenfesten* einer Region deren kirchliche Geschichte für die Volksgemeinde rekapituliert wird, läßt sich exemplarisch an den Heiligenfesten der Insel Kreta ablesen. In Titus ehrt die Insel ihren Ersthierarchen. Die Christenverfolgung unter Kaiser Decius ist mit der Hinrichtung von 10 Gemeindeführern in der Inselhauptstadt Gortyn markiert, die in Agioi deka verehrt werden. Die Diokletianische Verfolgung verlangte den Hieromärtyrer Bischof Kyrillos als ihr Opfer. Die Gurgel über die Deichsel eines Ochsenkarrens gezerrt, wurde er enthauptet. Mit der Ankunft der „Hundert Väter" aus Ägypten vollzog sich die Einpflanzung der monastischen Institution auf Kreta. Ihnen wurde ihre Bitte erfüllt, daß Gott sie alle am gleichen Tag sterben lasse. Andreas von Kreta, ein Palästinenser, 692 als hierarchisches Haupt der Insel eingesetzt, regierte 30 Jahre und schuf die schönste liturgische Dichtung. Er entwickelte die Dichtform des Kanons, die das Kontakion verdrängte. Der kretische Mönch Andreas en krisei fühlte sich auf dem Höhepunkt des Bilderstreites getrieben, nach Konstantinopel zu eilen, um Kaiser Konstantinos Kopronymos entgegenzutreten. Abgeführt tötete ihn ein Fischer auf dem Markt mit dem Hackmesser. Nachdem Kaiser Nikephoros Phokas 961 Kreta von den Arabern zurückerobert hatte, traten die beiden Mönche Nikon, genannt „der Metanoeite", und Johannes der Xenos auf, um die zum Islam Abgefallenen zur Buße zu rufen. Unter venezianischer Herrschaft, die nach dem 4. Kreuzzug begann, gediehen nur bescheidene Heilige wie Joseph Samakou. Härter wurden die Bedingungen christlicher Bewährung in der Türkenzeit. In Rethymnon wurden die „Vier Märtyrer" enthauptet, die sich, obwohl bisher als Krypto-Christen getarnt, durch Anschluß an den griechischen Aufstand als Christen zu erkennen gegeben hatten. Der Priester Andreas Vardiabasis, der während des Zweiten Weltkrieges von einem deutschen Kommando am 5.9. 1943 niedergestreckt wurde, weil er sich zur gottesdienstlichen Bestattung erschossener Partisanen hergegeben hatte, schließt die Reihe ab. Indem das Volk von Kreta im Jahreszyklus dieser Heiligen gedenkt, wird es sich der Geschichte bewußt, die Gott auf der Insel sich hat abspielen lassen.

Die Mehrzahl der örtlichen Heiligen ist der Gruppe der *Neomärtyrer* zuzurechnen. Hier handelt es sich um solche Griechen, die sich in der Periode der Türkenherrschaft in unbedachtsamer Jugendlichkeit oder um praktischer Vorteile willen zur Apostasie haben verführen lassen, dann aber glaubten, nur durch das Selbstopfer in einem Martyrium, das durch eine missionarische Offensive gegen die Muslime herausgefordert wurde, das Heil zurückgewinnen zu können. Der Titel „Neomärtyrer", den man diesen Männern gab, war historisch vorgegeben: So hatte man in der Zeit der ikonoklastischen Kaiser die Mönche genannt, die um der Verteidigung der Ikonen willen zu leiden bereit waren. Der hl. Nikodimos Agioreitis hatte als erster diesen Titel an der Wende zum 18. Jahrhundert Kosmas dem Aitoler[17]) gegeben, der sich auf der Athos-Schule des Evgenios Voulgaris hatte ausbilden lassen, dann aber rastlos ganz Griechenland durchzog, unter einem aufgerichteten Holzkreuz zu predigen und Schulen zu gründen, getrieben von dem Pauluswort: „Niemand suche das Eigene, sondern das, was des anderen ist." Auf albanischem Territorium wurde Kosmas auf Weisung des Kurd Pascha von sieben Türken überwältigt und umgebracht. Die Darstellung des Nikodimos Agioreitis wirkt insofern bis heute fort, als Kosmas der Aitoler Orientierungspunkt für alle ist, die in volksmissionarischer Initiative ihre Landsleute zu einem existentiell gelebten Christentum führen wollen.

Die Heiligenleben der Neomärtyrer zeigen stets den gleichen Ablauf. Als Beispiel möge Konstantinos von Hydra dienen. Der 18jährige war im Haus des Inselpaschas von Rhodos aufgenommen und mit dessen Kindern zusammen erzogen worden. Als das Feuer der göttlichen Liebe in sein Herz fiel, so daß er offen seinen Christenglauben bekennen wollte, riet ihm sein geistlicher Vater, erst an anderem Ort zu reiferem Alter heranzuwachsen. „Dann wirst Du Deinen Vorsatz mit vollerer geistlicher Schönheit erfüllen." Konstantinos eilte darauf zum Patriarchen nach Konstantinopel und weilte auf dem Athos. Den Vätern auf dem Heiligen Berg, die ihm sagten, er könne auch ohne Martyrium seine Seele retten, erwiderte er: Am gleichen Ort, wo er der Bezeugung Christi ausgewichen sei, müsse er öffentlich bekennen. So begab er sich wieder nach Rhodos und „lief wie ein Schlachtschaf in die Fänge des Schlächters". Dem Inselpascha eröffnete er: „Ich bin der, den du erzogen hast und von der süßen Lehre Christi abziehen wolltest." Breit malt das Synaxarion das Werben und Drohen der Muslime, den Prozeß mit seinen Dialogen und das Martyrium (14. 11. 1800) aus. Ein Teil der Reliquien wurde nach Hydra überführt, dem Heiligen jüngst eine Kirche gewidmet. – Das antitürkische Moment in den Viten der Neomärtyrer nährt die nationalen Ressentiments der Griechen gegenüber der Türkei.

Die Tendenz, immer neue Neomärtyrer zu entdecken und in die Verehrung aufzunehmen, ist noch keineswegs abgeschwächt. Vater Gerasimos in der Kleinen St.-Anna-Skiti des Athos, ein begnadeter Hymnendichter, schafft auf Bestellung der Eparchialbischöfe die erforderlichen Akolouthien. Der Ökumenische Patriarch hat dem Vater Gerasimos dafür den Titel eines „Hymnographen der Großen Kirche von Konstantinopel" verliehen, die Griechische Akademie der Wissenschaften ihn 1968 mit dem jährlichen Preis ausgezeichnet.

---

[17]) ΘHE VII Sp 894–899.

Die vom Ökumenischen Patriarchen in jüngster Zeit vorgenommenen *Kanonisierungen* von Heiligen illustrieren die Frömmigkeitsbewegungen. 1955 wurde Nikodimos Agioreitis (1749–1809) kanonisiert, der zu jenen Athosmönchen zählte, die man unter dem Namen Kollyvades zusammenfaßt. Sie traten gegen diejenigen Skitioten der St.-Anna-Skiti auf, die, um ihre handwerklichen Erzeugnisse auf dem sonnabendlichen Markt von Karyai verkaufen zu können, Totengedächtnisfeiern, die ihnen von Wohltätern aufgetragen waren, auf den Sonntag verschoben – eine Neuerung, die den Mitkämpfern des Nikodimos zum Gedächtnistag der Auferstehung Christi nicht zu passen schien. Mag dieses Problem für die heutige Orthodoxie auch seine Aktualität verloren haben, so gingen von Nikodimos als hagiographischem Autor und Verfechter eines häufigen Abendmahlsganges (in diesem Punkte durch die zeitgenössische antijansenistische Position der Jesuiten auf seiner Heimatinsel Naxos angeregt) Anstöße aus, die sich bis heute weiter verstärkt haben.

Keiner der neukanonisierten Heiligen wird in Krankheitsnöten so häufig um wunderbare Heilung angefleht wie der hl. Nektarios[18]). 1889 fand man ihn im Dienst des Patriarchats von Alexandria als Vorsteher der Nikolauskathedrale von Kairo und Titularmetropoliten. Doch intrigante Machenschaften von Neidern veranlaßten den Patriarchen Sofronios, Nektarios aus dem Dienst zu entlassen. Aus der demütigen Tätigkeit eines Dorfpriesters auf Euböa berief ihn ein königlicher Erlaß vom März 1897 zum Rektor des traditionsreichsten Priesterseminars, des Rizarion. 16 Jahre leitete der Heilige diese Priesterschule mit viel Menschenkenntnis und erzog bedeutende Theologen wie die Professoren Louvaris und Bratsiotis. Gealtert stiftete Nektarios unter dem Segen des Athener Erzbischofs Theoklitos sein Nonnenkloster auf Aigina, von dem heute so viel spirituelle Anregung ausgeht. Schon zu Lebzeiten wurden Kranke unter seinen Gebeten gesund. In Sünde verstrickte Menschen gelangten zu bis an die Wurzel gehenden Änderungen. Die Qualen, unter denen der Heilige 1920 an Prostatitis starb, müssen unbeschreiblich gewesen sein. Als der zuständige Metropolit am 2.12. 1953 das Grab des Nektarios öffnete, bestätigte sich die orthodoxe Überzeugung, daß die Leichname Heiliger die Verwesung nicht sehen werden.

Wie jede griechische Insel kennt auch Paros ihren himmlischen Patron (Poliouchos), den hl. Arsenios, den eine „Praxis" des Ökumenischen Patriarchen Athenagoras kanonisierte und dem zu Ehren der Hymnograph Gerasimos eine Akolouthie schrieb. Als Waisenkind von geistlichen Vätern erzogen, folgte Arsenios dem Mönch Daniïl zum Athos, bei dessen Vertreibung wegen seiner Zugehörigkeit zur Gruppe der Kollyvades nach Paros und Folegandros. Mit dem sterblichen Überrest seines Mönchsvaters auf der Rückreise zum Athos begriffen, wurde er im Georgskloster auf Paros festgehalten und stieg dort zur Abtswürde auf. Seine bedeutendste geistliche Leistung lag in der Seelsorge an den Nonnen von Christou Dasous. Eine Hure, die ihre klösterliche Schwester hatte besuchen wollen und in Schanden davongejagt war, las er auf dem Wege auf, führte sie ins Kloster ein und konnte erleben, daß diese Frau bald alle Nonnen im Beachten der Gesetze Gottes übertraf. Unter den Wundern, die Arsenios zugeschrieben werden, verdient jenes besondere Beachtung, das den Apostolos Makrakis aus Athen betraf, der bei Vater Arsenios beichten

---

[18]) ΘHE IX Sp 397–399.

wollte, dabei jedoch pharisäisch die Leistung seiner öffentlichen Kritik an Bischöfen und politischen Spitzenleuten herausstrich. Makrakis solle seine eigenen Sünden und nicht die der anderen beichten! Arrogant lehnte Makrakis die auferlegten Buß- übungen ab. Doch wenige Meter vom Klostertor stürzte Makrakis und brach das Bein, das, brandig geworden, amputiert werden mußte[19]).

Kanonisiert wurden auch die vergessenen Heiligen Rafaïl, Nikolaos und die kleine Eirini. 1959 riefen die Besitzer eines Olivenhains auf Lesvos den Metropoliten der Insel Iakovos herbei, weil sich die schwarze Silhouette eines umherirrenden Mön- ches gezeigt hatte. Man stieß bei Grabungen auf die Gräber der Märtyrer. Eine nicht abreißende Kette von Wunderheilungen begann an dieser Stätte. Es ließ sich klären, daß es sich bei den Märtyrern um den Mönch Rafaïl handelte, der beim Studium an der französischen Universität Morlais den griechischen Mitstudenten Nikolaos fürs Mönchtum und zu gemeinsamem Seelsorgedienst in Athen gewann. Auf einer Reise durch Trakien, die nach Konstantinopel führen sollte, erfuhren die beiden 1453 von der Eroberung der Kaiserstadt durch die Türken und suchten auf der nahen Insel Lesvos Zuflucht. Nach 9 Jahren frommen Lebens tauchten türkische Polizisten auf, die die griechischen Rädelsführer einer lokalen Rebellion, die sich im Kloster ver- steckt hielten, suchten. Das Töchterchen des Rädelsführers, die kleine Eirini, wurde gequält, um vom Vater ein Geständnis zu erpressen: kochendes Wasser in den Mund und über den ganzen Körper. Ein halbes Jahrtausend später gab die Erde die Gräber und die heiligen Leichname wieder frei, und eine weit ausstrahlende monastische Neugründung, ermutigt durch den Patriarchen, entstand.

8. Die Pflegestätten akademischer Theologie

Schon ehe König Otto 1837 die Universität Athen gründete und damit eine Theo- logische Fakultät entstand, hatte sich unter Förderung des englischen Philhellenen Lord Gilford seit 1823 auf Kerkyra im Rahmen der Ionischen Akademie die theolo- gische Arbeit entwickelt. Diese Arbeit wurde nach Athen transferiert. Als in der zweiten Hälfte des 19. Jahrhunderts und zu Beginn des 20. Jahrhunderts die vom Osmanenreich emanzipierten Balkanstaaten zur Gründung nationaler Universitä- ten und damit zur Gründung orthodoxer Fakultäten gelangten, wurden die Lehrkör- per vorwiegend aus Dozenten gebildet, die in Athen studiert hatten. Insofern muß die Athener Fakultät als balkanische Mutterfakultät gelten. Ihr bedeutendster Theologe Zikos Rossis beeinflußte die Bonner Unionsgespräche mit den von Rom abgelösten Altkatholiken 1875/76.

Die Zwischenkriegsgeneration Athener gelehrter Theologen zeigte profilierte Persönlichkeiten. Der Alttestamentler Bratsiotis brachte erste Anregungen von der in Deutschland entwickelten dialektischen Theologie ein. Der Dogmengeschichtler Karmiris stellte die normgebenden Bekenntnistexte zusammen. Der feinnervige Fy- trakis begründete den Lehrstuhl für Hymnologie. Konidaris schuf ein exemplari- sches Geschichtsbild griechischer Kirchengeschichte. Zur Militärdiktatur hielt die Theologische Fakultät sorgsam Abstand.

---

[19]) Zervakos, Ph.: Βίος, θαύματα καὶ ἀκολουθία τοῦ ἁγίου Ἀρσενίου (Leben, Wunder und Akoluthie des HL. Arsenios). Paros.

1977 erhielt die Theologische Fakultät in Ano Ilisia ihre Neubauten. Agouridis trug ein Verständnis für die Geschichtlichkeit der Kirche ein. Giannaras schätzte die westliche „Gott-ist-tot"-Theologie als Ergebnis des Mangels einer apophatisch verfahrenden Theologie ein.

Dem Gesetze nach gilt in Athen ein Numerus clausus, der die Zahl der Theologiestudenten auf 200 begrenzt, da die Mehrzahl der Absolventen vor der Ordination zurückscheut, der Bedarf an Religionslehrern an höheren Schulen jedoch begrenzt ist. Jedoch eröffnete die Fakultät eine zweite Abteilung (Ποιμαντικόν = Seelsorge), in der Priester mit Seminarbildung und Ausländer studieren dürfen.

Eine zweite Fakultät konnte 1941 im Rahmen der neugegründeten Universität Saloniki ihre Arbeit aufnehmen. Auf dem Gelände des alten Judenfriedhofs, der in der deutschen Besatzungszeit zerstört worden war, erhielt sie weiträumige Baulichkeiten. Dem genius loci folgend, zeigt sich in Saloniki eine neopalamitische Tendenz. (Zahl der zugelassenen Studenten: 400)

Die theologische Arbeit in Saloniki wird durch das Patriarchale Patristische Institut im Kloster Vlatadon ergänzt, das der Patristiker Prof. Christou leitet. Die Manuskripte des Athos liegen hier in Ablichtungen vor (8000 Mikrofilme). Die auf dieser Basis erarbeiteten Studien werden in der Schriftenreihe Klironomia publiziert (dazu 2 Bände Athosminiaturen).

Zur seminaristischen Ausbildung ihrer Priester verfügt die Orthodoxe Kirche Griechenlands über 20 Seminare. Von 1841 bis 1911 bestand jedoch nur ein einziges Seminar, die Ριζάριος θεολογική Σχολή (das Rizarische Theologische Seminar) in Athen, von den wohlhabenden Brüdern Rizaris, die in Rußland residierten, gestiftet[20].

Nach dem Vorbild der Evangelischen Akademien in Deutschland wurde im Oktober 1968 in Kolymbari auf Westkreta durch die Initiative des Metropoliten Irinaios und des in Mainz promovierten Dr. Alexandros Papaderos eine Orthodoxe Akademie gegründet, die durch Berufsgruppentagungen, welche berufsethische Fragen im Licht der Kirchenlehre sehen lehren, in die Gesellschaft hereinwirkt. Da die griechische Gesellschaft weniger differenziert ist als die der Industrienationen, hat sich das Schwergewicht auf die Bildung landwirtschaftlicher Kader gelegt.

Substanz der akademischen *Theologie* ist Dogma, Kirchenrecht und Liturgie der Orthodoxie – eine Tradition ohne Risse und Sprünge, nicht spezifisch griechisch, sondern gesamtorthodox[21].

---

[20] Die Brüder Rizaris, aus Epirus gebürtig und im Zarenreich zu Wohlstand gekommen, Mitglieder der Filiki Etaireia spendeten für den Seminarzweck 340000 Taler. Die Gründung erfolgte mit königlicher Verordnung vom 12. Mai 1841. Das Gesetz vom 18. April 1918 teilte das Seminar in einen theologischen und einen pädagogischen Zweig. Die im letzteren ausgebildeten Volksschullehrer konnten sich nach Erreichung des 30. Lebensjahres zum Priester weihen lassen. Die ersten 1911 auf Anregung von Chrysostomos Papadopoulos zusätzlich gegründeten Seminare wurden in Mesolongi, Arta und Korinth gestiftet. Die Ausbildung der Priesterkandidaten ist durch Gesetz 5142 von 1931 geregelt. Vgl. ΘΗΕ X Sp 803–807; Fytrakis, A. (Hrsg.): Ἐκκλησιαστικὴ Παιδεία ἐν Ριζαρείῳ I (Kirchliche Erziehung im Rizarischen Seminar I). Athen 1978.
[21] Über orthodoxe Theologie orientieren Handbücher: Heyer, F.: Konfessionskunde. Berlin – New York 1977, S. 132–201; Heiler, F.: Die Ostkirchen. Neubearbeitete Ausgabe von: Urkirche und Ostkirche. München 1937, posthum hrsg. München – Basel 1971, S. 95–188; Ivanka, E. v., Tyciak, J., Wierts, P.: Handbuch der Ostkirchenkunde. Düsseldorf 1971.

Daher rührt das Bewußtsein der Identität mit der Kirche der Apostel. Jede „Neuerung" (νεωτερισμός) wird verabscheut. In Griechenland ist dies Bewußtsein durch die Sprachkontinuität, die weder bei der Septuaginta, noch beim Neuen Testament, noch bei den Kirchenvätern des Ostens, noch bei den Schriften des Gregorios Palamas (14. Jahrhundert) Modifikation durch Übersetzung nötig machte, verstärkt. Gegenüber den westlichen „Konfessionskirchen", die ihr Sonderdasein auf eine formulierte Confessio gründen, drückt Prof. Nikos Nisiotis die Überlegenheit der Tradition gegenüber der Konfession aus. Die Entgegensetzung von Hl. Schrift und Tradition, die als typisch für den katholisch-evangelischen Gegensatz angesehen wird, ist der griechischen Orthodoxie ganz fremd. Die Ikonen gelten als Ausdruck authentischer Tradition.

Unter Berufung auf Dionysios Areopagites betont griechische Theologie ihren Apophatismus. Gegenüber etwaigen bejahenden (kataphatischen) Aussagen wie „Gott ist gut" wird der Weg der Verneinung gewählt: Gott ist jenseits des Bereichs, wo die Unterscheidung von Gut und Böse gilt. Es heißt bei dem Areopagiten: „Der apophatische Weg führt zum völligen Nichtwissen, und das ist der vollkommene Weg, der Gottes würdig ist, des von Natur aus Unerkennbaren." Nicht einmal im Bereich des Seins (in der Ontologie) wird Gott untergebracht. Der Areopagite sagt: „Jede Erkenntnis hat ein Seiendes zum Gegenstand. Gott steht aber jenseits alles Seienden."

Die griechische Theologie bleibt im Banne der Trinitätslehre des Konzils von Nicäa (Nikaia) und der christologischen Zweinaturenlehre von Chalcedon (Chalkedon). Die johanneisch bezeugte Teilhabe Christi am Akt der Schöpfung bestimmt die Deutung der Kreatur, wird aber noch durch eine Teilhabe des Pneumas ergänzt. „Gott schafft nicht nur im Wort, sondern erfüllt und vollendet alles im Geist." (Nisiotis). Auch in der Soteriologie widerstehen die orthodoxen Theologen einer protestantischen Einengung auf ein zentrales Heilswerk Christi, einem „Christomonismus". Trinitarische Spekulation hilft auch zum Neuentwurf einer Ekklesiologie und einer Sozialethik. Die zwischen den Personen der Göttlichen Trinität realisierte Gemeinschaft wird als Urbild und Quellort vollkommener menschlicher Gemeinschaftsgestaltung verstanden.

II. Die nicht-orthodoxen Religionsgemeinschaften

1. Die katholische Kirche des lateinischen Ritus

Fast 97 % des griechischen Volkes gehören der orthodoxen Kirche an. Doch als Folgewirkung des IV. Kreuzzuges 1204 waren die Zykladen und Kreta dem Staat Venedig zugefallen, Chios schließlich den Genuesen. Die Nachkommen der einsiedelnden katholischen Venezianer und Genuesen, oft noch an ihren italienischen Familiennamen kenntlich, bilden eine katholische Kirche, in der die römische Messe zelebriert wird, von etwa 42000 Gläubigen. Inselbewohner, die in die Hauptstadt zogen, bildeten den Kern einer Athener katholischen Gemeinde. Verglichen mit früheren Jahrhunderten, sank die Zahl bedeutend ab. Syros zählte noch im 17. Jahrhundert 4000 Katholiken gegenüber nur 70 Orthodoxen. Die Ordensniederlassungen auf Naxos, dank der französischen Patres kulturtragend, verloren mit der Französischen Revolution ihre Kraft. Im 20. Jahrhundert verarmte die katholische Adelsschicht. Die Jurisdiktion über den lateinischen Ritus übt der Bischof von Syros und Thira aus, der zugleich Apostolischer Verwalter von Kreta ist. (Derzeitiger Amtsinhaber Frankiskos Papamanolis, Katholiki Episkopi Syros, Tel. 0281-22768.) Die Aufgaben der Touristenseelsorge gaben der guten katholischen Infrastruktur vermehrte Bedeutung.

Eine besondere Ausstrahlung zeigt die katholische Kirche von Santorin. Anfangs hatte die katholische Gemeinde ihren Sitz im Castell von Skaros, bis Erdbeben und Felsabstürze zum Verlassen des hohen Felsens zwangen. Das Dominikanerkloster (1596 gegründet) siedelte sich (1818) gegenüber der Bischofskirche an. Im Kloster, jetzt von Dominikanerinnen besetzt, erfüllt die französische Soeur Jeanne-Marie ein Apostolat des ökumenischen Ausgleichs mit den Orthodoxen und des geistlichen Empfangs für Besucher.

2. Die mit Rom unierte griechische Kirche

Eine viel kleinere Gruppe von nur 2000 Gläubigen steht als „unierte griechische Kirche" unter römischer Jurisdiktion. Seit 1861 hatte eine katholische Mission unter den Griechen der Türkei gearbeitet, sie in Form des unierten Ritus unter päpstliche Jurisdiktion zu ziehen. 1911 hatte Rom der damals erst wenige hundert zählenden Gruppe einen eigenen Bischof gegeben, und die nach Griechenland Ausgewanderten erhielten 1932 ihren eigenen Erzbischof in Athen[22]). Weil sie dem gleichen östlichen Ritus folgen wie die Orthodoxen und sich damit als Angebot an Orthodoxe zur Konversion verstehen, ist das Verhältnis der Orthodoxen Kirche zu den Unierten denkbar schlecht.

3. Die Armenische Apostolische Kirche

Die etwa 10000 nonchalcedonensischen Armenier in Griechenland, deren Traditionen auf die gewaltsamen Umsiedlungen durch byzantinische Kaiser zurückgehen, sind kirchlich dadurch gespalten, daß ein Teil der Jurisdiktion von Etschmiadzin, ein anderer Teil Antelias (Libanon) untersteht. Die zu Etschmiadzin gehörige Diözese wird zur Zeit von Pfarrer Iakovos Rüstemian verwaltet (Triti Septemvriou 58, Athen, Tel. 834312), die Antelias unterstellte Gemeinde von Bischof Sahak Ayvazian (Odos Kriesi 10, Athen, Tel. 524884). Die Armenierkolonien in Armenoi bei Chania und Armenopolis südlich Monastir sind assimiliert. 1925 wurde auch ein katholisch-armenisches Ordinariat durch den missionarischen Kapuziner Mgr. Kyrillos Zochrabian (†1972) gegründet. Heute stehen die 650 Gläubigen (2 Parochien, 1 Altenasyl) unter der bischöflichen Leitung von Mgr. Johannes Kojounian (René Pyo-Str. 2, Athen 409, Tel. 9014089). Im Zuge der Libanonwirren kamen ca. 3500 jakobitische und nestorianische Flüchtlinge hinzu.

4. Die evangelische Kirche in Griechenland

Die evangelische Kirche, die etwa 15000 Gläubige in 30 Gemeinden mit 20 Pfarrern umfaßt, gruppierte sich nach Abschüttelung des osmanischen Jochs um angel-

---

[22]) Die in Makedonien recht zahlreich bestehenden unierten griechischen Gemeinden wurden im Balkankrieg 1913 zerstört. Vgl. Grulich, R.: Die unierte Kirche in Makedonien 1856–1919.

sächsische Missionare, die von Institutionen ausgesandt waren, die ein die philhelle-
nische Bewegung ergänzendes evangelikales Werk für nötig hielten (Leeves / British
and Foreign Bible Society, Hill, Hilcher, St. Chrischona in Basel)[23]). Einer der großen amerikanischen Missionare, Jonas King, begann 1828 eine 25jährige Missions-
arbeit in Athen, noch ohne Absicht, von der Orthodoxie abgesonderte Gemeinden
zu gründen. Das leistete erst sein Schüler Dr. Michael Kalopothakis. 1858 wurde die
erste Gemeinde in Athen konstituiert. Da die anschließenden Gründungen (Volos,
Saloniki), die sich 1873 zu einer Synode zusammenschlossen, presbyterianisches
Gepräge trugen, schloß man sich als Mitglied dem Reformierten Weltbund an. Nach
der Übersiedlung der Griechen aus Kleinasien ließen sich neusiedelnde kongrega-
tionalistische Gemeinden aufnehmen, so die Gemeinde Katerini am Fuß des Olymp
(über 3000 Seelen). Dem Pfarrernachwuchs steht, was die biblischen Fächer an-
langt, das Studium an der orthodoxen Fakultät Athen offen. Einer der führenden
Pfarrer, Kaloterakis in Saloniki, hat in Leptokarya eine attraktive Ferienkolonie
eingerichtet. Moderator der Kirche ist Pfarrer Michaïl Kyriakakis (Athen, Leoforos
Amalias 50). Die Evangelische Griechische Kirche ist um Solidarität mit der griechischen Nation bemüht, konnte jedoch 1957 aus Protest gegen orthodoxen Druck einen Sitzstreik beim Bürgermeister von Katerini veranstalten und zeitweise sogar aus
dem ÖKR austreten. Unabhängig von der Evangelischen Griechischen Kirche bestehen Pfingstgemeinden und die Freie Griechische Evangelische Kirche. Diese,
1928 von Dr. Metallinos gegründet (etwa 2000 Gläubige) lehnt ordinierte Pfarrer ab
und läßt ihre Hauskreise von Laienpredigern versorgen. Beziehungen zu freikirchli-
chen Gemeinden in Deutschland werden zur Evangelisation unter Gastarbeitern in
der Bundesrepublik benutzt[24]).

5. Die evangelische Gemeinde deutscher Sprache

1837 wurde diese Gemeinde durch die evangelische Gemahlin König Ottos, Amalia von Oldenburg, gegründet und stand den evangelischen Beratern des Königs zur
Verfügung. 1913 beschloß das griechische Parlament, der rechtlich selbständig konstituierten Gemeinde ein Grundstück zum Kirchenbau in Athens Mitte zur Verfügung zu stellen. Erst in den Jahren 1932/34 konnte Gemeindehaus und Christuskir-
che in der Odos Sina 66 errichtet werden. Beim Abzug der deutschen Truppen 1944
wurden die kirchlichen Gebäude als Feindeigentum beschlagnahmt und der englischen Armee zur Verfügung gestellt, 1953 jedoch in einem Prozeß, in dem die Gemeinde bestritt, daß sie als Feindorganisation im Sinne des Gesetzes anzusehen sei,
zurückgewonnen (ca. 650 konfirmierte Mitglieder).

---

[23]) Metallinos, G.: Τὸ ξήτημα τῆς μεταφράσεως τῆς ἁγίας γραφῆς (Das Problem der Übersetzung der Heiligen Schrift). Athen 1977, und Strauß, A.: Reise ins Heilige Land. Berlin 1841.
[24]) Möckel, G.: Evangelisches kirchliches Leben in Griechenland, in: Die evangelische Diaspora. 32.
1961. Die Gründung der Evangelischen Griechischen Kirche in dem bis 1913 osmanischen Makedonien
wurde durch deutsche Eisenbahnbauarbeiter angeregt, die in Saloniki ansässig waren. Der Frankfurter
Großindustrielle Karl Georg Zimmer finanzierte das Studium junger Griechen im Rheinischen Missions-
seminar unter Missionsdirektor F. Fabri. Hier wurde die führende griechische Persönlichkeit Dr. Maroulis
ausgebildet. Brunau, M.: Das Deutschtum in Mazedonien. Stuttgart 1925.

˙ In gleicher Weise wie die deutschsprachige Kirche werden auch die anglikanische St. Paul's Church und die interdenominationelle amerikanische St. Andrew's Church in Athen als Teile ihrer Heimatkirchen angesehen und von der orthodoxen Kirche des Landes respektiert (1974 Gründung der Seemannsmission in Piräus).

6. Die als sektiererisch oder nichtchristlich angesehenen Gemeinschaften

Unter den von amerikanischen Missionaren angeregten religiösen Gruppen wie Christian Science, Adventisten, Mormonen, stechen die Zeugen Jehovas hervor. Ehe Italien 1940 Griechenland den Krieg erklärte, gab es in diesem Land nur 225 „publishers". Ihrer Kriegsverweigerung wegen ließen sich drei Brüder zum Tod verurteilen, andere zu lebenslanger oder 20jähriger Gefängnisstrafe. Am Ende der Schreckenszeit 1945 war die Zahl der „Zeugen" auf 1770 gewachsen, der jährliche Memorialservice fand 3124 Besucher, 4457 Personen gingen an ihr „Buchstudium", und 58 355 Bücher und Broschüren konnten verteilt werden. Daß die am 11. Juni 1975 in Kraft gesetzte neue Verfassung jeder „bekannten Religion" ungehinderte Religionsausübung garantiert und der Staatsrat, darauf gestützt, am 3. Juli 1975 die Zeugen Jehovas unter diese bekannten Religionen zählte, ermöglichte die Einberufung eines Internationalen Kongresses im Juli 1975 ins Apollo-Stadion von Rizoupolis mit 20000 Teilnehmern. Noch 1976 wurde ein junger „Zeuge" zum dritten Mal wegen des gleichen Deliktes – Wehrverweigerung – verurteilt. 35 Erstverurteilte saßen in den Gefängnissen von Ioannina und Avlona. Dieser Zustand löste einen Gesetzesantrag einer Abgeordnetengruppe zugunsten der wehrverweigernden Zeugen aus. Der Staat will sich als religionsneutral darstellen. Die hl. Synode der orthodoxen Kirche bildete für die Bearbeitung dieses Problems einen eigenen Ausschuß unter dem Vorsitz des Metropoliten von Florina[25]). (Sitz der Watch Tower Bible and Tract Society: 77, Leoforos Kifisias-Paradeisos, Amarousion, Tel. 68 13-3 47.)

An Muslimen türkischer Volkszugehörigkeit zählt man nach der Bevölkerungsverschiebung von 1923, bei der Kretas muslimischer Volksteil nach Kleinasien abgeschoben wurde, nur mehr knappe 100000. Anders als im konfliktträchtigen Zypern wohnen die Muslime auf Rhodos oder in Nordgriechenland in friedlicher Nachbarschaft mit den Orthodoxen.

Eine bedeutende Einpflanzung des Judentums erfolgte in osmanischer Zeit durch die Aufnahme von 20000 Juden, die das Edikt der Alhambra vom 31. März 1492 aus Spanien vertrieben hatte. In Saloniki bildeten die Juden noch um die Wende zum 20. Jahrhundert mit 45000 (spanisch sprechend), 40 Synagogen und zahlreiche Midraschim (Schulen) gegenüber nur 30000 Griechen und 35000 Muslimen und 4000 Armeniern die führende Bevölkerungsschicht[26]). Während der deutschen Okkupation im Zweiten Weltkrieg wurden der jüdische Friedhof und die meisten Synagogen zerstört, die Gemeinde (Tsimiskistr. 24) auf 1100 Glieder reduziert. Auf Chios und Rhodos besitzt das Judentum alte Traditionen. Heute leben in Athen rund 4000, in Larissa 500 Juden.

---

[25]) Vor der Synode berichtete Metropolit Avgoustinos von Florina im Oktober 1978 vom Kampf der Zeugen Jehovas gegen die orthodoxe Kirche. Hier handle es sich nicht einfach um eine Häresie. Der Staat sei zum Verbot verpflichtet. Vgl. Ἐκπαιδευτικὴ Νομοθεσία (Kirchliche Wahrheit) vom 1.11. 1978.
[26]) Nehama, J.: Histoire des Israélites de Salonique. Vol. 1–7. Paris, Salonique 1935–1959.

Schulsystem und Volksbildung

Michael Kelpanides, Frankfurt am Main

I. Voraussetzungen

Gegenwärtig findet in Griechenland eine umfassende Strukturreform des Bildungswesens statt. Die Rahmengesetze zur Neuordnung des allgemeinen und des beruflichen Schulwesens sind 1976 und 1977 vom griechischen Parlament verabschiedet worden, nachdem mit Artikel 16 der neuen Verfassung von 1975 die Grundlagen dazu geschaffen wurden. Der kurze Zeitraum zwischen dem Amtsantritt der parlamentarischen Regierung im Juli 1974 und der Verabschiedung der Reformgesetze zeigt, daß die Bildungsreform als eine der vorrangigsten Aufgaben angesehen wurde.

Die heutige Reform knüpft mit zwölfjähriger Verzögerung an die Intentionen der Reform von 1964 an, die von der Militärjunta unmittelbar nach der Machtergreifung rückgängig gemacht wurde. Sprachreform, Verbesserung der Allgemeinbildung durch Verlängerung der Pflichtschulzeit, Differenzierung des Sekundarschulbereichs, Stärkung und Ausbau der Berufsbildung sind heute wie damals die zentralen Anliegen. Sie weisen auf strukturelle Probleme des griechischen Bildungssystems hin, die sich durch die Geschichte der Bildungsreformen und Gegenreformen hindurch bis zu seiner Entstehung in der ersten Hälfte des 19. Jahrhunderts zurückverfolgen lassen.

Das griechische Bildungssystem entstand mit der Gründung des neugriechischen Staates nach der Volkserhebung (1821–1829), die von den Großmächten Großbritannien, Frankreich und Rußland unterstützt wurde und zur Befreiung eines Teils des heutigen Staatsterritoriums von 400jähriger türkischer Herrschaft führte. Diese historische Konstellation war in mehrfacher Hinsicht für die Entwicklung des griechischen Bildungssystems folgenreich. Erstens gab es im damaligen Griechenland keinerlei formale Bildungsinstitutionen, die als Modell hätten fungieren können. Die in Anlehnung an den westeuropäischen Liberalismus entwickelten Bildungskonzeptionen griechischer Intellektueller hatten zur damaligen Zeit utopisch-idealistischen Charakter, der sich nicht unmittelbar in konkrete bildungspolitische Praxis umsetzen ließ.

Zweitens bedingte die Abhängigkeit des jungen Staates von den Großmächten, die Otto, Sohn Ludwigs des I. von Bayern, zum ersten König von Griechenland bestimmten, die Übernahme westeuropäischer, französischer, insbesondere jedoch bayerischer Vorbilder beim Aufbau des Bildungssystems. Die erste Gliederung des allgemeinen Schulwesens, die mehrere Jahrzehnte überdauerte, folgte eindeutig dem bayerischen Vorbild: Das allgemeine Schulwesen wurde in eine vier- bis siebenjährige Volksschule, eine dreijährige Hellenische Schule (Ellinikon Scholeion) nach dem Vorbild der bayerischen Lateinischen Schule, die auf das Gymnasium vorbereitet, und das vierjährige Gymnasium gegliedert. Parallel zur Übernahme struktureller Elemente aus dem bayerischen System wurde die inhaltliche Konzeption des in Preußen vorherrschenden klassisch-humanistischen Gymnasiums eingeführt.

Drittens prägten von Anbeginn die Erfordernisse des Nationsbildungsprozesses das griechische Schulwesen in entscheidendem Maße: Bildung und Erziehung sollten eine überwiegend analphabetische Bevölkerung, die jahrhundertelang unter osmanischer Herrschaft gelebt hatte und keine moderne staatliche Ordnung kannte, zu loyalen Staatsbürgern mit gefestigter nationaler Identität formen. Darüber hinaus gehörte zu den politischen Zielen des neuen Staates von Anfang an die Annexion aller griechisch bevölkerten Territorien, die noch unter türkischer Herrschaft standen. Die griechischen Schulen, die in den besetzten Gebieten zugelassen waren, arbeiteten mit personeller und materieller Unterstützung des griechischen Staates, um das Nationalbewußtsein der Bevölkerung zu stärken und sie für die Einigung mit dem griechischen Mutterland zu mobilisieren. Unter diesen Bedingungen entwickelte das griechische Schulsystem eine dominante ethnozentrische Orientierung, die sich aus der historischen Rückbesinnung auf die vergangene Größe Griechenlands nährte und bestrebt war, das Handeln und Denken der Schüler auf die nationalen Expansionsziele auszurichten.

Viertens korrespondierte mit dem Nationalismus ein auf administrativer Ebene früh ausgebildeter Zentralismus, der Uniformität von Bildungsinhalten und Unterrichtsmethoden anstrebte und keinen Spielraum für Pluralismus, Vielfalt und Variation zuließ. Diese grundlegenden Züge, die sich bis zur Mitte des 19. Jahrhunderts deutlich ausprägten, erwiesen sich als äußerst resistent gegenüber Wandlungsversuchen: Trotz mehrfacher Reformansätze konnte der Immobilismus der griechischen Bildungspolitik bis zur Gegenwart grundsätzlich nicht überwunden werden[1].

Sieht man von erfolglosen oder in Ansätzen steckengebliebenen Reformversuchen wie dem Gesetzentwurf des Jahres 1913 ab, der eine Differenzierung des Sekundarschulbereichs in einen praktischen Realschulzweig (Astikon Scholeion) und einen parallelen, zur Universität führenden Gymnasialzweig (Gymnasion) anstrebte, so brachte erst die Reform von 1929 mit der Abschaffung der Hellenischen Schulen, der Verlängerung der Schulpflicht auf sechs Jahre und der Einführung eines sechsjährigen Gymnasiums einen strukturellen Wandel im Sinne eines stufenförmigen Aufbaus ohne parallele Schulformen in das bestehende System; diese Struktur hat sich, abgesehen von kurzfristig praktizierten Änderungen, bis in die Gegenwart erhalten.

Die bereits erwähnte umfassende Reform des Jahres 1964, die Struktur und Inhalte des Bildungswesens ändern sollte und mit dem Namen ihres Initiators, des damaligen Ministerpräsidenten Georg Papandreou, aufs engste verknüpft ist, konnte

---

[1] Eine ausführliche Dokumentation der Reformen im neugriechischen Bildungswesen findet sich bei Δημαρᾶς, Ἀ.: Ἡ μεταρρύθμιση πού δέν ἔγινε (Die Reform, die nicht stattgefunden hat). 2 Bände. Athen 1973/74. Ferner ders.: The Movement for Reform: A Historical Perspective, in: Comparative Education Review. 1978, 1, S. 11–20.

nicht zum Tragen kommen, weil sie kurz nach ihrem Inkrafttreten rückgängig gemacht wurde. Ihre wesentlichen Intentionen werden von der gegenwärtigen Reform trotz veränderter bildungspolitischer Gesamtsituation wiederaufgenommen, obwohl die ehemals radikalen Maßnahmen heute gerade noch ausreichend zu sein scheinen, um eine Anpassung des Bildungssystems an die gewandelten gesellschaftlichen Erfordernisse zu erreichen[2]).

II. Die Struktur des Schulwesens

Der gegenwärtig noch kleine, aber stark anwachsende Bereich der Vorschulen, deren Besuch nicht obligatorisch ist, nimmt Kinder von 3½ Jahren an auf. Zwischen 1968/69 und 1973/74 stieg der Vorschulbesuch um 63,5 % an und liegt gegenwärtig bei etwas über 30 % der Vorschulaltersgruppe, ein im Verhältnis zu anderen europäischen Ländern relativ niedriger Anteil[3]). Das Gesetz über die Reform des allgemeinen Schulwesens vom Jahre 1976 bestimmt als Ziel der Vorschulerziehung „die Ergänzung und Unterstützung der Erziehung in der Familie", womit die Erziehungsfunktion im Unterschied zur bloßen Betreuung der Kinder hervorgehoben wird; in Übereinstimmung damit sieht das Gesetz im Hinblick auf die Qualifikation der Vorschulerzieherinnen vor, daß sie eine mindestens einjährige Ausbildung als Kindergärtnerinnen an einer pädagogischen Akademie erhalten haben oder das Abiturzeugnis besitzen müssen.

Vor Inkrafttreten des neuen Gesetzes[4]) bestand Schulpflicht für die sechsjährige Volksschule (Dimotikon Scholeion) zwischen dem 6. und 12. Lebensjahr; durch das genannte Gesetz wird die Schulpflicht auf neun Jahre erweitert und umfaßt nunmehr außer der sechsjährigen Volksschule das dreijährige Gymnasium (Gymnasion), die erste, organisatorisch selbständige Stufe des Sekundarschulbereichs.

Im Verhältnis zu anderen europäischen Ländern findet in Griechenland eine frühe Einschulung statt: Es werden die Kinder eingeschult, die zu Beginn des Schuljahres das Alter von 5½ Jahren erreicht haben. Der Einschulungszeitpunkt hat sich gegenüber der früheren Regelung nicht geändert. Es ist in diesem Zusammenhang von Bedeutung, daß in Griechenland keinerlei Schulreife-Tests eingesetzt werden und eine Zurückstellung derjenigen Kinder nicht erwogen wird, an deren Schulreife Zweifel bestehen. Quantitativ betrachtet, erfaßt das ausgedehnte Primarschulnetz die Kinder im Pflichtschulalter trotz erschwerter schulischer Versorgung in gebirgigen und unwegsamen Regionen des Landes sowie auf den Inseln zu fast 100 %. Hin-

[2]) Vgl. dazu Kelpanides, M.: Die Reform des griechischen Bildungswesens. Dargestellt an der Entwicklung im Sekundarbereich 1957–1977, in: Mitteilungen und Nachrichten des Deutschen Instituts für Internationale Pädagogische Forschung. 88/89. 1977, S. 30–81.
[3]) Vgl. Trouillet, B.: Die Vorschulerziehung in neun europäischen Ländern. 2. Aufl. Weinheim 1968. Ferner Kapsalis, A.: Die griechische Vorschulerziehung im Zusammenhang mit der deutschen und der internationalen Vorschulbewegung. Tübingen 1974.
[4]) Νόμος ὑπ' ἀριθ. Περί ὀργανώσεως καί διοικήσεως τῆς Γενικῆς 'Εκπαιδεύσεως (Gesetz Nr. 309: Über die Organisation und Verwaltung des allgemeinen Schulwesens), in:'Εφημερίς τῆς Κυβερνήσεως (Regierungszeitung) vom 30.4. 1976.

gegen wirken sich geographische, siedlungsökologische und wirtschaftlich-soziale Faktoren auf die Qualität der schulischen Versorgung aus, indem sie der prinzipiellen Gleichbehandlung der Regionen durch die zentralistische Verwaltung entgegenwirken und mehr oder weniger starke Unterschiede hervorrufen: Klassenstärke, Lehrer-Schüler-Relation, materielle Ausstattung sowie kulturell-sozialer Kontext der Schulen weisen erhebliche Unterschiede auf, die sich besonders in der Stadt-Land-Dimension ausprägen. So sind beispielsweise 46 % aller Volksschulen in ländlichen Regionen einklassig, 51 % zwei- bis fünfklassig und nur 3 % sind vollgegliederte Schulen. Dabei leben fast 40 % aller Kinder im Volksschulalter in ländlichen Regionen[5]). Eine weitere Ungleichheit ergibt sich durch die Konzentration der im allgemeinen besser ausgestatteten privaten Schulen in den Großstädten.

Die Erweiterung der Schulpflicht durch die jüngste Reform wurde einerseits mit der infolge gestiegener Wissensanforderungen notwendig gewordenen Verbesserung der Allgemeinbildung begründet, welcher das Gymnasium mit seinem Fachunterricht und Fachlehrerprinzip gerecht werden soll; zum anderen wurde ebenfalls hervorgehoben, daß eine in entwicklungspsychologischer Hinsicht zu frühe Festlegung der Schüler auf einen Bildungs- bzw. Berufsweg unbedingt zu vermeiden ist.

Durch die Verlängerung der Schulpflicht beginnt die Differenzierung der weiteren Schul- und Berufswege erst nach dem 9. Schuljahr; damit wird die nach der früheren Regelung am Ende der Volksschule mit Volksschulabschlußzeugnis und gymnasialer Aufnahmeprüfung einsetzende Selektion bis zum Abschluß des Gymnasiums, nach dem 14. Lebensjahr, hinausgeschoben.

Die volle Realisierung der erweiterten Schulpflicht ist bis zum Jahre 1980/81 geplant, bis zu welchem Zeitpunkt der zusätzliche Lehrer-, Raum- und Finanzmittelbedarf bereitgestellt werden sollen; problematisch erscheint dabei die kurzfristige Bereitstellung von zusätzlich benötigten Klassenräumen, während ein Lehrerengpaß wegen einer großen Zahl auf Anstellung wartender Lehrer nicht befürchtet wird. Auf den Gymnasialbereich baut der dreijährige Lyzealbereich auf, dessen Zugang durch eine selektive Aufnahmeprüfung reguliert wird. Der Lyzealbereich gliedert sich in a) die Allgemeinbildenden Lyzeen allgemeiner, nautischer und wirtschaftswissenschaftlicher Richtung (darüber hinaus ist die Gründung klassischer Lyzeen zum intensiveren Studium der alten Sprachen vorgesehen) und b) die Technischen und Beruflichen Lyzeen mit verschiedenen berufsqualifizierenden Richtungen. Das Abschlußzeugnis der Allgemeinbildenden Lyzeen berechtigt zur Bewerbung an Universitäten und Hochschulen universitären Niveaus (Anotati Ekpaidevsis), während die Abschlußzeugnisse der Technischen und Beruflichen Lyzeen die formelle Berechtigung zur Bewerbung an Höheren Fachschulen nicht-universitären Niveaus darstellt[6]).

---

[5]) Siehe National Statistical Service of Greece: Statistical Yearbook of Greece 1977. Athen 1978.

[6]) Das Abschlußzeugnis der Technischen und Beruflichen Lyzeen berechtigt gleichzeitig zur Bewerbung an Hochschulen universitären Niveaus, aber nur *gleicher* Fachrichtung. Siehe Νόμος ὑπ' ἀριϑ. Περί ὀργανώσεως καὶ διοικήσεως τῆς Μέσης καὶ Ἀνωτέρας Τεχνικῆς καὶ Ἐπαγγελματικῆς Ἐκπαιδεύσεως (Gesetz Nr. 576: Über die Organisation und Verwaltung des mittleren und höheren technischen und beruflichen Schulwesens), in: Ἐφημερίς τῆς Κυβερνήσεως (Regierungszeitung) vom 13. 4. 1977.

Aufbau des griechischen Schulwesens

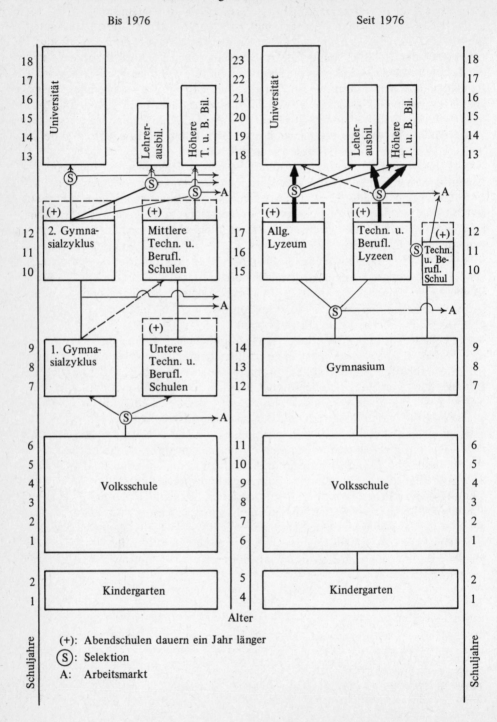

Bis 1976   Seit 1976

(+): Abendschulen dauern ein Jahr länger
Ⓢ: Selektion
A: Arbeitsmarkt

III. Strukturprobleme und Reform des Sekundarschulbereichs

Die Intentionen der gegenwärtigen Reform werden im Kontext mehrfacher Dysfunktionalität des bisherigen Systems verständlich. Die Entwicklung des Sekundarschulbesuchs zeigt zwischen 1960 und 1975 einen starken jährlichen Anstieg von durchschnittlich 4,6 %[7]). Bei leicht fallender Jahrgangsstärke der ans Gymnasium gelangenden Altersjahrgänge in diesem Zeitraum ist dieser Zuwachs die Folge steigender gesellschaftlicher Nachfrage nach Gymnasialbildung. Der Prozentsatz der Volksschulabsolventen, die in die erste Klasse des Gymnasiums aufgenommen wurden, stieg im selben Zeitraum von 45 % auf fast 70 %.

Im Verlaufe des Gymnasiums findet eine starke informelle Selektion statt; so erreichte beispielsweise weniger als die Hälfte der im Jahre 1966/67 neu in die erste Klasse aufgenommenen Schüler im Jahre 1971/72 das Abitur. Das Diagramm auf S. 455 zeigt deutlich die einzelnen Etappen der Selektion. Am stärksten wirkte sie sich im ersten Zyklus des Gymnasiums (1. bis 3. Klasse) aus: Die jährlichen Übergangsquoten sind im ersten Zyklus durchweg niedriger als im zweiten (4. bis 6. Klasse). Die Mädchen verzeichnen größeren Schulerfolg und weisen höhere Übergangsquoten auf als die Jungen, unter denen sich mehr Abbrecher finden: Der relativ geringe Erfolg der Jungen hängt unter anderem mit früh aufgenommener Erwerbstätigkeit zusammen.

Die Schüler, die vorzeitig das Gymnasium verließen, hatten keinerlei Möglichkeit, einen Abschluß zu machen, denn auch das Abgangszeugnis des ersten Zyklus stellte vor der Reform keinen vollgültigen Abschluß dar: Die Abgrenzung des ersten vom zweiten Gymnasialzyklus hat keine große Bedeutung erlangt; die Absolventen des ersten Zyklus konnten lediglich (seit 1959) zu einer Mittleren Technischen oder Beruflichen Schule überwechseln, deren Abschluß nicht die Hochschulreife gewährte, so daß auch dieser Bildungsweg keine Attraktivität besaß.

Die Abiturientenquote, die sich schon am Anfang der 60er Jahre auf hohem Niveau bewegte, erreichte Mitte der 70er Jahre 30 % des Altersjahrgangs und stellt damit im internationalen Vergleich einen sehr hohen Prozentsatz dar. Im Rahmen der Bemühungen um Bildungsexpansion in den Mittelmeerländern[8]) belegen diese Daten eindrucksvoll die quantitative Vorrangstellung des griechischen Sekundarschulbereichs, der schon 1961 die höchste Abiturientenquote in Europa verzeichnete. Bei näherer Betrachtung wird jedoch die Problematik dieser Expansion deutlich, da weder ein dieser Expansion korrespondierender Ausbau des Hochschulbereichs den Abiturientenstrom aufnehmen konnte noch der Anschluß sinnvoll abgestimmter Berufswege infolge der berufsfernen Gymnasialkonzeption möglich war.

Der Hochschulzugang wurde durch eine streng selektive Aufnahmeprüfung kontrolliert – ein neues Zulassungsverfahren ist heute erst in Vorbereitung –, somit konnten infolge des generellen Numerus clausus weniger als 30 % der Abiturienten eines Jahres von den Hochschulen aufgenommen werden. Verschärft wurde die

[7]) OECD: Individual Demand for Education, op. cit. (Tab. 2), S. 16.
[8]) Impulse zur Bildungsentwicklung in den Mittelmeerländern sind von der Studie der OECD, The Mediterranean Regional Project, die in den sechs Ländern Griechenland, Italien, Jugoslawien, Portugal, Spanien und Türkei durchgeführt wurde, Anfang der 60er Jahre ausgegangen.

Tabelle 1. Entwicklung der Schülerzahlen im Primar- und allgemeinbildenden Sekundarschulbereich

Schuljahr 19..	Gesamt-Bevölkerung	Geburten	Primarbereich (sechsjährige Volksschule) Anfänger	Schüler im 1. Schulj.	Primarschüler insges.	Absolventen	Allgemeinbildender Sekundarbereich (1. dreijähriger Gymnasialzyklus) Neuaufgenommene	Schüler in der 1. Klasse d. Gymnasiums	Schüler im 1. Zyklus insges.	Absolventen des 1. Zyklus	(2. dreijähriger Gymnasialzyklus) Neuaufgenommen in die 4. Klasse	Schüler in der 4. Klasse d. Gymnasiums	Schüler im 2. Zyklus insges.	Sekundarschüler insges.	Absolventen des Sekundarbereichs
56/57	9031013	158203	144335	171438	936729	121133	51581	55977	126625			29519	85846	212471	20853
57/58	8096218	155940	147536	176997	971878	146143	58534	63796	143293			28234	82720	226078	20122
58/59	8173129	155359	145219	174007	945192	145484	60857	68490	158680			30924	82204	240884	18470
59/60	8258162	160199	138813	164853	927331	139467	61021	70014	171134			35259	88046	259180	18191
60/61	8327405	157239	144997	168100	921262	133509	59276	68067	175430			39671	97960	273390	19816
61/62	8398553	150716	146352	172973	927853	132796	59014	67754	178563	43224		45430	112966	291529	22709
62/63	8448233	152158	149688	174162	928717	137905	63076	72783	182518	43128	42332	47280	123064	305582	24799
63/64	8479628	148249	147379	171009	924701	138404	66608	76791	187998	41642	41722	46311	125576	313574	28175
64/65	8510429	153109	186519	208559	965782	133540	94243	104481	227469	50030	43387	47307	130932	358401	32069
65/66	8550333	151448	157106	186411	975809	137102	86281	97154	238182	53400	48057	50841	136434	374616	34117
66/67	8613651	154613	152663	177887	979395[1]	139221	91526	102509	246668	58899	50745	55027	141624	388292	33506
67/68	8716441	162839	142534	167930	968727[2]	143274	86480	100122	247954	53568	60210	66047	157993	405947	33879
68/69	8740765	160338	142850	163065	960812[2]	144161	79646	92094	255215	59814	55523	63747	165205	402994	37844
69/70	8772764	154077	145334	162673	948097[2]	163490	84818	94576	263499	62480	60008	67780	172995	418617	42209
70/71	8792806	144928	147573	165399	919948[1]	149378	103054	113880	280075	65560	61613	69449	181325	456408	40835
71/72	8831641	141126	150695	168661	910728[1]	144876	95878	180942	291816	64477	64754	71762	185929	477745	44141
72/73	8888628	140891	156209	173182	913972[1]	139907	98240	112955	302844	78929	63997	72505	188023	490867[1]	46020
73/74	8929086	137526	160970	175196	921126[3]	139114	97577	110814	300382	76956	76465	82974	203646	504028[1]	49784
74/75	8962023	143925	167743[3]	177443[3]	926628[3]			118899[3]	304304[3]			83361[3]	216837[3]	521141[3]	
75/76			161479[3]		928896[3]			118488[3]	316606[3]			87019[3]	235088[3]	551694[3]	

Quelle: OECD, Individual Demand for Education. Case Study: Greece. Paris 1976, S. 7.

[1] Zahl der registrierten Schüler
[2] Zahl der Teilnehmer an der Abschlußprüfung
[3] Registriert zu Beginn des Schuljahres
[4] Unvollständige Daten

Tabelle 2. Etappen der Selektion im griechischen Schulsystem am Beispiel des Schuljahrgangs 1960/61

PRIMARSCHULBEREICH		SEKUNDARSCHULBEREICH (Allgemeinbildend)			POSTSEKUNDARBEREICH		
Anfänger	Absolventen	Neuaufgenommen in den 1. Gymnasialzyklus	Absolventen des 1. Gymnasialzyklus	Absolventen des 2. Gymnasialzyklus	Insgesamt	Davon: Im universitären Bereich	Im nichtuniversitären Bereich

```
1960/61   100%
1961/62
1962/63
1963/64
1964/65
1965/66        94,6%
1966/67              63,12%
1967/68
1968/69                    41,25%
1969/70
1970/71
1971/72                          30,5%
                                      9,8%
                                            8,2%      1,6%
1972/73
```

Quelle: OECD Individual Demand for Education. Case Study: Greece. Paris 1976, S. 10

Konkurrenzsituation für die Abiturienten in den letzten Jahren insofern, als die Entwicklung der Hochschulplätze hinter der steigenden Abiturientenzahl zurückblieb und daher die Aufnahmechancen der einzelnen Kandidaten im selben Maße sanken. Die Verbesserung der individuellen Chancen wurde – und daran hat sich auch heute nichts geändert – durch private Vorbereitung gesucht; fast jeder Abiturient, der sich um einen Hochschulplatz bewerben will, besucht außerhalb der Unterrichtszeit und in den Ferien private Vorbereitungskurse („Frontistiria"), die sich infolge der regen Nachfrage stark verbreitet haben und als – äußerst gewinnträchtige – Privatunternehmungen geführt werden. Viele Hochschulbewerber, die beim ersten Versuch ihr Ziel nicht erreichen, wiederholen bisweilen mehrmals die Prüfung und nutzen die Zwischenzeit zur intensiven Vorbereitung. Diejenigen, deren Familien über die erforderlichen finanziellen Mittel verfügen, studieren an Hochschulen des Auslandes; ihre Zahl, die in den letzten Jahren erheblich gestiegen ist, wurde im Jahre 1970/71 auf 17 834 geschätzt[9]), sie dürfte seitdem noch erheblich zugenommen haben. Das Auslandsstudium griechischer Studenten, das mit Transferzahlungen an das Ausland verbunden ist, belastet die ohnehin negative Zahlungsbilanz des Landes und wird unter diesem Aspekt in der Öffentlichkeit kritisiert.

Die Konzentration der Abiturientenpräferenzen auf das Hochschulstudium zeigt, daß keine alternativen Wege von vergleichbarer Attraktivität wahrgenommen werden. Das Abitur eröffnet keine beruflichen Perspektiven, weil das griechische Gymnasium keinerlei Berufsqualifikation oder Berufsvorbereitung vermittelt. Das

---

[9]) 'Εϑνική Στατιστική 'Υπηρεσία τῆς 'Ελλάδος (Nationales Statistisches Amt Griechenlands): Στατιστική τῆς 'Εκπαιδεύσεως (Bildungsstatistik) 1973/74. Athen 1977, S. 140.

Gymnasialstudium hatte bis zur Gegenwart einen ausgeprägt theoretisch-kontem-
plativen und hochschulpropädeutischen Charakter und seine dominante Orientierung war klassisch-humanistisch mit deutlichem Übergewicht der philologischen,
textexegetischen und historischen Fächer im Lehrplan[10]).

Mehrere Reformversuche vermochten in der Vergangenheit diese grundlegenden
Züge des Gymnasiums nicht zu verändern. So führte beispielsweise die Reform von
1959 programmatisch mehrere Abteilungen mit differenzierten Lehrplänen in den
oberen Sekundarbereich (zweiter Zyklus) ein[11]), aber ihre Realisierung ließ auf sich
warten: Mitte der 60er Jahre waren noch 60 % aller Gymnasien klassisch-humanistischen Typs, und nur 25 % der Gymnasien hatten naturwissenschaftliche Abteilungen[12]). Außerdem war die eingeführte Lehrplandifferenzierung der einzelnen Abteilungen nicht einschneidend genug; so erscheint es überraschend, daß selbst im
Lehrplan der Gymnasien nautischer und wirtschaftswissenschaftlicher Richtung das
Fach Altgriechisch mit 11 % der Unterrichtszeit, im Lehrplan der Gymnasien na-
turwissenschaftlicher Richtung sogar mit 13 % der Unterrichtszeit vertreten war.
Betrachtet man alle philologisch-historischen Fächer zusammen, so beträgt ihr Anteil ein Drittel der gesamten Unterrichtszeit[13]). Der beharrliche Widerstand gegen
die Verringerung dieses Fächeranteils am Lehrplan wird aus dem besonderen Stellenwert der historisch-philologischen Fächer in der Konzeption des griechischen
Gymnasiums verständlich, in der sie nicht als bloße Fachdisziplinen neben den anderen fungieren, sondern die übergeordnete Aufgabe haben, die Jugend im Geiste nationaler und kultureller Werte zu erziehen und verbindliche, handlungsleitende
Orientierungen zu bieten[14]).

In diesem Zusammenhang ist auch das Problem der jahrzehntelangen Auseinandersetzungen über die „richtige" griechische Sprache zu sehen. Zur Zeit der Entstehung des neugriechischen Staates gab es nach der 400jährigen Türkenherrschaft
keine verbindliche und ausgereifte neugriechische Sprache, die als offizielle Amts-
und Wissenschaftssprache hätte deklariert werden können. Die gesprochene Sprache war damals einerseits nicht präzis genug, andererseits zu stark mit idiomatischen,
regional variierenden Dialektausdrücken durchsetzt, um den Anforderungen einer
offiziellen Sprache zu genügen. Zu diesem Zweck wurde von der akademischen Führungsschicht eine archaisierende, stark an das Altgriechische angelehnte, aber nicht

---

[10]) Vgl. hierzu die Darstellung von C. Tsoucalas im zweiten Teil seines Buches: Dépendance et reproduction. Le rôle social des appareils scolaires en Grèce. Paris 1975.

[11]) Siehe Δημαράς, 'Α.: 'Η μεταρρύθμιση πού δέν ἔγινε (Die Reform, die nicht stattgefunden hat),
op. cit., Bd. 2.

[12]) Vgl. Kelpanides, M.: Die Reform des griechischen Bildungswesens, op. cit., S. 44.

[13]) UNESCO: Education in Greece: Development, Equality, Renovation. Bd. 2. Paris 1974, Annex 24,
S. 1–3.

[14]) Im Curriculum wird das Lernziel des Fachs Altgriechisch in folgendem Wortlaut formuliert (übersetzt
von mir, M. K.): „Das Hauptziel des Fachs (Altgriechisch) ist die humanistische Bildung der Schüler, in
der man unterscheiden muß zwischen a) dem Verstehenlernen der Werte, die die Alten der zivilisierten
Welt hinterlassen haben; b) dem Erleben dieser Werte, daß die Alten zur Quelle des Lebens werden…"
Aus: Προεδρικόν διάταγμα ὑπ᾽ ἀριθ. Περί ὡρολογίου προγράμματος τοῦ 'Ημερησίου Γυμνασίου καί
ἀναλυτικοῦ προγράμματος τῶν Α΄καί Β΄ τάξεων αὐτοῦ.(Präsidialdekret Nr. 831: Über den Stundenplan des Tagesgymnasiums und das Curriculum der 1. und 2. Klasse), abgedruckt in: 'Εκπαιδευτική
Νομοθεσία (Bildungsgesetzgebung). 10. 1977, S. 251.

mit ihm identische Sprache, die sogenannte „Katharevousa" (= die „bereinigte" Sprache) ausgearbeitet und als offizielle Sprache eingeführt[15]).

Die Sprachsituation änderte sich jedoch grundlegend mit der Entstehung neugriechischer Literatur, die erheblich zur Ausreifung und literarischen Verfeinerung der gesprochenen neugriechischen Sprache beitrug. Wenn daher dennoch an der Katharevousa festgehalten wurde, so hat dies nicht sachliche, sondern ausschließlich ideologische Gründe, denn die fingierte sprachliche Kontinuität zum Altgriechischen sollte die nationale Kontinuität demonstrieren. Das Eintreten für die „Dimotiki" (= die Volkssprache) wurde von den Verfechtern der Katharevousa als Verrat an der nationalen Idee ausgelegt. Der griechische Soziologe Mouzelis bemerkt dazu treffend: „Katharevousa, scholasticism, archeolatry (obsessive preoccupation with and blind admiration of everything ‚ancient'), instead of being seen as servile and narrow-minded imitation of a culture far removed from the daily experiences of men and women, came to be seen as indexes of ‚Greekness' and patriotic spirit"[16]).

Die Politisierung des Sprachenstreits, in dem die Liberalen und die Linken für die Dimotiki Partei ergriffen, während die Konservativen für die Katharevousa eintraten, führte zu wiederholten heftigen Konfrontationen und blutigen Zusammenstößen zwischen den beiden Lagern und trug zur Polarisierung der politischen Kultur erheblich bei. Zentrale Kritikpunkte an der Katharevousa betrafen die unangemessen lange Unterrichtszeit, die ausschließlich sprachlichen Fragen eingeräumt wurde, die allgemeine Erschwerung des Spracherlernens und die faktisch zwischen Schule und Elternhaus vorherrschende Diglossie, die zur Entfremdung des überwiegenden Teils der Schüler, insbesondere jener aus nicht-akademischen Schichten, von der offiziellen Unterrichtssprache führte. Die Katharevousa wurde dadurch zu einer mächtigen Sprachbarriere für Personen ohne gymnasiale Bildung, weil die Volksschule zur Beherrschung der Katharevousa nicht ausreicht, andererseits jedoch der Zugang zu jeder höheren Position in Staat und Gesellschaft ihre Beherrschung voraussetzt.

Der dominante Erziehungsanspruch des griechischen Gymnasiums, der der Internalisierung von nationalen und ethischen Werten den Vorrang gegenüber säkularer, wertneutraler Erkenntnis einräumt und der nicht nur in Curriculum und Lehrplan, sondern auch in den allgemein sozialisatorischen Aktivitäten der Schule (Schülerparaden an Nationalfeiertagen, Aufführungen von Theaterstücken patriotischen Inhalts durch Schulklassen, Besuch historischer Stätten) zum Ausdruck kommt, begünstigt in unterrichtsmethodischer Hinsicht den ex-cathedra-Unterricht und verhindert das kritisch-experimentelle Hinterfragen von überlieferten Lehrsätzen und Normen in einem gemeinsamen Lernprozeß von Schülern und Lehrern[17]).

Das Lernen ist stark auf den Rhythmus der zweimal jährlich stattfindenden Prüfungen ausgerichtet, in denen der gesamte Unterrichtsstoff des vorangegangenen Halbjahres wiederholt werden muß.

---

[15]) Der Abstand zwischen der Katharevousa und der neugriechischen Umgangssprache, der Dimotiki, entspricht etwa dem zwischen dem Mittel- und dem Neuhochdeutschen.

[16]) Mouzelis, N.: Modern Greece. Facets of Underdevelopment. 1. Aufl. London und Basingstoke 1978, S. 147.

[17]) Für kritische Bemerkungen zu dem griechischen ex-kathedra Unterrichtsstil siehe UNESCO: Education in Greece, op. cit., Bd. 2, S. 11 ff.

In Übereinstimmung mit dem allgemeinen Erziehungsanspruch der griechischen Schule werden Disziplin und Uniformität auch im äußeren Erscheinungsbild der Schüler durch einheitliche Schulkleidung (Kittel für Mädchen) und einheitliches Aussehen (Kurzhaarschnitt der Jungen) angestrebt, obwohl die Durchsetzung dieser Normen, insbesondere in den Großstädten, zunehmend schwieriger wird.

Mädchen- und Jungengymnasien sind getrennt, nur Gymnasien in ländlichen Regionen, in denen durch die relativ geringe Schülerzahl die Aufrechterhaltung getrennter Schulen organisatorisch nicht möglich war, sind gemischt. Nach der jüngsten Reform wurden gemischte Gymnasien als Versuchsschulen zur Erprobung der Koedukation unter wissenschaftlicher Begleitung der Universitäten eingerichtet.

Erklärter Anspruch der gegenwärtigen Reform ist es, den seit langem als notwendig erkannten Strukturwandel des griechischen Bildungssystems in die Tat umzusetzen. Unumstritten, sowohl im Sinne der Demokratisierung der Bildung als auch im Hinblick auf den erwarteten Nutzen für die Volkswirtschaft, ist die Erhöhung der Pflichtschuljahre auf neun bei gleichzeitiger Reorganisation des unteren Sekundarbereichs (Gymnasion) als selbständige, allgemeinbildende und nicht-selektive Schulform. Das modifizierte gymnasiale Curriculum soll den Erfordernissen der Allgemeinbildung besser gerecht werden und seinen bisherigen, einseitig akademischen Charakter abschwächen. Ein wichtiger Schritt in dieser Richtung ist der Verzicht auf die zeitintensive und schwierige Lektüre altgriechischer Texte aus dem Original, an deren Stelle jetzt neugriechische Übersetzungen treten. Sie werden jedoch nach wie vor im Rahmen des Fachs Altgriechisch gelesen.

Bildungspolitiker haben als bedeutsame Errungenschaft der Reform hervorgehoben, daß die bisherige „Einbahnstraße" vom Gymnasium an die Universität, die eine große Zahl von Abiturienten ohne Berufsvorbereitung und zugleich ohne reale Aussicht auf einen Hochschulplatz fehlgeleitet hatte, unterbrochen wird, indem sich nun am Ende des Gymnasiums vier Wege den Gymnasiasten öffnen: die Fortsetzung ihres Bildungsweges nach bestandener Aufnahmeprüfung erstens in einem Allgemeinbildenden Lyzeum, zweitens in einem Technischen oder Beruflichen Lyzeum, drittens der Besuch einer Technischen oder Beruflichen Schule, dem keine Aufnahmeprüfung vorgeschaltet ist, und schließlich viertens der direkte Übertritt ins Berufsleben.

Mit der Verabschiedung der beiden Rahmengesetze zur Reform des allgemeinen und des beruflichen Schulwesens wurden 883 Allgemeinbildende und 232 Berufliche und Technische Lyzeen gegründet; weitere Neugründungen werden nach Bedarf vorgenommen. Diese Relation der allgemeinbildenden zu den beruflich-technischen Lyzeen von 80 zu 20 zeigt, daß das zentrale Anliegen der Reform, den größeren Teil des Schülerstroms der technisch-beruflichen Bildung zuzuleiten, noch nicht in greifbare Nähe gerückt ist. Die genannte Zielsetzung hat nur dann Aussichten, realisiert zu werden, wenn die technisch-berufliche Bildung mit entsprechender Attraktivität ausgestattet wird, um die Schüler im vorgesehenen Umfang anzuziehen. Gegenwärtig zeigen jedoch die Präferenzen der Gymnasialabsolventen ein nahezu umgekehrtes Bild, das mit der Verteilung der Lyzealtypen weitgehend übereinstimmt: Fast 80 % von ihnen bewarben sich seit Inkrafttreten der Reform an Allgemeinbildenden und nur 20 % an Beruflich-Technischen Lyzeen. Diese Präferenzstruktur wird von

Tabelle 3. Lyzealtypen, Richtungen und Zweige seit 1976/77

Lyzealtyp	Richtung	Ausbildungszweig
Allgemeinbildende Lyzeen	allgemein wirtschaftswissenschaftlich nautisch klassisch	
Technische Lyzeen	Maschinenbau	1. Wärme- und Kältetechnik 2. Industrieanlagen 3. Technisches Maschinenzeichnen 4. Präzisionsinstrumente
	Elektronik	1. Elektrische Inneninstallationen 2. Elektrische Industrieanlagen 3. Elektronik/Automation 4. Elektronisches Zeichnen
	Bauwesen	1. Verkehr und Kanalisation 2. Hochbau 3. Technisches Zeichnen
	Chemie und Metallurgie	1. Chemische Labortechnik 2. Industrielle Chemie 3. Erzminen
	Textilindustrie	1. Spinnerei 2. Weberei 3. Färberei 4. Strickerei
	Handelsschiffahrt	1. Kapitänsausbildung 2. Funkerausbildung 3. Schiffsingenieursausbildung
Berufliche Lyzeen	Wirtschaft und Verwaltung	1. Hotelgewerbe 2. Personenschiffahrt und Transport 3. Buchhalter 4. Büroangestellter 5. Kaufmann
	Landwirtschaft und Viehzucht	1. Gartenbau 2. Landwirtschaftliche Geräte 3. Ackerbau 4. Viehzucht
	Gesundheit und Soziales	1. Säuglingsschwester 2. Zahntechniker 3. Hilfsschwester 4. Ärztebesucher 5. Medizinisch-Technische Assistenz 6. Arzthelfer und Laborant
	Angewandte Kunst	1. Druckereierzeugnisse 2. Keramik und Glasverarbeitung 3. Musik 4. Freies Zeichnen und Malen 5. Kunstschreinerei

Quelle: ’Επιστολή (Offener Brief). Herausgegeben vom Griechischen Bildungsministerium. September 1977; ferner: Gesetz Nr. 309 vom 30. 4. 1976, siehe Anmerkung 4 des vorliegenden Beitrags.

der zuständigen Leitung der Abteilung für technische und berufliche Bildung am griechischen Bildungsministerium auf *psychologische* Gründe und nicht auf objektiv bessere Chancen der Absolventen Allgemeinbildender Lyzeen zurückgeführt. Ziele und Möglichkeiten der Berufsbildungsreform sind nach Auffassung des Generaldirektors in der Bevölkerung noch nicht hinreichend bekannt, und die herrschende Prestige-Hierarchie der Bildungswege und Bildungsabschlüsse ist noch von der Vergangenheit geprägt[18]).

Es ist sicher nicht von der Hand zu weisen, daß ein breiter Anklang in dem kurzen Zeitraum nicht erwartet werden konnte, zumal bis zur Stunde[19]) nicht einmal die Lehrpläne der Beruflichen und Technischen Lyzeen amtlich veröffentlicht wurden, da sie sich noch in Erprobung befinden. Erst mit der verbindlichen Festlegung des Anteils der allgemeinbildenden und der berufsvorbereitenden Fächer wird zu ersehen sein, ob die Beruflich-Technischen Lyzeen eine echte Alternative zu den allgemeinbildenden darstellen oder ob ihnen auch in Zukunft der Makel der bisherigen Einseitigkeit berufspraktischer Bildung anhaften wird. Denn die technisch-berufliche Bildung hatte bis zur Gegenwart einen peripheren Status im griechischen Bildungssystem; die langjährige Untätigkeit des Staates auf diesem Sektor wurde 1959 mit der Einführung der ersten staatlichen Technischen und Beruflichen Schulen am Vorabend des Assoziierungsabkommens mit der EG (damals EWG) unterbrochen,

Tabelle 4. Stundenplan des (Tages-)Gymnasiums

	1. Klasse	2. Klasse	3. Klasse
Religion	2	2	2
Altgriechisch	4	5	4
Neugriechisch	5	4	4
Geschichte	3	2	2
Staatskunde	–	–	1
Mathematik	4	4	4
Fremdsprachen	3	3	3
Geographie/Geologie	1½	1	1
Physik/Chemie	–	3	3
Anthropologie/Hygiene	–	1	–
Biologie (Botanik/Zoologie)	1½	–	1
Musik	1	1	1
Kunst	2	1	–
Sport	2	2	2
Schul- und Berufsorientierung	–	–	1
Technologie	2 (Jungen)	2 (Jungen)	2 (Jungen) 1 (Mädchen)
Hauswirtschaft	2 (Mädchen)	2 (Mädchen)	1 (Mädchen)
	31	31	31

Quelle: Entwurf zu bevorstehender Präsidialverordnung, nach Angaben in: Ἐκπαιδευτικὴ Νομοθεσία (Bildungsgesetzgebung) 3. 1978, S. 92.

[18]) Persönliche Mitteilung des Generaldirektors der technischen und beruflichen Bildung am griechischen Bildungsministerium, Herrn Panagiotis Chatziioannou, im Juli 1978.
[19]) Abschluß des Manuskripts im April 1979.

Tabelle 5. Stundenplan des Allgemeinbildenden Lyzeums allgemeiner Richtung

	1. Klasse	2. Klasse	3. Klasse
Religion	2	2	(noch nicht amtlich
Neugriechisch	4	4	veröffentlicht)
Altgriechisch	6	5	
Geschichte	3	2	
Mathematik	5	4	
Geographie	1	–	
Physik/Chemie	4	3	
Fremdsprachen	3	3	
Sport	3	3	
Musik	1	–	
Kunst	1	–	
Hauswirtschaft	1	–	
Wirtschaftsgeographie	–	1	
Lateinisch	–	–	
	34	27	+ 6 (Wahlfächer) = 33

	Wahlfächer der 2. Klasse	
	Gruppe A	Gruppe B
Altgriechisch	2	–
Geschichte	2	–
Lateinisch	2	–
Mathematik	–	3
Physik/Chemie	–	3

Quellen: Προεδρικόν διάταγμα ὑπ' ἀρ. 373:
Περί τοῦ ὡρολογίου καί ἀναλυτικοῦ προγράμματος τῆς πρώτης (Α´) τάξεως Λυκείου Γενικῆς Κατευ-
θύνσεως, ἡμερησίου καί ἑσπερινοῦ καί τῆς πρώτης (Α´) τάξεως τῶν Προτύπων Ἑλληνικῶν Κλασσι-
κῶν Λυκείων.
(Präsidialdekret Nr. 373: Über den Stundenplan und das Curriculum der ersten (A') Klasse des Tages-
und Abendlyzeums Allgemeiner Richtung und der ersten (A') Klasse der Griechischen Klassischen Lyzeen),
abgedruckt in: Ἐκπαιδευτική Νομοθεσία(Bildungsgesetzgebung). 7/8 1978, S. 213–223. Ferner: Entwurf
zu bevorstehendem Präsidialdekret, nach Angaben in: Ἐκπαιδευτική Νομοθεσία(Bildungsgesetzgebung).
9. 1978, S. 253.

als der Mangel an technologisch ausgebildeten Arbeitskräften mittleren und höheren Qualifikationsniveaus bereits deutlich fühlbar wurde[20]).

Zu den allgemeinbildenden Fächern, die an Technischen und Beruflichen Lyzeen
unterrichtet werden sollen, gehören naturwissenschaftliche und philologische Fächer sowie Staatskunde; hinsichtlich des berufsvorbereitenden Unterrichts umfassen
die Technischen und die Beruflichen Lyzeen verschiedene Richtungen, die sich in
mehrere Ausbildungszweige untergliedern (vgl. Tabelle 3).

Das Ausmaß der geplanten Differenzierung im Curriculum und Lehrplan zwischen den drei Richtungen des Allgemeinbildenden Lyzeums ist noch nicht bekannt,
denn bis zur Stunde sind nur die Entwürfe der Lehrpläne für die 1. und 2. Klasse des
Allgemeinbildenden Lyzeums allgemeiner Richtung amtlich veröffentlicht worden.

---

[20]) Eingeführt mit dem Gesetz Nr. 3971: Über die Organisation und Verwaltung des allgemeinen, technischen und beruflichen Schulwesens vom 2.9. 1959.

Eine Innovation, die der Hervorhebung wert ist, stellt die Einführung zweier Gruppen von Wahlfächern dar: einer philologischen und einer naturwissenschaftlichen Fächergruppe, die jeweils zu einem philologischen und einem naturwissenschaftlichen Abiturtyp führen. Mit dem Erwerb des ersten (Typ A) wird zugleich die Hochschulzugangsberechtigung für theologische, philosophische und juristische Fakultäten sowie für die Hochschule für politische Wissenschaften in Athen erworben; der Erwerb des zweiten (Typ B) impliziert die Zugangsberechtigung für polytechnische, naturwissenschaftliche, medizinische, zahnmedizinische, veterinärmedizinische und landwirtschaftliche Fakultäten bzw. Hochschulen.

Die Hochschulplätze sollen nach Ablauf einer Übergangszeit nach den Leistungen vergeben werden, die in zwei schriftlichen Prüfungen jeweils am Ende der vorletzten und der letzten Klasse des Lyzeums auf nationaler Ebene von den Schülern erreicht werden. Damit ist die Hoffnung verknüpft, ein gerechteres Verfahren zur Verteilung der knappen und außerordentlich begehrten Hochschulplätze an die Stelle der alten Aufnahmeprüfung treten zu lassen.

Ein zweifellos hohes Verdienst der gegenwärtigen Reform ist schließlich die Beendigung der jahrzehntelangen Auseinandersetzungen über die Sprache, durch die einerseits der politische Dissens über dieses Problem überwunden, andererseits die Überrepräsentation des reinen Sprachunterrichts im Lehrplan und die damit verbundenen Benachteiligungseffekte für Kinder aus nicht-akademischen Schichten beseitigt werden.

Die Bedeutung der bisher in Griechenland fehlenden empirischen Forschung über das Bildungssystem ist in der neuen Reform erkannt, die Gründung des Zentrums für Bildungsstudien und Lehrerfortbildung (Kentron Ekpaidevtikon Meleton kai Epimorfoseos) soll ihr Rechnung tragen und einen Beginn in dieser Richtung darstellen; die Tätigkeit des 1976 gegründeten Zentrums, zu dessen Hauptaufgaben die Curriculumentwicklung und die Lehrerfortbildung gehören sollen, befindet sich gegenwärtig noch in ihrer Anlaufphase.

IV. Volksbildung

Auf dem weiten Gebiet nicht-formaler Bildungsprozesse, das früher mit dem Terminus „Volksbildung"[21]) belegt wurde, begegnet in Griechenland eine Vielzahl von Aktivitäten, die einer festen Tradition und einer aus ihr hervorgegangenen theoretischen Fundierung, wie dies in nord- und mitteleuropäischen Ländern häufig der Fall ist, entbehrt. Weder aus der griechischen Kirche noch aus der Arbeiterbewegung hat sich eine solche richtungweisende Konzeption entwickelt. Die unanfechtbare Dominanz des akademischen Bildungsideals trug ihrerseits zur Abwertung jeg-

---

[21]) Infolge der veränderten Funktion des ehemals mit „Volksbildung" bezeichneten quartären Erwachsenenbildungsbereichs, der sich nunmehr zu einer funktionalen Einheit mit der Jugendbildung im Rahmen des lebenslangen Lernens zusammenschließt, werden in den Erziehungswissenschaften heute die Termini „Erwachsenenbildung" und „Weiterbildung" verwendet. Vgl. hierzu Recum, H. v., unter Mitarbeit von M. Kelpanides und M. Weiß: Internationale Tendenzen der Weiterbildung. Frankfurt 1979, S. 11ff. In den amtlichen griechischen Bezeichnungen findet sich aber nach wie vor der Terminus „Volksbildung". Aus diesem Grunde werden im Text alle drei Termini je nach Kontext verwendet.

licher Bildungsaktivität außerhalb des formalen Bildungssystems bei und besiegelte für lange Zeit den bloß peripheren Status der letzteren.

Mehrere private und öffentliche Träger entwickelten zwar jeweils eigene Schwerpunkte in ihrer Bildungsarbeit, die auf unterschiedliche Adressaten (Frauen, Arbeiter, ländliche Jugend u. a.) ausgerichtet waren und jeweils unterschiedliche Zielsetzungen hatten (karitative, ethisch-moralische, nationalerzieherische und literarische), eine effektive Kooperation im Rahmen eines Dachverbandes fand aber nicht statt.

Das Apostolische Diakonat als offizielle Organisation der griechischen Kirche und eine Reihe christlicher Vereine tragen einen erheblichen Teil von Erwachsenenbildungsaktivitäten, die jedoch weitgehend dem Katechismus zuzurechnen sind und daher eine Form religiös gebundener Erwachsenenbildung darstellen.

An der staatlichen Tätigkeit im Bereich der Erwachsenenbildung beteiligen sich mehrere Ministerien; den größten Anteil unter ihnen haben die Ministerien für Landwirtschaft, Arbeit, Kultur und Wissenschaft sowie insbesondere das Bildungsministerium. Während sich die Tätigkeit des Landwirtschaftsministeriums in erster Linie auf den landwirtschaftlichen Beratungsdienst konzentriert, der Informationen, Innovationen und Problemlösungsvorschläge zur Erhöhung der landwirtschaftlichen Produktivität an die Landwirte heranträgt, gehört zum Aufgabenfeld des Arbeitsministeriums im wesentlichen die Hebung des kulturellen Niveaus der Arbeiter. Dem Kultur- und Wissenschaftsministerium untersteht der Bereich allgemein-kultureller Aktivitäten, insbesondere solcher, die die Pflege der Kultur und Geschichte des Landes betreffen. Im Mittelpunkt der Tätigkeit des Bildungsministeriums auf dem Gebiet der Erwachsenenbildung stand seit der Gesetzgebung von 1929 die Bekämpfung des Analphabetismus[22]).

Durch die Ausdehnung des Primarschulnetzes wurde seit Beginn des 20. Jahrhunderts die Zahl der Analphabeten unter den jüngeren, von der Schulpflicht erfaßten Altersgruppen kontinuierlich gesenkt (vgl. Tab. 6 und 7). Die Volkszählung von 1951 wies jedoch einen insgesamt immer noch so hohen Analphabetenanteil unter der griechischen Bevölkerung auf, daß die alarmierte Regierung Schritte beschloß, die zur Verabschiedung des Gesetzes „Über Maßnahmen zur Bekämpfung des Analphabetismus" im Jahre 1954 führten, durch das Abendvolksschulen für Jugendliche unter 20 Jahren ohne Volksschulabschluß und Unterrichtszentren für Erwachsene, die den Volksschulabschluß freiwillig nachholen wollen, eingeführt wurden. Wesentlichen Anteil an der Durchführung der Gesetzesbestimmungen erhielten die neugegründeten Bezirkskommissionen (Nomarchiakai Epitropai Laikis Epimorfoseos).

Heute ergibt sich folgendes Bild über die statistische Verteilung des Analphabetentums: Die älteren Gruppen weisen zwar allgemein einen höheren Analphabetenanteil auf, aber auch der Anteil von Analphabeten an der beruflich aktiven

---

[22]) Die Maßnahmen zur Erwachsenenbildung waren nur ein Teil der umfassenden Strukturreform des formalen Schulwesens im Jahre 1929. Durch sie wurden Sonntags- und Abendschulen eingeführt, um den Analphabetismus sowohl bei Jugendlichen als auch insbesondere bei berufstätigen Erwachsenen zu bekämpfen. Der erwartete Erfolg blieb weitgehend wegen unzureichender Lösung des Finanzierungsproblems aus.

Tabelle 6. Entwicklung des Volksschulbesuchs (1830–1950)

Jahr	Zahl der Schüler (1000)	% der Altersgruppe
1830	6	8
1855	35	29
1860	45	30
1866	52	33
1878	79	40
1895	158	53
1901	189	63
1908	241	72
1924	570	74
1928	636	82
1937	977	88
1950	921	97

Quelle: Dendrinou-Antonakaki, K.: Greek education. Reorganization of the administrative structure. New York 1955, S. 22.

Tabelle 7. Verteilung der Analphabeten in der Bevölkerung älter als 10 Jahre nach Geschlecht (1907–1961)

Jahr		Bevölk. älter als 10 J. (in 1000)	Absolut		In %	
			Alphabeten	Analphabeten	Alphabeten	Analphabeten
1907	Zusammen	1912,5	755,2	1157,3	39	61
	Männer	953,0	567,7	385,3	60	40
	Frauen	959,5	187,5	772,0	20	80
1920	Zusammen	3766,7	1807,4	1959,3	48	52
	Männer	1859,8	1229,4	630,4	66	34
	Frauen	1907,0	578,0	1329,0	30	70
1928	Zusammen	4672,0	2718,1	1954,0	58	42
	Männer	2305,0	1756,0	549,0	76	24
	Frauen	2367,0	962,2	1405,0	41	59
1951	Zusammen	6140,4	4692,2	1448,1	76	24
	Männer	2958,8	2633,2	325,5	89	11
	Frauen	3181,6	2059,0	1122,6	65	35
1961	Zusammen	6888,1	5668,1	1220,0	82	18
	Männer	3332,8	3082,8	250,0	92	8
	Frauen	3555,3	2585,3	970,0	73	27

Quelle: National Statistical Service of Greece. Statistical Yearbook of Greece 1963. Athen 1964. Übernommen aus: Rigas, A.: Die Entwicklung der Erwachsenenbildung in Griechenland im Verhältnis zu Skandinavien und dem deutschsprachigen Raum. Köln 1970, S. 91.

Gruppe der 45- bis 64jährigen (über 20 %) ist für ein europäisches Land im Jahre 1971 hoch (vgl. Tab. 8). Ebenfalls bedenklich bleibt der nach wie vor erheblich höhere Anteil der Analphabeten unter den Frauen der mittleren Altersgruppen, im Verhältnis zu den Männern, der auf das Beharrungsvermögen traditioneller Rollenvorstellungen überwiegend unter der Landbevölkerung hinweist. Darüber hinaus kann nicht übersehen werden, daß die griechische Statistik einen noch höheren Anteil von Halbalphabeten in der Bevölkerung ausweist, zu welchen diejenigen Perso-

Karte 9: Absolventen des Primarschulwesens 1971

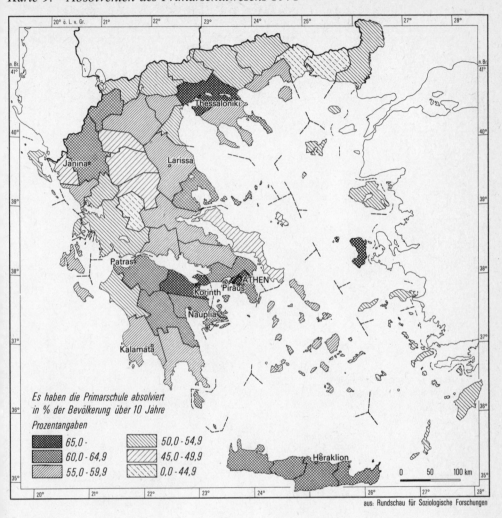

Es haben die Primarschule absolviert
in % der Bevölkerung über 10 Jahre
Prozentangaben

65,0 -
60,0 - 64,9
55,0 - 59,9
50,0 - 54,9
45,0 - 49,9
0,0 - 44,9

aus: Rundschau für Soziologische Forschungen

Karte 10: Absolventen des Sekundarschulwesens 1971

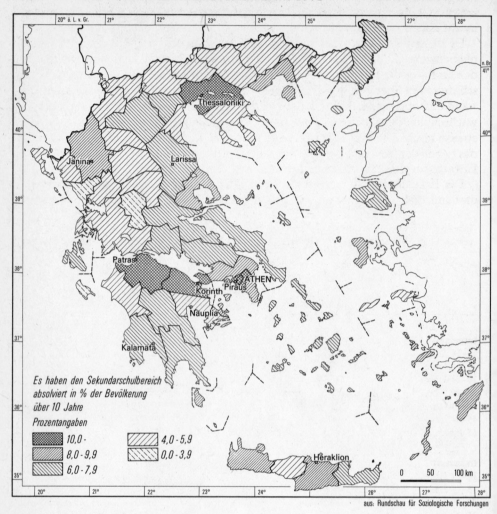

Es haben den Sekundarschulbereich
absolviert in % der Bevölkerung
über 10 Jahre

Prozentangaben

10,0 -	4,0 - 5,9
8,0 - 9,9	0,0 - 3,9
6,0 - 7,9	

aus: Rundschau für Soziologische Forschungen

nen gezählt werden müssen, die die Volksschule zeitweise besucht, aber nicht abgeschlossen haben, sowie Personen, die keine Angaben über ihren Bildungsstand gemacht haben (vgl. Tab. 8).

Es ist kritisch angemerkt worden, daß der nachweisbare Rückgang des Analphabetismus in den letzten Jahrzehnten in seiner Bedeutung nicht überschätzt werden darf, weil die Mindestanforderungen an Wissen und Bildung in heutigen Gesellschaften weit über dem Niveau der schlichten Alphabetisierung liegen. Dieser Einwand deutet gleichzeitig auf den veränderten Stellenwert und die Funktion der Erwachsenenbildung in der Gegenwart hin; beschleunigte Wissensakkumulation, aber ebenso rasche Veralterung erworbenen Wissens, Umweltveränderungen, die tief in das Leben der Individuen eingreifen, wirtschaftlicher und sozialer Wandel haben der Erwachsenenbildung ein neues, erweitertes Aufgabenfeld eröffnet.

Die Erkenntnis, daß Lernen nicht nur auf die Jugendjahre konzentriert werden darf und daher nicht mehr ausschließlich in formalen Bildungsgängen des herkömm-

Tabelle 8. Personen ohne Primarschulabschluß, Personen, die keine Angaben über ihren Bildungsstand gemacht haben und Analphabeten in der Bevölkerung über 10 Jahre nach Geschlecht und Alter (1971)

Alter	Personen ohne PS-Abschluß	Personen, die keine Angaben zum Bildungsstand gemacht haben	Analphabeten	
			absolut	in % der Altersgruppe
Zusammen				
Insgesamt	2382884	280644	1015180	13,97
10–14 Jahre	307652	15368	7336	1,01
15–19 Jahre	40704	7544	12208	1,83
20–24 Jahre	46664	5280	14008	2,20
25–29 Jahre	65300	6036	18828	3,73
30–44 Jahre	631636	50144	190860	9,96
45–64 Jahre	764520	95752	378024	20,28
65 Jahre und älter	526408	100520	393916	41,16
Männer				
Insgesamt	928392	64340	216940	6,16
10–14 Jahre	161844	7964	3444	0,93
15–19 Jahre	19096	3752	5752	1,70
20–24 Jahre	19236	2228	5820	1,77
25–29 Jahre	21620	1956	5772	2,35
30–44 Jahre	234272	12276	46836	5,10
45–64 Jahre	286888	19120	76412	8,55
65 Jahre und älter	185436	17044	72904	17,41
Frauen				
Insgesamt	1454492	216304	798240	21,26
10–14 Jahre	145808	7404	3892	1,10
15–19 Jahre	21608	3792	6456	1,97
20–24 Jahre	27428	3052	8188	2,66
25–29 Jahre	43680	4080	13056	5,04
30–44 Jahre	397364	37868	144024	14,43
45–64 Jahre	477632	76632	301612	31,10
65 Jahre und älter	340972	83476	321012	59,62

Quelle: National Statistical Service of Greece. Statistical Yearbook of Greece 1977. Athen 1978, S. 130.

lichen Bildungssystems erworben werden kann, sondern sich auf das ganze Leben und prinzipiell auf alle Situationen erstreckt, hat durch die Aktivität internationaler Organisationen, insbesondere der UNESCO und der OECD, in fast allen Ländern Anerkennung erlangt. Griechenland hat als eines der ersten Länder gemäß dem Beschluß, der am 26. November 1976 von der UNESCO-Konferenz in Nairobi gefaßt wurde, Maßnahmen zur Reorganisation seiner Erwachsenenbildung als wichtigem Abschnitt des lebenslangen Lernens getroffen, die im wesentlichen ihren Niederschlag in dem „Neuen Tätigkeitsstatut der Volksbildungszentren" (1976) und in den „Allgemeinen Richtlinien der Weiterbildung" (1977) gefunden haben.

In diesen Dokumenten wird der Begriff der Erwachsenenbildung nicht mehr auf seine herkömmliche Bedeutung im Sinne eines kompensatorischen Nachholens von elementaren Grundkenntnissen eingeengt, sondern im neuen, erweiterten Sinne gefaßt: als permanente Erneuerung, Ausweitung und Vertiefung der einst in formalen Ausbildungsgängen erworbenen Kenntnisse. Für die Organisation des lebenslangen Lernens werden bereits auf internationaler Ebene umfassende bildungspolitische Strategien und Modelle konzipiert[23]); ihr Adressat sind Erwachsene *aller* Bildungsschichten und Altersgruppen.

Die Neuorientierung der Erwachsenenbildung in Griechenland trägt diesen Erkenntnissen programmatisch Rechnung: „Die Erwachsenenbildung, die auf die Verwirklichung der längsten Phase des lebenslangen Lernens gerichtet ist, … deckt alle Aspekte des Lebens und alle Wissensbereiche ab und wendet sich an alle Menschen in jedem Bildungs-, Erfahrungs- und Positionsniveau"[24]).

Durch die eingeleitete Reorganisation der bestehenden Erwachsenenbildungszentren soll den Teilnehmern die Entfaltung eigener Initiative stärker als bisher ermöglicht werden, indem an die Stelle von Vorträgen und sonstigen kulturellen Einzelveranstaltungen nun mehrmonatige Kurse mit vielfältiger Thematik treten, die auf der aktiven Mitarbeit aller Beteiligten beruhen.

Bei der jüngsten administrativen Reorganisation des dem Bildungsministerium unterstehenden Erwachsenenbildungsbereichs konnten Empfehlungen des UNESCO-Experten, der Anfang 1972 auf Anfrage der griechischen Regierung tätig wurde, teilweise verwirklicht werden. Die Realisierung derjenigen Vorschläge hingegen, die mit einer längerfristigen Perspektive formuliert wurden, steht noch aus[25]).

Von Bedeutung für die weitere Entwicklung ist die bereits geschaffene administrative Struktur, die eine nationale, eine regionale und eine lokale Organisationsebene aufweist. Zur nationalen Ebene gehört die mit beratender Funktion dem Bildungsminister unterstehende Zentrale Kommission für Volksbildung (Kentriki Epitropi Laïkis Epimorfoseos) und die als ausführendes Organ fungierende Abteilung für Volksbildung des Bildungsministeriums. Auf regionaler Ebene sind die Bezirkskommissionen für Volksbildung (Nomarchiakai Epitropai Laïkis Epimorfoseos), die ihren Sitz in der Bezirkshauptstadt eines jeden der 51 Bezirke (Nomoi) Griechen-

[23]) Vgl. hierzu Recum, H. v.: Internationale Tendenzen, op. cit., S. 19 ff.
[24]) Γενικές Κατευθυντήριες Γραμμές 'Επιμορφώσεως (Allgemeine Richtlinien der Weiterbildung), in: Κανονισμός Λαϊκῆς 'Επιμορφώσεως (Statut der Volksbildung), herausgegeben vom Griechischen Bildungsministerium. Athen 1977, S. 15.
[25]) Vgl. die detaillierten Vorschläge und Empfehlungen des UNESCO-Experten T. Coles in seinem Bericht: Greece. Adult Education. UNESCO, Paris 1974.

lands haben, mit wichtigen Befugnissen ausgestattet. Zur lokalen Gemeindeebene gehören schließlich die Volksbildungszentren (Kentra Laïkis Epimorfoseos), in denen die eigentliche Erwachsenenbildungsarbeit stattfindet; darüber hinaus gibt es noch Abendvolksschulen für Analphabeten. Die Gründung, Eröffnung und Schließung der Zentren und Abendschulen obliegt der zuständigen Bezirkskommission, die auch die Leiter der Zentren einstellt. Darüber hinaus organisieren die Bezirkskommissionen in Gemeinden außerhalb des Einzugsbereichs der Zentren Weiterbildungsveranstaltungen und Abendkurse für Analphabeten.

Nachteilig an der gegenwärtigen Konzeption der Erwachsenenbildungszentren ist die geringe Kontinuität ihrer Tätigkeit: Ein Zentrum wird geschlossen, wenn die Beteiligung eine festgelegte Grenze unterschreitet; mit den eingesparten Mitteln eröffnet die Bezirkskommission dann ein Zentrum in einer anderen Gemeinde. Das Fehlen eines hauptamtlichen Mitarbeiterstabes hängt mit der erwähnten Diskontinuität ihrer Tätigkeit zusammen; die Leiter der Zentren, die zumeist Volksschullehrer sind, sowie ihre Mitarbeiter werden nur nebenamtlich angestellt, abgesehen von wenigen Ausnahmen.

Weitere Aspekte der noch zu geringen Institutionalisierung der Erwachsenenbildung in Griechenland sind das Fehlen hauptamtlichen Verwaltungspersonals für die Durchführung der Aufgaben der Bezirkskommissionen, ferner das Fehlen einer für die Erwachsenenbildung ausschließlich zuständigen Aufsicht, die gegenwärtig von Inspektoren des Primar- und Sekundarschulwesens ausgeübt wird.

Im Hinblick auf die angestrebte Aktivierung und Förderung bestehender privater Erwachsenenbildungsaktivitäten auf regionaler Ebene ist eine repräsentativere Zusammensetzung der Bezirkskommissionen notwendig[26]. Eine geeignetere Form der Vertretung wurde von dem UNESCO-Experten ebenfalls für die Zentrale Kommission für Volksbildung bei Erweiterung ihrer Mitgliederzahl empfohlen, sofern nicht auf höchster Ebene ein Nationaler Rat für Volksbildung geschaffen wird, in dem alle relevanten gesellschaftlichen Gruppen vertreten sein würden[27].

Die Beteiligung an Bildungsgängen der Erwachsenenbildung ist insgesamt noch sehr niedrig. Die fehlende Kontinuität in der Arbeit der Zentren wirkt sich auf die Teilnahme stark aus. Im Schuljahr 1977/78 haben in ganz Griechenland 201 Zentren den Lehrbetrieb aufrechterhalten (zum Vergleich: 1972/73 waren es 1287 Zentren). Ihr breit gestreutes Angebot an Kursen drei- bis neunmonatiger Dauer (vgl. Tab. 9) wurde von insgesamt 61 000 Erwachsenen (weniger als 0,7 % der erwachsenen Bevölkerung) besucht, an Einzelveranstaltungen (Vorträgen, Vorführungen u. ä.) haben etwa 134 000 Erwachsene teilgenommen[28]. Darüber hinaus haben die

---

[26]) Die Zusammensetzung der Bezirkskommission ist folgende: Ihr Vorsitzender ist der Nomarch (Nomos = Bezirk), Ehrenvorsitzender der Metropolit, ihre Mitglieder sind der Bürgermeister der Bezirkshauptstadt, der Leiter der Abteilung für Soziales, der älteste unter den Inspektoren des Primarschulwesens des Bezirks, der älteste unter den Generalinspektoren des Sekundarschulwesens, der Leiter der Abteilung für Landwirtschaft und ein Vertreter der wichtigsten privaten Erwachsenenbildungsvereine.

[27]) Der UNESCO-Experte schlug die Bildung eines Nationalen Rats auf höchster Ebene, ,,an interministerial council for continuing education, incorporating representatives of non-statutory interests" (vgl. UNESCO, Adult Education, op. cit., S. 7), mit interministerieller Zusammensetzung unter Einbeziehung von Vertretern der regionalen Verwaltung und der privaten Träger vor.

[28]) ''Εκθεση Πεπραγμένων ἐπιμορφωτικοῦ ἔτους 1977/78 (Bilanz des Weiterbildungsjahres 1977/78), herausgegeben vom Griechischen Bildungsministerium. Athen 1978, S. 7.

Tabelle 9. Von den Volksbildungszentren angebotene Kurse nach Themengebieten

Themengebiet	Dauer											
	20 bis 24 Stunden (dreimonatig)				40 bis 48 Stunden (sechsmonatig)				60 bis 72 Stunden (neunmonatig)			
	Zahl der Kurse	Zahl der Stunden	Teilneh-mer (M)	Teilneh-mer (W)	Zahl der Kurse	Zahl der Stunden	Teilneh-mer (M)	Teilneh-mer (W)	Zahl der Kurse	Zahl der Stunden	Teilneh-mer (M)	Teilneh-mer (W)
Religion	29	568	259	405	18	750	161	290	16	823	113	274
Philosophie	12	306	115	148	5	170	49	56	5	354	74	92
Sozialwissensch.	129	2580	1488	1163	41	1588	464	544	26	1457	367	317
Schöne Künste:												
Musik	30	751	384	169	38	1704	654	235	66	4381	875	555
Chor	14	271	182	71	9	350	167	106	20	1242	258	235
Kupferstich	46	1034	221	714	44	1804	206	826	35	2187	229	689
Dekoration	14	314	2	343	9	384	20	169	8	478	25	166
Malerei	10	210	85	107	23	984	224	359	12	744	89	199
Sonstige schöne Künste	30	686	73	521	15	658	138	246	12	720	91	163
Literatur	14	298	99	172	12	302	99	111	10	587	103	122
Geschichte	19	391	241	196	14	492	183	120	2	80	18	18
Geogr./Volksk.	30	622	306	317	16	586	212	131	5	330	49	60
Griech. Sprache	10	208	111	134	5	178	42	102	12	748	165	123
Fremdsprachen:												
Englisch	55	1254	570	583	56	2364	605	635	116	7597	1216	1353
Französisch	15	436	90	211	17	690	134	216	35	2115	226	491
Deutsch	8	204	83	65	8	318	81	87	20	1344	215	277
Italienisch	6	138	44	55	5	184	138	69	15	1005	123	202
And. Fremdspr.	–	–	–	–	–	–	–	–	–	–	–	–
Physik/Chemie/ Mathematik	26	510	288	182	35	1284	466	278	24	1458	319	197
Gesundheit/ Vorsorge	74	1429	769	986	24	868	223	294	16	806	54	288

Maschinenschr./Steno	75	1870	344	1310	24	1046	156	404	15	556	50	249
Nähen/Sticken	104	2345	–	2039	219	9600	2	4760	213	13946	–	4596
Auto/Maschin.	47	912	764	165	45	1821	832	114	22	1307	420	61
Kochen/Backen	12	254	17	233	18	696	–	321	5	320	–	99
Schreinern	–	–	–	–	–	–	–	–	–	–	–	–
Klempnerarb.	–	–	–	–	–	–	–	–	–	–	–	–
Hausbau	–	–	–	–	–	–	–	–	–	–	–	–
Sonstige prakt. Kenntn.	46	961	276	680	13	506	86	184	23	1354	162	471
Sport	58	1102	989	613	36	1453	545	253	26	1596	392	285
Sonstiges	60	1261	675	579	19	583	273	212	7	383	107	154
Insgesamt	1148	24091	11244	13019	835	33766	7095	11608	791	49612	6027	12008

Quelle: ''Εκθεση Πεπραγμένων ἐπιμορφωτικοῦ ἔτους 1977–78 (Bilanz des Weiterbildungsjahres 1977/78). Hrsg. vom Griechischen Bildungsministerium. Athen 1978, S. 6 und 7.

Tabelle 10. Teilnahme an drei- bis neunmonatigen Kursen nach Alter und Geschlecht

Alter	Männer	% der Altersgruppe an der Gesamtheit der Männer	% der Männer an der jeweiligen Altersgruppe der Teilnehmer	Frauen	% der Altersgruppe an der Gesamtheit der Frauen	% der Frauen an der jeweiligen Altersgruppe der Teilnehmer
unter 20	10233	41,99	40,12	15271	41,68	59,88
21–40	8939	36,68	35,39	16317	44,53	64,61
41–60	4488	18,41	48,62	4743	12,94	51,37
61 u. m.	706	2,89	69,90	304	0,82	30,10
Gesamt	24366			36635		

Quelle: ''Εκθεση Πεπραγμένων ἐπιμορφωτικοῦ ἔτους 1977–78 (Bilanz des Weiterbildungsjahres 1977/78). Hrsg. vom Griechischen Bildungsministerium. Athen 1978, S. 9.

Bezirkskommissionen – wenn auch nur in geringem Umfang – Kurse und Einzelveranstaltungen in Gemeinden ohne eigenes Zentrum direkt angeboten.

Unter den Teilnehmern überwiegen die jüngeren Altersgruppen: 40 % sind unter 20, 80 % sind unter 40 Jahre alt[29]). Diese Feststellung legt einerseits nahe, daß stärkere Bemühungen zur Aktivierung der älteren Gruppen notwendig sind, deutet aber andererseits darauf hin, daß die Erwachsenenbildung Funktionen des beruflichen und des allgemeinen Schulwesens, insbesondere in benachteiligten Regionen, übernimmt, in denen keine ausreichenden Berufs- und Allgemeinbildungsmöglichkeiten für die Jüngeren bestehen. Der Erwachsenenbildung fällt hier sowohl die Aufgabe zu, ein substitutives Angebot beruflicher Bildung bereitzustellen als auch allgemein-kulturelle Anregungen und Impulse anzubieten.

Die generell ungleiche Beteiligung der Generationen an der Erwachsenenbildung zeigt sich ebenfalls am Rückgang des Besuchs von Abendvolksschulen; er ergibt sich aus der sinkenden Beteiligung der jüngeren Altersgruppen am Besuch der Abendvolksschulen, weil die schulpflichtigen Jahrgänge vom Schulnetz nahezu lückenlos erfaßt werden, während die ältere Generation mit ihrem hohen Analphabetenanteil, für die der Besuch der Abendvolksschule in besonderem Maße vonnöten wäre, der Abendschule fernbleibt[30]).

V. Zusammenfassung

Die bisherige Entwicklung des griechischen Bildungssystems zeigt eine geringe Fähigkeit, seine Inhalte und Strukturen an gewandelte Anforderungen anzupassen. Eine langsame Öffnung gegenüber neuen ökonomischen und gesellschaftlichen Erfordernissen deutete sich an in der zögernden Integration von Bildungsbereichen, die durch das Vorherrschen des klassischen Bildungskanons lange Zeit als minderwertig aus dem formalen Bildungssystem ausgesperrt geblieben sind: So war die Einbeziehung der bis 1959 „vergessenen" Berufsbildung in das staatliche Bildungssystem eine wichtige Etappe in diesem Prozeß, die die gegenwärtige Reform, ohne den Vorrang der Allgemeinbildung in Frage zu stellen, ausbaut; die sich in naher Zukunft abzeichnende Institutionalisierung der Erwachsenenbildung wird möglicherweise eine nächste sein.

Die von der gesellschaftlichen Modernisierung verlangte stärkere Integration der gesellschaftlichen Subsysteme untereinander bedeutet für das Bildungssystem zwar nicht, daß es sich auf die Belieferung des Wirtschaftssystems mit ökonomisch verwertbaren Fachkenntnissen und Fertigkeiten beschränken soll und seinen umfassenden Erziehungsanspruch preisgeben soll. Zu den neuen Anforderungen, die sich an das Bildungssystem richten, gehören auch gerade Erziehungs- und Orientierungsbedürfnisse, die aus der Ungleichzeitigkeit der Entwicklung in verschiedenen Bereichen und dem daraus erwachsenden Nachholbedarf entstehen.

---

[29]) Bilanz, op. cit., S. 9.
[30]) Während im Jahre 1975/76 1672 Erwachsene die Abendvolksschule besuchten, waren es 1977/78 nur halb so viele. Ein entsprechender, aber nicht ganz so starker Rückgang zeigt sich auch bei denjenigen Personen, die aufgrund privater Vorbereitung den Volksschulabschluß erreichten: 1976/77 erhielten nach bestandener Prüfung das Abschlußzeugnis 2769 Personen, 1977/78 waren es nur 2671; vgl. dazu Bilanz, op. cit., S. 34.

Diesen vielfältigen Anforderungen kann das griechische Bildungssystem nur entsprechen, wenn es seine Inhalte, Strukturen und Konzepte weiter differenziert, bis es die Adressaten erreicht; sein Erziehungsanspruch kann gerade dann eingelöst werden, wenn an die Stelle kanonisierter Lehrbuchweisheiten moderne, gegenwartsbezogene Fragen und Probleme treten. Andernfalls wird die Erziehung de facto anderen gesellschaftlichen Sozialisationsagenturen überlassen.

In der gegenwärtigen Phase, in der Griechenland einen raschen innergesellschaftlichen Wandel durchläuft und zugleich auch bestrebt ist, seine Position im internationalen System zu verbessern, kann die Zusammenarbeit mit internationalen Organisationen, die bereits besteht, von besonderem Nutzen sein. Ihre finanzielle Hilfe, fachliche Beratung und Anleitung bieten Chancen, nationale Alleingänge in einer komplexen und zunehmend stärker auf Kooperation angewiesenen internationalen Gesellschaft zu vermeiden. Dies erscheint um so notwendiger, als bei aller Anerkennung des besonderen Rechts jeden Landes, gemäß eigenen Traditionen seinen Weg zu gestalten, die quasi-gesetzmäßigen Etappen gesellschaftlicher Entwicklung realistischerweise nicht übersehen werden können. Sie legen nahe, daß historische Erfahrungen fortgeschrittener Länder den nachfolgenden zunutze kommen können. Denn, wie schon einmal den Nachzüglern gedeutet wurde: de te fabula narratur.

Tertiary Education and Research

Alexis Dimaras, Athens

I. Tertiary Education: 1. Introduction – 2. University Level Institutions: a) Background b) Expansion – 3. Non-University Level Institutions: a) Teacher Training b) Higher Technical and Vocational Education Centres (KATEE) – 4. Current Problems: a) Entrance Examinations b) Reorganisation at University Level – II. Research: 1. Universities – 2. Specialist Institutions

I. Tertiary Education

1. Introduction

The line which now divides secondary from tertiary education in the Greek system is distinct: there is no overlapping between the two sections and, as a general rule, passing from secondary to tertiary depends on a network of examinations and is further restricted by a *numerus clausus*. Within this third level another distinction is made, which is equally important and characteristic: University level education is clearly distinguished from any other type of tertiary education. The difference lies mostly in the length of study required for a first degree, the way senior members of staff are selected, and financial arrangements. Thus, university level institutions are basically self-supporting, elect their professors and require at least four years of study, while all other post-secondary institutions are financed by state funds, have their teaching staff appointed by the Ministry of Education and offer courses which do not exceed a three year period[1]).

These characteristics, though not unique to Greece, are nevertheless in harmony with more general aspects of her educational system which is based on the principles of uniformity, preference for academic rather than vocational courses, and clear-cut distinctions between levels and streams. The maintenance of this pattern is guaranteed by the Constitution and controlled by a powerful central authority, the Ministry of Education[2]). With few modifications – most of which do not affect its philosophy – the system has functioned on this basis from the late 1830's when it was first established as part of the general organisation of the new state[3]).

As a result of circumstances but also under the influence of the general admiration for the German educational system during the early 19th century, all these characteristics are directly or indirectly reminiscent of Bavarian or Prussian patterns. Based on

---

[1]) The terms used in Greek for the two sections of tertiary education are *anotati* (= highest) for the university level, and *anotera* (= higher) for the other institutions. Out of 111 441 students enrolled in tertiary level institutions in 1974–75, 83.4 % attended university level institutions (35.2 % of them women). As far as financing is concerned it should be made clear that both types of institutions depend on state funds; the degree of their independence lies in the administration of their own budgets: university level institutions are relatively free to arrange theirs according to their will.

[2]) An up-to-date (1977) synopsis of the Greek educational system (its philosophy and tendencies) is given in English in the articles of a special issue of Comparative Education Review, 22. 1. 1978.

[3]) Cf. Petropoulos, J. A.: Politics and Statecraft in the Kingdom of Greece 1833–1843. Princeton 1968.

a strange combination of views and practices of Fichte, Humboldt, and other German philosophers and educators, the Greek system was from the beginning orientated towards theory rather than practice, and towards the values of the classical past rather than towards the problems of the present. The University of Athens–initially named *Othonian* after King Otto (former Prince of Bavaria)–was organised according to German prototypes by the successive efforts of two members of the Bavarian Regency, former professor at the University of Munich Ludwig-Georg von Maurer and Count Joseph von Armansperg.

In its first year, 1837, the University had 28 professors, one fourth of whom were German scholars who had come to Greece as philhellenes during the War of Independence or had accompanied the King in 1833. It presented the following distribution of students and auditors in its four faculties[4]):

Faculty of Philosophy   18 students   3 auditors
Faculty of Law   23 students   71 auditors
Faculty of Theology   8 students
Faculty of Medicine   4 students

Things have of course changed since that first day. But changes over the years seem to be mostly quantitative and operational. It is, for instance, difficult to attribute to mere coincidence the fact that the percentage of Law students in the total student population was the same in 1974–75 as in 1837–38 (42.5 and 43.0 % respectively). And it is not without significance that between these two periods no new faculty has been founded in the University of Athens – there have only been two divisions of faculties (Medicine and Dentistry; Philosophy and Mathematics-Sciences). It is also noteworthy in this respect that in the University of Athens the professor/student ratio has deteriorated from 1:5 (including auditors) in 1837, to 1:46 in 1904–05, and was 1:132 in 1974–75 (see also Table 3 below)[5]).

This last remark leads to the identification of a further characteristic of the system related to the way in which changes have taken place. Again the procedure is not unique to Greece, but it seems that here more than in other systems where a *laisser-faire* policy has been more or less officially adopted, change has come only when pressure from external factors has reached a climax. Incidental solving of problems rather than foreseeing or preventing them appears to have been the normal pattern. A striking example of this is the fact that despite earlier arguments, the development of non-university tertiary education, the foundation of new universities and their wi-

---

[4]) Πανταξίδης, Τ.: *Χρονικόν τῆς πρώτης πεντηκονταετίας τοῦ Ἑλληνικοῦ Πανεπιστημίου* (The Chronicle of the First Fifty Years of the Greek University). Athens 1889, p. 29 and tables. Two examples can be given here of the survival of strong German influences in Greek education: In 1930 the Greek government invited a Greek professor of Mathematics at the University of Munich, Konstantinos Karatheodoris, to draw up a plan for the re-organisation of the Universities of Athens and Thessaloniki. And in 1957 out of the eleven members of a Committee of experts set up by the Government to propose the necessary reform of the educational sytem (excluding its university level) ten had studied only or also at German universities. See also Κριμπᾶς, Κ.: *Ἰδεολογικές ἐπιδράσεις στήν Ἀνώτατη Παιδεία* (Ideological Influences in Higher Education), in: *Ἀντί*, 6 January 1979, p. 24.

[5]) Statistics in the text and in the tables in this article if not otherwise annotated are based on data provided by the general works refered to in the Bibliography (p. 731/2) of this volume and/or (for the years after 1954) the annual publications of the National Statistical Service of Greece. At the time of writing the latest published data were those of 1974–75.

der geographical distribution came only when the number of university candidates who were refused entrance had created a social problem and urbanisation had reached a dangerous point nationally.

On the whole and within these limits organisational changes tend to follow periods of national crises, wars, revolutions, major political upheavals etc. This, again, is a phenomenon common to all educational systems; what is perhaps more striking here is its relation to changes in the political scene, which should otherwise have little or no effect on the educational system or at least its higher sections. But when everything depends on decisions taken by the Ministry of Education, and more precisely by the Minister himself, it is only natural that developments in education should follow fluctuations in government.

In the following pages some precise examples of this characteristic, which has had important effects on higher education, will be given. It should, however, be made clear here that this dependence on governmental policy is seldom apparent in the character of measures taken. In the history of Greek education measures which by present day criteria would be considered to be "progressive" have been legislated by conservative governments and vice versa[6]). This should not be attributed solely to the relative ideological homogenity of the parties who have succeeded each other in power or to their disregarding the political importance of their educational policies, but also to the characteristic described above in accordance with which policies and measures are curative rather than preventive. And when problems are left to increase in importance and size until they reach a climax, there are usually few alternatives to choose from for their immediate solution. The establishment of a non-university post-secondary level of education and its further development and clear distinction from the universities is largely the product of such a procedure.

2. University Level Institutions

a) Background

The University of Athens remained the sole university level institution in Greece for fifty years after its foundation in 1837. Then, for another forty years it was the only institution in the country to form, establish and diffuse the national cultural ideology, the Polytechnic University of Athens and the School of Fine Arts offering highly specialised and "non cultural" knowledge[7]). Its dominant role becomes even more apparent if one considers that the Academy of Athens, the apex of present day cultural institutions, started functioning only in 1926, and that even the National Library was not independent from the University Library until 1920.

The foundation of a university as the highest level of the Greek educational system formed part of the plans drawn up during the War of Independence when the cultural leaders of the newly independent state were still under the strong influence of the French Enlightenment. The idea was, nevertheless, soon abandoned during the ad-

---

[6]) "Progressive" governments, for instance, have introduced the payment of fees in secondary schools and the University (1892); the expansion of the examination system (1884); the appointment of a government commissar at the universities (1931).

[7]) English titles of institutions and faculties in this article are basically those used by the National Statistical Service of Greece in its bilingual publication Στατιστική Ἐπετηρίς τῆς Ἑλλάδος (Statistical Yearbook of Greece).

ministration of Count Capodistria (1828–1831) when educational policy was based on the principle of gradual development, according to which higher institutions were not to be founded before a general diffusion of basic knowledge at the primary school level. The basic argument was that the new state lacked both enough scholars to act as teachers and young men sufficiently educated to form the student body. The same views were also expressed a few years later as a criticism of the foundation of the University by the Bavarian Regency.

Table 1. University Level Institutions: Year of Foundation or Recognition – Location – Total Student Population in 1974 – 75

Institution	Year of foundation	Location	Students 1974 – 75	%
University of Athens	1837	Athens	29,360	31.6
Polytechnic University	1887	Athens	4,532	4.9
School of Fine Arts	1910	Athens	217	0.2
Graduate School of Economic and Commercial Studies	1920	Athens	6,926	7.5
Graduate Agricultural School	1920	Athens	468	0.5
University of Thessaloniki	1926	Thessaloniki	27,088	29.1
Panteios Graduate School of Political Sciences	1937	Athens	7,403	8.0
Graduate School of Industrial Studies	1958	Piraeus	5,751	6.2
Graduate School of Industrial Studies	1958	Thessaloniki	5,461	5.9
University of Patras	1966	Patras	2,917	3.1
University of Ioannina	1970	Ioannina	2,482	2.7
University of Thrace	1974	Xanthi Komotini	300	0.3
University of Crete	1977	Rethymno Irakleio		
Total			92,920	

Note: University status has been granted by law (1961) to the military Cadet Schools.

Objections, however, and criticisms were not particularly strong or lasting during that first period, and the University undertook to play its multiple role: it had to train the professionals of the new society (special examinations were even established for practising doctors, most of whom had studied in Western European universities and were now required to obtain a work permit). It also had to act as a cultural link between the numerous (and in many cases thriving) Greek communities who lived either in other countries or in Greek lands which had not become part of the independent state (51 % of the new entrants in 1852 were graduates of Greek schools functioning outside Greece).

But if these functions were economically, socially and above all nationally important (the extension of borders to enclose all areas with populations of Greek origin has been a national target since the very beginning), the University also played a decisive role in the formation of what could be considered to be a "Neohellenic culture". This was not only through its solitary eminence, as mentioned above, at the top of Greek cultural life, but mostly by its total control over the teachers for secondary schools. Until 1930 when the University of Thessaloniki awarded its first degrees, that is for almost a hundred years (in a national life of just under 160 years to date) all main secondary school teachers had to be graduates of the University of Athens.

More particularly they had to be graduates of its Faculty of Philosophy, which consisted of sections of Philosophy (required degree for teachers of Classical Greek, History etc.), Mathematics and Sciences. Even after the separation of the section of Mathematics and Sciences in 1904, the Faculty of Philosophy alone provided the teachers who controlled more than 50 % of the teaching time in secondary schools[8]). Finally it influenced the method of teaching by adopting the German principle that no special paedagogical knowledge is necessary for the teaching of a particular subject: mastery of it is sufficient for its transmission to the pupils. It is in this respect characteristic that except for a very short period in the late 1890s there was no chair of Paedagogics at the University until 1910.

Moreover, professors of the University of Athens, and usually of its Faculty of Philosophy, were until 1914 exclusively responsible for the formulation of official policy on both primary and secondary education. In their role of advisers to the Minister, high ranking officials or members of special committees, they determined the content and the structure of the system. Even after 1914 – when a more representative and permanent body was established – the professors still had a very influential voice in matters of general education[9]). Their views were more or less identical – understandably, since they belonged to a homogeneous group and had a common cultural background – and varied little despite changes in person occasioned by governmental or ministerial affiliations.

This predominance of the University has certainly played a major role, if not in the formation of educational policy in the 1830's, in its stability and longevity thereafter. Through its Faculty of Philosophy it has reacted negatively to all "progressive" proposals for reform in general education, thus ensuring that it continues to function on the acceptance of the validity of Humboldt's *"Allgemeinbildung"* and that it acts – particularly at the secondary level – as a preparatory stage for higher studies[10]). But this faculty as a body or through its members has played its most significant role in these matters by its attitude in the highly controversial "language question" where it has put all its weight on the side of the "puristic" *(katharevousa)* movement. At some initial stage of the dispute the students sided with their professors in this matter[11]).

---

[8]) The percentage distribution of teaching time in the seven year general secondary school according to the 1906 programme was as follows per group of subjects:

Religious Instruction	6.2	Physical Education	10.0
Humanities – Geography	52.9	Arts	3.5
Maths and Sciences	19.7	French	7.7

[9]) The 1957 Committee (see note 4 above), for instance, which did not deal with university level education had among its eleven members seven university professors. In 1976 in another group of experts set up to discuss with the Prime Minister the Government's educational reform project (which again did not refer to higher education), five out of the nine members were university professors (active or retired).

[10]) This dominance of the universities over general education becomes even more striking when the small percentage of university entrants is taken into account. In the 1960's and early 1970's out of 100 children who started primary school, 63 would enter secondary education, 33 would finish it and 11 would eventually enter university level institutions.

[11]) For an authoritative and comprehensive account in English of the "language question" see Browning, R.: Medieval and Modern Greek. London 1969. While the political implications of the language question are generally accepted (the "progressives" supporting the "popular", *dimotiki,* language) it should be noted that there is evidence that the "puristic" movement at some stage had anti-monarchic connections. This might contribute to the interpretation of the students' attitude at the time.

b) Expansion

Apart from this, a consideration of the leading role which the University of Athens played for so many years gives some idea of the dimensions of its contribution to the formation and development of Modern Greek society in its different facets. Furthermore, it should be noted that both in administration and in scholarship its graduates have succeeded in reaching standards which command respect. The whole state mechanism and considerable advances in the humanities and the sciences have been mainly the work of those who have been its students. Relatively soon in the attempt to establish a modern state the University was assisted by the Polytechnic School (later University) which provided the necessary leading figures in the field of applied sciences[12]).

But developments in all aspects of national life also created additional needs among the top ranks, while on the other hand the increase of the population accelerated by the annexation of new lands brought new demands, particularly as it was combined with the growing requirements of a middle class which had increased both in size and importance. Thus in the 1920's, when the population had increased almost sevenfold (from 752 077 in 1838 to 5 016 889 in 1920) since the foundation of the University, the state undertook to set up new institutions of university status[13]): The Graduate School of Economic and Commercial Studies and the Graduate Agricultural School in 1920, and the University of Thessaloniki in 1926.

Their foundation, apart from the other factors involved, should be considered as being related to two major reform projects in the field of general education: the first one, in 1917, was more directly expressed through the movement for the introduction of the "popular" language *(dimotiki)* in primary school teaching, and the second, in 1929, led to the establishment of the six-year primary school course and the abolition of the middle school. The Liberal Party of Eleftherios Venizelos responsible for this legislation is also directly involved in the foundation of the new institutions at university level. The new spirit was apparent in the syllabus offerred by the two Graduate Schools, as it expressed respect for middle or lower class professions and a new orientation of the economy.

But it was the University of Thessaloniki which was designed to express the "new era" in Greek education and society. Its opening, after several years of discussion and preparation, marked the beginning of a new chapter in the history of Greek higher education. The new institution was initially dependent on the University of Athens[14]) but it soon developed its own personality and later played its own intellectual role. Now it is Greece's second university level institution in terms of student numbers and still prides itself on its modern character, which has had perhaps its most striking expression in the support given to the "popular" language by its professors. Its educational modernity was expressed by its offering the possibility of more

---

[12]) Until the development of the Polytechnic University, graduates of the Army Cadet School provided the manpower in the fields of civil engineering and other applied sciences.

[13]) The student population of the University of Athens had increased between 1851 and 1920 from 202 to 1629 and had steadily been above the 1000 mark since 1915.

[14]) See Παπαπάνος, Κ.: Χρονικό – Ἱστορία τῆς Ἀνωτάτης μας Ἐκπαιδεύσεως (The Chronicle and Story of Our Higher Education). Athens 1970, p. 236ff.

specialised studies and including in its programme "new" subjects such as forestry and foreign languages. The foundation of a faculty of veterinary studies in 1950 should also be included in these examples of intellectual liveliness which still characterises the University of Thessaloniki.

Table 2. University Level Institutions: First Degrees Awarded in 1955 – 56 and 1974 – 75

Institution	First degrees awarded			
	Absolute figures		% of total	
	1955 – 56	1974 – 75	1955 – 56	1974 – 75
University of Athens	1,384	5,049	45.6	34.6
Polytechnic University	224	742	7.4	5.1
School of Fine Arts	19	30	0.6	0.2
Graduate School of Economic and Commercial Studies	382	1,418	12.6	9.7
Graduate Agricultural School	57	177	1.9	1.2
University of Thessaloniki	609	4,303	20.1	29.5
Panteios Graduate School of Political Sciences	357	1,261	11.8	8.7
Graduate School of Industrial Studies – Piraeus	–	815	–	5.6
Graduate School of Industrial Studies – Thessaloniki	–	311	–	2.1
University of Patras	–	213	–	1.5
University of Ioannina	–	255	–	1.8
Total	3,032	14,574	(increase: 380.7 %)	
Total population (estimated):	1955	7,965,538		
	1974	8,962,023	(increase: 12.5 %)	
Total degrees awarded to women as % of total:	1955 – 56: 20.4		1974 – 75: 35.4 %	

Otherwise, as regards administration, the professional hierarchy of the teaching staff, finance and ministerial control, the organisation of the University of Thessaloniki presents only marginal differences from the University of Athens. In this respect its foundation did not contribute towards the solution of the major problems which had accumulated in higher education during a practically unchanged life of almost a century.

The next steps in the development of Greek higher education are characterised not by the foundation of new institutions or the re-organisation of the existing ones, but by the recognition of some which were already functioning as private post-secondary (but not university level) schools. This was the case with the Panteios Graduate School of Political Sciences (founded in 1920 and named after its benefactor Alexandros Pantos) and the two Graduate Schools of Industrial Studies, one in Piraeus and one in Thessaloniki (founded in 1938 and 1948 respectively, with the support mainly of the Union of Greek Industrialists). Panteios was recognised as a university-level institution in 1937; the two Schools of Industrial Studies in 1958. Their inclusion in the official system did not alter its character. While still functioning within the private sector they had imitated the structural and operational prototypes of the universities and their recognition made similarities even stronger. Subsequent minor changes in their organisation usually expressed the same trend which not only gave them the desired public image as universities but also led to the uniformity of the system.

The setting up of new universities (at Ioannina and in Patras) must again be seen in conjunction with a major attempt to reform the whole system of education: 1964 the Centre Government under Georgios Papandreou passed through Parliament items of legislation which represented a "progressive" educational policy. This reform project, the first comprehensive one after World War II, also included measures concerning higher education: at Ioannina an annex of the University of Thessaloniki was founded, a new university was planned for Patras, and the unification of four Graduate Schools of Athens and Piraeus into one university, the "Attica University", was considered. The plan also provided for the foundation of university level institutions in other parts of Greece, such as Crete, Corfu, and Larissa. The policy behind these plans is obvious: they aim at raising the number of university students (as a response to increased demand, and to meet the new needs of society and the economy), at countering the concentration of university institutions in the two biggest cities, and at introducing a modern approach to university studies in a system which had remained practically unchanged since 1837[15]).

Table 3. University Level Education: Professor/Student Ratio.
Students per Senior Member of Teaching Staff (1974 – 1975)

Institution	students per professor
University of Athens	132
Polytechnic University	49
School of Fine Arts	14
Graduate School of Economic and Commercial Studies	126
Graduate Agricultural School	18
University of Thessaloniki	75
Panteios Graduate School of Political Sciences	195
Graduate School of Industrial Studies – Piraeus	250
Graduate School of Industrial Studies – Thessaloniki	227
University of Patras	39
University of Ioannina	50

The last of these aims was particularly to be met by the structure and organisation of the University of Patras which was to follow Anglo-saxon rather than German prototypes, to specialise in "new" subjects, and to attract Greek scholars and professors who were working abroad in considerable numbers. However, political developments led to much more traditional solutions: when it opened, for the year 1966–67, the University of Patras accepted students for a Faculty of Mathematics and Sciences which was very reminiscent of its counterpart in Athens and dependent on it for many of its teaching staff. This tendency continued – and was even accelerated during the military dictatorship – as the University gradually gained its independence and approached its full development.

At Ioannina, dependence on what was believed to be the "modern" University of Thessaloniki gave the new institution a start which was less affected by political deve-

---

[15]) The text of the draft law on "The Foundation of Universities" (1965) is published in Παπανοῦτσος, Ε.: Ἀγῶνες καί ἀγωνία γιά τήν παιδεία (Struggles and Agony for Education). Athens 1965, p. 367 ff.

lopments. Nevertheless, when it became an independent institution (1970) it was also traditional in structure and organisation. As for the other institutions, the "Attica University" has not materialised yet despite thorough discussion of the plan which was resumed immediately after the dictatorship[16]); the University of Crete accepted its first students in 1977 and functions on legislation which may help it to play the role of a "modern" institution similar to the one planned for the University of Patras fifteen years ago; at Corfu and Larissa no University has yet been founded though the plans for them do not seem to have been abandoned.

In this way the number of students has very rapidly increased in the post-War period but there have not been any conclusive answers based on research as to whether it has reached the socially and economically desired levels. What is certain, however, is that geographically there is still an enormous concentration of students in the Athens Area and in Thessaloniki (in 1974–75 only 6.1 % of the total student population attended universities outside these two cities) and that the variety of first degrees being offered is relatively small (a total of about 40 at all university level institutions). This is probably the biggest difficulty created by the preservation of the old structures which are based on faculties and chairs rather than on departments. More, however, will be said later about the major problems which Greek higher education has still to solve.

Table 4. University Level Institutions: Number of Different First Degree Courses Offered (1974 – 75)

Institution	Number of courses
University of Athens	20
Polytechnic University	7
School of Fine Arts	3
Graduate School of Economic and Commercial Studies	2
Graduate Agricultural School	1
University of Thessaloniki	34
Panteios Graduate School of Political Sciences	2
Graduate School of Industrial Studies – Piraeus	3
Graduate School of Industrial Studies – Thessaloniki	2
University of Patras	7
University of Ioannina	4

3. Non-University Level Institutions

As has been said before the increasing demand for university places combined with their restricted availability together with socio-economic considerations led to the development of a post-secondary level of education, clearly separated from that of the universities. Transition from non-university to university institutions is occasionally provided for in legislation, but the path is long and difficult. There are two main groups of institutions at this level: The Teacher Training Colleges (Paedagogical

---

[16]) See the report of the ad hoc working group Τό 'Αττικό Πανεπιστήμιο (The Attica University). Athens 1975.

Academies) and the Higher Technical and Vocational Education Centres (known by their Greek initials as KATEE).

The importance attributed to this level of the educational system is clearly shown by the share it has in the regular budget for education: it rose from 1.0 % in 1971 to 3.3 % in 1977 (while the equivalent percentages for university level institutions passed from 14.3 to 23.4 in the same period[17]). But their future does not seem to depend so much on investment and expenses as on status and prestige. It is thus significant that the main problem now with the Paedagogical Academies (and the main demand of their Students Union) is their re-organisation into university level institutions. On the other hand one of the main concerns about the KATEE and their future is that (as has happened with technical and vocational schools at the secondary level) they had to cater mainly for students who took places at them as their second choice (i.e. had already failed – at least once – their entrance examination to the Universities).

Both issues seem to be now on the right track: there is sufficient empirical evidence that more secondary school graduates are applying to the KATEE as their first (or only) choice and that their standard (judged by the marks on their school-leaving certificates) is rising. As for the Paedagogical Academies, the Ministry appears to be considering the matter seriously and is ready to proceed to legislation. There is little doubt that to a large extent the present official educational policy depends on this level of the system. Similar attempts in the past, particularly directed towards technical and vocational schools, such as the 1959 legislation[18]) were on a decidedly smaller scale and their poor results cannot be used as criteria for today[19]).

a) Teacher Training

For a very long time after the foundation of the system, teacher training had belonged – as in other European countries – to secondary education. Initially there was only one college functioning, which was gradually made more and more responsible for the weaknesses of the primary schools and was even closed down for this reason,

---

[17]) This represents an increase of 230 % for the non-university level against 64 % for the university level institutions.

[18]) The re-organisation of technical and vocational education was provided for by the law of 2 September 1959. Among other measures it gave full responsibility for this section of the system to the Ministry of Education.

[19]) The two main categories of post secondary non university level institutions discussed here (Paedagogical Academies and KATEE) by themselves catered in 1974–75 for 40 % of the student population at this level. The percentage for the KATEE is rapidly growing. Apart from them there are some more institutions at this level such as the Nursery School Teachers' Colleges, the National Colleges of Gymnastics, the Higher Schools of Home Economics and a few private schools mostly specialising in technological subjects. They only cater for a small proportion of the student population and have no different characteristics from those of the larger groups described here. Moreover some 30 % of the students at this level attend a number of specialised schools which despite the centralisation provision referred to in the previous note still depend on other Ministries such as the Ministry of Social Services, the Ministry of Merchant Marine etc. Special mention should be made of a particular group of private post secondary schools which function in a way outside the system with the toleration rather than the recognition of the authorities and offer courses mainly in the humanities and the social sciences. They follow American prototypes and usually offer only courses leading to Bachelor degrees; teaching is done in English. Among them the most reputable is Deree College in Athens; its high school section (Pierce College) was founded in Asia Minor in 1875. Deree College is now incorporated in the USA and has a student population of about two thousand.

though on the pretext of budget cut-backs (1864). When, fourteen years later, new ones were opened, they were organised on German prototypes (this time in accordance with the theories of Karl Volkmar Stoy) as had been the first one. But it was not until 1933 that following re-organisation (again under strong German influences) they set as a requirement for their students the completion of the full six year secondary school, thus passing on to the post-secondary level.

There are now fourteen Paedagogical Academies functioning in different parts of the country (three of them in the Athens area) offering identical two-year courses. As is the case with the other non-university level institutions they depend on the Ministry of Education which also appoints their staff. They are relatively small schools with an average of 200 students each, and a teacher/student ratio of 1:14 (1974–75); about half of the students are women[20]).

Apart from the demand for their upgrading (which is also linked with recent plans for the extension to three years of their course of studies) the Academies are faced with some other problems of more general interest, many of which may well be solved when they obtain university status. Among them one which has often been discussed is the low academic standard of candidates for places. This has been attributed to the relatively low rank at which primary school teachers start their career in the civil service and the hardships of this career which requires frequent compulsory changes of post throughout the country. As a result secondary school graduates with good school records very seldom apply for places at the Academies. To counter this situation it has been decided to exempt them from the entrance examination and offer places to all candidates with "excellent" (equivalent to grade A) secondary school certificates. This, however has only marginally altered the total student standard of the Academies, since it is precisely those high-grade candidates who are most likely to succeed in their entrance examination to the prestigious university faculties. The privilege is accepted only by the few who do not want to submit themselves to the agonies of the examination or prefer to undertake post-secondary studies at or near their parental home. Apart from this it is doubtful if any high-grade secondary school graduates apply to the Academies because they are determined to become primary school teachers.

Reference has already been made above to the principle leading to minimal paedagogical studies available to students at the Faculties of Philosophy, most of whom will eventually make a career in secondary education. The same criticism is often made of the curriculum of the Academies, where additional problems are created by the vast variety of subjects which have to be taught, since primary school teachers do not specialise and have to teach all subjects on the programme. The difficulty is aggravated by occasional revisions of the primary-school curricula which usually widen and deepen their content[21]). Moreover, new ideas and paedagogical theories do not seem to develop in the Academies since they have to abide with principles set by the central authority.

---

[20]) Eleven of the fourteen Paedagogical Academies are coeducational.

[21]) About 25 % of the teaching time is given to paedagogical subjects. Teaching practice time has been left to the discretion of the director of the Academy since 1972; up to then it occupied 12 % of the teaching time.

In-service training and refresher courses which are restricted in number and are usually sought after as qualifications for promotion rather than for professional improvement cannot contribute much towards solving the problems. The extension of teacher training from two to three years (which was also part of the 1964 reform abolished by the military dictatorship and which is again being considered as mentioned above) could only partly satisfy the needs of a modernised primary school; upgrading would certainly be a more effective solution. But in the last resort the issue forms part of the vicious circle which unites the Ministry, teachers and schools in any attempt to reform the system.

b) Higher Technical and Vocational Education Centres (KATEE)

In contrast with the universities, which have remained unchanged since their early days, schools offering technical or vocational education have often been subjected to minor or major changes over the years. Throughout these developments they have always remained a separate stream, independent from the one offering general education and leading directly to the university level. In such an arrangement the post-secondary institutions of technical and vocational education were meant to be the culmination of that particular educational process and only attracted from the academic stream those graduates who could not obtain a university place.

Under the present official educational policy, as expressed in the 1976–77 legislation, an attempt is being made to make the technical and vocational stream an integral part of the whole system. This does not mean that the structure turns comprehensive, but it definitely lowers the barriers which separated the two streams. As part of this scheme the KATEE have been founded to replace or incorporate the various post-secondary institutions which functioned before, or to offer courses in fields which were not covered in the public sector (or at all) under the old structure.

The KATEE are "modern" institutions in the sense that they are different both in organisation and specialisations in a way which is not reminiscent of any former school lower down or higher up on the educational scale[22]). There are now eight KATEE (with about 13000 students in 1977) in different parts of the country (two of them in the Athens area), and four more are planned for the near future. They offer courses leading to a total of about 35 different diplomas varying from graphic arts to administration and from librarianship to intermediate electronics and train social workers as well as paramedical staff.

The development of technical and vocational education, the improvement of its standard and the upgrading of its place in the whole system have been a consistent target of all former reform projects. This attitude was particularly evident in the plans and the legislation formulated by liberal governments, and among them more precisely in those of 1913, 1929 and 1964. Nevertheless, this time when the promotion of technical and vocational education as against the overcharged academic section has become part of the official educational policy of a conservative government,

---

[22]) Nevertheless the deeply rooted Greek tradition of preference for academic theoretical teaching survives here too: by a rough calculation, 60 % of the teaching time in the KATEE programmes is given to ex-cathedra teaching.

the project has been severely criticised by many observers[23]). And the KATEE as part of this policy have met with their share of objections and criticisms. This may well be because educational re-organisation now forms a natural part of a general conservative socio-economic policy or because it is closely linked with the very controversial attempts to check the general movement towards higher education which will be discussed below. The fact that the KATEE have been partly financed by loans from the World Bank has added to fears that they are to be used to serve the interests of international industry and capital.

There is certainly some truth in these views and it is no secret that technical education at any level is more directly linked with the economy and economic interests than any other form of education. Moreover it would have been absurd for a government to introduce an educational policy at variance with its socio-economic aims. But it is equally certain that in an educational system which for many decades now has not been praised by anyone, a new approach to its technical and vocational sector should lead to more effective functioning. As has been said above, the KATEE, being a major item in this re-organisation may well develop into an important factor for change. Much will depend on their future life, and much of it is related to the extent of consistency the government will show in this respect.

4. Current Problems

The changes which have now been introduced into the Greek educational system though perhaps not affecting its philosophy, do nevertheless create an atmosphere of doubt and uncertainty. This may well be due to the depth and extent of the alterations but also results from the atmosphere of stagnation which characterised the system for such a long time; everything now appears to be unprecedented, unknown and sometimes vague. Two more factors contribute to this phenomenon: the lack of research in education and the centralisation of administration and decision making[24]). The former leads to measures based often only on personal views and experience and the latter to hurried and superficial procedures since everything has to be put into practice within the government's term of office and by an administration which may be able to deal with routine work but cannot cope with the additional burden of a reform.

In the field of tertiary education, then, apart from the problems created by the foundation of new institutions or the re-organisation of existing ones the current reform has touched upon two major issues: selection procedures at the transition from secondary to tertiary level and the management of a situation aggravated by interventions by the military dictatorship in this area. As selection has affected the lycées

[23]) For a very interesting analysis of the opposition's attitude to the 1976–77 government policy regarding technical and vocational education see Φραγκουδάκη, Ά.: Τό πρόβλημα τῆς τεχνικῆς ἐκπαίδευσης: Ἀναπτυξιακή λογική καί ἰδεολογίες (The Problem of Technical Education: The Logic of Development and Ideologies), in: Ὁ Πολίτης, 11. 1977, p. 21ff.
[24]) A good example of the relation between research and decision making is that first came the raising of the school leaving age by a clause in the Constitution (1975), and then (one year later, in April 1976) the appointment of a working group to investigate and locate the problems related to the new policy. See Τάσως, Θ., Καξαμίας, Α., Πατεράκης, Α.: Ἐννιάχρονη Ὑποχρεωτική Ἐκπαίδευση (Nine-year Compulsory Education). Athens 1976.

and the dictatorship interfered with every aspect of higher education, present arrangements give a tone of general upheaval, particularly since they are combined with structural and curricular changes at the lower levels as well (raising of the school leaving age, new programmes for the primary schools etc.).

a) Entrance Examinations

Since the 1920's special examinations have gradually come to control entrance into all institutions of higher education in Greece. Initially introduced as a result of complaints from these institutions about the low academic standards of secondary school graduates they were soon also used to restrict the numbers of students at the third level. At the time the decision to limit entrance was based on the assumption that society and the economy were unable to assimilate the increasing numbers of university graduates. This attitude was certainly based on the concept of a society with set levels more or less corresponding to the levels of the educational system[25]). But it has also had some side effects which have deeply influenced developments throughout the system: since entrance into university also meant social promotion it became everyone's ultimate target thus taking away much of the secondary school's independence and transforming it largely into a preparatory institution. This has added to the dominance of the universities over the lower levels of education already mentioned above.

Moreover, the institution of entrance examinations has logically reinforced the belief that the university degree guaranteed a job at the proper level (and preferably in the civil service), thus creating additional social complications. The situation worsened after World War II when the *numerus clausus* system proper was introduced. Numbers per faculty or institution were (and still are) determined mostly by the facilities available and not by the needs and requirements of the labour market.

Until the 1964 reform the administration of this examination was the exclusive responsibility of the faculties and institutions which also set its content. This arrangement naturally created great inconvenience to the candidates and multiplied their anxieties when they applied (and most of them did apply) to more than one institution and/or faculty (often both in Athens and Thessaloniki) and had to be examined several times in the same subjects. Moreover, as the universities set their examinations not on the amount of work which had actually been done at the secondary schools but on what should have been done according to official curricula and syllabuses, the scheme gave birth to a new educational industry: private schools not subject to official control undertook to teach the candidates, after school hours and during the vacations, all the chapters and subjects which the proper schools were unable (mostly for lack of staff) to cover but which were required for the entrance examinations.

---

[25]) It is interesting to note that the correspondence between social and educational levels had been the basis of the *Liberal Party's* reform projects in 1913 and 1929. It was only in 1964 that its successor, the *Centre Union Party* adopted in this respect a more egalitarian policy: it introduced free education at all levels (including the universities) and instituted a new entrance examination procedure which at the time was believed to be more democratic. It certainly was more objective and less tiring for the candidates. (See also note 27 below).

These cramming schools did not go out of business when a part of the 1964 reform entrance examinations were centrally set and administered, and secondary school teachers and inspectors were given a major role in the procedure. Ordinary schools were still not functioning properly and the crammers had gained the public's confidence. But there was at that time a new rapidly growing problem which also pushed the candidates towards the cramming schools: the competition was increasing as more and more secondary school graduates were applying for university places the numbers of which were not keeping pace with demand. The following figures are indicative of the size of the problem.

In 1964   14 650 applicants (54.3 %)   were refused places
In 1970   39 840 applicants (74.2 %)   were refused places
In 1977   66 098 applicants (38.1 %)   were refused places

while new entrants were:

12 350   in 1964
13 209   in 1970
14 543   in 1977

These figures also show that the matter had reached a point which could not leave the authorities and the government indifferent. There were serious social, economic and educational problems involved which required immediate solution. The flourishing of the cramming schools (which among its other effects practically abolished free education) or the brain drain caused by the thousands of Greek students who have had resort to foreign universities (more than 20 000 at present at a cost to the Greek economy of nearly $ 40 000 000 in foreign currency in 1974)[26]) are only some of the many aspects of the problem which alone would render useless any attempt to change other sections of the educational system.

To face the problem then, the 1976—77 reform includes a number of measures aimed at spreading out the selection process, such as entrance examinations into the lycées, a two-part end-of-study examination in the last two years of secondary school, the introduction of electives, and the channelling of candidates into specific institutions or faculties according to the electives taken or the type of lycée attended as well as the re-organisation of post-secondary non-university level institutions already referred to above. The scheme will be fully developed by 1980—81 when entry into tertiary education will be based almost entirely on the new criteria and the new procedure[27]).

Too little is so far known about the details of the plan to make its evaluation possible and objective judgements cannot be made before its full development. More-

<hr />

[26]) Statistics on the matter are scarce and confusing. Calculations are usually based on data provided by the Bank of Greece which controls foreign exchange, and cannot be considered to be absolutely accurate. But there is evidence that the figures are higher, not lower than those derived from these calculations.

[27]) For a description of the old and the new entrance examination procedures in English see a report published in the "News-Letter" of the Documentation Centre for Education in Europe (Council of Europe), 5. 1978, p. 18. Beyond the privileges offered to graduates with "excellent" grades on their school leaving certificates as far as entry into the Paedagogical Academies is concerned, special treatment is also provided for other categories such as talented candidates for the School of Fine Arts or champions for entry into the National Colleges of Gymnastics. It should also be mentioned here that there is evidence of the existence of an important relation between high grades on the school leaving certificate and success in the entrance examination.

over, the lack of research or open discussion of the particular measures to be taken restrict the general judgement to personal views on principles. And from this point of view the principle of selection based on several criteria and on work done at school rather than on one examination appears to be more objective and fair. But this is about as far as one can get on the matter at present particularly since nothing seems to be envisaged in terms of more drastic solutions. Ultimately little is likely to change: the *numerus clausus* has not been abolished, there will be no significant increase of university places available and no change is probable in the social background of those who are finally admitted[28]). All in all this means that the classic questions have not been answered: How many university graduates are needed? How many are wanted? And how many can be accommodated? There is only one thing which *is* known: more and more young Greeks aim at graduation.

b) Re-organisation at University Level

When in 1974 democracy was restored, the educational authorities and the Government more generally had to face many more problems in higher education than those described so far in this paper. A situation which was already difficult and complicated had been greatly aggravated by the actions of the military rulers: professors and other staff had been dismissed; others had been appointed without the proper procedures; students had been arrested; books had been banned. Matters were further confused by the fact that the student body had assumed a political role with which it was not familiar (the student unrest in Europe and the U.S.A. in the late 1960's had not then reached Greece) when it actively opposed the dictators. If this proved how ineffective the military's educational policy had been (since it had turned those against them who for more than five years had been subjected to a systematic indoctrination aimed at making them docile servants of authority), it also added a new dimension to the student problem. A mere return to pre-dictatorship patterns and practices, even if it were possible, would not be enough.

But to re-organise a system which for so long had been subjected only to minor changes and had gone through such a crisis was not an easy task. No immediate action could be taken on fundamental issues without prior consultation with all parties involved and thorough investigation of the possible solutions. Consequently the Government apart from facing a few urgent (mostly personal or operational) matters, could not react drastically. Committees and working groups were indeed set up, reports were discussed (and sometimes made public) and even some law drafts prepared. The procedure, however, was time consuming and was made even more difficult by periodic changes of Ministers of Education, university authorities and other officials. Moreover, long expectation of reform added to the general confusion and led to protests and severe criticisms.

Some very basic issues were dealt with in the Constitution which was adopted in 1975. Its article on education as far as higher education is concerned repeats clauses which also formed part of former Constitutions, but includes some new ones as well. These additional provisions seem to have derived more from very recent experiences

---

[28]) See Polydorides, G.: Equality of Opportunity in the Greek Higher Education System: The Impact of Reform Policies, in: Comparative Education Review. 22. 1. 1978, p. 80 ff.

than from a concrete educational policy. On the other hand, much is explicitly left to the responsibility of the Minister of Education as the constitutional text only provides for matters such as the Students' Unions or the retirement age of university professors to be regulated by ordinary legislation. On the whole, the Constitution apart from reflecting the general feeling that higher education needed re-organisation, does not contribute much to that end.

It was not until September 1978 that the Government produced a major item of legislation on the matter[29]). Far from being a complete blueprint for the functioning of the universities or from combining views expressed by the various groups which had been set up for this purpose, this law only deals with three issues which required immediate solution and which had grown into major problems: the creation of departments to replace professorial chairs; the role of auxiliary qualified staff; and the regulation of details regarding attendance. While these matters remained unsolved, it had been proved through student unrest, staff strikes and poor academic results, a return to normal and effective university life was impossible. Once more, then, the Government had to step in as troubleshooter and leave thorough re-organisation for some future time.

Routes to Tertiary Education

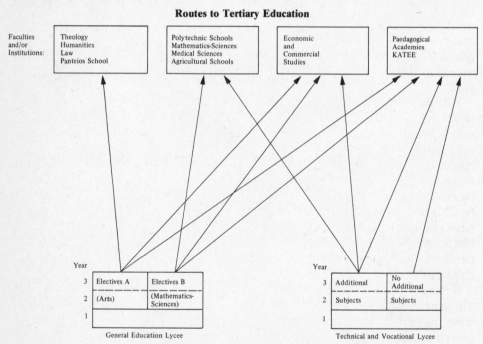

However, the September 1978 law introduces some "modern" concepts: it provides, first of all, for the establishment of departments which are run by committees composed of at least five professors holding chairs with some affinity of subject, representatives (elected yearly) of the auxiliary qualified staff and the students. One representative from each of these groups is to participate when the professors are

---

[29]) Law 815 of 15 September 1978.

fewer than ten, and two if the professors exceed that number. The department decides by a majority vote on matters of coordination and operation as well as on the establishment of new courses. It also deals with personnel (appointments and promotions) but in these cases student and staff representatives have no right of vote or even attendance: they are allowed to express their views but must retire before discussion starts.

The problems of the auxiliary qualified staff (junior lecturers, tutors etc.) had also arisen as a result of a long tradition of occasional appointments and contradictory regulations and had been made worse by nepotism during the dictatorship. To bring some order to this unprecedented chaos, the 1978 law lays down qualifications for special posts (such as possession of Ph.D. degrees), introduces selective rather than automatic promotion and provides incentives for voluntary early retirement to decrease their number.

Finally the law attempts to clear up another very confused and complicated situation regarding regulations on attendance and examinations. Here again a great number of laws and rules mostly passed to favour students and other young people during periods of war and other irregular circumstances had accumulated and was setting a tone of leniency and academic disorder. Within this framework students could spread out their studies over many years, enroll for classes without having sat for the previous year's examinations, while many professors arranged the weekly programme of classes according to their own needs regardless of the waste of time this caused to the students; several examination periods were available throughout the year.

All this is fundamentally against the principles of rigidity, discipline and uniformity in which Greek universities have always believed. What the 1978 law sets down is simple, clear and strict: the academic year has to cover 26 weeks; students have to attend eight courses per year (six compulsory and two electives) not including foreign languages; the programme will consist of a maximum of 32 periods per week; there will be only two examination periods per year and there are specific regulations for those who fail their examinations or have to repeat a year's courses; no student will be allowed to extend his studies for more than a small number of years after he should have normally completed them. To complete this "intensification" of studies, as it has been called in academic jargon, provisions are made which aim at helping students who have jobs (leave of absence during examination periods, special scholarships etc.).

Naturally the 1978 law met with severe criticism from many interested parties: "departments", it has been said, are not departments since the autonomy and authority of the chair-holding professors is not challenged; "participation" is not participation since students and non-professorial staff form extremely small minorities on the "department's" committee; and "intensification" should only be sought when conditions allow it, i.e. when the professor/student ratio has improved, when there are enough laboratory places, when libraries are properly stocked etc.[30]).

---

[30]) Since its publication this law has been the subject of endless discussions in the daily press and the specialist periodicals. A comprehensive collection of views on the matter is to be published in the quarterly Σύγχρονα Θέματα, beginning in issue No. 4. 1979.

An outside observer, however, would certainly see the necessity for sorting out a situation which has reached its limits, and would appreciate that under the circumstances and since the Government did not want to proceed to radical solutions, this was about all it could do. But on the other hand, it has seldom been observed that the essence of the matter is perhaps to be found deeper. What is being discussed here are not the wider socio-economic factors which influence developments in education, but a more precise characteristic of the Greek educational system, namely its being overlegislated for and too deeply dedicated to uniformity. Reference to this has already been made above, and there is no need to elaborate here. Nevertheless, the 1978 law on higher education provides further evidence not only of the simple survival of this characteristic despite the bitter experience of the recent past but apparently also of its continuing vitality. According to this item of legislation which in its clauses already deals with details such as have been described above, much that concerns future developments or the supervision of present arrangements is left to the Minister. Ministerial approval, for instance, is required for the formation of each and every department, for the appointment of auxiliary qualified staff or for the formulation of new programmes of studies.

As Greece becomes a member of the European Community which among other developments is expected to increase exchanges of students and academics, and as she is trying to attract back some of her scholars from abroad one would expect that an effort would be made to make the Greek educational system, at least at its higher level, more flexible, more personalised and pluralistic. However apparently only small steps in this direction are being taken. And this does not appear to conflict with the wishes of many members of the professorial body.

Dependence on higher authority may offer some feeling of security to those more directly responsible for the running of the universities and occasionally be a solid alibi when action has to be taken which is unwelcome to important groups such as the students or the auxiliary staff. Some proof of this can be found in the development of a postdictatorship practice according to which the rectors of the Greek universities (and their counterparts in other university level institutions) meet at regular intervals to discuss matters of common interest. This gathering was initially informal, and it still is so in the sense that there is no legal provision for it and that the rectors are not authorised by their senates or their professorial bodies to decide on any issue. But now the "Rectors' Conference" is often presided over by the Minister of Education. The rectors, then, rather than formulating their own policies appear to prefer to place themselves under the authority of the Minister, increasing in this way his direct influence over the whole system.

II. Research

Research is now an integral part of university work in all parts of the world. The difficulties which have so far been described in this paper as far as Greek universities are concerned did not hinder them from following this international trend and developing some activity in this field as well. Moreover, particularly after World War II and its aftermath, special research centres have been founded in response to the present day demands of the economy and the sciences. However, since so much had to be done in terms of re-organisation and modernisation, research is still restricted to small scale projects and is mainly motivated by personal interests and ambitions; basic research is limited. This is also evident in the amount of money which is spent on research as well as in the way in which the funds are used. Comparative studies have shown, for instance, that Greece holds a very low rank among OECD countries in terms of percentage of the national product spent on research[31]); it now stands at about 0.2 %.

On the other hand, the slow development of the economy in the past combined with the centralising tendency already referred to has led to the state being by far the most important contributor of research funds. Moreover, for the same reasons the state also spends most of that money on institutions which are under its direct or indirect control and which usually aim at applied research. It is further interesting to note that industrial research forms a closed circuit since industry has not yet developed patterns which would lead to its financing research undertaken by other agencies. The following diagram shows the provenance of research funds in Greece and the channels through which they are spent[32]).

Research Funds

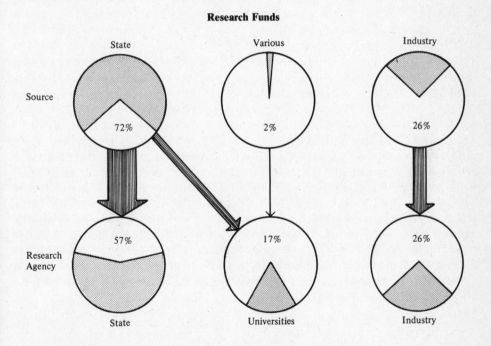

[31]) OCDE (OECD), Comité de la politique scientifique et technologique. Politiques nationales de la science: Grèce. Paris 31.7. 1972. The study is based on 1967 data.
[32]) The diagram on research funds in Greece as well as the figures in the following table are derived from Ἀργυρόπουλος, Γ.: Τό περιεχόμενο τοῦ νόμου 706/77 (The content of Law 706/77). Athens 1978 (mimeographed) which is based on 1971 OECD data. See also Καραματέας, E.: Ἐπιστημονική ἔρευνα καί τεχνολογική ἀνάπτυξη (Scientific Research and Technological Development), in: Οἰκονομικός Ταχυδρόμος, 15. September 1977.

By way of comparison let it be noted that in European countries with close similarities to Greece these percentages represent a markedly different distribution. So, for instance, in Austria, Belgium and Norway the picture is as follows:

	Source			Spending Agency		
	State	Industry	Other	State	Industry	Universities
Austria	42	57	1	8	62	30
Belgium	47	50	3	13	57	30
Norway	56	41	3	20	50	30

On the whole, data on research in Greece as well as statistics on the matter are not adequate in number or content and tend to give quantitive rather than qualitative information. But in view of the relatively short tradition which research has in this country and the fact that the necessary facilites, libraries, laboratories etc. are not yet fully developed, the results should be judged satisfactory. To further improve the situation and intensify the effort two issues have been considered of primary importance: the development of postgraduate studies and the coordination of all agencies involved.

1. Universities

Few university level institutions offer special postgraduate courses, about ten in the whole country. Otherwise the way to doctoral degrees, which is basically regulated by a law of 1932, is an individual one: it is up to the student to prepare a thesis and submit it to a faculty or school for approval; prior consultation with a professor tends to meet with a varying amount of advice and assistance. Professors already overcharged with teaching and administrative duties are careful to accept only Ph.D. candidates who are likely to be succesful without much supervision and are not particularly keen to attract students at this level. For their part students complain that there is no intermediate stage (such as a Master's degree) and the lack of facilities make things even more difficult for them. Moreover the Ph.D. degree is seldom looked for as a qualification for high positions outside the academic and medical worlds and this does not encourage first degree holders to undertake further studies after their graduation. The fact that in the civil service a special allowance is provided in the salary of Ph.D. holders does not seem to affect the situation. The figures here also are instructive: the total number of doctoral degrees awarded by Greek universities for sample years were as follows[33]):

1962–63	209
1964–65	223
1967–68	192
1972–73	206
1974–75	292

[33]) To my knowledge no research has been undertaken to explain these fluctuations in the number of degrees awarded. A comprehensive report on postgraduate studies in Greece was prepared by a working group under Prof. Spyros Doxiadis (1977; unpublished). Among other proposals it recommends that specialist research centres take responsibility for postgraduate courses.

The 292 degrees of 1974–75 (which represent a ratio of 1:50 compared with first degrees awarded in the same year) belong to the following fields of study:

Humanities	20	Technology	14
Law	9	Medical Sciences	165
Social Sciences	13	Agriculture	3
Maths-Sciences	68		

The picture, however, is not complete without reference to Greek postgraduates studying abroad. It has been calculated that their numbers have risen from about 700 in 1963–64 to 1000 in 1967–68 to reach 4000 in 1974–75[34]). Some have obtained their first degrees outside Greece, others left the country after graduation, but in fact the only ones whose study makes part of a programme and corresponds to specific needs of the country are the scholars of the State Scholarship Foundation. This institution, founded in 1951, draws up its yearly programmes for postgraduate studies (not necessarily doctoral) abroad according to consultations and studies aimed at revealing the needs of Greek society, the economy and technology. The scholarships are awarded following competitive examinations and the scholars are obliged to return to Greece after the completion of their studies.

The problem related to the Greeks who pursue their studies abroad at the undergraduate level have already been discussed above and also apply at the postgraduate level[35]). Upon return, however, holders of doctoral degrees as well as Greek professors of foreign universities who are eventually attracted by appeals to return face additional difficulties particularly if they want to do research work. Because on top of the general psychological and other problems created by the needs of their adaptation or re-adaptation to the conditions of Greek social and academic life, they have to catch up with the particular circumstances in their field. An attempt will be made below to describe the opportunities offered by research institutions outside the universities; first, however, let us briefly review the situation in the universities.

Here no provision is made for professorial posts exclusively for research. Consequently research activity has to find a place among other obligations of teaching and administration as mentioned above. Nevertheless research is being carried on in the universities but is very clearly related to particular subjects and is the product of individual initiative and aims. It is, for instance, quite extensive in medicine (mostly in university hospitals) and in agriculture. But it has been calculated by independent observers that only about 50 % of professors at university (or other university level institutions) are pursuing some sort of research[36]) and a private survey by a university professor comes to the conclusion that only 15 % of his colleagues are involved in research with any international significance[37]). Whether this percentage is satisfac-

---

[34]) Private communication.

[35]) See note 26 above. Bank of Greece data make no distinction between students who pursue proper postgraduate studies abroad and those who have graduated from non university institutions in Greece and do postgraduate training abroad.

[36]) The OECD Report referred to in note 31 above calculates that about 30 % of the Greek university professors do some sort of research work with the staff attached to their chairs.

[37]) Κριμδᾶς, Κ.: 1977: 'Η ἔρευνα στήν 'Ελλάδα (1977: Research in Greece), in: 'Ο Πολίτης, 15. December 1977, p. 65. See also 'Ηλιοῦ, Μ.: Γιά νά ὑπάρξει ἔρευνα (Towards Establishing Research): ibid., 13 October 1977) p. 37ff. For a comprehensive and enquiring survey of scientific research in Greece see Pantelouris, E.: Greek Orthodoxy and Research in Greece, in: Nature, 271. 1978, p. 394 and p. 696.

tory or not for a country such as Greece has yet to be investigated; what should, however, be noted is that in those fields where research of any considerable extent has been carried out in Greek universities it has very often met with international recognition. This constitutes at the same time a promise, a challenge and an obligation.

2. Specialist Institutions

It is exactly to face these problems, the challenge and the obligation in the particular dimensions which they take on as a result of Greece's entry into the European Common Market that a special law was passed in 1977 "For the Promotion of Scientific Research and Technology". It lays down a national policy on the issue and provides for the mechanisms which will guarantee its application. Both university and non university research centres should benefit from its provisions. The latter, which are almost exclusively financed by the state, as has been seen, cover a wide range of fields and make a very considerable contribution to Greek scholarship, science and technology. The law also provides for the encouragement and financing of private or individual research.

Among the non university research institutions the longest tradition, initially in the humanities, belongs to the Academy of Athens. Now, beyond the fields in which its research centres traditionally specialise (linguistics, history, philosophy etc.) it also plays a noteworthy role in mathematics and astronomy[38]). Of the other institutions special mention should be made of the "Democritus Nuclear Research Centre". Inaugurated in 1961, it owns the only nuclear reactor in Greece and specialises both in basic and applied research primarily in Physics, Chemistry, Biology and Electronics. Some two hundred scientists work in its departments, and it has gained general recognition both in Greece and abroad for the high standard of its research work[39]). As is natural for such an institution it also faces problems in its functioning. Of these only one is worth mentioning in the present context as it involves its scientific staff: despite its high reputation, its facilities and conditions of work, it loses staff to the universities. The prestige of the university chair is still unique among Greek academics. The university chair has not yet lost its place as the apex of a scholar's career, a place which it has held in Greek society for almost a hundred and fifty years now.

Of the other institutions specialising in research the following have developed considerably in the last years: the "Greek Productivity Centre", the "National Centre for Social Research" and the "Centre for Planning and Economic Research". Their field of work is obvious from their titles and their research programmes are closely related to national issues. This, combined with their dependence on state funds somewhat restricts their independence and influences the priorities in their research programmes. Nevertheless, these centres have proved valuable both in the recognition of the specific characteristics of Greek society and its economy and in the planning of measures for future improvement and development.

The "National (formerly Royal) Research Foundation" is an institution of a different type. Founded in 1958 it now has a double task: to encourage and finance

---

[38]) The Academy publishes a yearbook in French *(Annuaire)* with full details on its activities.
[39]) On the Centre see Dimotakis, P.: The Demokritos Nuclear Research Centre, Greece, in: Nature, 220. 1968, 861.

research by other agencies and to carry out basic research by itself. It mostly assists institutions of higher education (university level) in their chairs' research projects and specialises in the sciences (Biology, Chemistry, Physics – Chemistry) and in history (Neohellenic, Byzantine, etc.). It also runs an extensive library with a unique collection of periodicals[40]).

The need which twenty years ago led to the establishment of the "National Research Foundation" lies behind the 1977 law "For the Promotion of Scientific Research and Technology" (No. 706) mentioned above. It aims at the co-ordination of research and the modernisation of its methodology. It provides for the drawing up of a "National Programme for Research and Development" which without upsetting existing arrangements will focus on developmental targets. The Programme administered through a "Scientific Research and Technology Agency" at the Ministry of Co-ordination will concentrate on project funding and will encourage assignments of research among various agencies and facilitate procedures for their financing and administration. The whole Programme will be approved by a Committee of Ministers which will also be responsible for the allocation of funds and the execution of the various projects. Finally, among the responsibilities of the Agency is the creation of an infrastructure (basic research, documentation, libraries, education etc.) which will make possible the execution of the Programme. Observers believe that when the whole project is put into full practice, research in Greece will develop and reach the standard needed not only for the country's economy but also its people's cultural and educational betterment[41]).

---

[40]) Among the smaller agencies special mention should be made of the "Institut Pasteur Hellénique" and the "Benaki Phyto-Pathological Institute". Founded in 1919 and 1930 respectively, they have now developed into important research centres and have gained international recognition for the quality of their work. The former publishes annually in French the *Archives de l'Institut Pasteur Hellénique*. Some more details on research centres and other institutions in Greece can be found in: The World of Learning (International), London, and on specialist institutions in: Directory of Mediterranean Marine Research Centres, Geneva (U.N., 1977).

[41]) A working group under Prof. A. M. Kazamias (of the University of Wisconsin – Madison) and Dr. G. Psacharopoulos (of the London School of Economics) has been appointed by the Ministry of Education to investigate the whole spectrum of post-secondary education in Greece. Its report, when published, will certainly offer a complete and authoritative picture of all issues discussed in this paper.

Neugriechische Literatur

Isidora Rosenthal-Kamarinea, Bochum

I. Überblick bis 1940: 1. Anfänge und Entwicklung – 2. Das Sprachproblem – 3. Sieg der Dimotiki (1888) – 4. Entwicklung der Dichtung bis 1940 – 5. Entwicklung der Prosa bis 1940 – II. Die griechische Literatur der Kriegs- und Nachkriegszeit: A. Prosa: 1. Zweiter Weltkrieg und Bürgerkrieg in der Prosa – 2. Romane anderer Thematik – 3. Der politisch engagierte Roman – die politisch engagierte Erzählung – 4. Moderne Richtungen in der Prosa – B. Lyrik: 1. Zweiter Weltkrieg und Bürgerkrieg in der Lyrik – 2. Vielfalt der modernen Richtungen – 3. Dichtung traditioneller Formen – III. Neue Widerstandsliteratur – IV. Theater – V. Literaturkritik

I. Überblick bis 1940

1. Anfänge und Entwicklung

Die akritischen Volkslieder signalisieren schon im 10. Jahrhundert den Beginn der neugriechischen Literatur, für die sie über Jahrhunderte als Vorbild und Erneuerungsquelle in sprachlicher und inhaltlicher bzw. gedanklicher Hinsicht gedient haben. Verkörperten sie doch den Freiheitsdrang des griechischen Menschen und seinen Glauben an die Unbesiegbarkeit des Freimuts und der Kraft des einzelnen, sich seiner unverletzlichen Würde bewußten Menschen. Der Held der akritischen Lieder, Digenis Akritas (der zwiegeborene Verteidiger der Reichsgrenzen), wächst in seinem ungleichen Kampf gegen alle Widrigkeiten, gegen Unterdrückung, Willkür, ja sogar gegen den Tod selbst in Gestalt des Charos, über sich hinaus, bekommt fast übermenschliche Züge. Im Epos des ‚Digenis Akritas' (11. – 12. Jahrh.) wird die Gestalt des Heros loyaler und weniger rebellisch dargestellt. Auch die weiteren volkssprachlichen Werke, die paränetische Dichtung des Spaneas (12. Jahrh.), das Kerkergedicht des Michael Glykas (12. Jahrh.), die Bettelgedichte des Ptochoprodromos (12. Jahrh.) u. a. zählen zu den Anfängen der neugriechischen Literatur. Nicht nur sprachlich zeichnet sich in ihnen die künftige Entwicklung der Literatur in Griechenland ab, sondern sie enthalten selbst sprichwörtliche und andere Redewendungen, die in der späteren neugriechischen Dichtung ähnlich anzutreffen sind und zum Grundstock des Volksgutes gehören. Den volkssprachlichen Werken der letzten byzantinischen Jahrhunderte schließen sich die Klagelieder um die Eroberung Konstantinopels und anderer Städte an, die den Übergang zu der griechischen Volksdichtung bilden, die während der Türkenzeit in den von den Türken besetzten griechischen Gebieten erblüht: Klephtenlieder, Klagelieder, historische Volksgesänge, Tanzlieder, Disticha erscheinen als Fortsetzung der in der byzantinischen Zeit entstandenen akritischen Lieder. An die Stelle der Gestalt des Digenis Akritas treten die Freischärler, die Klephten, die gegen die Willkür des Eroberers kämpfen und das Unrecht rächen. Waren die akritischen Lieder zum großen Teil episch, so ist das lyrische Element in den Klephtenliedern stärker vertreten, so wie auch die Helden nicht mehr mit übermenschlichen Kräften ausgestattet sind, sondern menschliche Züge tragen. Digenis war die Summe des männlichen Ideals, der Stellvertreter der Männer des Volkes, die Klephten sind die Dissidenten, die großen Einsamen. Sie leben nicht inmitten des Volkes wie Digenis, umgeben von allen Tapferen, einer inmitten der vielen, der Selbstsicheren. Sie leben auf den Bergen in Schlupfwinkeln, geplagt von den Entbehrungen eines harten, einsamen Lebens. Sie vertreten nicht wie Digenis eine Gesellschaft, die sich ihrer Würde bewußt ist, sondern sie beschützen ein unterjochtes, der Willkür ausgeliefertes, notleidendes Volk. In den Klephtenliedern werden ihre Tapferkeit und ihre Taten besungen, deren Größe jedoch, trotz aller Glorifizierung, das menschliche Maß nicht übersteigt. Die Volksdichtung war über Jahrhunderte hinweg (bis etwa 1800) das stärkste literarische Zeugnis im versklavten Griechenland. Ihre Bedeutung wurde in Westeuropa früh erkannt: 1824–25 erschien in Paris C. Fauriels bekannte Sammlung neugriechischer Volkslieder[1]) und schon 1825 in Leipzig deren deutsche Übersetzung von Wilhelm Müller[2]). Auch Goethe übersetzte einige Gedichte aus der Sammlung Fauriels.

Auf dem von den Türken noch nicht besetzten Kreta läuft der normale Literaturbetrieb unter venezianischer Herrschaft weiter und bringt schon Ende des 15. und im 16. Jahrhundert beachtenswerte Werke von einzelnen Autoren hervor, um im 17. Jahrhundert durch das hervorragende Kretische Theater (Ἐρωφίλη (Erophile), Πανώρια (Panoria), Κατζοῦρμπος (Katsurbos) von G. Chortatzis, Ἡ Θυσία τοῦ Ἀβραάμ (Das Opfer Abrahams) und das romanhafte Epos Ἐρωτόκριτος (Erotokritos) von V. Kornaros sowie die bukolische Dichtung Ἡ βοσκοπούλα ἡ εὔμορφη (Die schöne Hirtin) u. a. eine hohe Stufe des literarischen Schaffens zu erreichen. Die Werke dieser Zeit gehören zu den bedeutendsten literarischen Zeugnissen der neugriechischen Literatur. Ihre Anlehnung an italienische und französische Vorbilder der Zeit schmälert in keiner Weise ihre bodenständige Dynamik und ihre sprachliche und poetische Brillanz.

Wiederum außerhalb der von den Türken besetzten Gebiete, an den Höfen der zwar von der Hohen Pforte eingesetzten, jedoch ziemlich souverän regierenden griechischen Fürsten der Donaufürstentümer und an den beiden griechischen Hochschulen von Bukarest und Jassy vollzieht sich der Prozeß einer Entwicklung, die unter Einbeziehung des gesamteuropäischen Denkens der Zeit im Geiste der Aufklärung eine neue Ära der neugriechischen Literatur einleiten sollte. Die an den oben genannten Hochschulen und in anderen Kulturzentren Italiens, Frankreichs und Deutschlands wirkenden griechischen Gelehrten beschäftigen sich mit grundlegenden Problemen der Erneuerung der griechischen Erziehung und verfassen wichtige, wegweisende Werke darüber.

Der kurz vor und nach der Einnahme Konstantinopels einsetzende Flüchtlingsstrom griechischer Gelehrter vor allem nach Italien brachte die geistige Verar-

---

[1]) Fauriel, C.: Chants populaires de la Grèce moderne, recueillis et publiés avec une traduction française. Paris 1824–25.
[2]) Neugriechische Volkslieder, gesammelt u. hrsg. von C. Fauriel. Übersetzt u. mit des französischen Herausgebers u. eigenen Erläuterungen versehen von Wilhelm Müller. 2 Bde. Leipzig 1825.

mung für den griechischen Raum mit sich. Das geistige Zentrum der griechischen Welt beschränkte sich zunächst auf die kleine Enklave des Phanar, in dem das Ökumenische Patriarchat von Konstantinopel die Wahrung des Erbes der griechischen Paideia, der griechisch-orthodoxen Religion und des griechischen Nationalbewußtseins übernommen hatte.

In Griechenland selbst und den direkt unter osmanischer Herrschaft und unter dem Einfluß des Patriarchats stehenden griechischen Gebieten findet der reformfreudige Geist nicht leicht Zugang, ja er wird von den maßgeblichen Kreisen abgelehnt und bekämpft. Fortschrittliche Patriarchen wie Kyrillos Lukaris (1572–1638) scheitern jammervoll an ihrem Widerstand.

2. Das Sprachproblem

Der griechische Sprachdualismus war in den letzten byzantinischen Jahrhunderten, trotz gelungener Emanzipationsversuche des gesprochenen Griechisch auf dem Gebiet der Literatur, keineswegs überwunden. Die meisten Autoren pflegten weiterhin das gelehrte Griechisch, die attizistische Sprache, die schon in der Spätantike entstanden war, nachdem die gesprochene griechische Sprache von der Form des klassischen attischen Griechisch, wohl auch infolge der natürlichen Entwicklung einer lebendigen Sprache, abzuweichen begann. Auch die Verbreitung der griechischen Sprache durch die Eroberungszüge Alexanders des Großen mit allen damit zusammenhängenden Konsequenzen trug dazu bei, daß sie die Präzision ihrer differenzierten, schwierigen Aussprache einbüßte. Die langen Silben, Grundlage der Quantitätspoesie, wurden nun kurz, die Diphthonge anders als vorher ausgesprochen. Die daraufhin gebildete, uns aus dem Neuen Testament bekannte Koine (Allgemeine Sprache) ist eine weitere Entwicklungsstufe des klassischen Griechisch und steht, was Aussprache und Syntax anbetrifft, dem Neugriechischen nahe.

Ungeachtet dieser Sprachentwicklung fuhren die Gelehrten und Autoren fort, im attischen Griechisch zu schreiben. Dazu haben sicher die Ausbildungsstätten in Griechenland – z.B. die Philosophenschule in Athen – beigetragen, in denen die griechische Paideia gelehrt wurde, was zu einer Art Konservierung der klassischen Form des Griechischen und zu seinem Anspruch als der einzig würdigen Sprachform für einen griechischen Autor führte.

Die zunächst antikenfeindliche Gesellschaft von Byzanz verfiel in zunehmendem Maße dem Reiz der attizistischen Sprache – auch wenn diese die Schönheit der echten attischen Sprache nie erreichen konnte und oft künstlich, schwülstig und umständlich wirkte. Vor allem nach dem Beginn der humanistischen Renaissance – im 9. Jahrhundert (mit Photios), im 11. Jahrhundert (mit Psellos) und danach – beobachtet man eine Tendenz zum strengeren Attizismus hin. Nur die Werke einiger Chronisten und einige Volksbücher geben uns Zeugnis vom gesprochenen Griechisch in den verschiedenen Jahrhunderten.

Der Sprachdualismus ist also in der Zeit der Eroberung von Konstantinopel manifester denn je, denn in den letzten byzantinischen Jahrhunderten mehren sich die Werke volkssprachlicher Literatur. Ihren Themen nach können wir sie in die

Sparte der Belletristik einordnen, ihrer Verbreitung nach ihre Beliebtheit feststellen und den Schluß ziehen, daß sie die Bestseller ihrer Zeit waren.

Durch die aus den letzten byzantinischen Jahrhunderten überlieferte geradlinige volkssprachliche Tradition in der Literatur Griechenlands von der Zeit der Eroberung Konstantinopels bis zum 18. Jahrhundert war das Problem der Diglossie, was den Literatursektor anbetrifft, schon so gut wie gelöst. Im in ganz Griechenland verbreiteten Volkslied war eine ausgereifte, dichte und ausdrucksstarke Sprachform erreicht, die für die künftigen Schöpfungen einzelner Dichter das richtige Ausdrucksmittel bot. In den von den Türken noch nicht besetzten Gebieten, auf Kreta, auf den Jonischen Inseln und auf Zypern schrieb man ebenfalls in der Volkssprache bzw. im lebendigen lokalen Dialekt.

Die Abfassung von Werken in attizistischem Griechisch geht nach der Eroberung von Konstantinopel aufgrund der Auflösung des byzantinischen Staats- und Bildungsapparats zurück.

Die zurückgedrängte literarische Tradition erhält durch die Kräfte des Volkes ihre Existenzmöglichkeit. Nur in den Kreisen der Phanarioten um das Patriarchat und in anderen kirchlichen Zentren, die, wie schon in der byzantinischen Zeit, auf Konservierung des bestehenden Kulturgutes eingestellt waren und der älteren Sprachform immer die Treue gehalten hatten, werden noch Schriften, meist theologischen Inhalts, in attizistischem Griechisch abgefaßt – oft jedoch in einfacherer Form. Das Patriarchat allerdings hält weiterhin an der über tausend Jahre alten, unzeitgemäßen, zeremoniellen Sprache seines Protokolls fest.

Das besondere Verdienst der Bildungszentren der Donaufürstentümer und speziell der Gruppe der fortschrittlichen Gelehrten und Dichter dieser Kulturenklave ist, daß sie u. v. a. ihr hauptsächliches Interesse der Abfassung der für die griechische Paideia nötigen Bücher gewidmet haben, und da sie zum großen Teil Gelehrte waren und in ihren Werken wissenschaftliche Themen behandelten – die sie in gesprochenem Griechisch abfaßten –, den Beweis erbrachten, daß diese Sprachform des Griechischen auch für wissenschaftliche Werke, philosophische, pädagogische, geographische[3]) u. a., ausdrucksfähig war. An der Schwelle der Ära eines befreiten Griechenland bietet sich also in den Zentren der Donaufürstentümer die Lösung des Sprachproblems an, das Ende einer Diglossie, die aus Nichtachtung der Form der gesprochenen Sprache durch die Jahrhunderte erhalten blieb (man vergleiche etwa den Gebrauch des Mittellateinischen in Ländern, die längst eine eigene Sprache hatten, obwohl der Vergleich nur bedingt zutrifft, da es sich im Griechischen um zwei Sprachformen einer und derselben Sprache handelt).

An der Ablehnung und dem erbitterten Widerstand der Anhänger des Attizismus scheiterte jedoch der Erfolg der eingeleiteten Sprachreform.

In dieser für die Lösung des griechischen Sprachproblems entscheidenden Phase spielt die folgenschwere Einmischung des in Paris lebenden und wirkenden Adamantios Korais (1748–1833) die maßgebliche Rolle.

---

[3]) Neben den Werken von Katartzis sei hier das bedeutende Werk Γεωγραφία Νεωτερικὴ Περὶ τῆς Ἑλλάδος (Neue Geographie) von Daniel Philippidis und Grigorios Konstantas (erschienen 1791. Neuausgabe Athen 1970) erwähnt.

Er selbst ein Freund des Fortschritts und der demokratischen Freiheit, dennoch als griechischer Gelehrter der Tradition des antiken, humanistischen Geistes verbunden, schlug einen Kompromiß, den mittleren Weg, vor. 1803 schrieb er, daß das gesprochene Griechisch auch die Schriftsprache sein solle[4]). Sein Plan jedoch, dieses Griechisch von Vulgarismen und Fremdwörtern zu reinigen und dadurch „schöner" zu gestalten, führte zu der Entstehung einer neuen Sprachform, des puristischen Griechisch, der Καθαρεύουσα (Katharevussa), einer Kanzleisprache, die sich von den anfänglichen Intentionen des Korais entfernte und, statt eine Annäherung an das gesprochene Griechisch herbeizuführen, eine echte Diglossie heraufbeschwor.

Die Katharevussa ist nicht mit dem oben behandelten Attizismus identisch.

Zu Beginn des 19. Jahrhunderts bricht die Zeit der breitangelegten Befreiungsbewegung an, die nach harten Kämpfen zur Gründung eines selbständigen griechischen Staates führt. Die Volksdichtung erhält in dieser Zeit neuen Auftrieb, sind doch die Heldentaten der Befreiungskämpfer eine unvergleichliche Inspirationsquelle. Die Volkssprache gewinnt an Dichte und Brillanz.

Das Geschehen während der Befreiungskämpfe wird später von alten Kämpfern in ihren Ἀπομνημονεύματα (Kriegs-Erinnerungen) beschrieben. Diese Gattung bietet uns das seltene Zeugnis einer unmittelbar gesprochenen Ausdrucksweise in parataktischem Stil und direkter Rede, einer nicht durch Bildung geschliffenen, sondern im direkten Denkprozeß formulierten Sprache. Beispiel u. a. die Ἀπομνημονεύματα des Makryjannis, die wegen ihrer ursprünglichen Sprache und der ungekünstelten Freimütigkeit nach ihrer Veröffentlichung allgemeine Begeisterung auslösten[5]). Demokratischen und Freiheitsgeist drückte das 1803 in Italien erschienene Buch Ἑλληνικὴ Νομαρχία (Griechische Nomarchie) aus.

Zu Beginn des dritten Jahrzehnts des 19. Jahrhunderts erreicht auch die griechische lyrische Dichtung auf den Jonischen Inseln eine hohe Stufe der Reife. Dionysios Solomos (1798–1857) ist zweifellos der erste große griechische Lyriker der neueren Zeit, der den Weg für eine vorbildliche neugriechische Lyrik weist. Solomos und die von ihm beeinflußten Dichter der Jonischen Inseln schreiben im gesprochenen Griechisch, dem sie lebendige Ausdruckskraft und Musikalität abgewinnen.

Aufgrund des Vorhandenseins der volkssprachlichen essayistischen Werke der zweiten Hälfte des 18. Jahrhunderts in den Donaufürstentümern, der Volksdichtung, der Ἀπομνημονεύματα und der Dichtung der Jonischen Inseln mit Solomos' Lyrik an der Spitze wäre es nun die natürliche Entwicklung gewesen, das gesprochene Griechisch als die gültige Sprache zumindest auf dem Sektor der Literatur anzuerkennen. Jedoch das nach der Befreiung Griechenlands und der Gründung des griechischen Staates durch bestimmte Gelehrtenkreise dem jungen Staat aufgezwungene Bildungsprogramm ist nicht vom liberalen Geist des auf den Jonischen Inseln beheimateten Dionysios Solomos geprägt. Mit der Einführung der

---

[4]) Βαλέτας.Γ.: Κοραῆς, ῞Απαντα, Τὰ πρωτότυπα ἔργα (Korais, Sämtliche Werke. Die Originalwerke), Bd. A 1, Einleitung, S. μζ´.

[5]) Erst 1907 durch Jannis Vlachojannis.

antikisierenden puristischen Sprache, der Katharevussa, als offizielle Sprache des Staates auch für die Literatur wird die letztere in eine Sackgasse gedrängt, die sie erst nach gut fünfzig Jahren unfruchtbarer Irrwege verlassen sollte. Die meisten der Werke dieser Epoche bleiben bedeutungslos, da sie zum größten Teil leblose Nachahmungen der westlichen Strömungen ohne Eigenständigkeit und Überzeugungskraft sind.

3. Sieg der Dimotiki (1888)

Das bei den jüngeren Dichtern wachsende Bedürfnis, ihren Werken durch die gesprochene griechische Sprache Unmittelbarkeit und lebendige Substanz zu verleihen, führte zu der Sprachrevolution von 1888, die mit dem Erscheinen des Buches Τὸ ταξίδι μου (Meine Reise) von Jannis Psycharis[6]) begann und zu einer Umwälzung für die ganze neugriechische Literatur führte. Das gesprochene Griechisch, die Δημοτική (Volkssprache), ist seitdem die anerkannte Literatursprache, das Sprachproblem existiert von diesem Zeitpunkt an nicht mehr für die neugriechische Literatur. Allerdings behielt die puristische Sprache andere Domänen des öffentlichen Lebens über mehrere Jahrzehnte weiterhin für sich: sie blieb (bis zum April 1975) die offizielle Sprache des Staatsapparates, der Gerichtsbarkeit, der Wissenschaft, z. T. der Presse und mit Unterbrechungen der Erziehung. Das hatte oft verheerende Folgen, denn bisweilen identifizierten sich die politischen Strömungen und Kreise aus ideologischen Gründen oder aus politischem Konformismus mit der einen oder anderen Sprachform.

Im April 1975 wurde die Dimotiki durch Beschluß des griechischen Parlaments zur offiziellen Sprache für den Staatsapparat, Schule usw. erklärt. Damit dürfte das Sprachproblem in Griechenland gelöst sein.

4. Entwicklung der Dichtung bis 1940

In den letzten zehn Jahren des 19. Jahrhunderts und um die Jahrhundertwende entwickelt die neue Dichtergeneration, die von Kostis Palamas angeführt wird, eine enorme Produktivität. Zu der Volkssprache kommt auch eine neue Orientierung, eine Besinnung auf die von den Puristen bis dahin mißachtete Volkstradition, die eigenen Probleme und Nöte der Nation. Die Bedeutung der Volksdichtung und der Lyrik des Dionysios Solomos werden zu neuen Orientierungspunkten. Die Dichter, die dem Beispiel von Jannis Psycharis gefolgt waren und die Anerkennung der Dimotiki als Literatursprache durch ihre konsequente Anwendung in ihren Werken durchsetzten, erstreben mit aller Macht die innere Erneuerung der neugriechischen Literatur und ihre Befreiung aus der Erstarrung und dem Traditionalismus. Fortschrittlicher Geist, Freimut und Bodenständigkeit charakterisieren das neue dichterische Schaffen, das auf die Quellen der lebendigen Tradition zurückgreift. Kostis Palamas (1859–1943) ist der prominenteste Dichter seiner Generation, eine gewaltige, vielseitige Persönlichkeit von tiefgrün-

---

[6]) Jannis Psycharis (geb. 1857 in Odessa, gest. 1929 in Paris) war Sprachwissenschaftler und Neogräzist an der École des Langues Orientales in Paris.

diger Bildung, dessen Dichtung in einem weiten Bogen alle wichtigen Probleme, Ideen, Theorien und Ereignisse seiner Zeit umspannt. Er sieht um die Jahrhundertwende seine Mission darin, das nach dem unglücklichen Ausgang des Krieges von 1897 verzagende Volk vom bisherigen unrealistischen, schwärmerischen Nationalismus auf ein richtiges Verhältnis zur Idee Griechenland und zum eigenen Staat zu bringen.

Im Bann der hymnischen, ausdrucksstarken Dichtung des Palamas stehen fast alle Lyriker der Gruppe seiner Mitstreiter. Die Dichtung der Palamasgeneration und ihrer jüngeren Anhänger ist bildhaft, reich an Metaphern – auch an Bildungsmetaphern – und rhetorischen Stilmitteln. Neue Richtungen der westeuropäischen Literatur, z. B. der Parnaß, der Symbolismus u. a. ziehen auch jetzt die griechischen Dichter in ihren Bann, aber, anders als bei den Puristen des 19. Jahrhunderts, ohne die eigenständige Originalität ihrer Werke zu beeinträchtigen. Der großartige, feierliche, durch viele Adjektive betonte Gestus dieser Dichtung und die weitgespannte Thematik führt zu einer Verflachung und zu rhetorischer Überladung sowohl in den späteren Werken von Palamas wie auch im lyrischen Schaffen der von ihm beeinflußten Dichter.

Leise Töne einer subtilen, der Sprachmelodie eines eklektischen Symbolismus nacheifernden Lyrik lösen daraufhin den großgestalterischen Palamasstil ab. Eine jüngere Generation, deren Vorbilder u. a. Mallarmé, Verlaine, Rimbaud, Maeterlinck und der späte Albert Samain sind, beherrscht das literarische Terrain in Athen[7]). Nur zwei unbändige Dichterpersönlichkeiten schlagen eigene Wege ein: Angelos Sikelianos (1884–1951), der gewaltige Wortschöpfer und Verkünder eines hellenischen, mystifizierten antike- und zugleich gegenwartsnahen Weltbildes, und der tiefgründige Erzähler, Dichter und Denker Nikos Kasantzakis (1883–1954), der mit einigen seiner Werke nach dem zweiten Weltkrieg zu Weltruhm kam. Der große Mann der Linken, der führende Lyriker, Erzähler und profunde Kritiker Kostas Varnalis (1884–1974) begann seine mitreißende Lyrik in Form und Stil der Palamasschule.

Schon kurz vor der Jahrhundertwende schrieb der Alexandriner Konstantinos Kavafis (1863–1933) seine ersten Gedichte, die als Antipoden des Palamasstils und Vorboten der griechischen Moderne betrachtet werden können.

Als schließlich in der Lyrik der Gruppe der Symbolisten die Subtilität des Stils und die Pflege der Sprachmelodie zum Selbstzweck auszuarten drohten, zeichnete sich der Einzug der modernen Dichtung in Griechenland ab.

Nach dem Vorbild von Konstantinos Kavafis findet die Lyrik in den 30er Jahren zu der *Form der Moderne*. Sowohl die Dichtung der Palamasgeneration mit ihrem gewaltigen Sprachschatz wie auch die melodisch schwingende symbolistische Lyrik hatten sich erschöpft. Eine Vereinfachung und Entrümpelung der ad absurdum geführten Schönrednerei war unumgänglich geworden.

Das Erscheinen des Gedichtbandes Στροφή (Wende, 1931) des Nobelpreisträgers von 1963 Giorgos Seferis (1900–1971) gilt als der Beginn der modernen

---

[7]) Darunter Angelos Simiriotis (1870–1944), Miltiadis Malakassis (1869–1943), Jannis Gryparis (1872–1942), Zacharias Papantoniu (1877–1940), Lambros Porphyras (1879–1932), und die Jüngeren Apostolos Melachrinos (1883–1952), Kostas Uranis (1890–1953), Napoleon Lapathiotis (1893–1943), Kostas Karyotakis (1896–1928), Tellos Agras (1899–1944), Maria Polyduri (1902–1930) u. a.

Dichtung in Griechenland. Charakteristika der griechischen Moderne: Nackte, auf das Substanzielle beschränkte Sprache, nüchterne, unpathetische Darstellungsweise und freies, ungebundenes Versmaß. Freilich gibt es auch für die Moderne die entsprechenden Leitbilder in der westeuropäischen Literatur. So sind Seferis' Vorbilder zunächst Paul Valéry und dann T. S. Eliot, dessen 'The Waste Land' er ins Neugriechische übersetzte. Seinen eigenen Weg findet Seferis erst in seinem 1935 erschienenen Gedichtband Μυθιστόρημα (Mythische Geschichte)[8]), in dem es ihn zu einer Identifikation seines Geschichtsbewußtseins mit dem Erlebnis bzw. der Reflexion der griechischen Landschaft drängt, um dadurch eine gültige Form der Darstellung der schicksalhaften, von altersher immer wiederkehrenden Heimsuchungen im griechischen Lebensraum zu gewinnen.

Unter dem Gesamtbegriff Moderne verstehen wir mehrere Richtungen modernen lyrischen Schaffens, die in den 30er Jahren aufkamen. Die Gruppe um Seferis, von der einige in der 1935 zuerst erschienenen Zeitschrift 'Nea Grammata' Proben ihres literarischen Schaffens vorstellten, war nicht einheitlich. Neben der klassisch strengen, tiefgründigen Lyrik des Seferis wurden Gedichte von griechischen Surrealisten veröffentlicht, die zunächst Befremden und Ablehnung auslösten.

Odysseas Elytis (geb. 1911, Literaturnobelpreis 1979), dessen erste Gedichte in der Zeitschrift 'Nea Grammata' veröffentlicht wurden, vertritt eine eigene Form des Surrealismus. Man hat Elytis schon seit dem Erscheinen seiner ersten Gedichte im Jahre 1935 als den Dichter der Ägäis, der Sonne, des Lichtes, der Lebensfreude, des Ephebenalters in der mediterranen griechischen – schreibe ägäischen – Landschaft apostrophiert.

Er wurde sofort beachtet, und trotz der surrealistischen Manier dieser ersten Gedichte stieß er nicht auf Ablehnung bei Lesern und Kritikern, wie z.B. die orthodoxen Surrealisten Embirikos und Engonopulos zu Anfang. Denn er stellt in seinen Gedichten die ägäische Landschaft nicht nur als Naturerlebnis dar, sondern als eine innere Verschmelzung zwischen Natur und eigener Lebenskraft, eigener Lebensfreude, eigener Selbstverwirklichung im Glauben an die Unvergänglichkeit der Jugend. Sein Eros setzt jugendliche Gestalten in der geliebten, berauschenden ägäischen Landschaft voraus und in aller Darstellung von Landschaft, Gefühl und Handlung herrscht die Norm einer höheren Menschlichkeit, die auch der Darstellung der Libido oder der körperlichen Vereinigung und der Nacktheit in seinen Gedichten eine paradiesische Unschuld verleiht und sie zu Symbolen der Lebensfreude, des Lebensbestandes über aller Vergänglichkeit, über dem Verfall und dem Tod erhebt.

„... Was ich liebe entsteht unaufhörlich
was ich liebe befindet sich immer am Anfang..."[9])
Anders, distanziert, in einer fast feierlichen, jedoch immer wieder ins Banale gleitenden Sprache aus einer Sphäre der Austauschbarkeit zwischen Wirklichkeit

---

[8]) Weitere Bände in den 30er Jahren: Γυμνοπαιδεία (Gymnopädia, 1936), Τετράδιο γυμνασμάτων (Übungsheft, 1940).

[9]) Elytis' Bücher in den 30er Jahren: Προσανατολισμοί (Orientierungen, 1936), Οἱ κλεψύδρες τοῦ ἀγνώστου (Die Wasseruhren des Unbekannten, 1937), Σποράδες (Sporaden, 1939), Ἥλιος ὁ πρῶτος (Sonne die Erste, 1943). Zitat aus Sonne die Erste, Gedicht III.

und Traum, zwischen menschlicher, animalischer und dinglicher Welt, bietet sich die Dichtung des orthodoxen Surrealisten Andreas Embirikos (1901–1975) dar, die er 1935 in seinem ersten Buch vorstellte [10]). Embirikos, der von 1925 bis 1931 in Frankreich lebte, wo er Psychoanalyse bei René Laforgue studierte, verkehrte regelmäßig im Kreise der französischen Surrealisten um Breton und war mit Breton selbst befreundet. Er führte den echten, von ihm direkt erlebten französischen Surrealismus in Griechenland ein, der aber in seiner Dichtung eigene Züge gewinnt und dazu eine kühle Transparenz. Die schillernde, kaleidoskopartige Welt des Unbewußten bringt er nach eigenen Angaben durch das sogenannte „automatische Schreiben" zu Papier. Die Kühle, das Gefühl der Konservierung einer entwirklichten Welt in seinen Versen ist nicht nur auf das „automatische Schreiben", d. h. durch den zunächst unverständlich erscheinenden Text der Gedichte, sondern vor allem auf die Sprache des Dichters – eine kühle, oft unverständliche Katharevussa mit Formen der Dimotiki vermischt –, die den Verfremdungseffekt unterstreicht, zurückzuführen.

Als Vertreter eines kompromißlosen Surrealismus tritt Nikos Engonopulos (geb. 1910) 1938 mit dem Gedichtband Μὴν Ὁμιλεῖτε εἰς τὸν Ὁδηγόν (Nicht mit dem Fahrer sprechen) auf [11]). Er erntet den Spott der Presse. Engonopulos' poetische Aussage bringt neben allen Charakteristika der surrealistischen Manier eine Sprachdynamik großen Ausmaßes. Die Welt des Unbewußten, die seine Gedichte mit farbigen, prägnanten Bildern erfüllt, ist die griechische Welt, synchronisch und diachronisch zugleich erfaßt. Engonopulos, der surrealistischer Maler war, bevor er Dichter wurde, und der jetzt beides betreibt, gehört heute zu den Klassikern der Moderne. Hat doch der Surrealismus der griechischen Lyrik ungeahnte Dimensionen der bildlichen Darstellung eröffnet und zusammen mit Seferis' Lyrik zum Sieg über die traditionelle, versmaßgebundene Dichtung wesentlich beigetragen.

Der Gruppe um Seferis gehören ferner an: Nikos Gatsos (geb. 1915), der mit seiner Dichtung 'Amorgos' [12]) eine surrealistische Schöpfung aus dem Fundus des ägäischen Volksgutes hervorbrachte, die aufgrund ihrer originären und bildhaften Wortassoziationen als ein Markzeichen der Variabilität des surrealistischen Literaturschaffens gilt, ebenso der früh verstorbene Giorgos Sarantaris (1908– 1941) mit seiner beachtenswerten Gedankenlyrik, D. Antoniu (geb. 1906) u. a.

Maßgeblichen Anteil an der Entwicklung und Verbreitung der Moderne haben jedoch auch jene Dichter, die in ihrem lyrischen Werk für das soziale Engagement eintreten, und hier sind die beiden heute gefeierten Lyriker Jannis Ritsos (geb. 1909) und Nikiforos Vrettakos (geb. 1912) besonders hervorzuheben. Beide stammen aus derselben Gegend der Peloponnes, beide kamen als Söhne verarmter Familien nach dem Abitur nach Athen zum Studium, das sie aber aus wirtschaftlichen Gründen nicht haben aufnehmen können, beide verbrachten ihre ersten Jahre. in finanzieller Not, Ritsos dazu an Tuberkulose erkrankt eine Zeit-

---

[10]) Ἐμπειρῖκος, Ἀ.: Ὑψικάμινος (Hochofen, 1935. 2. Aufl. 1960. 3. Aufl. 1975).

[11]) Engonopulos' zweiter Gedichtband Τὰ κλειδοκύμβαλα τῆς σιωπῆς (Die Klaviere des Schweigens) kam 1939 heraus.

[12]) Geschrieben und veröffentlicht erst 1943.

lang in der Lungenheilanstalt Sotiria bei Athen. In ihren ersten Gedichtbänden (Vrettakos 1929, Ritsos 1934) noch im traditionellen Versmaß klingen Töne der Verbitterung und der Anklage an. Ritsos trennt sich 1937 vom traditionellen Versmaß [13]) und gehört von dieser Zeit an zu den Gestaltern der griechischen Moderne. Seine immense Produktivität entwickelt sich in der nachfolgenden Zeit.

Auch Nikiforos Vrettakos pflegt zunächst das traditionelle Versmaß (noch in seiner vielgepriesenen Dichtung Τὸ τραγούδι τοῦ Ἀρχαγγέλου (Das Lied des Erzengels, 1938). In seinem nächsten Gedichtband Μαργαρίτα (Margarita, 1939) gehört auch er schon zu den Gestaltern der modernen griechischen Dichtung. Impulse zur Erneuerung der Dichtung hatten auch in den 30er Jahren der eigenwillige Takis Papatzonis (1905–1976) [14]), die esoterische Melissanthie (geb. 1910) [15])

5. Entwicklung der Prosa bis 1940

Die neugriechische Prosa, Erzählung und Roman, hatte nach den Irrwegen der puristischen Ära im 19. Jahrhundert zu bodenständigen Themen gefunden und erlebte mit der Einführung der Dimotiki einen enormen Aufschwung.

Wohl aufgrund der vorwiegend agralen Struktur der griechischen Gesellschaft um die Jahrhundertwende und danach, wie auch wegen des plötzlichen Interesses an den Schätzen der Volkstradition zieht das Leben im Bergdorf, an der Küste, in der Kleinstadt, die Aufmerksamkeit der Autoren auf sich und liefert fast ausschließlich die Themen für ihre Erzählungen und Romane: Sitten und Gebräuche der Landbevölkerung und die aus ihnen entstehenden zwischenmenschlichen Konflikte. Der griechische Terminus für diese Art von Prosa ist ἠθογραφία (Sittenschilderung), ein Vergleich mit der artverwandten Heimatnovelle der deutschen Literatur wäre verfehlt, da letztere nicht den hohen Rang der griechischen Sittenschilderung beanspruchen kann. Viele vortreffliche Werke der neugriechischen Literatur (Romane und Erzählungen) gehören dieser Gattung an. Prominentester Vertreter der Sittenschildung ist der Nestor der neugriechischen Prosa, Alexandros Papadiamantis (1851–1911), der in einem älteren, aber lebendigen Griechisch die Welt auf seiner Heimatinsel Skiathos beschreibt, der er sich zutiefst verbunden fühlt. Unter seinen vielen Erzählungen, in denen das mühsame Leben der Inselbewohner anschaulich dargestellt wird, ragt die größere Erzählung Ἡ φόνισσα (Die Mörderin), eine psychographische Studie mit tragischem Hintergrund und kritischer Betrachtung der Stellung der Frau in Griechenland, heraus. Sie unterscheidet sich dadurch von der üblichen sittenschildernden Prosa, in der zwar auch Probleme und Schwierigkeiten im Leben der Landbewohner geschildert werden, das Ganze jedoch schließlich eine ländliche Idylle bleibt, in der die Nostalgie des Autors die rauhe Wirklichkeit trotz aller Bemühung um sachliche Darstellung idealisiert. Die griechische Prosa erschöpft sich in dieser Gattung bis

---

[13]) Im Gedichtband Τὸ τραγούδι τῆς ἀδελφῆς μου (Das Lied meiner Schwester). Die 1935 erschienene umfangreiche Dichtung Ἐπιτάφιος (Epitaph), in der er bittere Sozialanklage erhebt, ist im traditionellen, gereimten Versmaß geschrieben.

[14]) Ἐκλογή Α´ (Auswahl I, 1934).

[15]) Mit fünf Gedichtbänden zwischen 1930 und 1939.

1920. Auch der zwischen 1910 und 1920 von Kostas Chatzopulos (1868–1920) und Kostas Theotokis (1872–1923) eingeführte sozialistische Roman behält die Form der Sittenschilderung bei. Wohl erheben die beiden Autoren, die während ihres langen Studienaufenthaltes in Deutschland sich dem Sozialismus angeschlossen hatten und ihre Werke in den Dienst ihrer Ideologie stellten, Anklage gegen die sozialen Mißstände und packen heiße Themen an, wie z. B. die benachteiligte Stellung der Frau in Griechenland, doch spielt auch in ihren Werken die Handlung auf dem Land oder im Provinzstädtchen mit dem gleichen idyllischen Kolorit wie bei anderen Sittenschilderungen. Dennoch bedeutet ihr Werk einen Fortschritt für die Prosaliteratur Griechenlands. Eröffnet es doch neue Wege für eine kritische Auseinandersetzung mit den Problemen der Zeit.

Zwischen 1910 und 1920, im Verlauf des von Kriegswirren erschütterten Jahrzehnts, wird auf einmal die Dringlichkeit der Lösung mehrerer wichtiger Probleme, die seit der Jahrhundertwende die Gemüter immer wieder aufs neue erhitzt hatten, manifest. Bei der Festlegung der Richtlinien auf dem Erziehungssektor hatte das Sprachproblem zu größten Streitigkeiten im Parlament geführt. Die Entwicklung auch eines freieren politischen Denkens durch die Einführung neuer freiheitlicher Ideen, die Gärungen im Lager der Anhänger der sozialistischen Ideologie, weisen dem griechischen Volk den Weg zu einer politischen Mündigkeit.

1910 wurde der Ἐκπαιδευτικὸς Ὅμιλος (Ekpädevtikos Omilos = Gesellschaft zur Reform der Erziehung) von 36 Gelehrten, Literaten und Politikern gegründet, der für die Reform der Erziehung und die Einführung der Dimotiki in die Schule eintrat[16]). Führender Mitbegründer und Mitkämpfer des Ekpädevtikos Omilos war z. B. der dem konservativen Flügel angehörende Ion Dragumis (Idas), Vertreter des Ideals einer nationalhellenischen Bewegung, Verfasser vielbeachteter Bücher psychologischer Selbstbetrachtung und kämpferisch heldischen Geistes unter dem Einfluß Nietzsches und Maurice Barrés[17]). Ion Dragumis wurde 1920 Opfer eines politischen Attentats aus den Reihen der liberalen Veniselos-Partei.

Alle diese kulturpolitischen und ideologischen Gärungen bilden die Hintergründe der Literaturentwicklung in diesem und im folgenden Jahrzehnt, das eine grundsätzliche Wende im literarischen Schaffen bringen sollte.

Ein besonderer und für Griechenland nicht ohne weiteres selbstverständlicher Punkt der neuen Betrachtungsweise ist das frühe Aufkommen einer kritischen Einstellung gegenüber dem Krieg. Schon 1913 entstehen Antikriegserzählungen – auf den Schlachtfeldern der Balkankriege –, noch bevor die große Antikriegskampagne in der westeuropäischen Literatur einsetzt. Der junge Autor Stratis Myrivilis (1892–1969) aus dem damals noch von den Türken besetzten Lesbos, Freiwilliger der Balkankriege, veröffentlicht 1913 seine erste Erzählung Ἐθελοντικό (Kriegsfreiwilligenkorps) und in seinem ersten Buch Κόκκινες Ἱστορίες (Rote

---

[16]) Auch andere Organisationen, wie z. B. die ebenfalls 1910 gegründete Φοιτητικὴ Συντροφιά (Studentenvereinigung) setzen sich aktiv für die gleichen Ziele ein.

[17]) Man erinnere sich an die Attacke der Dadaisten bzw. späteren Surrealisten unter André Breton gegen Barrés am 13. Mai 1923 in Paris. – Nietzsches Ideen beeinflußten viele und auch führende Vertreter der neugriechischen Literatur entscheidend, darunter auch Kostis Palamas und Nikos Kasantzakis.

Geschichten) die gleiche Erzählung und eine weitere mit dem Titel Κιλκίς (Kilkis)[18]. 1917 schrieb er nach eigenen Angaben[19]) bereits einige Kapitel seines berühmten Antikriegsbuches Ἡ Ζωὴ ἐν Τάφῳ (Das Leben im Grab)[20]. Myrivilis' Antikriegsliteratur in ihrer aggressiven Form leitete eine, wie schon gesagt, für Griechenland nicht ohne weiteres selbstverständliche Wende in der Einstellung zum Krieg ein. War doch durch den Krieg die Befreiung des Landes und die Gründung des griechischen Staates erreicht und war bis dahin die Tapferkeit auf dem Schlachtfeld in der Literatur verherrlicht worden. Die Antikriegserzählungen des Myrivilis weichen auch vom Klischee der Sittenschilderung ab, das sogar in den sozialpolitisch engagierten Werken von Kostas Chatzopulos und Konstantinos Theotokis nicht überwunden werden konnte.

Erst nach dem ersten Weltkrieg und vor allem nach der Niederlage der griechischen Truppen in Kleinasien entstehen die ersten urbanen Romane. Der Flüchtlingsstrom, der sich 1922 über Griechenland ergießt und die Städte füllt, bringt schwer zu lösende Probleme für das arme Land mit sich. Dem bisherigen Bild der agralen Struktur tritt als Gegengewicht die Ausformung eines aufstrebenden, dichtbevölkerten Stadtbildes entgegen.

Die Stadt als Ballungszentrum und Prüfstein für das Durchsetzungsvermögen des einzelnen im harten Lebens- und Konkurrenzkampf bietet solche Lebensbedingungen, bei denen der einzelne, total auf sich gestellt, bestehen oder untergehen wird.

Nicht in den 30er Jahren, wie immer geschrieben und behauptet, sondern in den 20ern vollzieht sich die Wende in der neugriechischen Prosa.

Nach 1920 wenden sich die Autoren den neuen Problemen der urbanen Gesellschaft zu. Beschäftigte sich bis dahin die Sittenschilderung mit dem Leben und den zwischenmenschlichen Konflikten einer in ihrer Größe und Zusammensetzung überschaubaren Gesellschaft, in der sich die Menschen untereinander kannten und in Notfällen einander halfen, in der eine patriarchalische Ordnung vorherrschte und der Aberglaube skurrile Früchte trug, so wendet sich jetzt das Interesse der Autoren dem einzelnen, inmitten der riesigen, unerbittlichen Maschinerie der Stadt verängstigten und isolierten Menschen zu, dem es nicht ohne weiteres gelingt, sich durchzusetzen und zu behaupten, und der an seiner Unsicherheit, seinen Ängsten und seinen Einbildungen in der Isolierung zugrunde geht[21]), oder benachteiligten Gruppen der Gesellschaft, für die die Rückkehr in ihren Schoß für immer abgeschnitten ist[22]), oder dem feinen psychologischen Nachspüren der Probleme der Pubertät, der Entwicklung der Charaktere in dieser Phase in der Gruppe und dem Herausstellen jener in ihr herausragenden Hauptakteure eines unmotivierten Wagemuts, einer kompromißlosen Unversöhnlichkeit, an der sie schließlich zerbrechen[23]). Die Handlung spielt in der Stadt in

---

[18]) 1914 in Lesbos erschienen.
[19]) Ἡ Ζωὴ ἐν Τάφῳ (Das Leben im Grab). 14. Aufl. Athen o. J., S. 311.
[20]) Zum ersten Mal von April 1923 bis Januar 1924 in Fortsetzungen in der Wochenzeitung Καμπάνα (Glocke) in Lesbos erschienen.
[21]) Angelos Tersakis.
[22]) Petros Pikros.
[23]) Giorgos Theotokas, Kosmas Politis.

bürgerlichen oder großbürgerlichen Kreisen oder in Kreisen von der Gesellschaft Ausgestoßener.

Alle diese Werke des dritten Jahrzehnts unseres Jahrhunderts sind neu in Konzeption, Motivation, Aussage. Sie konfrontieren den Leser mit der Problematik der Psychologie des modernen Menschen und der Härte der Lebensumstände in der Stadt für einige Kreise der Bevölkerung. Kritisch und freiheitsbewußt entwikkelt sich auch in diesem Jahrzehnt die Antikriegsliteratur, die vor gut zehn Jahren begonnen hatte [24]).

Die sogenannten Autoren der 30er Jahre begründen ihren späteren Ruf in den 20er Jahren, als sie als Vorkämpfer für eine humanere, gerechtere Welt sich bemühen, die Literatur in den Dienst des Menschen zu stellen. Später, in den 30er Jahren, wenden sich die meisten von ihnen als die nun anerkannte, führende Autorengruppe anderen, allgemeineren Themen zu.

Fast gleichzeitig erscheinen mehrere Werke verschiedener Stilrichtungen. Zu dem von einigen der jungen Autoren immer noch gepflegten Symbolismus tritt die krasseste Form des Naturalismus, den der linksengagierte Petros Pikros mit seinen Erzählungen aus dem Bordellmilieu befolgt [25]). Die schonungslose Schilderung des Lebens der Ausgestoßenen und ihres vergeblichen Wunschtraumes, eines Tages ins bürgerliche Dasein zurückzukehren, „wieder Menschen zu werden", deckt Seiten des unentrinnbaren Elends der Frauen auf, die den Leser aufwühlen, schockieren, zum Protest mitreißen sollen. Der naturalistische Erzähler bedient sich, um die Gegensätze schärfer herauszustellen, des Stilmittels der Ironie und des Sarkasmus, indem er das verbrecherische Tun einem Ehrenkodex unterstellt, dessen Regeln den Kontrast zur tatsächlichen Situation und Handlungsweise erhöhen. Desgleichen die Schilderung der elenden Situation der Dirnen in positiver, persiflierender Form mit schmückenden Beiwörtern. Der krasse Naturalismus von Petros Pikros fand Ablehnung bei der Kritik, auch der politisch engagierten. Die Tradition des gepflegten Stils war noch zu verwurzelt im kritischen Bewußtsein der griechischen Schriftsteller und Kritiker der Zeit, so daß die ungeschminkte, sachlich wiedergegebene Unterschichtsprache mit ihren idiomatischen Redewendungen und die wahrheitsgemäße Schilderung des Geschehens als nicht künstlerisch empfunden wurden. Dennoch sind die Bücher von Petros Pikros sowohl im ganzen Komplex der Erneuerungsbewegung der 20er Jahre gesehen wie auch für sich selbst wichtige Dokumente einer engagierten und in ihrer Aussage erschütternden Prosaliteratur.

1924 erschien eine kleine Sammlung mit Erzählungen von Petros Charis (damals 22 Jahre alt). Sie hatte den Titel Ἡ τελευταία νύχτα τῆς γῆς (Die letzte Nacht der Erde). Die gleichnamige Erzählung in der Sammlung wurde von der Literaturkritik als der Beginn der griechischen urbanen Erzählung bezeichnet. Sie besitzt alle Eigenschaften dieses Genres und zeichnet sich zudem durch genaue Beobachtung, subtile Darstellung und unpathetische Kontrastierung von Recht und Unrecht aus. Die Handlung spielt in einem Stadtteil Athens in der Abend-

---

[24]) Stratis Myrivilis, Elias Venesis, Stratis Dukas.

[25]) Zwei Bände mit Erzählungen und ein Roman (Χαμένα κορμιά – Ausgestoßene, 1922), Σὰ θὰ γίνουμε ἄνθρωποι (Wenn wir wieder Menschen werden, 1924) und Τουμπεκί (Tubeki, 1927).

dämmerung im Augenblick der letzten Anspannung vor dem unmittelbar bevorstehenden Untergang der Welt, der sich beim Zusammenprall der Erde mit dem Kometen Haley ereignen soll. Sie beginnt mit der Schilderung der Umgebung eines kleinen Platzes mit einer Baumgruppe, dem langsam hereinbrechenden Abend, dem aufkommenden Wind – ein Bild der sich steigernden Unruhe –, dem Haus, in dem sich die Handlung der Geschichte konzentriert, so daß der Kreis der Umgebung immer enger um den Handlungsort gezogen wird, um schließlich im Innern des Hauses lokalisiert zu werden. Und hier beginnt die andere Ebene der Geschichte, die soziale Ebene, in der Schilderung der Personen der zur Flucht ins Freie aufbrechenden, aufgeschreckten und dennoch ihrer gesellschaftlichen Stellung sich bewußten Familie und demgegenüber der Skizzierung der Stellung des Dienstmädchens im Haus, das zurückgelassen wird, um das Haus zu bewachen. Nach dem Weggang der Herrschaften beginnt die eigene Geschichte der Hausangestellten, eine Liebesnacht mit einem Mann gleichen Ranges, der es versteht, sie zu verführen. Angesichts des kommenden Weltuntergangs überwindet sie alle Bedenken und gibt sich der Liebe hin. Das Erwachen in der Wirklichkeit am nächsten Morgen, nachdem die Welt natürlich nicht untergegangen ist, ist für sie eine bittere, ihr künftiges, im Unglück endendes Leben bestimmende Erfahrung. Zum Verständnis der Dramatik dieser Geschichte muß man die Kenntnis des sozialen Gefüges im Griechenland der 20er Jahre und vor allem die Stellung der Frau in der griechischen Gesellschaft, die ihr kein Recht auf voreheliche Liebe einräumt, und speziell die der abhängigen Hausangestellten, die noch weniger über sich selbst bestimmen kann, voraussetzen.

Den Kampf des einzelnen im unerbittlichen Getriebe der Stadtmaschinerie, die Isolation des Schwachen, die Verlassenheit und den Untergang stellt zum ersten Mal Angelos Tersakis (1907–1979) in seinem ersten Erzählband Ὁ ξεχασμένος (Der Vergessene, 1925) heraus, in dem alle Geschichten in den Armenvierteln Athens spielen und traurig enden. In der zweiten Erzählung mit dem Titel Στὴ σοφίτα (In der Mansarde) schildert Tersakis neben der unheimlichen Atmosphäre der Isolation und der Verlassenheit eines sich bis in Wahnsinn steigernden einsamen Menschen auch dessen aufkommenden Haß, der ihn am Schluß zwingt, von der Mansarde ins Parterre hinabzusteigen und den Hausherrn, der dort selbstzufrieden haust, unter dem Aufleuchten eines unheimlichen Lichtes zu töten, das nach dem Ende ihres Kampfes erlischt.

In seinem zweiten Erzählband setzt Tersakis seine Schilderung der Ängste und des seelischen Kampfes der Außenseiter, der Verfolgten und Armen, der Kehrseite des Lebens in der Stadt fort, des Elends in den Armenvierteln im Kontrast zum guten Leben der Wohlhabenden. In der Titelerzählung des zweiten Bandes, Φθινοπωρινὴ συμφωνία (Herbstsymphonie, 1929), gelingt ihm das fesselnde Psychogramm eines durch innere Ängste und Unsicherheit isolierten Menschen, der aus seinem Zimmer in einem Volksviertel das Leben der in einem alten Haus gegenüber wohnenden Familie (älteres Ehepaar, eine Tochter, jung, blaß, still) verfolgt. Das Bild dieses jungen Mädchens dringt in seine Alltagsängste ein, bringt lichte Augenblicke ins Auf und Ab seines gestörten Gemütszustandes. Er erschießt sich eines Tages, als er die Fensterläden des Hauses geschlossen sieht und erfährt, daß man das Mädchen ins Sanatorium gebracht hat. Sie ist seit

langem lungenkrank gewesen. Das Milieu des Kleinbürgers und um die Bewältigung des Lebens sich plagenden Menschen behält Angelos Tersakis auch in seinen
Romanen der 30er Jahre bei. Seine Helden besitzen nicht die Fähigkeit, das
Leben zu meistern, sie sind linkisch, gutgläubig, schwache Charaktere, die sich,
wie in der 'Herbstsymphonie', nicht durchzusetzen vermögen.

Im Zusammenhang mit der Entwicklung und künstlerischen Zielsetzung der
heranreifenden Autorengeneration dieser Zeit darf der Essay Tò ἐλεύθερο
πνεῦμα (Der freie Geist, 1929) des damals 24jährigen Giorgos Theotokas nicht
unerwähnt bleiben. War er doch, nach K. Th. Dimaras, „das Manifest des Selbst-
verständnisses der Generation der 30er Jahre."[26]) Gemeint ist damit die Gruppe
der die bürgerliche Literatur vertretenden Autoren der 30er Jahre. Theotokas
kritisiert in diesem aus vier selbständigen Teilen bestehenden literatur- und kul-
turkritischen Traktat viele Ansichten und verbreitete kulturpolitische Überzeugungen: wie die Überbetonung der Tradition und des hellenischen Ideals einerseits und andererseits auch die zu loyale, ordentliche, gehorsame Haltung: „Die
Widerspenstigen, die Abenteurer der Seele und des Geistes, die Menschen, die
vom Überfluß ihrer Kraft jenseits der Horizonte und höher als das Niveau der
Masse getrieben werden, sie erhalten das schöpferische Feuer lebendig."[27]) In
diesen Zeilen ist der ideale Typus vorgezeichnet, der später in Theotokas' Romanen der 30er Jahre die Hauptfigur abgibt, der „unversöhnliche" Ephebe, für den
die 'Faux Monnayeurs' André Gides, aber auch Maurice Barrés Theorien der
Selbsterforschung Pate gestanden haben. So ist auch seine Bewunderung für Ion
Dragumis[28]) verständlich, den er als den "Hamlet der Politik" bezeichnet, den
"Vorläufer, der seiner Zeit voraus war, der im förderlichen Einfluß "Zaratustras"
und des "Ich-Kults" Barrés den Sinn des Seins erfassen konnte... Dragumis war
der erste Erzähler, der die Esoterik des Menschen gespürt hat. Das ist sein Titel.
Eines Tages wird sich zeigen, daß es ein großer Titel ist..."[29]). Diese Charakteri-
sierung muß man sich als Apposition zu Konstantinos Kavafis und seinem Werk
vorstellen, das Theotokas im gleichen Buch abtut und dem er nur Schwächen,
Langeweile, Mangel an Reichtum und Kraft bescheinigt. Seine Lyrik bedeute ein
Ende, nicht einen Anfang.

In diesen Äußerungen und der gnadenlosen Verdammung des naturalistischen
Stils („die gewollte Trivialität einiger..., die glauben, starke Prosa zu schreiben,
weil sie schmutzig schreiben"[30]) – gemeint ist mit Sicherheit Petros Pikros) stellt
man den noch immer verwurzelten Glauben an die elitäre Mission des Dichters
fest, „der ... die alltäglichen Ausdrucksmittel verläßt, weil er sie für sich nicht
ausreichend findet und sich eine eigene Sprache schafft..."[31]) Und: „Wenn in
einem Werk der dichterische Hauch fehlt, fehlt alles."[32])

---

[26]) Einführung in Ἐλεύθερο Πνεῦμα, hrsg. K. Th. Dimaras. Verlag Ἑρμῆς (Hermes). Athen 1973, S. λβ'.

[27]) A. a. O., S. 33.

[28]) A. a. O., S. λ.

[29]) Δημαρᾶς, Κ. Θ.: Ἱστορία τῆς νεοελληνικῆς λογοτεχνίας (Geschichte der neugriechischen Literatur). 4. Aufl. Athen 1968, S. 476.

[30]) A. a. O., S. 47.

[31]) A. a. O., S. 43.

[32]) A. a. O., S. 44.

Diese Verwirrung der Begriffe und die daraus folgende falsche Einschätzung der künftigen Entwicklung der Dichtung und der späteren Anerkennung oder Nichtanerkennung der Bedeutung des Werkes von Dichtern (Kavafis – Dragumis) ist um so erstaunlicher, als Theotokas immer als Vertreter echt demokratischer Gesinnung und Verfechter politischer Freiheit anerkannt war. Nach K. Th. Dimaras ist „für Theotokas, der den Geist Descartes mehr als die anderen griechischen Prosaschriftsteller vertrat, die Grundlage in allem immer die Ratio gewesen." [33]) Im Essay Tò ἐλεύθεϱο πνεῦμα findet sich eine Bestätigung dieser Charakterisierung nicht. Gerade dieser widersprüchliche Traktat, mit dessen Aussage ein repräsentativer Teil der Autoren der 20er Jahre (nach Dimaras die Generation der 30er Jahre) sich identifiziert, macht deutlich, wie unterschiedlich der Ausgangspunkt derer war, die sich um neue, wahre, freie und kämpferische Prosaliteratur in dieser Zeit bemühten. Sie haben alle trotz der Verschiedenheit ihrer ideologischen und politischen Orientierung eines gemeinsam, den Willen, sich restlos für eine Verbesserung der Lebensbedingungen, für eine Erneuerung der Denk- und Lebensweise einzusetzen. Durch den ideologischen Standpunkt jedes Autors werden auch die Ausdrucksmittel und die Form der Werke bedingt, so daß ein Pluralismus von ideologischen Standpunkten entsteht, vom Idealismus bis zum historischen Materialismus und in bezug auf die Stilrichtungen vom Symbolismus bis zum Realismus, zum Naturalismus usw. Der gemeinsame Vorsatz ist unbestreitbar. Eine große Anzahl von Autoren, die in den kommenden Jahrzehnten die Führung des literarischen Lebens übernehmen, haben in den 20er Jahren ihre ersten Bücher veröffentlicht. Der Schwerpunkt ihres Schaffens liegt bei den meisten nach 1930. Wir erwähnen die wichtigsten: Dimosthenis Vutyras (1871–1958): mehrere Bände mit Erzählungen, I. M. Panajotopulos (geb. 1902): Χάνς καὶ ἄλλα πεζά (Hans und andere Prosa, 1925), Thanassis Petsalis (geb. 1904): Μεϱικὲς εἰκόνες σὲ μιὰ κοϱνίζα (Einige Bilder in einem Rahmen), Photis Kontoglu (1895–1965): Pedro Casas, 1923, Vassanta, 1924, Ταξίδια (Reisen, 1928), Galatia Kasantzaki (1888–1962): Νύχτα τοῦ ῞Αη Γιάννη (St. Johannes-Nacht, 1921), Ἡ ἄϱϱωστη πολιτεία (Die kranke Stadt, 1925), Thrassos Kastanakis (1898–1967): Πϱίγκηπες (Prinzen, 1924), Christos Levandas, der Erzähler der einfachen Menschen (1904–1975): Στὸ μεθύσι τοῦ πόνου (Im Rausch des Schmerzes), Nikos Katiforis (1903–1968), der einen wichtigen Teil seines Werkes in dieser Zeit veröffentlichte: Τϱαβώντας στὴν τϱέλλα (Dem Wahnsinn entgegen, 1922), ᾿Ανοιχτὸ παϱάθυϱο (Offenes Fenster, 1926), ῞Οσο κϱατάει τὸ σκοτάδι (Solange es dunkel bleibt, 1929). Seine politisch engagierten Erzählungen schildern das Elend im Leben der Armen und Unterdrückten.

Zwischen 1920 und 1940 erscheinen mehrere Prosawerke von Kostas Varnalis: Ὁ λαὸς τῶν Μουνούχων (Das Volk der Kastrierten, 1923), Ὁ Σολωμὸς χωϱὶς μεταφυσική (Solomos ohne Metaphysik, 1925), Ἡ ἀληθινὴ ἀπολογία τοῦ Σωκϱάτη (Sokrates' wahre Apologie, 1931) u. a.

Im Jahre 1928 veröffentlicht Elias Venesis (1904–1973) sein erstes Buch 'Manolis Lekas'. In robuster, fast derber Sprache wird dem Leser das harte, primitive Leben von ungehobelten Menschen in anschaulicher Weise geschildert –

---

33) A. a. O., S. λʹ.

der Mann, jähzornig, verschlossen, unberechenbar, verprügelt seine Frau, schlägt
seine Kinder zu Krüppeln, läßt sich nichts sagen, die Frau geduldig, das schwere
Leben schweigend ertragend. Man fragt sich, ob der 24jährige Autor die krasse
Schilderung als Protest verstanden haben will. Sein zweites Buch Τὸ νούμερο
31328 (Nummer 31328) ist stärker in der Aussage, ausgewogener in der Sprache
und eindeutiger in der Intention. Es ist ein ausgesprochenes Antikriegsbuch.
Venesis beschreibt darin seine Leiden während seiner Verschleppung als Gefangener der Türken nach 1922. Die Anschaulichkeit der Schilderung und die sprach-
gestalterische Kraft machen das Buch zu einem der besten Zeugnisse der Reform-
literatur der 20er Jahre. Die Leiden eines Gefangenen im Innern der Türkei bis
zu seiner Flucht beschreibt auch Stratis Dukas (geb. 1885) in der größeren Erzählung Ἱστορία ἑνὸς αἰχμαλώτου (Geschichte eines Kriegsgefangenen, 1929) in
schlichter, eindrucksvoller Ich-Erzählung, in der der Ruf nach Freiheit und
Humanität deutlich wird.

Πόλεμος (Krieg) heißt der Band mit Erzählungen von Stratis Myrivilis, der 1928
erscheint. Die Erzählung Πόλεμος gehört zu den stärksten Anklagen gegen den
Militarismus, gegen den inhumanen und unfreien Geist des Krieges. Myrivilis
wagt es, einen Schritt weiter zu gehen und die Grausamkeiten nicht nur dem
Feind anzulasten, ja gegen die eigenen höchsten Institutionen und die Würdenträger des Militärs in schonungsloser Weise vorzugehen und ihre verbrecherische
Borniertheit aufzudecken.

1930 folgte die zweite Ausgabe seines Antikriegsbuches Ἡ Ζωὴ ἐν Τάφῳ (Das
Leben im Grab), das Myrivilis' vorrangige Stellung auf dem Literatursektor in
Griechenland festigte. Man verglich dieses in Griechenland erfolgreiche Buch
immer wieder mit Remarques Bestseller 'Im Westen nichts Neues', wobei man die
ungestüm schöpferische Sprachgestaltung und das unbändige Freiheitsengagement
Myrivilis' hervorhob.

Es ist etwas ausführlicher auf die Literaturproduktion der 20er Jahre eingegangen worden, weil wir glauben, daß sie die Weichen für die Entwicklung der Prosaliteratur der neueren Zeit gestellt hat, obwohl bei der Gruppe der führenden
Vertreter der Prosaliteratur der 30er Jahre, die ja auch, wie schon erwähnt, die
Führung auf dem Literatursektor inzwischen übernommen hatte, eine unerwar-
tet rückläufige Entwicklung ihrer kämpferischen und reformfreudigen Thematik
einsetzte.

Das in den 20er Jahren gesteckte Ziel dieser Gruppe wurde in den 30er Jahren
von ihnen nicht erreicht. 1932 trat die liberale Regierung Eleftherios Veniselos
zurück. Die politischen Wirren der nachfolgenden Zeit führten zur Diktatur des
Ioannis Metaxas (4.8.1936), nach der Wiederherstellung der Monarchie durch
General Kondylis und nach der Rückkehr König Georgs II. im November 1935.
Ist diese Wandlung in der politischen Landschaft Griechenlands der Grund für die
Änderung des Kurses derjenigen Autoren, die das freiheitliche Denken und die
Aufdeckung der Inhumanität in den 20er Jahren auf ihr Banner geschrieben hat-
ten? War durch ihre Anerkennung die geistige Unruhe einer bequemeren ideolo-
gischen Orientierung gewichen?

Jedenfalls gibt es kein neues Antikriegsbuch mehr. Im Gegenteil macht sich
Stratis Myrivilis daran, sein 'Leben im Grab' Schritt für Schritt bei jeder neuen

Auflage zu entschärfen, und in einem Band mit dem Titel Τὸ κόκκινο βιβλίο (Das rote Buch, 1953) veröffentlicht er eine neue Fassung seiner Erzählung Πόλεμος (Krieg) aus dem Jahre 1928. In dieser Fassung bleibt der Rahmen erhalten. Der Titel ist geändert worden in Τὸ λουλούδι τῆς φωτιᾶς (Die Feuerblume), und alle antimilitaristischen Äußerungen sind nicht nur gestrichen, sondern sogar ins Gegenteil umgeändert worden, so daß aus dem grausigen, vom Militär verursachten Geschehen nach Ausschalten von nur zwei verkommenen Typen, die – in der neuen Fassung – keine Berufsoffiziere sind, sondern in der Militärverwaltung dienen, und durch die ethisch edle Intervention von zwei heldischen Typen–einem Offizier wie im Klischee und einem herrlichen jungen Soldaten – alles zum Guten gewendet wird. Eine derartige Fälschung eines eigenen Werkes, aufgrund dessen der Autor berühmt geworden war, hat es kaum je gegeben. Nun wissen wir, daß Stratis Myrivilis ins Lager des harten Nationalismus übergetreten war, der es nicht zuläßt, das eigene Militär mit solchen Vorwürfen zu belegen[34]). Aber nicht nur seine Haltung gegenüber dem Militär, auch seine antimonarchistische Haltung revidiert er. Der Königssohn wird mit märchenhaften Zügen ausgestattet, der hinreißende Rausch des Krieges nicht mehr als negative Mordfalle, sondern positiv hingestellt. Der Anschluß an die Tradition der Verherrlichung des Krieges ist wiederhergestellt.

Auch Elias Venesis schreibt kein hartes, robustes, kritisches Buch mehr. Zarte, weiche Töne beschreiben eine heroisierte, verzauberte Welt aus der Tiefe der Erinnerung im verlorenen Land Äolien (Westkleinasien), wo die alte patriarchalische Ordnung in Harmonie zwischen mythischer Menschengröße, geduldiger, liebevoller Milde, gütiger Schrulligkeit und Märchenzauber dahinlebt. Das vielgepriesene Buch Ἡ Αἰολικὴ γῆ (Äolische Erde) mit seiner lyrischen Sprache leitet bei Venesis eine Reihe von Romanen und Erzählungen dieser Art und nicht immer gleichen Ranges ein. Es gelingen ihm Erzählungen mit einem ethischen Postulat nach Menschlichkeit und Versöhnung. Die Romane flachen ab.

Die Richtung, die in den 30er Jahren weiter gepflegt wird und Werke von bedeutender Qualität hervorbringt, ist die des Romans mit der Thematik der Psychologie der Jugend.

Die Bücher von Giorgos Theotokas: Ἀργώ (Argo, 1933), Τὸ δαιμόνιο (Der Genius, 1938), Λεωνῆς (Leonis, 1940) beschäftigen sich mit den Problemen der pubertären Jugend in Kreisen der großbürgerlichen Gesellschaft, in denen diese herausragenden Gestalten unversöhnlicher, träumerischer, tollkühner, totgeweihter junger Männer zu waghalsigen, hinreißenden seelischen Abenteuern getrieben werden, um früher oder später an ihrer Bedingungslosigkeit und ihrem Wagemut zu scheitern.

Die Psychologie der pubertären Jugend pflegt mit Vorliebe auch Kosmas Politis (1883–1974). Seine Werke Λεμονοδάσος (Zitronenhain, 1930), Eroica (1938) u.a. gehören zu den bedeutendsten Romanen der 30er Jahre. Der Literaturkritiker Apostolos Sachinis[35]) sieht als Vorbild eines Teils der Romane der pubertären Jugend das Buch 'Le grand Maulnes' von Alain Fournier (Paris 1913) an, wir

---

[34]) Σβορῶνος, Ν.Γ.: Ἐπισκόπηση τῆς Νεοελληνικῆς Ἱστορίας (Abriß der neugriechischen Geschichte). Athen 1976 S. 131.

[35]) Σαχίνης, Ἀ.: Ἡ σύγχρονη πεζογραφία μας (Unsere moderne Prosa). Athen 1951, S. 16ff.

halten die 'Faux Monnayeux' von André Gide vor allem für die Werke von Theotokas für ebenso richtungweisend.

Thanassis Petsalis führt in dieser Zeit den Roman fleuve ein, mit der Schilderung der Konflikte und des Lebens großbürgerlicher Familien über Generationen: Trilogie Ἀδύναμες γενηές (Schwache Geschlechter), 1. Τὸ πεπρωμένο τῆς Μαρίας Πάρνη (Das Schicksal der Maria Parni, 1933), 2. Τὸ σταυροδρόμι (Der Kreuzweg, 1934), 3. Ὁ ἀπόγονος (Der Nachkomme, 1935). Auch in seinen Erzählungen bleibt er der Schilderer der Geschicke der großbürgerlichen Gesellschaft. Nach dem Zweiten Weltkrieg wendet er sich dem historischen Roman mit nationalen Themen zu.

M. Karagatsis eröffnete die neue Richtung eines sexbetonten Realismus, der durch gewagte Schilderung sexueller Szenen Aufsehen erregte. Karagatsis bewegte die Gemüter mit seiner offenen, den geschilderten Leidenschaften in der Vehemenz nacheifernden Sprache, die jedoch oft aus Mangel an Sorgfalt – Karagatsis schrieb viel und in stürmischer Eile – ungepflegt und banal wirkt. Die Vitalität seiner aus der Sicht der 30er Jahre sexbesessenen Helden erschöpft sich oft in trivialen Handlungen und wirkt konstruiert und klischeehaft: Συνταγματάρχης Λιάπκιν (Oberst Liapkin, 1933), Γιούγκερμαν (Junkermann, 1938), Ἡ μεγάλη χίμαιρα (Die große Chimäre, 1938).

Thrassos Kastanakis (1898–1969) und Angelos Doxas (geb. 1900) führten den kosmopolitischen Roman in Griechenland ein, ersterer in einer bewußt robusten, farbigen Sprache, letzterer in der Atmosphäre der Salons und gepflegten Kreise. In diesem Zusammenhang sei auch Pavlos Floros (geb. 1897) erwähnt.

Elli Alexiu (damals Elli Alexiu-Daskalaki), Schwester von Galatia Kasantzaki, geboren 1894, veröffentlicht in den 30er Jahren einen wichtigen Teil ihrer Prosa: Σκληροὶ ἀγῶνες γιὰ μικρὴ ζωή (Harte Kämpfe für ein kleines Leben, Erzählungen, 1931), Τρίτον Παρθεναγωγεῖον (Dritte Mädchenschule, 1934), Ἄνθρωποι (Menschen, Erzählungen, 1939). Es ist eine politisch engagierte und von Menschenliebe erfüllte Arbeit. Elli Alexiu setzte ihre schriftstellerische Tätigkeit bis heute fort. Nach dem Zweiten Weltkrieg lebte sie bis 1962 als politischer Flüchtling in Paris und im Ostblock. Soziales Engagement und feinste psychologische Betrachtung charakterisieren die vielbeachteten Bücher von Lilika Naku (geb. 1904): Ξεπάρθενη (Entjungfert, 1931) und Παραστρατημένοι (Verirrte, 1935). In ihren späteren Büchern entwickelt sie starkes soziales Engagement.

Aus der Welt der Erinnerung schöpft die Erzählerin Tatiana Stavru (geb. 1899 in Konstantinopel) ihre Themen, in ihrem Erzählband Αὐτοὶ ποὺ ἔμειναν (Die geblieben sind, 1933) und in ihrem Roman Πρῶτες ρίζες (Erste Wurzeln, 1936). Ihre Prosa reflektiert immer wieder das Flüchtlingsproblem.

II. Die griechische Literatur der Kriegs- und Nachkriegszeit

A. Prosa

1. Zweiter Weltkrieg und Bürgerkrieg in der Prosa

Die endgültige Entwicklung und Ausformung des in den 30er Jahren begonnenen Werkes mehrerer bedeutender griechischer Autoren erfolgte in der Kriegs-

und Nachkriegszeit. Will man heute die neuere Literatur Griechenlands klassifizieren, so wird man sie als Kriegs- und Nachkriegsliteratur bezeichnen und ihre Datierung mit dem Zeitpunkt ansetzen, an dem Griechenland von den Italienern angegriffen und dadurch in den Zweiten Weltkrieg hineingezogen wurde. Denn gerade diese bittere Erfahrung des ungerechten Krieges und der Besetzung des Landes, der Leiden der Unfreiheit und der totalen Hungersnot sowie der Mobilisierung aller Kräfte in Griechenland für den Widerstand mit allen Folgeerscheinungen der mitleidlosen Behandlung der Widerstandskämpfer durch die Besatzungsmächte bedingten das Erwachen einer neuen Einstellung zum Krieg, zum verzweifelten Kampf gegen den Feind und für die Freiheit. Die kriegerischen Tugenden, die heldischen Taten, der Glaube an die Unbesiegbarkeit der Freiheitskämpfer galten wieder als das höchste Ideal.

Gab es während des Ersten Weltkrieges und danach eine ausgeprägte und unmißverständliche Antikriegsliteratur in Griechenland, so herrscht Kampfbegeisterung in den Kriegsbüchern über den Zweiten Weltkrieg bei fast allen griechischen Autoren. Das Thema Krieg und Kampf gegen den Feind dominiert nachhaltig in der griechischen Literatur der Kriegs- und Nachkriegszeit.

Die Erzählergeneration der 30er Jahre ist an der literarischen Produktion dieser Zeit stark beteiligt. So z. B. die Erzähler Elias Venesis in ῞Ωρα πολέμου (Kriegsstunde, 1946), Erzählungen, denen noch die bedrückende Unmittelbarkeit des Geschehens – nicht immer vorteilhaft – anhaftet, und 'Block C' (1945), einem Theaterstück, das die Vorzüge der Darstellungsart der ersten Bücher des Autors aufweist, Giorgos Theotokas in Ἱερὰ ὁδός (Heilige Straße, 1950), dem Roman über den deutsch-griechischen Krieg, aus dem später das noch umfassendere Werk ᾿Ασθενεῖς καὶ ὁδοιπόροι (Kranke und Wanderer, 1964) hervorgegangen ist, Stratis Myrivilis, der Verfasser des bekannten Antikriegsromans 'Das Leben im Grab' in zwei Erzählungen in Τὸ κόκκινο βιβλίο (Das rote Buch, 1952) und Petros Charis in einigen Erzählungen im Band Φῶτα στὸ πέλαγος (Lichter auf dem Meer, 1958), Ioannis M. Panajotopulos (geb. 1901) im Roman ᾿Ανθρώπινη δίψα (Durst des Menschen, 1959), Angelos Tersakis in einem Teil der Chronik ᾿Απρίλης (April, 1946), in dem vom griechisch-italienischen Krieg in Albanien berichtet wird. Über den Krieg in Albanien schreiben auch Stelios Xefludas (geb. 1902) in ῎Ανθρωποι τοῦ μύθου (Menschen des Mythos, 1946) in der Art moderner Prosa, Jannis Beratis (geb. 1904) in Τὸ πλατὺ ποτάμι (Der breite Fluß, 1946, ergänzt und erweitert 1965), Lukis Akritas (1908–1965) in ᾿Αρματωμένοι (Bewaffnete, 1947), beide an die alte Tradition der Kriegsheldenverehrung und der Bejahung des Krieges anknüpfend, Angelos Vlachos (geb. 1915): Τὸ μνῆμα τῆς γριᾶς (Das Grab der Alten, 1945), Mitsos Alexandropulos (geb. 1924): ᾿Αρματωμένα χρόνια (Bewaffnete Jahre, 1954), über den deutschen Einmarsch Michael Peranthis (geb. 1917) in Ἡ σκληρὴ βροχή (Der harte Regen, 1952).

Den Kampf mit den Unterdrückern während der Besatzungszeit und die Leiden der Widerstandskämpfer schildern Themos Kornaros (1907–1970) in Τὸ στρατόπεδο τοῦ Χαϊδαριοῦ (Das Konzentrationslager von Chaidari, 1945) und Menelaos Lundemis (geb. 1912) in Αὐτοὶ ποὺ φέρανε τὴν καταχνιά (Die den Nebel brachten, 1946), Jannis Sphakianakis (geb. 1908): Οἱ ἔνοχοι (Die Schuldigen, 1961), Dimitris Chadzis (geb. 1913) in Φωτιά (Feuer, 1946), Dimitris Jakos (geb.

1914): Κάτω ἀπὸ τὸ βλέμμα τοῦ Θεοῦ (Unter den Augen Gottes, 1950), Sotiris Patatzis (geb. 1915): Ματωμένα χρόνια (Blutige Jahre, 1945), Angelos Vlachos (geb. 1915): Ὥρες ζωῆς (Stunden des Lebens, 1957), Ντάϊμας ὁ τυχερός (Daimas, der Glückspliz, Erz., 1967), Kostas Kotzias (1921–1979): Ὁ καπνισμένος οὐρανός (Der verräucherte Himmel, 1957), Andreas Frangias (geb. 1921): Καγκελόπορτα (Gittertür, 1962), Dimitris Liatsos (geb. 1926): Κοντὰ στοὺς ἀνθρώπους (Bei den Menschen, 1959), Nestoras Matsas (geb. 1931): Ἡ μεγάλη εἰρήνη (Der große Frieden, 1958) u.a.

Die sich abzeichnende Teilung in zwei Lager zeigen aus verschiedenen Perspektiven die jüngeren Erzähler Rodis Rufos (geb. 1924) in seiner Trilogie Ἡ ρίζα τοῦ μύθου (Die Wurzel des Mythos, 1954), Ἡ πορεία στὸ σκοτάδι (Der Marsch in die Finsternis, 1955) und Ἡ ἄλλη ὄχθη (Das andere Ufer, 1958), Alexandros Kotzias (geb. 1926) in seinem Roman Πολιορκία (Belagerung, 1953), Nikos Kasdaglis (geb. 1928) in Τὰ δόντια τῆς μυλόπετρας (Die Zähne des Mühlrads, 1955) und Theophilos Frangopulos (geb. 1923) in seinem Buch Τειχομαχία (Mauerkampf, 1954). Den Bürgerkrieg schildern eindringlich Nikos Kasantzakis in Ἀδελφοφάδες (Brudermörder, 1954), Themos Kornaros in Στάχτες καὶ φοίνικες (Asche und Phönix, 1957) und Renos Apostolidis (geb. 1924) in Πυραμίδα 67 (Pyramide 67, 1950) und A 2 (1968).

2. Romane anderer Thematik

Die Prosa sucht neben den Kriegs- und Nachkriegserzählungen, -romanen und -chroniken der ersten Nachkriegsjahre auch nach anderen Themen. Die in den 30er Jahren eingeschlagenen Wege werden weiter ausgebaut, mehrere Formen des Romans, darunter auch der klassische, werden von Autoren hohen Ranges gepflegt.

Unabhängige, durch die eigene Persönlichkeit bestimmte Wege geht nach 1940 der inzwischen weltbekannte Erzähler, Dichter und Denker Nikos Kasantzakis (1883–1951), dessen bekannteste Romane nach dem Zweiten Weltkrieg entstanden sind: Ἀλέξης Ζορμπᾶς (Alexis Sorbas, 1946), Καπετὰν Μιχάλης (Kapetan Michalis, 1953), Ὁ Χριστὸς ξανασταυρώνεται (Christus wird wiedergekreuzigt, 1954), Ὁ τελευταῖος πειρασμός (Die letzte Versuchung, 1955), Ὁ φτωχούλης τοῦ Θεοῦ (Der Arme Gottes, 1956), Ἀναφορὰ στὸ Γκρέκο (Rechenschaft vor El Greco, 1961) u.a. Faszinierend sind in seinem Werk seine eindringliche Darstellungskraft und seine plastische, unverbrauchte Sprache sowie die großangelegte, spannungs- und problemreiche Thematik.

Ebenso bringt der Nestor der linksengagierten Literatur, Kostas Varnalis, dessen besonderes Stilmittel die beißende Satire ist, Neues: Τὸ ἡμερολόγιο τῆς Πηνελόπης (Das Tagebuch Penelopes, 1946), Δικτάτορες (Diktatoren, 1956), Πεζά (Prosa, 1956) u.a.

Pantelis Prevelakis, Schüler und Freund von Nikos Kasantzakis, reflektiert in seinem Werk sein vielschichtiges Geschichts- und Erlebnisbild seiner Heimat Kreta in einer bewußten Sprache, in einem bewußten Stil nach eigenen, überlegten und sicheren ästhetischen Prinzipien, ohne damit die Ursprünglichkeit aus den Augen zu lassen. In den 30er Jahren bringt er seinen ersten Prosaband Τὸ χρονικὸ μιᾶς πολιτείας (Die Chronik einer Stadt, 1938), der durch seine schlichte Erzählart an die Art des Stils alter Chroniken erinnert. In den folgenden Jahrzehnten schreibt er, inspiriert von Kretas jüngster Geschichte bodenständige Bücher wie z.B. Ὁ Κρητικός (Der Kreter), 3 Teile, Athen 1948–50, 2. verb. Aufl. 1965, und seine späteren, bekannten, in mehrere Sprachen übersetzten Romane, in denen er auch Autobiographisches mit einflicht und den geistigen Werdegang eines Jungen bis zum Mannesalter darstellt: Ὁ ἥλιος τοῦ θανάτου (Die Sonne des Todes, 1959), Ἡ κεφαλὴ τῆς Μέδουσας (Das Haupt der Medusa, 1963), Ὁ ἄρτος τῶν Ἀγγέλων (Das Brot der Engel, 1966), Ὁ Ἄγγελος στὸ πηγάδι (Der Engel im Brunnen, 1970) u.v.a., auch Lyrik. I.M. Panajotopulos u.a.: Τὰ ἑφτὰ κοιμισμένα παιδιά (Die Siebenschläfer, 1956), Thanassis Petzalis unter vielem anderen Οἱ Μαυρόλυκοι (Die Schwarzwölfe, 2 Bde., 1948–49).

Jannis Manglis (geb. 1909) schreibt über die Mühsal des Lebens der Seeleute und Arbeiter im Klima der Prosa von Nikos Kasantzakis: Οἱ κολασμένοι τῆς θάλασσας (Die Verdammten des Meeres, 1944), Κοντραμπατζῆδες τοῦ Αἰγαίου (Schmuggler der Ägäis, 1954), Τ' ἀδέρφια μου οἱ ἄνθρωποι (Meine Brüder, die Menschen, 1958), Οἱ σημαδεμένοι (Die Gezeichneten, 1973) u.v.a.

Der linksengagierte Stratis Tsirkas (1911–1979) stellt unter anderem die Ereignisse der Kriegszeit hauptsächlich in den griechischen Exilkreisen in Kairo und Alexandria in einer großangelegten Trilogie Ἡ λέσχη (Der Club, 1960), Ἡ Ἀριάγνη (Ariagni, 1962) und Ἡ νυχτερίδα (Die Fledermaus, 1965) dar.

Tassos Athanassiadis (geb. 1913) pflegt u.a. den roman fleuve und den historischen Roman: Οἱ Πανθέοι (Die Familie Pantheos, 3 Bde., 1948–1961, 2. Aufl. in 4 Bänden 1967–1968), Ἡ Αἴθουσα τοῦ Θρόνου (Der Thronsaal, 1969), Οἱ Φρουροὶ τῆς Ἀχαΐας (Die Hüter Achaias, 1975) u.v.a.

Dimitris Jakos erweitert die Thematik der Leiden in der Besatzungszeit durch die Darstellung zwischenmenschlicher Konflikte in der griechischen Gesellschaft: Ὁ πρῶτος νεκρός (Der erste Tote, 1953), Ὁ δρόμος τῆς χαραυγῆς (Der Weg der Morgendämmerung, 1963), Ἀντιήρωες (Antihelden, 1975), der schon erwähnte Sotiris Patatzis schildert zwischen Traum und Realität das innere Drama einsamer Menschen und das triste Leben in der Provinz: Νεράιδα τοῦ βυθοῦ (Erz., 1952), Χαμένος Παράδεισος (Verlorenes Paradies, Erz., 1966) u.a.

Lyrische Prosa und psychologische Ausleuchtung kleinstädtischen Lebens bieten die Werke von Alkis Angeloglu (geb. 1915): u.a. Ρωμιοσύνη (Griechentum, 1951) und von Asteris Kovatzis (geb. 1916): u.a. Χωριάτες (Bauern, 1950), Χαμένοι ταξιδιῶτες (Verirrte Reisende, 1965). Iulia Iatridi (geb. 1916), Erzählerin persönlicher Prägung zeichnet sich durch die Romane Καβαλάρης στὸν ἄνεμο (Reiter im Wind, 1958) und Τὰ πέτρινα λιοντάρια (Die steinernen Löwen, 1963) aus.

Angelos Vlachos pflegt vor allem den historischen Roman klassischen Typs: Ὁ κύριός μου Ἀλκιβιάδης (Mein Herr Alkibiades, 1955), Οἱ τελευταῖοι Γαληνότατοι (Die letzten Serenissimi, 1961) u.a., Eva Vlami (geb. 1920) verlebendigt in ihrer kraftvollen Erzählart Gestalten und Familien maritimer Städtchen im Zeichen vergangenen patriarchalischen Wohlstands: Σκελετόβραχος (Kapetan Skele-

tovrachos, 1950), Τὰ ὄνειρα τῆς Ἀγγέλικας (Angelikas Träume, 1958) u.a.
Nikos Athanassiadis (geb. 1905) zeigt in seiner Prosa eine starke Naturverbundenheit, z.B. in Τὸ γυμνὸ κορίτσι (Das nackte Mädchen, 1964), doch pflegt auch
er den konflikt- und umfangreichen roman fleuve: Πέρα ἀπὸ τὸ ἀνθρώπινο (Jenseits des Menschlichen, 1957), Σταύρωση χωρὶς Ἀνάσταση (Kreuzigung ohne
Auferstehung, 1963) u.a.

Michael Peranthis spezialisiert sich auf historische und biographische Romane:
Ὁ κοσμοκαλόγερος (Der Laienmönch A. Papadiamantis 1948, 5. Aufl. 1970),
Ὁ ἁμαρτωλός (Der Sünder K. Kavafis 1953, 3. Aufl. 1970), Οἱ Σουλιῶτες (Die
Sulioten, 1968) Den historischen Roman pflegt auch Dimitris Stamelos (geb.
1931): Μακρυγιάννης (Makryjannis, 1964, 2. Aufl. 1974), Κατσαντώνης (Kat-
santonis, 1972, 2. Aufl. 1972). Mehrere historische Romane schrieben auch
Dimitris Photiadis (geb. 1898): Καραϊσκάκης (Karaiskakis, 1946), Κανάρης
(Kanaris, 1960), Ὄθωνας, Ἡ Μοναρχία (König Otto – Die Monarchie, 1963),
Ὄθωνας, Ἡ ἔξωση (König Otto – Die Abdankung, 1964) u.a. und Jannis Benekos (geb. 1910): Σουλιῶτες (Sulioten, 1956), Κωλέττης (Kolettis, 1960) u.a.
Intrigen während des italienischen Angriffs und der Besatzungszeit und die
schwierige Lage der Bevölkerung der thessalischen Ebene behandelt der Autor
und Politiker Evangelos Averoff-Tossitsas (geb. 1910) in seinen Romanen: Ἡ
φωνὴ τῆς γῆς (Die Stimme der Erde, 1964, 2. Aufl. 1966), Γῆ τῆς ὀδύνης (Erde
des Schmerzes, 1966), Γῆ Δελφὺς (Delphische Erde, 1968) u.v.a., der schon
erwähnte Alexandros Kotzias skizziert mit psychologischem Gespür Auseinandersetzungen politischer Gruppen junger Menschen: Πολιορκία (Belagerung, 1953),
Ἑωσφόρος (Luzifer, 1959), Ἡ ἀπόπειρα (Der Versuch, 1964), Ὁ Γενναῖος
Τηλέμαχος (Der edler Telemach, 1972), Takis Chatzianagnostu (geb. 1923): Ζωὴ
(Leben, 1956), Ἄτομο (Person, 1978) u.a.

Galatia Saranti (geb. 1926) legt in ihrer psychologisch nuancierten Erzählung
einen besonderen Akzent auf die Psychologie der Frau im Rahmen der Kriegs-
und Nachkriegsverhältnisse: Πασχαλιές (Flieder, 1949), Τὸ παλιό μας σπίτι
(Unser altes Haus, 1959), Τὰ ὅρια (Die Grenzen, 1966), Νὰ θυμᾶσαι τὴ Βίλνα
(Denk an Wilna, 1972), u.a. Nestoras Matsas stellt die Problematik des verfolgten
Judentums während des Krieges heraus: Ἄνθρωποι τῶν χαμένων παραδείσων
(Menschen der verlorenen Paradiese).

3. Der politisch engagierte Roman – die politisch engagierte Erzählung

Schon in den 20er und 30er Jahren manifestiert sich sozialpolitisches Engagement im Werk mehrerer Autoren. In der Kriegs- und Nachkriegszeit entsteht
infolge auch der erbitterten Auseinandersetzungen während des Bürgerkrieges
und infolge der Inhaftierung und Deportation mehrerer linker Autoren eine
umfangreiche sozialpolitisch engagierte Prosaliteratur.

Mit einem revolutionär neuen Stil tritt Melpo Axioti (1905–1973) in ihrem
ersten Buch Δύσκολες νύχτες (Schwere Nächte, 1938) auf, wird beachtet und
gleichzeitig kritisiert. Sie hat ihre außergewöhnliche Begabung in den Dienst des
sozialpolitischen Kampfes gestellt und auch später, während ihres langjährigen

Exilaufenthaltes im Ostblock, Themen aus diesem Bereich bevorzugt: Θέλετε νὰ χορέψουμε Μαρία; (Wollen wir tanzen, Maria? 1940), Εἰκοστὸς αἰώνας (20. Jahrhundert, 1946), Σύντροφοι καλημέρα (Guten Tag, Genossen, 1953), Κάδμω (Kadmo, 1972) u. a.

Unter dem Pseudonym K. Chaldäos erschien 1935 das Buch des piräotischen Erzählers Kostas Sukas mit dem Titel 'Apostolis Karlas', das besondere Beachtung fand. Sukas' Engagement für den Menschen und sein Schicksal wurde auch in seinen späteren Werken deutlich zum Ausdruck gebracht, u. a. in: Θάλασσα (Meer, 1943. 2. Aufl. 1971), Τὸ ποινικὸ μητρῶο μιᾶς ἐποχῆς (Das Führungszeugnis einer Epoche, 1956), Καταδικάζεται ἡ ἐλπίδα (Die Hoffnung wird verdammt, 1964).

Zwei weitere politisch engagierte Autoren, in deren umfangreichem Werk die politische Anklage mit der Zeit an Vehemenz zunimmt, traten schon in den 30er Jahren auf: Themos Kornaros (1907–1970) mit Werken realistischer Prosa: Τὸ ῞Αγιον ῎Ορος. Οἱ ἅγιοι χωρὶς μάσκα (Der Heilige Berg Athos. Die Heiligen ohne Maske, 1933), Σπιναλόγκα (Die Leproseninsel Spinalonga, 1934), 'Αλήτης (Vagabund, 1934). Er setzt in seinen zahlreichen weiteren Werken seine politische Anklage fort, für die er vor allem in der deutschen Besatzungszeit, aber auch sonst verfolgt wurde: Καλοὶ καὶ κακοί (Gute und Schlechte, 1940), 'Αγύρτες καὶ κλέφτες (Betrüger und Räuber, 1946), Μὲ τὰ παιδιὰ τῆς θύελλας (Mit den Kindern des Sturms, 1956) u. a. und Menelaos Lundemis (1912–1977), der Barde der traurigen Kindheit und der Leiden der Armen und Unterdrückten. Er brachte sein erstes Buch Τὰ πλοῖα δὲν ἄραξαν (Die Schiffe haben nicht angelegt) 1938 heraus und veröffentlichte seitdem zahlreiche vielgelesene Bücher (Erzählungen, Romane, Gedichte u. a.), von denen viele im Gefängnis oder im Exil in Rumänien geschrieben wurden. Alle verbinden politisches Engagement mit einem lyrisch gefühlsbetonten Realismus: ῎Εκσταση (Ekstase, 1942), Καληνύχτα ζωή (Gute Nacht, Leben), Συννεφιάζει (Es bewölkt sich, 1948), ῞Ενα παιδὶ μετράει τ'ἄστρα (Ein Kind zählt die Sterne, I 1956, II 1957), Ὁδὸς 'Αβύσσου ἀρ. 0 (Abgrund-Str. Nr. 0, 1962), 'Αγέλαστη ἄνοιξη (Frühling ohne Lachen, 1970) u. v. a.

Beachtung fanden Jerassimos Grigoris (geb. 1907) mit seinen sozialkritischen Erzählungen Πορεία μέσα στὴ νύχτα (Marsch durch die Nacht, 1939. 2. Aufl. 1966), Ἡ πολιτεία ξέσκεπη (Die Stadt unverhüllt, 1959) und Assimakis Panselinos, Erzähler eines von Humanität geprägten sozialpolitischen Engagements: Μέρες ἀπὸ τὴ ζωή μας (Tage aus unserem Leben, 1957. 2. Aufl. 1962), Τότε ποὺ ζούσαμε (Damals als wir lebten, 1974. 3. Aufl. 1976).

Dimitris Chadzis, linksengagierter Erzähler, zeichnet sich durch psychographische Ausleuchtung und feinstnuancierten Realismus aus, so in Τὸ τέλος τῆς μικρῆς μας πόλης (Das Ende unserer kleinen Stadt, 1952, 2. Aufl. 1963), 'Ανυπεράσπιστοι (Schutzlose, 1966), Τὸ διπλὸ βιβλίο (Das doppelte Buch, 1976. 2. Aufl. 1977), Σπουδές (Studien, Erz. 1976) u. a. Erwähnt sei ferner Mitsos Alexandropulos (geb. 1924) mit 'Αρματωμένα χρόνια (Bewaffnete Jahre, Erz., 1954), Νύχτες καὶ αὐγές (Nächte und Tage, 1961. 2. Aufl. 1963), Μιὰ πρόσφατη ἱστορία (Eine Geschichte von vor kurzem 1962), Τὰ βουνά (Die Berge, 1964), Λευκὴ ἀκτή (Weiße Küste, 1966) u. a.

4. Moderne Richtungen in der Prosa

Schon in den 30er Jahren erscheinen mehrere Werke moderner Prosa, in denen die Autoren um neue Ausdrucksformen ringen. Oft spricht Existenzangst aus dem Erzählten oder werden die Ausweglosigkeit des von der Hektik verfolgten Menschen, die Widersinnigkeit des Lebens, die Absurdität aufgezeigt.

Stelios Xefludas (geb. 1902), der Erzähler des esoterischen Monologs, der inneren Ängste und seelischer Projektionen veröffentlicht in den 30er Jahren die Werke Τὰ τετράδια τοῦ Παύλου Φωτεινοῦ (Die Hefte des Pavlos Photinos, 1930), Ἐσωτερικὴ συμφωνία (Innere Symphonie, 1932), Εὔα (Eva, 1934), Στὸ φῶς τοῦ Λευκοῦ Ἀγγέλου (Im Licht des Weißen Engels, 1936), die einen neuen Stil in die Prosa einführen und, wie der Surrealismus in der Dichtung, auf neue Ausdrucksmöglichkeiten hindeuten. Er setzt diesen Stil in seinen späteren Werken mit Erfolg fort: Δὸν Κιχώτης (Don Quixote, 1962), Ὁ δικτάτορας (Der Diktator, 1964), Ὀδυσσέας (Odysseus, 1974), Ὁ Δὸν Κιχώτης στὸν Παράδεισο (Don Quixote im Paradies, 1975) u. a.

Auch Alkibiades Jannopulos (geb. 1896) trat früh auf als Gestalter moderner Prosa zwischen Realismus und magischer Suggestion des Halbausgesprochenen: Κεφάλια στὴ σειρά (Aufgereihte Köpfe, Erz., 1934), Ἡρωϊκὴ περιπέτεια (Heldisches Abenteuer, 1938), Ὁ πίθος τῶν Δαναΐδων (Das Faß der Danaiden, 1950), Σαλαμάντρα (Salamander, 1957) u. a.

Giorgos Delios aus Saloniki (geb. 1897) schreibt esoterische moderne Prosa, die er ständig verfeinert: Ἄνθρωποι ποὺ νοσταλγοῦν (Sich sehnende Menschen, 1934), Στὰ ἴχνη τοῦ ἀγνώστου θεοῦ (Auf den Spuren des unbekannten Gottes, 1937), Οἰκογένεια (Familie, 1957), Ὁ ἥλιος καὶ τ᾽ἀστέρια (Die Sonne und die Sterne, 1965) u. a. Gabriel Pentzikis (geb. 1908), ebenso aus dem Kreis der Saloniker Autoren, begann seine eigenwillige Prosa 1935 mit seinem Roman 'Andreas Dimakudis'. Pentzikis pflegt einen eigentümlichen neobyzantinischen Stil, durchsetzt mit Tendenzen moderner westlicher Vorbilder (James Joyce u. a.): Τὸ μυθιστόρημα τῆς κυρίας Ἔρσης (Der Roman der Frau Ersi, 1966), Ὁμιλήματα (Gespräche, Erz. 1972), Ἀρχεῖον (Archiv, 1974) u. v. a.

Als Verfechter moderner Richtungen, Mitbegründer des Sensualismus, tritt Jannis Sphakianakis (geb. 1908) mit Büchern eigenwilligen Stils auf: Διηγήματα (Erzählungen, 1932), Νύχτες χωρὶς δημιουργία (Unschöpferische Nächte, 1936), auch mit Gedichten und Essays und in der Folgezeit zahlreichen Veröffentlichungen: Διηγήματα (Erzählungen, 1932), Ἀγνὴ Πολυλᾶ (Agnes Polyla, 1943), Ὁ ἀφέντης τῆς Βαθέρνας (Der Herr von Vatherna, 1955), Τὸ σωσίβιο (Der Rettungsring, 1964) u. v. a.

Der eigenwilligste von allen ist jedoch Jannis Skarimbas (geb. 1897), der nicht nur, wie die Surrealisten, die Bilder aus ihrem Zusammenhang herausreißt, sondern auch mit der Sprache selbst experimentiert, sie genial umstellt und dadurch die verträumt traurige, ja zuweilen tragische Welt eines einsamen Clowns hervorzaubert: Καϋμὸς στὸ Γριπονῆσι (Kummer auf Griponissi, 1930), Τὸ θεῖο τραγί (Der göttliche Bock, 1932), Μαριάμπας (Mariambas, 1935), Τὸ σόλο τοῦ Φίγκαρω (Figaros Solo, 1938), Τὸ Βατερλὼ δύο γελοίων (Das Waterloo zweier

Lächerlicher, 1952), Ἡ μαθητευομένη τῶν τακουνιῶν (Der Lehrling der Schuhabsätze, 1961), Ὁ κύριος Τζάκ (Herr Jack, 1961).

Solon Makris (geb. 1911), bekannt als Erzähler, Theaterautor und Theaterkritiker, veröffentlichte ab 1974 Romane moderner Konzeption und Aussage, in denen die Suche nach der eigenen Identität und das Verwandlungsprinzip dominieren: Τὸ μάτι τοῦ Πολύφημου (Polyphems Auge, 1974), Ἡ ταυτότητα (Die Identitätskarte, 1975), Ὁ ἅγιος ᾿Άγνωστος (Der heilige Unbekannte, 1977). Spyros Plaskovitis (geb. 1917), moderner Erzähler innerer Problematik. Sehr beachtet wurde sein preisgekrönter Roman Τὸ φράγμα (Die Talsperre, 1960) u.a. Giorgos Ioannu (geb. 1927) bringt u.a. in bewußt spröder Sprache die Isolation des Nachkriegsmenschen zum Ausdruck: Γιὰ ἕνα φιλότιμο (Aus Ehrgefühl, Erz., 1964) u.a.

Die linksengagierte Tatiana Milliex (geb. 1920) bringt in ihrer originellen Prosa moderner Prägung Selbsterlebtes und Sozialkritisches: Ἡμερολόγιο (Tagebuch, 1953), Σὲ πρῶτο πρόσωπο (In der ersten Person, 1956–57), ᾿Αλλάζουμε (Sollen wir tauschen? 1957), Καὶ ἰδού ἵππος χλωρός (Und siehe ein grünes Pferd, 1963) u.a.

Renos Apostolidis, Erzähler eigenwilligen Stils, veröffentlicht u.a.: Βορὰ στὸ θηρίο (Futter für die Bestie, 1963), Στὴ γέμιση τοῦ φεγγαριοῦ (Bei zunehmendem Mond, 1967), Ἡ ἄλλη ἱστορία (Die andere Geschichte, 1972), Καμμένα φρένα (Durchgegangene Bremsen, 1978) u.v.a. Kostas Sterjopulos (geb. 1926), der sich auch in der Dichtung und im Essay auszeichnete: Ἡ κλειστὴ ζωή (Das geschlossene Leben, 1952) u.a.

Nicht zuletzt seien zwei erfolgreiche Erzähler der neuen griechischen Prosa erwähnt: Antonis Samarakis (geb. 1919), der in mehreren Erzählungen und einem Roman die Welt des den Zwängen und der Härte der Gesellschaft ausgelieferten, hilflosen Menschen eindringlich und in einem bewußt von jeder äußeren Schönheit entblößten, abgehackten Stil schildert: Ζητεῖται ἐλπίς (Hoffnung wird gesucht, 1959), ᾿Αρνοῦμαι (Ich verweigere, 1961), Τὸ λάθος (Der Fehler, 1965), Τὸ διαβατήριο (Der Paß, Erz., 1972) u.a. und Vassilis Vassilikos (geb. 1934), der mit neuen Ausdrucksmitteln das Drama des einzelnen in der Gesellschaft darzustellen und die politischen Verbrechen in einem korrupten Staat aufzudecken bemüht ist, u.v.a. in Τὸ φύλλο, Τὸ πηγάδι, Τὸ ἀγγέλιασμα (Das Blatt, Der Brunnen, Das Engelwerden, 1961) und Ζῆτα (Z, 1966). Den für Griechenland neuen Weg der experimentellen Prosa betritt Alexandros Skinas (geb. 1924) mit seinem Buch ᾿Αναφορὰ περιπτώσεων (Bericht über Fälle, 1966).

B. Lyrik

1. Zweiter Weltkrieg und Bürgerkrieg in der Lyrik

Den gleichen Weg wie die Prosa geht die Lyrik während des Zweiten Weltkriegs und danach in der Zeit des Bürgerkrieges. Das Hauptanliegen der griechischen Lyriker während der Besatzungszeit ist es, den Freiheitsgedanken wachzuhalten. Angelos Sikelianos schreibt vom Freiheitsgeist erfüllte Gedichte, die zu der wichtigen Widerstandsliteratur der Zeit zählen, u.a. Κατοχή (Besatzung), ᾿Αντίσταση

(Widerstand), Πνευματικὸ ἐμβατήριο (Geistiges Marschlied). Vieles wandert hektographiert von Hand zu Hand, anderes erscheint später, ist aber schon mündlich bekannt geworden. Nikos Engonopulos, der zusammen mit Andreas Embirikos den orthodoxen Surrealismus in Griechenland begründete, verfaßt 1942 sein größeres Gedicht Μπολιβάρ (Bolivar), das von Hand zu Hand weitergereicht wird. Bolivar, die Symbolgestalt der Freiheit, wird darin als das Sinnbild des überzeitlich mit der Freiheit verbundenen Griechentums gefeiert. In seinem ᾿Ασμα ἡρωικὸ καὶ πένθιμο γιὰ τὸ χαμένο ἀνθυπολοχαγὸ τῆς ᾿Αλβανίας (Heroisches und Trauerlied auf den in Albanien gefallenen Unterleutnant, 1945) wird der surrealistische Dichter Odysseas Elytis zum Dichter des um die Freiheit kämpfenden Griechentums. Dabei bieten sich seiner leuchtfarbigen Lyrik neue Entfaltungs- und Wandlungsmöglichkeiten an, die auch den Charakter seines später entstandenen ῎Αξιον ἐστί (Axion esti, 1961) prägen.

In diesem synthetischen Gedicht, das die Wende in seiner Dichtung fortsetzt, faßt er ein Bild Griechenlands, des Griechentums von den Urwurzeln der lebendigen Tradition her nach dem Schema der griechisch-orthodoxen Liturgie zusammen, in einer eigentümlichen Verbindung der Durchsichtigkeit seiner lichten, sonnendurchdrungenen Welt mit dem Halbdunkel mystischer, suggestiver, fast metaphysischer Bilder und Zusammenhänge. 1960 erschien der kleine Gedichtband ῝Εξι καὶ μία τύψεις γιὰ τὸν οὐρανό (Sechs und ein Gewissensbiß für den Himmel), in dem man fast eine Hinwendung zum reinen Surrealismus zu entdecken glaubt. Es ist, als hätte die Erfahrung der oft verschlüsselten, symbolhaften, intellektuell erfaßten und exakt aufgebauten und gegliederten Dichtung des 'Axion esti' der kristallenen Frische seiner Jugendpoesie neue Züge hinzugefügt.

Die Begriffe Nacht, Einsamkeit und erfahrene Frau tauchen zum ersten Mal in seinen neuen Gedichten auf, ohne die Verbindung zur Welt seiner Jugendlyrik abreißen zu lassen. Der Glaube an Jugend, Liebe und Freiheit zieht durch seine ganze Lyrik bis zu seinen neuesten Büchern und wird zum Postulat nach höherer Menschlichkeit in der Welt.

1979 verlieh ihm die schwedische Akademie den Literatur-Nobelpreis „für seine Poesie, die – in der griechischen Tradition fußend – mit sinnlicher Vitalität und intellektuellem Scharfblick den Kampf eines modernen Menschen für Freiheit und Kreativität darstellt." (Aus der Verleihungsbegründung)

Elytis' neueste Werke sind: Τὸ φωτόδενδρο καὶ ἡ δέκατη τέταρτη ὀμορφιά (Der Lichtbaum und die vierzehnte Schönheit, 1971), ῾Ο ῞Ηλιος ὁ ῾Ηλιάτορας (Sonne Herrscherin, 1971), Τὸ μονόγραμμα (Das Monogramm, 1971), Τὸ Ρὸ τοῦ ἔρωτα (Das Rho in Eros, 1972), Τὰ ἑτεροθαλῆ (Varia, 1977), Σηματολόγιον (Signalbuch, 1977), Μαρία Νεφέλη (Maria Nefeli, 1978) u. a.

Zwei andere Lyriker wachsen in dieser Zeit zu Größen heran, Jannis Ritsos und Nikiforos Vrettakos. Ritsos' empfindsame, zarte Lyrik der Anfangszeit wird nacheinander zum bilderreichen Protestsong, zum Kampflied, zur sozialen Anklage. Er entwickelt die drei Typen seiner Gedichte: die engagierten des Klassenkampfes: ᾿Επιτάφιος (Epitaphios, 1936), Δοκιμασία (Prüfung, 1935–1943), Μακρονησιώτικα (Lieder aus Makronissos, 1945–47), ᾿Αγρυπνία (Nachtwache, 1948–52) u. a., die längeren, in Monologform geschriebenen, in denen anhand von antiken Mythen und Symbolgestalten die Öde und Stagnation des Lebens gezeigt wird:

Σονάτα τοῦ σεληνόφωτος (Die Mondscheinsonate, 1956), "Οταν ἔρχεται ὁ ξένος (Wenn der Fremde kommt, 1957), Ὀρέστης (Orest, 1966), Ἑλένη (Helena, 1972) u.a. und die kurzen Gedichte, die wie Blitzaufnahmen Augenblickssituationen einfangen: Παρενθέσεις (Parenthesen, 1946–1947), Μαρτυρίες I–II (Zeugenaussagen I–II, 1963–1966) u.a. Sein Werk ist sehr umfangreich.

Vrettakos' engagierte Lyrik der Kriegszeit wird zur mahnenden Stimme eines wissenden und um den Weltfrieden, um den Weltbestand bangenden, von Menschenliebe erfüllten Anachoreten: 33 ἡμέρες (33 Tage, 1945), Ἡ παραμυθένια πολιτεία (Die Märchenstadt, 1947), Ὁ Ταΰγετος καὶ ἡ σιωπή (Der Taygetos und die Stille, 1949), Πλούμιτσα (Plumitsa, 1951), Ὁ χρόνος καὶ τὸ ποτάμι (Die Zeit und der Fluß, 1957) u.a.

Dem Widerstand und auch dem politisch sozialen Engagement verschreiben sich mehrere Dichter, die heute zu den profiliertesten zählen: Rita Bumi Papa (geb. 1906), Dichterin hymnischer Kraft: Ἀθήνα (Athen, 1945), Καινούργια χλόη (Neues Grün, 1949), Σκιούμα (Skiuma, 1965), Φῶς ἱλαρόν (Heiteres Licht, 1966), Μόργκαν Ἰωάννης ὁ γυάλινος πρίγκηπας (Morgan Johannes, der gläserne Prinz, 1976) u.a. Nikos Pappas (geb. 1906) erhebt in seiner mutig expressiven Lyrik Protest und Anklage: Τὸ αἷμα τῶν ἀθώων (Das Blut der Unschuldigen, 1944), Τετράχρονη νύχτα (Vier Jahre lange Nacht, 1946), 12 καὶ πέντε (Fünf nach Zwölf, 1959), Τὰ ἱστορικὰ ψεύδη (Die Geschichtslügen, 1977) u.a. Michalis Katsaros (geb. 1920): Μεσσολόγγι (Messolongi, 1949), Κατὰ Σαδδουκαίων (Gegen die Sadduzäer, 1953), Ὀροπέδιο (Hochebene, 1956) u.a. Giorgis Sarantis (1920–1978): Λαύριο (Lavrion, 1949), Πολιτεία δίχως ὄνομα (Stadt ohne Namen, 1954), Ποιὸς ἦταν ὁ Ἀλέξανδρος (Wer war Alexander, 1970) u.a. Manolis Anagnostakis (geb. 1925): Ἐποχές (Zeiten, 1945), Ἐποχές 2 (Zeiten 2, 1948), Ποιήματα 1941–1970 (Gedichte 1941–70, 1971) u.a. Tassos Livaditis (geb. 1922): Μάχη στὴν ἄκρη τῆς νύχτας (Schlacht am Ende der Nacht, 1952), Συμφωνία ἀρ. 1 (Symphonie Nr. 1, 1957) u.v.a. Titos Patrikios (geb. 1926): Μαθητεία (Lehrzeit, Gedichte 1952–1962, 1963) u.a.

2. Vielfalt der modernen Richtungen

Die Lyrik der Moderne in allen ihren Formen und ihren in der Weltliteratur bekannten Verflechtungen mit den philosophischen Theorien der Zeit dominiert im Schrifttum der Nachkriegszeit in Griechenland. Existenzangst, Introvertiertheit, metaphysisches Suchen, lebensbejahende oder bacchantische Naturverbundenheit, visionäre Religiosität, Humanitätsengagement, suggestive Wortgestik kommen in den Versen vieler moderner griechischer Lyriker zum Ausdruck: I.M. Panajotopulos (geb. 1901), Soi Karelli (geb. 1904), Giorgos Themelis (1909–1976), G.Th. Vaphopulos (geb. 1904), Jannis Kamarinakis (geb. 1905), Kostas Thrakiotis (geb. 1909), G.X. Stojannidis (geb. 1911), Kriton Athanassulis (1916–1979), Takis Varvitsiotis (geb. 1916), Takis Sinopulos (geb. 1917), Aris Diktäos (geb. 1917), Minas Dimakis (geb. 1917), Sarantos Pavleas (geb. 1917), Elias Simopulos (geb. 1917), Stelios Jeranis (geb. 1920), Giorgos Karter (geb. 1920), Giorgos Kaftatzis (geb. 1920), Giorgos Kotsiras (geb. 1921), Klitos Kyru (geb. 1921), Olga Votzi (geb. 1922), Jannis Dallas (geb. 1924), Kostas Sterjopulos (geb. 1926), Tassos Korphis (geb. 1929), Maria Lambadaridu-Pothu (geb. 1933), Phädra Sabatha-Pagulatu (geb. 1933), Alexis Zakythinos (geb. 1934) u.a. Dazu die zyprischen Dichter Kostas Montis (geb. 1914), Kypros Chrysanthis (geb. 1915), Achilleas Pyliotis (geb. 1923), Andreas Christophidis (geb. 1937), Niki Philippu-Ladaki (geb. 1937) u.v.a.

Die nachhaltige Wirkung des Einflusses des griechischen Surrealismus der 30er Jahre auf die griechische Lyrik überhaupt ist in den meisten Gedichten der Nachkriegszeit – unabhängig von politischen Richtungen – spürbar. Diese neue, durch den Surrealismus mit gewagten Bildern voller Leuchtkraft bereicherte Lyrik gleitet jedoch immer mehr in den Abgrund der Existenzangst und der seelischen Bedrücktheit und entfernt sich von der lebensbejahenden, synchronisch und diachronisch und in allen Dimensionen sich ausweitenden Weltschau der ersten Surrealisten. Die Erfahrung des Krieges, des Todes, der Verfolgung, der Gewalt hat die Welt getrübt, die freudlosen, angstvollen Jugendjahre haben die Weichen gestellt, der Weg führt immer wieder ins Ausweglose[36]). Herausragende Vertreter dieser kritischen Moderne sind: Miltos Sachturis (geb. 1919), Nikos Karusos (geb. 1926), Eleni Vakalo (geb. 1927), Dimitris Papaditsas (geb. 1924), Dimitris Dukaris (geb. 1925), Jannis Negrepontis (geb. 1930), Dinos Christianopulos (geb. 1931), Nana Issaia (geb. 1934), Andreas Lentakis (geb. 1935) und die ausgesprochen postsurrealistische Gruppe: Manto Aravantinu, Hektor Kaknavatos (geb. 1920), Nanos Valaoritis (geb. 1921), Aris Alexandru (geb. 1922) sowie auch die Jüngeren: Jannis Kontos (geb. 1943), Lefteris Pulios (geb. 1944), Thanassis Niarchos (geb. 1945), Dimitris Potamitis (geb. 1945), Antonis Phostieris (geb. 1953) u.v.a.

3. Dichtung traditioneller Formen

Dichtung traditioneller Formen wird nur noch von einzelnen Lyrikern gepflegt, die dennoch hin und wieder das freie Versmaß anwenden und nach neuen Ausdrucksmöglichkeiten suchen. So die Denker und Politiker Konstantinos Tsatsos (geb. 1889), Panajotis Kanellopulos (geb. 1902), Georgios Athanas (geb. 1893), M.D. Stassinopulos (geb. 1903), Photos Jophylis (geb. 1887), Kulis Alepis (geb. 1903), Theodoros Xydis (geb. 1910), die Dichterinnen Lili Iakovidu (geb. 1900) und Dialechti Zevgoli Glesu (geb. 1907), ferner Apostolos Manganaris (geb. 1904), Nikos Kavvadias (1910–1975), der Lyriker der Seemannssehnsucht: Μαραμποῦ (Marabu, 1933), Πούσι (Nebel, 1947), Βάρδια (Wache, 1954) u.a., Orestis Laskos (geb. 1910), Christos Pyrpassos (geb. 1914) und nicht zuletzt Giorgos Jeralis (geb. 1917), der die Existenzangst unserer Zeit in melodische Verse kleidet.

In den überlieferten Formen und Versmaßen schreiben auch mehrere linksengagierte Dichter: der auch als Kritiker bekannte Markos Avjeris (1883–1973), der realistische Lyriker Manolis Kanellis (1900–1967), G. Kotziulas (1909–1956), die zyprischen Lyriker Tefkros Anthias (1904–1968) und Theodossis Pieridis (1908–1968) u.a.

---

[36]) Siehe auch Andreas Karantonis: Ἡ ποίησή μας μετὰ τὸ Σεφέρη (Unsere Dichtung nach Seferis). Athen 1976, S. 311 ff.

III. Neue Widerstandsliteratur

Einen Rückschlag für die neugriechische Literatur bedeutete die Machtübernahme durch die Militärjunta in Griechenland am 21. April 1967. Einschneidende Maßnahmen, Deportationen von Autoren, Bücherverbote, Zensur, Schließung der meisten Literaturzeitschriften und Eingriffe in die persönliche Sphäre veränderten das Bild des Literaturlebens. Ein großer Teil der Autoren, darunter der Nobelpreisträger Seferis, reagierten mit Veröffentlichungsboykott, der die ambitionierten Machthaber verunsicherte. Um das Bild ihrer totalen Isolierung im geistigen Bereich zu verwischen, lockerten sie ein wenig ihre Zensurbestimmungen, und zwar in der Zeit, als Giorgos Seferis sein „Schweigen" brach und am 29.3.1969 einen Aufruf gegen das Weiterbestehen der Diktatur veröffentlichte.

Diesem Signal folgten mehrere Autoren mit der Veröffentlichung von Texten eindeutigen und versteckten Protestes gegen die Unfreiheit. Es entstand eine neue Widerstandsliteratur, die nach dem Sturz der Militärjunta für Griechenland ungewöhnliche Zahlen von Büchern und Auflagenhöhen erreichte. Es sind einerseits im Lande, aber auch in der Deportation und im Exil entstandene Gedichte: Jannis Ritsos veröffentlichte zahlreiche Gedichtbände, ebenso Nikiforos Vrettakos sowie mehrere bereits erwähnte Lyriker, dazu Andreas Lentakis (geb. 1935), Argyris Chionis (geb. 1944), Machi Musaki (geb. 1926), andererseits Prosa vom exilierten Vassilis Vassilikos, von Antonis Samarakis und anderen schon erwähnten Erzählern und den jüngeren Kostula Mitropulu (geb. 1937), Verfasserin mehrerer Bücher moderner Konzeption und Form, Petros Ambatzoglu (geb. 1931), Autor u.a. des Buches Θάνατος μισθωτοῦ (Tod eines Angestellten, 1970), das in origineller Weise eine kritische Darstellung des Lebens in einer Militärdiktatur bietet, Tilemachos Alaveras (geb. 1926), Kostas Tachtsis (geb. 1927), Thanassis Valtinos (geb. 1932), Lia Megalu-Seferiadi, Marios Chakkas (1931–1972), Menis Kumantareas (geb. 1933), Sakis Papadimitriu (geb. 1940), die zyprische Erzählerin Ivi Meleagru (geb. 1928) u.a.

Dennoch ist das Thema Zweiter Weltkrieg, Besatzungszeit und Bürgerkrieg auch jetzt noch nicht überwunden. Autoren der Generation der 30er Jahre greifen es von neuem auf, wie z.B. Petros Charis in Ἡμέρες ὀργῆς (Tage des Zorns, 1973) – Roman-Chronik über den Dezember-Aufstand 1944 in Athen – und jüngere Erzähler wie z.B. die vielseitige Germaine Mamalaki (geb. 1924) in Κατοχὴ Ἀντίσταση (Besatzungszeit Widerstand, 1976) und der ebenso vielseitige wie politisch engagierte Dimitris Christodulu (geb. 1927) mit seinen letzten Romanen: Τὸ γούπατο (Die Senke, 1976), Τὸ σαράβαλο (Die Bruchbude, 1977), Τὸ πατάρι (Das Zwischengeschoß, 1979) u.a.

IV. Theater

Viele neugriechische Dichter verfassen auch Theaterstücke, so die bekannten Angelos Sikelianos, Nikos Kasantzakis u.a. Tragödien, deren Handlung in der Antike oder im griechischen Mittelalter der byzantinischen Zeit spielt. Nicht alle diese literarischen Tragödien sind bühnenwirksam. Mehrere der Lyriker und

Erzähler (Kostis Palamas, Grigorios Xenopulos, Giorgos Theotokas, Pantelis Prevelakis, Thanassis Petsalis u. a.) stellen in ihren Schauspielen und Dramen den Charakter griechischer Lebensformen heraus. Das griechische Theater hatte jedoch bis zum Kriegsende nicht mit der internationalen Theaterliteratur Schritt gehalten. Der national bedingte Provinzialismus, der nicht zuletzt auf die Besonderheit der landesüblichen gesellschaftlichen Formen und der noch unselbständigen Stellung der Frau zurückzuführen ist, ließ sich trotz wiederholten Anlaufs nicht überwinden. In den letzten zwei Jahrzehnten erschienen jedoch jüngere Autoren, deren Stücke sich der Problematik der zeitgenössischen Theaterliteratur Europas und Amerikas anschließen. Zu den immer wieder zitierten und verdienten Theaterautoren Spyros Melas (1882–1966), Theodoros Synodinos (1880–1959), Angelos Tersakis (geb. 1907–1979), Dimitris Bogris (1890–1864), Alekos Lidorikis (geb. 1907), sind mehrere neue Autoren hinzugekommen, die mit Stükken moderner Prägung und zeitgenössischer Problematik aufwarten: Nikos Zakopulos (geb. 1917), Iakovos Kambanellis (geb. 1919), der nach Beendigung des Krieges Schlagzeilen machte, Margarita Lymberaki (geb. 1918), Vangelis Katsanis (geb. 1935) mit seiner vielbesprochenen antimonarchistischen Atriden-Tragödie, Fofi Tresu (geb. 1929), deren Schauspiele in mehreren Theatern Athens aufgeführt wurden – auch sie verfaßte eine Atriden-Tragödie mit moderner Problematik-, Vassilis Ziogas (geb. 1935), Dichter und erfolgreicher Autor mehrerer auch im Ausland gespielter Theaterstücke, Stratis Karras (geb. 1935), bekannt auch im Ausland durch Übersetzungen und Aufführungen, G. Skurtis (geb. 1940), Marietta Rialdi (geb. 1943) mit avantgardistischem, gegen die Gewalt gerichtetem Theater, Kostas Murselas (geb. 1930), Dimitris Kechaidis (geb. 1933), Petros Markaris (geb. 1937) mit epischem Theater im Sinne von Bert Brecht, Christos Samuilidis (geb. 1927), D. Taxiarchis mit absurdem Theater und andere.

V. Literaturkritik

Die Entwicklung der neugriechischen Literatur wurde durch die Literaturkritik und den literarkritischen Essay wesentlich gefördert. Literaturkritiker: J. Apostolakis, K. Th. Dimaras, A. Churmusios, K. Paraschos, I. M. Panajotopulos, A. Thrylos, A. Karantonis, P. Spandonidis, J. Chatzinis, K. Thrakiotis, A. Diktäos, M. Dimakis, M. Jalurakis, T. Vurnas, Chr. N. Kuluris, P. N. Panajotunis. Kultur- und Literaturforscher: P. Kanellopulos, K. Varnalis, K. Tsatsos, N. Tomadakis, K. Trypanis, L. Politis, G. Zoras, M. Kriaras, J. Kordatos, G. Savvidis, G. Valetas, A. Sachinis, M. Meraklis, K. Mitsakis, K. Sterjopulos, G. Katsimbalis, P. Charis u. a.

Anhang I. Deutsche Übersetzungen griechischer Literatur nach 1940

Athanassiadis, Nikos: Das Mädchen und der Delphin. München 1967.

Axioti, Melpo: Tränen und Marmor. Berlin 1950.

Axioti, Melpo: Im Schatten der Akropolis. Berlin 1955.

Charis, Petros: Die letzte Nacht der Erde. Kassel 1980 (Übs. Isidora Rosenthal-Kamarinea).

Drossinis, Georgios: Das Liebeskraut. Frauenfeld 1962 (Übs. Johann Martin u. Lily von Planta).

Eftaliotis, Arjyris: Die Olivensammlerin. Eisenach 1955 (Übs. Alexander Steinmetz).

Elytis, Odysseas: Körper des Sommers. St. Gallen 1960 (Übs. Barbara Schlörb u. Antigone Kasolea).

Elytis, Odysseas: Sieben nächtliche Siebenzeiler. Darmstadt 1966 (Übs. Günter Dietz).

Elytis, Odysseas: To axion esti – Gepriesen sei. Hamburg 1969 (Übs. Günter Dietz).

Elytis, Odysseas: Ausgewählte Gedichte. Frankfurt/M. 1979 (Übs. Barbara Vierneisel-Schlörb u. Antigone Kasolea).

Gritsi-Milliex, Tatiana: Schatten haben keine Schmerzen. Hamburg u. Düsseldorf 1968.

Hadzis (Chatzis), Dimitrios: Das zerstörte Idyll. Berlin 1965 (Übs. Thanassis Georgiu).

Kanellopulos, Panajotis: Fünf Athener Dialoge. Olten–Freiburg 1961 (Übs. Isidora Rosenthal-Kamarinea).

Karagatsis, Manólis (richtig: Mitsos): Der Vogt von Kastrópyrgos. Zürich 1962 (Übs. Nestor Xaidis).

Karagatsis, Mitsos: Die große Chimäre. Berlin 1968 (Übs. Helmut Flume).

Kazantzakis (Kasantzakis), Nikos: Alexis Sorbas. Abenteuer auf Kreta. 1. Aufl. Braunschweig 1952, 2. Aufl. München–Wien–Basel 1970 (Taschenbuchausgabe: Hamburg: Rowohlt 1. Aufl. 1955, 12. Aufl. 1979 (= rororo 158) (Übs. Alexander Steinmetz).

Kazantzakis (Kasantzakis), Nikos: Die letzte Versuchung. Berlin 1952 (Übs. Werner Kerbs).

Kazantzaki (Kasantzakis), Niko (Nikos): Rettet Gott!, 1. Aufl. Wien–München 1953 (Übs. Karl August Horst).

Kazantzakis (Kasantzakis), Niko (Nikos): Freiheit oder Tod. Berlin–Grunewald 1954 (Übs. Helmut von den Steinen).

Kazantzakis (Kasantzakis), Niko (Nikos): Freiheit oder Tod. Berlin–Grunewald 1954 (Übs. Helmut von den Steinen).

Kazantzakis (Kasantzakis), Nikos: Mein Franz von Assisi. Hamburg 1956 (Taschenbuchausgabe: Frankfurt/M.–Hamburg: Fischer 1964, Fischer-Bücherei, 613) (Übs. Helmut von den Steinen).

Kazantzakis (Kasantzakis), Niko (Nikos): Griechische Passion. Berlin-Grunewald 1957 (Taschenbuchausgabe: Berlin-Grunewald o.J., Non-Stop-Bücherei 75/76) (Übs. Werner Kerbs).

Kazantzakis (Kasanzakis), Nikos: Rechenschaft vor El Greco, 1. und 2. Aufl. 2 Bde. Berlin–München–Wien, Bd. 1, 1964, Bd. 2, 1967, 3. Aufl. in 1 Bd., München 1978 (Übs. Isidora Rosenthal-Kamarinea).

Kazantzakis (Kasantzakis), Nikos: Brudermörder. München–Berlin–Wien 1968 (Übs. Chlodwig Plehn).

Kasantzakis, Nikos: Komödie. Tragödie in einem Akt. Zürich 1969 (Übs. Argyris Sfountouris).

Kazantzakis (Kasantzakis), Nikos: Einsame Freiheit. Biographie aus Briefen und Aufzeichnungen des Dichters von Eleni N. Kasantzaki. München–Berlin 1972 (Übs. Chlodwig Plehn).

Kazantzakis (Kasantzakis), Nikos: Odyssee, Ein modernes Epos. München 1973 (Übs. Gustav A. Conradi).

Kasantzakis, Nikos: Askese. Salvatores Dei. Zürich 1973 (Übs. Argyris Sfountouris).

Kasantzakis, Nikos: Im Zauber der griechischen Landschaft. Berlin 1966. 3. Aufl. München 1976 (Übs. Isidora Rosenthal-Kamarinea).

Kavafis, Konstantinos: Der Wein der Götter. Maastricht 1947 (Übs. Wolfgang Cordan).

Kavafis, Konstantin (Konstantinos): Gedichte. Berlin–Frankfurt/M. 1953 (Übs. Helmut von den Steinen).

Kavafis, Konstantin (Konstantinos): Gedichte. Amsterdam 1962 (Übs. Helmut von den Steinen).

Kornaros, Themos: Leben auf Widerruf. Berlin 1964.

Kotzias, Kostas: Dunkle Schächte. Berlin 1974.

Lundemis, Menelaos: Ein Kind zählt die Sterne. Berlin 1960 (Übs. Niko Manoussis).

Melas, Spyros: Der König und der Hund. Bad Tölz o.J. (Übs. Isidora Rosenthal-Kamarinea).

Myrivilis, Stratis: Die Madonna mit dem Fischleib. Zürich 1955 (Übs. Helmut von den Steinen).

Myrivilis, Stratis: Vassilis. Basel 1976 (Übs. Panos Lampsidis).
Panajotopulos, I. M.: Die Siebenschläfer. Gütersloh 1962 (Übs. Isidora Rosenthal-Kamarinea).
Papa, Katina: Unter dem Maulbeerbaum. Olten–Freiburg 1959 (Übs. Isidora Rosenthal-Kamarinea).
Prevelakis, Pandelis (Pantelis): Die Sonne des Todes. Wien–München u. a. 1962 (Übs. Isidora Rosenthal-Kamarinea).
Prevelakis, Pandelis (Pantelis): Das Haupt der Medusa. Wien–München–Basel 1964 (Übs. Isidora Rosenthal-Kamarinea).
Prevelakis, Pandelis (Pantelis): Der Engel im Brunnen. Freiburg–Basel–Wien 1974 (Übs. Gisela von der Trenck).
Ritsos, Jannis: Zeugenaussagen. Zürich 1968 (Übs. Argyris Sfountouris).
Ritsos, Jannis: Zeugenaussagen. Frankfurt/M. 1968 (Übs. Günter Dietz).
Ritsos, Jannis: Gedichte. Berlin 1968 (Übs. Vagelis Tsakiridis).
Ritsos, Jannis: Die Wurzeln der Welt. Berlin 1970 (Übs. Thanassis Georgiu u. Anneliese Malina).
Ritsos, Jannis: Mit dem Maßstab der Freiheit. Ahrensburg–Paris 1971/72 (Übs. Isidora Rosenthal-Kamarinea).
Ritsos, Jannis: Epitaphios (Auswahl). Eutin 1973 (Übs. Isidora Rosenthal-Kamarinea).
Ritsos, Jannis: Pförtnerloge. Zürich 1976 (Übs. Argyris Sfountouris).
Ritsos, Jannis: Milos geschleift. Poeme und Gedichte. Leipzig 1979. München 1979.
Ritsos, Jannis: Tagebuch des Exils. Frankfurt/M. 1979 (Übs. Niki Eideneier u. a.).
Samarakis, Antonis: Hoffnung gesucht. Zürich–Stuttgart 1962 (Übs. Ole Wahl Olsen).
Samarakis, Antonis: Der Fehler. Berlin 1969 (Übs. Hajo Müller).
Seferis, Giorgos: Poesie. Frankfurt/M. 1962 (Übs. Christian Enzensberger).
Seferis, Giorgos: Sechzehn Haikus. Frankfurt/M. 1968 (Übs. Günter Dietz).
Seferis, Georg (Giorgos): Versuche. Basel 1973 (Übs. Maria Seferiades u. Panos Lampsides).
Skinas, Alexander: Fälle. Frankfurt/M. 1969 (Übs. Richard Kruse).
Solomos, Dionysios: Neugriechisches Gespräch, Der Dialogos des Dionysios Solomos. München 1943 (Übs. Rudolf Fahrner).
Theotokas, Giorgos: Und ewig lebt Antigone. München–Berlin 1970 (Taschenbuchausgabe 1973) (Übs. Inez Diller).
Vassilikos, Vassilis: Griechische Trilogie (Das Blatt, Der Brunnen, Das Engelwerden). Zürich 1966 (Übs. Elisabeth Tryander).
Vassilikos, Vassilis: Z. Berlin 1968 (Übs. Vagelis Tsakiridis).
Vassilikos, Vassilis: Die Fotografien. Berlin 1971 (Übs. A. Sfountouris).
Venesis, Elias: Äolische Erde. 1. Aufl. Wiesbaden 1949, 2. Aufl. Mainz 1969 (Übs. Roland Hampe).
Venesis, Elias: Die Boten der Versöhnung. Heidelberg 1958 (Übs. Isidora Rosenthal-Kamarinea).
Venesis, Elias: Friede in attischer Bucht. Hamburg 1963 (Übs. Helmut Flume).
Venesis, Elias: Nummer 31328. Leidensweg in Anatolien. Mainz 1969 (Übs. Roland Hampe).
Vrettakos, Nikiforos: Gedichte. Eutin 1972 (Übs. Isidora Rosenthal-Kamarinea).
Vrettakos, Nikiforos: Autobiographie. Eutin 1972 (Übs. Isidora Rosenthal-Kamarinea).
Vrettakos, Nikiforos: Jenseits der Furcht. München 1973 (Übs. Isidora Rosenthal-Kamarinea).

Anhang II. Literatur- und Kulturzeitschriften

Ἀγγλοελληνικὴ Ἐπιθεώρησῃ (Anglogriechische Rundschau). Halbmonatsschrift für Kunst und Literatur. 1. Reihe 1945–52. 2. Reihe 1953–55. Athen.
Αἰολικὰ Γράμματα (Äolische Schriften). Literarische Zweimonatsschrift. Athen 1971 ff.
Ἀντί (Anti). Politische Halbmonatsschrift. 2. Reihe. Athen 1975 ff.
Διαβάζω (Ich lese). Monatsschrift für das Buchwesen. Athen 1976 ff.
Διαγώνιος (Diagonios). Viermonatsschrift für Literatur und Kunst, Thessaloniki 1965 ff.
Ἐλεύθερο Πνεῦμα (Freier Geist). Vierteljahresschrift für Literatur und Kultur. Jannina 1971 ff.
Ἑλληνικά (Hellenika). Halbjahresschrift für Philologie, Geschichte und Volkskunde. Bd. 1–11 (1928–39) Athen. Bd. 12 ff. (1952 ff.) Thessaloniki.

Ἑλληνικὴ Δημιουργία (Griechisches Schaffen). Halbmonatsschrift. Athen 1948–54.

Ἐξάντας (Exantas). Vierteljahresschrift. Thessaloniki 1972 ff.

Ἐπιθεώρηση Τέχνης (Monatsschrift für Literatur und Kunst). Athen 1954–67.

Ἐποπτεία (Überschau). Kulturelle Monatsschrift. Athen 1976 ff.

Ἐποχές (Zeiten). Kulturelle Monatsschrift. Athen 1963–67.

Εὐθύνη (Verantwortung). Monatsschrift für neugriechische Probleme. Athen 1972 ff.

Ζυγός (Joch). Bi-Monthly Art Magazine. Athen 1955 ff.

Ἠπειρωτικὴ Ἑστία (Epirotische Hestia). Monatsschrift. Jannina 1951 ff.

Ἠριδανός (Eridanos). Zweimonatsschrift (Sprachen, Ideen, Form, Kritik). Athen 1975 ff.

Ἡ Συνέχεια (Die Fortsetzung). Kulturelle Monatsschrift (Literatur, Kunst, Humanwissenschaften). Athen 1973 ff.

Θέατρο (Theater). Jahrbuch für Theater, Musik, Tanz, Kino. Athen 1957 ff.

Θέατρο (Theater). Zweimonatsschrift. Athen 1962 ff.

Θησαυρίσματα (Thesaurismata). Philologisches Jahrbuch. Athen – Venedig 1972 ff.

Ἰωλκός (Iolkos). Literarische Monatsschrift. Athen 1964–69.

Καινούργια Ἐποχή (Neue Epoche). Vierteljahresschrift für Literatur. 1. Reihe 1956–69. 2. Reihe 1976 ff. Athen.

Κόσκινο (Sieb). Halbjährliches Kunstbeiheft des ‘Diagonios’. Thessaloniki 1974 ff.

Κρητικὰ Χρονικὰ (Kretische Chronik). Vierteljahresschrift. Iraklion 1947 ff.

Κριτικὰ Φύλλα (Kritische Blätter). Zweimonatsschrift für Literatur und Bildung. Athen 1971 ff.

Κυπριακὰ Γράμματα (Zyprische Literatur). Halbmonatsschrift. 1. Reihe 1934–37. 2. Reihe 1939–47. 3. Reihe 1948–56. Nicosia.

Κυπριακὰ Χρονικὰ (Zyprische Chronik). Zweimonatsschrift. 1923–26 Larnaka. 1927–28 Limassol. 1929–30 und 1933–37 Larnaka. 1960–72 Nicosia.

Κυπριακὸς Λόγος (Zyprisches Wort). Zweimonatsschrift für Kultur und Wissenschaft. Nicosia 1969 ff.

Λαογραφία (Volkskunde). Jahrbuch der Griechischen Gesellschaft für Volkskunde. Athen 1909 ff.

Λαογραφικὴ Κύπρος (Volkskundliches Zypern). Viermonatsschrift. Nicosia 1971 ff.

Νέα Ἐποχή (Neue Epoche). Kulturelle Zweimonatsschrift. Nicosia 1959 ff.

Νέα Ἑστία (Neue Hestia). Kulturelle Halbmonatsschrift. Athen 1927 ff.

Νέα Πορεία (Neuer Weg). Literarische Monatsschrift. Thessaloniki 1956 ff.

Νέα Σκέψη (Neues Denken). Monatsschrift für Literatur und Kunst. Athen 1977 ff.

Ὁ Ἐρανιστής (Der Kollektor). Kulturelle Zeitschrift. Athen 1963 ff.

Παρνασσός (Parnaß). Vierteljahresschrift für Literatur. 1. Reihe. 1877–94 (Monatsschrift), 1896–1918 und 1925–39 (Jahrbuch). 2. Reihe 1959 ff. (Vierteljahresschrift). Athen.

Πειραϊκὰ Γράμματα (Piräotische Literatur). Literaturzeitschrift. Piräus 1940–42. Fortsetzung Γράμματα (Literatur). 1944.

Πνευματικὴ Κύπρος (Geistiges Zypern). Monatsschrift für Literatur. Nicosia 1960 ff.

Στερεοελλαδικὴ Ἑστία (Mittelgriechische Hestia). Kulturelle Zeitschrift. Lamia 1960 ff.

Τὰ Νέα Γράμματα (Die neue Literatur). Athen 1935–40.

Τετράμηνα (Tetramena). Kulturelle Viermonatsschrift. Amphissa 1974 ff.

Τὸ Δέντρο (Der Baum). Zweimonatsschrift für Literatur. Athen 1978 ff.

Τὸ Περιοδικό μας (Unsere Zeitschrift). Literarische Monatsschrift. 1. Reihe 1900–1902. 2. Reihe 1959–60. Piräus.

Τομές (Schnitte). Monatsschrift für kulturelle Probleme. 1. Reihe, H. 1–4 (Jan. – April) 1975. 2. Reihe, H. 1 (Juni) 1976 ff. Athen.

Τράμ/῎Ενα ὄχημα (Tram/Ein Vehikel). Zweimonatsschrift für moderne Literatur und Kunst. Thessaloniki 1976 ff.

Φιλολογικὴ Κύπρος (Philologisches Zypern). Nicosia 1960 ff.

Φιλολογικὴ Πρωτοχρονιὰ (Philologisches Neujahr). Jahrbuch für Literatur und Kunst. Athen 1944 ff.

Bizantion – Nea Hellas. Santiago de Chile 1970 ff.

Folia Neohellenica. Zeitschrift für Neogräzistik. Amsterdam 1975 ff.

hellenika. Jahrbuch für die Freunde Griechenlands. 1964–66 Ingolstadt, 1966–72 Bochum (Viermonatsschrift). 1973 ff. (Jahrbuch) Bochum.

Μαντατοφόρος (Mantatophoros). Bulletin of Modern Greek Studies. Halbjahresschrift. 1972–78 Birmingham. 1979 ff. Amsterdam.

Anhang III. Griechische Schriftstellerverbände

Ἐθνικὴ Ἑταιρία Ἑλλήνων Λογοτεχνῶν (Nationale Gesellschaft Griechischer Schriftsteller). Athen.

Ἑταιρία Ἑλλήνων Λογοτεχνῶν (Gesellschaft Griechischer Schriftsteller). Athen.

Σύνδεσμος Ἑλλήνων Λογοτεχνῶν (Verband Griechischer Schriftsteller). Athen.

Ἕνωση Ἑλλήνων Λογοτεχνῶν (Vereinigung Griechischer Schriftsteller). Athen.

Ἕνωση Νέων Ἑλλήνων Λογοτεχνῶν (Vereinigung Junger Griechischer Schriftsteller). Athen.

Ἑταιρία Λογοτεχνῶν Θεσσαλονίκης (Gesellschaft Thessaloniker Schriftsteller). Thessaloniki.

Ἑταιρία Ἑλλήνων Θεατρικῶν Συγγραφέων (Gesellschaft Griechischer Theaterschriftsteller). Athen.

Ἕνωση Ἑλλήνων Κριτικῶν (Vereinigung Griechischer Literaturkritiker). Athen.

Ἕνωση Ἑλλήνων Θεατρικῶν καὶ Μουσικῶν Κριτικῶν (Vereinigung Griechischer Theater- und Musikkritiker). Athen.

Bildende Kunst, Musik, Theater

Chrysanthos Christou, Saloniki
George S. Leotsakos, Athen
Kostas Georgousopoulos, Athen

Bildende Kunst
Chrysanthos Christou, Saloniki

I. Vorbemerkung – II. Voraussetzungen in der Zeit bis zum Ende des Zweiten Weltkrieges – III. Die Zeit seit dem Ende des Zweiten Weltkrieges: 1. Die Generation der Jahre 1898–1922 – 2. Die Generation der 20er und 30er Jahre – 3. Die jüngste Generation

I. Vorbemerkung

Die Schwierigkeiten und Gefahren jeden Versuches sind bekannt, künstlerisches Schaffen der Gegenwart einzuordnen und zu bewerten: sie ergeben sich ebenso aus der großen Zahl an Werken wie aus deren regionaler Verstreutheit, aus dem empfindlichen Mangel systematischer Untersuchungen und methodischer Analysen oder schließlich auch aus dem Fehlen so einfacher, aber wichtiger Informationen, wie es biographische Angaben sind. Eine wesentliche Rolle spielen ferner das Durchsetzungsvermögen einzelner Künstler oder Kunstrichtungen und das Interesse oder Desinteresse von Forschern und Kritikern[1]). Alle diese Schwierigkeiten und Gefahren gelten in besonderem Maße auch für die griechische bildende Kunst der Gegenwart, und sie sollten daher bei einer Bewertung der folgenden Ausführungen im Auge behalten werden.

II. Voraussetzungen in der Zeit bis zum Ende des Zweiten Weltkrieges

Ein Verständnis der Eigentümlichkeiten und der Entwicklung der bildenden Kunst Griechenlands seit dem Ende des Zweiten Weltkrieges ist ohne die Kenntnis ihrer Voraussetzungen aus der davorliegenden Zeit unmöglich. Was als erstes die Frage nach dem zeitlichen Beginn der neugriechischen bildenden Kunst betrifft, so dürfte die These heute als überholt anzusehen sein, daß dieser bereits im 18. Jahrhundert, und hier wieder im Besonderen auf den Ionischen Inseln zu suchen sei[2]). Statt dessen ist davon auszugehen, daß sich eine geschlossene Entwicklungslinie nur bis in die Zeit nach der Gründung des neugriechischen Staates 1830/32 zurückverfolgen läßt[3]). Zwei Faktoren erwiesen sich damals als bestimmend für die bildende

---

[1]) Fatouros, D.S.: Probleme einer kritischen Analyse der zeitgenössischen Kunst, in: Grogmann, W. (Hrsg.): Kunst unserer Zeit. Malerei und Plastik. Köln 1966, S. 199.

[2]) Xydis, A.: Προτάσεις γιά τήν ιστορία τῆς νεοελληνικῆς τέχνης. (Vorschläge zur Geschichte der neugriechischen Kunst). 1. Athinai 1976, S. 19.

[3]) Christou, S.Ch.: Ἡ ἑλληνική ζωγραφική (Die griechische Malerei von 1832 bis 1922) z.Z. im Druck.

Kunst Griechenlands: einmal die enge Verbindung mit der deutschen Kunst – und hier wieder besonders mit München – aufgrund der Herrschaft König Ottos; und dann das starke und fruchtbare Fortwirken autochthoner, volkstümlicher griechischer Kunsttraditionen. Ein typisches Beispiel für den ersten Bereich sind die Wandmalereien im Saal der Trophäen im königlichen Schloß in Athen, die um 1841 von bayerischen Malern ausgeführt worden sind[4]), ein solches für den zweiten Bereich die Bilder der griechischen Revolution von Panagiotis Zografou, dem sog. Maler des Makrygiannis von 1837. Bezeichnend ist außerdem für die erste neugriechische Künstlergeneration, die teilweise noch vor 1800 geboren worden ist, das starke Interesse an historischen Ereignissen und romantischem Pathos, das sich mit dem Bemühen um klassische Formen verbindet. Für die auf sie folgende zweite Künstlergeneration aus der Revolutionszeit und der ersten Phase der Regierung König Ottos – 1821–1843 – ist die absolute Vorherrschaft des Einflusses der Münchener Schule typisch. Dies gilt auch für so wichtige Künstler wie Nikiforos Lytras, Konstantinos Valanakis und Nikolaos Gyzis. Die Bedeutung Münchens wird dadurch nicht gemindert, daß es daneben auch Beziehungen zu anderen europäischen Kunstzentren der Zeit gab: es seien die Verbindungen von Aristeidis Oikonomou mit Wien und Venedig genannt, von Nikolaos Xydias-Typaldos mit Rom und Paris, von Nikolaos Kounelakis mit Petersburg. Eine Wende beginnt sich erst mit der dritten Künstlergeneration abzuzeichnen, die in die Phase der konstitutionellen Monarchie König Ottos – 1844–1862 – gehört, obwohl noch immer führende griechische Künstler ihre Ausbildung in München erwerben: I. Zacharis, P. Lembesis, G. Iakovidis, K. Panorios, G. Chazopoulos, S. Savvidis u.a. Dennoch ist deutlich, daß die Zahl der Künstler wächst, die für ihr Studium andere Kunstzentren aufsuchen. Es seien nur Ch. Panazis, I. Rizos, Th. Rallis, I. Altamouras, A. Kaloudis, V. Bokatsiambis und A. Giallinas genannt.

Das Ende der Vorherrschaft Münchens kommt endgültig mit der Künstlergeneration, die zwischen 1863 und 1881 geboren wird. Paris nimmt nunmehr den Platz Münchens ein. Zu den Künstlern, die in Paris ihre Ausbildung erhalten, gehören auch jene beiden Maler, die als „Väter" der griechischen Malerei des 20. Jahrhunderts bezeichnet werden dürfen: Konstantinos Parthenis und Konstantinos Maleas. Auch für die letzte Künstlergeneration des 19. Jahrhunderts – für die Zeit von 1882 bis 1897 –, in die der Beginn der Arbeiten Charilaos Trikoupis gehört, ist Paris noch immer das wichtigste Zentrum. Daß daneben auch andere Einflüsse wirksam werden, zeigt der dritte „Vater" der griechischen Kunst unseres Jahrhunderts, Georgios Bouzianis. Er begann seine Studien in Athen, setzte sie in München fort und wurde zu einem Vertreter des griechischen Expressionismus von europäischem Rang.

III. Die Zeit seit dem Ende des Zweiten Weltkrieges

1. Die Generation der Jahre 1898–1922

Mit der Generation der Jahre von 1898 bis 1922 überschreiten wir nicht nur die Grenze zum 20. Jahrhundert, sondern finden auch bereits Eigenheiten, die für die griechische bildende Kunst seit dem Ende des Zweiten Weltkrieges charakteristisch

---

[4]) Lydakis, S. St.: Geschichte der griechischen Malerei des 19. Jahrhunderts. München 1972, S. 29.

sind. Zu nennen sind vor allem die Zunahme der Kontakte mit allen internationalen Zentren, die für die Entwicklung der Kunst ausschlaggebend waren, und dann die Aufgeschlossenheit, sich mit allen Richtungen moderner Kunst auseinanderzusetzen[5]). Schon mit den älteren Malern dieser Generation – Giannis Mitarakis (1898–1962) und Aginor Asteriadis (1898–1977) –, dem Graphiker Nikolaos Ventouras (1899), den Bildhauern Athanasios Apartis (1899–1972) und Georgios Kastriotis (1899–1969) und dem Tonplastiker Panos Valsamakis (1899) wird die entscheidende Befreiung von überkommenen Typisierungen und konservativen Traditionen deutlich. Alle diese Künstler, deren Schaffen schon in der Zeit vor 1945 beginnt, haben ihre Ausdruckssprache nach dem Kriege vervollkommnet und der griechischen Kunst neue Richtungen gewiesen: die Verbindung spätexpressionistischer Formen mit einem starken Einfluß Cezannes durch Mitarakis; die Vereinigung byzantinischer Elemente mit dem Konstruktivismus, aber auch Motiven der Volkskunst durch Asteriadis; eine Graphik abstrakter Darstellungen und dennoch voll poetischer Ausdruckskraft durch Ventouras; die Bildhauerei von Apartis, die Realismus mit Einfachheit und innerer Kraft der Figuren verbindet; die Menschlichkeit der Werke von Kastriotis; oder schließlich die epochemachenden Tonplastiken von Valsamakis.

Wenn wir damit die Grenze zur bildenden Kunst Griechenlands seit dem Ende des Zweiten Weltkriegs überschritten haben, so seien als erstes weitere Namen charakteristischer älterer Vertreter der Generation der Jahre von 1898 bis 1922 genannt, um die Vielfalt und Breite des künstlerischen Spektrums in Griechenland zu zeigen: und zwar für die Malerei: Dimitrios Vitsoris (1902–1945), Spyros Vasileiou (1920), Giorgos Vakalos (1902), Polykleitos Renkos (1903), Kostas Iliadis (1903), Vrasidas Tsouchlos (1904), Takis Marthas (1905–1955), Alekos Kontopoulos (1905–1975), Christos Lefakis (1906–1969), Chatzikyriakos Gikas (1906), Errikos Frantzeskakis (1908–1958), Giorgos Paralis (1908–1975), Nikos Pentzikis (1908) und Nikos Nikolaou (1909); und für die Bildhauerei: Giorgos Zongopoulos (1903), Vasos Falizeas (1905), Titsa Chrysochoïdou (1906), Klearchos Loukopoulos (1908), Nikolaos Pavlopoulos (1909) und Achilleas Apergis (1909).

Maler wie Bildhauer dieser Gruppe erweisen sich überkommenen Stilrichtungen ebenso verpflichtet wie offen für neue Ausdrucksformen. So bleibt Vitsoris deutlich eher traditionellen Formen verbunden, während sich Vasileiou im Bereich zwischen Realismus und Surrealismus bewegt. Vakalos' Malerei verbindet poetischen und träumerischen Charakter mit surrealistischen Farbtönen. Interesse an der Komposition von Eigenheiten der byzantinischen Kunst mit modernen Zügen zeigt Renkou. Das künstlerische Schaffen von Iliadis bleibt im Bereich des Realismus, während sich die Malerei von Tsouchlou dem Akademismus nähert. Modernere Züge weist Marthas auf, insofern lineare Themen und Farbelemente kombiniert werden, während Kontopoulos und Lefakis abstrakte Darstellungen in die neugriechische Kunst einführen. Kontopoulos schuf seine ersten Werke zwischen 1945 und 1950, Lefakis begann nach 1960. Beide Maler zeichnen sich durch ihre Ausdrucksstärke aus und haben durch sie die griechische Kunst nach 1945 in besonderem Maße bereichert. Ein

---

[5]) Die neuen Tendenzen der europäischen Kunst erreichen Griechenland im 19. Jahrhundert mit etwa 20 Jahren Verspätung.

weiterer typischer Vertreter dieser Gruppe ist Chatzikyriakos Gikas, der auf faszinierende Weise das geometrische Gefüge des Kubismus mit der poetischen Farbe des Orphismus und Formenreinheit mit farblicher Grazie vereint. Zu einer anderen bedeutsamen Richtung gehören Frantzeskakis und Paralis, die es verstehen, die natürliche Welt und ihre Beschreibung nicht zu verlassen und uns dennoch zu einer poetischen Übersetzung der optischen Wirklichkeit in malerische Werte hinzuführen. Pentzikis, der im gleichen Jahr – 1908 – wie die beiden letzteren geboren worden ist, ist Maler und Literat zugleich und einer der besten Kenner der byzantinischen Tradition. Er hat Versuche im Bereich des Neoimpressionismus und symbolischer Formen vorgelegt, während Nikolaou die menschliche Gestalt aus der Erinnerung heraus zeigt, verbunden mit einer Tendenz formaler Darstellungsform unter expressionistischem Einfluß.

Was die Bildhauer dieser Gruppe betrifft, so handelt es sich bei dem Werk Zongopoulos' ohne Zweifel um einen der gewagtesten Versuche im Bereich der Plastik nach 1945. Sein Ausgangspunkt waren traditionelle Formen, von denen er über eine abstrakte Phase 1970 zur photokinetischen Bildhauerei gelangt ist. Den ersten Platz im Akademismus und Neoklassizismus nimmt Falireas ein, während Chrysochoïdou dem akademischen Realismus zuzuordnen ist. Eine sehr persönliche Note findet sich bei Loukopoulos, der durch seine abstrakten Figuren, durch klare Formen und tektonisch reine Organisation auffällt. Im Gegensatz dazu steht N. Pavlopoulos mit seiner typisch neoklassizistischen Bildhauerei, die in den meisten Fällen allerdings nicht zu überzeugenden Ergebnissen führt, da er sich als nicht fähig erweist, sein Material zu aktivieren. Im Bereich der Plastik im engeren Sinn gehört dafür Kapralos sicher zu den bedeutendsten Vertretern. Er kombiniert die Spontaneität und Direktheit archaischer Formen mit der Problematik heutiger Kunst. In eine entgegengesetzte Richtung führt Apergis, der hauptsächlich mit Metallen arbeitet. In seinen Werken fallen abstrakte, dynamische Gestalteinheiten aufgrund der Sicherheit im Ausdruck auf.

Reiche neue Ergebnisse finden wir weiterhin bei jenen Künstlern, die etwas später als die eben genannten, zwischen 1910 und 1922 geboren worden sind. Die Neigung zur abstrakten Kunst setzt sich nunmehr deutlicher durch, verbunden mit starken persönlichen Akzenten. Zu den charakteristischen Vertretern in der Malerei gehören hier Nikos Engonopoulos (1910), Giannis Tsarouchis (1910), Orestis Kanellis (1910), Vallias Semertsidis (1911), Takis Elevtheriadis (1911), Giannis Spyropoulos (1912), Omiros Georgiadis (1912–1976), Rea Leontaritou (1912), Giorgios Mavroïdis (1913), Diamantis Diamantopoulos (1914), Athanasios Tsinkos (1914–1965), Giorgos Manousakis (1914), Thomas Fanourakis (1915), Ifigeneia Lagana (1915), Koula Marankopoulou (1915), Giannis Moralis (1916), Giorgos Sikeliotis (1917), Panos Sarafianos (1919–1968), Giannis Svoronos (1919), Alkis Pierakos (1920), Kostas Varlamos (1922); Bildhauer wie Nikos Perantinos (1910), Giannis Papas (1913), Lazaros Lameras (1913), Iason Papadimitriou (1914), Froso Evthimiadou-Menagi (1916), Konstantinos Andreou (1917), Kostas Koulentianos (1917–1968), Ioanna Spiteri (1920), Nikolaos Ikaris (1920) und Graphiker wie Vaso Katraki (1914), Tassos Alevizos (1914), Kostas Grammatopoulos (1916).

Bei den Malern eröffnen Engonopoulos und Tsarouchis dieses Jahrzehnt, wobei Engonopoulos am Beginn metaphysischer Malerei und des Surrealismus in

Griechenland steht, während Tsorouchis Tradition mit moderner Kunst verbindet. Engonopoulos – Maler und Literat zugleich – hat in spezifischer Manier den Raum von de Chirico, die Farben von Carlo Karras und figürliche Züge aus der Welt Magrittes zusammen mit volkstümlichen Elementen in sein Werk aufgenommen. Bei Tsarouchis finden wir hingegen Elemente byzantinischer Geistigkeit, Körperlichkeit der Renaissance und Traditionen griechischer Volkskunst im Zusammenklang mit der Unruhe und Ungewißheit unserer heutigen Welt. Anders hingegen Kanelli: bei ihm spielen die lyrisch-poetische Stimmung und beschränkte Figurendarstellung die Hauptrolle. In den Bereich des kritischen Realismus führt das Werk von Semertsidis unter besonderer Betonung zeichnerischer Elemente. Dies gilt vor allem für seine Schaffensperiode nach 1955. Einen Schritt weiter geht Elevtheriadis: sein Ziel ist es, die Farben des Fauvismus mit dem einfachen, geometrischen Formenschatz des Kubismus neu zu verbinden, während sich abstrakte Tendenzen in der Malerei von Spyropoulos und Omiros Georgiadis finden. Spyropoulos wurde international durch den UNESCO-Preis bekannt, den er 1960 auf der 30. Biennale in Venedig erhielt. Er ist einer der bedeutendsten Vertreter des abstrakten Expressionismus in Griechenland. Für seine Werke sind lebhafte Bewegung und Farblichkeit, Ausdrucksstärke und hohes künstlerisches Niveau charakteristisch. Omiros Georgiadis hat außer Versuchen im Bereich des abstrakten Expressionismus einen wesentlichen Beitrag zur abstrakten Landschaftsmalerei, aber auch allgemein zu lyrischen Abstraktionen in Griechenland geliefert. Eine der besten Schülerinnen von Parthenis ist Frau Leontaritou, die in ihren Werken seit 1960 durch Formenklarheit, farbliche Zurückhaltung, Sicherheit in der Synthese und einheitliches Licht besticht. Im Bereich des realen wie abstrakten Expressionismus vervollständigt sich das künstlerische Schaffen von Mavroïdis immer mehr, indem er sich auf elliptische Räume, Antithesen, farbliche Akzente und dynamische Organisation stützt. Die Arbeiten von Diamantopoulos, die etwas abseits der großen Richtungen stehen, zeichnen sich durch plastische Elemente und dramatische Züge aus. Gerade seine letzten Werke lassen diesen Künstler durch monumentale Ausdrucksweise, Formenklarheit, Schematisierung, aktive Farblichkeit, unbestimmte Räume und Introversion der Ensembles zu einem der interessantesten Vertreter der ganzen Gruppe werden.

Einer der besten Blumenmaler Griechenlands ist Tsinkos. Es ist ihm gelungen, eine überzeugende und sehr persönliche Verbindung japanischer und europäischer Stilelemente zu erreichen. Zu einer Gruppe, für die die optische Wirklichkeit an erster Stelle steht, gehören Manousakis, Fanourakis, Lagana und Marankopoulou. Die beiden ersteren, deren Interesse fast ausschließlich introvertierten Themen und der unbelebten Natur gilt, zeichnen sich durch das Poetische, Lyrische und Einfache ihres Stils aus. Die Malerinnen Lagana und Marankopoulou neigen dagegen mehr expressionistischen Versuchen zu. Zu den besonders fruchtbaren Vertretern dieser Gruppe gehört auch Moralis, der eine große Rolle nicht nur als Maler, sondern auch als akademischer Lehrer spielt: er ist Professor an der Hochschule der Schönen Künste in Athen. In seiner Malerei vereinigt er konstruktivistische Züge mit eigenen Elementen, klassische Einfachheit mit abstrakten Zügen, farbliche Reinheit mit rhythmischer Organisationskraft. In ein ganz anderes künstlersiches Klima versetzt Sikeliotis. Er erreicht durch Einfachheit der Konturen und die Schwere körperlicher Formen, Schematisierung und vereinfachte Elemente der Volkskunst sowie einer

Vorliebe für erdige Farben einen unverwechselbaren persönlichen Ausdruck. Die
Werke von Sarafianos und Svoronos fallen durch ihren reservierten Stil auf, diejenigen von Pierakos durch ihre lyrische Abstraktion und Varlamos schließlich durch
seine Neigung zu poetischem Realismus.

Was die Bildhauerei betrifft, so geht Perantinos, der hauptsächlich mit Reliefs arbeitet, stets von der Formenwelt altgriechischer Plastiken aus. Die Klarheit seiner
Formen und das Vermeiden übertriebener Akzente erlauben es ihm, in seinen charakteristischen Werken realistische Elemente mit idealistischen zu verbinden. Ähnlich arbeitet Giannis Papas, der in akademischer Bildhauerei ebenso bewandert ist
wie in der Verwendung moderner Ausdrucksformen. Sein Streben ist grundsätzlich
auf Einfachheit und Schematisierung der Figuren gerichtet, auf Flüssigkeit der Konturen und Gleichgewicht der Massen. Große Erfolge im Bereich moderner Bildhauerei hat Lameras errungen. Er zeichnet sich außer durch für ihn typische Figuren
und Klarheit der Konturen durch vertikale Akzente und Sinn für aktiven Ausdruck
ganzer Kompositionen aus. Einige seiner letzten Skulpturen – nach 1975 – hat Lameras in Environments hineingestellt, wobei er zusätzlich mit Farben arbeitet. Papadimitriou bleibt demgegenüber dem Neoklassizismus treu, während Koulentianos
und Andreou mit ihren Werken wieder in eine andere Richtung führen. Koulentianos ist ein Bildhauer mit ungewöhnlich reicher gestalterischer Phantasie. Die Bewegung, die diese seinen Werken leiht, und die abstrakten Mittel, die er einsetzt, sind
die Basis für seine starke expressionistische Ausdruckskraft. Seinen Arbeiten nahe
verwandt sind diejenigen von Andreou, für den Freiheit der Figuren und dynamische
Entwicklung der Kompositionen von besonderer Bedeutung sind. Hauptsächlich in
seinen Werken aus Metall gelingt ihm durch den Einsatz abstrakter Formelemente
und der Gegenüberstellung sechs- und viereckiger Themen die Gestaltung eines plastischen Raums, der von innerer Spannung vibriert. Abstrakte Tendenzen verfolgt
auch Spiteri, die sich vor allem für die Einfügung ihrer Arbeiten in große architektonische Ensembles und in freie Räume interessiert. Und Isaris schließlich, der meist
außerhalb Griechenlands arbeitet, bemüht sich um die Herstellung eines Gleichge-
wichts zwischen traditionellen und modernen Ausdrucksmitteln.

Die drei Graphiker des Jahrzehnts 1910–1922 – Katraki, Alevizos und Grammatopoulos – gehören zu den unbestritten Großen dieses Zweiges der bildenden Kunst
in Griechenland. Das Werk von Frau Katraki hat sich vor allem mit seiner charakteristischen Entwicklung nach 1945 aufgrund der Konzentration auf das Wesentliche,
des Strebens fort vom Individuellen und hin zum Allgemeingültigen, der monumen-
talen Figuren, des lebhaften Wechsels von Weiß und Schwarz, Fülle und Leere und
großer Ausdruckskraft durchgesetzt. Eine andere Richtung vertritt Alevizos. Die
Bindung an die byzantinische Kunst und traditionelle Formen ist hier sehr viel stärker. Mit kritischer Distanz und Sinn für Realismus werden in teilweise bewunderns-
werter Weise archaische Einfachheit und byzantinisch-abstrahierende Stimmungen,
erzählender Wille und dramatische Elemente, unbestimmter Raum und rhythmi-
sches Ensemble miteinander verknüpft. Das Werk von Grammatopoulos hebt sich
von anderen Stilrichtungen und Techniken deutlich ab, wobei besonders auf seine
Neigung zum Dekorativen hinzuweisen ist. Diese Neigung ist vor allem in seinen Arbeiten nach 1950 auffällig, als er sich zudem einer eigenartigen Verbindung von abstrakter Darstellung und symbolischer Form zuwandte.

2. Die Generation der 20er und 30er Jahre

Wie wichtig die Künstlergeneration, die zwischen 1898 und 1922 geboren wurde, aber auch für die griechische Nachkriegskunst ist, so kann doch kein Zweifel sein, daß es die in den 20er und 30er Jahren geborene Generation ist, die seit langem die Zügel in der Hand hält. Sie ist es, die die heutige Gegenwart der bildenden Kunst in Griechenland bestimmt, deren Arbeit sich mit allen Richtungen verbindet, die als „moderne Kunst" gelten, und die neue Wege beschreitet. Es handelt sich um eine Künstlergeneration, die reich an kraftvollen Persönlichkeiten ist, von denen ein Großteil ihren Weg in Athen begonnen hat und ihr Studium im Ausland fortsetzte, vor allem in Paris. Impulse aus dem Ausland sind mit großem Ernst aufgenommen worden, ebenso beeindruckend ist aber auch der Mut zum eigenständigen Experiment. Bezeichnend ist für diese Generation ferner die Neigung, sich für kürzere, aber auch längere Zeit im Ausland niederzulassen und dort zu arbeiten. Wir finden viele griechische bildende Künstler dieser Generation, die dauernd in Paris, New York, Rom oder Berlin leben, andere wechseln ständig zwischen Griechenland und dem Ausland hin und her. Die Folge ist einerseits ein überaus enger Kontakt zwischen dem Leben in den großen Kunstzentren der Welt und Griechenland, andererseits aber auch ein Rückgang künstlerischen Lebens in Griechenland selbst. Das Phänomen ist unleugbar, daß viele bedeutende griechische Künstler, die im Ausland leben, niemals oder höchstens in Ausnahmefällen an öffentlichen oder privaten Ausstellungen teilnehmen, die innerhalb Griechenlands stattfinden. Die negativen Folgen für das künstlerische Leben in Griechenland liegen auf der Hand.

Was die Arbeiten dieser Künstlergeneration betrifft, so kann als erstes festgestellt werden, daß für diese wie überall in der Welt das Ausgreifen abstrakter Tendenzen charakteristisch ist, die Verwendung konstruktivistischer und geometrischer Formen, die Neigung zu surrealistischen und dadaistischen Elementen, der Wille, sich von Älterem und Überholtem abzugrenzen. Gerade für die individuellsten Künstler dieser Generation und ihre besten Werke seit 1960 spielt die stilistische Freiheit eine ausschlaggebende Rolle, d. h. die bewußte Ablehnung von Festlegung auf eine bestimmte Stilrichtung und die Neigung, Elemente verschiedener Richtungen in einem Werk zu vereinen. Es finden sich also nicht nur mutige Übergänge von einer Stilrichtung in eine andere – von abstrakter Darstellung zu gegenständlicher, von der Strenge des Konstruktivismus zur automatischen Malerei des Surrealismus –, sondern auch die Zusammenführung von Charakteristika verschiedener Richtungen in ein und demselben Werk. Man sollte daher vielleicht von einer Tendenz zu stilistischer Auswahl sprechen, die die Ausdrucksebene des Werkes durch Antithese oder durch die Verflechtung von Elementen aus verschiedenen gestalterischen und stilistischen Bereichen zu intensivieren versucht. Der Eindruck entsteht, als ob die Künstler sich primär gar nicht für den Inhalt ihrer Werke interessieren, sondern daß ihr Interesse vor allem gestalterischen Problemen gilt. Für den Kritiker, aber auch für den interessierten Laien ist es nicht schwierig festzustellen, daß diese griechischen Künstler eine größere Aussagekraft der malerischen Oberfläche und der plastischen Formen bei einer parallelen Intensivierung des Ausdrucks erzielen wollen. Betäubt von der Freiheit, die ihnen die abstrakten Tendenzen der Jahre von 1950 bis 1960 gegeben hatten, haben sie sich seit 1965, vor allem aber seit 1970 in eksta-

tischer Stimmung und mit poetischem Schwung einer Schaffensform zugewandt, die
strenger und introvertierter ist und stark von Gruppengeist geprägt wird. Ausstellungen von Künstlergruppen, die sich zu einer bestimmten Richtung bekennen, waren vor 1945 selten gewesen. Jetzt spielen sie eine zunehmend größere Rolle, wobei
die Ausstellungen oft von den Künstlern selbst organisiert werden. Typisch für diese
Tendenz sind „Die Waage" (O Zygos), die 1955 zusammen mit der gleichnamigen
Galerie gegründet wurde, und die etwas später folgende Zeitschrift „Neue Formen"
(Nees Morfes): sie dienten dazu, Kontakte der Künstler untereinander zu schaffen,
aber auch die Öffentlichkeit auf die neuen Bestrebungen aufmerksam zu machen.
Die allgemein zu beobachtende Verlagerung des Interesses in der Kunst von abstrakten zur konkreteren Ausdrucksformen ist im übrigen auch in Griechenland in
den Jahren 1965–1970 festzustellen, ohne daß jedoch alle abstrakten Elemente aufgegeben worden wären. An den öffentlichen wie privaten Ausstellungen nehmen so
in den letzten Jahren Künstler teil, die alle Stilrichtungen vertreten, ein Phänomen,
das als typisch für die Entwicklung der internationalen Kunst gelten darf.

Als überaus schwierig erweist es sich dafür, angesichts der Fülle an Künstlern auch
nur die bedeutendsten dieser Generation näher vorzustellen. Es dürfte daher angezeigt sein, sich dieser Generation im ganzen von den großen Stilrichtungen her zu
nähern, die gerade auch noch für die allerjüngste Entwicklung maßgebend gewesen
sind.

Eine große Gruppe von Künstlern dieser Generation ist jene, die bedeutende Beiträge im weiteren Bereich abstrakter Tendenzen gegeben hat – vom abstrakten Expressionismus bis zur lyrischen Abstraktion, von der geometrischen, konstruktivisti-
schen Richtung bis zu freien und kalligraphischen Formen. Zu den produktivsten
Malern in diesem Bereich gehören Georgios Tougias (1922), Dimitrios Perdikidis
(1922), Giorgos Vakirtzis (1923), Konstantinos Vyzantinos (1924), Nikos Sachinis
(1924), Stathis Logothetis (1925), Vlasis Kaniaris (1928), Nikos Kessanlis (1930),
Kostas Tsoklis (1930). Ihnen allen gemeinsam ist ein künstlerischer Weg, der sie von
konkreten Kunstrichtungen zu den abstrakten geführt hat und nach 1970 zumindest
tendenziell zurück zur konkreten Kunst. Tougias z. B., der nach einer Phase des Expressionismus in eine ekstatische Malrichtung überging, interessierte sich in den letzten Jahren für den Konstruktivismus. Ähnliches findet sich im Werk von Kosmas
Xenakis, in dem architektonische Elemente die wichtigste Rolle spielen. Perdikidis
und Vakirtzis begannen mit Landschaftsmalerei, bevor sie in eine abstrakte expressionistische Manier übergingen und sich nach 1974 schließlich erneut darstellenden
Versuchen zuwandten, die allerdings einen etwas widersprüchlichen Charakter haben. In derselben Zeit hat sich Vyzantinos vom abstrakten Expressionismus abge-
wandt, um andere Ausdrucksformen zu erproben, die zur konkreten Malerei, aber
auch zu surrealistischen Formen führen. Sachinis hingegen ist mit seiner Malerei der
großen Bewegungen und gegensätzlichen Formen der abstrakten Darstellungsweise
treu geblieben.

Einen anderen, im Prinzip aber doch ähnlichen Weg sind die Künstler Logothetis,
Kaniaris, Kessanlis und Tsoklis gegangen, die besonderes Interesse an der Entwicklung ihrer Ausdrucksformen zeigen, indem sie die Materialstruktur betonen und die
Verbindung von Wirklichkeit und Darstellungsform. So erzielt Logothetis ein au-
ßergewöhnliches, ausdrucksvolles Pathos durch die Verwendung von geplatztem

Leder, zerrissenen Tüchern, von Seilen als Verbindungsgliedern und durch krasse, ausdrucksstarke und auffallende Farben. Das Werk von Kaniaris gewinnt neue Dimensionen durch die Hervorhebung plastischer Formen und die Verbindung gemalter Eindrücke mit realen Gegenständen, wie auch Tsoklis dies tut. Kessanlis schließlich hat sich nach einer Reihe von Versuchen in verschiedenen abstrakten Richtungen jetzt Experimenten mit technisierter Kunst zugewandt, der Mec Art.

Es sind viele Künstler dieser Generation, die sich inzwischen auf den Realismus oder Neorealismus hinbewegen, mit verschiedenartigen Akzentuierungen – vom allgemein-objektiven Realismus bis zum kritischen Realismus, vom bildhaften Expressionismus bis zu impressionistischen, von Cezanne beeinflußten Tendenzen. Die Mehrzahl neigt einem kritischen Realismus zu, der nicht selten als Opposition gegen die Widersprüche modernen Lebens erscheint. Hier sind Asantour Bacharian (1924), Dimosthenis Kokkinidis (1929), Ilias Dekoulakos (1929), Loukas Venetoulias (1930), Stelios Mavromatis (1930), Dimitris Mytaras (1934), Panagiotos Gravalos (1933), Giorgos Vogiatzis (1935), Giannis Papanelopoulos (1936), Nikolaos Flessas (1936), Petros Zoumboulakis (1937), Makis Theofylaktopoulos (1939) u.a. zu nennen. Die Konflikte des modernen Lebens werden von ihnen aggressiv oder passiv reflektiert, mit dem Stilmittel der Übertreibung, durch realistische Beschreibung oder durch den bewußten Einsatz von Farben als Ausdrucksmittel. So finden wir Kritik an Ereignissen des gesellschaftlichen Lebens durch farbliche Mittel bei Bacharian, wobei sein Pessimismus auffallend ist, und auch bei Kokkinidis, wo sie als Verflechtung von Linien und Farbelementen, von Form und Raum erscheint. Venetoulias und Mavromatis haben eine rein passive Ausdrucksform gewählt, Mytaras eine Verbindung von asketischen Farben mit indirekter Darstellung. Gravalos, der dem objektiven Realismus nähersteht, benutzt eine linienhafte Darstellung und seine Vorliebe für spaßhafte Typen, während Vogiatzis dem Problem des Zusammenspiels von Form und Raum verhaftet bleibt. Papanelopoulos übt anhand der Thematik moderner Technik durchdringende Kritik am ganzen technisierten Charakter unserer Zeit und an der Entfremdung des Menschen. Das Werk von Flessas kombiniert im Gegensatz dazu realistische und kritische Stimmungen mit einer idealistischen Grundhaltung. Zoumboulakis zeigt kritischen Realismus in Verbindung mit der Problematik des Surrealismus, während bei Theofylaktopoulos die kritische Stimmung mit gespenstischen menschlichen Gestalten aus dem Nebel auftaucht und als Zweifel am Leben selbst und seinen Möglichkeiten erscheint.

Eine Gruppe für sich im Bereich der vorstellbar-realistischen Tendenzen bilden aufgrund ihres expressionistischen Charakters die Werke der Künstler Panagiotis Tetsis (1925), Thanasis Stefopoulos (1926), Pavlos Moschidis (1927) und Nikos Chouliaras (1940), die zudem alle im Umfeld der Ausdrucksmalerei bleiben. Die meisten von ihnen sind Landschaftsmaler, mit Ausnahme vor allem von Moschidis, der sich auch mit Aktmalerei beschäftigt. Durch ihre Neigung zur Verallgemeinerung und zu einfachen Raumdarstellungen, durch lebhafte Farbwidersprüche und Freiheit in der Komposition nehmen ihre Werke einen außergewöhnlichen Rang ein.

Die größte Gruppe von Malern dieser Generation bildet jedoch jene, die dem Bereich des Surrealismus aller Kategorien zuzuordnen ist – von der rätselhaften und poetischen Welt Magrittes bis zu den verformten Figuren Dalis, vom Surrealismus

des menschlichen Bildes im Werk von Delvaux bis zur Raumproblematik von Tan-
guy, um nur einige Beispiele zu nennen. Zu dieser Gruppe können Marios Vatzias
(1926), Tassos Chatzis (1926), Rallis Kopsidis (1929), Christos Karas (1930), Alkis
Ginis (1933), Zoï Skiadaresi (1933), Daniil Gounardidis (1934), Charikleia Mytara
(1935), Sotiris Soronkas (1936), Giorgos Derpapas (1937), Tzoulia Andreadou
(1937), Samis Alafogiannis (1938), Sarantis Karavouzis (1938), Vasileios Kelaïdis
(1938), Antonis Apergis (1938), Stella Androulidaki (1939), Thanasis Akrivopou-
los (1940), Dimitrios Geros (1940) und viele andere hinzugerechnet werden. Für
nicht wenige dieser Maler scheint der Surrealismus eine Art Fluchtweg in eine lyrische Welt zu sein, in der durch phantastische Räume, durch feine, zurückhaltende
Farben und eine idyllische Atmosphäre die Widersprüche des wirklichen Lebens
umgangen werden. Typisch hierfür sind die Werke von Chatzis, Skiadaresi, Alafogiannis, Andreadou, Androulidaki und Geros. Es handelt sich also um einen Surrealismus ohne innere Spannungen, ohne die rätselhafte und bedrückende Funktion des
Raums, ohne Verformungen und seelische Ausweglosigkeit. Eine Fluchttendenz in
einen träumerischen und poetischen Raum ist deutlich, das Vorherrschen einer pa-
radiesischen Atmosphäre. Andere Wege sind Batsias mit seiner Gesellschaftskritik
und Kopsidis gegangen, der byzantinische und volkstümliche Elemente miteinander
verbindet, um eine phantastische Welt mit symbolischen Formen zu erreichen. Nicht
zu vergessen ist auch Christos Karas, der sich zunächst dem abstrakten Expressionismus anschloß, danach hervorragende Arbeiten im Gefolge von Magritte vorlegte
und schließlich seit 1976 zu einer eigenen surrealistischen Ausdrucksweise gefunden
hat, für die ihr symbolischer Gehalt typisch ist. Mit der Problematik von Umwelt und
Luftverschmutzung setzen sich besonders Gounaris und Kelaïdis auseinander. Ihre
charakteristischen Arbeiten geben eine beängstigende Deutung unserer heutigen
Welt, vor allem der unmenschlichen Großstädte mit ihrer Entfremdung und dem
Mangel an Kontakten zwischen den Menschen. Die Malerei von Gini befindet sich in
der Nachfolge des verformten Surrealismus von Dali und verbindet auf bewun-
dernswerte Weise Realismus im Detail mit Antirealismus des Ganzen, sadistische
und masochistische Themen mit einer von symbolischen Anspielungen beladenen
Atmosphäre. Der Surrealismus von Soronkas basiert auf den Gegensätzlichkeiten
von Figur, Raum und Ausschnittsdarstellung, auf der Betonung realer Gegenstände
und der Verwendung kühler Farben. Karavouzis hingegen spiegelt mit der Genauigkeit seiner Beschreibungen und den unerwarteten Vergleichen in seinen Themen
etwas vom Klima der metaphysischen Malerei Carlo Karas' und Giorgios Morandis'
wider.

Auch in Griechenland finden sich im übrigen Maler der Richtungen Pop Art und
Op Art, wie wir sie vor allem in den USA und Großbritannien kennen. Zum Bereich
der Pop Art gehören Künstler wie Giorgos Ioannou (1932), Chrysa Romanou
(1932), Yvonni Syrmopoulou (1936), Giorgos Lolosidis (1937), Leonidas Tsirin-
koulis (1937), Giannis Michaïlidis (1940), zur Op Art Bia Davou (1932), Christina
Zervou (1936), Giannis Bouteas (1941) und Opy Zouni-Sourbeti (1941).

Mit ihrer Aufdeckung des Konsumcharakters unserer heutigen Gesellschaft und
ihrer inneren Widersprüchlichkeit zeigt die Pop Art auch in Griechenland eine
Rückkehr zur bildhaften Malerei. In der Op Art, die aus einem Übergang von geometrischer Abstraktion zu kinetischer Kunst besteht, haben wir die Betonung tech-

nischer Genauigkeit, Formenklarheit und farbliche Zurückhaltung. Vielleicht kommt dem Werk von Alexis Akrithakis (1939) mit seiner Kombination von geometrischer Ausdrucksweise mit lebhaften Farben hier eine Brückenfunktion zu.

In der Welt des Konstruktivismus sind die Werke der Maler Takis Parlavantzas (1930), Giannis Papadakis (1934) und Giannis Michas (1938) angesiedelt. Besonders das Werk von Michas ist mit seinen asketischen Farben und der Einfachheit seiner Formen, der Konzentration auf das Wesentliche, der Verwendung geometrischer Figuren mit symbolischer Bedeutung einer der vollkommensten und suggestivsten Beiträge zum griechischen Konstruktivismus. Michas nähert sich der Darstellungsweise der Minimal Art, deren Hauptvertreter in Griechenland Daniil Panagopoulos (1924) ist, vor allem mit seinen Arbeiten seit 1970. Zu den übrigen bedeutenden Künstlern dieser Generation im Bereich der Ars Accurata und der Computer Art gehören Pantelis Xagorakis (1929), im Bereich der Signalkunst Konstantinos Xenakis (1931), im Bereich der Object Art Niki Kanankini (1933) und Maria Karavela (1938) im Bereich des Environment. Das Schaffen von Pavlos Dionysopoulos (1930), der in Griechenland wie im Ausland arbeitet, kann als Verbindung zwischen Object Art und Environment bezeichnet werden. Künstlerische Eigenart weist Giannis Gaïtis (1923) auf: er kombiniert konstruktivistische Elemente mit geometrischer Ausdrucksweise in den Formen und surrealistischen Figuren und kritisiert das Gruppenwesen des modernen bürgerlichen Lebens. Dimitrios Kontos (1931) ist dagegen nach abstrakten Arbeiten zu synthetischen Formen übergegangen. Alekos Fasianos (1935) will es nicht gelingen, sich von seinem Hang zu lösen, das Besondere zum Allgemeinen werden zu lassen, womit er das Unmenschliche satirisch angreifen und verhöhnen will. Sein Stil hat dennoch auch andere Maler beeinflußt, darunter Faidon Petrikalakis (1936).

Nicht weniger Mannigfaltigkeit und Ausdrucksreichtum als in der Malerei findet sich in der Bildhauerei der Generation der Jahre 1922–1940. Experimente in allen Richtungen spielen trotz des konservativen Grundcharakters der Bildhauerei neben der Assimilierung von Elementen aller Tendenzen und dem Bemühen um Eigenständigkeit und Unabhängigkeit eine gewichtige Rolle. Der Gebrauch jeder Art von Material, die Verwendung farblicher Elemente, eine bessere Verteilung der Massen, Aufteilung der Ebenen und Integration von Figuren auch aus anderen Ausdrucksbereichen geben der Bildhauerei Klarheit der Formen und Ausdrucksstärke.

Zu den interessantesten Bildhauern aus dieser Generation gehören Alex Mylonas (1923), Soso Choutopoulou-Kontaratou (1923), Dimitrios Kalamaras (1924), Vasos Kapantaïs (1924), Giorgos Nikolaïdis (1924), Gerasimos Sklavos (1927–1967), Kostas Tsaras (1928), Kostas Perakis (1928), Gavriella Simosi (1928), Maria Emmanouilidou-Ledaki (1929), Evangelos Moustakas (1930), Th. Panourgias (1931), Kostas Polychronopoulos (1931–1975), Thodoros Papadimitriou (1931), Stelios Triantis (1931), Georgios Polykratis (1931), Ioannis Parmakelis (1932), Spyros Katapodis (1933), Thodoros Vasilopoulo (1935), Ilias Thlimmenos (1935), Froso Michalea (1936), Nikolaos Dogoulis (1937), Kyriakos Kampadakis (1938), Giorgos Kalakalas (1938), Dionysios Gerolymatos (1938), Dimitrios Armakolas (1939), Gerasimos Kalogeratos (1940). Diese Bildhauer repräsentieren alle Richtungen moderner Bildhauerei – vom objektiven Realismus zum abstrakten Expressionismus, vom Klassizismus bis zum strengen Konstruktivismus, zur Minimal Art, zur

Freiheit und Automation des Surrealismus und jeder Art von Symbolismus. Als typisch dürfen der Hang zur Schematisierung bei Mylonas gelten, die Abstraktion bei Choutopoulou-Kontaratou, die monumentale Stimmung bei Kapantaïs, der Ausdrucksreichtum bei Sklavos (der allzu früh verstorben ist). Dasselbe gilt aber auch für die Figuren von Simosi, die Betonung archaischer Einfachheit durch Triantis, die expressionistische Ausdrucksweise von Moustakas und Panourgias, die unaufhörlichen Experimente von Theodoros Papadimitriou, die Spannung von Parmakelis, die strenge Form des Ausdrucks von Michalea, den dichten expressionistischen Stil von Kambadakis, die Schematisierungen von Kalakalas und Gerolymatos und den Symbolismus von Armakolas.

Auffällig ist im Ganzen der Ausdrucksreichtum und die stilistische Mannigfaltigkeit dieser Generation von Künstlern. Die Älteren von ihnen, die in den 20er Jahren geboren wurden, interessieren sich dabei mehr für abstrakte Ausdrucksformen – vom abstrakten Expressionismus bis zur geometrischen Abstraktion –, während die Jüngeren realistischen Formen zuneigen. Für die Zeit bis 1960 ist es insofern für die griechische Bildhauerei nicht anders als für diejenige in Europa und Amerika bezeichnend, daß alle abstrakten Richtungen bevorzugt werden, und zwar vor allem der abstrakte Expressionismus. Nach 1960 steht der Neorealismus im Vordergrund, obwohl auch der Surrealismus nicht fehlt, experimentelle und gemischte Stilformen von Happenings zum Environment, von der Object Art zum Neodadaismus, von der Combine Art zur Multimedia Art.

Wichtig ist ferner für diese Generation das Phänomen, daß viele ihrer Angehörigen in Griechenland ebenso wie im Ausland arbeiten, in anderen europäischen Kunstzentren und in Amerika. Es nimmt auch die Neigung zu, die wir schon bei der vorhergehenden Generation in schwächerem Maße kennengelernt haben – bei Gyzis, Galanis, Baziokis, Prasinos, Xeros u. a. –, für immer im Ausland zu leben. Für die Generation der 20er und 30er Jahre seien folgende Namen bedeutender Künstler genannt, die ihren dauernden Wohnsitz außerhalb Griechenlands haben: Ioannis Avramidis (1922), der in Wien arbeitet, Giannis Xenakis (1922) in Paris und in anderen Zentren, Thodoros Stamou (1922) in den Vereinigten Staaten, Nikos Vyzantinos (1924) in Paris, Takis Vasilakis (1925) in verschiedenen künstlerischen Zentren, Stefanos Antonakou (1926) in den Vereinigten Staaten, Nikos Kessanlis (1930) in Paris, Pavlos Dionysopoulou (1930) in New York, Loukas Samaras (1936) in den Vereinigten Staaten, Giannis Kounelis (1936) in Rom.

3. Die jüngste Generation

Abschließend sollte noch etwas über die jüngste Künstlergeneration in Griechenland gesagt werden, die nach 1940 geboren worden ist, die viel von den älteren Künstlern gelernt hat und sich bemüht, ihre eigenen Wege zu finden. Der Ausdrucksreichtum dieser Generation ist ebenso auffällig wie der Nachdruck, den sie auf individuelle Züge legt. Neben den bekannten großen Stilrichtungen zeigt sich eine große Freiheit in der Auswahl und Verwendung von Stilelementen verschiedener Perioden. Es finden sich alle Richtungen des Realismus – vom kritischen bis zum photographischen Realismus –, der abstrakte Expressionismus und die lyrische Abstraktion, kalligraphische Tendenzen und Surrealismus, die postmalerische Abstraktion, Op Art und Pop Art, die plastisch-gemalte und die kinetische Bildhauerei. Daneben haben wir den Neorealismus und die Richtung der Combine Art, die Multimedia Art, Object Art, aber auch eine Rückkehr zum objektiven Realismus und mehr noch zum Akademismus, wobei die Maniera Grande die Verwendung religiöser und mythologischer Themen – wenn auch äußerlich übertrieben – zuläßt. Besonders zu erwähnen ist, daß sich viele der bedeutendsten jungen Künstler zeichnerischen Werten zuwenden und plastischen Ausdrucksformen, was eine Akzentuierung farblicher und allgemein malerischer Werte zur Folge hat. Es fehlen in dieser Generation auch nicht die Anhänger abstrakter und surrealistischer Tendenzen, die in der vorhergehenden Generation eine so große Rolle gespielt haben. Ihr Auftreten ist allerdings zurückhaltender, sie arbeiten auf der Grundlage der Verbindung verschiedener Stilrichtungen.

Was Namen von Künstlern dieser letzten Generation betrifft, so ist die Gefahr natürlich groß, nur Namenslisten zu geben und zudem Künstler zu übersehen, die in der Zukunft von entscheidender Bedeutung sein werden. Dennoch sei der Versuch gewagt, Vertreter der verschiedenen Stilrichtungen hierzu abschließend zu nennen: der neoakademische Realismus mit Thodoros Manolidis (1940), Angelos Panagiotou (1943), P. Kalantzopoulos (1943), Lazaros Pantos (1950), der kritische Realismus mit Charis Botsoglou (1941), Nikos Danopoulos (1941), Andreas Golfinopoulos (1943), Kyriakos Katzourakis (1944), Giannis Psychomaidis (1945), Pavlos Samios (1948), die allgemein surrealistischen Tendenzen mit Alexandros Isaris (1941), Maria Mylona-Kyriakidi (1942), Giannis Nikou (1943), Christos Georgiou (1943), Eva Beï (1944), Michalis Giorgas (1947), die Pop Art und die Op Art mit Giannis Bouteas (1941), Opy Zouni (1941), Giorgos Lazonkas (1946), Georgios Apotsos (1951), Stelios Skoulos (1952). Oder weiter Nikos Paralis (1941), der in verschiedenen Richtungen experimentiert, Apostolos Kilessopoulou (1942) und Giannis Mavridis (1947) im Bereich der lyrischen Abstraktion, Xanthippos Byoussios (1947) auf dem Gebiet kalligraphischer Abstraktion, Apostolos Georgiou (1952) für den Neopragmatismus und auf dem Gebiet der Gesellschaftskritik. Oder als Bildhauer Aristeidis Patsioglou (1941), Vasilis Doropoulos (1942), Thodoros Papagiannis (1942), Michalis Zervos (1942), Kostas Domboulas (1942), Kyriakos Rokkos (1945), Stavros Bonatsos (1945) und Charalambos Daradimos (1948).

Musik

George S. Leotsakos, Athen

I. General Introduction – II. Musical Life and Musical Institutions – III. Composers and Musical Trends

I. General Introduction

In very broad lines, Greek Music since World War II still owes its form to three basic factors, the same since the early 19th century, when musical life, as the West conceives it, started developing, first in the Ionian Islands [1]), then, after 1830, in independent Greece: a) The population's response to music; b) The ever-inadequate organization of musical education, musical institutions and musical life; c) The influence of these two factors on each composer's art and career.

a) Much more than poetry (folk or art), prose, literature, theatre, cinema or fine arts, music reflects the modern Greek's ambivalence between East and West, between the roots of a millenia-old cultural identity and a geographical area which he somehow mistrusts, since he was driven there by historical and political circumstances often contradicting some of his deeper collective aspirations. Even today, when the lines of demarcation between various kinds of music tend to disappear, a sharply-drawn line, which only in the last 25–30 years started to fade, divides listeners into two categories: i) the overwhelming rural-and-labour majority of the population adhering to folksong (with its characteristic modes, other than the Western major and minor and its frequent 5 or 7-beat rhythms), Byzantine liturgical chant of the Greek Orthodox Church, the famous rebétiko popular song of the outcasts, flourishing since about 1920 in major urban centres, its commercialized derivatives after about 1950, and a kind of popular song written by composers with a more or less wide personal fame, like Theodorakis, Hadjidakis, Xarhakos, Markopoulos, Leondis, Loïzos, etc. ii) a socially privileged minority (from higher middle class upwards) oriented towards Western music, not necessarily "serious". The majority often reacts strongly to Western music, considering it strange, sophisticated, irrelevant to its psychological moods and its bitter feeling about the historical fate of Hellenism: indirectly it is associated with this "xenophile" privileged minority, which likewise has tended to underestimate not only the people's musical heritage but, sometimes, even composers of the National School (see the following) like Kalomiris, who were interested in it.

b) More responsible for the evolution of modern Greek history, this privileged minority (Ionian Islands nobility, and, later, political parties of the independent Greek Kingdom, coming to power mainly in order to serve English, French or

---

[1]) Occupied successively by the Venetians (1386–1797), French (1797–1814) and English (1814–1864), folk and church music influenced by cultural contacts with Italy.

Russian interests), in spite of its strong psychological links with its foreign patrons, never cared to organize musical education properly or correctly propagate even this western musical culture to which it was supposed to adhere. The effort both for art music as well as for the preservation of folk music has been mainly a private one, on the part of enlightened individuals, often full of zeal but lacking funds or support. The State, and the aristocracy behind it, have always displayed passivity. For decades the Ionians spent an enormous capital inviting Italian opera companies every year for an entertainment which ultimately became widely popular, but the Ionian "Philharmonic Societies"[2]) were always short of funds. And they never managed to establish a permanent local opera. Between 1840 and 1875 the Greek State spent some 1 100 000 drachmas on Italian and French opera and operetta companies, but only 6 648,75 drachmas for the newly founded (1871) Athens Conservatory. (Today, as we shall see, the Athens Festival follows a similar "import" policy.) Since then the establishment of institutions attesting a certain interest by the State in music has been very sporadic[3]).

c) Under such circumstances "art music" is still the result of the strong urge of some talented individuals to create. Composers desperately struggle either to win an audience or make a career at home. As a rule, when they leave the country to study abroad they try hard to prolong their absence and quite often they settle in foreign countries. The diaspora of Greek composers is a phenomenon traceable throughout the history of Modern Greek Music.

II. Musical Life and Musical Institutions

The main musical centres of Greece are Athens and Salonica. In smaller urban centres, musical life, in the best cases, exhausts itself in the activities of a small conservatory either municipal or a branch of some major Athenian one, a chorus of amateurs, some local club of art-lovers "importing" a few concerts every year from the capital, or some local band.

---

[2]) Developed after 1840 as a kind of secondary music schools, for decades providing Ioanian and Greek bands and orchestras with wind players.

[3]) Until 1945 the main signs of this interest were a degree of financial support to the Athens Conservatory, the establishment of the Salonica State Conservatory (1915), of the Musical Section (formerly National Collection, from 1914) of the "Greek Folklore Research Centre" of the Academy of Athens, of the Greek Radio (1938), of the Athens National State Opera (1939; but since 1900, a private company, the "Helleniko Melodrama" of Ionian composer Dionyssios Lavrangas, had created, mainly in Athens, a public of opera fans) and the nationalisation (1942) of the Athens Conservatory Symphony Orchestra. As we shall see, the level of the teaching of music in schools is still one of the lowest in Europe and in Greek universities a chair of musicology is still lacking! We also mention here in chronological order the most important private efforts to save the heritage of folk music: Athens Conservatory in 1910 and 1911, "Lyceum Club of Greek Women" (from 1911; folk dances, publication of recordings), "Society for the Dissemination of National Music" (1929), "Centre of Asia Minor Studies" (formerly "Musical Folklore Archives of Melpo Merlier", from 1930), Dora Stratons's "Greek Folk Dances" (1953), "Peloponnesian Folklore Foundation" (from 1974; publication of recordings), musicologist Fivos Anoyannakis's collection of popular instruments, donated to the State (museum under construction). Domna Samiou, working individually, has published recordings.

Athens, with a population (capital and suburbs) of 2 540 241 is here discussed together with its sea-port Piraeus (population, including suburbs: 439,138)[4]. Its musical life, after 1945, was shaped by the following factors, either of general music policy or due to local conditions:

1) Except for a few wealthy private institutions, music in Greece's 1126 public schools (175 music teachers now; 288 by the end of 1979) and 307 private high schools (number of music teachers not available!)[5]) is taught sporadically by a staff usually with only elementary training from Greek conservatories.

2) In Greek conservatories instrumental (rather elementary in the case of winds) and compositional techniques cling to a 19th-century curriculum, mostly ignoring music after Prokofiev and Bartok. Only two professors, composers Papaïoannou and Ioannidis, teach modern compositional techniques. This conservativism, combined with an antagonism due to a scarcity of professional outlets, is a further reason encouraging performers and composers to continue studies abroad and to settle there. Among the most renowned "fugitives" are conductors Miltiadis Caridis, Choo Hoey[6]) and Yannis Daras and composers Antoniou, Aperghis, Kounadis, Terzakis, Vlachopoulos, Gazouleas and others. Like the Ionian "Philharmonic Societies", the 4 main Athens and Piraeus conservatories (private, unless otherwise stated) have never attained the status of a musical Academy. They are:

a) The respectable Athens Conservatory (1871-), semi-state financed.

b) The Hellenic Conservatory, Athens (1919-; 35–40 surburban, 23 provincial branches, 5 in Cyprus), often viewed as a successor of the Lina von Lottner Conservatory (1899).

c) The National Conservatory, Athens (1926-, by Kalomiris; 30 suburban, 18 provincial branches, 5 in Cyprus).

d) The Conservatory (1904-) of the Piraeus League (1894 with a musical section).

3) The famous Article 14 of Decree Law 2010/1942[7]), allowing, for reasons of economy, the 200 available Athenian musicians employed by the State (their ranks hardly renewed) to play in a second or even third Athenian State Orchestra.

Thus KOA (Athens State Orchestra) shares most of its players with the ERT (Hellenic Radio and TV) or with the ELS (National Opera Athens, until 1978 the only Greek opera house). KOA dates from 1942, though it existed since 1912 as Athens Conservatory Symphony Orchestra and thrived under D. Mitropoulos (1927–39). After World War II its general directors were conductors Ph. Ikonomidis (1942–57), Th. Vavayannis (1957–69), A. Paridis (1969–74) and, after a period during which it was run by a musicians committee, composer Hadjidakis (since 1976). Since 1970 its standards have declined. It now contracts fewer

---

[4]) Population figures according to the last census of 14. 3. 1971.

[5]) Both "gymnasiums" and lyceums, the lower and higher degrees of secondary education respectively.

[6]) Chinese from Singapore, b. 1934, settled in Greece during 1969–78, nationalized Greek, nowadays head of the Singapore Symphony Orchestra. Left exceptionally brilliant memories, both in Athens and Salonica.

[7]) Official Government Gazette, A, 1942, pp. 1879–80.

famous soloists and conductors and gives some 35 weekly concerts yearly (only 9 hours of rehearsals for each!). The ERT Symphony Orchestra (1938-) is used mainly for studio recordings under various conductors. The National Opera (1939-) concentrates on Verdi and Puccini and needs a radical reform of the selection, coaching, and stage-training of actors and chorus. Since 1970 it has ventured to present sporadically works by Purcell, Monteverdi, R. Strauß, Stravinski, Prokofiev, Weill, Menotti and even Dallapicolla's "Il prigioniero".

The Athenian performer's enlistment into such a routine has also discouraged the emergence of chamber music units making frequent appearances, like violinist Tatsis Apostolidis' Hellenic String Quartet (1952/4–1969), or the Athens String Octet (taken over by violinist Spyros Tombras in 1961–69). The Greek Woodwind Quintet (1963, about 50 concerts until now) and "Nikolaos Mantzaros" wind ensemble (1978; 12 players) should also be mentioned. Choral singing is also rarely heard. The Athens Chorus (1922-) which in the past presented a choice of great choral works exists now only in name. Elly Nikolaïdis' brilliant Athens Festival Chorus (1964–67) was unfortunately short-lived. A "Third Programme Chorus" under baritone A. Kontogeorgiou was founded recently. The picture as drawn above may partly account for the younger generation of Athenian performers' preference for the piano[8]). Its most active exponents are violinist T. Apostolidis, pianists (alphabetically) Dora Bacopoulou, Athena Capodistria, who, over the years, has offered the Greek public a remarkable series of concerts with excellent foreign instrumentalists (e.g. clarinettist O.A. Popa, oboist Radu Chisu, cellist Kenichiro Yasuda, violinist Yair Cless and others), Parry Derembey, A. Garoufalis (frequent appearances with Apostolidis also), Maria Herogiorgou, Nelly Semitecolo, Aliki Vatikioti (also recitals with flutist Matthias Rütters and with Semicolo as piano duet), violin-and-piano duos with Spyros and Hara Tombra and with D. Vraskos and Helen Apostololaki-Tazartes, guitarists Costas Cotsiolis (since 1978 artistic director of an International Guitar Festival, in Volos) and E. Boudounis, guitar duo Evangelos-Liza, tuba Y. Zouganellis (many works were especially written for him!) and conductors G. Baziotopoulos, D. Diamantopoulos, El. Halkiadakis, Efthymios Cavallieratos, Vyron Kolassis, K. Nonis and Al. Symeonidis. On the other hand a profusion of singers, from Maria Callas to Tatiana Troianos, Agnes Baltsa and Kostas Paskalis have made their career abroad! A younger generation of pianists such as Danae Carra, Christodoulos Georgiadis, Cyprien Katsaris, Helen Koumi, Helen Mouzala and Venia Tsopela, or the "Ensemble 3 de Paris" (Alexandra Nomidou-piano, S. Kyriazopoulos-violin, Marianna Nomidou-cello) thrive abroad. Greek harpsichordist Lina Lalandi founded the English Bach Festival in 1963 (Oxford, London) which often presents works of Greek composers.

The Athens Festival (founded 1955 by EOT, the National Tourist Organization, mid July-mid September, Herod of Atticus open air ancient Odheion / c. 161 a.D. /, under the Acropolis), favours music above all arts. Today it lags behind in programming as well as in a sense of artistic purpose. Unconsciously following the

---

[8]) For older Greek performers see Dounias, E.M.: Griechenland, in: Blume, F. (Hrsg.): Die Musik Geschichte und Gegenwart. Allgemeine Enzyklopädie der Musik. 5. Kassel 1956, column 895.

good old 19th century pattern it tends mainly to import foreign ensembles to entertain foreigners and tourists rather than force a reform on local musical institutions. Yet it has aquainted the Greek public with the best international performing standards in symphonic and chamber music, opera and ballet. The peak of its quality was perhaps reached in 1964–66 (Ballets du Vingtième Siècle 1964, David Oistrakh 1965, Kanze Kaikan Nôh Theatre 1965, 20th century music by Athens Experimental Orchestra, founded by Hadjidakis at the prime of his career, 1964–66, Igor Stravinsky 1966 etc.). During the military dictatorship (1967–74) its scope narrowed, foreign participation became less brilliant and established cultural values became stronger. In the last few years EOT organizes what is termed "special artistic events" (theatre performances, ethnic groups, pop music concerts) at the Lycabettus Hill open air theatre, concurrently with the Athens festival. Further the Piraeus Municipality, like some 19th century municipalities, imports foreign shows of some quality (often ethnic ensembles) either at the ancient Municipal Theatre (inaugurated 6 March 1895) or at the recently built open air Veakeion Theatre (inaugurated June 1969).

In winter, top international soloists and ensembles now visit Athens (and Greece) less frequently. Among other factors a lack of concert halls has caused the five or six Athenian impressarios to provide artists and soloists mainly for the State musical organizations (winter concerts in Athens still take place in cinemas, theatres, or lecture halls: a concert hall of some 2,000 seats is still under construction). Thus the best part of winter concerts depends on foreign or Greek-foreign organizations: since 1956 the Athens "Goethe-Institut" (founded 1952) has played an increasingly important role (some 15 concerts a year). Special mention should be made of the French Institute (founded 1907), especially between 1945–60 (nowadays too its concerts are of an excellent quality), of the British Council (founded 1938, reopened 1944), of the Hellenic-American Union (founded 1957, musical activities starting 1952). Concerts and recitals are also occasionally organized (in the provinces as well) by "Stégi Grammaton kai Kalon Technon" (= Home of Arts and Letters, founded 1938, now depending on the Ministry of Culture) and, more regularly by the Ligue Frencohéllenique (founded 1912, archives extant since 1939), the Musical Section of the Athens University (founded 1923), the Union of Music Lovers (founded 1951, 3–4 concerts yearly), and the Greek section of the "Jeunesses Musicales" (founded 1955 as "Moussiki tou pediou", member of the "Fédération Internationale des Jeunesses Musicales" since 1967; some 100 concerts yearly in 15 towns, 6.000 child-members). The amateur Orchestra of Artist-Scientists (founded 1943 by lawyer Ev. Kouris) also gives 6–7 concerts yearly in Athens and other towns. Yet of the 200–250 musical events taking place yearly in Athens, only half are worthy of critical comment. On the other hand, since 1975 the "Athenaeum" International Competition for pianists and singers (opera, lied, oratorio), a private initiative, has helped to bring this somewhat secluded and self-absorbed musical world in contact with the highest international standards in musical education.

Greek radio, on the air since 21 May 1938, now part of ERT (Hellenic Radio and TV), through what nowadays is called the First Programme, has helped in propagating serious music. The Third Programme, on the air since September

1954, now broadcasts some 12 hours daily. Although nominally still a part of ERT, it is in fact run by composer Hadjidakis (general director of the Athens State Orchestra as well, one of the most powerful and discussed personalities in the history of Greek music) as a private indepent organization, a field for the experiments of a small musical and cultural circle. The First Programme, on the air 19 hours daily, transmits $10^1/_2$ hours of serious music weekly. YENED (Armed Forces Radio; founded 1948–50), on the air 20 hours daily, broadcasts 4–5 hours of serious music weekly. The ERTTV (founded 1964–65) regularly operating 6 hours daily and 12 hours at weekends, devotes 70 minutes a week to programmes of serious music, apart from sporadic live broadcasts of concerts etc. The YENED TV (6 hours daily, $10^1/_2$ at weekends) programmes are predominantly light.

Contemporary music institutions are private, have no permanent income and suffer from a lack of performers versed in avant-garde idioms. The first part of this statement does not apply to the "Studio für Neue Musik" (founded 1962 by composer Günther Becker and musicologist John G. Papaiannou) of the Athens "Goethe Institut": until now it has organized 90 concerts and many lectures and seminars. The statement is true though of the Hellenic Association for Contemporary Music (HACM) and its collateral, the Greek Section of ISCM (both founded 1965) as well as to composer Antoniou's Hellenic Group for Contemporary Music (founded 1967): their activities remain sporadic. HACM has organized five Hellenic Week of Contemporary Music (1966, 1967, 1968, 1971, 1976: the first two under the aegis of the National Tourist Organization, 3rd and 4th subsidised by the Ford Foundation), the 1974 "Three Days of Greek Music", also subsidised by the Ford Foundation, the 1978 Xenakis' "Polytopon" in Mycenae and the 1978 "Four Days of Contemporary Music", as well as other events. It has also published, in collaboration with EMI, a choice of Greek works in 2 records albums from the 1968 and 1971 "Weeks", a record of Greek electronic music (1974) etc. The Greek section of the ISCM also organized the 1979 "World Music Days" in Athens.

Publishing of scores (and recordings of serious music) is limited. Athenian publishing houses publish a few piano or chamber music works and songs. In 1948–52 the French Institute printed some orchestral scores (Kalomiris, Skalkottas, Varvoglis etc.). From the mid-50s to mid-60s, the Ministry of Education and the Union of Greek Composers published a wide-ranging selection of Greek scores, mainly orchestral. This programme is now continued by the Ministry of Culture.

Salonica (population: 557, 360) is Greece's second important musical centre. At the turn of the century it was an almost oriental city with a Jewish community which had a lively cultural interest. Now Salonica boasts a flourishing university and progressive intellectual life. Music in Salonica is to a considerable degree independent of Athens.

In contrast with their Athenian colleagues, musicians of KOTh (Salonica State Orchestra) do not participate in a second state orchestra, but they do participate in the performances of the two operas staged yearly by the "Salonica Opera", a new section of the Northern Greece State Theatre, which inaugurated its activities on the 24. 1. 1978 with "Fidelio".

KOTh which owes its existence largely to the efforts of composer Solon Michaelides, dates from 1959 and was called initially SOVE (Northern Greece SO). It gives some 30 weekly concerts yearly at the Theatre of the Society of Macedonian Studies, inaugurated 26 October 1962. Administered since 1970 by conductor and pianist George Thymis (Karl-Kaspar Trikolidis subsequently became its second permanent conductor), it adapts its repertoire to the some—what limited technique of its members. A very important unit is the University of Salonica Chamber Chorus and Instrumental Ensemble which often includes 20th century music in its programmes. It was founded in 1953 by Yannis Mandakas, also co-director since 1965 (then with Uwe Martin) of the Studio for New Art of the Salonica Goethe Institut, which played a considerable role in local musical life, organizing concerts with German ensembles and some Greek soloists and present-ing works ranging from Schönberg to Josef-Anton Riedl. The concert-promot-ing activities of other foreign cultural organizations, already mentioned in Athens though not in the least negligible, are less marked.

The Macedonian art society "Téchni" (= art; founded 1951, beginning of acti-vities 1952) has played a unique role in promoting cultural life in general. At the prime of its activity, in 1974, it organized 8–12 concerts yearly, plus lectures on music, even jazz and pop-music listening sessions, and has even published 16 songs by the eminent Salonica composer Emilios Riadis. In 1970 it founded the "Tassos Pappas" chorus, subsequently taken over by young composer Alkis Bal-tas, and in 1972 an ensemble for medieval music! Now "Téchni" has narrowed its activities to 2–3 concerts yearly.

Choral activity is generally more intense in Northern Greece and Salonica. If "Tassos Pappas" has faded into inactivity, like some chamber music units such as MOTh (Small Orchestra of Salonica founded 1970 by 13 players of KOTh) or the Northern Greece Trio (piano, violin, cello, founded 1970), mention should be made of the "Thermaïkos" chorus (founded 1924), of the Children's Choir of St. Trinity Church (founded 1968) and of the Municipal Chorus (founded 1954) under composer Nicos Astrinidis, which are always active.

In 1966 the National Tourist Organization founded the "Dimitria" festival (2–4 weeks in October) which takes place mainly in the Theatre of the Society of Macedonian Studies and in the church of St George or the Rotonda (4th–5th century a.D.). Often supported by private donations, this festival was taken over in 1973 by the Salonica Municipality. Now it more or less follows the Athenian "import" policy. Yet it has given ample opportunities to local musical forces and younger soloists including violinists Chr. Granitsa, Chr. Polyzoïdis and Sp. Rados, cellist V. Fidetzis, pianists Yannis Vakarellis, Domna Evnouchidou and Nora Loukidou and baritone A. Kontogeorgiou. Of these artists Polyzoïdis emigrated to Graz, Rados to Australia, while Fidetzis and Kontogeorgiou became collaborators of Hadjidakis in the Third Programme of ERT. Mention should also be made of the piano duet (4 hands) Anna Tsitsa-Cunio and Mary Manessi, residing in Salo-nica. Angheliki Floros has taught the piano at Toronto, Canada.

A second festival of increasing importance is the "Week of Young Artists" (founded 1969), taking place until recently every year in September during the local International Fair, which also backs it financially. This Festival, among other activities, brings together young soloists from all over Greece and serves as a priceless indication of Greek standards in musical education.

The Salonica State Conservatory (founded 1915) is the only Greek institution of musical education run by the state, and, since 1970, it has been directed by musicologist Dimitrios Thémelis. The Macedonian Conservatory, founded in 1926 by the ex-conductor (1915–20) of the Constantinople Symphony Orchestra Epaminondas Floros (1894–1966), father of the eminent musicologist Professor Constantine Floros (now teaching at Hamburg University), has been directed since 1966 by enterprising Y. Mandakas. Finally, Radio Salonica, part of ERT, inaugurated 1 March 1946, on the air 19 hours daily, broadcasts some 5 hours of serious music weekly[9]).

III. Composers and Musical Trends

In contrast with its musical life and institutions, Greece boasts a wealth of composers, some acclaimed, others thriving abroad. Their historical background may be summed up as follows: though haphazardly planned, musical life in the Ionian Islands led to a rich musical creation, due to the first school of Greek composers, the Ionian School, an offshoot of 19th century Italian opera. Many of its composers studied in Italy and, apart from their patriarch, Nicolaos Chalikiopoulos-Mantzaros (1795–1872), wrote mostly operas, staged by visiting Italian companies and based initially on Italian librettos. The lack of properly organized musical archives has led (up to this very day) to the dispersion of a considerable part of their output.

Mantzaros fought for musical education in Corfu and, among other works, set Solomos's "Υμνος εἰς τήν Ἐλευθερίαν (Hymn to Freedom) as a cantata for 4-part male chorus and piano[10]). We also mentioned Spyridon Xyndas (1812–1896), composer of the comic opera ῾Ο Ὑποψήφιος Βουλευτής (The Candidate Deputy, 1867)[11]). Pavlos Carrer (1829–1896), with a dramatically effective melody reminiscent of early Verdi, composer of operas inspired by Greek history and the 1821 War of Independence Μάρκος Μπότσαρης (Marcos Botzaris, 1858), Κυρά Φροσύνη (Kyra Frossyni, 1869), Δέσπω ἡ ἡρωΐς τοῦ Σουλίου (Despo, the Heroine of Souli, 1 act, 1882), Μαραθών-Σαλαμίς (Marathon-Salamis, 1886). Spyros Samaras (1861–1917), the Ionian with the widest international career, often described as forerunner of "verismo", composer of ten operas (Flora mirabilis, 1886; Martire, 1894; Ρέα (Rea) 1908) and three operettas, the prolific Dionyssios Lavrangas (1860?–1941), already mentioned, composer of operas: Τά δυό ἀδέλφια (The two brothers, 1899–1900), Διδώ (Dido, 1906–1909), Ἡ Μάγισσα (The Sorceress, 1901), ῾Ο Λυτρωτής (The Redeemer, 1900–1903), Φακανάπας (Fakanapas, 1935), Φρόσω (Frosso, 1938) and others. Lavrangas (1st Suite, for

---

[9]) Up to this point the text is based almost exlusively on research material of the author.

[10]) Three versions: a) about 1828–30, ed. Clayton & Co., Temple Printing Works, Bouverie St., Whitefriars, London 1873. b) In the same form, 1844. c) 1861 – perhaps not the whole text, and two or three settings of certain stanzas. The first 24 bars of version "a", without the short introduction, were officially declared the National Anthem of Greece (1865).

[11]) Considered the first entirely Greek opera, based on a Greek libretto by I. Rinopoulos.

orch., before 1904) and Georgios Lambelet (1875–1945; Γιορτή, Festivity, tone poem, about 1907), who avoided the stage, timidly using folk elements in these works, are harbingers of the National School on the mainland (Athens), where limited local efforts and visiting foreign companies (opera, operetta) had created a small audience for western music, practically unknown untill 1830.

Belatedly (about 1900–1910) emulating national trends in the art-music of other European countries already familiar with the fertilizing potential of folklore, the National School coincided historically with the growth of a bourgeois liberalism whose national aspirations were expressed by Venizelos, and with the struggle of progressive circles to impose the "dimotiki"[12]). With varying degrees of success, its composers, producing symphonic epics, songs and piano works rather than chamber music, sought to graft folksong or folk elements (modes, melodic figures, rhythms) onto a wide range of Western harmonic and orchestral idioms: from the genre-charm of the Bizet-Delibes-Massenet orchestral palette to impressionism (from Fauré to Ravel), and from the various aspects of chromaticism (Wagner, Schola Cantorum, Reger), down to the orchestral sensualism of the Russians and R. Strauß, or even the Prokofiev-Stravinsky-Shostakovitch neoclassicism. The most successful, those who might have become known abroad, had the State dealt differently with music, were those who, having thoroughly mastered their art in foreign conservatories, adhered to one single Western or skilfully blended eclectic style. Numerous others, either educated at home or less talented, gained a not unmerited local fame, more or less adroitly mixing the stylistic examples described above (often within the same work!). Gradually, although Kalomiris was still productive, the National School, after 1945, narrowed its vision, forming a conservative, self-secluded society with its own private, educational institutions (Greek Conservatory, National Conservatory) which, if anything, broke the near-monopoly of the aristocratic and more West-orientated Athens Conservatory[13]). However, the National School helped Greek art-music abandon italianate Ionian models, produced a wealth of works, fascinating by any standards, and, during the historically crucial period of the 40s, created a small symphonic literature expressing the spirit of Resistance[14]). It also represents the first "homeward" drive in the distinct pendulum-like movement of Greek art music between East and West.

Its main exponents are: Manolis Kalomiris (1883–1962), father figure of Greek art music, composer and pedagogue who studied in Vienna and taught in Russia for 4 years. His passion for folklore, the spirit and legends of modern Hellenism

---

[12]) The people's everyday language, as opposed to the archaic and pedantic "katharévoussa" favoured by the cultural establishment.

[13]) Of 261 members of the teaching staff of the Athens Conservatory in the 100 years of its history, at least 70 have foreign names! Yet all these foreign teacher's influence, very considerable at times, was incapable, in the long run, of imposing educational standards of a high, international level and a performing tradition. See: Μουσικός καί Δραματικός Σύλλογος: Ὠδεῖον Ἀθηνῶν Ἑκατονταετηρίς 1871–1971, σελ.52–54 (Musical and Dramatical Society: Athens Conservatory 1871–1971, pp. 52–54).

[14]) The author has published a short list of these works. See Λεωτσάκου, Γ.: Ἡ ἔντεχνη νεοελληνική μουσική καί τό ξεσκέπασμα μιᾶς ἔντεχνης παραπλάνησης, Θέατρο. 55/56, Γενάρης-Ἀπρίλης 1977, σελ.100–103 (Leotsakos, G.: Greek art music and the uncloaking of an artful deceit, in: Théatro. 55/56, January–April 1977, pp. 100–103).

orientated his natural melodic gift towards an unmistakably personal style. Coherently combining chromaticism with Russian school and impressionist elements, with healthy exuberance he drives forward opulent polyphonic masses, ful of dramatic impact, melodic emotion and sparkling orchestral colours (5 operas, including Ὁ Πρωτομάστορας = The Master Builder, 1915; Τὸ Δαχτυλίδι τῆς Μάνας = Mother's Ring, 1917, and Constantine Palaeologue, 1961; 3 Symphonies; including Συμφωνία τῆς Λεβεντιᾶς = Bravery, Valour, for chorus and orchestra, 1920; some chamber music; and more than 100 beautiful songs on texts by Solomos, Palamas, Gryparis, Sikelianos, Pallis, Hatzopoulos, etc.). The legendary Emilios Riadis (1886?–1935) mainly wrote songs based on Greek (often his own) or French verses, with folk-derived vocal lines and an enrapturing piano accompaniment in which exquisite arabesques, often imitating folk instruments, bathe the listener in a sensuous oriental dream-world. (Jasmins et Minarets, 1913; 5 Chansons macédoniennes, 1914; 13 petites mélodies grecques, 1921). The gentle Marios Varvoglis (1885–1967), moving between Fauré (Ἁγία Βαρβάρα = Saint Barbara, symphonic prelude, 1912) and Ravel (Sonatina for piano, 1927). Petros Petridis, an austere contrapunctist faithful to Byzantine modes (1892–1977; 5 Symphonies: 1928–29, 1941, 1941–43, 1944–46, 1949–51; opera Ζεμφύρα = Zemphyra, 1923–45, 1958–64, oratorio Ἅγιος Παῦλος = Saint Paul, 1950, dramatic symphony Διγενής Ἀκρίτας = Digenis Akritas, 1937–39). Antiochos Evangelatos (b. 1903; Εἰσαγωγή σ᾽ ἕνα δρᾶμα = Overture to a Drama, orch., 1937, Παραλλαγές καὶ Φούγκα πάνω σ᾽ ἕνα Ἑλληνικό δημοτικό τραγούδι = Variations and Fugue on a Greek Folksong, orch., 1949) another contrapunctist yet in broader, heroic post-romantic style. Dimitry Lévidis (1886–1951), a Parnassian lyric, standing at the point where the robustness of a Straußian orchestral gesture may be compatible with Ravelian taste for tone colour (Ballets Le Talisman des Dieux, 1925, Ὁ Βοσκός καί ἡ Νεράιδα = The Shepherd and the Fairy, 1943). Yannis Constantinidis (b. 1903) based his exquisite piano miniatures on folksong treated with an impressionist–neoclassical feeling, harmonically subtle and profound. (44 Παιδικά Κομμάτια = 44 Children's pieces, 1950–51, 3 Sonatinas, 1952).

We also mention, in strict chronological order: Georgios Axiotis (1875 or 76–1924; Prelude and Fugue for orch. n.d., 12 Malakassis Songs, for voice and piano, 1905–06). Theodoros Spathis (1883–1943; operettas, songs for voice and piano). Georgios Sklavos (1888–1976; Λεστενίτσα = Lestenitza, 1923; Κασσιανή = Kassiani, 1929–36; Ἀϊτός = Eagle, 1922). Prolific Georgios Poniridis (b. 1892; 2 Symphonies, 1935, 1942; Flute Sonata, 1956, piano suites Εὐμολπίες = Evmolpies, 1965–69). Pianist-composer Loris Margaritis (1895–1953) with a career abroad. Aristotelis Koundouroff (1897–1969; Sinfonietta for orch., written before 1934, a gem of Greek orchestral literature. Andreas Nezeritis (b. 1897; operas: Βασιλιάς Ἀνήλιαγος = King Sunless, 1948; Ἡρώ καί Λέανδρος = Hero and Leander, after Grillparzer, about 1947–64; 3 Symphonies, 1948, 1957, 1969; oratorio 5 Ψαλμοί τοῦ Δαυίδ = 5 Psalms of David, 1945–46). Alekos Kontis (1899–1965). Cypriot Solon Michaelides (1905–79); Archaic Suite, for flute, oboe, harp and strings, 1945; Piano Concerto, 1966). Leonidas Zoras (b. 1905; Θρύλος = Legend, for small orch. 1936). Georgios Platon (b. 1905). Vassilis

Papadimitriou (1905–75; Concertante Variations, for woodwind quinted and strings, 1970). Stamatis Papadopoulos (b. 1906). Kostas Kydoniatis (b. 1908). Georgios Kazassoglou (b. 1910; 4 Πρελούντια τῆς ἐπιστροφῆς ἀπό τό Μέτωπο = 4 Preludes of the return from the front, for orch. 1941–44). Alekos Xenos (b. 1913, tone poem Ὁ Διγενής δέν πέθανε = Digenis Isn't Dead, 1952, 2nd Symphony, 1968). Georgios Georgiadis (b. 1912; Prokofiana -sic- piano suite, 1965). Menelaos Pallandios, a member of the Academy of Athens and director of the Athens Conservatory (b. 1913; Προσευχή στήν Ἀκρόπολη = Prayer on the Acropolis, for orch. 1942)[1]

Then, two triads of composers with different careers and destinies represent, respectively, a "westward" and a "homeward" movement of the "pendulum". Dimitris Mitropoulos (1896–1960) and Nikos Skalkottas, a disciple of Schönberg (1904–49), composers of unusual calibre by any standards, in spite of remarkable efforts to gain a local audience through folkloristic media (Mitropoulos' Κρητική Γιορτή = Cretan Festival, for piano, 1919, Skalkottas's 36 Greek Dances for orch., 1933/36/38 and fairy drama Μέ τοῦ Μαγιοῦ τά μάγια = The Mayday Spell, 1944–49) first turned decisively towards contemporary Western trends. Another pupil of Schönberg, Leipzig-born Harilaos Perpessas (b. 1907), composer of some symphonic frescoes in a "post-Mahler" idiom (Christus Symphony, 1948–50) is often linked to them. Skalkottas's Athenian self-seclusion and Mitropoulos's conductor's career account for the belated discovery of their importance, the former's posthumously, the latter's recently, partly due to the author's efforts. Works like Ταφή (Tafi, i.e. Christ's entombment5 1915, orch.) with sober, emotion-ridden harmonies leading to a chromatic outburst of serrow, Ostinata, for violin and piano (1926?) heralding 12-note linearism and Concerto Grosso, for orch. (1928) with sinewy rhythms and boldly dissonant counterpoint orchestrated in a manner pointing to Bartok's Concerto for orchestra (1943) suggest that the world gained a great conductor by losing a worthy creator. Skalkottas's some 100 major atonal or 12-note opuses betray a rich lyrical nature not only in miniatures (Ten Sketches for strings, 1940) but also in huge, monumental forms: a compact, elaborate polyphonic texture, at times cluster-like, alternating with broad, atonal cantilenas (all in a personal, easily recognizable style) expands into enormous time-spans, the ultimate consequence in the development of classical form. (3rd Piano Concerto, 1939, 2nd Symphonic Suite, 1942–44, Ὀδυσσέας = Ulysses overture, for orch. 1944–49, suggesting a tone poem, a sonata form and a fugue.)

With Athenian musical life declining after the departure of Mitropoulos (1939), Greece, still ignoring the Skalkottas heritage, almost cut off from international developments in music due to World War II and the Civil War (1946–49), is provincially conservative in the late 1940. Curiously enough a minor revolt against this situation came not as a move towards advanced Western trends but as a different step homeward through an attempt to redefine the meaning of Hellenism in music. Three young composers, Arghyris Kounadis (b. 1924), Mikis Theodorakis

---

[15]) Of the composers of the National School, Riadis, Varvoglis, Petridis, Levidis, Spathis, Poniridis, Papadopoulos, Michaelidis and Georgiadis studied in France, Axiotis in Italy, Evangelatos, Constantinidis (in spite of his taste for French impressionism) and Zoras in Germany.

(b. 1925) and Manos Hadjidakis (b. 1925) discovered the invigorating possibilities of "rebétiko" (until then scorned by the higher classes) along with Prokofiev, Bartok, Stravinsky, Schönberg etc. Yet their coalition, if it ever existed as such, around Rallou Manou's Ἑλληνικό Χορόδραμα (= Greek Ballet Company) commissioning young composers' ballet scores, was short-lived. And the subsequent development of their careers is a further indication of the Greek composer's psychological split between East and West. Kounadis, now in Freiburg im Breisgau, moving away from his early neoclassicism through serial, post-serial and even aleatoric techniques, expressed a rich lyricism or sarcastic humour in settings of poetry (from Cavafy to Sachtouris) and operas increasingly successful in the Federal Republic of Germany (*Der Ausbruch,* 1974, *Die Baßgeige,* 1979 etc.) Hadjidakis, a rare melodist who never sought to master other than short, number-style forms, after some fascinating concert-hall works where a sparse keyboard writing imitates the "rebétiko" plucked strings (Γιά μιά μικρή λευκή ἀχηβάδα, = For a Little White Seashell, for piano, 1947–48, Τό Καταραμένο Φίδι = The Accursed Snake, ballet for two pianos, 1950, Ὁ Κύκλος τοῦ C.N.S. = The CNS cycle, for baritone and piano), turned to movie scores, stage music and, mainly, to popular song, orchestrated in a sparse, elegant way, often using verses by famous Greek poets. Theodorakis in his own popular songs also turned to Greek poetry and this is perhaps their only common feature. Theodorakis's some 120 opuses fall into two categories: a) Works for symphony orchestra or "Western" instruments, where an often uncontrolled flow of rich lyrical melody is combined with a Prokofiev-Stravinsky-Shostakovich-Bartok neoclassicism (1st Symphony, 1949, Τὸ ξυπόλητο τάγμα = Barefoot Battalion, film score, 1953) sometimes with little care for stylistic purity.

b) After about 1960 a blend of this instrumentarium with the "rebètiko" ensemble[16]. ῎Αξιον ᾽Εστί = Axion esti, oratorio, text by Elytis, 1960 or songs for one or two "pop" voices and popular ensemble. (᾽Επιτάφιος = Epitaphios, 1958, Λιανοτράγουδα = Lianotragouda, 1973, texts by J. Ritsos). These songs may expand into larger *chansons-fleuves,* reaching the scale of a popular oratorio (᾽Επιφάνεια-᾽Αβέρωφ = Epiphania-Averoff, 1968, text Seféris) or of huge popular fresoes (Canto General, 1971-, Text P. Neruda) with chorus. Through the category-b-works, Theodorakis, a militant of the left, came to the fore during the 1967–74 military dictatorship as the bard of modern Hellenism, regardless of political adherences.

Of paramount importance in the shaping of postwar popular taste, Hadjidakis and Theodorakis helped the general public move away from the insipid, "romantic" lyrics and the cheap sound of a western-style light music which in 1920–1950 nearly led Greeks astray from their musical heritage. They paved the way for many popular songwriters with intense social preoccupations. Among those who captivated the ears and hearts of the masses we mention Yannis Markopoulos (b. 1939), Stavros Xarhakos (b. 1939), Manos Loïzos (b. 1937), Christos Leondis (b.

---

[16]) Its composition nowadays is variable, but the most characteristic instruments are two members of the lute family, the bouzouki, with 3 or 4 strings, and the baglamas, with 3 strings (tuned an octave higher than the bouzouki), as well as guitars.

1940), poet-composer Dionyssis Savvopoulos (b. 1944), adapting his verses to a unique mixture of rock and folk elements, and Loukianos Kilaïdonis (b. 1943), cleverly parodying the romantic "sound" described above for the sake of social satire.

Restricted, yet larger in comparison to other European countries is the audience of "west-orientated" avantgardists. Most of those who live in Greece[17]) are now grouped either around HACM or the Third Programme. (We do not deal here with Iannis Xenakis (b. 1922) who made his career abroad, influencing Greek composers even less than composers in other countries.)

A passionate self-quest led Egyptian-born Jani Christou (1926–70), one of the most haunting personalities in music, through psychoanalysis and the study of ancient myths, religions, alchemy and occultism into a frightful adventure vaguely reminding one of composer Adrian Leverkühn, hero of Mann's "Doktor Faustus": consequently his personal existential problem became inextricably linked with the development of his art. From the astoundingly mature interplay of linear, atonal, contrapuntal textures which in his early works (Phoenix Music, for orch. 1948–49, Six Eliot Songs, for mezzo or dramatic sopr. and orch. 1955/57) resulted in a perfect balance of form and emotion, his style, as unmistakable as a fingerprint, organically evolved to the exquisitely wrought yet explosive dramatic serial sound-blocks of his second phase (Patterns and Permutations for orch. 1960, oratorio Tongues of Fire, 1964, full of mystical exstasy aspiring to a union with God). The same relentless inner urge led him to the last phase of Anaparastàssis (= re-enactments), psychodramas incorporating aleatoric elements for energy-generating purposes. These works uncloaked the human subconscious or sought to penetrate the mystery of the after-life with a shattering violence (Mysterium, scenic oratorio on ancient Egyptian funeral texts, 1965–66, The Strychnine Lady, 1967, Anaparàstassis I and III, 1968, 1969). A car accident put an untimely end to this tragic destiny, leaving his last work, Oresteia, a huge scenic fresco, in a hopelessly fragmentary state.

Apart from Theodore Karyotakis (1903–78) who moved from late-romantic "national" works towards a restrained linear atonality (chamber music, Symphony, 1972) Yannis Andréou Papaïoannou (b. 1910), a pedagogue who initiated many younger musicians in modern techniques, and Yorgos Sicilianos (b. 1922) follow post-serial developments in musical language at a short pace and incorporate them into conceptions aspiring to a near-classical austerity. Papaïoannou reached this stage by sacrificing a melodic spontaneity apparent in earlier works, from the folk modality of tone poem Βασίλης ὁ ᾿Αρβανίτης = Vassilis Arvanitis (1945) to the noble lyricism of his Suite for violin and piano (1959) and the solidity of his Concerto for orchestra (1954). His recent creations comprise the 5th Symphony (1964), a Violin Concerto (1972–73) and Τριέλικτον = Trielikton for chorus (1976). Sicilianos moved from Shostakovich and Bartok (3rd string quartet, 1957–62) to the solidity of the cleverly contrasting sound-blocks of his ᾿Αν-

[17]) Aperghis, Sfetsas (until 1975), Couroupos (until 1976) and Xanthoudakis settled in France. Kounadis, Terzakis, Vlachopoulos and Gazouleas in the FRG. Ioannidis spent several years in Venezuela, Logothetis lives in Vienna and Antoniou is making a career in the USA.

τίφωνα = Antiphona for brass, strings and kettledrum (1976). Michael Adamis (b. 1929), now president of the HACM, combines Byzantine chant (once more the call of tradition!) with post-1950 idioms and electronic sounds, not in beautiful chamber music works like Anakyklessis, for flute, oboe, cello and piano (1964), but in vocal works of a broader scale (Κράτημα = Kratima, for psaltis = Byzantine chanter, oboe, tuba and tapes, 1971). Similarly interested in Byzantine modes and microtones is prolific Dimitris Terzakis (b. 1938) in works like Οἶκος = Ikos, for chorus (1968) or Liturgia Profana (1977) for psaltis, tenor, chorus, 2 cellos, santouri and percussion.

We consider relatively neglected one of the most remarkable and genuinely autochthonous personalities in postwar Greek music: semi-autodidact Dimitris Dragatakis (b. 1914) produced in near-retirement some 80 opuses, most of which endure the test of time (Symphony no. 1, Lyric Suite for strings, both 1961). Moving away from a discreet flirtation with Shostakovich, he forged an increasingly recognizable free atonal style, skilfully weaving together sustained notes, pointillism, melodic cells suggesting folk modality and short rhythmic *ostinato* patterns. From his Violin Concerto (1969) to his Ἀναδρομές = Anadromés (1976), for flute, tuba, cello, double bass, piano and guitar, a slow yet steady ascension has brought him to an ever-higher level of compositional perception.

The 1962 Athens Technological Institute composer's competition, "a milestone in the history of modern Greek music", [18]) brought to the public's attention a few more composers, then studying or settled abroad and having won various degrees of recognition there. Anestis Logothetis (b. 1921), a gifted musician who abandoned his early serialism for the deadlock of aleatoric experiments associated with graphic notation research (Stygische Flüsse, 1971) and annihilating the creator's personality. Nikos Mamangakis (b. 1929), author of some remarkable serial and post-serial works impressive in their monumental scale (Monolog, for solo cello, 1962, Anarchie, for percussion and orch. 1972). Yannis Ioannidis (b. 1930), a sensitive rational nature, combining multicoloured cluster-like layers of instrumental sound in concise forms layed out with precision (Tropic for orch., 1968, Μετάπλασις = Metàplassis A, for orch. 1971). Theodor Antoniou (b. 1935), an over-prolific professional, whose masterful eclecticism, adroitly manipulating post-1950 styles, is at times more efficient in small chamber-music works (Quartetto giocoso, for oboe, violin, cello and piano, 1965, 6 Likes for solo tuba, 1971) than in larger-scale compositions (Νενικήκαμεν = We Are Victorious, cantata for soli, narrator, chorus and orch. 1971). Yorgos Tsouyopoulos (b. 1930, Music for percussion, 1959) has given up composing and Stephanos Gazouleas (b. 1931; 6 Lyric Pieces for flute and piano, 1962) is now only heard in connection with stage scores for ancient tragedies.

Among those who experimented more systematically with the possibilities of a musical theatre beyond opera are Yorgos Aperghis (b. 1945), author of 70-odd opuses, often using bold *collages* of traditional idioms. They embrace most

[18]) See: Ἀνωγειανάκη Φοίβου: Ὁ Μουσικὸς Διαγωνισμός τοῦ Α.Τ.Ι. / Βραβεῖα Μάνου Χατζιδάκι, ἐφημερίδα Νίκη, 20 Δεκέμβρη 1962 (Anoyanakis Fivos: The A(thens) T(echnological) I(nstitute) musical competition: The Manos Hadjidakis prizes, in: Niki, Athens, 20 December 1962).

modern forms and media and comprise 32 interesting chamber-music items for various formations and 18 for the stage. From his La Tragique Histoire du Nécromancien Hieronymus (Avignon, 1971) to his opera Jacques le Fataliste (1973–74) after Diderot, he earned such a reputation as to be the first Greek composer commissioned to write a work for the Paris Opéra Comique (Je vous dis que je suis mort, after Poe, 1978–79). To Yorgos Couroupos (b. 1942) we owe interesting concert-works (Affrontement, for 2 voices and instr. ensemble, 1971–72) and stage pieces: Les Enfants du Sable, a musical tragedy (1974), and the musical spectacle Dieu le veut (1975). Yannis Vlachopoulos (b. 1939) is remarkable for his ballet-theatre electronic work Vernissage (1977–79). Kyriakos Sfetsas (b. 1945) concentrates mainly on concert-hall works with a remarkable instrumentation and a convincing harmonic linking of isolated sounds (Docimologie, for 13 instruments, 1969).

Finally, before the youngest ones, we should mention Iakovos Haliassas (b. 1921), Nikiforos Rotas (b. 1929), Stephanos Vassiliadis (b. 1933; neo-impressionist tape music) and two Salonica composers finding their way through a Hindemith neoclassicism: Kostas Nikitas (b. 1940) and Alkis Baltas (b. 1948). The youngest generation coming to the fore—any judgment would be premature—comprises Vassilis Riziotis (b. 1945), pianist-composer Nikos Athenaeos (b. 1946), Thanos Mikroutsikos (b. 1947; popular songs in a mixture of styles i.e. Bob Dylan "ballad" style, Greek popular, Weill, post-serialists etc.), Michael Grigoriou (b. 1947; a remarkable Septet for trumpet, piano and strings, 1973), Alkis Panayotopoulos (b. 1948), Dimitris Marangopoulos (b. 1949, electronic ballet Κασσιανή = Kassiani, 1978) Vanghélis Katsoulis (b. 1949) and Haris Xanthoudakis (b. 1950).

In spite of their apparently "westward" orientation, most of these postwar composers felt the call of our traditional heritage at one time or another and in various degrees. The chorus or other settings of folksongs (Antoniou, Ioannidis, Couroupos), the occasional publications of records with songs with at least a popular flavour (Kounadis, Mamangakis, Grigoriou) and the integration of traditional elements in concerthall works for instruments or tape (Dragatakis, Adamis, Terzakis etc.) confirm the fact that the Greek composer's cultural ambivalence between his homeland and the West, even if fruitfully exploited, is ever present. [19])

---

[19]) We mention here some of the most important publishers of contemporary Greek music: in Athens, the Greek Ministry of Culture, the French Institute, F. Nakas, Gaïtanos, "Nomos" (Ioannidis, Sicilianos), in Salonica "Téchni" (Riadis). In the FRG Edition Modern, Gerig, Bärenreiter, Bote & Bock (Kounadis). In France, Salabert (Xenakis, Aperghis), Transatlantiques (Sfetsas). In England Chester (Christou) and Boosey & Hawkes (a few Theodorakis scores). In Austria, Universal Ed. (Skalkottas).

Theater

Kostas Georgousopoulos, Athen

I. Die moderne griechische Theatertradition – II. Dramaturgie in der Nachkriegszeit – III. Theaterausbildung – Theaterkritik – IV. Institutionen – Einrichtungen – Verbände – V. Aufbau und Organisation des griechischen Theaters

I. Die moderne griechische Theatertradition

Das griechische Theater blickt, trotz vieler Schwankungen, Hoch- und Tiefpunkte, auf eine alte Tradition in der Entwicklung von Theatertexten ebenso wie in der Theaterpraxis zurück.

Nach der osmanischen Eroberung Konstantinopels (1453) wahrten zwei Zentren des griechischsprachigen Raumes: Kreta und die Inseln im Ionischen Meer (Ἑπτάνησα) die Verbindung mit dem Westen und folgten seinem geistigen Weg. Die geographische Lage Kretas, die handelsoffene Gesellschaft und die besondere Abhängigkeit von Venedig begünstigten eine Verbindung des italienischen mit dem widerstandsfähigen einheimischen Geistesgut. Obwohl es offensichtlich auf der Insel keine starke Aktivität auf dem Gebiet des Theaters gab und die seltenen Aufführungen, meist italienischer Stücke, ausschließlich in den Privathäusern der Adligen stattfanden, zeugt die Veröffentlichung einer beträchtlichen Anzahl von Theaterstücken verschiedener Art von intensivem Interesse für das Theater und von der Bedeutung, die das Drama allgemein besaß.

Kreter oder gräzisierte Venezianer schrieben Stücke im Dialekt besonders Ostkretas, deren Vorbilder die Philologen aus der Fülle der während dieser Zeit in italienischer Sprache entstandenen Werke unschwer herausfanden. Der Charakter des kretischen Volkes, die plastische Sprache, die Unverdorbenheit der jungen Dramatiker und die genuine kretische Volksdichtung schenkten der griechischen Literatur dramatische Gedichte, die bis heute unübertroffene Leistungen darstellen[1].

1669 unterwarf sich Kreta dem Osmanischen Reich, gleichzeitig setzte eine starke Auswanderungswelle wohlhabender und gebildeter Bürger auf die Inseln des Ionischen Meeres ein. Dort fanden die Zugewanderten ein durch die venezia-

---

[1] V. S. Kornaros ist wahrscheinlich der Verfasser von Ἡ θυσία τοῦ Ἀβραάμ (Das Opfer Abrahams), eines konsequent gebauten Stückes, das ausgehend von den Vorbildern des europäischen Mystizismus deren typisierte Form und die schematische Zeichnung der Charaktere überwindet. G. Chortatzis gab mit der Tragödie Ἐρωφίλη (Erofili), mit den bukolischen Dramen Πανώρια (Panoria), ἡ Γύπαρις (Gyparis) u. a. und mit der Komödie Κατζοῦρμπος (Katzourbos) geniale Beispiele für ein seltenes Einfühlungsvermögen in die dramatische Sprache und den begrenzten Umfang eines Dramas, verbunden mit der Fähigkeit, seine Vorbilder und die Typologie des Renaissancetheaters souverän zu gebrauchen. Die Tragödie Βασιλεὺς Ῥοδόλῖνος (König Rodolinos) von Troilos, die Komödie Φορτουνάτος (Fortunatus) von Markantonios Foskolos, die historische Tragödie Ζήνων (Zenon) und die Komödie Στάθης (Stathis), beide von unbekannten Verfassern geschrieben, vervollständigen das breite Spektrum der kretischen Theaterstücke und sind grundlegend für eine dramatische Tradition, die die Entwicklung des neugriechischen Dramas zwar nicht unmittelbar beeinflußt, aber dennoch, sei es als Bezugspunkt oder als ständig verarbeiteter Inhalt, indirekt differenziert hat.

nische Besetzung geprägtes, vertrautes Klima vor. Der kretische Dialekt galt
bereits als „dramatischer Kodex", sind doch Werke wie das auf Zakynthos entstandene Εὐγένα (Eugena) von Montselese und wahrscheinlich auch der auf
Kefalonia verfaßte Ζήνων (Zenon) im Idiom Ostkretas geschrieben.

Bereits seit 1571 (Schlacht bei Lepanto) ist auf Zakynthos Aktivität auf dem
Gebiet des Theaters zumindest von Amateuren bezeugt (Aischylos' Perser). Im
18. Jahrhundert verselbständigte sich die angeborene Neigung der Bevölkerung
zum Theater, die bisher nur die Aufführung italienischer Ensembles kannte. Aus
Anlaß lokaler Feiertage bildeten Amateure improvisierte Theatergruppen und
inszenierten kurze Stücke, sogenannte Ansprachen (ὁμιλίες), die auf Marktplät-
zen und an zentralen Punkten der Städte und Dörfer aufgeführt wurden. Gewöhnlich bestand der Kern solcher Ensembles aus berufsmäßigen Schauspielern oder
aus jungen Adligen. Die Themen der „Ansprachen" waren Bearbeitungen kreti-
scher Stücke, lokale Legenden oder originelle, einfach improvisierte Stücke, verfaßt im Dialekt der Insel. Form und Typologie leiteten sich von den in der Hoch-
sprache verfaßten Renaissance-Komödien und der Comedia dell' arte her [2]).

Mit der Errichtung des neugriechischen Staats sammelten sich im griechischsprachigen Raum zahlreiche Intellektuelle aus der Diaspora, die eine Vielzahl von
Ideen und Fragestellungen mit in die Heimat brachten. Volks- und Gelehrtentra-
dition, Romantik und Klassizismus, konservative und liberale Tendenzen prallten
aufeinander, wobei die Sprache Hauptträger der Konfrontation war. Das Theater
versuchte, diese kritische Phase zu überstehen [3]). Bis 1870 vollzog sich die Theaterarbeit jedoch noch ohne Programm auf Amateurniveau. In dieser Zeit bildeten
sich erste Ensembles von Berufsschauspielern, hauptsächlich in familiärem Rahmen [4]).

---

[2]) Von den Dramen mit bekanntem Verfasser müssen die Werke des Kefaloniten Katsaïtis
Θυέστης (Thyestes), Ἰφιγένεια (Iphigenie), in denen ein starker Einfluß der italienischen Vorbilder
spürbar ist, erwähnt werden, außerdem die verlorene Komödie Μωραΐτες (Peloponnesier) des Savo-
gias Sourmelis, besonders aber die personenbezogene Satire von D. Gouzelis Χάσης (Chasis, 1794), in
der der junge, adlige Verfasser in Form einer „Ansprache" ein ausgezeichnetes, saftiges Stück
geschrieben hat, dessen Hauptperson ein tatsächlich existierender, großmäuliger und angeberischer
Mitbürger des Verfassers ist. Das Stück ist auf dem Gebiet des griechischen Theaters ein erster zeitge-
mäßer Versuch dramatischer Charakterdarstellung in gesellschaftlichem Rahmen. Die Traditionen der
Volks- und Gelehrtendichtung auf den Inseln des Ionischen Meeres begegnen in dem Stück des Anto-
nios Matesis Βασιλικός (Vasilikos), das bis heute das bedeutendste neugriechische Drama ist. In
„Vasilikos" schildert Matesis mit erstaunlich sparsamen Mitteln und mit maßvollem Gebrauch von
Sittenschilderung die Konfrontation zwischen feudalistischer und bürgerlicher Gesellschaft, repräsentiert von einem Vater und seinem von der Ideologie und dem Geist der Französischen Revolution
beeinflußten Sohn. Der Nachhall von Schillers Don Carlos und Kabale und Liebe ist deutlich zu
spüren, ohne daß man dabei von Imitation sprechen kann.

[3]) Das satirische Theaterstück Βαβυλωνία (Babylon, 1835) von D. Vyzantios überträgt dieses
Klima auf die Bühne. Während die Gelehrten auf Aristophanes, Alfieri, Schiller, Hugo und Shakespeare als Vorbilder der neuen Dramaturgie zurückgreifen, veröffentlicht der Revolutionskämpfer und
Autodidakt M. Chourmouzis, der seine Werke nie auf der Bühne gesehen hat, satirische, gesellschafts-
kritische und antibayrische Komödien in Volkssprache, mit saftiger und dramatisch wirksamer Diktion.

[4]) In den achtziger Jahren tritt D. Vernardakis als Dramatiker hervor, dessen Dramen Μαρία
Δοξαπατρῆ (Maria Doxapatri), Μερόπη (Merope) und Φαῦστα (Fausta) die besten sind, die der
Einfluß Schillers in Griechenland hervorgebracht hat. Die Stücke wurden beliebt trotz ihrer archaisierenden und für das Volk schwer verständlichen Sprache, die sie dann auch sehr schnell aus dem dramatischen Repertoire verschwinden ließ.

In den neunziger Jahren beeinflußte der europäische Naturalismus das griechische Theater. Eine Reihe wirtschaftlicher und politischer Rückschläge veranlaßte die Autoren, sich vertrauten Themenbereichen zuzuwenden und mit dem Instrument der Volkssprache drei neue dramatische Gattungen zu schaffen: Das dramatische Idyll, das komische Idyll und das Kabarett. Die beiden ersteren behandelten sittenbeschreibende Themen und nicht selten auch Probleme, die sich aus politischen Konflikten ergaben. Die von der Romantik geprägte Art, Traditionen wiederzuentdecken und der naturalistische Stil erzeugten eine eigentümliche Harmonie, die zugleich die Faszination dieser Stücke ausmacht[5]).

Das Kabarett entwickelte sich schnell von einer Imitation der französischen *revues* zu einer griechischen Gattung mit aktueller, personenbezogener politischer Satire als Hauptthema. Trotz seiner qualitativen Schwankungen brachte es viele große Volksschauspieler hervor und hat bis heute das zahlreichste Publikum, besonders unter den einfachen Menschen.

Den Grundstein für eine beständige Theaterarbeit legte die nahezu gleichzeitige Gründung des Βασιλικόν Θέατρον (Königliches Theater) unter dem Dramaturgen Thomas Oikonomou und der von Konstantinos Christomanos inszenierten Νέα Σκηνή (Neue Bühne) im Jahre 1901. Oikonomou brachte nach einer bedeutenden Karriere an deutschen Bühnen den deutschen Expressionismus nach Athen, Christomanos förderte den Antoin'schen Naturalismus. Beide Ensembles waren über die zeitgenössischen Kunstströmungen erstaunlich gut informiert und lieferten sich über fünf Jahre hinweg einen in Griechenland bis dahin nicht gekannten geistigen Konkurrenzkampf.

Die Existenz der beiden Ensembles fiel mit dem Auftreten neuer Autoren zusammen, deren bedeutendste zugleich als Väter des bürgerlichen Dramas in Griechenland gelten: Grigorios Xenopoulos, rund fünfzig Jahre lang der größte Künstler auf dem Gebiet des Theaters, Spyros Melas, ein ihm zwar nicht gleichwertiger, dafür ständig experimentierender Autor, Kambysis, Palamas mit seinem einzigen Drama Ἡ Τρισεύγενη (Die Hochadlige)[6]).

1927 versuchten Angelos Sikelianos und seine Frau Eva in Delphi die antike Tragödie im Rahmen von Volksfesten wieder ins Leben zu rufen. Dieser Versuch wurde zum Anlaß vieler Bemühungen um eine Auseinandersetzung mit dem antiken Drama.

---

[5]) Komische Idyllen wie Ἡ τύχη τῆς Μαρούλας (Maroulas Schicksal) von D. Koromilas und „Γενικὸς Γραμματεύς" (Der Generalsekretär) von D. Kapetanakis und dramatische Idyllen wie Ὁ Ἀγαπητικὸς τῆς Βοσκοπούλας (Der Geliebte der Schäferin) von Koromilas und Ἡ Γκόλφω (Das Amulett) von S. Peresiadis sind bis heute beliebte und immer wieder gespielte Stücke.

[6]) In der Zeit zwischen den beiden Kriegen kultivieren Xenopoulos, Melas, Pantelis Chorn, D. Bogris, V. Ioannopoulos, P. Kagias u. a. Drama und Komödie mit gut geschriebenen Stücken. Als hervorragend sind zu nennen: Τὸ φυντανάκι (Der Sprößling) von Chorn, Ποπολάρος (Popolaros) von Xenopoulos, Τἀρραβωνιάσματα (Die Verlobung) von Bogris, Ὁ τοπικὸς παράγων (Der lokale Faktor von Kagias, Μιὰ νύχτα, μιὰ ζωή (Eine Nacht, ein Leben) von Melas und die Charakterkomödie Ὁ μπαμπᾶς ἐκπαιδεύεται (Papa wird erzogen), ebenfalls von Melas. 1937 greift Angelos Terzakis mit dem Drama Γαμήλιο ἐμβατήριο (Hochzeitsmarsch) als erster auf das Vorbild Tschechows zurück. Gleichzeitig veröffentlichen Angelos Sikelianos, Nikos Kazantzakis und N. Poriotis, um sich in der Gattung der Tragödie zu versuchen, eine Reihe von Theaterstücken, ohne daß diese je aufgeführt werden.

Private Ensembles, wie die der großen Schauspielerinnen Kyveli und Kotopouli, Θέατρον Τέχνης (Theater der Kunst) von Melas, Ἐλεύθερο Θέατρο (Freies Theater) und Θίασος τῶν Νέων (Ensemble der Jugend) zeigten bereits vor Gründung des Ἐθνικόν Θέατρον (Nationaltheaters, 1932) ein reiches Repertoire vor allem französischer Stücke in der Zeit zwischen den beiden Weltkriegen.

Das Nationaltheater mit dem scharfsinnigen Kritiker Fotos Politis als erstem Dramaturgen, danach unter dem Dramaturgen D. Rontiris verfügte über ein Repertoire meist klassischer Stücke, und einige seiner Aufführungen gelten als klassisch in der Theatergeschichte[7]). Rontiris, der in Deutschland bei Max Reinhardt studiert hatte, übertrug die Technik eines Kraus, eines Moissi, eines Gründgens auf das griechische Theater. Große Schauspieler wie Veakis, die Alkaiou, Minotis, die Paxinou, die Papadaki, die Manolidou, Glinos und Mamias prägten das griechische Theater der Vorkriegszeit[8]).

II. Dramaturgie in der Nachkriegszeit

Während der Besetzung Griechenlands durch die Deutschen und Italiener konnten nur Berufsensembles die Zensur, Lebensmittelknappheit und Wirtschaftskrise überstehen. Kleine Gruppen unter der Leitung des Dichters Vasilis Rotas und des Schriftstellers Gerasimos Stavrou schlossen sich zu fahrenden Ensembles zusammen, und mit der Unterstützung von Amateuren spielten sie vor den Partisanengruppen des Nationalen Widerstandes Stücke mit aktueller Problematik.

Nach der Befreiung, in einer Zeit nationaler Spaltung und ideologischer Meinungsverschiedenheiten, die bald zu blutigen Auseinandersetzungen wurden, versuchte das Theater, sich unter anderen Gesichtspunkten neu zu formieren. Die traurige Erfahrung der soeben vergangenen nationalen Krise, die Kritik an den traditionellen Werten, die schon fast zerstört scheinen, fallen beim Theater nicht auf fruchtbaren Boden. Die innenpolitische Lage, die Atmosphäre der Verfolgungen und später der Bürgerkrieg bringen die Stimmen des Fortschritts zum Schweigen und überlassen das Feld den traditionellen Formen und der überkommenen Thematik. Dennoch behandeln viele ältere und auch jüngere Autoren eine am aktuellen Zeitgeschehen orientierte Thematik, ohne allerdings neue Wege zu gehen und den Problemen auf den Grund zu gehen, immer ausgehend von den erprobten Formen der Satire oder der Komödie. Dimitris Psathas, ein technisch geschickter Komödiendichter, der vor dem Krieg mit einer guten Charakterkomödie (Τὸ στραβόξυλο – Der Querkopf) in Erscheinung getreten war, schreibt nach dem Krieg eine Satire auf den politischen Arrivismus während der Zeit der Beset-

---

[7]) Hamlet, König Lear, Peer Gynt, Elektra, Zieht die Nackten an.

[8]) Das Nationaltheater ehrte in dieser Zeit die älteren Autoren: Xenopoulos, Chorn, Melas, Bogris, von den jüngeren stellte es nur Angelos Terzakis mit einer Reihe historischer Dramen vor, die, von Shakespeare kommend, sich mit Byzanz und mit existenzieller Problematik auseinandersetzen (Αὐτοκράτορας Μιχαήλ – Kaiser Michael, Ὁ Σταυρὸς καὶ τὸ σπαθί – Kreuz und Schwert).

zung (Φόν Δημητράκης – Herr von Dimitrakis), dem leider kein weiteres Stück dieser Art folgt[9]).

Tsekouras mit der Satire ῍Αν δουλέψεις θὰ φᾶς (Wer arbeitet, wird auch essen), Sevastikoglou mit seiner Satire Κωνσταντίνου καὶ ῾Ελένης (Fest des Konstantin und der Helene) und Solomos mit seinem ebenfalls satirischen Stück ῾Ο τελευταῖος Ἀσπροκόρακας (Der letzte Asprokorakas) versuchen eine am Äußerlichen orientierte Analyse des griechischen Großbürgertums. Ilias Venezis versucht in seinem Drama Block C mit Hilfe uneinheitlicher technischer Mittel den Widerstandskampf gegen die Besetzer Griechenlands festzuhalten. D. Fotiadis gelingt es in seiner scharfzüngigen Satire Θεοδώρα (Theodora) nicht, ein interessantes Thema mit Hilfe einer marxistisch orientierten Analyse in einen dramatischen Rahmen zu bringen. Katiforis erreicht dagegen in seinem Stück Τὸ μεράκι τοῦ ἄρχοντα (Der Kummer des Herrn) ein Gleichgewicht zwischen dem charakterschildernden und dem soziologischen Rahmen, innerhalb derer er seinen Helden, einen unentschlossenen Landbesitzer, der immer noch die charakteristischen Züge des Feudalherrn zeigt, angesiedelt hat. M. Kounelakis schreibt mit ῾Η ἀπαγωγή τῆς Σμαράγδως (Smaragdas Entführung) eine der bedeutendsten griechischen Charakterkomödien, indem er meisterhaft einen zentralen Helden vor einem Molièrehaften Hintergrund zeigt. A. Damianos stellt in seinem Jugendwerk Τὸ καλοκαίρι θὰ θερίσουμε (Im Sommer werden wir ernten) soziologische Probleme und schematische Auseinandersetzungen in naiver Weise, auf die Technik Lorcas zurückgreifend, dar. Ch. Gaïos kehrt mit seinem sittenschildernden Drama Κοντέσσα Μάρθα Τζανέτου (Komtess Martha Janetou) zu der von A. Matesis und von Xenopoulos geschilderten Thematik mit gesellschaftlichen Parolen und theatralischer Rührung zurück. N. Pergialis führt mit seinem Νυφιάτικο Τραγούδι (Brautlied) Lorca offiziell als Vorbild ein, das er dann poetisch-schönfärbend, romantisch verarbeitet[10]).

Der bedeutende Prosaschriftsteller und Essayist G. Theotokas versucht, Legenden zu bearbeiten, indem er ausgehend von der Volksdichtung ein poetisches Volkstheater schafft, die rationale Konstruktion der Stücke nimmt ihnen jedoch die notwendige Unmittelbarkeit Τὸ παιχνίδι τῆς τρέλλας καὶ τῆς φρονιμάδας – Das Spiel der Verrücktheit und der Vernunft). D. Romas, der vor dem Krieg eine vollblütige Sittenschilderung (Ζακυνθινὴ Σερενάτα – Serenade von Zakynthos) geschrieben hatte, zeigt sich noch einmal mit geringerer Wendigkeit in Ζαμπελάκι (Zabelaki)[11]).

---

[9]) Psathas' später verfaßte Stücke sind ganz im Geist der Zeit geschrieben und haben die Farce und die oberflächliche Kritik am griechischen Kleinbürger und seinen Alltagsproblemchen zum Thema (῝Ενας Βλάκας καὶ μισὸς – Anderthalb Idioten, Ζητεῖται ψεύτης – Lügner gesucht. Ξύπνα, Βασίλη – Wach auf, Vasilis).

[10]) Diese anfänglichen Schwächen konnte er später mit Κορίτσι μέ τὸ κορδελάκι (Mädchen mit der Haarschleife) und der 1975 verfaßten Parabel Τὸ δέντρο ποὺ τὸ λέγανε ὑπομονή (Der Baum, den sie Geduld nannten) nicht überwinden.

[11]) Kürzlich trat er dann noch einmal mit dem zusammenhanglosen Stück ῾Ο Καζανόβας στὴ Κέρκυρα (Casanova auf Corfu) in Erscheinung, dessen Thema sich bei besserer Bearbeitung wunderbar hätte ausschöpfen lassen.

M. Skouloudis, der mit seinem eigenen Stück Τὸ σταυροδρόμι über eine kretische Sittenschilderung nicht hinauskommt, schafft mit seiner Bearbeitung des Idiot von Dostojewski ein dramatisch wirksames Theaterstück.

Angelos Terzakis vollendet mit Θεοφανώ (Theophano) seine byzantinische Trilogie, während er mit seiner Komödie Μιὰ νὺχτα στὸ Αἰγαῖο (Eine Nacht in der Ägäis) lediglich eine komplizierte Intrige schildert. Sein letztes Werk jedoch, Ὁ Πρόγονος (Der Vorfahr, 1970), modern in der Behandlung des Themas und mit deutlich spürbarem metaphysischem Beigeschmack, stellt eine Bereicherung des neugriechischen Dramenrepertoires dar.

Spyros Melas, der mit seinem historischen Drama Παπαφλέσσας (Papaflessas) richtungweisend war, auf dem Gebiet des poetischen Drama (᾽Ιούδας – Judas) jedoch erfolglos blieb, tritt nach zwanzigjährigem Schweigen 1953 mit der Satire Ὁ Βασιλιάς καί ὁ σκύλος (᾽Αλέξανδρος καί Διογένης) (Der König und der Hund (Alexander und Diogenes)) wieder in Erscheinung, mit einem Werk also, dessen Wirkungskraft lediglich auf dem problemlosen Thema beruht [12]).

Nach dem Krieg erscheinen auf dem Gebiet des kommerziellen Theaters mehrere Autorenpaare, die den zahlreichen Bühnen eine Reihe von Farcen liefern [13]). Das bedeutendste Paar ist Sakellarios – Giannakopoulos, deren zahllose Stücke vom breiten Publikum bereitwillig aufgenommen werden. Einige davon sind technisch perfekt und bringen Situationen des Alltagslebens zeitgemäß und wirkungsvoll in dramatische Form [14]).

Nikos Tsiforos, der unmittelbar nach dem Krieg die perfekteste satirische Komödie des griechischen Theaters, Ἡ πινακοθήκη τῶν ἠλιθίων (Idiotengalerie) geschrieben hatte, verfaßte zusammen mit P. Vasileiadis eine große Anzahl von Farcen, deren Interesse heute rein sprachlicher Natur ist. Besonders Tsiforos kultivierte einen Stil, für den seine ausgezeichnete Kenntnis des „Argot" der Unterwelt charakteristisch ist [15]).

G. Roussos, der bereits 1940 die beachtenswerte Komödie Ὁ πρωτευουσιάνος (Der Hauptstädter) geschrieben hatte, begnügt sich nach dem Krieg nicht mit den üblichen Farcen, sondern widmet sich den beschreibenden, melodramatischen Stücken historischer Thematik [16]).

Ioannopoulos, Kagias und D. Giannoukakis versorgten das Theater weiterhin mit in größeren Abständen geschriebenen guten Komödien während Lidorikis, der 1933 am Nationaltheater mit dem vielversprechenden Stück Ὁ Λόρδος Βύρων (Lord Byron) in Erscheinung getreten war, auf dem Gebiet der schönen Komödie weiterarbeitete (Μεγάλη στιγμή – Der große Augenblick) und dann nach langjährigem Amerikaaufenthalt eine dramatische Komödie veröffentlichte, die die

---

[12]) Er schrieb außerdem mit Ρήγας ὁ Βελεστινλῆς (König Velestinlis) ein mageres, technisch unzulängliches historisches Drama.

[13]) Logothetidis, Argyropoulos, Fotopoulos, Iliopoulos, Chatzichristos, Stavridis.

[14]) Ἡ δεσποινίς 39 ἐτῶν (Das 39jährige Fräulein) und Ὁ ἥρωας μέ παντοῦφλες (Der Pantoffelheld) sind Meisterstücke auf ihrem Gebiet.

[15]) Das jüngere Paar Gialamas – Pretenteris folgte den Spuren des vorangegangenen, Pretenteris übertraf das bewährte Muster jedoch mit seiner Komödie Μιᾶς πεντάρας νιάτα (Groschenjugend), in der er zu einer problematisierenden bürgerlichen Sittengeschichte gelangt.

[16]) Θεοδώρα (Theodora), Βασίλισσα ᾽Αμαλία (Königin Amalia), Μαντώ Μαυρογένους (Manto Mavrogenous), Νικηφόρος Φωκᾶς (Nikiforos Fokas).

Probleme der griechischen Einwanderer zum Thema hatte (Οἱ Ξεῤῥιζωμένοι – Die Entwurzelten).

G. Stavrou, der zunächst einige klassische griechische Werke für das Theater bearbeitet hatte (Kazantzakis' Ὁ Χριστὸς ξανασταυρώνεται – Griechische Passion), bereichert sein Werk mit dem auf einer Erzählung von D. Chatzis basierenden Drama Καληνύχτα Μαργαρίτα (Gute Nacht, Margarita) um ein gutes Theaterstück.

Nach dem Krieg wandte sich das moderne griechische Theater auch dem lyrischen Drama zu, und auf der Bühne erscheinen Tragödien von Kazantzakis[17]), von Sikelianos[18]) und Prevelakis[19]). Zwei philosophische, auf Dostojewski zurückgreifende Dramen von Prevelakis[20]) finden keinen großen Anklang. In der Zeit nach 1975 wurden Κολοκοτρώνης (Kolokotronis) und Τὰ ἑλληνικά νιάτα (Die griechische Jugend), nach dem Krieg veröffentlichte Versuche eines lyrischen Volkstheaters von V. Rotas, aufgeführt[21]).

Die große Wende in der dramatischen Technik und Thematik geschieht 1956 mit Iakovos Kambanellis. Nach seinem interessanten Erstlingswerk Χορός πάνω στὰ στάχια (Tanz auf den Ähren, 1950) eröffnet er mit ῞Εβδομη μέρα τῆς δημιουργίας (Der siebte Schöpfungstag) und Ἡ αὐλὴ τῶν θαυμάτων (Garten der Wunder) eine neue und vielversprechende Periode der modernen griechischen Dramaturgie. Kambanellis beherrscht die zeitgenössische dramatische Sprache und schöpft sein Material aus der Welt der benachteiligten, vernachlässigten und unterdrückten Menschen. Objektiv und lebhaft-realistisch analysiert er die soziologische und politische Wirklichkeit und schafft gehaltvolle Charaktere, Produkte der historischen Krise. Seine Sichtweise ist prismatisch, die von ihm geübte Kritik vielseitig. Mit seinen späteren Werken, dem Drama Ἡ ἡλικία τῆς νύχτας (Das Alter der Nacht), der Satire Ὀδυσσέα, γύρνα πίσω (Komm' wieder, Odysseus), mit seinen Bearbeitungen von Prosawerken[22]), mit seinen Einaktern[23]) und mit der 1978 entstandenen Satire Τὰ τέσσερα πόδια τοῦ τραπεζιοῦ (Die vier Tischbeine) setzt er diesen Weg konsequent fort und leistet damit einen bedeutenden Beitrag zur Entwicklung des Theaters in Griechenland.

V. Ziogas kultiviert einen in der griechischen Tradition und in der Widersprüchlichkeit der antiken Tragiker verwurzelten Realismus. Nach dem beeindruckenden Einakter Τὸ προξενειό τῆς Ἀντιγόνης (Antigones Verkupplung), tritt er mit Κωμωδία τῆς Μύγας (Fliegenkomödie), einer ausgezeichneten Wiedergabe

---

17) Καποδίστριας (Kapodistrias), Μέλισσα (Biene), Κοῦρος (Kouros), Χριστόφορος Κολόμβος (Christopher Kolumbus), Βούδας (Buddha).

18) Ὁ θάνατος τοῦ Διγενῆ (Der Tod des Digenis), Σίβυλλα (Sibylla).

19) Τὸ Ἡφαίστειο (Der Vulkan), Τὸ ἱερό σφάγιο (Das Schlachtopfer), Λάζαρος (Lazarus).

20) Στὰ χέρια τοῦ ζωντανοῦ θεοῦ (In den Händen des lebendigen Gottes), Τὸ χωριό Στεπαντσίκοβο (Das Dorf Stepadzikovo).

21) Tzavellas, der mit seiner unmittelbar nach dem Krieg verfaßten großartigen Komödie Τὸ παραμύθι τοῦ φεγγαριοῦ (Mondmärchen) einen Beweis für sein Talent geliefert hatte, wandte sich dem Film zu und bewies mit der in den 60er Jahren entstandenen guten Komödie Ἡ γυνὴ νά φοβεῖται τὸν ἄνδρα (Die Frau soll den Mann fürchten), daß dem griechischen Theater ein ausgereifter Techniker verloren gegangen war.

22) Παραμύθι χωρὶς ὄνομα (Märchen ohne Namen, Penelope Delta), ‚Strafkolonie' (Kafka).

23) Κοντσέρτο γιά βιολί καὶ ὀρχήστρα (Konzert für Violine und Orchester).

metaphysischen Liebesgeflüsters und mit Τὸ μπουκάλι (Die Flasche), einer gewagten Analyse des Heldentums, an die Öffentlichkeit.

D. Kechaïdis begann mit dem offensichtlich von Tennessee Williams beeinflußten Ὁ μεγάλος περίπατος (Der große Spaziergang) und gelangte dann zu einer bitteren Sittenschilderung in Τὸ Πανηγύρι (Das Volksfest)[24].

S. Karras siedelt seine Dramen innerhalb verschiedener Berufsgruppen an[25]. Seine Sittenschilderung ist richtig, sobald er aber versucht, das Thema auszuweiten, hat er keinen Erfolg.

Loula Anagnostaki trat zuerst mit den Einaktern Ἡ πόλη (Die Stadt) und Ἡ παρέλαση (Die Parade) in Erscheinung. Mit Συναναστροφή (Umgang) zeigt sie auf demselben Gebiet eine verbesserte Technik[26]. Mit Νίκη (Nike) wendet sie sich der Erforschung der für Griechenland spezifischen Probleme zu und greift dabei auf die Technik einer modernen Tragödie zurück.

K. Mourselas untersucht in Ἐπικίνδυνο φορτίο (Gefährliche Ladung) und besonders in dem Kabarett ῍Ω, τί κόσμος, μπαμπά (Was für eine Welt, Papa) mit besonderem Scharfblick den Wahnsinn der heutigen Zeit, nachdem er die Widersprüchlichkeiten des bürgerlichen Systems lokalisiert hat.

G. Skourtis verfaßt mit ständig wechselnder Technik interessante Stücke, teils auf Pinter zurückgreifend[27], teils mit Brecht'scher Technik[28], teils in der Art des Schattentheaters[29]. Seine Einakter beeindrucken durch ihre rohe Sprache, ihre gewagte Kritik und ihre Direktheit[30].

P. Matesis bleibt trotz mehrerer Versuche bis jetzt der Verfasser nur eines, dafür sehr bedeutenden Stückes (Τὸ φάντασμα τοῦ κ. Ραμὸν Νοβάρρο – Der Geist des Herrn Ramon Novarro), in dem er mit besonderem Einfühlungsvermögen die Zerstörung der früher gültigen Werte thematisiert.

P. Markaris verfaßte nach der Technik Brechts ein bedeutendes Stück Ἱστορία τοῦ Ἀλῆ Ρέντζο (Geschichte des Ali Renzo), in dem das Vorbild keinen Augenblick lang zum Gegenstand bloßer Imitation wurde[31].

M. Pontikas schrieb, nachdem er die Problematik des griechischen Subproletariats scharfsinnig durchleuchtet hatte[32] und die Bewußtseinsbildung des Kleinbürgers in einer ohne sein Zutun organisierten Gesellschaft scharfsinnig durchleuchtet hatte[33] mit Θεατές (Zuschauer) das bedeutendste griechische Theaterstück der Nachkriegszeit. Er zeigt darin mit Hilfe einer ausgereiften Technik, daß

---

[24] Sein Einakter Ἡ Βέρα (Der Ehering) und Τὸ τάβλι (Tricktrack-Spiel) setzten ein Zeichen durch ihre sprachliche Genauigkeit, ihre Zielsicherheit und ihre mutige Charakterisierung des modernen Griechen.

[25] Παλαιστές (Ringkämpfer), Νυχτοφύλακες (Nachtwächter), Ὁ Συνοδός (Der Begleiter), Οἱ Μπουλουκτσῆδες (Die Anführer).

[26] In Ἀντώνιος ἢ Τό Μήνυμα (Antonio oder Die Botschaft) erschöpft sie sich in musikalischen Variationen.

[27] Νταντάδες (Ammen), Μουσικοί (Musiker).

[28] Ἡ Ἀπεργία (Der Streik).

[29] Ὁ Καραγκιόζης παρὰ λίγο Βεζύρης (Karagiozis fast schon Wesir).

[30] Κομμάτια καὶ θρύψαλα (Staub und Asche).

[31] Sein Versuch, Zarrus ‚König Uhu' in derselben Weise zu bearbeiten, wurde ein Mißerfolg.

[32] Ὁ Λάκκος καὶ ἡ Φάβα (Die Grube und die Bohne).

[33] Τὸ τρομπόνι (Die Posaune).

der moderne Mensch (auch der Autor) nichts anderes ist als ein „betrachteter Zuschauer".

M. Evthymiadis schrieb in einer entwickelten Sprache und in der Art der Volksdichtung die Satire Οἱ προστάτες (Die Beschützer), ein ausschließlich politisch bedeutsames, aber dennoch saftiges Stück, während er mit seinen Einaktern die Problematik von Kambanellis und Kechaïdis um neue Akzente bereichert[34]).

. G. Dialegmenos überraschte in seinem bisher einzigen Stück Χάσαμε τή θεία, στόπ (Moment mal, wir haben die Tante verloren) durch satirische Schärfe und treffende Diktion.

Der Karikaturist und Humorist Bost bleibt besonders mit seinem Stück Φαύστα (Fausta) einzigartig in der Satire des modernen griechischen Lebens durch die Widersinnigkeit der Sprache und ihre Zerstörung.

Korres, sonst Verfasser von Farcen, überrascht 1978 mit der bitteren Satire Οἶκος Εὐγηρίας (Altersheim)[35]).

Als neue große Hoffnung für das griechische Theater hat sich G. Maniotis durch die mutige Art, in der er das Problem der Anpassung an das gültige System aufwirft und durch seine entwickelte Technik erwiesen[36,37]).

Auf dem Gebiet des Kabaretts, das in einer Krise steckt, sind die Autoren, Nikolaïdis, Kambanis, Karagiannis, Elevtheriou, Makridis, Dalianidis und Pythagoras mit einer Vielfalt von Werken zu nennen.

III. Theaterbildung – Theaterkritik

Bereits zu Beginn des 20. Jhds. bemühten sich Privatleute, halbstaatliche Träger und Körperschaften um eine methodische und systematische Theaterausbildung. Die den Konservatorien angeschlossenen Deklamationsschulen wurden zu Schauspielschulen ausgebaut. Am Athener Konservatorium existierte seit 1871 eine später erweiterte Abteilung „Theater", an der G. Vizyinos und A. Vlachos unterrichteten. Konstantinos Christomanos gründete eine Schule der Νέα Σκηνή (Neue Bühne), deren hauptsächlich aus Intellektuellenkreisen stammende Schüler er μύστες (Eingeweihte) nannte. Die Schauspieler Veakis, Papageorgiou, M. Myrat,

---

[34]) Ὁ Φώντας (Fontas).

[35]) Tsikliropoulos mit Ἡ πρόσκληση (Die Einladung, 1978) scheint immer noch unter dem Einfluß europäischer Strömungen zu stehen (Pinter, Kafka).

[36]) Μάτς (Match), Ἡ κοινή λογική (Die allgemeine Logik), Ὁ Λάκκος τῆς Ἁμαρτίας (Der Sündenpfuhl).

[37]) D. Christodoulou (Τά ὅπλα τοῦ Ἀχιλλέα – Die Waffen des Achilles), M. Chakkas (Ἡ ἐνοχή – Die Schuld), D. Potamitis (Οἱ νέες περιπέτειες τοῦ Ἀδάμ καὶ τῆς Εὔας – Adams und Evas neue Abenteuer), G. Christophilakis (Ὁλονυχτία – Vigilie), M. Rialdi (Σκ... – Sch..., Καφέ Σαντάν Café Santan), G. Michailidis (1922, Δεκέμβρης – Dezember; dokumentarisches Theater), G. Charalambidis (Κιλελέρ – Kileler, Οἱ 300 τῆς Πηνελόπης – Die 300 der Penelope, Ὁ νωματάρχης αὐτοκράτορας – Der Verwalter als Kaiser), Andreopoulos (᾿Ε, νοικοκυραῖοι – Hallo, Familienväter), N. Zakopoulos (Ἡ δικαίωση – Die Rechtfertigung), A. Sevastakis (Πολιορκία – Belagerung), Kostavaras (Τὸ φαγκότο – Das Fagott), Goufas (Ρωμέϊκο πανόραμα Griechisches Panorama), T. Petris (Δικτατορύων – Diktatorisch) und Chara Kandreviotou gehören ebenfalls zu den Autoren von Stücken mit ausgeprägter Problematik.

Lepeniotis u. a. nahmen Unterricht am Βασιλικό Θέατρο (Königliches Theater), bevor T. Oikonomou dort Lehrer wurde [38]).

1919 gründet die Gesellschaft Griechischer Theaterschriftsteller ('Εταιρία 'Ελλήνων Θεατρικῶν Συγγραφέων) die 'Επαγγελματική Σχολή Θεάτρου (Schule für Berufsschauspieler) unter der Leitung von Fotos Politis. S. Melas tritt sporadisch als Lehrer junger Schauspieler, deren Kern man als „Schule" bezeichnen könnte, in Erscheinung. Im Athener Stadtteil Pankrati existiert mit Unterbrechungen eine Schule unter der Leitung von V. Rotas, die den Θίασος τοῦ Παγκρατίου (Ensemble von Pankrati), dessen Leiter ebenfalls Rotas ist, mit Nachwuchs versorgt. Gleichzeitig mit dem Nationaltheater wird die Δραματική Σχολή τοῦ 'Εθνικοῦ Θεάτρου (Schauspielschule des Nationaltheaters) gegründet, ein erster Versuch, die Schauspielausbildung zu systematisieren. Lehrfächer sind Schauspiel, Redeführung, Tanz, Degenfechten, Improvisation, Theatergeschichte, Kunstgeschichte, Literaturgeschichte und Dramatologie [39]).

1934 wird die Schauspielschule der Λαϊκή Σχολή (Volksbühne) gegründet [40]), für kurze Zeit gibt auch der Dramaturg S. Karantinos Schauspielunterricht.

1942 wird ein Gesetz über die Funktion privater Schauspiel- und Gesangsschulen verabschiedet, das von wenigen Änderungen abgesehen bis heute maßgebend ist. Auf der Grundlage dieses Gesetzes existieren in Griechenland gegenwärtig ca. 40 private Schauspielschulen [41]). Die dort übliche dreijährige Ausbildung ist mangelhaft, ohne Methode und theoretische Hilfsmittel und ohne qualifiziertes Lehrpersonal. Außer den beiden staatlichen Schulen (des Nationaltheaters und des Staatstheaters Nordgriechenland), deren straffe Organisation eine gewisse Garantie für ernsthafte Arbeit darstellt, arbeiten von den privaten Schulen nur die des Θέατρο Τέχνης (Theater der Kunst, Leitung K. Koun) und die der Dramaturgen P. Katselis und G. Theodosiadis konsequent und versorgen das griechische Theater mit Nachwuchs [42]).

Das 'Υπουργεῖον Πολιτισμοῦ καὶ 'Επιστημῶν (Ministerium für Kultur und Wissenschaften) versuchte bisher ohne Erfolg, die Arbeit der Schulen zu kontrollieren. Zur Zeit (1979) wird jedoch ein neues Gesetz mit strengen Bestimmungen ausgearbeitet.

An den griechischen Universitäten gibt es keine Lehrstühle für Theater und Theaterwissenschaften, bisher sind auch erst zwei theaterwissenschaftliche Dissertationen angenommen worden [43]).

---

[38]) Oikonomou lehrte später am Athener Konservatorium, und von seiner Erfahrung profitierten Rontiris, F. Politis und S. Melas.

[39]) Zunächst wird die Schule von F. Politis geleitet, danach viele Jahre lang von Rontiris, an dessen Stelle der Reihe nach Karantinos, Mouzenidis, A. Terzakis, der Theaterwissenschaftler A. Diamantopoulos und N. Tzogias treten. Schauspielunterricht erteilen die großen Schauspieler Veakis, die Papadaki, Papageorgiou, die Paxinou, Chorn, die Choreographen Loukia, Mamaki, Chors, Tsatsou, Evangelidi, der Historiker I. Sideris, die Hochschullehrer Zoras, Meraklis, Skiadas, A. Terzakis u. a.

[40]) Unter der Mitwirkung von Koun, Levaris und Tsarouchis.

[41]) Drei in Saloniki, je eine in Patras und in Heraklion auf Kreta, die übrigen in Athen.

[42]) In früherer Zeit auch die des Dramaturgen K. Michailidis.

[43]) Τὸ θέατρον ἐν Κεφαλληνίᾳ (Das Theater auf Kefalonia) von A. Evangelatou an der Universität Athen und 'Η 'Αθηναϊκή 'Επιθεώρηση (Das Athener Kabarett) von T. Chatzipantatzis an der Universität Saloniki).

Die wenigen griechischen Theaterwissenschaftler, die meist im Ausland (USA, Bundesrepublik Deutschland, Großbritannien, UdSSR) studiert haben, sind entweder als Lehrer an Schauspielschulen unterbeschäftigt[44]), oder sie schreiben die Theaterkritiken in Tageszeitungen und Zeitschriften. Die Theaterkritik geschieht in Griechenland innerhalb der Presse und blickt auf eine lange Tradition zurück[45]). Die Kritiken von A. Thrylos, F. Politis, T. Athanasiadis, M. Rodas, E. Chourmouzios und V. Varikas wurden von ihnen selbst oder nach ihrem Tod posthum gesammelt herausgegeben und vermitteln damit einen gewissen Eindruck vom Theaterleben der vergangenen 50 Jahre in Griechenland.

Die Presse berücksichtigt die Aktivitäten des Theaters im Verhältnis zu denen der anderen Kunstrichtungen nur wenig (Interviews, Bekanntmachungen, Vorankündigungen, Polemiken, Reportagen).

Die nach dem Krieg sporadisch erschienenen theaterspezifischen Zeitschriften und Zeitungen hatten nur eine begrenzte Lebensdauer. T. Kritas gab über zehn Jahre hinweg (1959–1969), von 1959–1967 unter der Leitung von M. Ploritis, einen jährlich erscheinenden Band Θέατρο (Theater) mit den Ereignissen des Jahres, Nachrichten aus dem In- und Ausland und Bibliographie heraus. Zusätzlich wurden die Texte der erfolgreichsten Stücke vollständig veröffentlicht, dazu Szenenphotos und eine Anthologie der Kritiken. Die jährlich erscheinenden Sammelbände Θεατρικά (Theatrika) und Χρονικό (Chronik)[46]) setzten die Bemühungen von Kritas fort (1969–1979).

Seit 1961 gibt der Journalist K. Nitsos die bedeutende Theaterzeitschrift Θέατρο (Theater) heraus, von der bis heute über 60 Nummern erschienen sind. Sie enthält in harmonischer Zusammenstellung Übersetzungen klassischer Theaterstücke, Artikel über einzelne Autoren oder Gattungen (Shakespeare, Brecht, Commedia dell' arte usw.) und neue Untersuchungen griechischer Theaterwissenschaftler über Gattungen und Epochen des antiken und modernen griechischen Theaters[47]).

In der Zeit der Militärdiktatur veröffentlichte die von dem Ensemble Ἀνοιχτὸ Θέατρο (Offenes Theater) herausgegebene Zeitschrift desselben Namens bemer-

---

[44]) A. Diamantopoulos, E. Varopoulou, Koltsidopoulou, Spathis, N. Papandreou, L. Maraka.

[45]) Vor dem Krieg waren die bedeutenden Kritiker F. Politis, K. Oikonomidis, M. Rodas, T. Athanasiadis-Novas, S. Melas und A. Thrylos maßgebend. In der Nachkriegszeit waren folgende Kritiker als ständige oder vorübergehende Mitarbeiter an Zeitschriften und Tageszeitungen beschäftigt: A. Thrylos (Νέα Ἑστία – Nea Estia), E. Chourmouzios (Καθημερινή – Kathimerini), K. Paraschos (Kathimerini), M. Ploritis (Ἐλευθερία – Elevtheria), I. Kalkani (Ἀπογευματινή – Apogevmatini), L. Koukoulas (Φιλελεύθερος – Filelevtheros), M. Rodas, E. Papanoutsos, K. Georgousopoulos (Τὸ Βῆμα – To Vima), V. Varikas (Τὰ Νέα – Ta Nea). M. Karagatsis, B. Klaras (Βραδυνή – Vradini), S. Dromazos (Αὐγή – Avgi, Kathimerini), A. Doxas (Ἐλεύθερος Κόσμος – Elevtheros Kosmos), C. Angelomatis (Ἑστία – Estia), A. Margaritis (Ta Nea), M. Skouloudis (Ἐλευθεροτυπία – Elevtherotypia), T. Lignadis (Ἐπίκαιρα – Epikaira), T. Kritikos (Ἀκρόπολις – Akropolis), S. Makris (Nea Estia), T. Frankopoulos (Τομές – Tomes), außerdem P. Katselis, G. Stavrou, K. Maniatis, K. Porfyris, S. Spiliotopoulos u. a.

[46]) Erschienen im Ora-Verlag unter der Leitung von A. Bacharian.

[47]) In den Zeitschriften Nea Estia, Ἑλληνική Δημιουργία (Elliniki Dimiourgia), Ἐποχές (Epoches), Tomes, Νέα Πορεία (Nea Poreia), Τράμ (Tram), Καλλιτεχνική Ἐπιθεώρηση (Kallitechniki Epitheorisi) und Τὸ Σῆμα (To Sima) erscheinen häufig theaterwissenschaftliche Arbeiten.

kenswertes Material und füllte damit die durch die vorübergehende Einstellung
von K. Nitsos' Theater entstandene Lücke.

IV. Institutionen – Einrichtungen – Verbände

Die älteste der geltenden Bestimmungen ist die der „Berechtigung zur Ausübung des Schauspielerberufes" (1930). Darunter versteht man eine in der westlichen Welt vielleicht einzigartige Regelung, die das staatliche Eingreifen in die
Theaterarbeit gestattet. Erst der Staat gewährt dem Schauspieler die Erlaubnis,
seine Kunst auszuüben. Vom Kultusministerium zusammengestellte Kommissionen führen die Abschlußprüfungen an den privaten Schauspielschulen durch und
befinden darüber, ob die Prüflinge den Schauspielerberuf ausüben dürfen oder
nicht. Ohne die vom Staat gegebene Berechtigung darf niemand am Theater
arbeiten[48]).

Eine andere grundsätzliche Regelung innerhalb derselben Bestimmung sieht die
Existenz einer Schlichtungsstelle vor, die aus einem Justizbeamten, je einem Vertreter des Arbeits- und des Kultusministeriums, einem Vertreter des Arbeitgeberverbandes und einem des Schauspielerverbandes besteht und bei Streitigkeiten in
Fragen des Arbeitsrechts und der künstlerischen Verpflichtungen (Entlassungen
von Schauspielern, Zahlungsverweigerung, Minderung des künstlerischen Werts,
Nichteinhalten von Versprechungen, Verleumdungen usw.) zuständig ist.

Die wichtigsten staatlichen Institutionen sind das Ἐθνικό Θέατρο (Nationaltheater), das Κρατικό Θέατρο Βορείου Ἑλλάδος (Staatstheater Nordgriechenlands) und ῏Αρμα Θέσπιδος (Wagen der Thespis).

Das Nationaltheater (gegr. 1932) ist bis heute ununterbrochen in den Räumlichkeiten des Königlichen Theaters (gegr. 1900) tätig. Laut seinen Gründungsbestimmungen wird es von einer Verwaltungskommission, einer Künstlerkommission und einem Generaldirektor geleitet, die bis 1974 von der Regierung eingesetzt wurden. Bis 1974 war die Regierung ebenfalls mit einem Vertreter an der
Verwaltung beteiligt. Seit 1974 wählt die Verwaltungskommission den Generaldirektor. Von 1964 bis 1967 gliederte sich die Leitung des Nationaltheaters in eine
Verwaltungsabteilung und eine künstlerische Abteilung[49]).

Von 1956 bis 1958 bestand für zwei Jahre die Zweite Bühne, an der bisher
noch nicht gespielte Stücke griechischer Autoren aufgeführt wurden. 1970 wurde

---

[48]) Früher wurden für diejenigen, die keine Schauspielschule besuchten, dafür aber außergewöhnlich talentiert waren, regelmäßig Prüfungen durchgeführt, zur Zeit beschränken sich die Prüfungskommissionen darauf, Bewerber ohne Abitur zum Studium an einer Schauspielschule zuzulassen.

[49]) In der Zeit der Militärdiktatur (1967–1974) unterstanden das Nationaltheater, das Staatstheater
Nordgriechenlands und die Oper der „Organisation Staatlicher Theater" (Ὀργανισμός Κρατικῶν
Θεάτρων), die von einem Geschäftsführer (General a. D.!) geleitet wurde. Direktoren des Nationaltheaters waren der Reihe nach I. Gryparis, G. Vlachos, K. Karthaios, K. Bastias (1937–1940), N.
Giokarinis, A. Terzakis, N. Laskaris, G. Theotokas (1945), D. Rontiris (1945–1950), G. Theotokas
(1950–1952), I. Venezis (1952–1953), D. Rontiris (1953–1955), E. Chourmouzios (1955–1964), I.
Venezis und A. Minotis (1964–1967), E. Fotiadis (1967–1970), V. Frankos (1970–1974), A. Minotis
(1974–1979).

die Νέα Σκηνή (Neue Bühne) mit einem eigenen Theater, das jeweils den Anforderungen angepaßt wird, eingeweiht.

1961 wurde das Staatstheater Nordgriechenlands mit Sitz in Saloniki gegründet. Erster Generaldirektor war der Dramaturg S. Karantinos, der die Arbeit des Theaters durch regelmäßige Tourneen durch Thrakien und Makedonien erweiterte. Seine Nachfolger waren die Dramaturgen M. Volanakis (1973) und S. Evangelatos (1977). Der zuletzt Genannte ruft die Zweite Bühne wieder ins Leben, gründet ein selbständiges (thrakisches Theater), ein Kindertheater, die Oper von Saloniki und eine pontische Bühne, an der Stücke im Dialekt der Schwarzmeerküste aufgeführt werden.

1976 wird der „Wagen der Thespis" gegründet, eine staatliche Theaterorganisation mit der Zielsetzung, ständig in den Provinzstädten zu spielen und so für vielseitige künstlerische Aktivität zu sorgen (Kindertheater, Filmvorführungen, Schattentheater, Puppentheater, Kunstausstellungen und Musikveranstaltungen)[50]).

1938 hatte D. Rontiris Sophokles' Elektra zum ersten Mal in der Neuzeit im antiken Theater von Epidavros inszeniert. Derselbe Dramaturg inszenierte 1954 in Epidavros Euripides' Hippolytos. Seit 1955 ist das Festival von Epidavros eine offizielle staatliche Einrichtung, innerhalb derer antike Komödien und Tragödien durch das Nationaltheater aufgeführt werden. Seit 1976 nehmen auch das Staatstheater Nordgriechenlands und das Theater der Kunst[51]) an den Epidavreia teil. Jedes Jahr an den Wochenenden der Monate Juli und August sehen über 150000 Zuschauer die Aufführungen der Epidavreia, an deren Organisation auch die Griechische Organisation für Tourismus (Ἑλληνικός Ὀργανισμός Τουρισμοῦ, EOT) beteiligt ist.

Ebenfalls seit 1955 findet von Juli bis September unter internationaler Beteiligung das Athener Festival statt, wobei das Theater mit einem Anteil von 30 % im Programm enthalten ist. Außer den Staatstheatern werden auch private Ensembles aus Griechenland und aus dem Ausland eingeladen[52]). Die Vorstellungen finden nicht mehr nur im Odeon des Herodes Atticus, einem in römischer Zeit erbauten Amphitheater, sondern auch in dem modernen Freilichttheater am Lykabettos-Hügel statt.

In den Theatern von Philippi (nahe bei Kavala) und Thasos führt das Staatstheater Nordgriechenlands seit 1964 das Festival des antiken Dramas durch, an dem seit 1977 auch andere Bühnen teilnehmen.

Jedes Jahr im August gibt das Nationaltheater einige Vorstellungen im antiken Theater von Dodoni (Epirus).

Eine weiter staatliche Einrichtung ist der Theaterpreis, der jedes Jahr durch eine vom Kultusministerium eingesetzte Kommission für das beste der unter einem Pseudonym eingereichten, bisher unaufgeführten Theaterstücke verliehen wird. Wenige der mit dem Preis ausgezeichneten Stücke waren wirklich beach-

---

[50]) Generaldirektoren waren G. Theodosiadis (1976–1977) und T. Kostopoulos (1978–1979).

[51]) Unter der Leitung von K. Koun.

[52]) Das griechische Publikum konnte während der Athener Festspiele bereits Vorstellungen von „No", der Peking-Oper, des „Old Vick", des indischen Kantakali, Roger Plachon, Jefirelli, Mari Bel, „Prospect Theatre", Zeller, des Staatstheaters Zypern u. a. sehen.

tenswert, eine noch geringere Anzahl von ihnen gelangte tatsächlich auf die Bühne [53]).

Seit 1975 subventioniert die Griechische Organisation für Tourismus zusammen mit dem Kultusministerium Sommer-Tourneen privater, nichtkommerzieller Ensembles durch die ländlichen Gegenden Griechenlands [54]). Seit 1979 existieren drei halbstaatliche Gruppen in Patras, in Ioannina und auf Kreta, bis 1981 sollen ein thrakisches Staatstheater und halbstaatliche Bühnen in Mytilini, in Larissa, in Volos, in Lamia und auf Syros gegründet werden [55]).

Der schon seit langen Jahren tätige Philologenverein „Parnassos" (Παρνασσός) führt jedes Jahr einen „Sommerwettbewerb" durch und verleiht einen Theaterpreis. Dieser Wettbewerb zeigte jedoch in den letzten 30 Jahren keine bedeutenden Ergebnisse.

1949 rief die große Schauspielerin Marika Kotopouli einen Preis ins Leben, der alle zwei Jahre an die beste junge Hauptdarstellerin verliehen werden sollte [56]).

Die griechische Schauspielervereinigung (Σωματεῖο Ἑλλήνων Ἠθοποιῶν) unterhält einen speziellen Fonds zur Unterstützung von Theaterkollektiven, um das Theater vor der Ausbeutung durch Saaleigentümer und Unternehmer zu schützen. Wegen Geldmangel fehlen jedoch sichtbare Ergebnisse.

Eine bedeutende Einrichtung sind dagegen die „Arbeiterkarten", die die lokalen Gewerkschaftszentren aus Geldmitteln des Arbeitsministeriums kostenlos an gewerkschaftlich organisierte Arbeiter abgeben. Ca. 20% der Eintrittskarten für alle Theater werden auf diese Weise kostenlos vergeben.

In Athen hat ein Zentrum des Internationalen Theaterinstituts seinen Sitz. Es gibt sporadisch, in unregelmäßigen Abständen die Zeitschrift Θέσπις (Thespis) heraus, in der bedeutende griechische Theaterstücke in englischer Übersetzung erscheinen.

Seit dem Beginn des 20. Jhd. existiert die Ἑταιρεία Ἑλλήνων Θεατρικῶν Συγγραφέων (Gesellschaft griechischer Theaterschriftsteller), deren Mitglieder zumeist hauptberuflich tätig sind und sich die Wahrung ihrer finanziellen Rechte und ihres geistigen Besitzes zum Ziel gesetzt haben. Die Einnahmen der Gesellschaft werden für die Renten der Mitglieder verwendet.

---

[53]) Ab 1980 wird der Preis in Abständen von jeweils drei Jahren verliehen und die staatlichen Bühnen sind verpflichtet, die ausgezeichneten Stücke zu inszenieren.

[54]) Seit 1979 werden auch Athener Ensembles mit beachtenswerter Tätigkeit und experimentelle Gruppen subventioniert, vorausgesetzt, in ihrem Repertoire sind mehr als 40% griechische Stücke enthalten.

[55]) Von 1942 bis zum Tode ihres Gründers L. Karzis (1977) gab es nur eine halbstaatliche Organisation, Θυμελικός Θίασος (Szenische Bühne), deren sowohl qualitativ als auch quantitativ begrenzte Tätigkeit speziell auf die Wiederbelebung der antiken Tragödie gerichtet war.

[56]) Ausgezeichnet wurden die Schauspielerinnen Lambeti, Chatziargyri, Zoumboulaki, Papathanasiou, Zavitsianou und Synodinou, nach 1967 wurde der Preis dann nicht mehr vergeben. Ab 1980 wird jedes Jahr ein Preis für die beste schauspielerische Leistung verliehen werden. Der Preis trägt den Namen der großen Schauspielerin Kyveli.

Die Mitglieder der „Griechischen Schauspielergesellschaft" sind ebenfalls hauptberuflich tätig und kämpfen energisch für ihre Rechte[57]).

Die Bühnenleiter, Unternehmer, Impresarii und Besitzer von Theatern haben sich zur Πανελλήνια Ἕνωση Ἐλευθέρου Θεάτρου (Gesamtgriechischen Vereinigung des Freien Theaters) zusammengeschlossen, um so für ihre Rechte einzutreten[58]).

Seit 1974 gibt es eine Ὁμοσπονδία Θεάματος καὶ Ἀκροάματος (Gesellschaft Sehen und Hören), die aus Vertretern von Körperschaften aus den Bereichen Theater, Film, Musik und Fernsehen besteht.

Die „Gesellschaft Griechischer Theaterschriftsteller" eröffnete auf die persönliche Initiative des Theaterhistorikers I. Sideris († 1975) ein Theatermuseum, das in den letzten Jahren zu einer selbständigen, staatlich subventionierten Einrichtung geworden ist. Die reichhaltige Sammlung enthält Manuskripte, Entwürfe von Bühnenbildern und Kostümen, Plakate und persönliche Gegenstände aus allen Epochen des modernen griechischen Theaters.

Die Dezentralisierung des Theaters ist das Ergebnis privater Initiativen. Die große Anzahl von Theatern in Athen und das Problem der Arbeitslosigkeit, dazu der Ehrgeiz besonders junger Künstler, auch in den ländlichen Gegenden Theaterarbeit zu leisten, war der Anlaß für die Gründung von Theatergruppen in Stadtteilen von Athen und in den größeren Provinzstädten. Diese Bewegung verstärkte sich in der Zeit der Militärdiktatur (1967–1974), und seit 1974 ist auch der Staat in Form von Subventionen beteiligt[59]).

Das „Theater der Kunst" von Karolos Koun (gegr. 1942) ist eine halbstaatliche Einrichtung. Es nimmt an den staatlichen Festivals teil und vertritt Griechenland auf europäischen Festivals.

Das Πειραϊκὸ Θέατρο (Piräus-Theater) unter der Leitung von D. Rontiris hat von 1959 bis 1967) mehr als 30 Länder auf seinen Tourneen bereist.

In den letzten Jahren (1975–1979) nimmt das Ἀμφι-θέατρο (Amphi-Theater) unter der Leitung von S. Evangelatos offizielle Verpflichtungen im Ausland wahr und wird zu den staatlichen Festivals eingeladen.

---

[57]) Sie erreichten neue Regelungen wie den normierten Arbeitsvertrag, den arbeitsfreien Montag, nicht mehr als neun Vorstellungen wöchentlich und die Begrenzung der Probenzeit auf jeweils fünf Stunden, außerdem die finanzielle Absicherung der an den Staatstheatern beschäftigten Schauspieler und die Zahlung einer Entschädigung im Falle ihrer Entlassung.

[58]) 1928 wurde die Ἕνωση Ἑλλήνων Κριτικῶν Μουσικῆς καὶ Θεάτρου (Vereinigung Griechischer Musik- und Theaterkritiker) gegründet, die am geistigen Leben keinen besonderen Anteil hat. – Auch die Techniker der Theater haben sich zu einer eigenen Gesellschaft zusammengeschlossen.

[59]) In den Athener Stadtteilen entstanden kleine Gruppen mit einem begrenzten Repertoire aus neugriechischen, experimentellen Stücken (Θέατρο Στοά – Stoa-Theater, Θέατρο Ἔρευνας – Theater der Forschung, Ἀνοιχτὸ Θέατρο – Offenes Theater, Θέατρο Καισαριανῆς – Kaisariani-Theater, Μικρό Θέατρο – Kleines Theater, Θέατρο Παρουσία – Festes Haus, Θέατρο Πειραιῶς – Piräus-Theater u. a.). In der Provinz sind das Θεσσαλικὸ Θέατρο (Thessalisches Theater, Larissa), die Ἑταιρία Θεάτρου Κρήτης (Kretische Theatergesellschaft), das Θέατρο τῆς Ἠπείρου (Epirus-Theater), das Θέατρο τῶν Κυκλάδων (Kykladen-Theater), das Θέατρο τῆς Πελοποννήσου (Peloponnes-Theater) und Λέσχη Θεάτρου Βόλου (Theaterclub Volos) intensiv tätig. Seit 1975 hat die Gruppe Δεσμοί (Bande) unter der Leitung der A. Papathanasiou die gesamte griechische Provinz mit Aufführungen antiker und moderner griechischer Stücke bereist.

Das Kindertheater ist in Griechenland noch ziemlich jung. Es hatte zunächst Amateur-Charakter, die naiven Stücke des Repertoires wurden von Kinderensembles gespielt. Ein berufsmäßiges Kindertheater mit systematischer Arbeit und Zielsetzung gibt es in Griechenland erst seit der Gründung des Ensembles „Xenia Kalogeropoulou" (1972). Auch das Θέατρο "Ερευνας (Theater des Forschens) unter D. Potamitis hat bereits bedeutende Arbeit geleistet. In jeder Theatersaison stellen mehr als zehn Theatergruppen Gelegenheitsstücke für Kinder vor.

Auch das Amateurtheater hat in Griechenland noch keine lange Tradition. Abgesehen von dem in Mytilini bestehenden Μπουρίνι (Bourini) waren alle Gruppen kurzlebige Gelegenheitsschöpfungen. Erst seit 1974 ist ein vielversprechender Aufschwung festzustellen. 1979 führte der Wagen der Thespis in Chalkis ein Treffen von Amateurgruppen durch, das positive Ergebnisse erbrachte[60]).

Das Studententheater ist jung. 1970 bildet sich innerhalb des Athener Universitätsvereins (Πανεπιστημιακή Λέσχη 'Αθηνῶν) eine Theatergruppe, die sich an Aischylos und Shakespeare versuchte. Seit 1974 gibt die Theatergruppe der Universität jährlich zwei Vorstellungen, mit denen sie sich vergeblich bemüht, dem Berufstheater Konkurrenz zu machen. Die Arbeit des Studententheaters geschieht im Kollektiv. Ein Versuch der Universitätsverwaltung, einen dramaturgischen Berater einzustellen, stieß bei den Studenten auf Widerstand.

Langjährige Tradition hat in Athen das Puppentheater Μπάρμπα-Μυτούσης (Onkel Mytousis). Außerdem existieren zwei oder drei Marionettentheater und das originelle, mit Konservendosen arbeitende Theater der Evgenia Fakinou.

Großer Beliebtheit erfreut sich in den Vorstädten Athens und auf dem Land, aber auch bei den Intellektuellen, das Schattentheater Καραγκιόζης (Karangiozis), das im 19. Jhd. seine Blütezeit gehabt hat[61]).

V. Aufbau und Organisation des griechischen Theaters

In Griechenland gliedert sich das Theaterjahr in Sommer- und Wintersaison. Die Wintersaison beginnt im September und endet am Thomas-Sonntag (eine Woche nach Ostern), die Sommersaison dauert von Juni bis September. In der Sommersaison finden in ganz Griechenland Theatervorstellungen statt, da das warme Klima für Aufführungen unter freiem Himmel[62]) günstig ist. In der Wintersaison spielt sich die Theaterarbeit zu 90 % in Athen ab.

Außer den Staatstheatern und zwei oder drei Bühnen mit fest angestelltem Personal formieren sich die Ensembles zu Beginn jeder Saison neu. Verträge werden gewöhnlich nicht einmal für die ganze Saison, sondern nur für eine

---

[60]) Von Zeit zu Zeit werden zu verschiedenen Gelegenheiten Amateurwettbewerbe organisiert (Korinth, Saloniki).

[61]) Heute werden die großen Volkskünstler, die es begründet haben, langsam immer weniger und die Gattung erlebt ihren Niedergang. Aber noch üben die Familie Spatharis, Michalopoulos, Charidimos und Spyropoulos ihre große Kunst mit Leidenschaft aus und modernisieren sie eifrig und konsequent.

[62]) In antiken Theatern, Stadien, zu diesem Zweck hergerichteten Stätten, in privaten Freilichttheatern.

bestimmte Inszenierung unterschrieben[63]). Der Mindestlohn wird durch einen genormten, zwischen Schauspielerverband und der Vereinigung Freies Theater[64]) mit Intervention des Arbeitsministeriums geschlossenen Vertrag festgelegt, die Gage alle zehn Tage ausgezahlt. Der Schauspieler ist verpflichtet, in der Woche bis zu neun Vorstellungen zu geben[65]) und täglich an fünf Stunden Proben teilzunehmen, falls notwendig auch dann, wenn er am Abend eine Vorstellung hat. Für die vor Saisonbeginn stattfindenden Proben wird der Schauspieler extra bezahlt. Arbeitslose Schauspieler, die während des laufenden Jahres eine Mindestzahl von Vorstellungen gegeben haben, haben Anrecht auf Arbeitslosenunterstützung[66]).

Ein System von Ein- bzw. Dreijahresverträgen wird auch an den staatlichen Theatern angewandt. Da die Verträge zudem meist erneuert werden, sichert die langjährige Beschäftigung an diesen Theatern den Schauspielern im Fall der Entlassung das Anrecht auf finanzielle Entschädigung entsprechend der Zahl ihrer Dienstjahre.

Eine Altersgrenze für den Schauspielerberuf gibt es nicht. Die meisten griechischen Schauspieler sterben, während sie noch voll im Berufsleben stehen[67]).

Abgesehen von den drei staatlichen Theatern, die im Durchschnitt 80 bis 90 Schauspieler beschäftigen, bilden sich die privaten Gruppen entsprechend dem jeweiligen Bedarf. Den Ensembles stehen ein oder mehrere Leiter vor, die meist zugleich auch Unternehmer sind.

Die meisten griechischen Theater sind im Besitz staatlicher oder privater Träger[68]). Diese vermieten die Theater aufgrund überwiegend langfristiger Verträge an die Theaterunternehmer, die sie ihrerseits an die Ensembles weitervermieten, wobei sie sich eine minimale finanzielle Garantie oder eine prozentuale Beteiligung am Gewinn sichern.

Die Theaterunternehmer sind oft bekannte Schauspieler, nicht selten Schauspielerehepaare. Von Ausnahmen abgesehen, wo die Ensembleleitung über viele Jahre hinweg dasselbe Theater mietet[69]), werden die Räumlichkeiten von den Ensembles häufig gewechselt[70]).

---

[63]) Wird mitten in der Saison ein neues Stück inszeniert, schließt man neue Verträge, so daß die Schauspieler häufig von der Mitte der Saison an ohne Arbeit sind, entweder, weil sie für das neue Stück nicht mehr gebraucht werden, oder weil das Theater geschlossen hat.

[64]) Bestehend aus Theaterleitern und Theaterbesitzern.

[65]) Montags sind die Theater geschlossen.

[66]) Arbeitgeber- und Arbeitnehmeranteile werden direkt von der Gage einbehalten und in einen Sonderfonds für die Renten der am Theater Beschäftigten eingezahlt. In letzter Zeit bemüht man sich, diesen Fonds mit denen der staatlichen Versicherungsträger zu einer Kasse zu vereinigen. Derselbe Fonds ist auch für die ärztliche Versorgung der Schauspieler zuständig. Die ausgezahlten Renten sind kümmerlich und nur für einige hervorragende Mitarbeiter des Theaters ist die Zahlung einer staatlichen Ehrenrente vorgesehen.

[67]) Ein Schauspieler, der bereits Rente bezieht, hat das Recht, jederzeit seinen Beruf wieder auszuüben.

[68]) Banken, Kirche, Körperschaften, Firmen.

[69]) „Theater der Kunst", Θέατρο Μουσούρη (Theater Mousouris), Θίασος Κατερίνας (Ensemble Katerina), Θίασος Μυράτ (Ensemble Myrat), Θέατρο Κοτοπούλη (Theater Kotopuli).

[70]) Dieser Umstand hat eine „Theaterbörse" geschaffen mit dem Ergebnis ständig steigender Saalmieten, obwohl jedes Jahr neue Theater gebaut werden.

Die große Anzahl von Theatern, die ständig neue Formierung der Gruppen und die kommerzielle Belastung beliebter Schauspieler durch Film und Fernsehen führt zu einer Spaltung der Energien des Theaters, gefolgt von einer permanenten finanziellen Krise. Diese behindert die Bildung immer neuer Gruppen und die Eröffnung neuer Theater erstaunlicherweise nicht.

Das Repertoire ist vom Zufall bestimmt, unstrukturiert und wird nach dem Erfolg ausländischer und dann nach Griechenland gebrachter Stücke festgelegt[71]. Lediglich das „Theater der Kunst", das „Amphi-Theater"[72] und die in den Stadtteilen existierenden Gruppen scheinen bei ihrer Arbeit einer Zielsetzung und einem Programm zu folgen.

Jedes Jahr führen die ca. 40 Ensembles pro Saison 150 Stücke auf, was in den letzten Jahren zu einer Erschöpfung des Repertoires geführt hat[73]. In den Jahren seit 1974 hat die Blüte der modernen griechischen Dramaturgie dazu geführt, daß man sich mit jungen Autoren oder mit Autoren des 19. Jhds., deren Aktivität auf dem Gebiet des Theaters bis dahin unentdeckt geblieben war, beschäftigt[74].

Die in Athen erfolgreichen Produktionen werden gewöhnlich am Ende der Wintersaison in Saloniki noch einmal gespielt. Der Mangel an Theatern in den anderen Städten ist ein Grund für die Sommertourneen durch die Touristenzentren. Beliebte Fernsehstars bilden häufig improvisierte Gruppen und bereisen an den Wochenenden zu kommerziellen Zwecken die Provinz[75].

Die zahlreichen Schauspielschulen entlassen jährlich rund hundert Absolventen. Zur Zeit (1979) zählt der Griechische Schauspielerverband über 2000 eingeschriebene Mitglieder, von denen die meisten ihren Beruf allerdings nicht mehr ausüben. Nicht mehr als 800 Schauspieler sind ständig beschäftigt[76].

Die Einstellung eines Schauspielers geschieht aufgrund der bei den Unternehmern und Bühnenleitern über ihn vorliegenden Informationen. Das Vorsprechen ist in Griechenland nicht üblich, und in allen Fällen, in denen diese Regelung angewendet werden sollte, stieß sie auf Widerstand.

Nach der Statistik geht einer von drei Griechen einmal im Jahr ins Theater, tatsächlich einer von neun Griechen dreimal im Jahr. 70 % der Zuschauer besuchen die Vorstellungen der Sommersaison.

---

[71] Häufig kündigt ein Ensemble einen Spielplan an, um dann nach dem ersten Mißerfolg entgegen den früheren Plänen und Ankündigungen wieder kommerzielle Stücke (Boulevard-Theater) aufzuführen, in der Hoffnung, auf diese Weise sein Publikum zurückzugewinnen.

[72] Unter der Leitung von S. Evangelatos.

[73] ca. 70 % des Repertoires bestehen aus griechischen Stücken, meist Kabarett, Farcen oder Musicals.

[74] Chourmouzis, Autoren komischer Idyllen usw.

[75] Früher reisten kleine, aus Familien bestehende Gruppen ständig durch die ländlichen Gegenden Griechenlands und spielten in den Caféhäusern der Dörfer. Sie hatten sogar einen eigenen, auf der Improvisation basierenden Schauspielstil geschaffen.

[76] D. h. über 50 % der griechischen Schauspieler sind arbeitslos oder beim Fernsehen, beim Film und in der Werbung unterbeschäftigt.

Verfassung Griechenlands vom 9. Juni 1975

VIERTER TEIL. BESONDERE ÜBERGANGS- UND SCHLUSSBESTIMMUNGEN

I. Abschnitt. Besondere Bestimmungen

II. Abschnitt. Verfassungsänderung

III. Abschnitt. Übergangsbestimmungen

IV. Abschnitt. Schlußbestimmung

Verfassung Griechenlands

Im Namen der Heiligen, Wesensgleichen und Unteilbaren Dreifaltigkeit

DAS FÜNFTE VERFASSUNGSÄNDERNDE PARLAMENT DER HELLENEN

beschließt:

ERSTER TEIL. GRUNDBESTIMMUNGEN

I. Abschnitt. Staatsform

Artikel 1

1. Die Staatsform Griechenlands ist die republikanische parlamentarische Demokratie.
2. Grundlage der Staatsform ist die Volkssouveränität.
3. Alle Gewalt geht vom Volke aus, besteht für das Volk und die Nation und wird ausgeübt, wie es die Verfassung vorschreibt.

Artikel 2

1. Grundverpflichtung des Staates ist es, die Würde des Menschen zu achten und zu schützen.

2. Griechenland ist bestrebt, unter Beachtung der allgemein anerkannten Regeln des Völkerrechts, den Frieden, die Gerechtigkeit und die Entwicklung freundschaftlicher Beziehungen zwischen den Völkern und Staaten zu fördern.

II. Abschnitt. Beziehungen zwischen Kirche und Staat

Artikel 3

1. Vorherrschende Religion in Griechenland ist die der Östlich-Orthodoxen Kirche Christi. Indem sie als Haupt unseren Herrn Jesus Christus anerkennt, bleibt die Orthodoxe Kirche Griechenlands in ihrem Dogma mit der Großen Kirche in Konstantinopel und jeder anderen Kirche Christi des gleichen Bekenntnisses unzertrennlich verbunden und bewahrt wie jene unerschütterlich die heiligen apostolischen und die von den Konzilen aufgestellten Kanons sowie die heiligen Überlieferungen. Sie ist autokephal und wird geleitet von der Heiligen Synode der sich im Amte befindlichen Prälaten und der aus deren Mitte hervorgehenden Dauernden Heiligen Synode, die sich nach den Bestimmungen der Grundordnung der Kirche zusammensetzt unter Beachtung der Vorschriften des Patriarchalischen Tomus vom 29. Juni 1850 und des Synodalaktes vom 4. September 1928.

2. Die in einzelnen Landesteilen bestehende kirchliche Ordnung steht nicht im Widerspruch zu Absatz 1.

3. Der Wortlaut der Heiligen Schrift bleibt unverändert erhalten. Eine offizielle Übertragung in eine andere Sprachform ohne vorherige Genehmigung der Autokephalen Kirche Griechenlands und der Großen Kirche in Konstantinopel ist verboten.

ZWEITER TEIL. INDIVIDUELLE UND SOZIALE RECHTE

Artikel 4

1. Alle Griechen sind vor dem Gesetze gleich.

2. Griechen und Griechinnen haben gleiche Rechte und Pflichten.

3. Griechischer Staatsbürger ist, wer die gesetzlich bestimmten Voraussetzungen erfüllt. Die griechische Staatsangehörigkeit darf nur entzogen werden, wenn der Betroffene eine andere freiwillig erworben hat oder einen Dienst in einem fremden Land aufgenommen hat, der den nationalen Interessen widerspricht; die näheren Voraussetzungen und das Verfahren regelt ein Gesetz.

4. Nur griechische Staatsbürger sind zu allen öffentlichen Ämtern zugelassen, vorbehaltlich der in besonderen Gesetzen geregelten Ausnahmen.

5. Die griechischen Staatsbürger tragen ohne Unterschied entsprechend ihren Kräften die öffentlichen Lasten.

6. Jeder wehrfähige Grieche ist verpflichtet, nach Maßgabe der Gesetze zur Verteidigung des Vaterlandes beizutragen.

7. Griechischen Staatsbürgern werden Adelstitel oder Rangbezeichnungen weder verliehen noch anerkannt.

Artikel 5

1. Jeder hat das Recht auf freie Entfaltung seiner Persönlichkeit und auf die Teilnahme am gesellschaftlichen, wirtschaftlichen und politischen Leben des Landes, soweit er nicht gegen die Rechte anderer, die Verfassung oder die guten Sitten verstößt.

2. Alle, die sich innerhalb der Grenzen des griechischen Staates aufhalten, genießen ohne Unterschied der Nationalität, der Rasse oder Sprache und religiösen oder politischen Anschauungen den unbedingten Schutz ihres Lebens, ihrer Ehre und ihrer Freiheit. Ausnahmen sind in den vom Völkerrecht vorgesehenen Fällen zulässig.

Die Auslieferung von Ausländern, die wegen ihres Kampfes für die Freiheit verfolgt werden, ist verboten.

3. Die Freiheit der Person ist unverletzlich. Niemand darf verfolgt, festgenommen, festgehalten oder sonstwie eingeengt werden, außer in den gesetzlich vorgesehenen Fällen und Formen.

4. Individuelle Verwaltungsmaßnahmen, die die Bewegungs- oder Niederlassungsfreiheit im Inland sowie die Freiheit der Aus- und Einreise eines Griechen einschränken, sind verboten. In außergewöhnlichen Notfällen und nur zur Verhütung strafbarer Handlungen dürfen solche Maßnahmen aufgrund einer richterlichen Entscheidung nach Maßgabe der Gesetze getroffen werden. Bei Gefahr im Verzuge darf die richterliche Entscheidung auch nach Anordnung der Maßnahme erlassen werden, spätestens jedoch innerhalb von drei Tagen, sonst ist die Maßnahme ipso iure aufgehoben.

Erklärung zur Interpretation:

Das Verbot des Absatzes 4 umfaßt nicht die durch den Staatsanwalt zur Strafverfolgung verhängten Ausreiseverbote und auch nicht die zum Schutz der Volksgesundheit oder der Gesundheit kranker Menschen erforderlichen Maßnahmen im Rahmen der Gesetze.

Artikel 6

1. Niemand darf festgenommen oder festgehalten werden, es sei denn aufgrund einer mit Gründen versehenen richterlichen Anordnung, die ihm im Augenblick der Festnahme oder der Einlieferung in die Untersuchungshaft mitgeteilt werden muß. Dies gilt nicht bei flagranten Delikten.

2. Der auf frischer Tat oder aufgrund eines Haftbefehls Festgenommene muß innerhalb von vierundzwanzig Stunden nach der Festnahme dem zuständigen Untersuchungsrichter vorgeführt werden, wenn dieFestnahme nicht am Sitz des Untersuchungsrichters stattfand, innerhalb der zum Transport unbedingt erforderlichen Zeit. Der Untersuchungsrichter muß den Festgenommenen innerhalb von drei Tagen nach der Vorführung entweder freilassen oder aber seine Einlieferung in die Untersuchungshaft anordnen. Diese Frist verlängert sich um zwei Tage entweder auf Antrag des Vorgeführten oder bei höherer Gewalt, die unverzüglich durch eine Entscheidung der zuständigen Gerichtskammer festgestellt wird.

3. Ist die jeweilige Frist ergebnislos verstrichen, so muß jeder Gefängniswärter oder jeder andere, der mit dem Gewahrsam des Festgenommenen betraut ist, sei er Zivilbeamter oder Militärperson, den Festgenommenen sofort freilassen. Wer hiergegen verstößt, wird wegen gesetzeswidriger Freiheitsberaubung bestraft und ist zum Ersatz des dem Betroffenen zugefügten Schadens und wegen des immateriellen Schadens zur Entschädigung in Geld nach Maßgabe der Gesetze verpflichtet.

4. Durch ein Gesetz wird die Höchstgrenze der Untersuchungshaft festgelegt, die bei Verbrechen ein Jahr und bei Vergehen sechs Monate nicht überschreiten darf. In ganz außerordentlichen Fällen können die Höchstgrenzen um jeweils sechs bzw. drei Monate durch eine Entscheidung der zuständigen Gerichtskammer verlängert werden.

Artikel 7

1. Keine Tat ist eine Straftat und keine Strafe darf verhängt werden, ohne ein Gesetz, das vor Begehung der Tat gilt und die Merkmale der Straftat bestimmt. Eine schwerere Strafe als zur Zeit der Begehung der Tat vorgesehen, darf nie verhängt werden.

2. Die Folter, irgendeine körperliche Mißhandlung, Gesundheitsschädigung oder Ausübung psychologischen Zwanges sowie jede andere Verletzung der Würde des Menschen ist verboten und wird nach Maßgabe der Gesetze bestraft.

3. Die Generalkonfiskation ist verboten. Todesstrafe darf wegen politischer Straftaten mit Ausnahme der gemischten nicht verhängt werden.

4. Durch Gesetz werden die Bedingungen festgelegt, nach denen der Staat aufgrund einer richterlichen Entscheidung den zu Unrecht oder gesetzeswidrig Verurteilten, in Haft Gehaltenen oder sonstwie ihrer Freiheit Beraubten Entschädigung zu leisten hat.

Artikel 8

Niemand darf gegen seinen Willen seinem gesetzlichen Richter entzogen werden.

Richterliche Ausschüsse und außerordentliche Gerichte, unter welchem Namen auch immer, dürfen nicht eingesetzt werden.

Artikel 9

1. Die Wohnung eines jeden ist eine Freistatt. Das Privat- und Familienleben des einzelnen ist unverletzlich. Durchsuchungen der Wohnung dürfen nur in den gesetzlich vorgesehenen Fällen und Formen, jedoch stets nur in Anwesenheit von Vertretern der rechtsprechenden Gewalt vorgenommen werden.

2. Wer die vorangegangene Vorschrift verletzt, wird wegen Hausfriedensbruchs und Amtsmißbrauchs bestraft und ist zur vollen Entschädigung des Betroffenen nach Maßgabe der Gesetze verpflichtet.

Artikel 10

1. Jedermann oder auch mehrere gemeinsam haben das Recht, sich unter Beachtung der Gesetze schriftlich an die Behörden zu wenden; diese sind aufgrund der geltenden Vorschriften zum schnellen Handeln und zur schriftlichen Antwort an den Petenten nach Maßgabe der Gesetze verpflichtet.

2. Erst nach Mitteilung der endgültigen Entscheidung der Behörde, an die die Petition gerichtet war, und nur mit ihrer Erlaubnis ist die Verfolgung des Petenten wegen einer in der Petition enthaltenen Rechtsverletzung gestattet.

3. Ein Antrag auf Auskunftserteilung verpflichtet die zuständige Behörde zur Antwort, wenn dies durch die Gesetze vorgesehen ist.

Artikel 11

1. Die Griechen haben das Recht, sich friedlich und ohne Waffen zu versammeln.

2. Nur öffentlichen Versammlungen unter freiem Himmel darf die Polizei beiwohnen.

Die Versammlungen unter freiem Himmel können durch eine mit Gründen versehene Entscheidung der Polizeibehörde verboten werden; dies gilt im allgemeinen, wenn durch sie eine Gefahr für die öffentliche Sicherheit bevorsteht, und in einem bestimmten Ortsbereich, wenn eine ernsthafte Störung des gesellschaftlichen und wirtschaftlichen Lebens droht.

Artikel 12

1. Die Griechen haben das Recht, nichtwirtschaftliche Vereinigungen und Vereine nach Maßgabe der Gesetze zu bilden, welche jedoch niemals die Ausübung dieses Rechts von einer vorherigen Erlaubnis abhängig machen dürfen.

2. Ein Verein darf wegen einer Verletzung der Gesetze oder einer wesentlichen Bestimmung seiner Satzung nur durch richterliche Entscheidung verboten werden.

3. Die Bestimmungen des vorhergehenden Absatzes finden auf Personenvereinigungen, die keine Vereine sind, entsprechende Anwendung.

4. Durch Gesetz kann das Vereinigungsrecht der Beamten eingeschränkt werden. Dieses Recht kann auch für Beamte der örtlichen Selbstverwaltungskörperschaften oder der sonsti-

gen juristischen Personen des öffentlichen Rechts oder der öffentlichen Unternehmen einge-schränkt werden.

5. Die landwirtschaftlichen und städtischen Genossenschaften jeder Art haben das Recht der Selbstverwaltung nach Maßgabe der Gesetze und ihrer Satzungen und stehen dabei unter dem Schutz des Staates, der verpflichtet ist, sich um ihre Entwicklung zu bemühen.

6. Durch Gesetz können Zwangsgenossenschaften errichtet werden, welche gemeinnützi-gen Zwecken, dem öffentlichen Interesse oder der gemeinsamen Ausnutzung landwirtschaft-licher Flächen oder anderer Quellen des nationalen Reichtums dienen; dabei sind die Mitglie-der gleich zu behandeln.

Artikel 13

1. Die Freiheit des religiösen Gewissens ist unverletzlich. Die Ausübung der individuellen und der politischen Rechte hängt nicht von den religiösen Anschauungen eines jeden ab.

2. Jede bekannte Religion ist frei; ihr Kultus kann ungehindert unter dem Schutz der Ge-setze ausgeübt werden. Die Ausübung des Kultus darf die öffentliche Ordnung und die guten Sitten nicht verletzen. Proselytismus ist verboten.

3. Die Geistlichen aller bekannten Religionen unterliegen derselben Staatsaufsicht und haben dieselben Pflichten gegenüber dem Staat wie die der vorherrschenden Religion.

4. Niemand darf wegen seiner religiösen Anschauungen von der Erfüllung seiner Pflichten gegenüber dem Staat befreit werden oder die Beachtung der Gesetze verweigern.

5. Ein Eid kann nur aufgrund eines Gesetzes auferlegt werden, das auch dessen Formel be-stimmt.

Artikel 14

1. Jeder darf seine Gedanken unter Beachtung der Gesetze mündlich, schriftlich und auch durch die Presse ausdrücken und verbreiten.

2. Die Presse ist frei. Die Zensur, wie auch jede andere präventive Maßnahme, ist verbo-ten.

3. Die Beschlagnahme von Zeitungen und anderen Druckschriften, sei es vor oder nach ih-rer Veröffentlichung, ist verboten. Ausnahmsweise ist die Beschlagnahme auf Anordnung des Staatsanwaltes nach der Veröffentlichung zulässig:
a) wegen Verunglimpfung der christlichen und jeder anderen bekannten Religion;
b) wegen Verunglimpfung der Person des Präsidenten der Republik;
c) wegen einer Schrift, die die Zusammensetzung, die Ausrüstung und die Verteilung der Streitkräfte oder Landesbefestigungen offenbart oder die den gewaltsamen Umsturz der Staatsform bezweckt oder die gegen die Unverletzlichkeit der Staatsgrenzen gerichtet ist;
d) wegen unzüchtiger Schriften, die das öffentliche Schamgefühl offensichtlich verletzen, in den durch das Gesetz bestimmten Fällen.

4. In allen Fällen des vorhergehenden Absatzes muß der Staatsanwalt innerhalb von vier-undzwanzig Stunden nach der Beschlagnahme die Angelegenheit der Gerichtskammer vorle-gen; diese hat innerhalb von weiteren vierundzwanzig Stunden über Aufrechterhaltung oder Aufhebung der Beschlagnahme zu befinden; andernfalls ist die Beschlagnahme ipso iure auf-gehoben. Die Rechtsmittel der Berufung und der Revision stehen sowohl dem Herausgeber der beschlagnahmten Zeitung oder anderen Druckschrift als auch dem Staatsanwalt zu.

5. Die Art der vollständigen Berichtigung unrichtiger Veröffentlichungen durch die Presse wird durch Gesetz geregelt.

6. Nach mindestens drei Verurteilungen innerhalb von fünf Jahren wegen einer der im Ab-satz 3 vorgesehenen Straftaten verfügt das Gericht die endgültige oder vorläufige Einstellung der Herausgabe der Druckschrift sowie in schweren Fällen das Verbot der Ausübung des Journalistenberufes durch den Verurteilten; das Nähere bestimmt ein Gesetz. Die Einstellung oder das Verbot treten in Kraft, sobald die Verurteilung irreversibel geworden ist.

7. Die Pressedelikte sind flagrante Delikte und werden nach Maßgabe der Gesetze abgeurteilt.

8. Die Voraussetzungen und die Anforderungen für die Befähigung zur Ausübung des Journalistenberufes werden durch Gesetz bestimmt.

9. Durch Gesetz kann bestimmt werden, daß die Finanzierungsmittel von Zeitungen und Zeitschriften offenbart werden müssen.

Artikel 15

1. Die Vorschriften des vorhergehenden Artikels zum Schutze der Presse finden keine Anwendung auf Lichtspiel, Tonaufnahmen, Hörfunk, Fernsehen und jedes ähnliche Mittel zur Übertragung von Wort oder Bild.

2. Hörfunk und Fernsehen stehen unter der unmittelbaren Kontrolle des Staates und haben zur Aufgabe, sachlich und gleichmäßig Informationen und Nachrichten zu übertragen und Werke aus Literatur und Kunst zu vermitteln; dabei haben sie in ihren Sendungen einen ihrer sozialen Aufgabe entsprechenden Qualitätsstand zu wahren, um die kulturelle Entwicklung des Landes zu fördern.

Artikel 16

1. Kunst und Wissenschaft, Forschung und Lehre sind frei; deren Entwicklung und Förderung sind Verpflichtung des Staates. Die akademische Freiheit und die Freiheit der Lehre entbinden nicht von der Pflicht zur Befolgung der Verfassung.

2. Die Bildung ist eine Grundaufgabe des Staates und hat die sittliche, geistige, berufliche und physische Erziehung der Griechen sowie die Entwicklung ihres nationalen und religiösen Bewußtseins und ihre Ausbildung zu freien und verantwortungsbewußten Staatsbürgern zum Ziel.

3. Die Schulpflicht darf nicht weniger als neun Jahre betragen.

4. Alle Griechen haben das Recht auf kostenlose Bildung in allen ihren Stufen in den staatlichen Unterrichtsanstalten. Der Staat unterstützt gemäß ihren Fähigkeiten Studenten, die sich auszeichnen bzw. der Hilfe oder des besonderen Schutzes bedürfen.

5. Die Hochschulbildung wird ausschließlich durch Anstalten gewährt, die juristische Personen des öffentlichen Rechts sind und volle Selbstverwaltung genießen. Diese Anstalten stehen unter der Aufsicht des Staates; sie haben das Recht auf staatliche finanzielle Unterstützung; sie arbeiten nach Maßgabe der ihre Satzungen regelnden Gesetze. Eine Zusammenlegung oder Aufteilung von Hochschulen kann in Abweichung von allen entgegenstehenden Bestimmungen nach Maßgabe der Gesetze durchgeführt werden.

Ein Gesetz regelt das Nähere über Studentenvereinigungen und deren Mitgliedschaft.

6. Die Professoren an Hochschulen sind öffentliche Amtsträger. Das übrige Lehrpersonal hat ebenso ein staatliches Amt nach Maßgabe der Gesetze inne. Die Stellung aller dieser Personen wird durch die Satzungen der einzelnen Hochschulen bestimmt.

Die Professoren an Hochschulen können vor dem Ablauf ihrer gesetzlichen Amtszeit nur unter den materiellen Voraussetzungen des Artikels 88 Absatz 4 und durch Beschluß eines Rates, der sich mehrheitlich aus höheren richterlichen Amtsträgern zusammensetzt, entlassen werden; das Nähere regelt ein Gesetz.

Durch Gesetz wird die Altersgrenze der Professoren an Hochschulen bestimmt. Bis zum Erlaß dieses Gesetzes werden die im Dienst befindlichen Professoren mit Abschluß des akademischen Jahres, in dem sie ihr siebenundsechzigstes Lebensjahr vollenden, ipso iure emeritiert.

7. Die Berufs- und jede andere Sonderausbildung wird vom Staat durch höhere Schulen höchstens drei Jahre gewährt; das Nähere bestimmt ein Gesetz, das auch die beruflichen Rechte der Absolventen dieser Schulen regelt.

8. Ein Gesetz regelt die Voraussetzungen und Bedingungen für die Gewährung der Genehmigung zur Errichtung und zum Betrieb von nicht-staatlichen Unterrichtsanstalten, die Aufsicht über sie und die Dienststellung ihres Lehrpersonals.

Die Errichtung von Hochschulen durch Private ist verboten.

9. Der Sport steht unter dem Schutz und der obersten Aufsicht des Staates.

Der Staat subventioniert und kontrolliert alle Verbände von Sportvereinen nach Maßgabe der Gesetze.

Ein Gesetz regelt auch die Verwendung der jeweils gewährten Subventionen gemäß der Zweckbestimmung der subventionierten Vereine.

Artikel 17

1. Das Eigentum steht unter dem Schutz des Staates. Die sich daraus ergebenden Rechte dürfen jedoch nicht dem allgemeinen Interesse zuwider ausgeübt werden.

2. Niemandem darf sein Eigentum entzogen werden, es sei denn zum gebührend erwiesenen öffentlichen Nutzen, wann und wie es ein Gesetz bestimmt, stets gegen eine vorherige volle Entschädigung, die dem Wert des enteigneten Eigentums zum Zeitpunkt der Gerichtsverhandlung über die vorläufige Festsetzung der Entschädigung entspricht. Bei einem Antrag auf unmittelbare Festsetzung der endgültigen Entschädigung wird der Wert zum Zeitpunkt der Verhandlung vor dem Gericht berücksichtigt.

3. Eine nach der Veröffentlichung des Enteignungsbeschlusses und nur auf diesen zurückzuführende Wertveränderung des Gegenstandes der Enteignung wird nicht berücksichtigt.

4. Die Entschädigung wird stets durch die Zivilgerichte festgesetzt. Sie kann gerichtlich auch vorläufig nach Anhörung oder Ladung des Enteignungsberechtigten festgesetzt werden, der nach Ermessen des Gerichtes verpflichtet werden kann, zur Sicherung der Zahlung der Entschädigung eine entsprechende Bürgschaft beizubringen; das Nähere regelt ein Gesetz.

Vor Gewährung der endgültigen oder vorläufig festgesetzten Entschädigung bleiben alle Rechte des Eigentümers unberührt, und eine Inbesitznahme ist nicht erlaubt.

Die festgesetzte Entschädigung ist in jedem Falle spätestens eineinhalb Jahre nach Veröffentlichung der Entscheidung über die vorläufige Festsetzung der Entschädigung zu zahlen, bei Antrag auf unmittelbare Festsetzung der endgültigen Entschädigung nach Veröffentlichung der jeweiligen Gerichtsentscheidung; andernfalls ist die Enteignung ipso iure aufgehoben.

Die Entschädigung unterliegt als solche keiner Steuer, keinem Abzug und keiner Abgabe.

5. Ein Gesetz bestimmt die obligatorische Entschädigung der Berechtigten für die bis zum Zeitpunkt der Gewährung der Entschädigung entgangenen Einnahmen aus dem enteigneten Grundstück.

6. Handelt es sich um die Durchführung von Vorhaben, die gemeinnützig oder von allgemeiner Bedeutung für die Wirtschaft des Landes sind, so kann ein Gesetz zugunsten des Staates die Enteignung von Flächen gestatten, die größer sind als zur Durchführung des Vorhabens erforderlich. Dasselbe Gesetz bestimmt die Voraussetzungen und die Bedingungen einer solchen Enteignung und regelt die Verfügung oder Benutzung der zusätzlich enteigneten Landflächen zu öffentlichen oder gemeinnützigen Zwecken.

7. Durch Gesetz kann bestimmt werden, daß zur Durchführung von offensichtlich gemeinnützigen Projekten zugunsten des Staates, juristischer Personen des öffentlichen Rechts, seitens der örtlichen Selbstverwaltungskörperschaften, Versorgungsbetrieben und öffentlichen Unternehmungen der Tunnelbau in der erforderlichen Tiefe entschädigungsfrei gestattet ist, vorausgesetzt, daß die gewöhnliche Nutzung der darüber liegenden Grundstücke nicht beeinträchtigt wird.

Artikel 18

1. Besondere Gesetze regeln das Eigentum an und die Verfügungsgewalt über Erz- und Kohlebergwerke, Höhlen, archäologische Stätten und Schätze, Heilquellen, ober- und unterirdische Gewässer und der Bodenschätze im allgemeinen.

2. Durch Gesetz werden das Eigentum, die Nutzung und die Verwaltung der Lagunen und großen Seen geregelt, ebenso die Verfügungsgewalt über die aus deren Trockenlegung gewonnenen Landflächen.

3. Besondere Gesetze regeln die Requisitionen für den Bedarf der Streitkräfte im Kriegs- oder Mobilmachungsfall oder zur Behebung unmittelbarer sozialer Not, welche die öffentliche Ordnung oder Gesundheit gefährden kann.

4. Nach Maßgabe eines durch besonderes Gesetz bestimmten Verfahrens sind die Wiederaufforstung von landwirtschaftlichen Flächen zur zweckmäßigeren Bodennutzung und Maßnahmen zur Vermeidung übermäßiger Zerstückelung oder zur Erleichterung der Wiederzusammenlegung des zerstückelten landwirtschaftlichen Kleineigentums zulässig.

5. Außer in den Fällen des vorhergehenden Absatzes kann durch Gesetz auch jede andere aus besonderen Umständen erforderliche Entziehung des freien Gebrauchs und der Nutznießung des Eigentums vorgesehen werden. Ein Gesetz bestimmt den dazu Verpflichteten und das Verfahren, nach dem an den Berechtigten ein Ersatz für den Gebrauch oder die Nutznießung zu leisten ist, welcher stets den jeweils bestehenden Verhältnissen entsprechen muß.

Die in Anwendung dieses Absatzes getroffenen Maßnahmen werden aufgehoben, sobald die besonderen Gründe wegfallen, die sie veranlaßt haben. Bei ungerechtfertigter Verlängerung der Maßnahmen entscheidet der Staatsrat nach Fallgruppen über deren Aufhebung, auf Antrag von jedermann, der ein berechtigtes Interesse hat.

6. Durch Gesetz kann die Verfügungsgewalt über verlassene Flächen zu ihrer Nutzbarmachung für die Volkswirtschaft und zur Ansiedlung von Besitzlosen geregelt werden. Durch das gleiche Gesetz wird auch die teilweise oder vollständige Entschädigung der Eigentümer geregelt, falls diese binnen einer angemessenen Frist wieder erscheinen.

7. Durch Gesetz kann auch das Zwangsmiteigentum an zusammenhängenden Grundstücken in Stadtgebieten eingeführt werden, sofern die selbständige Bebauung aller oder einiger Grundstücke den in diesen Gebieten gegenwärtig oder zukünftig geltenden Baubedingungen nicht entspricht.

8. Der Enteignung unterliegt nicht der landwirtschaftliche Besitz der Patriarchalklöster der Heiligen Anastasie der Giftheilenden auf der Chalkidiki, des Wlatadenklosters in Thessaloniki und des Klosters des Evangelisten Johannes des Theologen in Patmos, mit Ausnahme von deren Außenbesitzungen. Ebensowenig unterliegt der Enteignung der in Griechenland gelegene Besitz der Patriarchate von Alexandrien, Antiochien und Jerusalem sowie des Heiligen Sinaiklosters.

Artikel 19

Das Briefgeheimnis und das jeder anderen freien Korrespondenz oder Kommunikation ist in jedem Falle unverletzlich. Durch Gesetz werden die Voraussetzungen bestimmt, unter denen die Gerichtsbehörden aus Gründen der nationalen Sicherheit oder zur Untersuchung besonders schwerer Verbrechen an dieses Geheimnis nicht gebunden sind.

Artikel 20

1. Jeder hat das Recht auf Rechtsschutz durch die Gerichte und kann vor ihnen seine Rechte oder Interessen nach Maßgabe der Gesetze geltend machen.

2. Das Recht auf rechtliches Gehör des Betroffenen gilt auch bei jeder Tätigkeit oder Maßnahme der Verwaltung zu Lasten seiner Rechte oder Interessen.

Artikel 21

1. Die Familie als Grundlage der Aufrechterhaltung und Förderung der Nation sowie die Ehe, die Mutterschaft und das Kindesalter stehen unter dem Schutz des Staates.

2. Kinderreiche Familien, Versehrte aus Krieg und Frieden, Kriegsopfer, Waisen und Witwen der im Kriege Gefallenen sowie die an unheilbaren körperlichen oder geistigen Krankheiten Leidenden haben Anspruch auf die besondere Fürsorge des Staates.

3. Der Staat sorgt für die Gesundheit der Bürger und trifft besondere Maßnahmen zum Schutze der Jugend, des Alters, der Versehrten und für die Pflege Unbemittelter.

4. Die Beschaffung von Wohnungen für Obdachlose oder ungenügend Untergebrachte ist Gegenstand der besonderen Sorge des Staates.

Artikel 22

1. Die Arbeit ist ein Recht und steht unter dem Schutz des Staates, der für die Sicherung der Vollbeschäftigung und für die sittliche und materielle Förderung der arbeitenden ländlichen und städtischen Bevölkerung sorgt.

Unabhängig von Geschlecht oder anderen Unterscheidungen haben alle Arbeitenden das Recht auf gleiche Entlohnung für gleichwertig geleistete Arbeit.

2. Die allgemeinen Arbeitsbedingungen werden durch Gesetz festgesetzt und ergänzt durch in freien Verhandlungen abgeschlossene Tarifverträge, bei deren Mißlingen durch schiedsrichterlich gesetzte Regeln.

3. Jede Form von Zwangsarbeit ist verboten.

Besondere Gesetze regeln die Inpflichtnahme zu persönlichen Diensten im Kriegs- oder Mobilmachungsfall, zur Erfüllung von Bedürfnissen der Landesverteidigung oder dringender sozialer Notfälle aufgrund von Unwetter- oder anderer Katastrophen, die die öffentliche Gesundheit gefährden können, sowie die Leistung persönlicher Arbeiten in den Selbstverwaltungskörperschaften zur Befriedigung örtlicher Bedürfnisse.

4. Der Staat sorgt für die Sozialversicherung der Arbeitenden; das Nähere regelt ein Gesetz.

Erklärung zur Interpretation:

Zu den allgemeinen Arbeitsbedingungen gehört es auch, die Art und den zur Erhebung und Abführung Verpflichteten des Beitrages festzusetzen, der für die gewerkschaftlichen Organisationen nach Maßgabe ihrer Satzung von ihren Mitgliedern zu leisten ist.

Artikel 23

1. Der Staat trifft im Rahmen der Gesetze die erforderlichen Maßnahmen zur Sicherung der Koalitionsfreiheit und der ungehinderten Ausübung der damit zusammenhängenden Rechte gegen jede Art von Verletzung.

2. Der Streik ist ein Recht und wird zur Bewahrung und Förderung der wirtschaftlichen und allgemeinen Arbeitsinteressen der Arbeitenden von den gesetzmäßig gebildeten Gewerkschaften geführt.

Der Streik von Richtern, Staatsanwälten und Polizeiangehörigen ist in jeder Form verboten. Das Streikrecht der Staats- und Kommunalbeamten und der Beamten der juristischen Personen des öffentlichen Rechts sowie des Personals aller Art von Unternehmen von öffentlichem Charakter oder gemeinem Nutzen, deren Tätigkeit für die Gesamtheit der Bevölkerung lebenswichtig ist, darf durch Gesetz besonders eingeschränkt werden. Diese Einschränkung darf nicht zur Aufhebung des Streikrechts oder zur Behinderung von dessen rechtmäßiger Ausübung führen.

Artikel 24

1. Der Schutz der natürlichen und der kulturellen Umwelt ist Pflicht des Staates. Der Staat ist verpflichtet, besondere vorbeugende oder hemmende Maßnahmen zu deren Bewahrung zu treffen. Das Nähere zum Schutze der Wälder und der sonstigen bewaldeten Flächen regelt ein Gesetz. Die Zweckentfremdung öffentlicher Wälder und öffentlicher bewaldeter Flächen ist verboten, es sei denn, deren landwirtschaftliche Nutzung oder eine andere im öffentlichen Interesse gebotene Nutzung ist volkswirtschaftlich erforderlich.

2. Die neue Raumordnung des Landes, die Bildung, Entwicklung, Planung und Ausweitung der Städte und der sonstigen Siedlungen steht unter der Regelungszuständigkeit und Kontrolle des Staates und hat der Funktionsfähigkeit und Entwicklung der Siedlungen und der Sicherung bestmöglicher Lebensbedingungen zu dienen.

3. Bei der Kennzeichnung von Flächen als Baugebiet sowie zu deren städtebaulicher Nutzung haben die Eigentümer der davon betroffenen Grundstücke entschädigungsfrei die nötigen Grundstücke für die Schaffung von Straßen, Plätzen und sonstigen der Allgemeinheit dienenden Flächen zur Verfügung zu stellen und sich auch an den Kosten für die Errichtung der der Allgemeinheit dienenden wichtigen Anlagen und Einrichtungen nach Maßgabe der Gesetze zu beteiligen.

4. Ein Gesetz kann bestimmen, daß die Grundeigentümer der als Baugebiet gekennzeichneten Flächen an deren Nutzbarmachung und Neuordnung aufgrund genehmigter Bebauungspläne beteiligt werden, indem sie als Gegenleistung gleichwertige Gebäude oder Eigentumswohnungen in den endgültig als Baugebiet gekennzeichneten Flächen bzw. in den dortigen Gebäuden erhalten.

5. Die Bestimmungen der vorhergehenden Absätze finden auch bei einer Neuordnung bereits bestehender Baugebiete Anwendung. Die bei der Neuordnung freiwerdenden Flächen werden zur Schaffung von der Allgemeinheit dienenden Anlagen verwandt oder werden zur Deckung der Kosten für die städtebauliche Neuordnung veräußert; das Nähere bestimmt ein Gesetz.

6. Die Denkmäler und historischen Stätten und Gegenstände stehen unter dem Schutz des Staates. Ein Gesetz wird die zur Verwirklichung dieses Schutzes notwendigen eigentumsbeschränkenden Maßnahmen sowie die Art und Weise der Entschädigung der Eigentümer festsetzen.

Artikel 25

1. Die Rechte des Menschen als Person und als Mitglied der Gesellschaft werden vom Staate gewährleistet; alle Staatsorgane sind verpflichtet, deren ungehinderte Ausübung sicherzustellen.

2. Die Anerkennung und der Schutz der grundlegenden und immerwährenden Menschenrechte durch den Staat ist auf die Verwirklichung des gesellschaftlichen Fortschrittes in Freiheit und Gerechtigkeit gerichtet.

3. Rechtsmißbrauch ist nicht gestattet.

4. Der Staat ist berechtigt, von allen Bürgern die Erfüllung ihrer Pflicht zu gesellschaftlicher und nationaler Solidarität zu fordern.

DRITTER TEIL
ORGANISATION UND FUNKTIONEN DES STAATES

I. Abschnitt. Aufbau des Staates

Artikel 26

1. Die gesetzgebende Funktion wird durch das Parlament und den Präsidenten der Republik wahrgenommen.
2. Die vollziehende Funktion wird durch den Präsidenten der Republik und die Regierung wahrgenommen.
3. Die rechtsprechende Funktion wird durch die Gerichte wahrgenommen, deren Urteile im Namen des griechischen Volkes vollstreckt werden.

Artikel 27

1. Eine Änderung der Staatsgrenzen ist nur möglich durch ein Gesetz, das der absoluten Mehrheit der Gesamtzahl der Abgeordneten bedarf.
2. Ohne ein Gesetz, das der absoluten Mehrheit der Gesamtzahl der Abgeordneten bedarf, werden fremde Streitkräfte weder in griechisches Staatsgebiet aufgenommen noch dürfen sie sich darin aufhalten oder hindurchziehen.

Artikel 28

1. Die allgemein anerkannten Regeln des Völkerrechtes sowie die internationalen Verträge nach ihrer gesetzlichen Ratifizierung und ihrer in ihnen geregelten Inkraftsetzung sind Bestandteile des inneren griechischen Rechtes und gehen jeder entgegenstehenden Gesetzesbestimmung vor. Die Anwendung der Regeln des Völkerrechtes und der internationalen Verträge gegenüber Ausländern erfolgt stets unter der Bedingung der Gegenseitigkeit.
2. Um wichtigen nationalen Interessen zu dienen und um die Zusammenarbeit mit anderen Staaten zu fördern, ist durch Verträge oder Abkommen die Zuerkennung von verfassungsmäßigen Zuständigkeiten an Organe internationaler Organisationen zulässig.
Zur Verabschiedung von Ratifizierungsgesetzen für solche Verträge oder Abkommen ist eine Mehrheit von drei Fünftel der Gesamtzahl der Abgeordneten erforderlich.
3. Griechenland stimmt freiwillig durch ein Gesetz, das der absoluten Mehrheit der Gesamtzahl der Abgeordneten bedarf, einer Einschränkung der Ausübung seiner nationalen Souveränität zu, wenn dies ein wichtiges nationales Interesse erfordert, die Menschenrechte und die Grundlagen der demokratischen Staatsordnung nicht angetastet werden und wenn es in Gleichberechtigung und Gegenseitigkeit erfolgt.

Artikel 29

1. Griechische Bürger, die das Wahlrecht besitzen, können frei politische Parteien gründen und ihnen angehören; die Organisation und Tätigkeit der Parteien hat dem freien Funktionieren der demokratischen Staatsordnung zu dienen.
Bürger, die das Wahlrecht noch nicht besitzen, können den Jugendorganisationen der Parteien angehören.
2. Ein Gesetz kann die finanzielle Unterstützung der Parteien durch den Staat sowie die Offenlegung der Wahlausgaben und auch die der Wahlbewerber regeln.
3. Den richterlichen Amtsträgern, den Angehörigen der Streitkräfte und der Polizei und den Staatsbeamten ist jede Kundmachung zugunsten einer politischen Partei verboten; den Beamten der juristischen Personen des öffentlichen Rechts, der öffentlichen Unternehmungen und der örtlichen Selbstverwaltungskörperschaften ist verboten, sich zugunsten einer Partei aktiv zu betätigen.

II. Abschnitt. Der Präsident der Republik

Erstes Kapitel. Wahl des Präsidenten

Artikel 30

1. Der Präsident der Republik ist das oberste politische Schiedsorgan. Er wird von dem Parlament für fünf Jahre gemäß den Bestimmungen der Artikel 32 und 33 gewählt.
2. Das Amt des Präsidenten ist mit jedem anderen Amt, jeder anderen Stellung oder Tätigkeit unvereinbar.
3. Die Amtszeit des Präsidenten beginnt mit seiner Eidesleistung.
4. Im Kriegsfalle verlängert sich die Amtszeit des Präsidenten bis zum Ende des Krieges.
5. Wiederwahl ist nur einmal zulässig.

Artikel 31

Zum Präsidenten der Republik ist wählbar, wer mindestens seit fünf Jahren griechischer Staatsbürger und väterlicherseits griechischer Abstammung ist, sein 40. Lebensjahr vollendet hat und das Wahlrecht zum Parlament besitzt.

Artikel 32

1. Die Wahl des Präsidenten der Republik durch das Parlament erfolgt in geheimer Abstimmung in einer Sondersitzung, die vom Parlamentspräsidenten mindestens einen Monat vor Beendigung der Amtsdauer des im Amt befindlichen Präsidenten der Republik nach Maßgabe der Geschäftsordnung einberufen wird.
Im Falle einer endgültigen Unfähigkeit des Präsidenten der Republik zur Erfüllung seiner Pflichten gemäß den Bestimmungen des Artikels 34 Abs. 2 sowie im Falle seines Rücktritts, Todes oder seiner Absetzung gemäß den Bestimmungen der Verfassung wird die Sitzung zur Wahl des neuen Präsidenten der Republik spätestens binnen zehn Tagen nach der vorzeitigen Beendigung der Amtszeit des vorhergehenden Präsidenten einberufen.
2. Die Wahl des Präsidenten der Republik erfolgt in jedem Fall für die gesamte Amtszeit.
3. Zum Präsidenten der Republik wird gewählt, wer die Mehrheit von zwei Drittel der Gesamtzahl der Abgeordneten auf sich vereinigt.
Wird diese Mehrheit nicht erreicht, wird die Abstimmung nach fünf Tagen wiederholt.
Wird auch in der zweiten Abstimmung die erforderliche Mehrheit nicht erreicht, wird die Abstimmung noch einmal nach fünf Tagen wiederholt; als Präsident der Republik wird gewählt, wer die Mehrheit von drei Fünftel der Gesamtzahl der Abgeordneten auf sich vereinigt.
4. Wird auch bei der dritten Abstimmung die erwähnte qualifizierte Mehrheit nicht erreicht, wird das Parlament binnen zehn Tagen aufgelöst und eine neue Parlamentswahl ausgeschrieben. Die erforderliche Verordnung wird von dem im Amt befindlichen Präsidenten der Republik allein unterzeichnet; ist ein solcher nicht vorhanden, so wird die Verordnung vom Parlamentspräsidenten als seinem Stellvertreter unterzeichnet.
Das aus den Neuwahlen hervorgegangene Parlament wählt sofort nach seinem ersten Zusammentritt in geheimer Abstimmung und mit einer Mehrheit von drei Fünftel der Gesamtzahl der Abgeordneten den Präsidenten der Republik.
Wird diese Mehrheit nicht erreicht, wird die Abstimmung binnen fünf Tagen wiederholt; zum Präsidenten der Republik ist gewählt, wer die absolute Mehrheit der Gesamtzahl der Abgeordneten auf sich vereinigt. Wird auch diese Mehrheit nicht erreicht, wird die Abstimmung noch einmal nach fünf Tagen zwischen den beiden Personen wiederholt, die die meisten Stimmen erreicht haben; zum Präsidenten der Republik ist gewählt, wer die relative Mehrheit auf sich vereinigt.

5. Tagt das Parlament nicht, wird es zur Wahl des Präsidenten zu einer außerordentlichen Sitzung gemäß den Bestimmungen des Absatzes 4 einberufen.

Ist das Parlament in irgendeiner Weise aufgelöst, wird die Wahl des Präsidenten bis zum ersten Zusammentritt des neuen Parlamentes verschoben und erfolgt spätestens innerhalb von 20 Tagen gemäß den Bestimmungen der Absätze 3 und 4 unter Beachtung der Bestimmung des Artikels 34 Absatz 1.

6. Falls das in den vorhergehenden Absätzen bestimmte Verfahren zur Wahl des neuen Präsidenten nicht zeitgerecht beendet werden kann, setzt der im Amt befindliche Präsident die Ausübung seiner Pflichten auch nach Beendigung seiner Amtszeit bis zur Wahl des neuen Präsidenten fort.

Erklärung zur Interpretation:

Der vor Beendigung seiner Amtszeit zurückgetretene Präsident kann an der aufgrund seines Rücktrittes erfolgenden Wahl nicht teilnehmen.

Artikel 33

1. Der gewählte Präsident der Republik übernimmt die Ausübung seiner Pflichten am Tage nach Beendigung der Amtszeit des scheidenden Präsidenten, in allen anderen Fällen am Tage nach seiner Wahl.

2. Der Präsident der Republik leistet bei seinem Amtsantritt vor dem Parlament folgenden Eid:

„Ich schwöre im Namen der Heiligen, Wesensgleichen und Unteilbaren Dreifaltigkeit, die Verfassung und die Gesetze zu wahren, für deren getreue Einhaltung zu sorgen, die nationale Unabhängigkeit und die Unversehrtheit des Landes zu verteidigen, die Rechte und Freiheiten der Griechen zu schützen und dem allgemeinen Interesse und dem Fortschritt des griechischen Volkes zu dienen."

3. Die dem Präsidenten der Republik zu gewährende Aufwandsentschädigung und die Organisation der für die Erfüllung seiner Aufgaben erforderlichen Dienststellen bestimmt ein Gesetz.

Artikel 34

1. Ist der Präsident der Republik länger als zehn Tage verreist, abwesend oder zurückgetreten, abgesetzt oder aus sonstigen Gründen verhindert, vertritt ihn der Präsident des Parlaments oder, falls dieses nicht besteht, der Präsident des letzten Parlaments und, falls dieser sich weigert oder nicht vorhanden ist, die Regierung in ihrer Gesamtheit.

Während der Stellvertretung des Präsidenten sind die Bestimmungen über die Auflösung des Parlaments nicht in Kraft, mit Ausnahme des in Artikel 32 Absatz 4 vorgesehenen Falles, ebensowenig die Bestimmungen über die Entlassung der Regierung und die Ausschreibung einer Volksabstimmung gemäß den Bestimmungen des Artikels 38 Absatz 2 und des Artikels 44 Absatz 2.

2. Dauert die Unfähigkeit des Präsidenten zur Erfüllung seiner Aufgaben über 30 Tage hinaus, muß das Parlament einberufen werden, selbst wenn es aufgelöst ist; es entscheidet dann mit einer Mehrheit von drei Fünftel der Gesamtzahl seiner Mitglieder, ob der Fall der Wahl eines neuen Präsidenten gegeben ist. Auf keinen Fall kann die Wahl eines neuen Präsidenten der Republik über mehr als insgesamt sechs Monate seit Beginn der wegen der Unfähigkeit eingetretenen Stellvertretung hinausgezögert werden.

Zweites Kapitel. Befugnisse und Verantwortung des Präsidenten

Artikel 35

1. Ein Akt des Präsidenten der Republik bedarf zur Gültigkeit und Vollziehung der Gegenzeichnung durch den zuständigen Minister, der durch seine bloße Unterschrift verantwortlich wird, sowie der Veröffentlichung im Gesetzesblatt.

Zeichnet im Falle der Entlassung der Regierung der Ministerpräsident die Entlassungsanordnung nicht, so wird sie vom neuen Ministerpräsidenten gegengezeichnet.

2. Ausnahmsweise bedürfen allein folgende Akte nicht der Gegenzeichnung:
a) die Ernennung des Ministerpräsidenten;
b) die Einberufung des Ministerrates unter seinem Vorsitz nach Artikel 38 Absatz 3;
c) die Einberufung des Rates der Republik;
d) die Rückverweisung eines vom Parlament verabschiedeten Gesetzentwurfes oder eines Gesetzesvorschlages nach Artikel 42 Absatz 3;
e) die in den Artikeln 32 Absatz 4, 37 Absatz 3, 41 Absätze 1 und 4 und 44 Absatz 2 aufgeführten Zuständigkeiten;
f) unter ganz außergewöhnlichen Umständen erlassene Botschaften nach Artikel 44 Absatz 3;
g) die Ernennung des Personals für die Dienststellen des Präsidialamtes der Republik.

Artikel 36

1. Der Präsident der Republik vertritt nach Maßgabe des Artikels 35 Absatz 1 den Staat völkerrechtlich, erklärt den Krieg, schließt Friedens- und Bündnisverträge, Verträge über wirtschaftliche Zusammenarbeit und Teilnahme an internationalen Organisationen oder Vereinigungen und teilt diese mit den notwendigen Erläuterungen dem Parlament mit, soweit das Interesse und die Sicherheit des Staates es erlauben.

2. Verträge über Handel und Steuern, wirtschaftliche Zusammenarbeit und Teilnahme an internationalen Organisationen oder Vereinigungen sowie Verträge mit Zugeständnissen, die nach anderen Bestimmungen der Verfassung ohne Gesetz nicht verfügt werden können oder die die Griechen persönlich belasten, bedürfen zu ihrer Gültigkeit eines formellen Ratifikationsgesetzes.

3. In keinem Falle können die geheimen Bestimmungen eines Vertrages die veröffentlichten aufheben.

4. Die Ratifizierung internationaler Verträge kann nicht Gegenstand einer Gesetzesermächtigung nach Artikel 43 Absätze 2 und 4 sein.

Artikel 37

1. Der Präsident der Republik ernennt den Ministerpräsidenten; auf dessen Vorschlag ernennt und entläßt er die übrigen Mitglieder der Regierung und die Vizeminister.

2. Zum Ministerpräsidenten wird der Vorsitzende der Partei ernannt, die im Parlament über die absolute Mehrheit der Sitze verfügt. Hat die Partei keinen Vorsitzenden oder wurde dieser nicht zum Abgeordneten gewählt oder hat er keinen Vertreter, erfolgt die Ernennung, nachdem die Parlamentsfraktion dieser Partei einen Vorsitzenden gewählt hat; dies hat spätestens binnen fünf Tagen nach der Mitteilung des Parlamentspräsidenten an den Präsidenten der Republik über die Stärke der Parteien im Parlament zu erfolgen.

3. Verfügt keine Partei über die absolute Mehrheit der Sitze im Parlament, so erteilt der Präsident der Republik nach den Bestimmungen des vorigen Absatzes dem Vorsitzenden der Partei mit der relativen Mehrheit einen Sondierungsauftrag, um die Möglichkeit der Bildung einer Regierung, die das Vertrauen des Parlaments genießt, zu erkunden.

4. Gelingt dies nicht, kann der Präsident der Republik dem Vorsitzenden der zweitstärksten Parlamentspartei einen neuen Sondierungsauftrag erteilen oder nach Anhörung des Rates der Republik ein Mitglied oder Nichtmitglied des Parlaments zum Ministerpräsidenten ernennen, das nach seiner Ansicht in der Lage ist, ein Vertrauensvotum des Parlamentes zu erhalten.

Einem auf diese Weise ernannten Ministerpräsidenten kann der Präsident der Republik das Recht gewähren, das Parlament zur Durchführung von Neuwahlen aufzulösen.

Artikel 38

1. Der Präsident der Republik entläßt den Ministerpräsidenten auf dessen Antrag sowie wenn das Parlament nach Artikel 84 der Regierung das Mißtrauen ausgesprochen hat.

Den Auftrag zur Regierungsbildung erhält in diesen Fällen ein Mitglied des Parlaments, das verpflichtet ist, nach Artikel 84 den Vertrauensantrag zu stellen oder ein Mitglied oder auch Nichtmitglied des Parlaments mit dem Auftrag, das Parlament sofort aufzulösen und Wahlen durchzuführen.

2. Der Präsident der Republik kann nach Anhörung des Rates der Republik die Regierung entlassen; in diesem Fall findet der zweite Satz des vorigen Absatzes Anwendung.

3. Der Präsident der Republik kann unter außergewöhnlichen Umständen den Ministerrat ins Präsidialamt unter seinem Vorsitz einberufen.

Artikel 39

1. Der Präsident der Republik beruft in den von der Verfassung eigens vorgesehenen Fällen den Rat der Republik ins Präsidialamt unter seinem Vorsitz ein. Ebenso beruft er ihn in allen anderen Fällen ein, in denen er die Lage der Nation für ernst hält.

2. Der Rat der Republik besteht aus den ehemaligen demokratisch gewählten Präsidenten der Republik, dem Ministerpräsidenten, dem Parlamentspräsidenten, dem Vorsitzenden der stärksten Oppositionspartei im Parlament sowie aus den aus dem Parlament hervorgegangenen ehemaligen Ministerpräsidenten oder ehemaligen Ministerpräsidenten von Regierungen, die das Vertrauen des Parlaments erhalten hatten.

Artikel 40

1. Der Präsident der Republik beruft das Parlament einmal im Jahr nach Artikel 64 Abs. 1 zu einer ordentlichen Sitzungsperiode und, so oft er es für ratsam hält, zu einer außerordentlichen Sitzungsperiode ein: Er verkündet persönlich oder durch den Ministerpräsidenten die Eröffnung und den Schluß jeder Legislaturperiode.

2. Der Präsident der Republik kann die Tätigkeit des Parlaments während einer Sitzungsperiode nur einmal aussetzen, indem er die Eröffnung aufschiebt oder die Fortdauer unterbricht.

3. Die Aussetzung der Parlamentstätigkeit darf nicht länger als 30 Tage dauern und darf während derselben Sitzungsperiode ohne Zustimmung des Parlaments nicht wiederholt werden.

Artikel 41

1. Der Präsident der Republik kann nach Anhörung des Rates der Republik das Parlament auflösen, wenn es mit der Stimmung im Volke offensichtlich nicht übereinstimmt oder wenn seine Zusammensetzung die Stabilität der Regierung nicht sichert.

2. Der Präsident der Republik kann das Parlament zur Bewältigung einer Frage von außerordentlicher nationaler Bedeutung auf Vorschlag der Regierung, die das Vertrauen des Parlaments genießt, zur Erneuerung des Volksauftrages auflösen.

3. Im Falle des vorigen Absatzes muß die vom Ministerrat gegengezeichnete Auflösungsanordnung gleichzeitig die Ausschreibung neuer Wahlen binnen 30 Tagen und die Einberufung des neuen Parlaments binnen weiterer 30 Tage enthalten.

4. Ein nach einer Parlamentsauflösung gewähltes Parlament kann nicht vor Abschluß eines
Jahres nach Aufnahme seiner Tätigkeit aufgelöst werden, es sei denn, es hat zwei Regierungen
sein Mißtrauen ausgesprochen. Bevor der Präsident der Republik die Auflösungsanordnung
unterzeichnet, hört er den Rat der Republik an. Die Auflösung des Parlaments zweimal aus
den gleichen Gründen ist ausgeschlossen.

5. Im Falle des Artikels 32 Absatz 4 ist das Parlament aufzulösen.

Artikel 42

1. Die vom Parlament beschlossenen Gesetze werden innerhalb eines Monats nach ihrer
Verabschiedung vom Präsidenten der Republik sanktioniert, ausgefertigt und verkündet.

2. Der Präsident der Republik kann innerhalb der Frist des obigen Absatzes einen vom
Parlament verabschiedeten Gesetzentwurf an das Parlament unter Angabe der Gründe für die
Nichtsanktionierung zurückverweisen.

3. Ein vom Präsidenten der Republik an das Parlament zurückverwiesenes Gesetz bzw. ein
Gesetzentwurf wird dem Plenum zugeleitet; werden diese von der absoluten Mehrheit der
Gesamtzahl der Abgeordneten nach dem Verfahren von Artikel 76 Absatz 2 erneut beschlossen, hat sie der Präsident der Republik binnen zehn Tagen nach dem zweiten Beschluß zu
sanktionieren, auszufertigen und zu verkünden.

Artikel 43

1. Der Präsident der Republik erläßt die zum Vollzug der Gesetze notwendigen Verordnungen, kann jedoch niemals die Wirkung eines Gesetzes aussetzen oder jemanden von seiner
Anwendung ausnehmen.

2. Auf Vorschlag des zuständigen Ministers können Rechtsverordnungen aufgrund und im
Rahmen eines besonderen Ermächtigungsgesetzes erlassen werden. Die Ermächtigung zum
Erlaß von Rechtsverordnungen durch andere Verwaltunggsorgane ist zulässig zur Regelung
von besonderen Fragen oder von Fragen mit örtlichem Interesse oder mit technischem oder
Detailcharakter.

3. Der Präsident der Republik erläßt Organisationsverordnungen zur Regelung von Fragen, die ausschließlich die innere Gliederung und den Betrieb des staatlichen und sonstigen
öffentlichen Dienstes betreffen mit Ausnahme der Erhöhung der Zahl der Bediensteten und
einer Änderung ihrer Laufbahnordnung. Diese Organisationsverordnungen werden nach
Anhörung eines Obersten Rates erlassen, der zu wenigstens zwei Drittel aus Richtern besteht;
das Nähere bestimmt ein Gesetz.

4. Vom Parlamentsplenum beschlossene Gesetze können zum Erlaß von Rechtsverordnungen über Fragen ermächtigen, die in den Ermächtigungsgesetzen dem Rahmen nach festgesetzt sind. In diesen Gesetzen werden die allgemeinen Grundsätze und Richtlinien der Regelungen bestimmt und Fristen für die Ausführung der Ermächtigung gesetzt.

5. Fragen, die nach Artikel 72 Absatz 1 zur Zuständigkeit des Parlamentsplenums gehören, können nicht Gegenstand von Ermächtigungsgesetzen im Sinne des vorherigen Absatzes
sein.

Artikel 44

1. In Ausnahmefällen eines außerordentlich dringenden und unvorhergesehenen Notstan-
des kann der Präsident der Republik auf Vorschlag des Ministerrates gesetzgeberische Akte
erlassen. Diese werden nach den Bestimmungen des Artikels 72 Absatz 1 innerhalb von 40

Tagen nach ihrem Erlaß oder innerhalb von 40 Tagen nach Einberufung des Parlaments zu einer Sitzungsperiode dem Parlament zur Genehmigung vorgelegt. Werden sie dem Parlament innerhalb dieser Frist nicht vorgelegt oder vom Parlament innerhalb von drei Monaten nach ihrer Vorlage nicht genehmigt, treten sie für die Zukunft außer Kraft.

2. Der Präsident der Republik kann durch Verordnung die Durchführung einer Volksabstimmung über dringende nationale Fragen anordnen.

3. Unter ganz außergewöhnlichen Umständen erläßt der Präsident der Republik Botschaften, die in der Regierungszeitung veröffentlicht werden.

Artikel 45

Der Präsident der Republik führt den Oberbefehl über die Streitkräfte des Landes, deren Leitung die Regierung hat; das Nähere regelt ein Gesetz. Er verleiht die Dienstgrade an die Angehörigen der Streitkräfte nach Maßgabe der Gesetze.

Artikel 46

1. Der Präsident der Republik ernennt und entläßt nach Maßgabe der Gesetze die Staatsbeamten, außer in den vom Gesetz vorgesehenen Fällen.

2. Der Präsident der Republik verleiht die vorgesehenen Orden nach Maßgabe der Bestimmungen der einschlägigen Gesetze.

Artikel 47

1. Der Präsident der Republik hat das Recht, auf Vorschlag des Justizministers und nach Anhörung eines mehrheitlich aus Richtern bestehenden Rates von den Gerichten verhängte Strafen zu erlassen, umzuwandeln oder herabzusetzen und die Folgen aller Art von verhängten und verbüßten Strafen aufzuheben.

2. Der Präsident der Republik hat nur mit Zustimmung des Parlaments das Recht, einen gemäß Artikel 86 verurteilten Minister zu begnadigen.

3. Amnestie wird nur für politische Verbrechen durch Präsidialverordnung auf Vorschlag des Ministerrates gewährt.

4. Amnestie für allgemeine Verbrechen wird auch durch Gesetz nicht gewährt.

Artikel 48

1. Der Präsident der Republik kann im Kriegs- oder Mobilmachungsfall wegen äußerer Gefahren durch eine vom Ministerrat gegengezeichnete Präsidialverordnung und im Fall ernster Störungen oder offensichtlicher Bedrohung der öffentlichen Sicherheit und Ordnung des Staates durch innere Gefahren durch eine vom Ministerpräsidenten gegengezeichnete Präsidialverordnung für das ganze Staatsgebiet oder für Teile desselben die Geltung der Bestimmungen der Artikel 5 Absatz 4; Artikel 6, 8, 9, 11, 12 Absätze 1 bis 4; Artikel 14, 19, 22, 23, 96 Absatz 4 und Artikel 97 oder einiger von ihnen aussetzen, das jeweils gültige Gesetz über den Ausnahmezustand in Anwendung setzen und Ausnahmegerichte einrichten. Dieses Gesetz kann während der Dauer seiner Anwendung nicht abgeändert werden.

2. Der Präsident der Republik kann vom Erlaß der Präsidialverordnung an unter den gleichen Voraussetzungen zusätzlich alle notwendigen Gesetzgebungs- und Verwaltungsmaßnahmen zur Bewältigung der Lage und zur möglichst schnellen Wiederherstellung der verfassungsmäßigen Ordnung treffen.

3. Eine nach Absatz 1 erlassene Präsidialverordnung tritt, falls sie nicht vorher durch eine gleichartige Verordnung aufgehoben wird, im Kriegsfalle bei dessen Beendigung, in allen anderen Fällen 30 Tage nach ihrer Verkündigung ipso iure außer Kraft, es sei denn, ihre Geltung wird über 30 Tage hinaus durch Präsidialverordnung mit vorheriger Erlaubnis des Parlaments

verlängert. Der diesbezügliche Beschluß wird von der absoluten Mehrheit der anwesenden Abgeordneten gemäß den Bestimmungen des Artikels 67 gefaßt.

4. Erfolgt der Erlaß der Präsidialverordnung nach Absatz 1 in Abwesenheit des Parlaments, wird dieses auch dann einberufen, wenn seine Legislaturperiode abgelaufen ist oder es aufgelöst war, und zwar bis zum Ablauf der im vorigen Absatz vorgesehenen Frist; es beschließt dann über die Verlängerung der Präsidialverordnung.

5. Von der Veröffentlichung der Präsidialverordnung nach Absatz 1 und während ihrer ganzen Geltungsdauer besteht die Immunität der Abgeordneten gemäß Artikel 62 auch dann, wenn das Parlament aufgelöst oder seine Legislaturperiode abgelaufen ist.

Drittes Kapitel. Besondere Verantwortung des Präsidenten der Republik

Artikel 49

1. Der Präsident der Republik hat sich auf keinen Fall für Handlungen zu verantworten, die er während der Ausübung seines Amtes vorgenommen hat, außer für Hochverrat und für vorsätzliche Verletzung der Verfassung. Für Handlungen, die nicht die Ausübung seines Amtes betreffen, wird die Verfolgung bis zur Beendigung seiner Amtszeit aufgeschoben.

2. Der Antrag auf Erhebung der Anklage gegen den Präsidenten der Republik und auf Einleitung eines gerichtlichen Verfahrens gegen ihn muß von mindestens einem Drittel der Parlamentsmitglieder gestellt werden; der Beschluß über die Annahme dieses Antrages bedarf der Mehrheit von zwei Drittel der Gesamtzahl der Mitglieder des Parlaments.

3. Wird der Antrag angenommen, wird gegen den Präsidenten der Republik ein Verfahren vor dem in Artikel 86 vorgesehenen Gericht eingeleitet; die Bestimmungen des Artikels 86 sind im vorliegenden Fall entsprechend anzuwenden.

4. Mit Einleitung des Verfahrens enthält sich der Präsident der Republik der Ausübung seines Amtes; er wird nach den Bestimmungen des Artikels 34 vertreten; bei einem Freispruch durch das in Artikel 86 vorgesehene Gericht nimmt er seine Tätigkeit wieder auf, falls seine Amtszeit nicht inzwischen abgelaufen ist.

5. Das Nähere regelt ein vom Parlamentsplenum zu beschließendes Gesetz.

Artikel 50

Der Präsident der Republik hat nur die Zuständigkeiten, die ihm die Verfassung und die ihr gemäßen Gesetze ausdrücklich verleihen.

III. Abschnitt. Das Parlament

Erstes Kapitel. Wahl und Zusammensetzung des Parlaments

Artikel 51

1. Die Zahl der Abgeordneten wird durch Gesetz bestimmt; sie kann nicht geringer als 200, nicht höher als 300 sein.

2. Die Abgeordneten vertreten die Nation.

3. Die Abgeordneten werden in unmittelbarer, allgemeiner, geheimer Wahl von den wahlberechtigten Bürgern gewählt; das Nähere regelt ein Gesetz. Das Gesetz kann die Wahlberechtigung nicht beschränken, es sei denn bei Personen, die ein bestimmtes Alter nicht erreicht haben, geschäftsunfähig sind oder rechtskräftig wegen bestimmter Verbrechen verurteilt worden sind.

4. Die Parlamentswahlen werden gleichzeitig im ganzen Staatsgebiet abgehalten. Die Ausübung des Wahlrechts durch Wähler, die sich im Ausland aufhalten, kann durch Gesetz geregelt werden.

5. Die Ausübung des Wahlrechtes ist Pflicht. Ausnahmen und strafrechtliche Sanktionen bestimmt ein Gesetz.

Artikel 52

Die freie und unverfälschte Äußerung des Volkswillens wird als Ausdruck der Volkssouveränität von allen Amtsträgern gewährleistet, die verpflichtet sind, sie auf jeden Fall sicherzustellen. Die strafrechtlichen Sanktionen bei Verletzung dieser Bestimmung regelt ein Gesetz.

Artikel 53

1. Die Abgeordneten werden für vier aufeinanderfolgende Jahre gewählt, die mit dem Tage der allgemeinen Wahlen beginnen. Innerhalb von 30 Tagen nach Ablauf der Legislaturperiode wird durch eine vom Ministerrat gegengezeichnete Präsidialverordnung die Durchführung allgemeiner Parlamentswahlen sowie der Zusammentritt des neuen Parlaments zur ordentlichen Sitzungsperiode innerhalb weiterer 30 Tage angeordnet.

2. Ein Abgeordnetensitz, der während des letzten Jahres der Legislaturperiode freigeworden ist, wird nicht durch eine Ergänzungswahl – falls eine solche gesetzlich vorgesehen ist – neu besetzt, solange die Zahl der unbesetzten Sitze ein Fünftel der Gesamtzahl der Abgeordneten nicht übersteigt.

3. Im Kriegsfalle verlängert sich die Parlamentsperiode auf die ganze Dauer des Krieges. Ist das Parlament aufgelöst, wird die Durchführung von Neuwahlen bis zur Beendigung des Krieges vertagt; bis dahin nimmt das aufgelöste Parlament seine Tätigkeit ipso iure wieder auf.

Artikel 54

1. Das Wahlsystem und die Wahlkreise werden durch Gesetz bestimmt.

2. Die Zahl der Abgeordneten eines jeden Wahlkreises wird aufgrund der ordnungsgemäß festgestellten Bevölkerungszahl des Wahlkreises durch Präsidialverordnung festgesetzt, wie sie sich aus der letzten Volkszählung ergibt.

3. Ein Teil des Parlaments, der nicht größer als ein Zwanzigstel der Gesamtzahl der Abgeordneten sein darf, kann einheitlich im ganzen Staatsgebiet gewählt werden, wobei diese Sitze entsprechend dem allgemeinen Wahlerfolg der Parteien verteilt werden; das Nähere regelt ein Gesetz.

Zweites Kapitel. Wahlhindernisse und Unvereinbarkeiten bei Abgeordneten

Artikel 55

1. Um zum Abgeordneten gewählt zu werden, muß man griechischer Staatsbürger und nach dem Gesetz wahlberechtigt sein und am Tage der Wahl das 25. Lebensjahr vollendet haben.

2. Ein Abgeordneter, bei dem eine der obigen Voraussetzungen wegfällt, verliert ipso iure sein Abgeordnetenmandat.

Artikel 56

1. Besoldete staatliche Amtsträger und Beamte, Offiziere der Streitkräfte und der Polizei, Beamte der örtlichen Selbstverwaltungskörperschaften oder sonstiger juristischer Personen des öffentlichen Rechts, Bürgermeister und Gemeindevorsteher, Gouverneure oder Vorsitzende von Verwaltungsräten juristischer Personen des öffentlichen Rechtes oder staatlicher oder kommunaler Unternehmen, Notare und Grundbuchverwahrer können weder als Bewerber aufgestellt noch zu Abgeordneten gewählt werden, wenn sie nicht vor der Aufstellung als Bewerber zurücktreten. Der Rücktritt muß schriftlich erfolgen. Die Wiedereinstellung zurückgetretener Militärs in den aktiven Dienst ist ausgeschlossen; die Wiedereinstellung zurückgetretener ziviler Beamter und Amtsträger vor Ablauf eines Jahres nach dem Rücktritt ist verboten.

2. Von den Beschränkungen des vorhergehenden Absatzes sind die Hochschulprofessoren ausgenommen. Ein Gesetz bestimmt die Art der Vertretung eines zum Abgeordneten gewählten Hochschulprofessors, dessen Aufgaben als Professor für die Dauer der Wahlperiode des Parlaments ruhen.

3. Besoldete Staatsbeamte, aktive Militärs und Offiziere der Polizei, Beamte juristischer Personen des öffentlichen Rechts, Gouverneure und Beamte staatlicher und kommunaler Unternehmungen oder gemeinnütziger Anstalten können nicht als Bewerber aufgestellt und nicht zum Abgeordneten des Wahlkreises gewählt werden, in welchem sie in den drei Jahren vor den Wahlen mehr als drei Monate Dienst geleistet haben. Diesen Beschränkungen unterliegen auch diejenigen Bewerber, die in den letzten sechs Monaten der vierjährigen Legislaturperiode als Staatssekretäre in Ministerien tätig gewesen sind. Diesen Beschränkungen unterliegen nicht die Bewerber um das Amt eines Abgeordneten für das gesamte Staatsgebiet und die unteren Beamten der zentralen staatlichen Dienststellen.

4. Zivile Beamte und Militärs, die nach dem Gesetz verpflichtet sind, eine bestimmte Zeit im Dienst zu verbleiben, können während der Dauer ihrer Verpflichtung weder als Bewerber aufgestellt noch zum Abgeordneten gewählt werden.

Artikel 57

1. Das Abgeordnetenmandat ist unvereinbar mit der Tätigkeit oder Eigenschaft als Mitglied eines Verwaltungsrates, Gouverneurs, Generaldirektors oder deren Stellvertreter oder als Angestellter einer Handelsgesellschaft oder eines Unternehmens, das besondere Vorrechte genießt oder staatliche Subventionen erhält, sowie eines konzessionierten öffentlichen Unternehmens.

2. Abgeordnete, die unter die Bestimmungen des vorigen Absatzes fallen, müssen binnen acht Tagen nach der endgültigen Bestätigung ihrer Wahl zwischen dem Abgeordnetenmandat und der anderen Tätigkeit wählen. Falls eine fristgerechte Erklärung ausbleibt, verlieren sie ipso iure das Abgeordnetenmandat.

3. Abgeordnete, die eine der Aufgaben oder Tätigkeiten übernehmen, die im vorigen oder in diesem Artikel als Wahlhindernis oder als mit dem Abgeordnetenmandat unvereinbar bezeichnet werden, verlieren ipso iure ihr Abgeordnetenmandat.

4. Gegenüber dem Staat, den örtlichen Selbstverwaltungskörperschaften oder den sonstigen juristischen Personen des öffentlichen Rechts oder staatlichen oder kommunalen Unternehmungen dürfen die Abgeordneten Lieferungen, Studien oder die Ausführung von Vorhaben nicht übernehmen; ebensowenig dürfen sie staatliche oder kommunale Steuern pachten, Grundstücke mieten, die den erwähnten Personen gehören, oder Konzessionen mit Bezug auf solche Grundstücke erwerben. Eine Übertretung der Bestimmungen des vorigen Satzes führt zum Verlust des Abgeordnetenmandats und zur Nichtigkeit der Geschäfte. Diese Geschäfte sind auch dann nichtig, wenn sie von Handelsgesellschaften oder Unternehmungen vorge-

nommen werden, in denen ein Abgeordneter die Stellung eines Direktors oder administrativen oder juristischen Beraters innehat oder persönlich haftender Gesellschafter oder Kommanditist ist.

5. Ein besonderes Gesetz regelt die Art der Fortsetzung, Abtretung oder Auflösung von Verträgen über Durchführung von Vorhaben oder Studien im Sinne des Absatzes 4, die von Abgeordneten vor ihrer Wahl abgeschlossen wurden.

Artikel 58

Die Prüfung und die Entscheidung über Parlamentswahlen, deren Gültigkeit angefochten wird, sei es wegen Verletzung des Wahlverfahrens, sei es wegen Fehlens der Wählbarkeitsvoraussetzungen, werden dem in Artikel 100 vorgesehenen Besonderen Obersten Gericht zugewiesen.

Drittes Kapitel. Pflichten und Rechte der Abgeordneten

Artikel 59

1. Die Abgeordneten leisten bei ihrem Amtsantritt im Sitzungssaal des Parlaments in öffentlicher Sitzung folgenden Eid:

„Ich schwöre im Namen der Heiligen und Wesensgleichen und Unteilbaren Dreifaltigkeit, dem Vaterland und der demokratischen Staatsordnung die Treue zu bewahren, Gehorsam gegenüber der Verfassung und den Gesetzen zu üben und meine Pflichten gewissenhaft zu erfüllen."

2. Abgeordnete anderer Religionen oder Konfessionen leisten den gleichen Eid in der Form ihrer eigenen Religion oder Konfession.

3. Abgeordnete, die ihren Sitz übernehmen, während das Parlament nicht tagt, leisten den Eid vor der tagenden Parlamentsabteilung.

Artikel 60

1. Die Abgeordneten haben ein unbeschränktes, nur ihrem Gewissen unterworfenes Meinungs- und Stimmrecht.

2. Der Abgeordnete hat ein Recht zum Rücktritt vom Abgeordnetenmandat; er übt es mit der Einreichung einer schriftlichen Erklärung an den Parlamentspräsidenten aus, die er nicht widerrufen kann.

Artikel 61

1. Ein Abgeordneter darf wegen einer Äußerung und Abstimmung, die er in Ausübung seiner Abgeordnetenpflichten getan hat, nicht verfolgt oder in irgendeiner Weise vernommen werden.

2. Ein Abgeordneter darf nur wegen verleumderischer Beleidigung nach Maßgabe der Gesetze und mit Erlaubnis des Parlaments verfolgt werden. Zuständiges Gericht ist das Berufungsgericht. Die Erlaubnis gilt als endgültig abgelehnt, wenn das Parlament darüber nicht innerhalb von 45 Tagen befindet, nachdem der Strafantrag beim Parlamentspräsidenten eingegangen ist. Wird die Erlaubnis versagt oder verstreicht die Frist ergebnislos, so kann die Straftat nicht verfolgt werden.

Dieser Absatz findet erst in der nächsten Legislaturperiode Anwendung.

3. Ein Abgeordneter ist nicht verpflichtet, über Informationen, die ihm in Ausübung seiner Pflichten zugegangen sind oder die er weitergegeben hat, oder über die Personen, die ihm Informationen anvertraut haben oder denen er solche zukommen ließ, Zeugnis abzulegen.

Artikel 62

Ein Abgeordneter darf während der Legislaturperiode ohne Erlaubnis des Parlaments nicht verfolgt, festgenommen oder inhaftiert oder sonstwie in seiner Freiheit beschränkt werden. Desgleichen darf ein Abgeordneter eines aufgelösten Parlaments wegen politischer Straftaten in der Zeit zwischen der Auflösung des alten Parlaments und der Übernahme der Sitze der neuen Parlamentsabgeordneten nicht verfolgt werden.

Die Erlaubnis gilt als abgelehnt, wenn das Parlament darüber nicht innerhalb von drei Monaten befindet, nachdem der Antrag des Staatsanwalts auf Verfolgung bei dem Parlamentspräsidenten eingegangen ist.

Die Dreimonatsfrist wird durch die Parlamentsferien unterbrochen.

Eine Erlaubnis ist bei flagranten Delikten nicht erforderlich.

Artikel 63

1. Die Abgeordneten haben Anspruch auf Entschädigung und Erstattung des Aufwandes für die Ausübung ihres Amtes; deren Höhe wird durch Beschluß des Parlamentsplenums festgesetzt.

2. Die Abgeordneten genießen Gebührenfreiheit bei der Benutzung der Verkehrsmittel, der Post und des Telefons; deren Umfang wird durch Beschluß des Parlamentsplenums festgesetzt.

3. Ist ein Abgeordneter bei mehr als fünf Sitzungen im Monat ungerechtfertigt abwesend, so ist für jedes Fehlen ein Dreißigstel der monatlichen Entschädigung abzuziehen.

Viertes Kapitel. Organisation und Arbeitsweise des Parlaments

Artikel 64

1. Das Parlament tritt ipso iure alljährlich am ersten Montag des Monats Oktober zu einer ordentlichen Sitzungsperiode zur Erledigung der Jahresaufgaben zusammen, es sei denn, daß der Präsident der Republik es gemäß Artikel 40 früher einberuft.

2. Die Dauer der ordentlichen Sitzungsperiode beträgt mindestens fünf Monate, wobei die Zeit der Aussetzung gemäß Artikel 40 nicht eingerechnet wird.

Die ordentliche Sitzungsperiode verlängert sich bis zur Genehmigung des Staatshaushaltes gemäß Artikel 79 oder bis zur Verabschiedung eines besonderen Gesetzes im Sinne desselben Artikels.

Artikel 65

1. Das Parlament tritt ipso iure alljährlich am ersten Montag des Monats Oktober zu einer eine Geschäftsordnung, die gemäß Artikel 76 vom Plenum zu beschließen und auf Anordnung seines Präsidenten im Gesetzesblatt zu veröffentlichen ist.

2. Das Parlament wählt aus der Mitte seiner Mitglieder den Präsidenten und die übrigen Mitglieder des Präsidiums gemäß den Bestimmungen der Geschäftsordnung.

3. Der Präsident und die Vizepräsidenten werden zu Beginn jeder Legislaturperiode gewählt.

Diese Bestimmung findet auf die vom laufenden 5. Revisionsparlament gewählten Präsidenten und Vizepräsidenten keine Anwendung.

Auf Vorschlag von 50 Abgeordneten kann das Parlament dem Parlamentspräsidenten oder einem Mitglied des Präsidiums einen Tadel aussprechen, der die Beendigung seines Amtes zur Folge hat.

4. Der Parlamentspräsident leitet die Arbeit des Parlaments, sorgt für die Sicherung der ungehinderten Durchführung der Arbeit, für die Gewährleistung der freien Meinungsäußerung der Abgeordneten und für die Aufrechterhaltung der Ordnung; dabei kann er auch Disziplinarmaßnahmen gegen jeden dagegen verstoßenden Abgeordneten gemäß der Geschäftsordnung des Parlaments ergreifen.

5. Durch die Geschäftsordnung kann bei dem Parlament ein wissenschaftlicher Dienst zur Unterstützung der gesetzgeberischen Tätigkeit errichtet werden.

6. Die Geschäftsordnung regelt die Organisation der Dienststellen des Parlaments unter Aufsicht seines Präsidenten sowie alle Personalangelegenheiten. Die Handlungen des Präsidenten im Zusammenhang mit der Einstellung und der dienstlichen Stellung des Personals des Parlaments können vor dem Staatsrat durch Beschwerde oder Aufhebungsklage angefochten werden.

Artikel 66

1. Das Parlament tagt öffentlich im Parlamentsgebäude. Es kann aber auf Antrag der Regierung oder von 15 Abgeordneten bei geschlossenen Türen beraten, wenn dies in geheimer Sitzung mehrheitlich beschlossen wird. Anschließend beschließt das Parlament, ob die Beratung über dieselbe Frage in öffentlicher Sitzung zu wiederholen ist.

2. Die Minister und Vizeminister haben freien Zutritt zu den Sitzungen des Parlaments und werden gehört, so oft sie sich zu Worte melden.

3. Das Parlament und die parlamentarischen Ausschüsse können die Anwesenheit des Ministers oder Vizeministers verlangen, der für die von ihnen diskutierten Fragen zuständig ist.

Die Parlamentsausschüsse sind berechtigt, durch den zuständigen Minister jeden öffentlichen Amtsträger vorzuladen, dessen Anwesenheit als dienlich für ihre Arbeit angesehen wird.

Artikel 67

Zu einem Beschlusse des Parlaments ist die absolute Mehrheit der anwesenden Abgeordneten erforderlich; diese muß jedoch mindestens ein Viertel der Gesamtzahl der Abgeordneten betragen.

Bei Stimmengleichheit wird die Abstimmung wiederholt; bei erneuter Stimmengleichheit ist der Antrag abgelehnt.

Artikel 68

1. Das Parlament bildet zu Beginn jeder ordentlichen Sitzungsperiode aus den Reihen seiner Mitglieder Parlamentsausschüsse zur Ausarbeitung und Prüfung der vorgelegten Gesetzentwürfe und Gesetzesvorschläge, für die das Plenum und die Abteilungen zuständig sind.

2. Auf Antrag eines Fünftels der Gesamtzahl der Abgeordneten setzt das Parlament mit der Mehrheit von zwei Fünfteln der Gesamtzahl der Abgeordneten Untersuchungsausschüsse aus den Reihen seiner Mitglieder ein.

Zur Einsetzung von Untersuchungsausschüssen in auswärtigen Angelegenheiten und in Angelegenheiten der nationalen Verteidigung ist die absolute Mehrheit der Gesamtzahl aller Abgeordneten erforderlich.

Die Konstituierung und die Arbeitsweise dieser Ausschüsse werden in der Geschäftsordnung des Parlaments geregelt.

3. Die parlamentarischen und die Untersuchungsausschüsse sowie die in den Artikeln 70 und 71 vorgesehenen Parlamentsabteilungen setzen sich nach der Geschäftsordnung im Verhältnis zur Stärke der Fraktionen oder Gruppen und der Unabhängigen zusammen.

Artikel 69

Niemand kann unaufgefordert vor dem Parlament erscheinen, um etwas mündlich oder schriftlich vorzubringen; Petitionen werden durch einen Abgeordneten vorgelegt oder dem Präsidenten ausgehändigt. Das Parlament hat das Recht, die Petitionen den Ministern oder Vizeministern zuzuleiten, die verpflichtet sind, auf Verlangen jederzeit Erläuterungen zu geben.

Artikel 70

1. Das Parlament übt seine gesetzgeberische Tätigkeit im Plenum aus.

2. Die Geschäftsordnung des Parlaments sieht die Wahrnehmung in ihr bestimmter gesetzgeberischer Aufgaben unter den Beschränkungen des Artikels 72 auch in nicht mehr als zwei Abteilungen vor. Die Einsetzung und die Arbeitsweise der Abteilungen wird vom Parlament jeweils zu Beginn der Sitzungsperiode mit der absoluten Mehrheit der Gesamtzahl der Abgeordneten beschlossen.

3. Die Geschäftsordnung setzt auch die Aufteilung der Zuständigkeiten nach Ministerien zwischen den Abteilungen fest.

4. Die Bestimmungen der Verfassung über das Parlament gelten sowohl für die Arbeitsweise im Plenum als auch für die in den Abteilungen, soweit diese Verfassung nichts anderes bestimmt.

5. Zu einem Beschlusse der Abteilungen ist mindestens die Mehrheit von zwei Fünfteln der Zahl der Abgeordneten der Abteilung erforderlich.

6. Die parlamentarische Kontrolle wird vom Parlamentsplenum mindestens zweimal wöchentlich ausgeübt; das Nähere regelt die Geschäftsordnung des Parlaments.

Artikel 71

Während der Unterbrechungen der Arbeiten des Parlaments wird seine gesetzgeberische Tätigkeit, soweit sie nicht gemäß Artikel 72 dem Plenum vorbehalten ist, von einer der beiden Parlamentsabteilungen ausgeübt, die sich dann gemäß Artikel 68 Absatz 3 und Artikel 70 konstituiert und tätig wird.

Die Geschäftsordnung kann die Ausarbeitung der Gesetzentwürfe oder Gesetzesvorschläge durch einen parlamentarischen Ausschuß aus den Reihen der Mitglieder dieser Abteilung vorsehen.

Artikel 72

1. Das Plenum des Parlaments berät und beschließt die Geschäftsordnung, Gesetzentwürfe und Gesetzesvorschläge über die Wahl der Abgeordneten, über die Gegenstände der Artikel 3, 13, 28 und 36 Absatz 1, über die Ausübung und den Schutz der Grundrechte, über die Tätigkeit der politischen Parteien, über die Ermächtigung zum Erlaß von Rechtsverordnungen nach Artikel 43 Absatz 4, über die Ministeranklage, über den Ausnahmezustand, über die Aufwandsentschädigung des Präsidenten der Republik und über die authentische Auslegung der Gesetze nach Artikel 77 sowie über jeden weiteren Gegenstand, der durch besondere Bestimmung der Verfassung dem Plenum vorbehalten ist oder zu dessen Regelung eine besondere Mehrheit erforderlich ist.

Das Plenum des Parlaments beschließt die Haushaltspläne und entscheidet über die Haushaltsrechnung des Staates und des Parlaments.

2. Die grundsätzliche, die Einzel- und die Gesamtberatung und Abstimmung aller übrigen Gesetzentwürfe und Gesetzesvorschläge kann einer Abteilung des Parlaments nach den Bestimmungen des Artikels 70 übertragen werden.

3. Bei der Abstimmung über einen Gesetzentwurf oder Gesetzesvorschlag entscheidet die Abteilung endgültig über ihre Zuständigkeit; bestehen Zweifel, ist sie berechtigt, durch Beschluß der absoluten Mehrheit der Gesamtheit ihrer Mitglieder das Plenum des Parlaments anzurufen. Der Beschluß des Plenums bindet die Abteilung.

4. Die Regierung kann einen Gesetzentwurf von größerer Bedeutung statt den Abteilungen dem Plenum zur Beratung und Abstimmung vorlegen.

5. Das Plenum des Parlaments kann durch einen Beschluß mit der absoluten Mehrheit der Gesamtzahl der Abgeordneten verlangen, daß die grundsätzliche, die Einzel- und die Gesamtberatung und Abstimmung über einen vor einer Abteilung anhängigen Gesetzentwurf oder Gesetzesvorschlag im Plenum stattfindet.

Fünftes Kapitel. Die gesetzgeberische Tätigkeit des Parlaments

Artikel 73

1. Das Recht, Gesetze vorzuschlagen, steht dem Parlament und der Regierung zu.

2. Gesetzentwürfe, die sich in irgendeiner Weise auf die Gewährung von Ruhegehältern und deren Voraussetzungen beziehen, können allein vom Finanzminister nach Anhörung des Rechnungshofes eingebracht werden. Gesetzentwürfe über Ruhegehälter, die die Haushalte der örtlichen Selbstverwaltungskörperschaften oder sonstiger juristischer Personen des öffentlichen Rechts belasten, werden vom zuständigen Minister und dem Finanzminister eingebracht. Gesetzentwürfe über Ruhegehälter dürfen nur diesen Gegenstand betreffen; Bestimmungen über Ruhegehälter, die in Gesetze aufgenommen werden, die die Regelung anderer Gegenstände bezwecken, sind nichtig.

3. Ein Gesetzesvorschlag oder Änderungs- oder Zusatzantrag, der aus der Mitte des Parlaments eingebracht wird, kann nicht zur Beratung gebracht werden, soweit er zu Lasten des Staates, der örtlichen Selbstverwaltungskörperschaften oder der sonstigen juristischen Personen des öffentlichen Rechts Ausgaben, Einnahme- oder Vermögensminderung in sich schließt und der Bezahlung von Gehältern oder Ruhegehältern oder allgemein dem Vorteil von Einzelpersonen dient.

4. Fraktionsvorsitzende oder Sprecher von Gruppen dürfen jedoch nach Maßgabe von Artikel 74 Absatz 3 Änderungen und Zusätze beantragen, die sich auf Gesetzentwürfe über die Organisation der öffentlichen Verwaltung und der Einrichtungen, die dem öffentlichen Interesse dienen, über die allgemein dienstliche Stellung der Staatsbeamten, der Angehörigen der Streitkräfte und der Polizei, der Beamten der örtlichen Selbstverwaltungskörperschaften und der sonstigen juristischen Personen des öffentlichen Rechts sowie der öffentlichen Unternehmungen im allgemeinen beziehen.

5. Gesetzentwürfe, durch die örtliche oder Sondersteuern oder sonstige Belastungen zugunsten von Organisationen oder juristischen Personen des öffentlichen oder privaten Rechts eingeführt werden, müssen auch von den Ministern für Koordination und für Finanzen unterzeichnet sein.

Artikel 74

1. Jeder Gesetzentwurf oder Gesetzesvorschlag ist mit einem Begründungsbericht zu versehen und kann, bevor er bei dem Plenum oder einer Abteilung des Parlaments eingebracht wird, zur gesetzestechnischen Ausarbeitung an den in Artikel 65 Absatz 5 vorgesehenen wissenschaftlichen Dienst, sobald er gebildet ist, verwiesen werden; das Nähere regelt die Geschäftsordnung.

2. Die beim Parlament eingebrachten Gesetzentwürfe und Gesetzesvorschläge werden dem zuständigen Parlamentarischen Ausschuß überwiesen. Wird der Bericht vorgelegt oder

ist die festgesetzte Frist ergebnislos abgelaufen, werden Gesetzentwürfe und Gesetzesvorschläge nach Ablauf von drei weiteren Tagen dem Parlament zur Beratung vorgelegt, es sei
denn, der zuständige Minister hat sie als dringend bezeichnet. Die Beratung beginnt mit
mündlichen Berichten des zuständigen Ministers und der Berichterstatter des Ausschusses.

3. Über Änderungsanträge der Abgeordneten zu Gesetzentwürfen und Gesetzesvorschlä-
gen im Zuständigkeitsbereich des Plenums oder der Abteilungen des Parlaments wird nur
dann beraten, wenn sie bis zum Vortage des Beginns der Beratung eingereicht worden sind, es
sei denn, die Regierung stimmt ihrer Behandlung zu.

4. Ein Gesetzentwurf oder Gesetzesvorschlag, der die Abänderung einer gesetzlichen Bestimmung zum Ziel hat, wird nur zur Beratung gebracht, wenn in den Begründungsbericht der
gesamte Text der abzuändernden Bestimmung aufgenommen ist und im Text des Gesetzentwurfes oder Gesetzesvorschlages die gesamte neue Bestimmung in ihrer geänderten Fassung
enthalten ist.

5. Gesetzentwürfe und Gesetzesvorschläge, die Bestimmungen ohne Zusammenhang mit
ihrem Hauptzweck enthalten, werden zur Debatte nicht zugelassen.

Zusatz- oder Änderungsanträge werden zur Beratung nur zugelassen, wenn sie mit dem
Hauptgegenstand des Gesetzentwurfes oder Gesetzesvorschlages in Zusammenhang stehen.
Im Zweifelsfalle entscheidet das Parlament.

6. Einmal im Monat, an einem durch die Geschäftsordnung festzusetzenden Tag, werden
in die Tagesordnung anhängige Gesetzesvorschläge vorzugsweise aufgenommen und beraten.

Artikel 75

1. Alle von Ministern eingebrachten Gesetzentwürfe und Gesetzesvorschläge, die eine Belastung des Haushaltes mit sich bringen, werden nur zur Beratung zugelassen, wenn sie mit einem Bericht des staatlichen Rechnungsamtes versehen sind, der die Höhe der Ausgaben feststellt; werden solche Gesetzentwürfe oder Gesetzesvorschläge von Abgeordneten eingebracht, werden sie vor der Beratung dem staatlichen Rechnungsamt zugeleitet, das den diesbezüglichen Bericht innerhalb von 15 Tagen vorlegen muß. Läuft diese Frist ergebnislos ab, ist
die Beratung des Gesetzesvorschlages auch ohne Bericht zulässig.

2. Gleiches gilt für Änderungsanträge, wenn dies von den zuständigen Ministern verlangt
wird. In diesem Falle muß das staatliche Rechnungsamt dem Parlament seinen Bericht innerhalb von drei Tagen vorlegen. Nur wenn diese Frist ergebnislos verläuft, ist die Beratung auch
ohne Bericht zulässig.

3. Ein Gesetzentwurf, der Ausgaben- oder Einnahmeänderungen in sich schließt, wird zur
Beratung nur zugelassen, wenn er mit einem besonderen Bericht über die Art von deren Ab-
deckung versehen ist oder von dem zuständigen Minister oder dem Minister der Finanzen unterschrieben ist.

Artikel 76

1. Alle Gesetzentwürfe und Gesetzesvorschläge, die im Plenum oder in einer Abteilung
eingebracht werden, werden einmal im Grundsatz, einmal artikelweise und einmal als Ganzes
beraten und beschlossen.

2. Wenn es bis zum Beginn der Beratung im Grundsatz von einem Drittel der Gesamtzahl
der Abgeordneten verlangt wird, werden Gesetzentwürfe und Gesetzesvorschläge vom Parlamentsplenum ausnahmsweise zweimal, in zwei verschiedenen, mindestens zwei Tage auseinanderliegenden Sitzungen beraten und beschlossen, und zwar im Grundsatz und artikelweise bei der ersten Beratung, artikelweise und als Ganzes bei der zweiten.

3. Werden bei der Beratung Änderungsvorschläge angenommen, wird die Abstimmung
über das Gesetz als Ganzes auf 24 Stunden nach der Verteilung des abgeänderten Gesetzentwurfes oder Gesetzesvorschlages vertagt.

4. Ein von der Regierung als sehr dringlich bezeichneter Gesetzentwurf oder Gesetzesvorschlag wird nach beschränkter Beratung zur Abstimmung gebracht; an dieser Abstimmung nehmen neben den Referenten der Ministerpräsident oder der zuständige Minister, die Fraktionsvorsitzenden und je ein Vertreter von ihnen teil. Durch die Geschäftsordnung des Parlaments kann die Redezeit und Beratungsdauer beschränkt werden.

5. Die Regierung kann verlangen, daß ein Gesetzentwurf oder Gesetzesvorschlag von besonderer Bedeutung oder dringendem Charakter in einer bestimmten Zahl von Beratungen, jedoch höchstens in dreien, beraten wird.

Das Parlament kann auf Antrag eines Zehntels der Gesamtzahl der Abgeordneten die Beratung um weitere zwei Sitzungen verlängern. Durch die Geschäftsordnung des Parlaments wird die Redezeit bestimmt.

6. Kodifizierungen von Justiz- und Verwaltungsgesetzen, die von aufgrund besonderer Gesetze gebildeten Sonderausschüssen verfaßt worden sind, können dadurch verabschiedet werden, daß das Parlamentsplenum sie durch ein besonderes Gesetz als Ganzes sanktioniert.

7. In gleicher Weise können bestehende Bestimmungen durch bloße Neuordnung kodifiziert oder außer Kraft getretene Gesetze, mit Ausnahme der steuerrechtlichen, vollständig wieder eingeführt werden.

8. Gesetzentwürfe oder Gesetzesvorschläge, die vom Plenum oder einer Abteilung des Parlaments abgelehnt worden sind, können weder in derselben Sitzungsperiode noch in der Zeit nach deren Abschluß in der dann weiter tätigen Abteilung erneut eingebracht werden.

Artikel 77

1. Die authentische Gesetzesauslegung steht der gesetzgebenden Funktion zu.

2. Gesetze gelten nur von ihrer Verkündung an, außer wenn sie echte Auslegungsgesetze sind.

Sechstes Kapitel. Steuer- und Finanzverwaltung

Artikel 78

1. Keine Steuer darf eingeführt oder erhoben werden ohne ein formelles Gesetz, das den Steuerschuldner, das zu versteuernde Einkommen beziehungsweise Vermögen, die steuerpflichtigen Ausgaben beziehungsweise das Geschäft oder die Art des Geschäftes bestimmt.

2. Steuern oder andere Finanzlasten jeder Art dürfen nicht durch ein Gesetz auferlegt werden, das über das der Auferlegung der Steuern vorangehende Rechnungsjahr hinaus zurückwirkt.

3. Ausnahmsweise ist bei der Auferlegung oder Erhöhung von Ein- oder Ausfuhrzöllen oder Verbrauchssteuern deren Erhebung vom Tag der Einbringung des betreffenden Gesetzentwurfs im Parlament unter der Bedingung zulässig, daß das Gesetz innerhalb der Frist von Artikel 42 Absatz 1 und jedenfalls nicht später als zehn Tage nach dem Schluß der Sitzungsperiode verkündet wird.

4. Der Steuergegenstand, der Steuersatz, die Steuerbefreiungen oder -ausnahmen sowie die Gewährung von Ruhegehältern können nicht zum Gegenstand eines Ermächtigungsgesetzes gemacht werden.

Gesetzliche Regelungen, nach denen der Staat und allgemein die öffentlichen Rechtsträger an den Wertsteigerungen benachbarter Privatgrundstücke beteiligt werden, die ausschließlich durch die Ausführung öffentlicher Baumaßnahmen verursacht wurden, fallen nicht unter dieses Verbot.

5. Ausnahmsweise ist es zulässig, aufgrund einer Ermächtigung durch ein Rahmengesetz, Ausgleichsbeiträge oder Zölle aufzuerlegen sowie Wirtschaftsmaßnahmen im Rahmen der in-

ternationalen Beziehungen des Landes mit wirtschaftlichen Organisationen anzuordnen oder Maßnahmen zur Sicherung der Währungslage des Landes zu treffen.

Artikel 79

1. Das Parlament stellt während seiner jährlichen ordentlichen Sitzung den Haushaltsplan über Einnahmen und Ausgaben des Staates für das folgende Jahr fest.

2. Alle Einnahmen und Ausgaben des Staates müssen für jedes Rechnungsjahr in den Haushaltsplan und die Haushaltsrechnung eingesetzt werden.

3. Der Haushaltsplan wird im Parlament durch den Finanzminister mindestens einen Monat vor Beginn des Rechnungsjahres eingebracht und gemäß der Geschäftsordnung verabschiedet; diese hat das Recht aller parlamentarischen Gruppen im Parlament zu gewährleisten, ihre Meinung zum Ausdruck bringen zu könnnen.

4. Wenn aus irgendeinem Grunde die Verwaltung der Einnahmen und Ausgaben auf der Grundlage des Haushaltsplanes nicht vorgenommen werden kann, wird sie jeweils aufgrund eines besonderen Gesetzes durchgeführt.

5. Ist die Feststellung des Haushaltsplanes beziehungsweise die Verabschiedung des besonderen Gesetzes im Sinne des vorigen Absatzes wegen Ablaufs der Legislaturperiode des Parlaments nicht möglich, wird der Haushaltsplan des abgeschlossenen oder des vor dem Abschluß stehenden Rechnungsjahres durch Verordnung auf Vorschlag des Ministerrates um vier Monate verlängert.

6. Durch Gesetz kann die Aufstellung von zweijährigen Haushaltsplänen bestimmt werden.

7. Spätestens innerhalb eines Jahres nach Schluß des Rechnungsjahres wird dem Parlament die Haushaltsrechnung sowie die allgemeine Bilanz des Staates vorgelegt; sie werden von einem besonderen Abgeordnetenausschuß geprüft und vom Parlament nach den Bestimmungen der Geschäftsordnung sanktioniert.

8. Die Pläne zur Wirtschafts- und Sozialentwicklung werden vom Parlamentsplenum genehmigt; das Nähere regelt ein Gesetz.

Artikel 80

1. Gehälter, Ruhegehälter, Zuwendungen oder Vergütungen dürfen ohne ein Organisationsgesetz oder ein anderes besonderes Gesetz weder in den Haushaltsplan eingesetzt noch gewährt werden.

2. Durch Gesetz wird das Münzrecht und die Ausgabe von Geld geregelt.

IV. Abschnitt. Die Regierung

Erstes Kapitel. Zusammensetzung und Aufgaben der Regierung

Artikel 81

1. Die Regierung bildet der Ministerrat; er besteht aus dem Ministerpräsidenten und den Ministern. Durch Gesetz wird die Zusammensetzung und Arbeitsweise des Ministerrates bestimmt. Auf Vorschlag des Ministerpräsidenten können durch Verordnung ein oder mehrere Minister zum stellvertretenden Ministerpräsidenten ernannt werden.

Durch Gesetz wird die Stellung der stellvertretenden Minister, der Minister ohne Geschäftsbereich, der Vizeminister, die Mitglieder der Regierung sein können, sowie der ständigen amtlichen Vizeminister bestimmt.

2. Zum Mitglied der Regierung oder Vizeminister kann nur ernannt werden, wer gemäß Artikel 55 zum Abgeordneten wählbar ist.

3. Die Mitglieder der Regierung, die Vizeminister und der Parlamentspräsident haben während ihrer Amtszeit jede berufliche Tätigkeit einzustellen.

4. Durch Gesetz kann bestimmt werden, daß das Amt eines Ministers oder Vizeministers auch mit anderen Tätigkeiten unvereinbar ist.

5. Ist ein stellvertretender Ministerpräsident nicht ernannt, bestimmt der Ministerpräsident je nach Bedarf vorübergehend einen der Minister zu seinem Stellvertreter.

Artikel 82

1. Die Regierung bestimmt und leitet die allgemeine Politik des Landes gemäß der Verfassung und der Gesetze.

2. Der Ministerpräsident stellt die Einheitlichkeit der Regierung sicher und leitet deren Tätigkeit sowie die der öffentlichen Verwaltung zur Durchführung der Regierungspolitik im Rahmen der Gesetze.

Artikel 83

1. Jeder Minister übt die gesetzlich bestimmten Zuständigkeiten aus. Die Minister ohne Geschäftsbereich üben die Zuständigkeiten aus, die ihnen der Ministerpräsident durch Erlaß überträgt.

2. Die Vizeminister üben die Zuständigkeiten aus, die ihnen durch gemeinsame Entscheidung des Ministerpräsidenten und des zuständigen Ministers übertragen werden.

Zweites Kapitel. Beziehungen zwischen Parlament und Regierung

Artikel 84

1. Die Regierung bedarf des Vertrauens des Parlaments. Sie ist innerhalb von 15 Tagen nach der Eidesleistung des Ministerpräsidenten verpflichtet und jederzeit berechtigt, den Vertrauensantrag im Parlament zu stellen. Hat das Parlament in der Zeit der Regierungsbildung seine Tätigkeit eingestellt, wird es innerhalb von 15 Tagen einberufen, um über den Vertrauensantrag zu befinden.

2. Das Parlament kann durch Beschluß der Regierung oder einem Minister sein Vertrauen entziehen. Wenn das Parlament einen Mißtrauensantrag abgelehnt hat, kann ein erneuter Mißtrauensantrag nur nach Ablauf von sechs Monaten gestellt werden.

Der Mißtrauensantrag muß von mindestens einem Sechstel der Abgeordneten unterzeichnet sein und eindeutig die Gründe angeben, über die beraten werden soll.

3. Ausnahmsweise kann ein Mißtrauensantrag auch vor Ablauf der sechs Monate gestellt werden, wenn er von der Mehrheit der Gesamtzahl der Abgeordneten unterzeichnet ist.

4. Die Beratung über den Vertrauens- oder Mißtrauensantrag beginnt zwei Tage nach der Stellung des entsprechenden Antrags, es sei denn, daß die Regierung bei einem Mißtrauensantrag den unmittelbaren Beginn der Beratung verlangt; die Beratung darf nicht mehr als drei Tage seit ihrem Beginn andauern.

5. Die Abstimmung über den Vertrauens- oder Mißtrauensantrag wird unmittelbar nach dem Abschluß der Beratung durchgeführt, kann jedoch um 48 Stunden vertagt werden, wenn die Regierung es verlangt.

6. Ein Vertrauensantrag kann nur mit absoluter Mehrheit der anwesenden Abgeordneten angenommen werden; diese darf aber nicht geringer als zwei Fünftel der Gesamtzahl der Abgeordneten sein. Ein Mißtrauensantrag kann nur mit der absoluten Mehrheit der Gesamtzahl der Abgeordneten angenommen werden.

7. An der Abstimmung über den Vertrauens- beziehungsweise Mißtrauensantrag nehmen auch die Minister und Vizeminister teil, soweit sie Mitglieder des Parlaments sind.

Artikel 85

Die Mitglieder des Ministerrates und die Vizeminister tragen für die allgemeine Politik der Regierung die kollegiale Verantwortung; jeder einzelne ist für Handlungen oder Unterlassungen im Rahmen seiner Zuständigkeit nach den Bestimmungen des Ministerverantwortungsgesetzes verantwortlich. Ein schriftlicher oder mündlicher Auftrag des Präsidenten der Republik entbindet die Minister und Vizeminister nicht von ihrer Verantwortlichkeit.

Artikel 86

1. Das Parlament ist berechtigt, die im Dienst oder außer Dienst befindlichen Mitglieder der Regierung und die Vizeminister gemäß den Bestimmungen des Ministerverantwortungsgesetzes vor dem zuständigen Gerichtshof anzuklagen; dieser steht unter dem Vorsitz des Präsidenten des Areopags und besteht aus zwölf Richtern; diese werden aus der Reihe sämtlicher vor dem Zeitpunkt der Anklage ernannten Richter am Areopag und Berufungsgerichtspräsidenten durch das Los bestimmt, das vom Parlamentspräsidenten gezogen wird; das Nähere bestimmt ein Gesetz.

2. Eine Strafverfolgung, Untersuchung oder Voruntersuchung gegen die im Absatz 1 genannten Personen wegen Handlungen oder Unterlassungen, die sie in Ausübung ihrer Aufgaben begangen haben, ist nur nach vorherigem Parlamentsbeschluß zulässig.

Ergeben sich bei der Durchführung einer Verwaltungsuntersuchung Anhaltspunkte, die die Verantwortung eines Regierungsmitgliedes oder eines Vizeministers gemäß dem Ministerverantwortungsgesetz begründen können, werden diese nach Abschluß der Verwaltungsuntersuchung durch den zuständigen Staatsanwalt dem Parlament zugeleitet.

Allein das Parlament ist berechtigt, eine Strafverfolgung einzustellen.

3. Ist das Verfahren über eine Anklage gegen einen Minister oder einen Vizeminister aus irgendeinem Grunde einschließlich der Verjährung nicht beendet, kann das Parlament durch Beschluß auf Antrag des Angeklagten einen besonderen Ausschuß aus Abgeordneten und höheren Richtern und Staatsanwälten zur Prüfung der Anklage nach Maßgabe der Geschäftsordnung einsetzen.

V. Abschnitt. Die rechtsprechende Gewalt

Erstes Kapitel. Richterliche Amtsträger und Gerichtsbeamte

Artikel 87

1. Das Recht wird von Gerichten gesprochen; sie sind mit ordentlichen Richtern besetzt, die sachliche und persönliche Unabhängigkeit genießen.

2. Die Richter sind bei der Wahrnehmung ihrer Aufgaben nur der Verfassung und den Gesetzen unterworfen; in keinem Fall dürfen sie sich Bestimmungen fügen, die in Auflösung der Verfassung erlassen wurden.

3. Die Inspektion der ordentlichen Richter wird von ranghöheren Richtern sowie von dem Staatsanwalt und den stellvertretenden Staatsanwälten beim Areopag, die Inspektion der Staatsanwälte von Richtern am Areopag und ranghöheren Staatsanwälten nach Maßgabe der Gesetze durchgeführt.

Artikel 88

1. Die richterlichen Amtsträger werden durch Präsidialverordnung aufgrund eines Gesetzes ernannt, das ihre Befähigungsvoraussetzungen und das Verfahren ihrer Auswahl bestimmt; sie werden auf Lebenszeit berufen.

2. Die Bezüge der richterlichen Amtsträger entsprechen ihrem Amte. Ihre Laufbahn- und Besoldungsordnung sowie ihre Stellung allgemein wird durch besondere Gesetze bestimmt.

3. Durch Gesetz kann für die richterlichen Amtsträger eine Ausbildungs- und Probezeit von höchstens drei Jahren vorgesehen werden, die ihrer Ernennung zu ordentlichen Richtern vorausgeht. Während dieser Zeit dürfen sie auch Aufgaben eines ordentlichen Richters wahrnehmen; das Nähere regelt ein Gesetz.

4. Die richterlichen Amtsträger dürfen nur durch Gerichtsurteil entlassen werden wegen einer strafrechtlichen Verurteilung, wegen eines schweren Dienstvergehens, einer Krankheit, eines körperlichen Gebrechens oder wegen dienstlicher Unzulänglichkeit, die nach Maßgabe der Gesetze festgestellt werden; dabei ist Artikel 93 Absätze 2 und 3 zu beachten.

5. Die richterlichen Amtsträger bis zum Dienstgrad des Richters oder stellvertretenden Staatsanwaltes beim Berufungsgericht oder die sonstigen gleichrangigen richterlichen Amtsträger treten mit der Vollendung des 65. Lebensjahres in den Ruhestand, alle ranghöheren richterlichen Amtsträger mit der Vollendung des 67. Lebensjahres. Bei der Anwendung dieser Bestimmung ist der 30. Juni des Jahres, in dem der richterliche Amtsträger in den Ruhestand tritt, der Stichtag, an dem die Altersgrenze als erreicht gilt.

6. Eine Versetzung von richterlichen Amtsträgern in einen anderen Bereich der Gerichtsbarkeit ist nicht zulässig. Zulässig ist ausnahmsweise eine solche Versetzung von ordentlichen Richtern zur Besetzung bis zur Hälfte der Stellen von stellvertretenden Staatsanwälten beim Areopag sowie die Versetzung von Assessoren beim erstinstanzlichen Gericht zur Staatsanwaltschaft und umgekehrt auf Antrag der zu Versetzenden; das Nähere regelt ein Gesetz.

7. Bei den von der Verfassung vorgesehenen Gerichten oder Räten, an denen Mitglieder des Staatsrates oder des Areopag teilnehmen, führt der Dienstälteste unter ihnen den Vorsitz.

Erklärung zur Interpretation:

Bei der Ernennung zum Assessor oder Mitglied des Rechnungshofes finden die Einschränkungen des Artikels 88 keine Anwendung; das Nähere regelt ein Gesetz.

Artikel 89

1. Die richterlichen Amtsträger dürfen keine andere besoldete Tätigkeit und keinen anderen Beruf ausüben.

2. Ausnahmsweise ist die Wahl von richterlichen Amtsträgern zum Mitglied der Akademie oder zum Professor oder zum Privatdozenten an Hochschulen sowie deren Mitwirkung in besonderen Verwaltungsgerichten und in Räten oder Ausschüssen zulässig; dies gilt nicht bei Vorstandsmitgliedern von Unternehmen und Handelsgesellschaften.

3. Außerdem ist es zulässig, richterliche Amtsträger mit Verwaltungsaufgaben zu betrauen, entweder neben der Ausübung ihrer Hauptaufgaben oder auf bestimmte Zeit auch ausschließlich; das Nähere regelt ein Gesetz.

4. Die Beteiligung von Richtern an der Regierung ist nicht zulässig.

5. Die Bildung eines Richtervereins ist nach Maßgabe der Gesetze zulässig.

Artikel 90

1. Die Richter werden durch Präsidialverordnung nach vorherigem Beschluß eines obersten Richterrates befördert, angestellt, versetzt, abgeordnet und in einen anderen Bereich der Gerichtsbarkeit versetzt. Dieser Rat besteht aus dem Präsidenten des entsprechenden ober-

sten Gerichtshofes sowie Mitgliedern desselben, die aus der Reihe derer, die beim Gerichtshof mindestens zwei Jahre tätig sind, durch Los bestimmt werden; das Nähere regelt ein Gesetz. Zum obersten Richterrat der Zivil- und Strafgerichtsbarkeit gehört auch der Staatsanwalt beim Areopag, zum obersten Richterrat beim Rechnungshof der Generalstaatsvertreter bei diesem.

2. Der Rat nach Absatz 1 hat eine erhöhte Mitgliederzahl, wenn er über die Beförderung zum Mitglied des Staatsrates, zum Richter oder zum stellvertretenden Staatsanwalt beim Areopag, zum Berufungsgerichtspräsidenten, zum Staatsanwalt beim Berufungsgericht und zum Mitglied des Rechnungshofes entscheidet; das Nähere regelt ein Gesetz. Absatz 1 letzter Satz findet auch hier Anwendung.

3. Stimmt der Minister mit dem Beschluß eines obersten Richterrates nicht überein, kann er die Sache an das Plenum des einschlägigen obersten Gerichtshofes verweisen; das Nähere regelt ein Gesetz. Bei dem Plenum kann sich auch der nicht berücksichtigte Richter beschweren; das Nähere regelt ein Gesetz.

4. Die zu den verwiesenen Sachen ergangenen Beschlüsse des Plenums sowie die Beschlüsse eines der obersten Richterräte, gegen die der Minister nichts eingewendet hat, sind für den Minister verbindlich.

5. Die Beförderung zum Präsidenten und Vizepräsidenten des Staatsrates, des Areopages und des Rechnungshofes erfolgt aus den Reihen des entsprechenden obersten Gerichtshofes durch Präsidialverordnung auf Vorschlag des Ministerrates; das Nähere regelt ein Gesetz.

Die Beförderung zum Staatsanwalt beim Areopag erfolgt in gleicher Weise durch Präsidialverordnung aus den Reihen der Richter und stellvertretenden Staatsanwälte beim Areopag.

6. Die Entscheidungen oder Akte nach diesem Artikel können nicht beim Staatsrat angefochten werden.

Artikel 91

1. Die Disziplinargewalt über die richterlichen Amtsträger vom Dienstgrad eines Richters oder stellvertretenden Staatsanwalts beim Areopag an sowie über die sonstigen gleichrangigen richterlichen Amtsträger wird durch einen obersten Disziplinarrat ausgeübt; das Nähere regelt ein Gesetz.

Der Justizminister erhebt die Disziplinaranklage.

2. Der oberste Disziplinarrat besteht aus dem Präsidenten des Staatsrates als Vorsitzenden, zwei Vizepräsidenten oder anderen Mitgliedern des Staatsrates, zwei Vizepräsidenten oder anderen Mitgliedern des Areopags, zwei von den Vizepräsidenten oder anderen Mitgliedern des Rechnungshofes und zwei ordentlichen Professoren der Rechte der Universitäten des Landes. Die Mitglieder des Disziplinarrates werden durch Los unter denen bestimmt, die am entsprechenden obersten Gerichtshof oder an einer juristischen Fakultät mindestens seit drei Jahren tätig sind; ausgeschlossen sind jeweils Mitglieder des Gerichtshofes, über dessen Mitglied, Staatsanwalt oder Staatsvertreter der Rat entscheiden soll. Richtet sich die Disziplinaranklage gegen ein Mitglied des Staatsrates, führt der Präsident des Areopags den Vorsitz.

3. Die Disziplinargewalt über die übrigen richterlichen Amtsträger wird in erster und zweiter Instanz von Räten ausgeübt, die aus ordentlichen Richtern bestehen, welche durch das Los nach Maßgabe der Gesetze bestimmt werden. Die Disziplinaranklage kann auch vom Justizminister erhoben werden.

4. Die gemäß den Bestimmungen dieses Artikels erlassenen Disziplinarentscheidungen können nicht beim Staatsrat angefochten werden.

Artikel 92

1. Die in den Geschäftsstellen aller Gerichte und Staatsanwaltschaften tätigen Beamten sind auf Lebenszeit berufen. Sie dürfen nur aufgrund eines Gerichtsurteils oder durch die Ent-

scheidung eines Richterrates wegen eines schweren Dienstvergehens, einer Krankheit, eines körperlichen Gebrechens oder dienstlicher Unzulänglichkeit entlassen werden, die nach Maßgabe der Gesetze festgestellt werden.

2. Die Befähigungsvoraussetzungen der in den Geschäftsstellen aller Gerichte und Staatsanwaltschaften tätigen Beamten sowie allgemein ihre Rechtsstellung werden durch Gesetz bestimmt.

3. Die Justizbeamten können nur mit Zustimmung von Richterräten befördert, angestellt, versetzt, abgeordnet und in einen anderen Zweig der Gerichtsbarkeit versetzt werden; die Disziplinaranklage gegen sie wird durch ihre vorgesetzten Richter oder Staatsanwälte oder Staatsvertreter sowie durch Richterräte erhoben; das Nähere regelt ein Gesetz.

Gegen Beförderungs- und Disziplinarentscheidungen der Richterräte ist Beschwerde nach Maßgabe der Gesetze zulässig.

4. Die Notare, Grundbuchverwahrer und Leiter der Grundregisterstellen sind auf Lebenszeit berufen, solange die Dienstbetriebe und Dienststellen bestehen. Die Bestimmungen der vorigen Absätze finden auf sie entsprechende Anwendung.

5. Die Notare und die unbesoldeten Grundbuchverwahrer treten mit Vollendung des 70. Lebensjahres, die übrigen mit Vollendung der gesetzlich vorgesehenen Altersgrenze in den Ruhestand.

Zweites Kapitel. Organisation und Zuständigkeit der Gerichte

Artikel 93

1. Die Gerichte unterscheiden sich in Verwaltungs-, Zivil- und Strafgerichte; ihr Aufbau ist in besonderen Gesetzen geregelt.

2. Die Sitzungen aller Gerichte sind öffentlich, es sei denn, es wird durch Entscheidung des betreffenden Gerichts festgestellt, daß durch Öffentlichkeit eine Beeinträchtigung der guten Sitten zu erwarten ist oder besondere Gründe zum Schutze des Privat- oder Familienlebens der Beteiligten bestehen.

3. Jede Gerichtsentscheidung ist gesondert und sorgfältig zu begründen, sie ist in öffentlicher Sitzung zu verkünden. Die Minderheitsmeinung ist zu veröffentlichen. Die Aufnahme einer etwaigen Minderheitsmeinung in die Niederschrift und die Bedingungen und die Voraussetzungen für deren Veröffentlichung werden durch Gesetz bestimmt.

4. Die Gerichte dürfen ein Gesetz, dessen Inhalt gegen die Verfassung verstößt, nicht anwenden.

Artikel 94

1. Für materielle Verwaltungsstreitigkeiten sind die bestehenden allgemeinen Verwaltungsgerichte zuständig. Streitigkeiten solcher Art, die diesen Gerichten noch nicht zugewiesen sind, sind ihnen innerhalb von fünf Jahren nach Inkrafttreten dieser Verfassung zuzuweisen; diese Frist kann durch Gesetz verlängert werden.

2. Bis zur pauschalen oder gruppenweisen Zuweisung auch der übrigen materiellen Verwaltungsstreitigkeiten an die allgemeinen Verwaltungsgerichte bleiben die Zivilgerichte zuständig; hiervon sind ausgenommen die Streitigkeiten, die den aufgrund besonderer Gesetze errichteten und den Anforderungen des Artikels 93 Absätze 2 bis 4 genügenden Sonderverwaltungsgerichten zugewiesen sind.

3. Die Zivilgerichte sind zuständig für sämtliche privaten Streitigkeiten sowie für die ihnen durch Gesetz zugewiesenen Angelegenheiten der freiwilligen Gerichtsbarkeit.

4. Den Zivil- oder Verwaltungsgerichten kann durch Gesetz auch jede andere Verwaltungsstreitigkeit zugewiesen werden.

Erklärung zur Interpretation:

Allgemeine Verwaltungsgerichte sind nur die durch die Gesetzesverordnung 3845/1958 eingerichteten allgemeinen Finanzgerichte.

Artikel 95

1. Der Staatsrat ist insbesondere zuständig:
a) für die Aufhebungsanträge gegen vollstreckbare Akte der Verwaltungsbehörden wegen Befugnisüberschreitung oder Gesetzesverletzung;
b) für die Revisionsanträge gegen ansonsten rechtskräftige Entscheidungen der Verwaltungsgerichte wegen Befugnisüberschreitung der Gesetzesverletzung;
c) für die Entscheidung über die materiellen Verwaltungsstreitigkeiten, die ihm nach der Verfassung und den Gesetzen zugewiesen werden;
d) für die Ausarbeitung sämtlicher Rechtsverordnungen.
2. Bei der Wahrnehmung der Zuständigkeit nach Absatz 1 Buchstabe d) finden die Bestimmungen der Artikel 93 Absätze 2 und 3 keine Anwendung.
3. Durch Gesetz kann die Entscheidung über Gruppen von Angelegenheiten aus der Aufhebungszuständigkeit des Staatsrates allgemeinen Verwaltungsgerichten anderer Instanz zugewiesen werden, jedoch unter dem Vorbehalt der letztinstanzlichen Zuständigkeit des Staatsrates.
4. Näheres über die Regelung und Ausübung der Zuständigkeiten des Staatsrates wird durch Gesetz bestimmt.
5. Die Verwaltung hat sich den Aufhebungsentscheidungen des Staatsrates zu fügen. Bei Verletzung dieser Vorschrift haftet das schuldige Organ; das Nähere regelt ein Gesetz.

Artikel 96

1. Die allgemeinen Strafgerichte sind für die Ahndung von Straftaten und für die Entscheidung über alle sonstigen Maßnahmen nach den Strafgesetzen zuständig.
2. Durch Gesetz kann übertragen werden
a) die Entscheidung über Übertretungen von polizeilichen Vorschriften, die mit Verwarnungsgeld bestraft werden, auf die Behörden, die polizeiliche Aufgaben wahrnehmen;
b) die Entscheidungen über Agrarübertretungen und die daraus entstehenden Privatstreitigkeiten auf die Landwirtschaftssicherheitsbehörden.
In beiden Fällen ist gegen die gefällten Entscheidungen die Berufung bei dem zuständigen allgemeinen Gericht zulässig; diese hat aufschiebende Wirkung.
3. Besondere Gesetze regeln die Jugendgerichtsbarkeit; auf diese finden Artikel 93 Absatz 2 und Artikel 97 keine Anwendung. Die Urteile dieser Gerichte dürfen unter Ausschluß der Öffentlichkeit verkündet werden.
4. Besondere Gesetze regeln:
a) die Militär-, See- und Luftgerichtsbarkeit, deren Zuständigkeit Private nicht unterstellt werden dürfen;
b) die Prisengerichte.
5. Die Gerichte des vorigen Absatzes Buchstabe a) werden mehrheitlich aus Mitgliedern der Richterschaft der Streitkräfte zusammengesetzt, die nach Artikel 87 Absatz 1 dieser Verfassung die Garantien der sachlichen und persönlichen Unabhängigkeit genießen. Auf die Sitzungen und Urteile dieser Gerichte finden die Bestimmungen des Artikels 93 Absätze 2 bis 4 Anwendung. Die Anwendung der Bestimmungen dieses Absatzes sowie der Zeitpunkt ihres Inkrafttretens werden durch Gesetz bestimmt.

Artikel 97

1. Verbrechen und politische Delikte werden von gemischten Schwurgerichten abgeurteilt, die sich aus ordentlichen Richtern und Geschworenen zusammensetzen; das Nähere regelt ein Gesetz. Gegen Urteile dieser Gerichte sind die gesetzlich bestimmten Rechtsmittel zulässig.

2. Verbrechen und politische Delikte, die bis zum Inkrafttreten dieser Verfassung durch Verfassungsakte, Verfassungsbeschlüsse und durch besondere Gesetze der Zuständigkeit der Berufungsgerichte unterstellt worden sind, werden nach wie vor von ihnen entschieden, soweit sie nicht der Zuständigkeit der gemischten Schwurgerichte unterstellt werden.

Durch Gesetz dürfen der Zuständigkeit der Berufungsgerichte auch weitere Verbrechen unterstellt werden.

3. Straftaten jeder Stufe, die durch die Presse begangen werden, sind der Zuständigkeit der allgemeinen Strafgerichte nach Maßgabe der Gesetze unterstellt; das Nähere regelt ein Gesetz.

Artikel 98

1. In die Zuständigkeit des Rechnungshofes fällt insbesondere:
a) die Prüfung der Ausgaben des Staates sowie der örtlichen Selbstverwaltungskörperschaften oder der sonstigen juristischen Personen des öffentlichen Rechts, soweit sie ihm durch besondere Gesetze zugewiesen werden;
b) der dem Parlament über die Staatsrechnung und die Staatsbilanz vorgelegte Bericht;
c) Gutachten über Gesetze betreffend Ruhegehälter oder Anerkennung von Dienstzeit zwecks Verleihung von Ruhegehaltsansprüchen gemäß Artikel 73 Absatz 2 sowie jede andere gesetzlich bestimmte Frage;
d) die Prüfung der Rechnungslegung der rechnungspflichtigen Beamten und der in Buchstabe a) genannten Selbstverwaltungskörperschaften und der sonstigen juristischen Personen des öffentlichen Rechts;
e) die Entscheidung über Rechtsmittel bei Streitigkeiten wegen der Zuerkennung von Ruhegehältern sowie wegen der Prüfung von Rechnungslegungen;
f) die Entscheidung über die Haftung von politischen oder von Militärbeamten sowie von Kommunalbeamten für jeden vorsätzlich oder fahrlässig dem Staat oder den örtlichen Selbstverwaltungskörperschaften und den sonstigen juristischen Personen des öffentlichen Rechts verursachten Schaden.

2. Ein Gesetz regelt, wie die Zuständigkeiten des Rechnungshofes geregelt und ausgeübt werden.

Bei den unter den Buchstaben a bis d genannten Fällen des vorigen Absatzes finden die Bestimmungen des Artikels 93 Absätze 2 und 3 keine Anwendung.

3. Die über die in Absatz 1 genannten Angelegenheiten gefällten Entscheidungen des Rechnungshofes unterliegen nicht der Prüfung durch den Staatsrat.

Artikel 99

1. Über Anklagen wegen Rechtsbeugung gegen richterliche Amtsträger entscheidet ein Sondergericht, das aus dem Präsidenten des Staatsrates als seinem Präsidenten sowie aus je einem Mitglied des Staatsrates, des Areopages, des Rechnungshofes, zwei ordentlichen Professoren der Rechte an juristischen Fakultäten der Universitäten des Landes und zwei Rechtsanwälten aus der Mitte der Mitglieder des Obersten Disziplinarrates für Rechtsanwälte besteht, die jeweils durch Los bestimmt werden.

2. Von den Mitgliedern des Sondergerichts ist jeweils dasjenige ausgeschlossen, das der Körperschaft oder dem Zweig der Gerichtsbarkeit angehört, über deren Handlungen oder Unterlassungen das Gericht entscheiden soll. Richtet sich die Anklage wegen Rechtsbeugung

gegen ein Mitglied des Staatsrates oder gegen Richter oder gegen Staatsanwälte der allgemeinen Verwaltungsgerichtsbarkeit, führt der Präsident des Areopages den Vorsitz.

3. Zur Erhebung der Anklage wegen Rechtsbeugung bedarf es keiner Erlaubnis.

Artikel 100

1. Es wird ein Oberster Sondergerichtshof errichtet; dieser ist zuständig:

a) für Entscheidungen über Einsprüche gemäß Artikel 58;

b) für die Prüfung der Gültigkeit und der Ergebnisse einer gemäß Artikel 44 Absatz 2 durchgeführten Volksabstimmung;

c) für die Entscheidung über Unvereinbarkeiten oder den Verlust des Abgeordnetenmandates gemäß Artikel 55 Absatz 2 und Artikel 57;

d) für die Konfliktserhebung zwischen Gerichten und Verwaltungsbehörden oder zwischen dem Staatsrat und den allgemeinen Verwaltungsgerichten einerseits und den Zivil- und Strafgerichten andererseits oder schließlich zwischen dem Rechnungshof und den übrigen Gerichten;

e) für Entscheidung von Streitigkeiten über die materielle Verfassungswidrigkeit oder den Sinn von Bestimmungen eines formellen Gesetzes, wenn darüber widersprechende Entscheidungen des Staatsrates, des Areopages oder des Rechnungshofes ergangen sind;

f) für die Entscheidung von Streitigkeiten über die Eigenschaft von Regeln des Völkerrechts als allgemein anerkannt gemäß Artikel 28 Absatz 1.

2. Der Gerichtshof des vorangegangenen Absatzes besteht aus den Präsidenten des Staatsrates, des Areopages und des Rechnungshofes sowie aus alle zwei Jahre durch Auslosung bestimmten vier weiteren Mitgliedern des Staatsrates und vier weiteren Mitgliedern des Areopages. Den Vorsitz in diesem Gerichtshof führt der dienstälteste Präsident des Staatsrates oder des Areopages.

In den Fällen d) und e) des vorangegangenen Absatzes gehören dem Gerichtshof auch zwei durch das Los bestimmte ordentliche Professoren der Rechte an den juristischen Fakultäten des Landes an.

3. Die Organisation und Tätigkeit des Gerichtshofes, die Bestimmung, Stellvertretung und Unterstützung seiner Mitglieder sowie das Verfahren vor ihm regelt ein Gesetz.

4. Die Entscheidungen des Gerichtshofes unterliegen nicht der Revision.

Eine für verfassungswidrig erklärte Gesetzesbestimmung ist unwirksam mit Verkündung der entsprechenden Entscheidung oder von dem Zeitpunkt an, den die Entscheidung festsetzt.

VI. Abschnitt. Die Verwaltung

Erstes Kapitel. Verwaltungsorganisation

Artikel 101

1. Die Staatsverwaltung ist nach dem Dezentralisationsprinzip aufgebaut.

2. Die Verwaltungsgliederung des Landes richtet sich nach den geo-ökonomischen, gesellschaftlichen und verkehrsmäßigen Verhältnissen.

3. Die regionalen Staatsorgane haben die allgemeine Zuständigkeit, über die Angelegenheiten ihrer Region zu entscheiden. Die zentralen Verwaltungsbehörden haben neben ihren besonderen Zuständigkeiten die allgemeine Richtlinienkompetenz und sind zuständig für die Koordination und die Kontrolle der Regionalorgane; das Nähere regelt ein Gesetz.

Artikel 102

1. Die Verwaltung der örtlichen Angelegenheiten steht den örtlichen Selbstverwaltungskörperschaften zu; deren erste Stufe sind die Städte und die Gemeinden. Die weiteren Stufen werden durch Gesetz bestimmt.

2. Die örtlichen Selbstverwaltungskörperschaften sind in ihrer Verwaltung selbständig. Deren Behörden werden in allgemeiner und geheimer Wahl gewählt.

3. Durch Gesetz können obligatorische oder freiwillige Verbände von örtlichen Selbstverwaltungskörperschaften gebildet werden zur Ausführung von Vorhaben oder Leistung von Diensten; sie werden durch einen Rat verwaltet, in den jede Stadt oder Gemeinde entsprechend ihrer Bevölkerung gewählte Vertreter entsendet.

4. Durch Gesetz kann vorgesehen werden, daß bis zu einem Drittel der Mitglieder der Leitung der örtlichen Selbstverwaltungskörperschaften der zweiten Stufe aus gewählten Vertretern von örtlichen, beruflichen, wissenschaftlichen und kulturellen Organisationen und der Staatsverwaltung besteht.

5. Der Staat übt die Aufsicht über die örtlichen Selbstverwaltungskörperschaften aus, ohne deren Initiative und freie Tätigkeit zu hindern. Die Disziplinarstrafen einer zeitweiligen oder endgültigen Entfernung aus dem Amt der gewählten Organe der örtlichen Selbstverwaltung werden mit Ausnahme der Fälle des Amtsverlustes kraft Gesetzes nur nach zustimmender Stellungnahme eines Rates verhängt, der mehrheitlich aus ordentlichen Richtern besteht.

6. Der Staat sorgt für die Sicherstellung der Mittel, die zur Erfüllung der Aufgaben der örtlichen Selbstverwaltungskörperschaften erforderlich sind. Ein Gesetz regelt die Zuweisung der zugunsten der obigen Körperschaften festgesetzten und durch den Staat erhobenen Steuern und Abgaben sowie deren Verteilung unter ihnen.

Zweites Kapitel. Beamtenordnung

Artikel 103

1. Die Staatsbeamten führen den Willen des Staates aus und dienen dem Volke; sie schulden der Verfassung Treue und dem Vaterland Ergebenheit. Die Voraussetzungen und das Verfahren ihrer Ernennung werden durch Gesetz bestimmt.

2. Beamte dürfen nur unter Zuweisung einer gesetzlich bestimmten Planstelle ernannt werden. Ausnahmen dürfen durch besonderes Gesetz zur Deckung von unvorhergesehenen und dringenden Bedürfnissen durch Einstellung von Personal auf bestimmte Zeit und im Rahmen eines privatrechtlichen Verhältnisses vorgesehen werden.

3. Planstellen von besonderem wissenschaftlichem sowie von technischem oder Hilfspersonal dürfen privatrechtlich besetzt werden. Die Voraussetzung der Einstellung sowie die besonderen Garantien zugunsten des eingestellten Personals werden durch Gesetz bestimmt.

4. Staatsbeamte, die Planstellen innehaben, sind Beamte auf Lebenszeit, solange diese Stellen bestehen. Beamte auf Lebenszeit steigen besoldungsmäßig nach Maßgabe der Gesetze auf; sie dürfen mit Ausnahme der Erreichung der Altersgrenze und der Entlassung aufgrund eines gerichtlichen Urteils nicht ohne Anhörung eines Dienstrates versetzt und nicht ohne Entscheidung eines Dienstrates herabgestuft oder aus dem Dienst entlassen werden; jeder Dienstrat besteht mindestens zu zwei Drittel aus Staatsbeamten auf Lebenszeit.

Gegen die Entscheidungen der Diensträte ist die Beschwerde beim Staatsrat nach Maßgabe der Gesetze zulässig.

5. Von der Einstellung auf Lebenszeit dürfen durch Gesetz ausgenommen werden oberste Verwaltungsbeamte, deren Stellen außerhalb der Beamtenlaufbahn stehen, sowie die unmittelbar zum Botschafter Ernannten, die Beamten des Präsidialamtes und der Büros des Ministerpräsidenten, der Minister und der Vizeminister.

6. Die Bestimmungen der vorigen Absätze finden auch auf die Parlamentsbeamten Anwendung, die im übrigen der Geschäftsordnung des Parlaments unterstellt sind, sowie auf die Beamten der örtlichen Selbstverwaltungskörperschaften und der sonstigen juristischen Personen des öffentlichen Rechts.

Artikel 104

1. Beamte im Sinne des vorigen Artikels dürfen nicht mit einer weiteren Stelle im öffentlichen Dienst oder in einer örtlichen Selbstverwaltungskörperschaft oder einer sonstigen juristischen Person des öffentlichen Rechts oder in einem öffentlichen Unternehmen oder einer gemeinnützigen Organisation betraut werden. Ausnahmsweise ist die Ernennung auch zu einer zweiten Stelle unter Beachtung der Bestimmungen des nächsten Absatzes aufgrund eines besonderen Gesetzes zulässig.

2. Die Gesamtsumme der zusätzlichen Bezüge oder Vergütungen der Beamten im Sinne des vorigen Absatzes darf monatlich die Gesamtbezüge aus ihrer Planstelle nicht übersteigen.

3. Die Einleitung eines Gerichtsverfahrens gegen Staatsbeamte sowie Beamte der örtlichen Selbstverwaltungskörperschaften oder der sonstigen juristischen Personen des öffentlichen Rechts bedarf keiner vorherigen Erlaubnis.

Drittes Kapitel. Der Status des Heiligen Berges

Artikel 105

1. Die Halbinsel Athos, von Megali Vigla an, die den Bezirk des Heiligen Berges bildet, ist gemäß ihrem alten privilegierten Status ein sich selbst verwaltender Teil des griechischen Staates, dessen Souveränität über den Heiligen Berg unberührt bleibt. In geistlicher Hinsicht steht der Heilige Berg unter der unmittelbaren Zuständigkeit des Ökumenischen Patriarchats. Wer sich dorthin zurückzieht, erwirbt mit seiner Zulassung als Novize oder Mönch ohne weitere Formalitäten die griechische Staatsangehörigkeit.

2. Der Heilige Berg wird seinem Status entsprechend von seinen Heiligen Klöstern verwaltet, unter denen die ganze Halbinsel Athos aufgeteilt ist; deren Boden kann nicht enteignet werden.

Die Verwaltung wird durch Vertreter der Heiligen Klöster ausgeübt, die die Heilige Gemeinschaft bilden. In keinem Fall ist eine Änderung des Verwaltungssystems oder der Zahl der Klöster des Heiligen Berges erlaubt, ebensowenig eine Änderung ihrer Rangordnung und ihrer Stellung zu den ihnen unterstellten Dependenzen. Die Niederlassung von Andersgläubigen oder Schismatikern ist dort verboten.

3. Die ausführliche Regelung der Ordnungen des Heiligen Berges und der Art ihrer Durchführung im einzelnen erfolgt durch die konstituierende Charta des Heiligen Berges, welche unter Mitwirkung des Vertreters des Staates von den 20 Heiligen Klöstern verfaßt und beschlossen wird und durch das Ökumenische Patriarchat und das Parlament der Griechen bestätigt wird.

4. Die genaue Einhaltung der Ordnungen des Heiligen Berges steht in geistlicher Hinsicht unter der obersten Aufsicht des Ökumenischen Patriarchats, hinsichtlich der Verwaltung jedoch unter der Aufsicht des Staates, dem allein die Wahrung der öffentlichen Sicherheit und Ordnung obliegt.

5. Die obigen Befugnisse des Staates werden durch einen Gouverneur wahrgenommen, dessen Rechte und Pflichten gesetzlich geregelt werden.

Ebenso werden die von den Klosterbehörden und der Heiligen Gemeinschaft ausgeübte Rechtsprechung sowie die Zoll- und Steuerprivilegien des Heiligen Berges gesetzlich geregelt.

VIERTER TEIL. BESONDERE ÜBERGANGS- UND SCHLUSSBESTIMMUNGEN

I. Abschnitt. Besondere Bestimmungen

Artikel 106

1. Zur Sicherung des gesellschaftlichen Friedens und zum Schutze des allgemeinen Interesses plant und koordiniert der Staat die wirtschaftliche Tätigkeit im Lande; dabei sucht er die wirtschaftliche Entwicklung in allen Bereichen der nationalen Wirtschaft zu sichern. Er ergreift die erforderlichen Maßnahmen zur Nutzbarmachung der Quellen des nationalen Reichtums in der Atmosphäre und an unterirdischen oder unterseeischen Schätzen und trifft die Maßnahmen zur Unterstützung der regionalen Entwicklung und zur Förderung besonders der Gebirgs-, Insel- und Grenzgebiete.

2. Die private wirtschaftliche Initiative darf nicht zu Lasten der Freiheit und der Menschenwürde oder zum Schaden der Volkswirtschaft entfaltet werden.

3. Unbeschadet des durch Artikel 107 gewährten Schutzes hinsichtlich der Wiederausfuhr von ausländischem Kapital kann durch Gesetz der Kauf von Unternehmen oder die Zwangsbeteiligung an ihnen durch den Staat oder durch einen sonstigen öffentlichen Träger gesetzlich geregelt werden, sofern diese Monopolcharakter tragen oder ausschlaggebende Bedeutung für die Nutzbarmachung der Quellen des nationalen Reichtums besitzen oder zum Hauptgegenstand die Leistung von Diensten für die Öffentlichkeit haben.

4. Der Kaufpreis oder der Gegenwert für die Zwangsbeteiligung des Staates oder eines sonstigen öffentlichen Trägers wird stets gerichtlich bestimmt, muß vollständig sein und dem Wert des gekauften Unternehmens oder der Beteiligung an einem solchen entsprechen.

5. Aktionäre, Gesellschafter oder Eigner eines Unternehmens, bei dem der Staat oder ein staatlich kontrollierter Träger infolge einer Zwangsbeteiligung gemäß Absatz 3 die Kontrolle übernimmt, dürfen die Übernahme ihrer Anteile an dem Unternehmen durch den Staat verlangen; das Nähere regelt ein Gesetz.

6. Ein Gesetz kann bestimmen, daß, wer durch die Ausführung von gemeinnützigen Vorhaben oder solchen, die für die wirtschaftliche Entwicklung des Landes von allgemeiner Bedeutung sind, Nutzen zieht, sich an den öffentlichen Ausgaben beteiligen muß.

Erklärung zur Interpretation:

In dem Wert nach Absatz 4 ist der durch einen etwaigen Monopolcharakter des Unternehmens bedingte Wert nicht eingeschlossen.

Artikel 107

1. Die vor dem 21. April 1967 erlassene Gesetzgebung mit gesteigerter formeller Geltungskraft über den Schutz von ausländischem Kapital behält die gesteigerte formelle Geltungskraft, die sie besaß, und findet auch auf das in der Zukunft zufließende Kapital Anwendung.

Gleiche Geltungskraft besitzen auch die Bestimmungen der Kapitel I bis IV des ersten Teils des Gesetzes Nr. 27/75 „Über Besteuerung von Schiffen, Auferlegung eines Beitrages zur Entwicklung der Handelsmarine, über Niederlassung ausländischer Schiffahrtsunternehmen und über die Regelung damit zusammenhängender Fragen".

2. Ein einmaliges Gesetz, das innerhalb von drei Monaten nach Inkrafttreten dieser Verfassung erlassen wird, regelt die Bedingungen und das Verfahren einer Überprüfung oder Aufhebung der in Anwendung der Gesetzesverordnung 2687/1953 in der Zeit zwischen dem 21. April 1967 und dem 23. Juli 1974 in irgendeiner Form erlassenen genehmigenden Ver-

waltungsakte oder abgeschlossenen Verträge in bezug auf Investitionen ausländischen Kapitals mit Ausnahme derer, die die Eintragung von Schiffen in ein griechisches Schiffsregister betreffen.

Artikel 108

Der Staat sorgt für das Griechentum im Ausland und die Aufrechterhaltung der Verbindung zum Mutterland. Er sorgt auch für die Bildung und die gesellschaftliche und berufliche Förderung der im Ausland arbeitenden Griechen.

Artikel 109

1. Die Abänderung des Inhalts oder der Bedingungen eines Testaments, eines Kodizils oder einer Schenkung, soweit sie Bestimmungen zugunsten des Staates oder eines gemeinnützigen Zweckes enthalten, ist nicht zulässig.

2. Ausnahmsweise ist es zulässig, den Nachlaß oder die Schenkung zum gleichen oder zu einem anderen gemeinnützigen Zweck in dem vom Schenker oder Erblasser bestimmten Gebiet oder in einer noch weiteren Region vorteilhafter nutzbar zu machen oder darüber zu verfügen, wenn durch gerichtliche Entscheidung festgestellt wird, daß aus irgendeinem Grunde der Wille des Erblassers oder des Schenkers überhaupt oder im wesentlichen nicht verwirklicht werden kann und daß diesem durch die Änderung der Verwendung in vollständigerer Weise Rechnung getragen werden kann; das Nähere regelt ein Gesetz.

II. Abschnitt. Verfassungsänderung

Artikel 110

1. Die Bestimmungen der Verfassung können geändert werden, mit Ausnahme der Bestimmungen über die Staatsgrundlage und die Staatsform als parlamentarische Republik sowie mit Ausnahme der Bestimmungen der Artikel 2 Absatz 1, Artikel 4 Absätze 1, 4 und 7, Artikel 5 Absätze 1 und 3, Artikel 13 Absatz 1 und Artikel 26.

2. Die Erforderlichkeit der Verfassungsänderung wird durch Parlamentsbeschluß festgestellt, der auf Vorschlag von mindestens 50 Abgeordneten ergeht und mit den Stimmen von drei Fünftel der Gesamtzahl der Parlamentsmitglieder in zwei, mindestens einen Monat auseinanderliegenden Abstimmungen gefaßt wird.

Durch diesen Beschluß werden die zu ändernden Bestimmungen im einzelnen festgelegt.

3. Ist die Verfassungsänderung beschlossen, entscheidet das nächste Parlament in seiner ersten Sitzungsperiode über die zu ändernden Bestimmungen mit absoluter Mehrheit der Gesamtzahl seiner Mitglieder.

4. Stimmt einem Verfassungsänderungsvorschlag zwar die Mehrheit der Gesamtzahl der Abgeordneten zu, jedoch nicht die nach Absatz 2 erforderliche Mehrheit von drei Fünftel derselben, kann das nächste Parlament in seiner ersten Sitzungsperiode mit einer Mehrheit von drei Fünftel der Gesamtzahl seiner Mitglieder über die zu ändernden Bestimmungen entscheiden.

5. Jede beschlossene Verfassungsänderung wird innerhalb von zehn Tagen nach ihrer Verabschiedung durch das Parlament in der Regierungszeitung verkündet und durch besonderen Parlamentsbeschluß in Kraft gesetzt.

6. Eine Verfassungsänderung vor dem Ablauf von fünf Jahren nach dem Abschluß der vorhergehenden ist unzulässig.

III. Abschnitt. Übergangsbestimmungen

Artikel 111

1. Mit dem Inkrafttreten dieser Verfassung treten Bestimmungen von Gesetzen oder Rechtsverordnungen, die ihr widersprechen, außer Kraft.

2. Verfassungsakte, die vom 24. Juli 1974 bis zur Einberufung des V. Verfassungsändernden Parlaments erlassen wurden, sowie dessen Verfassungsbeschlüsse bleiben auch mit ihren dieser Verfassung widersprechenden Bestimmungen in Kraft, welche jedoch durch Gesetze abgeändert oder aufgehoben werden dürfen. Mit Inkrafttreten der Verfassung tritt die Bestimmung des Artikels 8 des Verfassungsaktes vom 3. September 1974 über die Altersgrenze von Hochschulprofessoren außer Kraft.

3. In Kraft bleiben: a) Artikel 2 der Präsidialverordnung Nr. 700 vom 9. Oktober 1974 „Über die teilweise Wiederinkraftsetzung der Artikel 5, 6, 8, 10, 12, 14, 95 und 97 der Verfassung und Aufhebung des Gesetzes über den Ausnahmezustand" und b) die Gesetzesverordnung Nr. 167 vom 16. November 1974 „Über Gewährung des Rechtsmittels der Berufung gegen die Entscheidungen des Militärgerichts"; sie dürfen jedoch durch Gesetz abgeändert oder außer Kraft gesetzt werden.

4. Der Verfassungsbeschluß vom 29. April 1952 bleibt für sechs Monate nach dem Inkrafttreten dieser Verfassung in Kraft. Innerhalb dieser Frist dürfen die in Artikel 3 Absatz 1 dieses Verfassungsbeschlusses erwähnten Verfassungsakte und -beschlüsse durch Gesetz abgeändert, ergänzt oder außer Kraft gesetzt oder über ihre Geltungsdauer hinaus ganz oder teilweise in Kraft belassen werden, sofern die abgeänderten, ergänzten oder in Kraft belassenen Bestimmungen nicht gegen diese Verfassung verstoßen.

5. Griechen, denen die Staatsangehörigkeit bis zum Inkrafttreten dieser Verfassung in irgendeiner Weise entzogen worden ist, erwerben sie nach Entscheidung von besonderen, aus richterlichen Amtsträgern bestehenden Ausschüssen wieder; das Nähere regelt ein Gesetz.

6. In Kraft bleibt die Bestimmung des Artikels 19 der Gesetzesverordnung Nr. 3370/1955 „Über das griechische Staatsangehörigkeitsgesetzbuch", bis sie durch Gesetz außer Kraft gesetzt wird.

Artikel 112

1. Bei Gegenständen, zu deren Regelung durch Bestimmungen dieser Verfassung der Erlaß von Gesetzen ausdrücklich vorgesehen ist, bleiben bis zum Erlaß der jeweiligen Gesetze die bei Inkrafttreten der Verfassung bestehenden Gesetze oder Rechtsverordnungen in Kraft, mit Ausnahme der dieser Verfassung widersprechenden Bestimmungen.

2. Die Bestimmungen der Artikel 109 Absatz 2 und 79 Absatz 8 finden Anwendung mit dem Inkrafttreten der in ihnen vorgesehenen besonderen Gesetze, die spätestens bis Ende des Jahres 1976 erlassen werden. Bis zum Inkrafttreten des im Artikel 109 Absatz 2 vorgesehenen Gesetzes bleibt es bei der bei Inkrafttreten dieser Verfassung bestehenden Verfassungs- und Gesetzesregelung.

3. Die Aufgaben der Professoren ruhen von ihrer Wahl zum Abgeordneten im Sinne des Verfassungsaktes vom 5. Oktober 1974 während dieser Legislaturperiode nicht, soweit sie die Lehre, die Forschung, die schriftstellerische Tätigkeit und die wissenschaftliche Betätigung in den Laboratorien und Seminaren der eigenen Fakultäten betreffen; ausgeschlossen ist jedoch deren Beteiligung an der Verwaltung der Fakultäten und der Wahl des Lehrpersonals im allgemeinen oder bei der Prüfung von Studenten.

4. Die Anwendung des Artikels 16 Absatz 3 über die Dauer der Schulpflicht wird durch Gesetz innerhalb von fünf Jahren nach Inkrafttreten dieser Verfassung vervollständigt.

Artikel 113

1. Die Geschäftsordnung des Parlaments sowie die damit zusammenhängenden Verfassungsbeschlüsse und die Gesetze über die Arbeitsweise des Parlaments bleiben bis zum Inkrafttreten der neuen Geschäftsordnung des Parlaments in Kraft, soweit sie nicht dieser Verfassung widersprechen.

Auf die Arbeitsweise der Abteilungen des Parlaments nach Artikel 70 und 71 dieser Verfassung finden die Bestimmungen der letzten Geschäftsordnung des Besonderen Gesetzgebungsausschusses nach Artikel 35 der Verfassung vom 1. Januar 1952 sowie die näheren Bestimmungen des Artikels 3 des Verfassungsbeschlusses A vom 24. Dezember 1974 ergänzungsweise Anwendung. Bis zum Inkrafttreten der neuen Geschäftsordnung des Parlaments besteht der Ausschuß nach Artikel 71 der Verfassung aus 60 ordentlichen und 30 stellvertretenden Mitgliedern, die vom Präsidenten des Parlaments aus der Mitte aller Parteien und Gruppen entsprechend ihrer Stärke ausgewählt werden. Ergeben sich bis zur Veröffentlichung der neuen Geschäftsordnung Zweifel über die jeweils anzuwendenden Bestimmungen, entscheidet das Plenum oder die Abteilung des Parlaments, bei deren Arbeit die Frage aufgetreten ist.

Artikel 114

1. Die Wahl des ersten Präsidenten der Republik muß spätestens innerhalb eines Monats nach der Veröffentlichung der Verfassung in einer besonderen Sitzung des Parlaments stattfinden, das mindestens fünf Tage vorher von seinem Präsidenten einberufen wird; die Bestimmungen der Geschäftsordnung des Parlaments über die Wahl seines Präsidenten finden entsprechende Anwendung.

Der gewählte Präsident der Republik übernimmt die Wahrnehmung seiner Aufgaben nach der Eidesleistung innerhalb von spätestens fünf Tagen nach seiner Wahl.

Das Gesetz nach Artikel 49 Absatz 4 über die Verantwortlichkeit des Präsidenten der Republik ist bis zum 31. Dezember 1975 zu erlassen.

Bis zum Inkrafttreten des Gesetzes nach Artikel 33 Absatz 3 finden die Bestimmungen über den vorläufigen Präsidenten der Republik Anwendung.

2. Bis zum Inkrafttreten dieser Verfassung und bis zur Übernahme seiner Aufgaben durch den endgültigen Präsidenten der Republik übt der vorläufige Präsident der Republik die durch diese Verfassung dem Präsidenten der Republik zugesprochenen Zuständigkeiten unter den Einschränkungen des Artikels 2 des durch das V. Verfassungsändernde Parlament verabschiedeten Verfassungsbeschlusses B vom 24. Dezember 1974 aus.

Artikel 115

1. Bis zum Erlaß des in Artikel 86 Absatz 1 vorgesehenen Gesetzes finden die bestehenden Bestimmungen über Verfolgung, Untersuchung und Aburteilung der in Artikel 49 Absatz 1 und Artikel 85 erwähnten Handlungen und Unterlassungen Anwendung.

2. Das in Artikel 100 vorgesehene Gesetz ist spätestens innerhalb eines Jahres nach Inkrafttreten der Verfassung zu erlassen. Bis zu seinem Erlaß und bis zum Beginn der Tätigkeit des zu errichtenden Besonderen Obersten Gerichtshofes gilt:

a) die sich aus Artikel 55 Absatz 2 und aus Artikel 57 ergebenden Fragen werden gelöst durch Beschluß des Parlaments nach den die personellen Fragen betreffenden Bestimmungen seiner Geschäftsordnung;

b) Gültigkeit und Ergebnis einer nach Artikel 44 Absatz 2 durchgeführten Volksabstimmung wird geprüft und Einsprüche nach Artikel 58 gegen die Gültigkeit und das Ergebnis der Parlamentswahlen werden entschieden von dem in Artikel 73 der Verfassung vom

1. Januar 1952 vorgesehenen Besonderen Gerichtshof; dabei findet das Verfahren der Artikel 116 ff. der Präsidialverordnung Nr. 650/1974 Anwendung.

c) für die Konfliktserhebungen nach Artikel 100 Absatz 1 Satz 4 ist das Konfliktserhebungsgericht nach Artikel 85 der Verfassung vom 1. Januar 1952 zuständig; die Gesetze über die Organisation, die Arbeitsweise und das Verfahren vor diesem Gericht bleiben vorläufig in Kraft.

3. Bis zum Inkrafttreten des Gesetzes nach Artikel 99 werden die Anklagen wegen Rechtsbeugung gemäß Artikel 110 der Verfassung vom 1. Januar 1952 von dem dort vorgesehenen Gericht und in dem zur Zeit der Verkündung dieser Verfassung geltenden Verfahren abgeurteilt.

4. Bis zum Inkrafttreten des in Artikel 87 Absatz 3 vorgesehenen Gesetzes und bis zur Errichtung der in Artikel 90 Absatz 1 und 2 und Artikel 91 vorgesehenen Gerichts- und Disziplinarräte bleiben die beim Inkrafttreten dieser Verfassung bestehenden einschlägigen Bestimmungen in Kraft. Die diese Fragen regelnden Gesetze sind spätestens innerhalb eines Jahres nach Inkrafttreten dieser Verfassung zu erlassen.

5. Bis zum Inkrafttreten der in Artikel 92 erwähnten Gesetze bleiben die beim Inkrafttreten dieser Verfassung bestehenden Bestimmungen in Kraft. Diese Gesetze sind spätestens innerhalb eines Jahres nach Inkrafttreten dieser Verfassung zu erlassen.

6. Das in Artikel 57 Absatz 5 vorgesehene besondere Gesetz ist innerhalb von sechs Monaten nach Inkrafttreten dieser Verfassung zu erlassen.

Artikel 116

1. Bestimmungen, die Artikel 4 Absatz 2 entgegenstehen, bleiben bis zu ihrer Aufhebung durch Gesetz, spätestens jedoch bis zum 31. Dezember 1982 in Kraft.

2. Abweichungen von den Bestimmungen des Artikels 4 Absatz 2 sind nur aus wichtigen Gründen in den besonders durch Gesetz bestimmten Fällen zulässig.

3. Von Ministern erlassene Rechtsverordnungen sowie Bestimmungen von Tarifverträgen oder Schiedsentscheidungen über die Regelung des Arbeitsentgelts, die den Bestimmungen des Artikels 22 Absatz 1 entgegenstehen, bleiben bis zu ihrer Ersetzung in Kraft; diese muß jedoch spätestens innerhalb von drei Jahren nach Inkrafttreten dieser Verfassung erfolgen.

Artikel 117

1. Die in Anwendung des Artikels 104 der Verfassung vom 1. Januar 1952 bis zum 21. April 1967 erlassenen Gesetze sind als nicht verfassungswidrig anzusehen und bleiben in Kraft.

2. In Abweichung von Artikel 17 ist die gesetzliche Regelung sowie die Auflösung noch bestehender Pachten und sonstiger Grundlasten, der Abkauf des Obereigentums von Erbpachten seitens der Erbpächter sowie die Abschaffung und Regelung besonders dinglicher Rechtsverhältnisse zulässig.

3. Öffentliche oder private Wälder oder Waldgebiete, die durch Brand zerstört werden oder zerstört worden sind oder sonstwie entwaldet sind oder entwaldet werden, verlieren nicht aus diesem Grunde ihre vor der Zerstörung bestehende Eigenschaft und werden zu aufzuforstenden Gebieten erklärt, deren Verwendung zu einem sonstigen Zweck ausgeschlossen ist.

4. Die Enteignung von Wäldern oder Waldgebieten, die natürlichen oder juristischen Personen des privaten oder öffentlichen Rechts gehören, ist nur zugunsten des Staates gemäß Artikel 17 zum Wohle der Allgemeinheit und unter Bewahrung ihrer Eigenschaft als Wald zulässig.

5. Die bis zur Anpassung der bestehenden Enteignungsgesetze an die Bestimmungen dieser Verfassung verfügten oder noch zu verfügenden Enteignungen werden nach den zur Zeit der Verfügung geltenden Bestimmungen geregelt.

6. Artikel 24 Absätze 3 und 5 findet nur auf die nach Inkrafttreten der dort vorgesehenen Gesetze anerkannten oder neugestalteten Wohngebiete Anwendung.

Artikel 118

1. Nach Inkrafttreten dieser Verfassung treten die richterlichen Amtsträger vom Rang des Berufungsgerichtspräsidenten oder Oberstaatsanwaltes oder von einem entsprechenden Rang an, wie bisher mit Vollendung des 70. Lebensjahres in den Ruhestand; diese Altersgrenze verringert sich vom Jahre 1977 an um ein Jahr jährlich bis zum 67. Lebensjahr.

2. Oberste Richter und Staatsanwälte, die bei Inkrafttreten des Verfassungsaktes vom 5. September 1975 „Über Wiederherstellung der Ordnung in der Gerichtsbarkeit" nicht im Dienst waren und aufgrund desselben Verfassungsaktes in ihrem Dienstgrad wegen des Zeitpunktes ihrer Beförderung zurückgestuft wurden, ohne daß sie nach Artikel 6 desselben Verfassungsaktes disziplinarisch verfolgt wurden, sind vom zuständigen Minister innerhalb von drei Monaten nach Inkrafttreten dieser Verfassung an den Obersten Disziplinarrat zu verweisen.

Der Oberste Disziplinarrat entscheidet darüber, ob die Umstände der Beförderung das Ansehen und die besondere Dienststellung des Beförderten beeinträchtigt haben; ebenso entscheidet er endgültig über den Wiedererwerb des ipso iure verlorenen Dienstgrades und der damit zusammenhängenden Rechte; Dienstbezüge oder Ruhegehalt sind nicht rückwirkend zu erstatten. Die Entscheidung ist innerhalb von drei Monaten nach der Verweisung zu erlassen.

Die engen Hinterbliebenen eines in seinem Dienstgrad herabgesetzten verstorbenen richterlichen Amtsträgers dürfen alle den Prozeßbeteiligten zustehenden Rechte vor dem Obersten Disziplinarrat ausüben.

3. Bis zum Erlaß des in Artikel 101 Absatz 3 vorgesehenen Gesetzes finden die bestehenden Bestimmungen über Verteilung der Zuständigkeiten zwischen zentralen und regionalen Dienststellen Anwendung. Diese Bestimmungen dürfen dahingehend abgeändert werden, daß besondere Zuständigkeiten von den zentralen auf die regionalen Dienststellen übertragen werden.

Artikel 119

1. Durch Gesetz kann die in irgendeiner Weise gegebene Unzulässigkeit von Aufhebungsanträgen gegen Akte, die vom 21. April 1967 bis zum 23. Juli 1974 erlassen wurden, beseitigt werden, gleich, ob ein solcher Antrag gestellt worden ist oder nicht; Bezüge werden einem obsiegenden Antragsteller jedoch nicht rückwirkend erstattet.

2. Angehörige der Streitkräfte oder Staatsbeamte, die nach dem Gesetz ipso iure in ihre früheren öffentlichen Stellen wieder eingesetzt werden, können, sofern sie bereits Abgeordnete geworden sind, innerhalb von acht Tagen zwischen dem Abgeordnetenmandat und der öffentlichen Stelle wählen.

IV. Abschnitt. Schlußbestimmung

Artikel 120

1. Diese Verfassung, beschlossen durch das V. Verfassungsändernde Parlament der Griechen, wird von seinem Präsidenten unterzeichnet, vom vorläufigen Präsidenten der Republik durch eine von dem Ministerrat gegengezeichnete Verordnung im Regierungsblatt verkündet; sie tritt am 11. Juni 1975 in Kraft.

2. Die Treue zur Verfassung und den mit ihr in Einklang stehenden Gesetzen sowie die Hingabe an das Vaterland und die Demokratie sind eine Grundpflicht für alle Griechen.

3. Jede Usurpation der Volkssouveränität und der sich daraus ergebenden Gewalten wird nach Wiederherstellung der rechtmäßigen Ordnung verfolgt; erst zu diesem Zeitpunkt beginnt die Verjährung der Straftat.

4. Die Einhaltung dieser Verfassung wird dem Patriotismus der Griechen anvertraut; sie sind berechtigt und verpflichtet, gegen jeden, der es unternimmt, die Verfassung mit Gewalt aufzulösen, mit allen Mitteln Widerstand zu leisten.

Oberste Organe[1])

Hermann Bünz, Hamburg, und Reinhard Kunze, Hamburg

I. Staatsoberhäupter – II. Regierungen – III. Oberstes Sondergericht – IV. Staatsrat – V. Areopag

I. Staatsoberhäupter

Zeitraum	Name	Funktion
7. 1.1828–27. 9.1831	I. Kapodistrias	Regent
25. 1.1832–11.10.1862	Otto	König
17.10.1863– 5. 3.1913	Georg I.	König
5. 3.1913–30. 5.1917	Konstantin I.	König
30. 5.1917–12.10.1920	Alexander	König
15.10.1920– 4.11.1920	P. Kountouriotis	Vizekönig
4.11.1920– 6.12.1920	Olga	Vizekönigin
6.12.1920–14. 9.1922	Konstantin I.	König
14. 9.1922–18.12.1923	Georg II.	König
19.12.1923–24. 3.1924	P. Kountouriotis	Vizekönig
24. 3.1924– 4. 1.1926	P. Kountouriotis	Präsident d. Rep.
4. 1.1926–22. 8.1926	Th. Pankalos	Präsident d. Rep.
24. 8.1926–14.12.1929	P. Kountouriotis	Präsident d. Rep.
14.12.1929–10.10.1935	A. Zaïmis	Präsident d. Rep.
10.10.1935–25.11.1935	G. Kondylis	Vizekönig
25.11.1935–31.12.1944	Georg II.	König
31.12.1944–28. 9.1946	Damaskinos	Vizekönig und Regent
28. 9.1946– 1. 4.1947	Georg II.	König
1. 4.1947– 6. 3.1964	Paul I.	König
6. 3.1964–13.12.1967	Konstantin II.	König
13.12.1967–21. 3.1972	G. Zoïtakis	Vizekönig
21. 3.1972– 1. 6.1973	G. Papadopoulos	Vizekönig
1. 6.1973–25.11.1973	G. Papadopoulos	Präsident d. Rep.
25.11.1973–18.12.1974	F. Gizikis	Präsident d. Rep.
18.12.1974–20. 6.1975	M. Stasinopoulos	Präsident d. Rep.
20. 6.1975– 8. 5.1980	K. Tsatsos	Präsident d. Rep.
seit 8.5.1980	K. Karamanlis	Präsident d. Rep.

---

[1]) Die Angaben stützen sich auf folgende Quellen und Nachschlagewerke:

Βιβλιοθήκη τῆς Βουλῆς: Αἱ ἑλληνικαί κυβερνήσεις καί τά προεδρεῖα Βουλῆς καί Γερουσίας 1926–1959 (Die griechischen Regierungen und die Präsidien des Parlaments sowie des Senats 1926–1959). Athenai 1959.

– The Greek Government. Biographical Notes. Ministry of the Prime Minister's Office. Athens 1958f.

– Griechenland Informationen. 1.–31. Griechische Botschaft Bonn (Hrsg.). Bonn 1974–1977.

– Keesing's Archiv der Gegenwart. 15. Jahrgang 1945ff.

– Κτεναβέας, Σ.: Αἱ ἑλληνικαί κυβερνήσεις, αἱ ἐθνικαί συνελεύσεις καί τά δημοψηφίσματα ἀπό τοῦ 1821 μέχρι σήμερον (Die griechischen Regierungen, Nationalversammlungen und Volksabstimmungen von 1821 bis heute). Athenai 1947.

II. Regierungen[2])

Regierung G. Papandreou vom 18. 10. 1944
(Regierung der Befreiung)

Ministerpräsident: G. Papandreou
Außenminister: G. Papandreou
Innenminister: F. Manouilidis ab 23. 10. 1945
Finanzminister: A. Svolos 18. 10.–12. 12. 1944 – P. Kanellopoulos ab 12. 12. 1944
Justizminister: Th. Tsatsos 18. 10.–23. 10. 1944 – M. Avraam ab 23. 10. 1944
Heeresminister: G. Papandreou
Luftwaffenminister: G. Papandreou bis 25.10.1944 – P. Fikioris ab 25.10.1944
Marineminister: P. Kanellopoulos bis 23.10.1944 – N. Avraam ab 23.10.1944 – P. Kanello-
   poulos ab 12.12.1944
Unterrichts- und Kultusminister: Ch. Sgouritsas bis 23.10.1944 – P. Chatzipanos ab
   25.10.1944

Regierung N. Plastiras vom 3. 1. 1945

Ministerpräsident: N. Plastiras
Außenminister: I. Sofianopoulos
Innenminister: P. Rallis bis 21. 2. 1945 – N. Plastiras bis 7. 3. 1945 – G. Athanasiadis-Novas ab
   7.3.1945
Finanzminister: G. Sideris bis 2. 4. 1945 – A. Mylonas ab 2. 4. 1945
Justizminister: N. Kolyvas
Heeresminister: N. Plastiras
Luftwaffenminister: N. Plastiras
Marineminister: N. Plastiras
Unterrichtsminister: P. Rallis, K. Amantos ab 4.1.1945

Regierung P. Voulgaris vom 8. 4. 1945

Ministerpräsident: P. Voulgaris
Stellv. Ministerpräsident: K. Varbaresos ab 2.6.1945
Innenminister: K. Tsatsos
Finanzminister: G. Mantzavinos
Justizminister: K. Tsatsos bis 9.4.1945 – S. Souliotis ab 9.4.1945
Heeresminister: P. Voulgaris
Luftwaffenminister: P. Voulgaris
Marineminister: P. Voulgaris
Unterrichtsminister: D. Balanos

Regierung P. Voulgaris vom 11.8.1945

Ministerpräsident: P. Voulgaris
Stellv. Ministerpräsident: K. Varbaresos
Außenminister: P. Voulgaris bis 18.8.1945 – I. Politis ab 18.8.1945
Innenminister: P. Voulgaris bis 30.8.1945 – P. Gounarakis ab 30.8.1945
Finanzminister: G. Mantzavinos

---

[2]) Eine vollständige Wiedergabe der Kabinettslisten kann aufgrund des begrenzten Umfanges des Beitrages nicht erfolgen. Daher ist hier nur eine Auswahl der wichtigsten Ministerien vorgenommen worden.

Justizminister: G. Kasimatis bis 18.8.1945 – V. Kyriakopoulos ab 18.8.1945
Heeresminister: P. Voulgaris bis 22.8.1945 – A. Merentitis ab 22.8.1945
Luftwaffenminister: P. Voulgaris
Marineminister: P. Voulgaris
Unterrichtsminister: G. Oikonomos

Regierung Sr. Heiligkeit des Vizekönigs Damaskinos vom 17. 10. 1945

Ministerpräsident: A. M. Damaskinos
Außenminister: I. Politis
Innenminister: P. Gounarakis
Finanzminister: G. Mantzavinos
Justizminister: V. Kyriakopoulos
Heeresminister: A. Merentitis
Luftwaffenminister: G. Alexandris ab 19.10.1945
Marineminister: A. Merentitis ab 19.10.1945

Regierung P. Kanellopoulos vom 1. 11. 1945

Ministerpräsident: P. Kanellopoulos
Außenminister: P. Kanellopoulos
Innenminister: Ch. Psarros
Finanzminister: G. Kasimatis
Justizminister: G. Oikonomopoulos
Heeresminister: S. Georgoulis
Marineminister: P. Kanellopoulos

Regierung Th. Sofoulis vom 22. 11. 1945

Ministerpräsident: Th. Sofoulis
Stellv. Ministerpräsident: G. Kafantaris
Stellv. Ministerpräsident: E. Tsouderos
Außenminister: I. Sofianopoulos bis 29.1.1946 – K. Rentis ab 29.1.1946
Innenminister: K. Rentis bis 29.1.1946 – Th. Chavinis ab 29.1.1946
Finanzminister: A. Mylonas bis 12.3.1946 – G. Vorazanis ab 12.3.1946
Justizminister: K. Rentis bis 2.2.1946 – G. Mavros ab 2.2.1946
Wirtschaftsminister: G. Vorazanis ab 12.3.1946
Heeresminister: Th. Manetas
Luftwaffenminister: Th. Manetas, P. Evripaios ab 26.11.1945 – Th. Manetas ab 11.3.1946
Marineminister: Th. Manetas ab 26.11.1945 – K. Gotsis ab 6.12.1945
Unterrichtsminister: G. Athanasiadis-Novas bis 11.3.1946
Unterrichts- und Kultusminister: G. Mavros ab 11.3.1946
Koordinationsminister: E. Tsouderos

Regierung P. Poulitsas vom 4. 4. 1946

Vorsitzender des Staatsrates: P. Poulitsas
Ministerpräsident: P. Poulitsas
Außenminister: K. Tsaldaris
Innenminister: I. Theotokis
Finanzminister: S. Stefanopoulos, D. Chelmis ab 13.4.1946
Justizminister: K. Tsaldaris

Heeresminister: P. Mavromichalis
Luftwaffenminister: P. Mavromichalis
Marineminister: P. Mavromichalis
Unterrichtsminister: K. Tsaldaris
Koordinationsminister: S. Stefanopoulos ab 13.4.1946
Minister ohne Geschäftsbereich: G. Papandreou
Minister ohne Geschäftsbereich: S. Venizelos
Minister ohne Geschäftsbereich: P. Kanellopoulos

Regierung K. Tsaldaris vom 18.4.1946

Ministerpräsident: K. Tsaldaris
Außenminister: K. Tsaldaris
Innenminister: I. Theotokis bis 14.5.1946 – K. Kalkanis ab 14.5.1946
Finanzminister: D. Chelmis
Justizminister: P. Chatzipanos
Heeresminister: P. Mavromichalis
Luftwaffenminister: P. Mavromichalis
Marineminister: P. Mavromichalis
Unterrichts- und Kultusminister: A. Papadimas
Koordinationsminister: S. Stefanopoulos

Regierung K. Tsaldaris vom 2. 10. 1946

Ministerpräsident: K. Tsaldaris
Minister beim Ministerpräsidenten: P. Chatzipanos ab 24. 11. 1946
Außenminister: K. Tsaldaris
Innenminister: K. Kalkanis bis 4.11.1946 – I. Kyrouzis ab 4.11.1946
Finanzminister: D. Chelmis
Justizminister: P. Chatzipanos bis 24. 11. 1946
Heeresminister: P. Mavromichalis, F. Dragoumis ab 4.11.1946
Luftwaffenminister: P. Mavromichalis, A. Protopapadakis ab 4.11.1946
Marineminister: P. Mavromichalis, D. Lontos ab 4.11.1946
Unterrichtsminister: A. Papadimas
Koordinationsminister: S. Stefanopoulos

Regierung D. Maximos vom 24. 1. 1947

Ministerpräsident: D. Maximos
Minister beim Ministerpräsidenten: K. Tsaldaris
Stellv. Ministerpräsident: K. Tsaldaris
Stellv. Ministerpräsident: S. Venizelos
Außenminister: K. Tsaldaris
Innenminister: A. Alexandris bis 27.1.1947 – G. Papandreou ab 27.3.1947
Finanzminister: K. Tsaldaris, D. Chelmis ab 27.3.1947
Justizminister: S. Gonatas bis 27.1.1947 – A. Alexandris ab 27.1.1947
Heeresminister: S. Venizelos bis 27.1.1947 – G. Stratos ab 27.3.1947
Luftwaffenminister: S. Venizelos bis 27.1.1947 – Th. Tsatsos ab 27.1.1947 – P. Kanellopou-
    los ab 23.2.1947
Marineminister: P. Kanellopoulos bis 17.2.1947 – S. Venizelos ab 17.2.1947
Unterrichtsminister: G. Papandreou bis 27.1.1947 – A. Papadimos ab 27.3.1947

Koordinationsminister: K. Tsaldaris, S. Stefanopoulos ab 27.1.1947
Politischer Koordinationsminister: P. Chatzipanos ab 27.1.1947
Minister ohne Geschäftsbereich (Sonderauftrag: Koordinierung der Armeeministerien):
  S. Venizelos

Regierung K. Tsaldaris vom 29. 8. 1947

Ministerpräsident: K. Tsaldaris
Außenminister: K. Tsaldaris
Innenminister: P. Mavromichalis
Finanzminister: D. Chelmis
Justizminister: A. Papadimas
Heeresminister: G. Stratos
Luftwaffenminister: A. Protopapadakis
Marineminister: P. Mavromichalis
Unterrichtsminister: A. Papadimos
Koordinationsminister: D. Chelmis

Regierung Th. Sofoulis vom 7. 9. 1947

Ministerpräsident: Th. Sofoulis
Stellv. Ministerpräsident: K. Tsaldaris
Außenminister: K. Tsaldaris
Innenminister: P. Mavromichalis
Finanzminister: D. Chelmis
Justizminister: Ch. Ladas bis 2.5.1948 – K. Rentis ab 2.5.1948 – G. Melas ab 7.5.1948
Heeresminister: G. Stratos
Luftwaffenminister: D. Dinkas
Marineminister: A. Sakellariou
Unterrichtsminister: A. Papadimas
Unterrichts- und Kultusminister: D. Vourdoubas ab 7.5.1948
Koordinationsminister: S. Stefanopoulos

Regierung Th. Sofoulis vom 18. 11. 1948

Ministerpräsident: Th. Sofoulis
Stellv. Ministerpräsident: K. Tsaldaris
Außenminister: K. Tsaldaris
Innenminister: P. Chatzipanos
Finanzminister: D. Chelmis
Justizminister: G. Melas
Heeresminister: K. Rentis
Luftwaffenminister: A. Protopapadakis
Marineminister: P. Mavromichalis
Unterrichts- und Kultusminister: D. Vourdoubas
Koordinationsminister: S. Stefanopoulos
Minister für öffentliche Ordnung: P. Dentidakis

Regierung Th. Sofoulis vom 20. 1. 1949

Ministerpräsident: Th. Sofoulis
Stellv. Ministerpräsident: A. Diomidis
Außenminister: K. Tsaldaris

Innenminister: F. Zaïmis
Finanzminister: D. Chelmis
Justizminister: G. Melas
Heeresminister: P. Kanellopoulos
Luftwaffenminister: A. Protopapadakis
Marineminister: G. Vasiliadis
Unterrichts- und Kultusminister: K. Tsatsos
Minister ohne Geschäftsbereich: S. Venizelos
Minister ohne Geschäftsbereich: S. Markezinis

Regierung Th. Sofoulis vom 14. 4. 1949

Ministerpräsident: Th. Sofoulis
Stellv. Ministerpräsident: A. Diomidis
Außenminister: K. Tsaldaris
Innenminister: F. Zaïmis
Finanzminister: D. Chelmis
Justizminister: G. Melas
Heeresminister: P. Kanellopoulos
Luftwaffenminister: A. Protopapadakis
Marineminister: G. Vasiliadis
Unterrichts- und Kultusminister: K. Tsatsos
Koordinationsminister: S. Stefanopoulos
Minister ohne Geschäftsbereich: S. Venizelos

Regierung A. Diomidis vom 30. 6. 1949

Ministerpräsident: A. Diomidis
Stellv. Ministerpräsident: K. Tsaldaris
Stellv. Ministerpräsident: S. Venizelos
Außenminister: K. Tsaldaris
Innenminister: F. Zaïmis
Finanzminister: D. Chelmis
Justizminister: G. Melas
Heeresminister: P. Kanellopoulos
Luftwaffenminister: A. Protopapadakis
Marineminister: G. Vasiliadis
Unterrichts- und Kultusminister: K. Tsatsos
Minister ohne Geschäftsbereich: S. Venizelos
Koordinationsminister: S. Stefanopoulos

Regierung I. Theotokis vom 6. 1. 1950

Ministerpräsident: I. Theotokis
Außenminister: P. Pipinelis
Innenminister: N. Lianopoulos
Finanzminister: G. Mantzavinos
Justizminister: E. Papaïliou
Heeresminister: I. Theotokis
Luftwaffenminister: I. Theotokis
Marineminister: I. Theotokis
Unterrichts- und Kultusminister: G. Oikonomou
Koordinationsminister: S. Stefanopoulos bis 7.2.1950 – G. Mantzavinos ab 7.2.1950

Regierung S. Venizelos vom 23. 3. 1950

Ministerpräsident: S. Venizelos
Stellv. Ministerpräsident: P. Kanellopoulos
Außenminister: S. Venizelos
Innenminister: P. Katsotas
Finanzminister: F. Zaïmis
Justizminister: N. Bakopoulos ab 24.3.1950
Heeresminister: P. Kanellopoulos bis 3.4.1950 – S. Venizelos ab 3.4.1950
Luftwaffenminister: P. Kanellopoulos bis 3.4.1950 – S. Venizelos ab 3.4.1950
Marineminister: P. Kanellopoulos bis 3.4.1950 – S. Venizelos ab 3.4.1950
Unterrichts- und Kultusminister: G. Athanasiadis-Novas
Koordinationsminister: F. Zaïmis bis 24.3.1950 – S. Kostopoulos ab 24.3.1950

Regierung N. Plastiras vom 15. 4. 1950

Ministerpräsident: N. Plastiras
Stellv. Ministerpräsident: G. Papandreou
Außenminister: N. Plastiras bis 31.5.1950 – S. Kostopoulos ab 1.6.1950
Innenminister: G. Papandreou bis 5.7.1950 – P. Garoufalias ab 5.7.1950
Finanzminister: G. Kartalis
Justizminister: Th. Tsatsos
Verteidigungsminister: F. Manouilidis
Unterrichts- und Kultusminister: G. Athanasiadis-Novas
Minister der Handelsmarine: S. Kostopoulos ab 1.6.1950
Koordinationsminister: E. Tsouderos

Regierung S. Venizelos vom 21. 8. 1950

Ministerpräsident: S. Venizelos
Stellv. Ministerpräsident: G. Papandreou ab 28.8.1950
Außenminister: S. Venizelos
Innenminister: S. Venizelos bis 28.8.1950 – G. Modis ab 28.8.1950
Finanzminister: F. Zaïmis bis 4.9.1950 – S. Kostopoulos ab 4.9.1950
Justizminister: I. Lagakos ab 4.9.1950
Verteidigungsminister: S. Venizelos bis 28.8.1950 – K. Rentis ab 28.8.1950
Unterrichts- und Kultusminister: N. Bakopoulos
Koordinationsminister: F. Zaïmis bis 28.8.1950 – S. Kostopoulos ab 28.8.1950

Regierung S. Venizelos vom 13.9.1950

Ministerpräsident: S. Venizelos
Stellv. Ministerpräsident: K. Tsaldaris
Stellv. Ministerpräsident: G. Papandreou
Außenminister: S. Venizelos
Innenminister: D. Giannopoulos
Finanzminister: S. Kostopoulos
Justizminister: I. Lagakos
Verteidigungsminister: K. Karamanlis
Unterrichts- und Kultusminister: N. Bakopoulos
Koordinationsminister: S. Stefanopoulos

Regierung S. Venizelos vom 3. 11. 1950

Ministerpräsident: S. Venizelos
Stellv. Ministerpräsident: G. Papandreou
Stellv. Ministerpräsident: E. Tsouderos ab 3.8.1951
Außenminister: S. Venizelos bis 9.8.1951
Innenminister: N. Bakopoulos ab 1.2.1951 – D. Kiousopoulos ab 30.7.1951 bis 30.9.1951 –
    G. Athanasiadis-Novas ab 30.9.1951
Finanzminister: S. Kostopoulos bis 1.2.1951 – K. Mitsotakis ab 1.2.1951 bis 4.7.1951 – G.
    Mavros ab 4.7.1951
Justizminister: I. Lagakos bis 4.7.1951 – G. Mavros ab 4.7.1951 bis 30.7.1951 – A. Bouro-
    poulos ab 30.7.1951 bis 30.9.1951 – D. Papamichalopoulos ab 30.9.1951
Verteidigungsminister: S. Venizelos bis 1.2.1951 – D. Papamichalopoulos ab 1.2.1951 bis
    4.7.1951 – S. Venizelos ab 4.7.1951 bis 30.7.1951 – P. Spiliotopoulos ab 30.7.1951
Unterrichts- und Kultusminister: N. Bakopoulos bis 1.2.1951 – G. Papandreou / G. Modis ab
    1.2.1951 bis 4.7.1951 – N. Bakopoulos ab 4.7.1951
Koordinationsminister: G. Papandreou bis 4.7.1951 – S. Venizelos ab 4.7.1951 bis 5.7.1951
    – F. Zaïmis ab 5. 7. 1951 bis 14. 7. 1951 – S. Venizelos ab 14. 7. 1951 bis 3. 8. 1951 – E.
    Tsouderos ab 3.8.1951 bis 30.9.1951 – G. Mavros ab 30.9.1951
Minister für soziale Fürsorge: F. Zaïmis ab 5.7.1951

Regierung N. Plastiras vom 27.10.1951

Ministerpräsident: N. Plastiras
Stellv. Ministerpräsident: S. Venizelos
Außenminister: S. Venizelos
Innenminister: K. Rentis
Finanzminister: Ch. Evelpidis
Justizminister: A. Papaspyrou
Verteidigungsminister: A. Sakellariou bis 10.4.1952 – S. Venizelos ab 10.4.1952 bis
    24.4.1952 – G. Mavros ab 24.4.1952
Unterrichts- und Kultusminister: I. Michaïl bis 11.9.1952 – M. Patrikios ab 11.9.1952
Minister beim Ministerpräsidenten: G. Athanasiadis-Novas ab 24.4.1952
Koordinationsminister: G. Kartalis

Regierung D. Kiousopoulos vom 11. 10. 1952

Ministerpräsident: D. Kiousopoulos
Außenminister: F. Dragoumis
Innenminister: D. Kiousopoulos
Finanzminister: Th. Mertikopoulos
Justizminister: G. Maridakis
Verteidigungsminister: I. Pitsikas
Unterrichts- und Kultusminister: Ch. Frankistas
Minister beim Ministerpräsidenten: M. Stasinopoulos
Koordinationsminister: X. Zolotas

Regierung A. Papagos vom 19. 11. 1952

Ministerpräsident: A. Papagos
Stellv. Ministerpräsident: P. Kanellopoulos ab 15.12.1954
Stellv. Ministerpräsident: S. Stefanopoulos ab 15.12.1954

Außenminister: S. Stefanopoulos
Innenminister: P. Lykourezos bis 11.4.1954 – I. Nikolotzas ab 11.4.1954
Finanzminister: K. Papagiannis bis 15.11.1954 – L. Evtaxias ab 15.11.1954
Justizminister: D. Babakos bis 11.4.1954 – K. Theofanopoulos ab 11.4.1954
Verteidigungsminister: A. Papagos bis 4.12.1952 – P. Kanellopoulos ab 4.12.1952
Unterrichts- und Kultusminister: Sp. Theotokis bis 11.4.1954 – A. Gerokostopoulos ab
    11.4.1954
Minister beim Ministerpräsidenten: P. Sifanos bis 11.4.1954 – G. Rallis ab 11.4.1954
Koordinationsminister: S. Markezinis bis 3.4.1954 – Th. Kapsalis ab 3.4.1954 bis
    15.11.1954 – P. Papaligouras ab 15.11.1954
Handelsminister: P. Papaligouras ab 15.11.1954
Minister ohne Geschäftsbereich: P. Kanellopoulos
Minister ohne Geschäftsbereich: E. Tsouderos

Regierung K. Karamanlis vom 6.10.1955

Ministerpräsident: K. Karamanlis
Außenminister: S. Theotokis
Innenminister: I. Triantafyllis bis 11.1.1956 – N. Lianopoulos ab 11.1.1956
Finanzminister: A. Apostolidis
Justizminister: K. Adamopoulos bis 11.1.1956 – A. Bouropoulos ab 11.1.1956
Verteidigungsminister: K. Karamanlis bis 11.1.1956 – S. Stergiopoulos ab 11.1.1956
Unterrichts- und Kultusminister: A. Gerokostopoulos
Minister beim Ministerpräsidenten: G. Rallis
Koordinationsminister: A. Apostolidis

Regierung K. Karamanlis vom 29.2.1956

Ministerpräsident: K. Karamanlis
Stellv. Ministerpräsident: A. Apostolidis
Außenminister: S. Theotokis bis 28.5.1956 – E. Averof-Tositsas ab 28.5.1956
Innenminister: D. Makris
Finanzminister: Ch. Thivaios
Justizminister: K. Papakonstantinou
Verteidigungsminister: A. Protopapadakis
Unterrichts- und Kultusminister: P. Levantis bis 8.5.1957 – D. Makris ab 8.5.1957 bis
    1.6.1957 – A. Gerokostopoulos ab 1.6.1957
Minister beim Ministerpräsidenten: K. Tsatsos
Koordinationsminister: D. Chelmis

Regierung K. Georgakopoulos vom 5.3.1958

Ministerpräsident: K. Georgakopoulos
Außenminister: M. Pezmasoglou
Innenminister: K. Georgakopoulos bis 22.3.1958 – N. Lianopoulos ab 22.3.1958
Finanzminister: T. Mertikopoulos
Justizminister: K. Dimitrakakis
Verteidigungsminister: St. Steriopoulos
Unterrichts- und Kultusminister: N. Lianopoulos bis 22.3.1958 – G. Rammos ab 22.3.1958
Minister beim Ministerpräsidenten: M. Pezmasoglou bis 22.3.1958 – M. Stasinopoulos ab
    22.3.1958
Koordinationsminister: K. Arliotis

Regierung K. Karamanlis vom 17. 5. 1958

Ministerpräsident: K. Karamanlis
Stellv. Ministerpräsident: P. Kanellopoulos ab 5.1.1959
Außenminister: E. Averof-Tositsas
Innenminister: D. Makris
Finanzminister: K. Papakonstantinou
Justizminister: K. Kallias
Verteidigungsminister: K. Karamanlis
Unterrichts- und Kultusminister: G. Vogiatzis
Minister beim Ministerpräsidenten: K. Tsatsos
Koordinationsminister: A. Protopapadakis

Regierung K. Dovas vom 20. 9. 1961

Ministerpräsident: K. Dovas
Stellv. Ministerpräsident: I. Paraskevopoulos
Außenminister: M. Pezmazoglou
Innenminister: N. Lianopoulos
Finanzminister: Th. Mertikopoulos
Justizminister: A. Tsirintanis
Verteidigungsminister: Ch. Potamniaos
Unterrichts- und Kultusminister: Ch. Stratos
Minister beim Ministerpräsidenten: N. Gazis ab 22. 9. 1961
Koordinationsminister: K. Arliotis ab 22.9.1961

Regierung K. Karamanlis vom 4. 11. 1961

Ministerpräsident: K. Karamanlis
Stellv. Ministerpräsident: P. Kanellopoulos
Außenminister: E. Averof-Tositsas
Innenminister: G. Rallis
Finanzminister: S. Theotokis
Justizminister: K. Papakonstantinou
Unterrichts- und Kultusminister: G. Kasimatis
Minister beim Ministerpräsidenten: D. Makris
Koordinationsminister: P. Papaligouras

Regierung P. Pipinelis vom 19. 6. 1963

Ministerpräsident: P. Pipinelis
Innenminister: Ch. Panagiotopoulos ab 22.6.1963
Finanzminister: G. Sofronopoulos
Justizminister: Ch. Pagoulatos bis 25.6.1963
Verteidigungsminister: F. Dragoumis
Unterrichts- und Kultusminister: Ch. Stratos
Koordinationsminister: K. Arliotis

Regierung St. Mavromichalis vom 28. 9. 1963

Ministerpräsident: St. Mavromichalis
Außenminister: P. Oikonomou-Gouras
Finanzminister: N. Gazis ab 1.10.1963

Justizminister: Ch. Sgouritsas
Verteidigungsminister: D. Papanikolopoulos
Unterrichts- und Kultusminister: Ch. Stratos
Minister beim Ministerpräsidenten: P. Tsimbidaros
Koordinationsminister: I. Paraskevopoulos ab 30.9.1963

Regierung G. Papandreou vom 8. 11. 1963

Ministerpräsident: G. Papandreou
Stellv. Ministerpräsident: S. Venizelos
Stellv. Ministerpräsident: S. Stefanopoulos ab 5.12.1963
Außenminister: S. Venizelos
Innenminister: S. Kostopoulos
Finanzminister: K. Mitsotakis
Justizminister: D. Papaspyrou
Verteidigungsminister: D. Papanikolopoulos
Unterrichts- und Kultusminister: G. Papandreou
Koordinationsminister: G. Mavros
Minister beim Ministerpräsidenten: G. Athanasiadis-Novas
Minister ohne Geschäftsbereich: S. Stefanopoulos ab 5.12.1963

Regierung I. Paraskevopoulos vom 31. 12. 1963

Ministerpräsident: I. Paraskevopoulos
Außenminister: Ch. Xanthopoulos-Palamas ab 6.1.1964
Innenminister: G. Papaïoannou ab 6.1.1964
Finanzminister: A. Daïs
Justizminister: I. Sontis
Verteidigungsminister: D. Papanikolopoulos
Unterrichts- und Kultusminister: G. Kourmoulis
Minister beim Ministerpräsidenten: D. Zakythinos

Regierung G. Papandreou vom 19. 2. 1964

Ministerpräsident: G. Papandreou
Stellv. Ministerpräsident: S. Stefanopoulos
Außenminister: S. Kostopoulos
Innenminister: I. Toumbas bis 6.1.1964
Finanzminister: K. Mitsotakis
Justizminister: P. Polychronidis bis 16.10.1964 – N. Bakopoulos ab 16.10.1964
Verteidigungsminister: P. Garoufalias
Unterrichts- und Kultusminister: G. Papandreou
Minister beim Ministerpräsidenten: A. Papandreou bis 5.6.1964 – D. Papaspyrou ab
    5.6.1954
Minister ohne Geschäftsbereich: S. Stefanopoulos
Koordinationsminister: G. Mavros bis 4.6.1964 – G. Papandreou ab 4.6.1964 bis 5.6.1964 –
    S. Stefanopoulos ab 5.6.1964
Stellv. Koordinationsminister: A. Papandreou ab 5.6.1964

Regierung G. Athanasiadis-Novas vom 15. 7. 1965

Ministerpräsident: G. Athanasiadis-Novas
Außenminister: S. Kostopoulos bis 20.7.1965 – G. Melas ab 20.7.1965
Innenminister: I. Toumbas ab 16.7.1965
Finanzminister: S. Allamanis ab 16.7.1965
Justizminister: D. Papaspyrou ab 16.7.1965
Verteidigungsminister: S. Kostopoulos
Unterrichts- und Kultusminister: G. Athanasiadis-Novas bis 20.7.1965 – I. Diamantopoulos ab 20.7.1965
Minister beim Ministerpräsidenten: D. Papaspyrou bis 20.7.1965 – K. Stefanakis ab 20.7.1965
Koordinationsminister: K. Mitsotakis ab 16.7.1965

Regierung I. Tsirimokos vom 20. 8. 1965

Ministerpräsident: I. Tsirimokos
Außenminister: I. Tsirimokos
Innenminister: F. Zaïmis
Finanzminister: S. Allamanis
Justizminister: D. Papaspyrou
Verteidigungsminister: S. Kostopoulos
Unterrichts- und Kultusminister: E. Savvopoulos
Minister beim Ministerpräsidenten: I. Tsirimokos
Koordinationsminister: S. Kostopoulos

Regierung S. Stefanopoulos vom 17. 9. 1965

Ministerpräsident: S. Stefanopoulos
Stellv. Ministerpräsident: G. Athanasiadis-Novas
Stellv. Ministerpräsident: I. Tsirimokos
Außenminister: I. Tsirimokos bis 14.4.1966 – S. Stefanopoulos ab 14.4.1966 bis 11.5.1966 – I. Toumbas ab 11.5.1966
Innenminister: F. Zaïmis
Finanzminister: K. Mitsotakis bis 5.10.1965 – G. Melas ab 5.10.1965
Justizminister: D. Papaspyrou bis 16.11.1965 – G. Athanasiadis-Novas ab 16.11.1965 bis 3.12.1965 – K. Stefanakis ab 3.12.1965
Verteidigungsminister: S. Kostopoulos
Unterrichts- und Kultusminister: S. Allamanis
Minister für öffentliche Ordnung: S. Allamanis
Minister beim Ministerpräsidenten: E. Kothris bis 5.10.1965 – E. Savvopoulos ab 5.10.1965
Koordinationsminister: K. Mitsotakis

Regierung I. Paraskevopoulos vom 22. 12. 1966

Ministerpräsident: I. Paraskevopoulos
Außenminister: P. Oikonomou-Gouras
Innenminister: Ch. Stratos
Finanzminister: P. Steriotis
Justizminister: I. Maniatis
Verteidigungsminister: I. Paraskevopoulos

Unterrichts- und Kultusminister: I. Theodorakopoulos
Minister beim Ministerpräsidenten: N. Karmiris
Koordinationsminister: I. Paraskevopoulos

Regierung P. Kanellopoulos vom 3. 4. 1967

Ministerpräsident: P. Kanellopoulos
Außenminister: P. Kanellopoulos
Innenminister: S. Theotokis
Finanzminister: K. Papakonstantinou
Justizminister: K. Tsatsos
Verteidigungsminister: P. Papaligouras
Unterrichts- und Kultusminister: G. Kasimatis
Minister beim Ministerpräsidenten: G. Kasimatis
Koordinationsminister: P. Pipinelis

Die Regierungen der Militärjunta vom 21. 4. 1967 bis 24. 7. 1974

Regierung K. Kollias vom 21. 4. 1967

Ministerpräsident: K. Kollias
Stellv. Ministerpräsident: G. Spantidakis
Außenminister: P. Oikonomou-Gouras bis 3.11.1967 – K. Kollias ab 3.11.1967 bis
  20. 11. 1967 – P. Pipinelis ab 20. 11. 1967
Innenminister: S. Pattakos
Finanzminister: A. Androutsopoulos ab 22.4.1967
Justizminister: L. Rozakis bis 1.11.1967 – K. Kalambokias ab 1.11.1967
Unterrichts- und Kultusminister: K. Kalambokias bis 1.11.1967 – Th. Papakonstantinou
Minister beim Ministerpräsidenten: G. Papadopoulos
Koordinationsminister: N. Makarezos

Regierung G. Papadopoulos vom 13.12.1967

Ministerpräsident: G. Papadopoulos
Stellv. Ministerpräsident: S. Pattakos
2. Stellv. Ministerpräsident: D. Patilis ab 20.6.1968
Stellv. Ministerpräsident: N. Makarezos ab 26.8.1971
Außenminister: P. Pipinelis bis 21.7.1970 – G. Papadopoulos ab 21.7.1970
Innenminister: S. Pattakos bis 26.8.1971 – A. Androutsopoulos ab 26.8.1971 bis 10.5.1973
  – S. Pattakos ab 10.5.1973
Finanzminister: A. Androutsopoulos
Justizminister: K. Kalambokias bis 20.6.1968 – I. Triantafyllopoulos ab 20.6.1986 bis
  9.7.1968 – A. Androutsopoulos ab 9.7.1968 bis 24.7.1968 – I. Kyriakopoulos ab
  24.7.1968 bis 29.6.1970 – A. Tsoukalas ab 29.6.1970 bis 11.5.1973 – I. Agathangelou ab
  11.5.1973
Verteidigungsminister: G. Papadopoulos
Unterrichts- und Kultusminister: Th. Papakonstantinou bis 20.6.1969 – G. Papadopoulos ab
  20.6.1969 bis 21.7.1970 – N. Sioris ab 21.7.1970 bis 26.8.1971 – H. Frankatos ab
  26.8.1971 bis 10.7.1972 – K. Panagiotakis ab 10.7.1972 bis 31.7.1972 – N. Gantonas ab
  31.7.1972

Minister beim Ministerpräsidenten: G. Papadopoulos bis 31.7.1972 – I. Agathangelou ab 31.7.1972
Hilfsminister des Ministerpräsidenten: I. Agathangelou ab 26.8.1971
Minister ohne Geschäftsbereich: D. Patilis ab 20.6.1968
Minister ohne Geschäftsbereich: E. Fthenakis ab 26.8.1971
Koordinationsminister: N. Makarezos

Regierung S. Markezinis vom 8. 10. 1973

Ministerpräsident: S. Markezinis
Stellv. Ministerpräsident: Ch. Mitrelias
Außenminister: Ch. Xanthopoulos-Palamas
Innenminister: I. Agathangelou
Finanzminister: I. Koulis
Justizminister: K. Christopoulos
Verteidigungsminister: N. Efesios
Unterrichts- und Kultusminister: P. Sifnaios
Minister beim Ministerpräsidenten: I. Agathangelou
Koordinations- und Planungsminister: A. Kapsalis

Regierung A. Androutsopoulos vom 25. 11. 1973

Ministerpräsident: A. Androutsopoulos
Außenminister: S. Tetenes bis 8.7.1974
Innenminister: B. Tsoumbas ab 3.12.1973
Justizminister: S. Triantafyllou
Verteidigungsminister: E. Latsoudis
Unterrichts- und Kultusminister: P. Christou ab 3.12.1973
Minister beim Ministerpräsidenten: K. Rallis
Industrieminister: K. Kypraios ab 8.7.1974

Regierung K. Karamanlis vom 24. 7. 1974

Ministerpräsident: K. Karamanlis
Stellv. Ministerpräsident: G. Mavros
Außenminister: G. Mavros bis 17.10.1974
Innenminister: G. Rallis bis 26.7.1974 – Ch. Stratos ab 26.7.1974 bis 9.10.1974 – P. Zeppos ab 9.10.1974
Finanzminister: I. Pezmazoglou ab 26.7.1974
Justizminister: K. Papakonstantinou bis 9.10.1974 – G. Oikonomopoulos ab 9.10.1974
Verteidigungsminister: E. Averof-Tositsas
Unterrichts- und Kultusminister: N. Louros
Minister beim Ministerpräsidenten: G. Rallis ab 26.7.1974 bis 9.10.1974 – A. Vlachos ab 9.10.1974
Koordinations- und Planungsminister: X. Zolotas

Regierung K. Karamanlis vom 21. 11. 1974

Ministerpräsident: K. Karamanlis
Außenminister: D. Bitsios
Innenminister: K. Stefanopoulos bis 10.9.1976 – I. Iordanoglou ab 10.9.1976 bis 21.10.1977 – G. Mitsopoulos ab 21.10.1977

Finanzminister: E. Devletoglou
Justizminister: K. Stefanakis bis 21.10.1977 – S. Gangas ab 21.10.1977
Verteidigungsminister: E. Averof-Tositsas
Unterrichts- und Kultusminister: P. Zeppos bis 5.1.1976 – G. Rallis ab 5.1.1976
Minister beim Ministerpräsidenten: G. Rallis
Koordinations- und Planungsminister: P. Papaligouras

Regierung K. Karamanlis vom 28. 11. 1977

Ministerpräsident: K. Karamanlis
Stellv. Ministerpräsident: K. Papakonstantinou
Außenminister: P. Papaligouras bis 10.5.1978 – G. Rallis ab 10.5.1978
Innenminister: Ch. Stratos
Finanzminister: I. Boutos bis 10.5.1978 – A. Kanellopoulos ab 10.5.1978
Justizminister: G. Stamatis
Verteidigungsminister: E. Averof-Tositsas
Unterrichts- und Kultusminister: I. Varvitsiotis
Minister beim Ministerpräsidenten: K. Stefanopoulos
Koordinationsminister: G. Rallis bis 10.5.1978 – K. Mitsotakis ab 10.5.1978

Regierung G. Rallis vom 10.5.1980

Ministerpräsident: G. Rallis
Stellv. Ministerpräsident: K. Papakonstantinou
Außenminister: K. Mitsotakis
Innenminister: Ch. Stratos
Finanzminister: M. Evert
Justizminister: G. Stamatis
Verteidigungsminister: E. Averof-Tositsas
Minister für Kultur und Wissenschaften: A. Adrianopoulos
Minister für Erziehung und Religionsangelegenheiten: A. Taliadouros
Minister beim Ministerpräsidenten: K. Stefanopoulos
Minister ohne Geschäftsbereich (zuständig für die Beziehungen zur EG): G. Kontogeorgis
Koordinationsminister: I. Boutos
Minister ohne Geschäftsbereich (übt das Amt des Stellv. Koordinationsministers aus): I. Paleokroussas

III. Oberstes Sondergericht (gegründet 1976)

Präsidenten:
Sp. Gangas: 1976–1977
K. Karamanos: 1977–1978
N. Bouropoulos: seit 1978

IV. Staatsrat

Präsidenten:
P. Poulitsas: 1.7.1943–4.7.1951
S. Soliotis: 4.7.1951–10.10.1961
Ch. Mitrelias: 12.10.1961–26.11.1966

M. Stasinopoulos: 26.11.1966–26.6.1969
A. Dimitsas: 27.6.1969–5.9.1974
G. Marankopoulos: 9.9.1974–1.7.1976
O. Kyriakos: 10.7.1976–1.7.1977
N. Bouropoulos: seit 2.7.1977

V. Areopag

Präsidenten:
K. Kyrillopoulos: 1941–1945
I. Sakketos: 1945–1948
I. Papaïliou: 1948–1953
Ch. Stavropoulos: 1953
I. Apostolopoulos: 1953–1959
K. Kavkas: 1959–1963
St. Mavromichalis: 1963–1968
Th. Kamberis: 1968
A. Georgiou: 1968–1971
V. Patsourakos: 1971–1973
L. Kanellakos: 1973–1974
D. Margellos: 1974
K. Zacharis: 1975–1976
Sp. Gangas: 1976–1977
K. Karamanos: 1977–1979
Sp. Kollas: 1978–1979

Zeittafel

Hermann Bünz, Hamburg

1821

März   25.   Beginn des griechischen Unabhängigkeitskampfes unter A. Ypsilantis.

1822

Januar   15.   Verkündigung der Unabhängigkeit und einer Verfassung für das griechische Volk beim Nationalkongreß in Epidavros.

1829

September   14.   Friede von Adrianopel. Das Osmanische Reich muß Griechenland anerkennen. Rußland erhält das Schutzrecht über Griechenland.

1830

Februar   3.   Im Londoner Protokoll garantieren die Schutzmächte England, Frankreich und Rußland die staatliche Unabhängigkeit des nunmehr souveränen Königreiches Griechenland.

1831

September   27.   Ermordung des Regenten Kapodistrias (7. 1. 1828 – 27. 9. 1831).

1832

Mai   7.   Otto I., Sohn König Ludwigs I. von Bayern, wird von den Großmächten als König der Griechen eingesetzt und vom griechischen Nationalkongreß bestätigt.

1862

Oktober   11.   König Otto I. wird durch einen Putsch abgesetzt; der dänische Prinz Wilhelm folgt als Georg I.

1863/64

England übergibt Griechenland die Ionischen Inseln.

1896/97

Aufstand auf Kreta und Krieg Griechenlands gegen die Türkei. Nach der griechischen Niederlage erhält Kreta eine Selbstverwaltung unter türkischer Oberhoheit.

1913

Mai   30.   Im Londoner Frieden, dem Friedensschluß nach dem Ersten Balkankrieg, erhält Griechenland Kreta, den Epirus, die Insel Thasos und die

Inseln vor der kleinasiatischen Küste. Der Dodekanes wird von Italien besetzt.

August   10.   Im Frieden von Bukarest nach dem Zweiten Balkankrieg erhält Griechenland einen Teil Makedoniens mit Saloniki und Kavala.

1915

Februar/März   Der Konflikt zwischen König Konstantin I. und Ministerpräsident E. Venizelos um die Haltung Griechenlands im Ersten Weltkrieg führt zur Entlassung von E. Venizelos, der für die Entente eintritt. Im Verlauf des Ersten Weltkriegs wird Griechenland teilweise von Truppen der Entente besetzt.

1917

Juni   12.   König Konstantin I. dankt zugunsten seines zweiten Sohnes Alexander ab.

1919

November   27.   Friedensvertrag von Neuilly.

1920

August   10.   Friedensvertrag von Sèvres.
Oktober   25.   Tod Alexanders I. Nach der Wahlniederlage von E. Venizelos wird Konstantin I. wieder als König eingesetzt.

1922

September   28.   Abdankung Konstantins I. zugunsten Georgs II.

1923

Juli   24.   Friedensvertrag von Lausanne. Der Friedensvertrag sieht einen Bevölkerungsaustausch vor. Etwa 1,4 Mio. Griechen werden von Kleinasien nach Griechenland umgesiedelt.

1924

März   25.   Proklamierung der Republik.
April   13.   Plebiszit zur Bestätigung der Republik.

1935

November   3./25.   Plebiszit zur Wiederherstellung der Monarchie und Rückkehr Georgs II.

1936

August   4.   General Metaxas errichtet nach einem Putsch ein diktatorisches Regime.

1940

Oktober   28.   Italienische Truppen greifen Griechenland an. Die griechischen Streitkräfte können den Angriff stoppen. Es beginnt ein Stellungskrieg.

1941

Januar	29.	Tod Metaxas'.
April	6.	Deutsche Truppen beginnen einen Angriff auf Griechenland.
April	20./21.	Die griechische Armee kapituliert vor der deutschen Wehrmacht.
April	25.	König Georg II. und die Exilregierung unter Ministerpräsident Tsouderos verlassen Griechenland über Kreta nach Ägypten.
April	27.	Athen wird von deutschen Truppen besetzt.
September	27.	Gründung der EAM. Ziel der Befreiungsorganisation linksgerichteter Parteien ist die Befreiung und volle Unabhängigkeit Griechenlands.
September	30.	Gründung der EDES, Befreiungsorganisation liberaler und konservativer Kräfte.

1944

Oktober	9.	In Moskau schließen Churchill und Stalin das sog. Prozentabkommen, in dem sie die Verteilung des westlichen und östlichen Einflusses in den südosteuropäischen Ländern regeln. Griechenland wird den westlichen Alliierten zugeordnet.
Oktober	13./14.	Die letzten deutschen Besatzungstruppen verlassen Athen, ohne daß es zu nennenswerten Kampfhandlungen kommt.
Oktober	16.	Britische Truppen rücken in Athen ein. Die Hauptstadt Griechenlands befindet sich unter britischer Kontrolle.
Oktober	18.	Die griechische „Regierung der nationalen Einheit" zieht in Athen ein. Ministerpräsident G. Papandreou hält auf dem Syntagma-Platz eine Rede, in der er die Griechen zu nationaler Einheit aufruft.
November	3.	Die letzten deutschen Truppen verlassen Griechenland, verfolgt von Einheiten der ELAS. Die EAM/ELAS kontrolliert weite Teile des befreiten Griechenland, während sich Athen, Saloniki, Patras und andere größere Städte in der Hand britischer Truppen befinden.
November	5.	Auflösung der PEEA und des Nationalrates. Die Demobilisierung der ELAS wird eingeleitet und soll bis zum 1. Dezember abgeschlossen sein.
November	9.	Einzug der 2800 Mann zählenden „Rimini-Brigade" in Athen. Laut Ministerpräsident Papandreou unterliegt die Brigade nicht der Demobilisierung, worauf auch die Entwaffnung der ELAS von der KKE hinausgezögert wird.
Dezember	1.	Die EAM tritt aus der „Regierung der nationalen Einheit" aus. Die ELAS weigert sich, angesichts der weiterhin bewaffneten königstreuen Truppen ihre Waffen abzugeben.
Dezember	4.	Ein von der EAM am 2. 12. ausgerufener Generalstreik wird erfolgreich durchgeführt. Massendemonstrationen und Angriffe auf Polizeistationen um Athen veranlassen den britischen General Scobie, das Kriegsrecht zu verhängen. Die „Schlacht von Athen" beginnt.
Dezember	5.	Britische Truppen unter General Scobie greifen in den Konflikt ein und bekämpfen die das Land besetzenden und auch in Athen stationierten Truppen der ELAS. Beginn der „Dekemvriana".

Dezember 25.–27.   Besuch des britischen Premiers W. S. Churchill und Außenminister A. Edens in Athen. Ihr Versuch, einen Ausgleich herbeizuführen, scheitert. Die Kämpfe gehen mit unverminderter Härte weiter.

Dezember   31.   Der griechische Ministerpräsident tritt unter dem Druck der britischen Regierung zurück. Erzbischof Damaskinos wird von König Georg II. als Regent eingesetzt.

1945

Januar   3.   Erzbischof Damaskinos ernennt General N. Plastiras zum Ministerpräsidenten einer neuen Regierung.

Januar   5.   Die Truppen der ELAS ziehen sich nach Norden zurück. Britische Truppen kontrollieren Athen und Umgebung und weiten ihr Einflußgebiet auf das Land aus.

Januar   11.   General Scobie und die Führung der ELAS unter Partsalidis und Zevgos beschließen einen Waffenstillstand, in dem sich die ELAS u. a. verpflichtet, Zentralgriechenland zu räumen und Verhandlungen mit der griechischen Regierung aufzunehmen.

Februar   2.–12. Friedensverhandlungen, die mit dem „Vertrag von Varkiza" abgeschlossen werden. Die griechische Regierung sichert Wahlen zu und garantiert ein Plebiszit. Ferner verpflichtet sie sich, den Ausnahmezustand aufzuheben und Säuberungen bei Polizei und anderen Sicherheitskräften durchzuführen. Die EAM garantiert die Freilassung aller Geiseln und eine Demobilisierung ihrer Verbände ELAS, EP und ELAN bis zum 15. März 1945.
Weder die EAM, die nicht demobilisiert, noch die griechische Regierung, die den Terror rechtsextremer Banden duldet und Massenverhaftungen vornehmen läßt, halten sich an den „Vertrag von Vakiza".

April   18.   Sozialistische Mitglieder der EAM gründen eine neue Partei (ELD/SKE = Union für Volksdemokratie / Sozialistische Partei Griechenlands).

September   21.   Der griechische Regent Erzbischof Damaskinos besucht die britische Regierung und erhält die Zusicherung wirtschaftlicher und militärischer Hilfe zur Wiederherstellung stabiler Verhältnisse im Land.

1946

Januar   21.   Die Sowjetunion fordert in einem Protestschreiben an den UN-Sicherheitsrat die britische Regierung auf, ihre Truppen unverzüglich aus Griechenland abzuziehen.

Januar   23.   Die griechische und die britische Regierung unterzeichnen in London ein Wirtschaftsabkommen.

Januar   27.   Der griechische Außenminister Sofianopoulos warnt vor einer zu engen Bindung Griechenlands an die Westmächte und tritt für engere Kontakte auch zur Sowjetunion ein.

Januar   29.   Außenminister Sofianopoulos wird wegen seiner Äußerungen vom 27. 1. zum Rücktritt gezwungen.

Februar   1.   Im UN-Sicherheitsrat fordert der sowjetische Delegierte erneut den Abzug der britischen Truppen aus Griechenland.

Februar	4.–6.	In der Debatte über Griechenland im UN-Sicherheitsrat prallen die Standpunkte der Großmächte unvermindert hart aufeinander. Während die Sowjetunion Großbritannien für den Bürgerkrieg verantwortlich macht, sieht die britische Regierung die Anwesenheit ihrer Truppen in Griechenland als Garantie zur Erreichung des Friedens.
Februar	23.	Die AMFOGE (Allied Mission to Observe the Greek Elections) nimmt ihre Tätigkeit der Kontrolle der ersten griechischen Nachkriegswahlen auf (Zusammensetzung der Kommission: 692 amerikanische, 294 britische und 168 französische Beobachter; Leiter: H. F. Grady, USA).
März	31.	Die ersten Wahlen nach dem Krieg werden unter Aufsicht der AMFOGE abgehalten. Die Linke ruft zum Wahlboykott auf. 40 % der wahlberechtigten Bevölkerung enthalten sich der Stimme. Sieger der Wahlen wird die rechtsgerichtete „Volkspartei" mit 60 % der abgegebenen Stimmen (Näheres siehe Kap. Wahlen S. 664).
März	30./31.	Überfall bewaffneter kommunistischer Partisanen auf das Dorf Litochoron.
April	1.	Der Generalsekretär der KKE, Zachariades, droht mit bewaffneten Aktionen, wenn die Regierung die Forderungen der EAM weiter ignoriere.
April	10.	Zum ersten Mal nach dem Zweiten Weltkrieg laufen amerikanische Kriegsschiffe Piräus an. Es handelt sich um das Schlachtschiff „Missouri" und die beiden Zerstörer „Providence" und „Power".
April	17.	Die griechische Regierung K. Tsaldaris erhebt Anspruch auf den Nordepirus.
Juni	18.	Verabschiedung von Notstandsgesetzen, die ein schärferes Vorgehen gegen links- und rechtsextreme Aktivitäten vorsehen. In der Folgezeit werden diese Gesetze allerdings stärker gegen ehemalige Mitglieder der EAM angewendet, als gegen den Terror rechtsextremer Banden. Verhaftungen und Deportationen nehmen zu.
Juni	24.	Griechenland und Italien nehmen diplomatische Beziehungen auf.
September	1.	Plebiszit über die Rückkehr des Königs. Das Ergebnis fällt mit 69 % für den König bei 94 % Wahlbeteiligung deutlich aus.
September	27.	Rückkehr König Georgs II. nach Griechenland.
Oktober	10.	Die Regierung Tsaldaris löst die Gewerkschaften auf.

1947

Februar	10.	Pariser Friedensvertrag zwischen Griechenland und Bulgarien, in dem Differenzen wegen des Grenzverlaufs auf den Status quo festgeschrieben werden. Im Friedensvertrag von Paris muß sich Italien verpflichten, den Dodekanes an Griechenland abzutreten (Einzelheiten sollen bilaterale Vereinbarungen regeln).
Februar	21.	Großbritannien setzt die USA davon in Kenntnis, daß es nicht mehr in der Lage sein werde, Griechenland nach dem 1. 4. 1947 wirtschaftlich und militärisch zu unterstützen.
März	12.	Rede des amerikanischen Präsidenten H. S. Truman vor beiden Häusern des Kongresses, in der er um Unterstützung für die Türkei und

Griechenland auch im Interesse der Sicherheit der westlichen Welt bittet (Truman-Doktrin). Als erste Maßnahme wird ein Sonderprogramm in Höhe von 400 Mio. Dollar, befristet bis zum 1. 8. 1948, bewilligt.

Die Truman-Doktrin löst in der Folgezeit die Hauptverantwortlichkeit der Briten für Griechenland ab.

April	1.	König Georg II. stirbt. Sein Nachfolger wird Paul I., ein Bruder Georgs II.
April	22.	Der US-Senat billigt die Greek-Turkish Aid Bill mit 67 zu 23 Stimmen.
Mai	8.	Die Greek-Turkish Aid Bill wird vom amerikanischen Kongreß mit 287 zu 107 Stimmen angenommen. Somit kann die wirtschaftliche und finanzielle Hilfe der USA für Griechenland in Kraft treten.
Mai	22.	Präsident Truman unterzeichnet das Public Law No. 75, nach dem Griechenland zunächst – bis Juni 1948 – Hilfe im Wert von 300 Mio. Dollar erwarten kann.
Oktober	21.	Die UN-Vollversammlung beschließt mit 40 gegen 6 Stimmen bei 11 Enthaltungen eine Resolution, in der Albanien, Bulgarien und Jugoslawien aufgefordert werden, alle Hilfe für die griechischen Guerillas einzustellen und mit der griechischen Regierung normale Beziehungen aufzunehmen. Ferner wird die Gründung einer Sonderkommission der UNO beschlossen, die die Aufgabe hat, alle UN-Beschlüsse und -Empfehlungen für den Balkan zu überwachen (UNSCOB = United Nations Special Committee on the Balkans).
Dezember	24.	Die DSE ruft eine Gegenregierung der kommunistischen Partisanen aus: die „Provisorische Demokratische Regierung des Freien Griechenland". Ministerpräsident wird Vafiadis. Diese Regierung wird jedoch von keinem Staat anerkannt.
Dezember	26.	Die Regierung Tsaldaris verbietet die KKE und beschränkt die Pressefreiheit. Meldungen über militärische Operationen dürfen nicht mehr gedruckt werden.

1948

April	15.	Eine Regierungsoffensive in Roumeli bereitet den aufständischen Kommunisten die erste empfindliche militärische Niederlage.
April	29.	Ministerpräsident Sofoulis fordert die bedingungslose Kapitulation und schließt eine Amnestie für die Aufständischen aus.
Juni	14.	Die Regierungstruppen beginnen eine Offensive gegen die DSE mit mehr als 100000 Soldaten im Grammosgebirge.
Juni	26.	Jugoslawien wird aus dem Kominform ausgeschlossen. Die Führung der KKE begrüßt in einem geheimgehaltenen Beschluß diese Entscheidung, ungeachtet der militärischen Hilfe, die Jugoslawien den Aufständischen gewährt.
Anfang September		Die Offensive der Regierungstruppen scheitert. Die DSE kann sich militärisch weiter behaupten.
November	5.	Griechenland und Italien unterzeichnen einen Freundschafts- und Handelsvertrag in San Remo.

1949

Januar	20.	Der griechische Ministerpräsident ernennt General Papagos zum Oberkommandierenden der Armee.
Juni	23.	Jugoslawien stellt die Militärhilfe für die griechischen Kommunisten ein; dies wird begründet mit der positiven Haltung der KKE zum Ausschluß Jugoslawiens aus dem Kominform sowie mit der gegen Jugoslawien gerichteten Haltung der KKE in der Makedonien-Frage.
Juli	1.	Die USA und Jugoslawien verhandeln in Belgrad über die Einstellung sämtlicher wirtschaftlicher und militärischer Hilfen an die griechischen Kommunisten. Jugoslawien wird ein größerer Wiederaufbaukredit in Aussicht gestellt als Gegenleistung für eine neutrale Haltung im griechischen Bürgerkrieg.
Anfang Juli		Griechische Regierungstruppen eröffnen eine erneute Großoffensive gegen die Reste der Partisanenarmee im Vitsigebirge und am Grammosmassiv.
August	9.	Griechenland wird auf der ersten Sitzung des Ministerkomitees des Europarates mit sechs Sitzen in die Versammlung des Europarates aufgenommen.
August	29./30.	Die letzten Verbände der Partisanenarmee DSE verlassen Griechenland in Richtung Albanien.
August	31.	Griechenland und Italien schließen in Rom ein Abkommen zur Lösung strittiger Fragen bei der Rückgabe des Dodekanes. Italien verpflichtet sich, Reparationen in Höhe von 105 Mio. Dollar zu zahlen.
September	29.	Der UN-Sicherheitsrat beschließt, eine Schlichtungskommission einzusetzen, die eine friedliche Regelung der Streitigkeiten zwischen Griechenland einerseits und Albanien, Bulgarien und Jugoslawien andererseits in die Wege leiten soll. Es handelt sich um Gebietsforderungen und um die Frage, inwieweit die betreffenden kommunistischen Staaten die Reste der geschlagenen Partisanenarmee widerrechtlich unterstützten. Die UN-Kommission muß jedoch nach 29 Tagen das Scheitern der Vermittlungsbemühungen bekanntgeben.
Oktober	9.	Die DSE gibt aufgrund eines Beschlusses des ZK der KKE die Einstellung des bewaffneten Widerstandes bekannt.
Oktober	16.	Die Provisorische Demokratische Regierung verkündet offiziell die Einstellung aller Feindseligkeiten. Das bedeutet das militärische Ende des Bürgerkrieges.
Dezember	1.	Der Abzug der britischen Truppen aus Griechenland ist abgeschlossen. Es bleiben nur noch britische und amerikanische Militärmissionen zurück.

1950

Januar	15.	In einem von der Ethnarchie initiierten Plebiszit entscheidet sich die griechische Bevölkerung Zyperns mit einer Mehrheit von 78 % für den Anschluß der Insel an Griechenland („Enosis").
März	31.	Der amerikanische Gesandte in Athen, Grady, richtet in einem Schreiben an Ministerpräsident Venizelos die Forderung nach einer stabilen Regierung, da die USA andernfalls die wirtschaftliche Hilfe für Griechenland einstellen würden.

April	2.	Venizelos weist die amerikanische Einmischung in die Innenpolitik seines Landes zurück und stellt sein Minderheitskabinett vor.
April	4.	Die Regierung der USA gibt bekannt, daß sie ihr wirtschaftliches Hilfsprogramm für Griechenland auf unbestimmte Zeit verschiebe.
April	28.	Griechenland und Jugoslawien nehmen nach einer Erklärung von Ministerpräsident Plastiras, in der er sich auf eine Erklärung Präsident Titos vom 27. April bezieht, diplomatische Beziehungen auf.
Mai	26.	Die griechisch-jugoslawischen Beziehungen werden unterbrochen, da es wegen der Frage der makedonischen Minderheit in Griechenland zu Differenzen kommt.
Oktober	4.	Griechenland nimmt – zusammen mit der Türkei – an einer Außenministerkonferenz der NATO in New York und an Beratungen der regionalen Gruppe „Südeuropa und westliches Mittelmeer" teil.
November	29.	Griechenland und Jugoslawien nehmen ihre Beziehungen wieder auf, nachdem die Differenzen in der makedonischen Frage vorläufig geklärt sind.
Dezember	28.	Griechenland nimmt zu Spanien und Schweden diplomatische Beziehungen auf.

1951

Mai	16.	Die USA schlagen den Regierungen Frankreichs und Großbritanniens vor, im Interesse der Sicherheit des Westens Griechenland und die Türkei in die NATO aufzunehmen.
Mai	26.	Die Regierungen Griechenlands und der Türkei beginnen mit Beitrittsverhandlungen zur NATO.
Juli	18.	Der britische Außenminister gibt die Zustimmung seines Landes zu einem Beitritt Griechenlands und der Türkei zur NATO bekannt.
September	15.–20.	Im Rahmen der NATO-Tagung in Ottawa kommen die NATO-Staaten überein, Griechenland und die Türkei zu einem baldigen Eintritt in die Verteidigungsorganisation aufzufordern.
Dezember	22.	Der griechische UN-Botschafter L. Aritas trägt während der UN-Vollversammlung das Begehren Griechenlands vor, Großbritannien möge seine Präsenz auf Zypern beenden, da 95 % der Bevölkerung der Insel eine Angliederung an Griechenland wünschten.

1952

Januar	1.	Die neue Verfassung Griechenlands tritt in Kraft.
Februar	4.	Anläßlich eines Besuchs in Ankara betonen der griechische Ministerpräsident und die türkische Regierung die Notwendigkeit einer mittelmeerischen Verteidigungsgemeinschaft zwischen Griechenland, der Türkei und Italien.
Februar	15.	Griechenland tritt der NATO bei.
Februar	18.	Das griechische Parlament ratifiziert bei nur acht Gegenstimmen den Beitritt des Landes zur NATO.
März	15.	Bei einer Auseinandersetzung um die Änderung des Wahlrechts – Ministerpräsident Plastiras (EPEK) votiert für das Mehrheitswahlrecht, während der stellv. Ministerpräsident und Führer der Libe-

ralen, Venizelos, für ein modifiziertes Verhältniswahlrecht eintritt, das den Oppositionsparteien eine gerechtere Repräsentation sichert – schaltet sich der amerikanische Botschafter J. Peuryfoy zugunsten des Mehrheitswahlrechts ein. Er droht mit Abbruch der US-Hilfe für Griechenland.

November	16.	Aus den Wahlen nach dem Mehrheitswahlrecht geht der konservative Politiker Marschall Papagos als sicherer Sieger hervor (vgl. Kap. Wahlen S. 668).

1953

Februar	28.	In Ankara unterzeichnen Regierungsvertreter der Türkei, Griechenlands und Jugoslawiens einen Vertrag über Freundschaft und Zusammenarbeit. Er gilt als erster Teil des sog. Balkanpakts.
Oktober	12.	Griechenland und die USA schließen im Rahmen der NATO ein Abkommen über die „Benutzung und den Ausbau griechischer Luft- und Marinestützpunkte durch amerikanische Streitkräfte". Mit diesem Abkommen wird den USA die Möglichkeit eingeräumt, eigene Truppen zu stationieren sowie nach eigenem Ermessen militärische Einrichtungen Griechenlands zu nutzen und auszubauen.
Oktober	27.	Protestnote der Sowjetunion an die griechische Regierung wegen des griechisch-amerikanischen Stützpunkteabkommens.
November	12.	Die griechische Regierung weist die sowjetische Protestnote zurück mit der Begründung, daß es sich weiterhin von Albanien und Bulgarien bedroht fühle, das Kräfteverhältnis im Balkanraum und im Mittelmeer nicht verändert werde und das Abkommen nur dem Ziel diene, Griechenlands Wiederaufbau zu sichern.

1954

Mai	2.	Die griechische Regierung kündigt in einem Memorandum ihre Ansprüche auf Zypern an und fordert Großbritannien auf, sein Mandat auf der Insel zu beenden. Andernfalls werde Griechenland seine Forderungen der UNO-Vollversammlung unterbreiten.
August	2.	Der britische Generalstaatsanwalt auf Zypern gibt bekannt, daß von nun an durch eine Verschärfung des Pressegesetzes verboten sein soll, den Anschluß Zyperns an Griechenland öffentlich zu fordern. Diese Maßnahme, die vom Wortführer der Zypern-Griechen, Erzbischof Makarios, scharf kritisiert wird, bedeutet eine Zuspitzung der Lage auf Zypern.
August	9.	Abkommen von Bled. Es ist das zweite Abkommen, das Griechenland, die Türkei und Jugoslawien schließen, um ihre Zusammenarbeit zu regeln, in diesem Fall auf wirtschaftlichem und kulturellem Gebiet. (Da nach Stalins Tod Jugoslawien an einem Beitritt zur NATO wenig Interesse zeigt, Griechenland und die Türkei wegen der Zypern-Frage zunehmend in Konflikt geraten und auch Jugoslawien und Griechenland sich in der Makedonien-Problematik nicht endgültig verständigen können, bleibt der Balkanpakt mit den Verträgen vom 28. 2. 1953 und dem Abkommen von Bled ohne nennenswerte politische Folgen für die Signatarstaaten.)

| August | 16. | Der griechische Außenminister Stefanopoulos appelliert an die UNO, die Zypern-Frage zu behandeln. Die Bewohner der Insel sollten selbst entscheiden, ob sie die „Enosis" (Anschluß an Griechenland) wollten oder nicht. |

1955

März	3.	Auf der Außenministerkonferenz der Signatarstaaten des Balkan-Pakts (Griechenland, Jugoslawien und die Türkei) betonen alle drei die Notwendigkeit einer positiven Entwicklung ihrer bilateralen Beziehungen.
Juni	30.	Großbritannien bittet Griechenland und die Türkei zu einer Konferenz nach London, um über das strittige Zypern-Problem zu verhandeln.
August	7.	Die Außenministerkonferenz wird unterbrochen, da Großbritannien einen Verhandlungsvorschlag einbringt (6.8.), der eine autonome Regierung auf Zypern vorsieht sowie eine Veränderung des internationalen Status, so daß in Zukunft gewählte Vertreter Zyperns an der Konferenz teilnehmen könnten.
August	29.	Dreistaatenkonferenz über Zypern in London. Die Teilnehmer: Macmillan (Großbritannien), Stefanopoulos (Griechenland), Rüschdü Zorlü (Türkei). Großbritannien verteidigt seinen Status als Treuhänderstaat, Griechenland fordert die „Enosis", und die Türkei beharrt auf dem Status quo; bei dessen Änderung aber auf Rückgabe der Insel an die Türkei; im Falle einer Autonomie Zyperns dürften beide Bevölkerungsgruppen nur völlig gleiche Rechte besitzen.
September	5.	In Saloniki wird ein Sprengstoffanschlag auf das türkische Konsulat verübt.
September	6.	In der Türkei kommt es zu antigriechischen Ausschreitungen.
September	8.	Der griechisch-orthodoxe Erzbischof Makarios kündigt an, daß die Zypern-Griechen eine Verfassung nicht akzeptieren würden, die von Großbritannien entworfen worden sei, sondern daß sie bis zur vollen Unabhängigkeit zu kämpfen beabsichtigten.
Oktober	4.	Tod von Marschall Papagos. Zu seinem Nachfolger ernennt der König überraschend den bisherigen Minister K. Karamanlis. (Karamanlis gründet kurz darauf die ERE = Nationale Radikale Union, die zum Zentrum der Konservativen Griechenlands wird.)

1956

März	9.	Der britische Gouverneur Sir John Harding verfügt die Deportation des zyprischen Erzbischofs Makarios auf die Seychellen, da Makarios Verbindungen zu Untergrundorganisationen auf Zypern zur Last gelegt werden und er es abgelehnt habe, sich vom Terror der EOKA zu distanzieren.
März	13.	Die amerikanische Regierung verurteilt die Deportation des Erzbischofs.
Dezember	8.	Ministerpräsident Karamanlis besucht Jugoslawien und findet Unterstützung für den griechischen Standpunkt in der Zypernfrage.

| Dezember | 19. | Im britischen Unterhaus wird von der Regierung ein Verfassungsentwurf für Zypern eingebracht und verabschiedet, der jedoch nicht die Zustimmung der griechischen Regierung findet, da die Souveränität Zyperns nur begrenzt vorgesehen ist. |

1957

Januar	19.	Der türkische Ministerpräsident Menderes schlägt einen Verfassungsentwurf für Zypern vor, der sich an den britischen anlehnt und eine Teilung der Insel vorsieht.
Februar	26.	Die UNO-Vollversammlung nimmt eine Resolution an, in der Griechenland aufgefordert wird, wirksame Maßnahmen zu ergreifen, um eine Unterstützung oder Ermutigung des Terrorismus auf Zypern zu verhindern und sich jeglicher Aktivitäten zu enthalten, die auf einen Zusammenhang der griechischen Regierung mit den Terroristen auf Zypern hinweisen könnten.
März	14.	Die EOKA bietet eine Einstellung ihrer Operationen an für den Fall, daß Erzbischof Makarios freigelassen würde. Die britische Regierung fordert als Preis Makarios' öffentliche Distanzierung vom Terrorismus.

1958

Juni	14.	Auf Zypern kommt es zu schweren Ausschreitungen zwischen griechischen und türkischen Zyprioten. Der Bürgermeister von Nikosia fordert den Einsatz von UNO-Truppen. Die griechische Regierung beschließt, ihr gesamtes Personal aus dem NATO-Hauptquartier in Izmir zurückzurufen, da sie eine weitere Zusammenarbeit mit der Türkei als unmöglich ansieht.
Juni	19.	Der britische Premierminister Macmillan legt dem Unterhaus einen neuen Zypernplan vor, der eine eingeschränkte Selbstregierung unter britischer oder internationaler Aufsicht vorsieht.
Juni	21.	Der griechische Ministerpräsident Karamanlis und Erzbischof Makarios lehnen den Plan kategorisch ab und fordern die volle Unabhängigkeit Zyperns, während die Türkei dem Vorschlag zustimmt und zudem erneut eine Teilung der Insel vorschlägt.
Juli	8./9.	Der griechische Außenminister Averof-Tositsas nimmt an einem Treffen von Tito und Nasser teil, das auf Brioni stattfindet. Er versichert sich der Solidarität der beiden Länder in der Zypernfrage.
November	14.	Besuch des griechischen Ministerpräsidenten Karamanlis in Bonn. Es werden insbesondere wirtschaftliche Fragen erörtert.

1959

| Februar | 19. | Unterzeichnung eines Abkommens über Zypern in London durch die Regierungen Großbritanniens, Griechenlands und der Türkei sowie Vertretern der griechischen und türkischen Volksgruppen auf Zypern. Vorangegangen waren Verhandlungen über die Zukunft der Insel vom 5.2. bis zum 11.2. in Zürich. |

März	1.	Nach dreijähriger Verbannung kehrt Erzbischof Makarios nach Zypern zurück. Der britische Gouverneur auf Zypern erläßt eine Amnestie für die EOKA-Mitglieder. Das griechische Parlament billigt das Abkommen von London mit 170 gegen 118 Stimmen. Das türkische Parlament billigt das Abkommen von London mit 347 gegen 138 Stimmen.
Mai	9.	Der griechische Ministerpräsident Karamanlis besucht die Türkei.
Juni	8.	Griechenland stellt einen Antrag auf Assoziation an die EWG.
Juni	14.	Veröffentlichung eines Abkommens zwischen Griechenland und den USA über Informationen zu in Griechenland stationierten Kernwaffen und Raketen.
Juli	27.	Die Außenminister der EWG stimmen dem Begehren Griechenlands zu, die Assoziierung an die Gemeinschaft zu vollziehen.

1960

Januar	16.	Erneute Zypern-Konferenz in London. Noch keine Unabhängigkeitserklärung Zyperns, weil Differenzen über Anzahl und Größe der britischen Enklaven auf Zypern noch nicht ausgeräumt werden konnten.
April	7.	Unterzeichnung der Verfassung für Zypern in Nikosia. Unterzeichner sind Vertreter der griechischen und der türkischen Regierungen sowie der griechischen und türkischen Bevölkerung auf Zypern. Staatspräsident wird Erzbischof Makarios, Vizepräsident der Zyperntürke Fazil Küçük. Die Verfassung verbietet ausdrücklich den Anschluß der Insel an Griechenland („Enosis").
Juli	2.	Ministerpräsident Karamanlis besucht Jugoslawien. Ergebnis der Gespräche ist u. a. eine faktische Auflösung des Balkan-Paktes, der durch den Gang der Ereignisse überholt sei.
Juli	7.	Unterzeichnung des Abkommens über die Unabhängigkeit Zyperns in Nikosia.
August	16.	Zypern erhält die volle Unabhängigkeit. Staatspräsident bleibt Erzbischof Makarios, dem eine Regierung aus 7 griechischen und 3 türkischen Ministern zur Seite steht.
Dezember	19.	Die Außenminister von Griechenland (Averof-Tositsas), der Türkei (Sarper) und Zyperns (Kyprianou) beschließen in Paris, eine gemeinsame Schlichtungskommission zur Aufrechterhaltung des Friedens auf Zypern einzurichten.

1961

| April | 19. | Ministerpräsident Karamanlis besucht die USA und vereinbart mit Präsident Kennedy eine Reihe von wirtschaftlichen, militärischen und kulturellen Abkommen, um die Bindungen der beiden Staaten zu stärken. |
| Juli | 9. | Der Assoziierungsvertrag zwischen Griechenland und der EWG wird in Athen unterzeichnet. (Rechtskräftig wird das Abkommen am 1. November 1962.) |

September	18.	Das Europäische Parlament billigt einstimmig das mit Griechenland geschlossene Abkommen über die Assoziierung an die EWG.
Oktober	29.	Bei den Parlamentswahlen erringt die regierende Partei des Ministerpräsidenten Karamanlis die absolute Mehrheit. Die Zentrumsunion unter G. Papandreou verschärft ihre Opposition und wirft u.a. der Regierung Wahlfälschung vor.
Dezember	28.	Die letzten seit dem Bürgerkrieg in Albanien festgehaltenen Geiseln (123) werden an Griechenland zurückgegeben.

1962

März	9.	Der griechische Verteidigungsminister Protopapadakis gibt im Parlament bekannt, daß die griechische Regierung ihre Zustimmung zur Errichtung von NATO-Raketenbasen auf Kreta gegeben habe.
April	25.	Griechenland und die Sowjetunion unterzeichnen ein Handelsabkommen für die Jahre 1962–1964.
August	5.	Der griechische Außenminister Averof-Tositsas in Ankara. Der Besuch dient einer Aussöhnung beider Länder nach dem vorangegangenen Zypern-Konflikt.
November	1.	Der Assoziierungsvertrag zwischen Griechenland und der EWG tritt in Kraft.
November	12.	Der EWG-Assoziationsrat für Griechenland beschließt u.a. die Aufhebung von Einfuhrbeschränkungen für Fisch aus Griechenland.

1963

Mai	22.	Tod von Grigoris Lambrakis, eines Abgeordneten des linken Flügels der EDA. Sein Tod löst innenpolitische Unruhen aus, da ein Attentat auf einen „linken Politiker" hinter dem Unfall Lambrakis' nicht ausgeschlossen werden kann und zudem eine Anzahl regierungsnaher Politiker in die Affäre verwickelt ist.
Juni	11.	Rücktritt von Ministerpräsident Karamanlis, da er unüberbrückbare Meinungsverschiedenheiten mit dem königlichen Hof wegen einer Großbritannienreise des Königspaares nicht ausräumen kann. Karamanlis hält einen Besuch wegen des gespannten Verhältnisses zu Großbritannien für nicht opportun. Karamanlis' Rücktritt löst innenpolitische Unruhen in Griechenland aus, weil zeitweilig keine mehrheitsfähige Regierung zustande kommt.
Juli	8.–12.	Besuch des griechischen Königspaares König Pauls I. und Königin Friederikes in Großbritannien. In London protestieren linksgerichtete Auslandsgriechen gegen den Besuch und fordern u.a. die Freilassung inhaftierter politischer Gefangener in Griechenland.
November	8.	Zum ersten Mal seit Beendigung des Bürgerkriegs ist die liberale Opposition, im wesentlichen repräsentiert durch die Zentrumsunion, aufgrund der Wahlergebnisse vom 3. November in der Lage, eine Regierung zu bilden.
November	30.	Der zyprische Staatspräsident Makarios kündigt 13 Amendments zur Verfassung an, die die Zypern-Türken in ihren Rechten erheblich einzuschränken drohen. Makarios hält die prozentuale Repräsenta-

tion der Zypern-Türken für zu hoch und fordert ihre drastische Verringerung.

Dezember 10. Ministerpräsident G. Papandreou kündigt ein Reformprogramm der Regierung an, das besonders die Mißstände auf dem Bildungssektor und im Pressewesen beheben soll.

Dezember 21. Auf Zypern kommt es zu bürgerkriegsähnlichen Unruhen zwischen Zypern-Griechen und Zypern-Türken, was die Signatarstaaten des Londoner Abkommens vom 19. 2. 1959 zum Eingreifen veranlaßt.

Dezember 24. Das Kabinett G. Papandreou tritt wegen fehlender Mehrheit im Parlament zurück. Neuwahlen werden vom König auf den 16. Februar 1964 festgelegt.

1964

Januar 1. Der zyprische Staatspräsident Makarios teilt mit, daß Zypern das Garantieabkommen von London vom 19. 2. 1959 mit Großbritannien, Griechenland und der Türkei kündige.

Januar 15. Eine erneute Zypernkonferenz in London (Teilnehmer: Großbri-
bis tannien, Griechenland, die Türkei und Zypern) wird ergebnislos ab-
Februar 8. gebrochen.

Februar 7. Tod von S. Venizelos, dem ehemaligen Außenminister der Regierung G. Papandreou und liberalen Politiker.

Februar 20. Der schwer erkrankte König Paul I. ernennt seinen Sohn Konstantin zum Regenten.

März 4. Der UN-Sicherheitsrat beschließt, eine UN-Friedenstruppe (UNFICYP) nach Zypern zu entsenden.

März 27. Die UN-Truppe trifft auf Zypern ein und kann vorläufig die Ruhe wiederherstellen.

April 11. Erzbischof Makarios besucht Griechenland und erhält die Zusicherung griechischer Unterstützung im Falle eines türkischen Angriffes auf Zypern.

Juli 13. Griechenland und Bulgarien nehmen diplomatische Beziehungen auf Botschafterebene auf.

August 9. Der griechische Ministerpräsident G. Papandreou erklärt in einem Schreiben dem türkischen Ministerpräsidenten, daß Griechenland im Falle eines bewaffneten türkischen Einsatzes auf Zypern der Inselrepublik militärischen Beistand leisten werde.

1965

Juli 7. General Grivas beschuldigt den Sohn von G. Papandreou, Andreas Papandreou, an der Offiziersverschwörung ASPIDA (Schild) teilgenommen zu haben. (Es handelt sich um die Aufdeckung einer angeblichen Verschwörung linksgerichteter Offiziere.)

Juli 9. Ministerpräsident G. Papandreou verlangt vom König die Entlassung des Verteidigungsministers Garoufalis, da das Vertrauen zu ihm seit der ASPIDA-Affäre nicht mehr gegeben sei.

Juli 11. Der König weigert sich, G. Papandreou das Verteidigungsministerium zu überlassen.

Juli	13.	Die regierende Zentrumsunion schließt Garoufalis aus der Partei aus.
Juli	15.	G. Papandreou kündigt seinen Rücktritt an, falls der König Minister Garoufalis nicht entlassen wolle. – Der König nimmt die Rücktrittsankündigung als offiziellen Rücktritt und vereidigt noch am selben Tag eine neue Regierung unter G. Athanasiadis-Novas.
Juli	16.	G. Papandreou bezeichnet das Verhalten König Konstantins II. als Staatsstreich.
Juli	17.	In Athen demonstrieren Tausende für den abgesetzten Ministerpräsidenten G. Papandreou.
Juli	21.	Schwere innenpolitische Unruhen in ganz Griechenland. (Ein Todesopfer in Saloniki und zahlreiche Verletzte.)
September	17.	Nachdem nach der Regierung Athanasiadis-Novas verschiedene Regierungsbildungen gescheitert waren, stellt St. Stefanopoulos erneut eine Regierung vor.
September	25.	Die Regierung Stefanopoulos erhält das erforderliche Vertrauen des Parlaments. Die innenpolitische Krise ist vorläufig behoben. Das Parlament wird vom König bis zum 15. Oktober entlassen.

1966

Februar	2.	Besuch Erzbischof Makarios' in Athen. Griechenland und Zypern bekräftigen ihren Entschluß zur Enosis.
April	11.	Rücktritt des griechischen Außenministers Tsirimokos. Ministerpräsident Stefanopoulos übernimmt das Amt. – Tsirimokos tritt wegen der umstrittenen Position des Kommandeurs der zyprischen Nationalgarde – General Grivas – zurück. Er sei der Ansicht, Grivas verhindere einen friedlichen Ausgleich auf Zypern.
August	31.	Besuch des rumänischen Ministerpräsidenten I. G. Maurer und Außenminister C. Manescus in Griechenland. Es werden eine Reihe von Wirtschaftsabkommen unterzeichnet.
Oktober	17.	Besuch Außenminister G. Schröders (Bundesrepublik Deutschland) in Athen. Themen der Gespräche u.a. die Frage der deutschen Kriegsschulden sowie Wirtschaftshilfe für Griechenland.

1967

April	14.	Ministerpräsident Kanellopoulos löst im Auftrag des Königs das Parlament auf. Neuwahlen werden für den 28. Mai festgelegt.
April	21.	Militärputsch einer Gruppe von Obristen. Der Putsch wird mit angeblichen Umsturzplänen linksgerichteter Kräfte um G. Papandreou gerechtfertigt. Im Verlauf des Tages erfolgt eine Verhaftungswelle, der nahezu alle führenden Politiker und annähernd weitere 10 000 Personen zum Opfer fallen.
April	25.	Die Regierung der Junta unter Ministerpräsident K. Kollias erläßt eine Reihe von Verboten, u.a. das Versammlungsverbot; die Pressezensur wird eingeführt.
April	29.	Die Zentrumsunion, die ERE sowie die EDA werden verboten.
Mai	4.	Gewerkschaftliche und kulturelle Organisationen werden verboten.

September	11.	Das Europäische Parlament faßt eine Entschließung, in der die Junta aufgefordert wird, in Griechenland wieder demokratische Verhältnisse herzustellen. Andernfalls könne der Assoziierungsvertrag keine Anwendung mehr finden.
September	20.	Die Regierungen Dänemarks, Norwegens, Schwedens und der Niederlande beantragen eine Untersuchung der Menschenrechtsverletzungen in Griechenland bei der Europäischen Menschenrechtskommission in Straßburg.
Oktober	3.	Das US-State Department bringt seine Hoffnung zum Ausdruck, daß in Griechenland bald wieder die verfassungsmäßige Ordnung hergestellt werde.
Dezember	8.	In einer nach schweren Ausschreitungen auf Zypern vom UN-Weltsicherheitsrat beschlossenen Vereinbarung verpflichtet sich Griechenland, den griechischen Teil der Nationalgarde auf Zypern um 6000 Soldaten zu verringern und ihren bisherigen Kommandeur General Grivas abzuberufen. Dies habe bis zum 16. 8. 1968 zu geschehen.
Dezember	13.	Gescheiterter Gegenputsch König Konstantins II.
Dezember	14.	Der König flüchtet mit seiner Familie ins Exil nach Rom.

1968

Januar	23.	Die USA erkennen die Regierung der Junta an.
Januar	25.	Großbritannien und die UdSSR sprechen ihre Anerkennung trotz heftiger Proteste gegen die Junta aus.
Januar	29.	Die Bundesrepublik Deutschland unterhält nur noch Kontakte, die zur routinemäßigen Abwicklung der Botschaftsgeschäfte erforderlich sind.
Mai	17.	Die griechische Regierung übergibt das Lenkwaffenübungsgelände von Akrotiri bei Chania auf Kreta der NATO.
August	13.	Attentat auf Ministerpräsident G. Papadopoulos, der jedoch unverletzt bleibt.
August	14.	Die Regierung der Junta gibt die Festnahme des Attentäters A. Panagoulis bekannt.
September	29.	Volksabstimmung über die von der Junta vorgelegte neue Verfassung. Die Verfassung wird nach einer Abstimmung unter irregulären Bedingungen mit Mehrheit angenommen (94,9 % = Ja; 4,7 % = Nein).
Oktober	22.	Das US-State Department gibt eine Lockerung des Waffenembargos bekannt, das nach dem Militärputsch verhängt worden war. Schwere Waffen werden weiterhin an Griechenland geliefert.
November	1.	Der ehemalige Ministerpräsident G. Papandreou stirbt im Alter von 80 Jahren.
November	3.	Die Beisetzungsfeierlichkeiten von G. Papandreou werden zu einer Demonstration Zehntausender gegen das Regime der Junta.
November	15.	Die neue Verfassung tritt als „Verfassung vom 15. November" in Kraft.

1969

Januar	30.	Die Beratende Versammlung des Europarats verabschiedet eine Entschließung, in der die Junta aufgefordert wird, die Menschenrechte in Griechenland wiederherzustellen. Andernfalls müsse Griechenland aus dem Europarat ausscheiden.
Dezember	12.	Außenminister P. Pipinelis erklärt, daß Griechenland aus dem Europarat austrete. Es kommt damit einem von Schweden beantragten Ausschluß zuvor.

1970

Januar	24.	Griechenland und Albanien stellen ihre Handelsbeziehungen, die seit 40 Jahren ruhten, wieder her.
März	8.	Auf Erzbischof Makarios wird in Nikosia ein Attentat verübt. Der zyprische Staatspräsident entgeht dem Anschlag. (Zwischen der Juntaregierung und Makarios gab es wegen der Zypernfrage ständige schwerwiegende Auseinandersetzungen.)
März	11.	Griechenland und Bulgarien unterzeichnen ein langfristiges Handelsabkommen.
Juni	2.	Besuch einer Handelsdelegation aus Albanien. Es wird ein Handelsabkommen unterzeichnet.

1971

Mai	6.	Die griechische und die albanische Regierung geben die Aufnahme voller diplomatischer Beziehungen bekannt. Damit ist offiziell der Kriegszustand zwischen beiden Ländern beendet.
Juni	11.	Der rumänische Außenminister C. Manescu besucht Griechenland. Es werden ein Konsularabkommen und ein Reiseübereinkommen geschlossen.
Juli	2.	Besuch des griechischen Außenministers Ch. Xanthopoulos-Palamas in Bulgarien.
Anfang September		Der ehemalige Kommandeur der griechischen Nationalgarde auf Zypern, General Grivas, kehrt illegal auf die Insel zurück und baut im Auftrag der Juntaregierung die EOKA-2 auf, die nunmehr als Untergrundarmee die Politik des zyprischen Staatspräsidenten Makarios bekämpft.

1972

April	20.	Die griechische Regierung fordert von der Regierung der Bundesrepublik Deutschland die Abberufung des Botschafters Limbourg wegen dessen Rolle bei der Befreiung des zu 18 Jahren Gefängnis verurteilten Prof. Mangakis. Die Angelegenheit wird durch den Botschafterwechsel Limbourg–Oncken von der griechischen Regierung als erledigt betrachtet.
Mai	5.	Griechenland und die Volksrepublik China nehmen diplomatische Beziehungen auf.
Juni	15.	Der UN-Sicherheitsrat billigt eine Verlängerung des Mandats der UN-Friedenstruppe auf Zypern um ein weiteres halbes Jahr.

| November | 17. | Unterzeichnung eines Abkommens zwischen Griechenland und der UdSSR über die Errichtung eines Kraftwerks in Ostmakedonien. |
| Dezember | 12. | Der UN-Sicherheitsrat verlängert das Mandat der UN-Truppen auf Zypern um weitere sechs Monate. |

1973

Januar	1.	Volksabstimmung über die Abschaffung der Monarchie. Das Ergebnis fällt zugunsten einer „Republik" nach dem Muster der „Verfassung vom 15. November 1968" aus.
Januar	8.	Unterzeichnung eines Abkommens zwischen Griechenland und den USA über die Stationierung von Marineinfanteristen und Teilen der VI. US-Flotte in Piräus mit einer Laufzeit von fünf Jahren („Homeport-Abkommen").
Mai	30.	Griechenland und die DDR nehmen diplomatische Beziehungen auf.
August	24.	Der griechische Ministerpräsident Papadopoulos fordert den Führer der EOKA-2, Grivas, auf, den Kampf einzustellen und Zyperns Staatspräsident Makarios zu unterstützen. (Diese Aufforderung erfolgt nach einer Reihe schwerer politischer und militärischer Auseinandersetzungen zwischen der EOKA-2 und der zyprischen Regierung.)
August	27.	General Grivas kündet den bewaffneten Kampf für die Enosis bis zum endgültigen Sieg an.
November	1.	Der türkische Ministerrat bewilligt die Vergabe von Suchkonzessionen an eine türkische Erdölfirma. Damit verschärfen sich die Spannungen zwischen Griechenland und der Türkei in der Auseinandersetzung um die Rechte auf das unter der Ägäis vermutete Erdöl.
November	17.	Panzereinheiten der griechischen Armee schlagen einen Studentenaufstand im Athener Polytechnikum nieder.
November	25.	Der griechische Staatspräsident Papadopoulos wird von General Ioannidis, dem Chef der ESA, gestürzt. Staatspräsident wird F. Gizikis.

1974

Januar	27.	Tod des Führers der EOKA-2, G. Grivas.
Juli	2.	Erzbischof Makarios fordert in einem Schreiben den griechischen Staatspräsidenten Gizikis auf, die griechischen Offiziere der zyprischen Nationalgarde abzuziehen.
Juli	15.	Die von griechischen Offizieren befehligte zyprische Nationalgarde übernimmt durch einen Staatsstreich die Macht. Neuer Staatspräsident wird N. Sampson.
Juli	17.	Erzbischof Makarios flüchtet von Zypern nach London.
Juli	20.	Türkische Streitkräfte beginnen in der Bucht von Kyrenia mit einer Invasion Zyperns.
Juli	22.	Waffenstillstand auf Zypern.
Juli	23.	Der zyprische Präsident Sampson tritt zurück. Sein Nachfolger wird G. Klerides, der als verfassungsmäßiger Nachfolger von Makarios gilt.
und		– Die griechische Juntaregierung tritt zurück.
Juli	24.	Der griechische Staatspräsident Gizikis bittet – nach dem Scheitern der letzten Juntaregierung – den ehemaligen Ministerpräsidenten K.

Karamanlis aus seinem Pariser Exil zurück und beauftragt ihn mit der Bildung einer „Regierung der Nationalen Einheit". Karamanlis tritt sofort seine Regierungsgeschäfte an.

Juli	28.	Der türkische Ministerpräsident schlägt eine Teilung Zyperns vor, durch die beide Volksgruppen völlige Autonomie erhalten sollen und außenpolitisch als Bundesstaat auftreten werden.
Juli	30.	„Deklaration von Genf", in der die Außenminister Griechenlands, der Türkei und Großbritanniens zur friedlichen Regelung des Zypern-konflikts aufrufen, die Teilung der Insel feststellen und beschließen, gemeinsame Überlegungen über die Beilegung der Konfliktsituation anzustellen.
August	14.	Der neue griechische Ministerpräsident Karamanlis gibt den Beschluß seiner Regierung bekannt, daß Griechenland aus der militärischen Organisation der NATO austrete. Es bleibe noch weiterhin politisches NATO-Mitglied, obwohl das Bündnis nicht in der Lage gewesen sei, eine bewaffnete Auseinandersetzung zweier seiner Mitgliedsstaaten zu verhindern.
August	16.	Zweite Waffenstillstandsvereinbarung auf Zypern. Die Attilalinie wird vorläufige Grenze zwischen dem griechischen Teil der Insel und dem von türkischen Truppen besetzten.
September	5.–11.	Außenminister Mavros besucht Frankreich, die Bundesrepublik Deutschland, Zypern, das NATO-Hauptquartier und die EG in Brüssel, um die veränderte Lage nach dem Sturz der Junta zu erläutern.
September	11.	Außenminister Mavros setzt NATO-Generalsekretär Luns offiziell vom Beschluß seines Landes in Kenntnis, aus dem Verteidigungs-planungsausschuß der NATO auszuscheiden.
September	27.	Der griechische Verteidigungsminister Averof-Tositsas legt der Beratenden Versammlung des Europarates einen Antrag auf Wiederaufnahme seines Landes in den Europarat vor und begründet dies mit dem Ende der Militärdiktatur.
November	17.	In Griechenland werden die ersten freien Wahlen nach sieben Jahren Militärdiktatur abgehalten. Die Partei des Ministerpräsidenten Karamanlis (Nea Dimokratia) siegt mit 54,37 %. (Näheres siehe das Kap. Wahlen in diesem Band, S. 674).

1975

Februar	24.	Die griechische Regierung gibt die Aufdeckung einer Verschwörung bekannt. 39 Offiziere, die dem ehemaligen Chef der ESA, Ioannadis, nahestehen, werden verhaftet.
Mai	14.–17.	Ministerpräsident Karamanlis besucht die Bundesrepublik Deutschland. Es werden verstärkte wirtschaftliche und kulturelle Beziehungen vereinbart.
Juni	11.	Die neue griechische Verfassung tritt in Kraft. Sie löst die Verfassung von 1952 ab. Bei der Abstimmung im griechischen Parlament am 7. Juni wird die Verfassung mit den 208 Stimmen der Regierungspartei angenommen. Die Opposition bleibt der Abstimmung aus Protest fern.

Juni	19.	Das Parlament wählt K. Tsatsos zum neuen griechischen Staatspräsidenten mit 210 gegen 65 Stimmen bei 20 Enthaltungen.
August	9.	Ein Militärgericht verurteilt 14 der 21 angeklagten Offiziere der Verschwörung vom 24. Februar 1975 zu Freiheitsstrafen zwischen 4 und 12 Jahren.
August	23.	Im Prozeß gegen die Hauptverantwortlichen des Putsches vom April 1967 werden von einem Sondergericht G. Papadopoulos, St. Pattakos und N. Makarezos zum Tode verurteilt. Acht weitere Angeklagte erhalten lebenslanges Zuchthaus.
August	25.	Die griechische Regierung gibt die Begnadigung der zum Tode verurteilten Obristen zu lebenslangem Zuchthaus bekannt.
September	12.	Im Prozeß gegen ehemalige Angehörige der Militärpolizei ESA werden Urteile von 5 Monaten bis zu 23 Jahren gefällt (sog. Folter-Prozeß).

1976

Januar	8.	Bundeskanzler H. Schmidt besucht Griechenland und kündigt in Gesprächen mit Ministerpräsident Karamanlis deutsche Investitionen in Griechenland an.
Januar	9.	Die griechische Regierung vergibt den Auftrag zur Erschließung der Braunkohlevorkommen bei Ptolemais an die Bundesrepublik Deutschland, die DDR und als dritten Partner des Großprojekts an die Sowjetunion.
Januar	12.	Besuch des bulgarischen Außenministers P. Mladenoff in Athen.
Januar bis Februar	26. 5.	Auf Initiative des griechischen Ministerpräsidenten Karamanlis findet in Athen eine Expertenkonferenz für wirtschaftliche und technische Zusammenarbeit auf dem Balkan statt. Teilnehmer sind: Albanien, Bulgarien, Griechenland, Jugoslawien, Rumänien und die Türkei.
Mai	1.	Der Papadopoulos-Attentäter A. Panagoulis kommt bei einem Autounfall ums Leben.
Juli	27.	Beginn von Verhandlungen, die einen baldigen Eintritt Griechenlands in die EG vorbereiten.
Juli	30.	Das türkische Forschungsschiff „MTA Sismik I" beginnt mit einer Reihe von Forschungsarbeiten auf dem von Griechenland beanspruchten Festlandssockel.
August	9.	Nach Protesten der griechischen Regierung setzt das Land seine Truppen in Alarmbereitschaft.
August	10.	Griechenland ruft den UN-Sicherheitsrat und den Internationalen Gerichtshof im Haag wegen des türkischen Vorgehens in der Ägäis an.
August	25.	Der UN-Sicherheitsrat fordert in einer Resolution Griechenland und die Türkei auf, äußerste Zurückhaltung zu wahren, um die Spannungen zu verringern; ferner verweist der Sicherheitsrat auf die Entscheidung des Gerichtshofs im Haag.
September	12.	Der Internationale Gerichtshof hält die von Griechenland verlangten Sicherheitsvorkehrungen für nicht erforderlich. Es wird kein Urteil gefällt.

November	2.–11.	In Bern einigen sich Griechenland und die Türkei über Verfahrensweisen bei der Abgrenzung des Festlandssockels der Ägäis.
November	17.	Ministerpräsident Karamanlis besucht vom 11. bis 14. November das NATO-Hauptquartier in Brüssel, die französische Regierung in Paris und hält sich anschließend zu einem Besuch in Österreich auf.
November	22.	Die Türkei und Griechenland geben die Wiederaufnahme des Telefonverkehrs zwischen den Oberkommandos ihrer taktischen Luftwaffen bekannt, der seit 1974 eingestellt war.

1977

Februar	28.	Unterzeichnung des 2. Finanzprotokolls zwischen Griechenland und der EWG. Die EG verpflichtet sich, Griechenland bis zum 31. 10. 1981 Sonderdarlehen zur Förderung seiner Wirtschaft zu gewähren.
März	21.	Die griechische Regierung protestiert gegen die von der Türkei in der Ägäis abgehaltenen Flottenmanöver. Sie bezeichnet die Manöver als Bruch des Abkommens von Bern (2. 11. 1976).
Juli	30.	Die USA und Griechenland schließen ein Verteidigungsabkommen mit einer Laufzeit von vier Jahren. Es sieht eine Revision des Status für amerikanische Militärbasen in Griechenland und Militärhilfe in Höhe von 700 Mio. Dollar vor.
August	3.	Tod von Zyperns Staatspräsidenten Erzbischof Makarios. Sein Nachfolger wird S. Kyprianou.
August	17.–19.	Der Außenminister der Bundesrepublik Deutschland, H.-D. Genscher, besucht Griechenland.
September	3.–11.	Griechische Manöver in der Ägäis und in Nordgriechenland nahe der türkischen Grenze.
November	20.	Bei den Parlamentswahlen bleibt die Regierungspartei ND stärkste Partei, obwohl sie Verluste hinnehmen muß. Die PASOK wird stärkste Oppositionspartei.

1978

Januar	26.	Ministerpräsident Karamanlis besucht die belgische Regierung und NATO-Generalsekretär Luns in Brüssel.
März	10.	Treffen der Ministerpräsidenten Karamanlis und Eçevit, Türkei, in Montreux, bei dem u.a. das Zypern-Problem und die Frage der Hoheitsrechte in der Ägäis angesprochen und engere Konsultationen vereinbart werden.
August	1./2.	Der amerikanische Kongreß hebt das seit 1974 bestehende Waffenembargo gegen die Türkei auf.
September	4.–10.	Der griechische Außenminister G. Rallis besucht als erstes Mitglied einer griechischen Regierung nach dem Zweiten Weltkrieg die Sowjetunion. Es werden eine Konsularkonvention und ein Abkommen über die Zusammenarbeit auf kulturellem und wissenschaftlichem Gebiet unterzeichnet.
Oktober	23.	Ein Flottenverband der sowjetischen Schwarzmeerflotte stattet Griechenland einen offiziellen Besuch ab.

1979

Februar	8.	In Ankara beginnen Verhandlungen zwischen Griechenland und der Türkei um eine Einigung über die Hoheitsrechte in der Ägäis.
Februar	23.	Die griechische Regierung verfügt wirtschaftliche Restriktionsmaßnahmen gegen die wachsende Inflation, wie Einfrieren der Warenpreise auf das Niveau vom 31. 12. 1978, Rationierung von Treibstoff u.a.m.
Mai	16.	Ministerpräsident Karamanlis besucht Jugoslawien, Bulgarien und Rumänien.
Mai	28.	Der griechische Ministerpräsident Karamanlis unterzeichnet in Athen die Beitrittsakte Griechenlands zur EG. Die Vollmitgliedschaft beginnt am 1. 1. 1981.
Juni	28.	Das griechische Parlament ratifiziert das Abkommen über den Beitritt Griechenlands zur EG mit 193 von 300 Stimmen.
Oktober	1.	Der griechische Ministerpräsident Karamanlis besucht als erster griechischer Regierungschef die Sowjetunion.

1980

Mai	5.	K. Karamanlis wird vom Parlament zum Staatspräsidenten gewählt.
Mai	8.	K. Karamanlis tritt das Amt des Staatspräsidenten als Nachfolger von K. Tsatsos an.

Ergebnisse der Wahlen und Volksabstimmungen

Werner Voigt, Hamburg

Vorbemerkung

Grundlage für die Zusammenstellung sind die amtlichen Angaben des General Secretariat for Press and Information in seiner Veröffentlichung „Post-War Elections in Greece". Athens 1977. Von diesen Angaben stärker abweichende Daten werden gesondert im Anmerkungsapparat aufgeführt. (Die arabischen Ziffern beziehen sich auf die Daten in den Wahlergebnistabellen, die Kleinbuchstaben a, b, c usw. auf die weiter unten aufgeführten Quellen und Darstellungen.) Bei abweichenden Zahlen braucht es sich nicht um Unregelmäßigkeiten zu handeln; vielmehr können Abweichungen zurückgehen auf:

– vorläufige, unvollständige Ergebnisse unmittelbar nach der Wahl, während endgültige (revidierte) Ergebnisse auch Wahlanfechtungen berücksichtigen, die vom *Eklogodikeion* (Wahlgericht) anerkannt wurden,

– Nichtberücksichtigung der gesondert abgegebenen Stimmen des Militärs (wo bekannt, ist dies vermerkt),

– Veränderungen der Sitzverteilung durch Fraktionswechsel während der Legislaturperiode.

Die Summe der Prozentangaben ergibt oft nicht genau 100, weil die Stellen hinter dem Komma abgerundet sind. Bei Zahlenangaben können bereits in den einzelnen Quellen Übermittlungsfehler und Rechenfehler vorliegen (vgl. die Summen der gültigen Stimmen). Aus derselben Quelle *erschlossene* Angaben sind mit „*)" gekennzeichnet. Bei jeder Wahl wurde das Wahlsystem angegeben, da vor vielen Wahlen verabschiedete Wahlrechtsänderungen die Grundlage der Sitzverteilung stark änderten. Parteien und Einzelkandidaten mit einem Stimmenanteil von unter 1 % blieben unberücksichtigt. Sie werden zusammenfassend aufgeführt. Eine vollständige Übersicht der Parteinamen und der Abkürzungen findet sich im Abkürzungsverzeichnis S. 738 ff. Bei Parteien, die unter verschiedenen Bezeichnungen bekannt waren, wurde dies im Verzeichnis vermerkt.

Wahlen vom 31. 3. 1946

Wahlsystem: einfache Verhältniswahl
Wahlberechtigt: –[1]); abgegebene Stimmen: 1 121 696[2]); Wahlbeteiligung: –[3]); gültige Stimmen: 1 108 473[4]); Sitze: 354[5])

Parteien/Wahlbündnisse	Stimmen	%	Sitze	%
Inomeni Parataxis Ethnikofronon (Vereinigtes Lager der Nationalgesinnten) =				
Wahlbündnis aus: Laïkon Komma (Volkspartei); Ethnikon Filelevtheron Komma (Nationalliberale Partei) – K. Tsaldaris, St. Gonatas, A. Alexandris, I. Theotokis, P. Mavromichalis –	610 935[6])	55,12	206[12])	58,19
Ethniki Politiki Enosis (Nationale Politische Union) =				
Wahlbündnis aus: Dimokratikon Sosialistikon Komma (Demokrat. Sozialist. Partei); Ethnikon Enotikon Komma (Nationale Unionspartei) – S. Venizelos, G. Papandreou, P. Kanellopoulos –	213 721[7])	19,28	68[13])	19,20
Filelevtheron Komma (Liberale Partei) – Th. Sofoulis –	159 525[8])	14,39	48[14])	13,55
Ethnikon Komma Ellados (Nationalpartei Griechenlands) – N. Zervas –	66 027[9])	5,96	20[15])	5,64
Enosis Ethnikofronon (Union der Nationalgesinnten) – Th. Tourkovasilis, G. Pamboukis –	32 538[10])	2,94	9[16])	2,54
Sonstige und Unabhängige	25 667*)[11])	2,31*)	3*)	0,84*)

[1]) Keine Zahl in den amtlichen Angaben; g 1 850 000; h 2 211 791; i laut offiziellem Bericht der AMFOGE 1 850 000; „die Linke dagegen behauptete … 2 211 791“. [2]) g 1 107 000; h 1 106 510; i 1 117 379. [3]) g 59,7 %; h Enthaltung 50 %; die ausländischen Beobachter schlossen nach sorgfältigen Überlegungen, daß sich zwischen 9 und 20 % der Wähler wegen des Aufrufs der EAM der Stimme enthalten hätten, die restlichen Nichtwähler stellten „eine normale Stimmenthaltung dar“; nach Papakonstantinou „Stimmenthaltung tatsächlich mehr als 50 %“; i „die Wahlbeteiligung lag zwischen 50 und 60 %“; laut f nahmen folgende Parteien bzw. Organisationen nicht an der Wahl teil bzw. riefen zum Wahlboykott auf: KKE, EAM, Komma E. Tsouderou (Partei des E. Tsouderos), Proodevtikon Komma (Fortschrittliche Partei) – G. Kafantaris, Omas G. Kartali (Gruppe G. Kartalis), Aristeroi Filelevtheroi (Linke Liberale), Enosis Laïkis Dimokratias (Union für Volksdemokratie) – A. Svolos. [4]) Addition der gültigen Stimmen ergibt jedoch 1 108 413. [5]) g 317; i 349. [6]) h 602 000 (h abgerundet); i laut Pyromaglou royalistische Parteien zusammen 705 000, republikanische 411 000 (abger.). [7]) g 213 000; h 210 000. [8]) g 160 000; h 159 000. [9]) g 65 000; h 64 000. [10]) g 32 000. [11]) g 10 000. [12]) g 191; i 231 (alle „Royalisten“ zusammen). [13]) g 56; i 67. [14]) g 42; i 48. [15]) g 17. [16]) g 8.

Volksabstimmung vom 1. 9. 1946

Gegenstand: Entscheidung über die Rückkehr König Georgs II. und damit über die Staatsform

Stimmberechtigt:	1 921 725[1])	
Abgegebene Stimmen:	1 664 920[2])	Beteiligung = 87*) %
Gültige Stimmen:	1 661 060*)	
Für die Rückkehr des Königs = für die Monarchie:	1 136 289[3])	= 68,41%
Gegen die Rückkehr des Königs = für die Republik:	————[4])	
Leere Stimmzettel:	————[4])	
Zusammen gegen den König:	524 771[5])	= 31,59%

59,13*)% aller Stimmberechtigten stimmten für die Rückkehr des Königs.

[1]) g 1 801 592. [2]) g 1 690 140; i 1 691 594. [3]) g 1 166 512. [4]) Zwischen diesem und dem folgenden Punkt keine Aufschlüsselung in den amtlichen Angaben, jedoch hat g „für die Republik" 174 405 und „leere Stimmzettel" 346 862. [5]) g 521 267.

Wahlen vom 5. 3. 1950

Wahlsystem: einfache Verhältniswahl
Wahlberechtigt: –[1]); abgegebene Stimmen: 1696146; Wahlbeteiligung: –[2]); gültige Stimmen: 1688923; Sitze: 250.

Parteien/Wahlbündnisse	Stimmen	%	Sitze	%
Laïkon Komma (Volkspartei) – K. Tsaldaris –	317512[3])	18.80	62[13])	24,80
Komma Filelevtheron (Liberale Partei) – S. Venizelos –	291083[4])	17,24	56[14])	22,40
Ethniki Proodevtiki Enosis Kentrou (Nationale Fortschrittliche Zentrumsunion) (EPEK) – N. Plastiras –	277739[5])	16,44	45[15])	18,00
Dimokratikon Sosialistikon Komma (Demokr. Sozialist. Partei) – G. Papandreou –	180185[6])	10,67	35	14,00
Dimokratiki Parataxis (Demokratisches Lager) – I. Sofianopoulos, A. Svolos, N. Grigoriadis –	163824[7])	9,70	18[16])	7,20
Politiki Anexartitos Parataxis (Unabhängiges Politisches Lager) – K. Kotzias, K. Maniadakis, T. Tourkovasilis –	137618[8])	8,15	16	6,40
Metopon Ethnikis Anagenniseos (Front für nationale Wiedergeburt) – P. Kanellopoulos, N. Papadopoulos, A. Sakellariou –	88979[9])	5,27	7[17])	2,80
Ethnikon Komma Ellados (Nationale Partei Griechenlands) – N. Zervas –	61575[10])	3,65	7[18])	2,80
Synagermos Agroton kai Ergazomenon (Sammlung der Bauern und Werktätigen) – A. Baltatzis, A. Mylonas –	44308[11])	3,62	3[19])	1,20
Neon Komma (Neue Partei) – Sp. Markezinis –	42157[12])	2,50	1	0,40
Ethniki Parataxis tou Ergazomenou Laou (Nationales Lager des werktätigen Volkes) – P. Mavromichalis, B. Papadakis, A. Vamvetsos, A. Dimitratos –	26925	1,59	–	–
Sonstige und Unabhängige	57018*)	2,70*)	–	–

[1]) Keine Zahl in den amtlichen Angaben. [2]) Keine Zahl in den amtlichen Angaben; da Zahl der Wahlberechtigten fehlt, auch nicht zu erschließen. [3]) g 274273. [4]) g 252543. [5]) g 259881. [6]) g 159913. [7]) g 156872. [8]) g 113559. [9]) 75637. [10]) g 51255. [11]) g 37013. [12]) g 37973. [13]) f 63; g 61. [14]) f 54; g 53. [15]) f 46. [16]) g 22. [17]) f 5. [18]) f 5. [19]) f 3; g 4.

Wahlen vom 9. 9. 1951

Wahlsystem: verstärkte Verhältniswahl

Wahlberechtigt: 2 224 246; abgegebene Stimmen: 1 717 012[1]); Wahlbeteiligung: 77 %*); gültige Stimmen: 1 708 904[2]); Sitze: 258[3]).

Parteien/Wahlbündnisse	Stimmen	%	Sitze	%
Ellinikos Synagermos (Hellenische Sammlung) – Al. Papagos –	624 316[4])	36,53	114[12])	44,18
Ethniki Proodevtiki Enosis Kentrou (Nat. Fortschrittl. Zentrumsunion) (EPEK) – N. Plastiras –	401 397[5])	23,49	74	28,68
Komma Filelevtheron (Liberale Partei) – S. Venizelos –	325 390[6])	19,04[11])	57[13])	22,09
Eniaia Dimokratiki Aristera (Vereinigte Demokr. Linke) (EDA)	180 640[7])	10,57	10	3,87
Laïkon Komma (Volkspartei) – K. Tsaldaris –	113 876[8])	6,66	2**)	0,77
Dimokratikon Sosialistikon Komma (Demokr. Sozialist. Partei) – G. Papandreou –	35 810	2,10	–	–
Parataxis Agroton kai Ergazomenon (Lager der Bauern und Werktätigen) – A. Baltatzis –	21 009[9])	1,23	1	–
Sonstige und Unabhängige	5 444*)[10])	0,38*)	–	–

**) Einer der beiden Mandatsträger bekannte sich nach den Wahlen zur „Hellenischen Sammlung".

[1]) g (2) 1 712 049, verbessert aus 712 049 (Druckfehler). [2]) Addition der gültigen Stimmen ergibt jedoch 1 708 882. [3]) g (2) 256. [4]) g 621 688. [5]) g 399 501. [6]) g 324 255. [7]) g 178 167. [8]) g 113 826. [9]) g 23 000; g (2) 23 186. [10]) g (2) 7469. [11]) g 19,4. [12]) g 110. [13]) g 56; g (2) 55.

Wahlen vom 16. 11. 1952

Wahlsystem: gemischtes System aus Mehrheits- und Verhältniswahl
Wahlberechtigt: 2 123 150; abgegebene Stimmen: 1 600 172; Wahlbeteiligung: 75 %*); gültige Stimmen: 1 591 807[1]); Sitze: 300.

Parteien/Wahlbündnisse	Stimmen	%	Sitze	%
Ellinikos Synagermos (Hellenische Sammlung) – A. Papagos –	783 541[2])	49,22[6])	240[10])	80,00
Dimokratikon Sosialistikon Komma (Demokr. Sozial. Partei) – G. Papandreou – (hatte Wahlempfehlung für die „Hellenische Sammlung" gegeben)				
Wahlbündnis aus: Ethn. Prood. En. Kentr. (Nat. Fortschrittl. Zentr. Union) (EPEK) – N. Plastiras –; Komma Filelevtheron (Liberale Partei) – S. Venizelos –	544 834[3])	34,22[7])	57[11])	19,00
Laïkon Komma (Volkspartei) – K. Tsaldaris –	16 767	1,05	–	–
EDA (Verein. Demokr. Linke)	152 001[4])	9,55[8])	–	–
Sonstige und Unabhängige	94 564*)[5])	5,95*)[9])	3[12])	1,00

[1]) Addition der gültigen Stimmen ergibt jedoch 1 591 707; g 1 585 942. [2]) g 783 129. [3]) g 586 237 einschließlich Laïkon Komma. [4]) g 179 651. [5]) g 36 925*). [6]) h 49,6. [7]) h 36; g 36,96. [8]) h 10,1; g 11,33. [9]) g 2,31*). [10]) f 235; h 237; c 247; g 239. [11]) h 62; c 51; g 61. [12]) c 2; g 0.

Wahlen vom 19. 2. 1956

Wahlsystem: gemischtes System
Wahlberechtigt: 4 507 907[1]); abgegebene Stimmen: 3 379 445[2]); Wahlbeteiligung: 75%*);
gültige Stimmen: 3 364 361[3]); Sitze: 300.

Parteien/Wahlbündnisse	Stimmen	%	Sitze	%
Ethniki Rizopastiki Enosis (Nationalradikale Union) (ERE) – K. Karamanlis –	1 594 112[4])	47,38[8])	165[10])	55,00
Dimokratiki Enosis (Demokr. Union) = *Wahlbündnis* aus: Filelevthera Dimokratiki Enosis (Liberaldemokr. Union) – S. Papapolitis –; Komma Filelevtheron (Liberale Partei) – S. Venizelos –; Dimokratikon Komma Ergazomenou Laou (Demokr. Partei des Arbeitenden Volkes) – EDA (Verein. Demokr. Linke) – I. Pasalidis –; Ethn. Prood. En. Kentr. (Nat. Fortschrittl. Zentr. Union) – G. Papandreou –; Komma Agroton – Ergazomenon (Partei der Bauern und Werktätigen) – G. Kartalis –; Laïkon Komma (Volkspartei) – K. Tsaldaris –	1 620 007[5])	48,15[9])	132[11])	44,00
Proodevtikon Komma (Partei der Fortschrittlichen) – Sp. Markezinis –	74 545[6])	2,22	–	–
Sonstige und Unabhängige	75 697*)[7])	2,25*)	3	1,00

[1]) Laut amtlichen Angaben: erstmals Anwendung des Frauenstimmrechts bei den Parlamentswahlen; zuvor hatten Frauen Stimmrecht nur bei Kommunalwahlen. Das aktive und passive Wahlrecht der Frauen war bereits 1952 eingeführt worden, aber die Eintragung der Wählerinnen in die Wählerlisten war bis zur Wahl von 1952 nicht beendet, so daß sie ihre Rechte noch nicht ausüben konnten. Die Frauen stimmten jedoch schon bei einer Parlaments-Nachwahl in Saloniki am 19. 1. 1956 mit, bei der zum ersten Mal eine Frau für die Hellenische Sammlung ins Parlament gewählt wurde. [2]) g „ohne Militärstimmen" 3 254 662.
[3]) g o. Mil. 3 244 366. [4]) g o. Mil. 1 485 148. [5]) g o. Mil. 1 614 757. [6]) g o. Mil. 71 553. [7]) g o. Mil. 72 908*).
[8]) h o. Mil. 45,95, mit Mil. 47,4. [9]) h o. Mil. 50,16, mit Mil. 48,1. [10]) f 164; g 163. [11]) f 130; h 135; g 134.

Wahlen vom 11. 5. 1958

Wahlsystem: verstärkte Verhältniswahl
Wahlberechtigt: 5 395 219[1]); abgegebene Stimmen: 3 863 982; Wahlbeteiligung: 72%*); gültige Stimmen: 3 847 785[2]); Sitze: 300[3]).

Parteien/Wahlbündnisse	Stimmen	%	Sitze	%
Ethn. Rizosp. Enos. (Nat.-Rad. Union) (ERE) – K. Karamanlis –	1 583 885[4])41,16		171[9])	57,00
EDA (Verein. Demokr. Linke) – I. Pasalidis –	939 902	24,42[7])	79[10])	26,33
Komma Filelevtheron (Liberale Partei) – S. Venizelos, G. Papandreou –	795 445[5])20,67		36	12,00
Proodevtiki Agrotiki Dimokratiki Enosis (Fortschrittliche Demokratische Agrarunion (PADE) =				
Wahlbündnis aus: Proodevtikon Komma (Partei der Fortschrittlichen) – Sp. Markezinis –; Dimokratiki Enosis (Demokr. Union) – S. Papapolitis –; Komma Agroton – Ergazomenon (Partei der Bauern und Werktätigen) – A. Baltatzis –; Ethn. Proodevtiki Enosis Kentrou (Nat. Fortschrittl. Zentr. Union) (EPEK) – S. Allamanis –	408 787	10,62	10[11])	3,33
Enosis Laïkou Kommatos (Union der Volkspartei) (ELK) = Bündnis aus Laïkon Komma (Volkspartei) und Laïkon Koinonikon Komma (Soziale Volkspartei – K. Tsaldaris –	113 358[6])	2,94	4	1,33
Sonstige und Unabhängige	6 348*)	0,16*)[8])	–	–

[1]) c 5 119 148. [2]) Addition der gültigen Stimmen ergibt jedoch 3 847 725. [3]) j 290*). [4]) g 1 578 513. [5]) g (2) 796 046. [6]) g (2) 112 874. [7]) j behauptet: offiziell 25 % – „angesichts von Wahlmanipulationen, vor allem auf dem Lande, wäre es korrekter gewesen, von einem 33-%-Votum zu sprechen". [8]) c 0,19. [9]) f 170; h 173. [10]) h 78. [11]) h 9.

Wahlen vom 29. 10. 1961

Wahlsystem: verstärkte Verhältniswahl mit wesentlichen Abänderungen
Wahlberechtigt: 5688298[1]); abgegebene Stimmen: 4640512[2]); Wahlbeteiligung: 82%*);
gültige Stimmen: 4620751[3]); Sitze: 300.

Parteien/Wahlbündnisse	Stimmen	%	Sitze	%
Ethn. Rizosp. Enos. (Nat.-Rad. Union) (ERE); zusammen mit der in ihr aufgegangenen Enosis Laïkou Kommatos/ (Union der Volkspartei) (ELK) – K. Karamanlis –	2347824[4])	50,80[8])	176[11])	58,66
Enosis Kentrou (Zentrumsunion) (EK) = Zusammenschluß aus: Filelevtheron Komma (Liberale Partei) – S. Venizelos –; Proodevtikon Komma (Partei der Fortschrittlichen) – Sp. Markezinis – und kleineren Parteien	1555442[5])	33,65[9])	100[12])	33,33
Pandimokratikon Agrotikon Metopon Ellados (Pandemokr. Agrarfront Griechenlands) (PAME) = *Wahlbündnis* aus: EDA (Verein. Demokr. Linke) – I. Pasalidis – und: Elliniki Agrotiki Kinisis (Griechische Agrarbewegung) (EAK)	675867[6])	14,62[10])	24[13])	8,00
Sonstige und Unabhängige	41618[7])	0,89	–	–

[1]) c 5478157. [2]) c 4333411. [3]) c 4313325; h behauptet: „Wahlen... gefälscht...; auf dem Land... Gewalttaten"; k „In Athens, Papandreou estimated, there had been 100000 false electoral inscriptions; in the countryside, the police and the paramilitary... battalions... (T.E.A.) had everywhere intimidated impressionable peasants. Probably the scale of these anomalies was exaggerated".[4]) c 2186607; g „ohne Militärstimmen" 2341924.[5]) c 1515285; g o. Mil. 1550113.[6]) c 670373; g o. Mil. 675970.[7]) c 40859.
[8]) h 50; c 49,6. [9]) c 34,3. [10]) c 15,1. [11]) c 174. [12]) c 103. [13]) c 23.

Wahlen vom 11. 11. 1963

Wahlsystem: verstärkte Verhältniswahl, wieder wesentlich abgeändert
Wahlberechtigt: 5 662 965[1]); abgegebene Stimmen: 4 702 791; Wahlbeteiligung: 83 %*)[2]);
gültige Stimmen: 4 667 159[3]); Sitze: 300.

Parteien/Wahlbündnisse	Stimmen	%	Sitze	%
Enosis Kentrou (Zentrumsunion) (EK) – G. Papandreou –	1 962 079[4])	42,04[9])	138[12])	46,00
Ethn. Rizosp. Enos. (Nat.-Rad. Union) (ERE) – K. Karamanlis –	1 837 377[5])	39,37[10])	132[13])	44,00
EDA (Verein. Demokr. Linke) – I. Pasalidis –	669 267[6])	14,34[11])	28[14])	9,33
Proodevtikon Komma (Partei der Fortschrittlichen) – Sp. Markezinis –	173 981[7])	3,73	2	0,67
Sonstige und Unabhängige	24 455[8])	0,52	–	–

[1]) g rund 5 Millionen. [2]) Laut g rund 500 000 Enthaltungen oder knapp 10 %. [3]) c 4 579 146; g „vorläufige Ergebnisse" 4 528 392. [4]) c 1 931 289; g 1 921 577. [5]) c 1 786 008; g 1 773 691. [6]) c 666 233. [7]) c 171 278; g 170 239. [8]) c 24 338. [9]) c 42,18. [10]) c 39,01. [11]) c 14,54. [12]) h 137; j 140. [13]) h 133; j 128; g 129. [14]) j 30; g 29.

Wahlen vom 16. 2. 1964

Wahlsystem: wie 1963
Wahlberechtigt: 5 662 965; abgegebene Stimmen: 4 626 396[1]); Wahlbeteiligung: 82 %*); gültige Stimmen: 4 598 839[2]); Sitze: 300.

Parteien/Wahlbündnisse	Stimmen	%	Sitze	%
Enosis Kentrou (Zentrumsunion) (EK) – G. Papandreou –	2 424 477	52,71	171[3])	57,00
Wahlbündnis aus: Ethn. Rizosp. Enos (Nat.-Rad. Union) (ERE) – P. Kanellopoulos –; Proodevtikon Komma (Partei der Fortschrittlichen) – Sp. Markezinis –	1 621 546	35,26	107[4])	35,67
EDA (Verein. Demokr. Linke) – I. Pasalidis –	542 865	11,80	22[5])	7,33
Sonstige und Unabhängige	9 951	0,23	–	–

[1]) c 4 533 784. [2]) c 4 504 818. [3]) c 173; g 174. [4]) c 105; e 101; g 104. [5]) e 26.

Volksabstimmung vom 29. 9. 1968[1])

Gegenstand: Verfassungsentwurf
Stimmberechtigt: 4 696 654
Abgegebene Stimmen: ———————[2]) Beteiligung: = 75 %*)[3])
Gültige Stimmen: 3 611 276*)
Davon „JA":   3 439 859   = 94,9 %[4])
Davon „NEIN":   171 417   = 4,7 %
73,24*) % aller Stimmberechtigten stimmten mit „JA".
Trotz Strafandrohung bei Verletzung der Stimmpflicht blieben über 25 % der Stimmberech-
tigten den Abstimmungslokalen fern.

[1]) Zahlen aus g, da keine Angaben in den zur Verfügung stehenden amtlichen Unterlagen. [2]) g hat keine
Zahlen der (insgesamt) abgegebenen bzw. ungültigen Stimmen. [3]) Die Beteiligung ist nur aus der
Enthaltung von über 25 % laut g zu erschließen.[4]) a 92,1 %.

Volksabstimmung vom 29. 7. 1973[1])

Gegenstand: Verfassungsänderungen, Einrichtung einer Präsidial-Republik und Wahl von
G. Papadopoulos zum Präsidenten sowie O. Angelis zum Vizepräsidenten.
Stimmberechtigt: 5 840 981
Abgegebene Stimmen: 4 992 029   Beteiligung = 85,5 %
Gültige Stimmen: 4 934 424*)
Davon „JA":   3 870 124   = 78,4 %
Davon „NEIN":   1 064 300   = 21,6 %
66 % aller Stimmberechtigten stimmten mit „JA". Es bestand Wahlzwang.

[1]) Zahlen aus g, da keine Angaben in den zur Verfügung stehenden amtlichen Unterlagen.

Wahlen vom 17. 11. 1974

Wahlsystem: verstärkte Verhältniswahl mit gewissen Abänderungen
Wahlberechtigt: 6241066[1]); abgegebene Stimmen: 4963558[2]); Wahlbeteiligung: 79,53%*); gültige Stimmen: 4908974[3]); Sitze: 300.

Parteien/Wahlbündnisse	Stimmen	%	Sitze	%
Nea Dimokratia (Neue Demokratie) (ND) – K. Karamanlis –	2669133[4])	54,37	220[12])	73,3*)
Enosis Kentrou – Nees Dynameis (Zentrumsunion) – Neue Kräfte (EK-ND)	1002559[5])	20,42	60	20,0*)
Panellinio Sosialistiko Kinima (Panhellenische Sozialistische Bewegung) (PASOK) – A. Papandreou –	666413[6])	13,58	12[13])	4,0*)
Eniaia Aristera (Vereinigte Linke) = Wahlbündnis aus: Eniaia Dimokratiki Aristera (Vereinigung der Demokratischen Linken) (EDA) – I. Iliou –; Kommounistiko Komma Elladas – Esoterikou (Kommunistische Partei Griechenlands-Inland) (KKE-ES) – Drakopoulos –; Kommounistiko Komma Elladas-Exoterrikou (Kommunistische Partei Griechenlands-Ausland) (KKE)	464787[7])	9,47	8	2,67*)
Ethniki Dimokratiki Enosis (Nationale Demokratische Union) (EDE) – P. Garoufalias –	52768[8])	1,08[10])	–	–
Sonstige und Unabhängige	53314*)[9])	1,08*)[11])	–	–

[1]) e 6273205. [2]) e 4991672. [3]) Die den amtl. Unterlagen beigefügten detaillierten Ergebnisse dieser Wahl (Mitroon Gerousiaston kai Voulevton, Athen 1977, Tafel 10) weist für Unabhängige und Einzelkandidaten zusammen 42291 Stimmen aus; die anschließend aufgeschlüsselten, im einzelnen auf diese entfallenden Stimmenbeträge ergeben in der Addition jedoch nur 39771 Stimmen; e 4912356. [4]) e 2670804. [5]) e 1002908. [6]) e 666806. [7]) e 464331. [8]) e 54162. [9]) e 51718. [10]) e 1,10. [11]) e 1,05; b 1,09; g (2) 0,08*). [12]) b 219. [13]) b 13.

Volksabstimmung vom 8. 12. 1974

Gegenstand: Entscheidung über die Staatsform – Republik oder parlamentarische Monarchie

Stimmberechtigt:	6244539[1])	
Abgegebene Stimmen:	4719787	Beteiligung = 76%*)[3])
Gültige Stimmen:	4690986*)[2])	
Für die Republik:	3245111	= 69,18%
Für die parlamentarische Monarchie	1445875	= 30,82%

51,97%*) aller Stimmberechtigten stimmten für die Republik.

[1]) g 6350489. [2]) g 4680149. [3]) g 77%*).

Wahlen vom 20. 11. 1977

Wahlsystem: verstärkte Verhältniswahl
Wahlberechtigt: 6389255[1]); abgegebene Stimmen: 5193659; Wahlbeteiligung: 81,29 %*);
gültige Stimmen: 5129884; Sitze: 300.

Parteien/Wahlbündnisse	Stimmen	%	Sitze	%
Nea Dimokratia (Neue Demokratie) (ND) – K. Karamanlis –	2146687	41,85	173[2])	57,66*)
Panellinio Sosialistiko Kinima (Panhellen. Sozialist. Bewegg.) (PASOK) – A. Papandreou –	1299196	25,33	92[3])	30,66*)
Enosi Dimokratikou Kentrou (Union des Demokratischen Zentrums) (EDIK) – G. Mavros –	613113	11,95	15	5,00*)
Kommounistiko Komma Elladas-Exoterikou (Kommun. Partei Griechenlands) – Ausland) (KKE) – Ch. Florakis –	480188	9,36	11	3,66*)
Ethniki Parataxis (Nationales Lager) (EP) – St. Stefanopoulos –	349851	6,82	5	1,66*)
Symmachia ton Proodevtikon kai Aristeron Dynameon (Allianz der fortschrittlichen und linken Kräfte) (SPADE) = *Wahlbündnis* aus: Eniaia Dimokratiki Aristera (Verein. Demokr. Linke) (EDA) – I. Iliou –; Kommounistiko Komma Elladas-Esoterikou (Kommunist. Partei Griechenlands-Inland) (KKE-ES) – B. Drakopoulos –; Sosialistiki Protovoulia (Sozialist. Initiative) – G. Mankakis –; Sosialistiki Poreia (Sozialistischer Weg) – N. Konstantopoulos –; Christianiki Dimokratia (Christ-liche Demokratie) – N. Psaroudakis –	139762	2,72	2	0,66*)
Neofilelevtheron Komma (Neuliberale Partei) (NF) – K. Mitsotakis –	55560	1,08	2	0,66*)
Sonstige und Unabhängige	45527*)	0,89*)	–	–

[1]) e 6389687. [2]) e 173. [3]) e 92.

Angaben entnommen aus:	Wahl 1946	VA. 1946	Wahl 1950	Wahl 1951	Wahl 1952	Wahl 1956	Wahl 1958	Wahl 1961	Wahl 1963	Wahl 1964	VA. 1968	VA. 1973	Wahl 1974	VA. 1974	Wahl 1977
a) Bakojannis, P.: Militärherrschaft in Griechenland. Stuttgart 1972 Seite:											112				
b) Clogg, R.: Griechenland: Das Ende des innenpolitischen Konsenses? Die Situation nach den Wahlen 1977, in: Europa-Archiv 8. 1978 S. 231–240, Seite:												237			
c) Couloumbis, Th. A.: Greek Political Reaction to American and NATO-Influences. New Haven – London 1966, Seite:					230		231	231 –232	232	232					
d) General Secretariat for Press and Information: Post-War Elections in Greece. Athens 1977 = Amtliche Unterlagen, Seite:	14–15	16	16–18	18–19	19–20	20–22	22–23	23–24	24–25	25–26	in dieser Publikation keine Angaben –	–	3, vgl. 26 sowie Auszug aus Mitroon Vouleviton Kai Gerousiaston 1977, S. 99	13	Einzelne Blätter, Katanomi Vouleviton 1–4
e) Griechenland-Informationen, hrsg. von der griechischen Botschaft, Bonn, Seite:										Nr. 1 Nov. 1974			Nr. 2 Nov. 1974		Nr. 31 Nov. 1977
f) Neoteron Enkyklopaidikon Lexikon „Iliou" 7: Ellas. Athen (1962), Seite:			1536		1536	1536	1536								

Quelle	Amtliche Angaben 31.3.46, Seite 699	Innenminist. 1./2./3.9.46, Seite 859	Innenminist. 5.3.50, Seite 2284	21.11.52, Seite 3747 Associated Press 18.9.51, Seite 3118	United Press 21.11.52, Seite 3747	Griechische Botschaft Bonn 3.3.56, Seite 5658	Griech. Botschaft/Innenminist., vorl. Ergebnis 12.5.58, Seite 7058 17.11.61, Seite 9492	Griechische Botschaft Bonn 17.11.61, Seite 9492	Griechische Botschaft Bonn 11.11.63, Seite 10900	Agence d'Athènes 20.2.64, Seite 11069	United Press International 3./4.10.68, Seite 14230	The Times 10.8.73, Seite 1802	ohne Quellenangabe 10.12.74, Seite 19111 30.11.77, Seite 21406	Agence France Presse 10.12.74, Seite 19112	ohne Quellenangabe 30.11.77, Seite 21406
g) (Keesing's) Archiv der Gegenwart. Essen-Frauenfeld. Wien. Jg. 16/17 ff. 1950 ff. – Zweite Erwähnung anläßlich der folgenden Wahl zu Vergleichszwecken, Seite:	73				103	106	106	120	127						
h) Papandreou, A.: Griechische Tragödie. Von der Demokratie zur Militärdiktatur. Wien–München–Zürich 1971, Seite:		592													
i) Richter, H.: Griechenland zwischen Revolution und Konterrevolution (1936–1946) Frankfurt/Main 1973, Seite:	586														
j) Rousseas, St.: Militärputsch in Griechenland oder: Im Hintergrund der CIA. Reinb. bei Hamburg 1968, Seite:							23.23. 151		29.151						
k) Campbell, J./Sherrard, Ph.: Modern Greece, London 1963,·Seite:							265								

Verträge

Prodromos Dagtoglou, Athen

Die Verträge sind nach dem Datum der Unterzeichnung geordnet

Abkürzungen

RBl. = Gesetzblatt der griechischen Regierung
G   = Gesetz   GV = Gesetzesverordnung
N. = Νόμος   N. Δ. = Νομοθετικό Διά ταγμα

Σύμβασις περί ἐνοποιήσεως κανόνων τινῶν περί θαλασσίας ἀρωγῆς καί ναυαγιαιρέσεως (Vertrag über die Vereinheitlichung einiger Regeln über die Hilfeleistung in Seenot und Wrackbergung). Βρυξέλλαι (Brüssel) 23.9.1910. Φ.Ε.Κ. (RBl) A' 224/1911.

Σύμβασις περί ἐνοποιήσεως κανόνων τινῶν ἐπί συγκρούσεων πλοίων (Vertrag über die Vereinheitlichung einiger Regeln über Schiffskollisionen). Βρυξέλλαι (Brüssel) 23.9.1910. Φ.Ε.Κ. (RBl) A' 224/1911.

Διεθνής Σύμβασις περί ἰδρύσεως Ἰνστιτούτου Ψύχους (Internationaler Vertrag über die Gründung eines Kälteinstituts). Παρίσιοι (Paris) 21.6.1920. Φ.Ε. K. (RBl) A' 200/1922.

Περί προστασίας τῶν ἐν Ἑλλάδι Μειονοτήτων (Über den Schutz der Minderheiten in Griechenland). Σέβραι (Sèvres) 10.8.1920. Φ.Ε.Κ. (RBl) 331/1923.

Πρωτόκολλον ὑπογραφῆς Ὀργανισμοῦ Δ.Δ.Δ.Δ. (Protokoll über die Paraphierung des Internationalen Schiedsgerichtshofes). Γενεύη (Genf) 13.12.1920. Φ.Ε.Κ. (RBl) A' 154/1921.

Διεθνής Σύμβασις περί καταστολῆς τῆς σωματεμπορίας γυναικῶν καί παίδων (Internationaler Vertrag über die Bekämpfung des Frauen- und Kinderhandels). Γενεύη (Genf) 30.9.1921. Φ.Ε.Κ. (RBl) A' 220/1922.

Σύμβασις ἐπί τοῦ καθεστῶος τῶν στενῶν Δαρδανελλίων (Vertrag über den Status der Dardanellen). Λωζάνη (Lausanne) 24.7.1923. Φ.Ε.Κ. (RBl) A' 238/1923.

Διεθνής Σύμβασις ἐπί τοῦ καθεστῶτος τῶν πλωτῶν ὁδῶν διεθνοῦς ἐνδιαφέροντος (Internationales Abkommen über den Status der Wasserstraßen). Βαρκελώνη (Barcelona) 20.4.1924. Φ.Ε.Κ. (RBl) A' 228/1927.

Διεθνής Σύμβασις περί οἰκονομικῶν στατιστικῶν (Internationaler Vertrag über Wirtschaftsstatistiken). Γενεύη (Genf) 14.12.1928. Φ.Ε.Κ. (RBl) A' 183/1930.

Διεθνής Σύμβασις περί λήψεως μέτρων πρός καταστολήν τῶν κιβδήλων χρημάτων (Internationaler Vertrag über die Ergreifung von Maßnahmen zur Bekämpfung von Geldfälschung). Γενεύη (Genf) 20.4.1929. Φ.Ε.Κ. (RBl) A' 157/1931.

Διεθνής Σύμβασις περί ναυτιλιακῶν σημάνσεων καί κανονισμῶν (Internationaler Vertrag über Zeichen und Regelungen der Seeschiffahrt). Λισσαβών (Lissabon) 23.10.1930. Φ.Ε.Κ. (RBl) A' 105/1932.

Συμφωνία περί στατιστικῆς τῶν αἰτίων θανάτου (Über die Statistik von Todesursachen). Λονδῖνον (London) 19.6.1934. Φ.Ε.Κ. (RBl) A' 154/1937.

Διεθνής Σύμβασις ἐπί τοῦ καθεστῶτος τῶν Στενῶν Δαρδανελλίων (Internationaler Vertrag über den Status der Dardanellen). Montreux 20.7.1936. Φ.Ε.Κ. (RBl) A' 333/1936.

Συμφωνία περί Διεθνοῦς Νομισματικοῦ Ταμείου (Abkommen über den Internationalen Währungsfonds). Bretton Woods 22.3.1944. Φ.Ε.Κ. (RBl) A' 315/1945.

Διεθνής Τράπεζα Ἀνασυγκροτήσεως καί Ἀναπτύξεως (Internationale Bank für Wiederaufbau und Entwicklung). Bretton Woods 22.7.1944. Φ.Ε.Κ. (RBl) A' 315/1945.

Καταστατικός Χάρτης Ἡνωμένων Ἐθνῶν (Charta der Vereinten Nationen). Ἅγιος Φραγκῖσκος (San Francisco) 26.6.1945. Φ.Ε.Κ. (RBl) A' 242/1945.

Διεθνές Δικαστήριον Διαιτησίας (Internationales Schiedsgericht). Ἅγιος Φραγκῖσκος (San Francisco) 26.6.1945. Φ.Ε.Κ. (RBl) A' 242/1945.

Καταστατικόν τοῦ Ὀργανισμοῦ τῶν Ἡνωμένων Ἐθνῶν διά τόν ἐπισιτισμόν καί τήν γεωργίαν (Satzung der Organisation der Vereinten Nationen für Ernährung und Landwirtschaft). Quebec 16.10.1945. Φ.Ε.Κ. (RBl) A' 191/1947.

Περί ἱδρύσεως ἐκπαιδευτικοῦ, μορφωτικοῦ καί ἐπιστημονικοῦ Ὀργανισμοῦ (UNESCO) (Über die Gründung einer Organisation für Erziehung, Wissenschaft und Kultur [UNESCO]). Λονδῖνον (London) 16.11.1945. Φ.Ε.Κ. (RBl) A' 328/ 31.10.1946. Ν.Δ. (GV) 184/1946.

Περί προνομίων καί ἀτελειῶν Ἡνωμένων Ἐθνῶν (Über Privilegien und Gebührenfreiheiten der Vereinten Nationen). Λονδῖνον (London) 13.2.1946. Φ.Ε.Κ. (RBl) A' 213/ 1947.

Παγκόσμιος Ὀργάνωσις Ὑγείας (Weltgesundheitsorganisation). Ἀθῆναι (Athen) 21.3.1947. Φ.Ε.Κ. (RBl) A' 240/1947.

Σύμβασις Παγκοσμίου Μετεωρολογικοῦ Ὀργανισμοῦ (Abkommen über die Internationale Meteorologische Organisation). Οὐάσιγκτων (Washington) 11.10.1947. Φ.Ε.Κ. (RBl) A' 198/1949.

Γενική Συμφωνία Δασμῶν καί ἐμπορίου (Allgemeines Zoll- und Handelsabkommen (GATT). Γενεύη (Genf) 30.10.1947. Φ.Ε.Κ. (RBl) A' 61/1950.

Ἀσυλίαι καί προνόμια εἰδικευμένων ὀργανισμῶν (Immunitäten und Privilegien von Fachorganisationen der UNO). Λονδῖνον (London) 21.11.1947. Φ.Ε.Κ. (RBl) A' 303/ 12.11.1976. Ν. (G) 471/1976.

Σύμβασις περί ἱδρύσεως Διακυβερνητικοῦ Συμβουλευτικοῦ Ναυτιλιακοῦ Ὀργανισμοῦ (Vertrag über die Gründung einer Beratenden Zwischenstaatlichen Seeschiffahrtsorganisation). Γενεύη (Genf) 6.3.1948. Φ.Ε.Κ. (RBl) A' 294/1949.

Εὐρωπαϊκή Σύμβασις ραδιοφωνίας (Europäische Rundfunkkonvention). Κοπεγχάγη (Kopenhagen) 17.9.1948. Φ.Ε.Κ. (RBl) A' 74/1950.

Σύμβασις διά τήν πρόληψιν καί τήν καταστολήν τῆς γενοκτονίας (Konvention zur Verhütung und Bestrafung des Völkermordes). Νέα Ὑόρκη (New York) 9.12.1948. Φ.Ε.Κ. (RBl) A' 250/1954.

Συνθήκη Βορείου Ἀτλαντικοῦ (Nordatlantikpakt). Οὐάσιγκτων (Washington) 4.4.1949. Φ.Ε.Κ. (RBl) A' 37/1952.

Καταστατικόν Συμβουλίου Εὐρώπης (Satzung des Europarates). Λονδῖνον (London) 5.5.1949. Φ.Ε.Κ. (RBl) A' 356/28.11.1974. Ν.Δ. (GV) 196/1974.

α) Περί βελτιώσεως τύχης τραυματιῶν στρατοῦ (Über die Verbesserung des Schicksals von Verwundeten der Armee). Γενεύη (Genf) 12.8.1949. Φ.Ε.Κ. (RBl) A' 3/1956.

β) Περί βελτιώσεως τύχης τραυματιῶν ναυτικοῦ (Über die Verbesserung des Schicksals von Verwundeten der Marine). Γενεύη (Genf) 12.8.1949. Φ.Ε.Κ. (RBl) A' 3/1956.

γ) Περί μεταχειρίσεως αἰχμαλώτων πολέμου (Über die Behandlung von Kriegsgefangenen). Γενεύη (Genf) 12.8.1949. Φ.Ε.Κ. (RBl) Α΄ 3/1956.

δ) Περί προστασίας ἀμάχου πληθυσμοῦ ἐν καιρῷ πολέμου (Konvention über den Schutz
der nichtkämpfenden Bevölkerung während der Kriegszeit). Γενεύη (Genf) 12.8.1949.
Φ.Ε.Κ. (RBl) Α΄ 3/1956.

Σύμβασις διά τήν προάσπισιν τῶν δικαιωμάτων τοῦ ἀνθρώπου καί τῶν θεμελιωδῶν
ἐλευθεριῶν (Konvention zum Schutze der Menschenrechte und Grundfreiheiten). Ρώμη
(Rom) 4.11.1950. Φ.Ε.Κ. (RBl) Α΄ 256/1974. Ν.Δ. (GV) 53/1974.

Συμφωνία εἰσαγωγῆς ἐκπαιδευτικοῦ, ἐπιστημονικοῦ ἢ μορφωτικοῦ ὑλικοῦ (Übereinkommen über die Einfuhr von erzieherischen, wissenschaftlichen oder kulturellen
Gegenständen). Lake Success 22.11.1950. Φ.Ε.Κ. (RBl) Α΄ 161/1954.

Σύμβασις περί ἱδρύσεως Τελωνειακοῦ Συμβουλίου συνεργασίας (Vertrag über die Gründung eines Rates für Zusammenarbeit im Zollwesen). Βρυξέλλαι (Brüssel)
15.12.1950. Φ.Ε.Κ. (RBl) Α΄ 243/1951.

Σύμβασις περί ὀνοματολογίας δια τήν κατάταξιν τῶν ἐμπορευμάτων εἰς τά τελωνειακά
δασμολόγια (Vertrag über die Nomenklatur für die Warenklasseneinteilung in den
Zolltarifen). Βρυξέλλαι (Brüssel) 15.12.1950. Φ.Ε.Κ. (RBl) Α΄ 243/1951.

Σύμβασις ἐπί τῆς δασμολογητέας ἀξίας τῶν ἐμπορευμάτων (Vertrag über den zu verzol-
lenden Warenwert). Βρυξέλλαι (Brüssel) 15.12.1950. Φ.Ε.Κ. (RBl) Α΄ 243/1951.

Διεθνής Ὑγειονομικὸς Κανονισμός (Weltgesundheitsregelung). Γενεύη (Genf)
25.5.1951. Φ.Ε.Κ. (RBl) Α΄ 287/1969.

Διεθνής Σύμβασις Ἐργασίας ὑπ᾽ἀριθ. 100 περί ἰσότητος τῆς ἀμοιβῆς μεταξύ ἀρρένων
καί θηλέων ἐργαζομένων εἰς ἐργασίαν ἴσης ἀξίας (Internationaler Vertrag Nr.100
über Gleichheit des Arbeitsentgelts zwischen Männern und Frauen, die gleichwertige
Arbeit leisten). Γενεύη (Genf) 29.6.1951. Φ.Ε.Κ. (RBl) Α΄ 105/1975. Ν. (G) 46/
1975).

Σύμβασις περί τοῦ διέποντος τούς πρόσφυγας καθεστῶτος (Vertrag über den Rechtsstatus der Flüchtlinge). Γενεύη (Genf) 28.7.1951. Φ.Ε.Κ. (RBl) Α΄ 201/1959.

Καταστατικόν Συνδιασκέψεως τῆς Χάγης διά προοδευτικήν ἑνοποίησιν τῶν κανόνων
τοῦ ἰδιωτικοῦ Διεθνοῦς Δικαίου (Satzung der Haager Konferenz zur stufenweisen
Vereinheitlichung der Regeln des internationalen Privatrechts). Χάγη (Den Haag)
31.10.1951. Φ.Ε.Κ. (RBl) Α΄ 169/13.8.1975. Ν. (G) 107/1975.

Διεθνής Σύμβασις περί προστασίας φυτῶν (Internationaler Vertrag zum Pflanzenschutz).
Ρώμη (Rom) 6.12.1951. Φ.Ε.Κ. (RBl) Α΄ 88/1953.

Σύμβασις περί ἐνοποιήσεως κανόνων τινῶν περί συντηρητικῆς κατασχέσεως θαλασσο-
πλοούντων πλοίων (Vertrag über die Vereinheitlichung einiger Regeln über vorbeugende Beschlagnahme von Seeschiffen). Βρυξέλλαι (Brüssel) 10.5.1952. Φ.Ε.Κ.
(RBl) Α΄ 224/1966.

Διεθνής Σύμβασις περί ἐνοποιήσεως κανόνων τινῶν περί ἀστικῆς ἀρμοδιότητος εἰς
περιπτώσεις συγκρούσεων πλοίων (Internationaler Vertrag über die Vereinheitlichung
einiger Regeln über die zivilrechtliche Zuständigkeit im Fall von Kollisionen von Schiffen). Βρυξέλλαι (Brüssel) 10.5.1952. Φ.Ε.Κ. (RBl) Α΄ 213/1964.

Διεθνής Σύμβασις περί ἐνοποιήσεως κανόνων τινῶν ἀστικῆς ἀρμοδιότητος εἰς περιπτώ-
σεις συγκρούσεων πλοίων (Internationaler Vertrag über die Vereinheitlichung einiger
Regeln über die strafrechtliche Zuständigkeit im Fall von Kollisionen von Schiffen).
Βρυξέλλαι (Brüssel) 10.5.1952. Φ.Ε.Κ. (RBl) Α΄ 213/1964.

Ἐπιτροπή προσωπικῆς καταστάσεως ([Abkommen über den] Ausschuß für den Personenstand). Βέρνη (Bern) 25.9.1950 und Λουξεμβοῦργον (Luxemburg) 25.9.1952. Φ.Ε.Κ. (RBl) Α' 104/1965.

Διεθνής Σύμβασις περί διευκολύνσεως τῆς εἰσαγωγῆς ἐμπορικῶν δειγμάτων καί διαφημιστικοῦ ὑλικοῦ (Internationaler Vertrag über die Erleichterung der Einfuhr von Handelsmustern und Werbematerial). Γενεύη (Genf) 7.11.1952. Φ.Ε.Κ. (RBl) Α' 269/1953.

Σύμβασις περί πολιτικῶν Δικαιωμάτων τῆς γυναικός (Konvention über die politischen Rechte der Frau). Νέα Ὑόρκη (New York) 31.3.1953. Φ.Ε.Κ. (RBl) Α' 269/1953.

Σύμβασις περί ἱδρύσεως Ὀργανισμοῦ Πυρηνικῶν Ἐρευνῶν (Abkommen über die Gründung einer Atomenergieagentur). Παρίσιοι (Paris) 1.7.1953. Φ.Ε.Κ. (RBl) Α' 94/1954.

Περί ἱδρύσεως Διακυβερνητικῆς Ἐπιτροπῆς μεταναστεύσεως εἰς Εὐρώπην (Über die Gründung eines Intergouvernementalen Auswanderungsausschusses in Europa). Βενετία (Venedig) 19.10.1953. Φ.Ε.Κ. (RBl) Α' 113/1954.

Εὐρωπαϊκή Σύμβασις ἰσοτιμίας διπλωμάτων Πανεπιστημίων (Europäischer Vertrag über die Gleichwertigkeit von Universitätsdiplomen). Παρίσιοι (Paris) 11.12.1953. Φ.Ε.Κ. (RBl) Α' 1/1955.

Εὐρωπαϊκή Σύμβασις Κοινωνικῆς καί Ἰατρικῆς ἀντιλήψεως (Europäischer Vertrag über soziale und ärztliche Hilfe). Παρίσιοι (Paris) 11.12.1953. Φ.Ε.Κ. (RBl) Α' 246/11.11.59. Ν.Δ. (GV) 4017/1959.

Διεθνής Σύμβασις Τηλεπικοινωνιῶν (Internationaler Fernmeldevertrag). Βουένος Ἄϊρες (Buenos Aires) 22.12.1953. Φ.Ε.Κ. (RBl) Α' 210/1952.

Ρύπανσις θαλάσσης ὑπό πλοίων (Konvention über die Meeresverschmutzung durch Schiffe). Λονδῖνον (London) 12.5.1954. Φ.Ε.Κ. (RBl) Α' 154/1966.

Σύμβασις τελωνειακῶν διευκολύνσεων Τουρισμοῦ (Internationaler Vertrag über Zollerleichterungen für den Tourismus). Νέα Ὑόρκη (New York) 4.6.1954. Φ.Ε.Κ. (RBl) Α' 249/1973.

Διεθνής Σύμβασις περί νομικῆς καταστάσεως ἀνιθαγενῶν (Internationaler Vertrag über den Rechtsstatus der Staatenlosen). Νέα Ὑόρκη (New York) 28.9.1954. Φ.Ε.Κ. (RBl) Α' 176/25.8.1975. Ν. (G) 139/1975.

Εὐρωπαϊκή Μορφωτική Σύμβασις (Europäisches Kulturabkommen). Παρίσιοι (Paris) 19.12.1954. Φ.Ε.Κ. (RBl) Α' 166/1961.

Διεθνής Συμφωνία διά τήν ἵδρυσιν Διεθνοῦς Ὀργανισμοῦ Χρηματοδοτήσεως (Internationales Übereinkommen über die Gründung einer Internationalen Finanzierungsorganisation). Οὐάσιγκτων (Washington) 25.5.1955. Φ.Ε.Κ. (RBl) Α' 191/1957.

Σύμβασις συνιστῶσα διεθνῆ Ὀργανισμόν νομίμου Μετρολογίας (Abkommen über die Gründung einer Internationalen Organisation für Maße und Gewichte). Παρίσιοι (Paris) 12.10.1955. Φ.Ε.Κ. (RBl) Α' 100/4.5.1979. Ν. (G) 913/1979.

Εὐρωπαϊκή Σύμβασις περί ἐγκαταστάσεως (Europäisches Niederlassungsabkommen). Παρίσιοι (Paris) 13.12.1955. Φ.Ε.Κ. (RBl) Α' 218/12.11.1964.

Διεθνής Σύμβασις περί ἐμπορευματοκιβωτίων (Internationaler Containervertrag). Γενεύη (Genf) 18.5.1956. Φ.Ε.Κ. (RBl) Α' 34/1961.

Σύμβασις ἐπί τοῦ Συμβολαίου διά τήν διεθνῆ ὁδικήν μεταφοράν ἐμπορευμάτων (C.M.R.) (Abkommen zum Vertrag über den internationalen Straßenwarenverkehr [C.M.R.]). Γενεύη (Genf) 19.5.1956. Φ.Ε.Κ. (RBl) Α' 78/12.3.1977. Ν. (G) 559/1977.

Σύμβασις περί έκτελέσεως ύποχρεωτικῆς διατροφῆς εἰς τό ἐξωτερικόν (Abkommen über die Vollstreckung der Unterhaltspflicht im Ausland). Γενεύη (Genf) 20.6.1956. Φ.Ε.Κ. (RBl) Α' 215/1964.

Διεθνής Σύμβασις περί καταργήσεως τῆς δουλείας (Internationales Abkommen über die Abschaffung der Sklaverei). Γενεύη (Genf) 7.9.1956. Φ.Ε.Κ. (RBl) Α' 105/1972.

Σύμβασις περί Καταστατικοῦ τοῦ Διεθνοῦς Ὀργανισμοῦ Ἀτομικῆς Ἐνεργείας (Abkommen über die Satzung der Internationalen Atomenergieorganisation). Νέα Ὑόρκη (New York 26.10.1956. Φ.Ε.Κ. (RBl) Α' 149/1957.

Παγκόσμιος Ταχυδρομική Σύμβασις (Weltpostvertrag). Ὀττάβα (Ottawa) 3.10.1957. Φ.Ε.Κ. (RBl) Α' 69/1959.

Εὐρωπαϊκή Σύμβασις Ἐκδόσεως (Europäischer Auslieferungsvertrag). Παρίσιοι (Paris) 13.12.1957. Φ.Ε.Κ. (RBl) Α' 75/1961. Ν. (G) 4165/1961.

Κανονισμός κυκλοφορίας ἀτόμων μεταξύ τῶν Χωρῶν τοῦ Συμβουλίου τῆς Εὐρώπης (Satzung über den Verkehr von Einzelnen zwischen den Staaten Europas). Παρίσιοι (Paris) 13.12.1957. Φ.Ε.Κ. (RBl) Α' 106/1960.

Σύμβασις περί ὑφαλοκρηπίδος (Vertrag über den Festlandsockel). Γενεύη (Genf) 29.4.1958. Φ.Ε.Κ. (RBl) Α' 206/1972. Ν.Δ. (GV) 1182/1972.

Ἀναγνώρισις ἐκτελέσεως Διαιτητικῶν ἀποφάσεων (Anerkennung der Vollstreckung von Schiedsurteilen). Νέα Ὑόρκη (New York) 10.6.1958. Φ.Ε.Κ. (RBl) Α' 173/1961.

Διεθνής Σύμβασις περί προνομίων καί ἀσυλιῶν τοῦ Δ. Ὀργανισμοῦ Ἀτομικῆς Ἐνεργείας (Internationaler Vertrag über die Vorrechte und Immunitäten der Internationalen Organisation für Kernenergie). Βιέννη (Wien) 1.7.1959. Φ.Ε.Κ. (RBl) Α' 213/1970. Ν.Δ. (GV) 695/1970.

Τελωνειακή Σύμβασις περί διεθνῶν μεταφορῶν ἐμπορευμάτων διά δελτίων T.I.R. (Zollvertrag über den internationalen Warentransport auf der Grundlage der T.I.R.). Γενεύη (Genf) 15.1.1959. Φ.Ε.Κ. (RBl) Α' 34/1961.

Εὐρωπαϊκή Σύμβασις δικαστικῆς ἀρωγῆς εἰς ποινικάς ὑποθέσεις (Europäischer Vertrag über den gerichtlichen Beistand in Strafsachen). Στρασβοῦργον (Straßburg) 20.4.1959. Φ.Ε.Κ. (RBl) Α' 171/1961. Ν.Δ. (GV) 4218/1961.

Διεθνής Σύμβασις Τηλεπικοινωνιῶν (Internationaler Fernmeldevertrag). Γενεύη (Genf) 21.12.1959. Φ.Ε.Κ. (RBl) Α' 44/1966.

Διεθνής κανονισμός περί ἀποφυγῆς συγκρούσεων ἐν θαλάσση (Internationale Regelung über Vermeidung von Kollisionen auf See). Λονδῖνον (London) 17.6.1960. Φ.Ε.Κ. (RBl) Α' 197/1962.

Εὐρωπαϊκή Σύμβασις διά τήν προστασίαν τῶν ἐκπομπῶν τηλεοράσεως (Europäischer Vertrag zum Schutz der Fernsehsendungen). Στρασβοῦργον (Straßburg) 22.6.1960. Φ.Ε.Κ. (RBl) Α' 211/1964.

Συνθήκη ἐπί τῆς ἀστικῆς εὐθύνης εἰς τόν τομέα τῆς Πυρηνικῆς Ἐνεργείας (Abkommen über die Zivilhaftung im Bereich der Kernenergie). Παρίσιοι (Paris) 29.7.1960. Φ.Ε.Κ. (RBl) Α' 269/1969.

Συμφωνία ἱδρύσεως ὀργανισμοῦ οἰκονομικῆς συνεργασίας καί ἀναπτύξεως (Vertrag über die Gründung der Organisation für wirtschaftliche Zusammenarbeit und Entwicklung). Παρίσιοι (Paris) 14.12.1960. Φ.Ε.Κ. (RBl) Α' 156/1961. Ν.Δ. (GV) 4190/1961.

Ἑνιαία Σύμβασις Ναρκωτικῶν (Einheitliche Konvention über Rauschgifte). Νέα Ὑόρκη (New York) 30.3.1961. Φ.Ε.Κ. (RBl) Α' 36/1972.

Σύμβασις περί τῶν διπλωματικῶν Σχέσεων (Vertrag über die diplomatischen Beziehungen). Βιέννη (Wien) 18.4.1961. Φ.Ε.Κ. (RBl) Α' 108/1970.

Συμφωνία συνδέσεως Ἑλλάδος μετά τῆς Εὐρωπαϊκῆς Οἰκονομικῆς Κοινότητος (Assoziierungsabkommen zwischen Griechenland und der Europäischen Wirtschaftsgemeinschaft. ᾽Αθῆναι (Athen) 9.7.1961. Φ.Ε.Κ. (RBl) Α' 41/1962.

Τελωνειαχή Σύμβασις διευκολύνσεως εἰσαγωγῆς ἐμπορευμάτων διὰ ἐμποροπανηγύρεις (Zollvertrag zur Erleichterung der Wareneinfuhr für Messen). Βρυξέλλαι (Brüssel) 8.6.1961. Φ.Ε.Κ. (RBl) Α' 240/1973.

Τελωνειακή Σύμβασις εἰσαγωγῆς ἐπαγγελματικοῦ ὑλικοῦ (Zollvertrag über die Einfuhr von beruflichem Material). Βρυξέλλαι (Brüssel) 8.6.1961. Φ.Ε.Κ. (RBl) Α' 244/1973.

Σύμβασις περί ἐπεκτάσεως τῆς ἁρμοδιότητος ἁρμοδίων ἀρχῶν ὅπως δέχωνται ἀναγνωρίσεις φυσικῶν τέκνων (Abkommen über die Erweiterung der Zuständigkeit von Behörden betreffs der Anerkennung von nichtehelichen Kindern). Ρώμη Rom) 14.9.1961. Φ.Ε.Κ. (RBl) Α' 47/12.3.1979. N. (G) 873/1979.

Διεθνής Τελωνειακή Σύμβασις ἐπί τοῦ δελτίου ΑΤΑ διά τήν προσωρινήν εἰσαγωγήν ἐμπορευμάτων (Internationaler Zollvertrag über das Formular ATA für die vorübergehende Wareneinfuhr). Βρυξέλλαι (Brüssel) 6.12.1961. Φ.Ε.Κ. (RBl) Α' 184/1.9.1975. N. (G) 132/1975.

Σύμβασις περί ἀποδείξεως τῆς γνησιότητος τῶν φυσικῶν τέκνων ἔναντι τῆς μητρός (Vertrag über die Beweisführung der Echtheit der natürlichen Kinder gegenüber der Mutter). Βρυξέλλαι (Brüssel) 12.9.1962. Φ.Ε.Κ. (RBl) Α' 47/12.3.1979. N. (G) 872/1979.

Διεθνής Σύμβασις ᾽Ελαιολάδου (Internationaler Olivenölvertrag). Γενεύη (Genf) 20.4.1963.Φ.Ε.Κ. (RBl) Α' 153/1966.

Διεθνής Σύμβασις περί τῶν Προξενικῶν Σχέσεων (Internationaler Vertrag über Konsularbeziehungen). Βιέννη (Wien) 24.4.1963.Φ.Ε.Κ. (RBl) Α' 150/23.7.1975. N. (G) 90/1975.

2ον, 3ον καί 5ον Πρωτόκολλον τῆς Διεθνοῦς Συμβάσεως ᾽Ανθρωπίνων Δικαιωμάτων (Protokoll Nr.2, 3 und 5 zur Internationalen Konvention zum Schutze der Menschenrechte). Στρασβοῦργον (Straßburg) 6.5.1963 und 25.1.1966. Φ.Ε.Κ. (RBl) Α' 365/1974. N.Δ. (GV) 215/1974.

Συνθήκη περί μή διαδόσεως πυρηνικῶν ὅπλων (Vertrag über die Nichtverbreitung von Kernwaffen). Λονδῖνον-Οὐάσιγκτων-Μόσχα (London-Washington-Moskau) 1.7.1968. Φ.Ε.Κ. (RBl) Α' 49/262/1970. N.Δ. (GV) 437/1970.

Σύμβασις περί ἀπαγορεύσεως δοκιμῶν πυρηνικῶν ὅπλων εἰς τήν ἀτμόσφαιραν (Vertrag über das Verbot von Kernwaffenversuchen in der Atmosphäre). Μόσχα (Moskau) 5.8.1963. Φ.Ε.Κ. (RBl) Α' 193/1963. N.Δ. (GV) 335/1963.

Σύμβασις ἐπί τῆς ἀνταλλαγῆς πληροφοριῶν ἐπί τῆς ἀποκτήσεως τῆς ἰθαγενείας (Vertrag über den Austausch von Informationen über den Erwerb der Staatsangehörigkeit). Παρίσιοι (Paris) 10.9.1964. Φ.Ε.Κ. (RBl) Α' 33/8.2.1977. N (G) 536/1977.

Διεθνής Σύμβασις Τηλεπικοινωνιῶν (Internationaler Fernmeldevertrag). Montreux 12.10.1965. Φ.Ε.Κ. (RBl) Α' 46/1968.

Διεθνής Σύμβασις περί ἐξαλείψεως ὅλων τῶν μορφῶν τῶν φυλετικῶν διακρίσεων (Internationale Konvention über die Abschaffung sämtlicher Formen der Rassendiskriminierung). Νέα Ὑόρκη (New York) 7.3.1966. Φ.Ε.Κ. (RBl) Α' 77/1970.

Διεθνής Σύμβασις περί διακανονισμοῦ διαφορῶν ἐξ ἐπενδύσεων μεταξύ χωρῶν καί ὑπηκόων ἄλλων χωρῶν (Internationaler Vertrag über die Regelung von Streitigkeiten betreffend Investitionen zwischen Staaten und Staatsangehörigen von anderen Staaten). Ούάσιγκτων (Washington) 16.3.1966. Φ.Ε.Κ. (RBl) Α' 263/1968.

Διεθνής Σύμβασις γραμμῶν φορτώσεως πλοίων καί τελική πρᾶξις αὐτῆς (Internationales Abkommen über Ladungslinien für Schiffe und Schlußakte des Abkommens). Λονδῖνον (London) 5.4.1966. Φ.Ε.Κ. (RBl) Α' 125/1968.

Σύμβασις Διεθνοῦς Ὑδρογραφικοῦ 'Οργανισμοῦ (Vertrag über die Internationale Hydrographische Organisation). Μονακό (Monaco) 3.5.1967. Φ.Ε.Κ. (RBl) Α' 144/ 1970.

Σύμβασις συνιστῶσα Παγκόσμιον 'Οργανισμὸν Πνευματικῆς 'Ιδιοκτησίας (Vertrag über die Gründung einer weltweiten Organisation für Urheberrecht). Στοκχόλμη (Stockholm) 14.7.1967. Φ.Ε.Κ. (RBl) Α' 162/1.8.1975. Ν. (G) 100/1975.

Σύμβασις Παρισίων περί προστασίας τῆς Βιομηχανικῆς 'Ιδιοκτησίας (Pariser Vertrag zum Schutz des Industrieeigentums). Στοκχόλμη (Stockholm) 14.7.1967. Φ.Ε.Κ. (RBl) Α' 258/20.11.1975. Ν. (G) 213/1975.

Διεθνής Σύμβασις περί διασώσεως ἀστροναυτῶν, ἐπιστροφῆς ἀστροναυτῶν καί ἐπιστροφῆς ἀντικειμένων ἐκτοξευθέντων εἰς τό διάστημα (Internationaler Vertrag über die Rettung von Weltraumfahrern, die Rückkehr von Weltraumfahrern und die Rückkehr von in den Weltraum geschossenen Gegenständen). Λονδῖνον-Ούάσιγκτων-Μόσχα (London-Washington-Moskau) 22.4.1968. Φ.Ε.Κ. (RBl) Α' 350/20.11.1974. Ν.Δ. (GV) 189/1974.

Τελωνειακή Σύμβασις περί προσωρινῆς εἰσαγωγῆς ἐπιστημονικοῦ ὑλικοῦ (Zollvertrag über die vorübergehende Einfuhr von wissenschaftlichem Material). Βρυξέλλαι (Brüssel) 11.6.1968 Φ.Ε.Κ. (RBl) Α' 241/73.

Συμφωνία συνιστῶσα Εὐρωπαϊκόν Συμβούλιον Μοριακῆς Βιολογίας (Konvention zur Gründung einer Europäischen Kommission für Molekularbiologie). Γενεύη (Genf) 13.2.1969. Φ.Ε.Κ. (RBl) Α' 208/1971.

Διεθνής Σύμβασις Βιέννης περί τοῦ Δικαίου τῶν Συνθηκῶν (Wiener Internationaler Vertrag über das Recht der Verträge). Βιέννη (Wien) 23.5.1969. Φ.Ε.Κ. (RBl) Α' 141/23.5.1974. Ν.Δ. (GV) 402/1974.

Διεθνής Ὑγειονομικός Κανονισμός (Weltgesundheitsregelung). Βοστώνη (Boston) 25.7.1969. Φ.Ε.Κ. (RBl) Α' 91/1972.

Διεθνής Σύμβασις περί ἀστικῆς εὐθύνης πλοιοκτητῶν εἰς περίπτωσιν ρυπάνσεως ἐκ πετρελαίου (Internationaler Vertrag über die zivilrechtliche Haftung der Schiffseigner im Fall einer durch Öl verursachten Verschmutzung). Βρυξέλλαι (Brüssel) 29.11.1969. Φ.Ε.Κ. (RBl) Α' 106/5.5.1976. Ν. (G) 314/1976.

Εὐρωπαϊκή Σύμβασις περί ἐργασίας προσωπικοῦ ὀχημάτων πραγματοποιούντων ὁδικάς μεταφοράς (ΑΕΤΠ) (Europäischer Vertrag über den Straßentransport [AETR]). Γενεύη (Genf) 1.7.1970. Φ.Ε.Κ. (RBl) Α' 282/1973.

Καταστατικόν τοῦ Παγκοσμίου 'Οργανισμοῦ Τουρισμοῦ (Satzung der Weltorganisation für Tourismus). Μεξικόν (Mexiko-Stadt) 28.9.1970. Φ.Ε.Κ. (RBl) Α' 112/8.7.1972. Ν.Δ. (GV) 1181/1972.

Διεθνής Σύμβασις 'Εργασίας περί προλήψεως ἐργατικῶν ἀτυχημάτων τῶν ναυτῶν (Internationaler Vertrag zur Verhütung von Arbeitsunfällen von Seeleuten). Γενεύη (Genf) 14.10.1970. Φ.Ε.Κ. (RBl) Α' 321/3.12.1976. Ν. (G) 486/1976.

Σύμβασις διά τήν καταστολήν τῆς παρανόμου καταλήψεως ἀεροσκαφῶν (Konvention über die Bekämpfung von Flugzeugentführungen). Χάγη (Den Haag) 16.12.1970. Φ.Ε.Κ. (RBl) A' 74/31.3.1973. N.Δ. (G) 1352/1973.

Διεθνής Συμφωνία Σίτου (Internationales Getreideabkommen). Γενεύη (Genf) 20.2.1971. Φ.Ε.Κ. (RBl) A' 173/20.8.1975.

Διεθνής Σύμβασις περί ψυχοτροπικῶν οὐσιῶν (Internationaler Vertrag über psychotrope Substanzen). Βιέννη (Wien) 21.2.1971. Φ.Ε.Κ. (RBl) A' 146/15.6.1976. N. (G) 348/1976.

Διαβαλκανική Συμφωνία Τουριστικῆς συνεργασίας (Interbalkanische Übereinkunft über Zusammenarbeit im Bereich des Tourismus). Βουκουρέστι (Bukarest) 13.5.1971. Φ.Ε.Κ. (RBl) A' 113/1972.

Διεθνής Σύμβασις ἐργασίας περί προστασίας ἐκ τῶν κινδύνων δηλητηριάσεως τῶν ὀφειλομένων εἰς τό Βενζόλιον (Internationaler Vertrag zum Schutz gegen Vergiftungsgefahr durch Benzol). Γενεύη (Genf) 2.6.1971. Φ.Ε.Κ. (RBl) A' 332/11.12.1976. N. (G) 492/1976.

Συμφωνία Βέρνης διά τήν προστασίαν τῶν φιλολογικῶν καί καλλιτεχνικῶν ἔργων (Berner Konvention zum Schutz der literarischen und künstlerischen Werke). Παρίσιοι (Paris) 24.7.1971.

Συμφωνία περί Παγκοσμίου συστήματος τηλεπικοινωνιῶν διά Δορυφόρων INTELSAT (Übereinkommen über ein Weltfernmeldesystem mittels INTELSAT-Satelliten). Οὐάσιγκτων (Washington) 20.8.1971. Φ.Ε.Κ. (RBl) A' 191/30.10.1972. N.Δ. (GV) 1237/1972.

Σύμβασις διά τήν καταστολήν παρανόμων πράξεων κατά τῆς ἀσφαλείας τῆς Πολιτικῆς Ἀεροπορίας (Konvention über die Bekämpfung von rechtswidrigen Handlungen gegen die Sicherheit der zivilen Luftfahrt). Μόντρεαλ (Montreal) 23.9.1971. Φ.Ε.Κ.(RBl) A' 248/25.9.1973. N.Δ. (GV) 174/1973.

Σύμβασις περί ἐπιβατικῶν πλοίων εἰδικῶν μεταφορῶν (Vertrag über Fahrgastschiffe für besondere Transporte). Λονδῖνον (London) 6.10.1971.Φ.Ε.Κ.(RBl) A'61/24.3.1979. N.(G) 882/1979.

Σύμβασις περί Διεθνοῦς Εὐθύνης δι'ἀντικείμενα ἐκτοξευόμενα εἰς τό Διάστημα καί προκαλοῦντα ζημίας εἰς τρίτα Κράτη καί ὑπηκόους αὐτῶν (Vertrag über die internationale Haftung für Gegenstände, die in den Weltraum gestartet werden und dritten Staaten und deren Staatsbürgern Schaden zufügen). Οὐάσιγκτων (Washington) 29.3.1972. Φ.Ε.Κ. (RBl) A' 75/12.3.1977. N. (G) 568/1977.

Περί ἀπαγορεύσεως τῆς ἀναπτύξεως, παραγωγῆς καί συγκεντρώσεως βακτηριολογικῶν καί τοξικῶν ὅπλων καί καταστροφῆς των (Vertrag über das Verbot der Entwicklung, Herstellung und Lagerung von bakteriologischen und chemischen Waffen und deren Vernichtung). Λονδῖνον-Οὐάσιγκτων-Μόσχα (London-Washington-Moskau) 10.4.1972. Φ.Ε.Κ. (RBl) A' 175/22.8.1975. N.(G) 126/1975.

Πρωτόκολλον Τροποποιητικόν τῆς Διεθνοῦς Συμβάσεως τῶν Παρισίων περί Διεθνῶν Ἐκθέσεων (Änderungsprotokoll zum internationalen Vertrag von Paris über internationale Ausstellungen). Παρίσιοι (Paris) 30.11.1972. Φ.Ε.Κ. (RBl) A'305/16.11.1976.N. (G) 472/1976.

Διεθνής Σύμβασις ἀφορῶσα εἰς τήν μείωσιν τῶν περιπτώσεων τῆς ἀνιθαγενείας (Internationaler Vertrag über die Verminderung der Fälle von Staatenlosigkeit). Βέρνη (Bern) 23.9.1973. Φ.Ε.Κ. (RBl) A' 36/9.2.1977. N. (G) 535/1977.

Σύμβασις περί ἱδρύσεως Εὐρωπαϊκοῦ κέντρου Μεσοπροθέσμων Μετεωρολογικῶν προβλέψεων (Abkommen über die Gründung eines Europäischen Zentrums für mittelfristige meteorologische Voraussagen). Βρυξέλλαι (Brüssel) 11.10.1973. Φ.Ε.Κ. (RBl) Α' 132/ 3.6.1976. Ν. (G) 336/1976.

Διεθνής Σύμβασις Τηλεπικοινωνιών (Internationaler Fernmeldevertrag). Malaga Torremolinos 25.10.1973. Φ.Ε.Κ. (RBl) Α' 336/17.12.1976. Ν. (G) 493/1976.

Καταστατικόν τῆς Παγκοσμίου Ταχυδρομικῆς Ἑνώσεως (Satzung des Weltpostvereins). Λωζάννη (Lausanne). Φ.Ε.Κ. (RBl) Α' 186/30.6.1977. Ν. (G) 631/1977.

Συμφωνία Διεθνοῦς Προγράμματος Ἐνεργείας (Übereinkunft über ein Internationales Energieprogramm). Παρίσιοι (Paris) 18.11.1974. Φ.Ε.Κ. (RBl) Α' 169/17.6.1977. Ν. (G) 602/1977.

Διεθνής Σύμβασις περί προστασίας Μεσογείου Θαλάσσης ἐκ τῆς ρυπάνσεως καί τά δύο Πρωτόκολλα αὐτῆς (Internationaler Vertrag über den Schutz des Mittelmeeres vor der Verschmutzung und zwei Protokolle dazu). Βαρκελώνη (Barcelona) 16.2.1976. Φ.Ε.Κ. (RBl) Α' 235/23.12.1978. Ν. (G) 855/1978.

Συμφωνία συστάσεως Διεθνοῦς Ταμείου διά τήν ἀνάπτυξιν τῆς Γεωργίας (Konvention zur Gründung eines Internationalen Fonds für die Entwicklung der Landwirtschaft). Ρώμη (Rom) 13.6.1976. Φ.Ε.Κ. (RBl) Α' 204/29.11.1978. Ν. (G) 830/1978.

Εὐρωπαϊκή Σύμβασις περί καταργήσεως τῆς ἐπικυρώσεως τῶν ἐγγράφων τῶν συνταχθέντων ὑπό Διπλωματικῶν ἤ Προξενικῶν Πρακτόρων (Europäischer Vertrag über die Abschaffung der Beglaubigung von diplomatischen oder konsularischen Urkunden). Λονδῖνον (London) 7.6.1978. Φ.Ε.Κ. (RBl) Α' 22/21.12.1978. Ν. (G) 844/1978.

Συνθήκη μεταξύ τοῦ Βασιλείου τοῦ Βελγίου, τοῦ Βασιλείου τῆς Δανίας, τῆς Ὁμοσπονδιακῆς Δημοκρατίας τῆς Γερμανίας, τῆς Γαλλικῆς Δημοκρατίας, τῆς Ἰρλανδίας, τῆς Ἰταλικῆς Δημοκρατίας, τοῦ Μεγάλου Δουκάτου τοῦ Λουξεμβούργου, τοῦ Βασιλείου τῶν Κάτω Χωρῶν, τοῦ Ἡνωμένου Βασιλείου τῆς Μεγάλης Βρεταννίας καί Βορείου Ἰρλανδίας (Κρατῶν Μελῶν τῶν Εὐρωπαϊκῶν Κοινοτήτων) καί τῆς Ἑλληνικῆς Δημοκρατίας περί προσχωρήσεως τῆς Ἑλληνικῆς Δημοκρατίας στήν Εὐρωπαϊκή Οἰκονομική Κοινότητα καί στήν Εὐρωπαϊκή Κοινότητα Ἀτομικῆς Ἐνεργείας (Vertrag zwischen dem Königreich Belgien, dem Königreich Dänemark, der Bundesrepublik Deutschland, der Französischen Republik, Irland, der Italienischen Republik, dem Großherzogtum Luxemburg, dem Königreich der Niederlande, dem Vereinigten Königreich von Großbritannien und Nordirland (Mitgliederstaaten der Europäischen Gemeinschaft) und der Griechischen Republik über den Beitritt der Griechischen Republik zur Europäischen Wirtschaftsgemeinschaft und zur Europäischen Atomgemeinschaft). Ἀθῆναι (Athen) 28.5.1979. Φ.Ε.Κ. (RBl) Α' 170/27.7.1979. Ν. (G) 945/1979.

Biographien führender Persönlichkeiten aus dem politischen Leben Griechenlands

Jannis Valasidis, Athen

Androutsopoulos, Adamantios

geb. 1919, Psari; Studium der Rechtswissenschaften (Athen; John-Marshall-Law-School und Chicago University, USA). Politiker; während der Junta Finanz- und dann Innenminister (1967–73). Nach Ioannidis' Machtergreifung Ministerpräsident (1973/74).

Angelis, Odysseus

geb. 1912, Chalkis; Offizier. Generalleutnant Angelis war in der Zeit der Junta Oberster Befehlshaber der griechischen Streitkräfte (1968). Am 1. 10. 1973 wurde er zum stellvertretenden Ministerpräsidenten der Regierung Markezinis ernannt, die schon im November 1973 nach dem Studentenaufstand vom Ioannidis-Putsch gestürzt wurde. Nach Ende der Junta-Zeit vor Gericht gestellt und zu 20 Jahren Haft verurteilt.

Athanasiadis, Georgios

geb. 1912, Istanbul; Publizist, Zeitungsverleger. Herausgeber bzw. Direktor u.a. der konservativen Mittagszeitung „Vradyni". Enger Freund von Karamanlis; systematischen Verfolgungen der Junta ausgesetzt, die 1973 das Erscheinen der „Vradyni" verbot.

Athanasiadis-Novas, Georgios

geb. 1893, Navpaktos; Dichter, Politiker, Studium der Rechtswissenschaften (Athen), Mitglied der Akademie. Vor dem Zweiten Weltkrieg dreimal Abgeordneter von Aitoloakarnanien. 1950, 1951, 1956, 1958 Abgeordneter (KF) sowie 1961, 1963, 1964 (EK). Innenminister der Regierung Plastiras (1945) und der Regierung S. Venizelos (1950/51), Industrieminister und Minister beim Ministerpräsidenten der Regierung Plastiras (1951/52), Minister beim Ministerpräsidenten der Regierung G. Papandreou (1963), Kammerpräsident (1964). Versuchte nach dem 15. 7. 1965 erfolglos, die erste „Dissidentenregierung" zu bilden.
Publikationen: Viele Gedicht- und Erzählungsbände unter dem Pseudonym Georgios Athanas.

Averof-Tositsas, Evangelos

geb. 1910, Trikkala, Thessalien; Schriftsteller, Politiker. Studium der Rechts- und Wirtschaftswissenschaften (Dr. jur.; Dr. rer. pol., Universität Lausanne). Abgeordneter von Ioannina 1946, 1950, 1951 (KF) sowie 1956, 1958, 1961, 1963, 1964 (ERE) und 1974, 1977 (ND). Versorgungsminister 1949/50, Wirtschaftsminister 1950/51, Staatssekretär im Außenministerium 1956, Außenminister 1956–63, Landwirtschaftsminister 1967. Seit 24. 7. 1974 Verteidigungsminister.

Baltatzis, Alexandros

geb. 1904, Kutaisi, Kaukasien; Rechtsanwalt, Politiker. Studium der Rechtswissenschaften (Athen). Abgeordneter von Xanthi 1950, 1951, 1956 der von ihm gegründeten Partei (KAE) sowie 1961, 1963, 1964 (EK) und 1974 (EK-ND). Landwirtschaftsminister 1963 (EK).

Belogiannis, Nikos

geb. 1915, Amalias, Peloponnes; Politiker. Schon vor dem Zweiten Weltkrieg Mitglied der KKE, flüchtete nach aktiver Teilnahme am Bürgerkrieg nach Osteuropa, Rückkehr inkognito 1950. Mitarbeit am Aufbau der damals illegalen KKE. Ende 1950 Verhaftung, wegen angeblicher Spionage zum Tode verurteilt und 1952 hingerichtet. Seine Hinrichtung erregte im unstabilen politischen Klima Griechenlands nach dem Bürgerkrieg erhebliches Aufsehen.

Damaskinos (weltl. Name: Papandreou, Dimitrios)

geb. 1890, Dorvitsa, Navpaktia; Geistlicher. 1938 zum Erzbischof von Athen und ganz Griechenland gewählt, die Wahl jedoch vom Gericht für ungültig erklärt. (Sein Nachfolger wurde Metropolit Chrysanthos.) Von der Regierung Tsolakoglou zu Beginn der Besatzungszeit 1941 ins Erzbischofsamt zurückgerufen, schloß er sich Widerstandskreisen an und wurde deswegen unter Hausarrest gestellt (Mai–September 1944). Vizekönig und Regent vom 31. 12. 1945 bis zum Plebiszit und der Rückkehr des Königs am 27. 9. 1946. Gestorben 1949.

Diomidis, Alexandros

geb. 1875, Athen; Wirtschaftsführer, Politiker. Mehrmals Abgeordneter und Minister zwischen den Kriegen, Gouverneur der National-Bank (1923–28) und der Bank von Griechenland (1928–31), stellvertretender Ministerpräsident der Regierung Sofoulis (1949) und Ministerpräsident der Koalitionsregierung K. Tsaldaris – S. Venizelos – P. Kanellopoulos (1949/50). Gestorben 1950.

Dovas, Konstantinos

geb. 1898, Konitsa, Epirus; Generalleutnant, Hauptadjutant des Königs. Bereitete die Wahlen vom 5. 11. 1961 an der Spitze einer Sachwalterregierung vor.

Evtaxias, Lambros

geb. 1905, Athen; Politiker. Studium der Rechtswissenschaften (Athen, Leipzig) und politischen Wissenschaften (Paris). Nahm erfolgreich an allen von 1932 bis 1964 abgehaltenen Wahlen teil (Wahlbezirk Fthiotiodofokis). Staatssekretär und Finanzminister verschiedener konservativer Regierungen (u.a. Regierung Tsaldaris 1946/47 und Papagos 1955/56).

Fleming, Amalia

geb. 1913, Istanbul; Ärztin, Witwe des britischen Arztes und Entdeckers des Penicillin Alexander Fleming (Nobelpreis für Medizin 1945). Überregionale Abgeordnete der PASOK. Besonders bekannt wegen ihrer Widerstandsaktitiväten während der Junta.

Florakis, Charilaos

geb. 1914, Rachoula, Karditsa; Postbeamter, Politiker. Seit 1972 Generalsekretär des ZK der KKE (Ausland) hat Florakis 1974 und 1977 erfolgreich im Wahlbezirk Athen kandidiert.

Garoufalias, Petros

geb. 1901, Arta, Epirus; Industrieller, Politiker. Studium der Rechtswissenschaften (Athen, Berlin) und der Wirtschaftswissenschaften (Paris). Vor dem Zweiten Weltkrieg dreimal unabhängiger Abgeordneter (1932/33/36). Enger persönlicher und politischer Freund von G. Papandreou. Wurde bei fast allen Nachkriegswahlen bis 1964 (1946/50/52/56/58/61/63/64) als Zentrumsabgeordneter oder dem Zentrum nahestehender Abgeordneter gewählt. U.a. Minister für öffentliche Ordnung, Innen- und Koordinationsminister der Regierung Plastiras (1950/51). Seine Ernennung zum Verteidigungsminister der Zentrumsregierung (1964) führte allmählich zum Bruch mit Ministerpräsident G. Papandreou. Gründete die als rechtsextrem betrachtete EDE, blieb aber bei den Wahlen 1974 ohne Erfolg.

Georg II.

geb. 1890, Athen, Tatoï; König von Griechenland. Kadettenschule (Athen), weitere militärische Ausbildung in Deutschland. Beteiligte sich mit seinem Vater, König Konstantin I., an den Balkankriegen. Der damalige Kronprinz Georg mußte wegen Auseinandersetzungen zwischen dem König und E. Venizelos und der daraus entstandenen „nationalen Spaltung" das Land verlassen und auf den Thron zugunsten seines Bruders Alexander verzichten. Kehrte jedoch 1920 nach der Wahlniederlage von E. Venizelos und der erneuten Inthronisierung Konstantins I. (Alexander war inzwischen gestorben) nach Griechenland zurück, wo er nach dem endgültigen Rücktritt seines Vaters und nach der kleinasiatischen Katastrophe König für die Zeit vom 14. 9. 1922 bis zum März 1924 wurde. Durch ein von der Regierung A. Papanastasiou durchgeführtes Referendum, das die Monarchie abschaffte und die Republik proklamierte, wurde Georg II. ins Exil gezwungen. Er konnte jedoch nach 11 Jahren als König zurückkehren, denn die von General Kondylis organisierte Volksabstimmung führte die Monarchie wieder ein. Die von ihm gezeigte Duldung der Metaxas-Diktatur (4. 8. 1936) ließ einen großen Teil der Öffentlichkeit an der demokratischen Gesinnung des Königs zweifeln, so daß während des Krieges ein erneutes Referendum zur Bestätigung des Königs gefordert wurde. Es fand während des Bürgerkrieges statt und festigte Georgs II. Stellung als König von Griechenland. Gestorben 1947.

Georgakopoulos, Konstantinos

geb. 1890, Tripolis, Arkadien; Rechtsanwalt. Präsident des griechischen Roten Kreuzes. Staatssekretär im Präsidialamt der Regierung Demertzis (1935–36), Erziehungsminister der Regierung Metaxas (1936/38), bereitete an der Spitze einer Sachwalterregierung die Wahlen von 1958 vor. Gestorben 1973.

Gizikis, Faidon

geb. 1918, Arta, Epirus; Offizier. Staatspräsident nach dem Ioannidis-Putsch. Vereidigte die erste nach dem Sturz der Junta gebildete „Regierung der Nationalen Einheit" unter K. Karamanlis (1974). Trat bald darauf zurück.

Gonatas, Stylianos

geb. 1875, Patras; Politiker. Kadettenschule. Stürzte zusammen mit Plastiras an der Spitze eines militärischen Aufstandes nach der kleinasiatischen Katastrophe die Regierung Gounaris. Ministerpräsident der nachfolgenden „Revolutionsregierung" (1922–24). Rege politische Aktivität zwischen den Kriegen (u.a. Präsident des Senats). Gründete 1946 die Partei KEF und nahm im Rahmen der IPE-Koalition an den Wahlen von 1946 teil. Minister in den Regierungen P. Poulitsas, K. Isaldaris, D. Maximos. Gestorben 1966.

Grivas, Georgios („Digenis")

geb. 1898, Trikomon, Zypern; Offizier, Politiker. Kadettenschule. Aktiver Widerstandskämpfer während der deutschen Besetzung (Org. „X"). Gründete 1955 unter dem Pseudonym Digenis die zypriotische Widerstandsorganisation EOKA, mit der er für die Unabhängigkeit Zyperns kämpfte. Nach der Proklamierung einer unabhängigen Republik Zypern betätigte er sich für kurze Zeit innenpolitisch in Griechenland, bis er 1964 erneut nach Zypern ging und 1971 die Nationalgarde bzw. die EOKA-2 gründete, mit Hilfe derer er die Enosis (Anschluß Zyperns an Griechenland) herbeizuführen versuchte. Die EOKA-2 bekämpfte auch die zypriotische Regierung, was Erzbischof Makarios veranlaßte, vergeblich eine Aussöhnung zu suchen. Gestorben 1974.

Illiou, Ilias

geb. 1904, Kastro, Limnos; Rechtsanwalt, Politiker. Profilierte Persönlichkeit der zum Eurokommunismus tendierenden griechischen Linken. Abgeordneter von Lesvos 1956/58, 1961/63/64 (EDA), vom Wahlbezirk Athen 1974, 1977. Präsident der EDA und Symmachia.

Ioannidis, Dimitrios

geb. 1921, Athen; Offizier. War einer der Hauptbeteiligten am Putsch vom 21. 4. 1967. Machte die griechische Militärpolizei (ESA), an deren Spitze er stand, zum rücksichtslosen Instrument der Diktatur. Von Präsident Papadopoulos zum Brigadegeneral befördert. Stürzte nach dem Studenten-Aufstand im Oktober 1973 das Regime Papadopoulos. Initiator des Putsches griechischer und griechisch-zypriotischer Offiziere gegen Erzbischof Makarios (Juli 1974). Dieser Putsch bewirkte den Sturz der Junta und die Wiederherstellung normaler politischer Verhältnisse in Griechenland. Ioannidis wurde verhaftet, vor Gericht gestellt und zum Tode verurteilt. 1975 zu lebenslänglich Gefängnis begnadigt.

Kanellopoulos, Panajotis

geb. 1902, Patras; führende Persönlichkeit des politischen und geistigen Lebens in Griechenland zwischen den Kriegen und in der Nachkriegszeit. Bekannter Schriftsteller, Mitglied der Akademie. Studium der Rechtswissenschaften und der politischen Wissenschaft (Athen, Heidelberg, München). Frühe politische Aktivitäten 1926, Gründer des Ethnikon Enotikon Komma (Nationalen Unionspartei) 1935. Während der Metaxas-Diktatur verhaftet und verbannt (1936). Im Krieg stellvertretender Ministerpräsident der Exilregierung Tsouderos, Ministerpräsident 1945 und Minister verschiedener Regierungen zwischen 1944 und 1967, u.a.: stellvertretender Ministerpräsident und Verteidigungsminister 1954/55 (ES), stellvertretender Ministerpräsident 1961–63 (ERE), Nachfolger von Karamanlis in der Führung der ERE (1963). Ministerpräsident vom 3. bis 21. April 1967; durch den Obristenputsch gestürzt. 1977 überregionaler Abgeordneter der ND.

Karamanlis, Konstantinos

geb. 1907, Proti, Serres; Rechtsanwalt, Politiker. Studium der Rechtswissenschaften (Athen). Beginn der politischen Laufbahn als Abgeordneter der Volkspartei in Serres (1935/36). Während der Metaxas-Diktatur und der deutschen Besatzungszeit politisch zurückhaltend. Wiederum erfolgreiche Kandidatur mit der Volkspartei (1946–50). In den Jahren 1951/52 als Kandidat der ES, die von Marschall Papagos gegründet worden war, ins Parlament gewählt. Arbeitsminister der Regierung Tsaldaris (1946/47 und D. Maximos 1947), Verkehrs- und Sozialminister der Regierung Th. Sofoulis (1948/49), erneut Sozialminister der Regierung A. Diomidis (1949/50), Verteidigungsminister der Regierung S. Venizelos (1950). Übernahm während der Regierungszeit Marschall Papagos' das Amt des Ministers für öffentliche Arbeiten (z.T. auch für Verkehr 1952–55). Nach Papagos' Tod erteilte ihm der König den Auftrag zur Regierungsbildung, obwohl es nach damaliger Meinung aussichtsreichere Kandidaten gab (6.12. 1955). Vier Monate später gründete er die ERE (Nationale Radikale Union), der 190 Abgeordnete beitraten. An der Spitze dieser Partei erreichte er bei den Wahlen vom 19.2. 1956 eine Mehrheit von 166 Sitzen im Parlament. Nachdem 15 Abgeordnete die Partei wegen Differenzen über ein neues Wahlgesetz verlassen hatten, ließ er für den 11.5. 1956 Neuwahlen ausschreiben, die er mit Mehrheit von 172 Sitzen gewann. Ebenfalls mit großer Mehrheit konnte er die Wahlen vom 29.10 1961 für sich verbuchen, obwohl dieser Sieg von der damaligen Opposition als ein Produkt von „Gewalt und Fälschung" bezeichnet wurde. Die scharfen Attacken der Opposition (insbesondere von G. Papandreou), die Abkühlung seiner Beziehungen zum königlichen Hof und die wachsende politische Instabilität im Lande – vor allem durch die Folgen der Ermordung von G. Lambrakis – führten bei den Wahlen vom 3.11. 1963 zu Karamanlis' erster Wahlniederlage. Als sein Versuch, eine Regierung zu bilden, mißlang, verzichtete er zugunsten von P. Kanellopoulos auf die Führung der ERE und zog sich nach Paris zurück. Während der Zeit der Junta erwies er sich als deren entschiedener Gegner und versuchte, durch beständige Mahnungen und Proklamationen, die allerdings von der Junta nicht der Öffentlichkeit zugänglich gemacht wurden, die Politik der Obristen zu beeinflussen. In der Situation, die durch den Putsch gegen Erzbischof Makarios und die nachfolgenden Ereignisse im Juli 1974 entstanden war, kehrte Karamanlis aus seinem Pariser Exil nach Griechenland zurück und wurde wegen seiner auch international anerkannten demokratischen Integrität mit der Bildung einer Regierung der Nationalen Einheit betraut. Nach einer Phase innenpolitischer Normalisierung gewann die von ihm neugegründete ND die ersten Parlamentswahlen nach der Junta-Zeit mit der Mehrheit von 216 Sitzen (18.11. 1974). Während seiner Amtszeit wurde durch das Plebiszit vom 8.12. 1974 die Staatsform Griechenlands von der Monarchie in eine Republik geändert. Nach dem Wahlsieg vom 20.11. 1977 weiterhin bis zum 5. 5. 1980 Ministerpräsident. Als Nachfolger von K. Tsatsos trat Karamanlis am 8. 5. 1980 das Amt des Staatspräsidenten an.

Kartalis, Georgios

geb. 1908, Athen; Politiker. Abgeordneter (1932), Staatssekretär für Wirtschaft der Regierung P. Tsaldaris (1935). Rege politische Aktivitäten während des Krieges. Presseminister der Exilregierung G. Papandreou, Finanzminister der Regierung Plastiras (1950). Mitbegründer (zusammen mit A. Svolos) des DKEL. Gestorben 1957.

Katsotas, Pavsanias

geb. 1895, Stamna Mesolongiou; Offizier, Politiker. Mehrmals Minister und Abgeordneter liberaler Regierungen, u.a. Innenminister und Minister für öffentliche Ordnung der Regierung S. Venizelos (1950), Minister für Nordgriechenland der Regierung Plastiras (1950), Bürgermeister von Athen (1954–59), Sozialminister (1964).

Kiousopoulos, Dimitrios

geb. 1892, Andritsaina; Richter, Staatsanwalt und Areopag 1950–62. Direktor des griechischen Büros zur Verfolgung von Kriegsverbrechen (Vertreter Griechenlands beim Nürnberger Prozeß 1945). Innenminister der Regierung S. Venizelos (1951), Präsident der Sachverwalterregierung 1952 (11. 10. bis 19. 11.). Gestorben 1977.

Kokkas, Panos

geb. 1919, Saloniki; Rechtsanwalt, Publizist. Nach aktivem Widerstand während der deutschen Besatzungszeit Gründung der liberalen Morgenzeitung „Elevtheria" (1945). Das Blatt galt bis zu seinem durch den Putsch der Obristen vom 21.4. 1967 erzwungenen Ende als hervorragendes Beispiel guten journalistischen Professionalismus der griechischen Nachkriegszeit. Gestorben 1974.

Koligiannis, Konstantinos

geb. 1912, Theben; Politiker. Generalsekretär des ZK der KKE seit dem 8. Kongreß 1961 bis 1972. Koligiannis bewirkte die Spaltung der Partei bei der 12. Plenarsitzung in Bukarest, als er den Ausschluß von drei Mitgliedern des Politbüros aus der KKE mit der Begründung verlangte, sie seien für den Obristenputsch mitverantwortlich gewesen. Zu den Beschuldigten gehörte u.a. M. Partsalidis, der sich der streng moskautreuen Linie von Koligiannis widersetzte. Dieses führte zur Spaltung der bis dahin einheitlichen kommunistischen Partei Griechenlands in eine KKE (Inland) und eine KKE (Ausland). Gestorben 1979.

Kollias, Konstantinos

geb. 1901, Stylia, Korinth; Studium der Rechtswissenschaften (Athen), Jurist. Staatsanwalt des Areopag von 1962 bis 1967. Seine Haltung während des Lambrakis-Prozesses, wo er auf Freispruch für die des Mordes Beschuldigten plädierte, belastete das äußerst gespannte innenpolitische Klima der Zeit auf das schwerste. Nach dem Obristenputsch wurde er mit Zustimmung des Königs Ministerpräsident der „Nationalen Regierung". Nahm am Gegenputsch des Königs teil und floh mit diesem nach Rom. Kehrte jedoch kurz darauf nach Athen zurück. Ohne weitere politische oder juristische Ämter.

Konstantin II.

geb. 1940, Athen; König der Griechen, Nachfolger seines 1965 verstorbenen Vaters, König Paul I. Seine scharfe Auseinandersetzung mit Ministerpräsident G. Papandreou über die Kontrolle der Streitkräfte führte zum Rücktritt Papandreous und der daraus resultierenden politischen Krise, die in den Obristenputsch mündete (21.4. 1967). Als Gegner dieser Diktatur versuchte er sie erfolglos durch einen Gegenputsch zu stürzten (12.12. 1967). Flüchtete mit Familie nach Rom. Wurde durch ein Plebiszit im Juli 1973 abgesetzt. (Die Junta hegte den Verdacht, Konstantin habe hinter der Kriegsmarinerevolte vom Mai 1973 gestanden.) Die Frage der Monarchie blieb offen, bis sich nach der Wiederherstellung demokratischer Verhältnisse die griechische Bevölkerung in der Volksabstimmung vom 8.12. 1974 für die Republik als Staatsform entschied.

Kontogeorgis, Georgios

geb. 1912, Tinos; Studium der Wirtschaftswissenschaften (Athen), Vertreter der Wirtschaft. Trat 1974 in die aktive Politik als Abgeordneter der ND und Minister ohne Geschäftsbereich ein. War vorher Beamter im Handelsministerium. Zuständig für Fragen der EG.

Kostopoulos, Stavros

geb. 1900, Kalamata; Studium der Rechtswissenschaften (Athen), Wirtschaftswissenschaften (Paris), Bankier, Politiker. Erfolgreiche Teilnahme an den Wahlen 1928, 1932, 1936 als Abgeordneter der KF für den Bezirk Kalamata; ebenso 1946, 1950, 1956, 1958, 1961–1964 (EK). Wirtschaftsminister der Regierung E. Venizelos (1932), Versorgungsminister der Regierung Sofoulis (1948), Handelsschiffahrtsminister und Koordinationsminister der Regierung S. Venizelos (1950), Finanzminister der Regierung Plastiras (1951) und Außenminister der Regierung G. Papandreou (1964). Gestorben 1968.

Kyrkos, Leonidas

geb. 1924, Heraklion, Kreta; Journalist, Politiker. Abgeordneter von Heraklion 1961 (PAME), von Athen 1963, 1964 (EDA), 1974 (KKE), 1977 (Symmachia).

Kyrou, Achilleus

geb. 1898, Athen; Publizist, Zeitungsverleger, Schriftsteller. Direktor der von seinem Vater gegründeten Mittagszeitung „Estia". Zeichnete sich besonders als Verfasser historischer Werke aus. Gestorben 1950.

Kyrou, Kyros

geb. 1899, Athen; Publizist und Zeitungsverleger. Mitinhaber und Direktor der „Estia", einem Sprachrohr ultrakonservativer Meinungen. Zusammenarbeit mit der Junta. Gestorben 1977.

Ladas, Christos

geb. 1891, Athen; Rechtsanwalt, Politiker. Liberaler Abgeordneter von Athen zwischen den Kriegen und wieder 1946. Justizminister 1947. Wurde von einem angeblichen Kommunisten 1948 ermordet, was zu einer politischen Klimaverschlechterung im Lande führte.

Lambrakis, Christos

geb. 1934, Athen; Zeitungsverleger. Setzte mit Erfolg das Werk seines Vaters fort (siehe D. Lambrakis). War während der Juntazeit ständigen Verfolgungen ausgesetzt. Seine Zeitung, das Mittagsblatt „Ta Nea" wurde zum auflagestärksten Blatt des Landes nach der Juntazeit.

Lambrakis, Dimitrios

geb. 1887, Vamos, Kreta; Publizist, Zeitungsverleger. Enger Vertrauter von E. Venizelos. Anfangs Journalist, später Verleger (1922 Gründung der Morgenzeitung „Elevtheron Vima", heute „To Vima"; anschließend Herausgabe der Mittagszeitung „Athinaïka Nea", heute „Ta Nea"). Der liberale Publizist hat seinen Verlag allmählich zu einem Presse-Imperium ausgebaut, das seit Jahrzehnten und weit über Lambrakis' Tod hinaus das politische Leben Griechenlands stark beeinflußt. Gestorben 1957.

Lambrakis, Grigorios

geb. 1918; Arzt, Politiker. Griechischer Meister im Weitsprung. Betätigte sich politisch auf der Seite der Linken. 1961 Wahl als unabhängiger Abgeordneter von Piräus. Seine Ermordung 1963 in Saloniki (die als Stoff für den Roman „Z" von V. Vasilikos diente und später als Film eine internationale Sensation darstellte), spitzte die bereits unstabile politische Situation im Lande zu.

Makarezos, Nikolaos

geb. 1919, Gravia, Sterea Ellas; Kadettenschule, Offizier, Politiker. Professor an der Kadettenschule (1961). Militärattaché der griechischen Botschaft in Bonn (1961–63). Einer der Hauptverantwortlichen des Putsches vom 21. 4. 1967, den er zusammen mit G. Papadopoulos vorbereitete. Koordinationsminister der Junta 1967–71. Ab 1971–73 stellvertretender Ministerpräsident. Wurde nach dem Ende der Junta vor Gericht gestellt und zum Tode verurteilt. 1975 zu lebenslänglich Gefängnis begnadigt.

Maniadakis, Konstantinos

geb. 1893, Korinth; Kadettenschule, Offizier, Politiker. Minister für öffentliche Sicherheit 1936–41 der Regierung Metaxas, Innenminister 1941 der Exilregierung Tsouderos. Abgeordneter von Korinth 1950 (PAP), 1958, 1961, 1964 (ERE). Gestorben 1972.

Markezinis, Spyros

geb. 1909, Athen; Studium der Rechts-, Politik- und Wirtschaftswissenschaften (Athen). Juristischer Berater König Georgs I. (1936–46), im Rahmen der IPE unabhängiger Abgeordneter der Kykladen 1946, von Athen 1951, 1952 (ES), 1958 (KP), 1961 (KP in Zusammenarbeit mit ERE). 1947 gründete er mit 18 Abgeordneten das NK (Neon Komma) und beteiligte sich als Minister ohne Geschäftsbereich an der Regierung Sofoulis (1949). 1951 löste er seine Partei auf und trat der ES bei, zu deren Gründung er maßgeblich beigetragen hatte. 1952–54 Koordinationsminister (u.a. Initiator der Abwertung der Drachme und Befürworter der Importfreiheit). Rücktritt wegen Meinungsverschiedenheiten mit Papagos. Nach Gründung der KP (1955) beschränkte sich Markezinis auf die Opposition. Wurde dann 1973 durch den Ioannidis-Putsch gestürzt, nachdem er an der Spitze der Regierung unter der Staatspräsidentschaft von G. Papadopoulos der Probleme, die mit dem Aufstand der Studenten des Polytechnikums entstanden waren, nicht Herr werden konnte.

Mavromichalis, Stylianos

geb. 1900, Areopolis, Lakonien; Richter. Präsident des Areopag 1963. Präsident der Sachverwalterregierung, die die Wahlen von 1963 durchführte (29.9.–9.11. 1963).

Mavros, Georgios

geb. 1909, Kastellorizo; Studium der Rechtswissenschaften (Athen, Berlin), Rechtsanwalt, Dozent für Internationales Privatrecht an der Athener Universität. Abgeordneter von Athen 1946, 1950, 1956, 1958 (KF), 1961, 1963, 1964 (EK), 1974 (EK-ND), dann 1977 EDIK, anschließend unabhängiger Abgeordneter. Staatssekretär im Justizministerium 1945, Justizminister 1946, Wirtschaftsminister 1949/50, Finanzminister 1951, Staatssekretär und anschließend Verteidigungsminister 1952, Koordinationsminister 1963/64. 1964 Verzicht auf Abgeordneten-Mandat, um Gouverneur der Nationalbank von Griechenland zu werden. 1974 stellvertretender Ministerpräsident und Außenminister in der Regierung der Nationalen Einheit.

Maximos, Dimitrios

geb. 1873, Patras; Politiker, Vertreter der Wirtschaft. Gouverneur der Nationalbank von Griechenland (1921/22), Senator und Außenminister (1933–35), zeitweilig nach dem Kriege außerparlamentarischer Ministerpräsident (Januar/August 1947). Gestorben 1955.

Merkouri, Melina

geb. 1925, Athen; Schauspielerin, Politikerin. Abgeordnete von Piräus (PASOK).

Mitsotakis, Konstantinos

geb. 1918, Chania, Kreta; Studium der Rechts- und Politikwissenschaften, Rechtsanwalt, Politiker. Abgeordneter von Chania 1946, 1950, 1951, 1952, 1956, 1958 (KF), 1961, 1963, 1964 (EK), 1977 (Abgeordneter der vom ihm gegründeten Partei der Neoliberalen = Komma Neofilelevtheron). Staatssekretär im Finanzministerium 1951. Finanzminister 1963/64, Verkehrsminister, Minister für öffentliche Arbeiten und Koordinationsminister 1965/66. Mai 1978 Mitglied der ND und Leitung des Koordinationsministeriums. Seit dem 10. 5. 1980 Außenminister.

Mylonas, Alexandros

geb. 1881, Athen; Studium der Rechts- und Wirtschaftswissenschaften (Athen, Berlin), Rechtsanwalt, Politiker. Abgeordneter von Athen 1923 (Liberale Partei), Ioannina 1924, dann der von ihm gegründeten Agrarpartei 1932, 1933, 1936. Mehrfach Minister und Staatssekretär liberaler Regierungen in der Zwischenkriegszeit. Kriegsmarineminister der Exilregierung (Alexandria 1944), Finanzminister der Regierung Plastiras (1945) und Sofoulis (1945/46). Seit 1950 Rückzug aus der Politik. Zeitweilig Gouverneur der Agrarbank (1961–63). Gestorben 1967.

Mylonas, Georgios

geb. 1919, Paris; Studium der Rechtswissenschaften (Athen), Rechtsanwalt, Politiker. Abgeordneter von Ioannina 1963, 1964 (EK), 1974 (EK-ND). Staatssekretär im Ministerium beim Ministerpräsidenten 1963/64, Staatssekretär für Erziehung 1964, Verkehrsminister 1974 in der Regierung der Nationalen Einheit.

Panagoulis, Alexandros

geb. 1939, Athen; Widerstandskämpfer gegen die Junta. 1970 mißglücktes Attentat auf G. Papadopoulos. Danach jahrelange Haft und Folterungen. Abgeordneter von Athen 1974 (EK-ND). Bei einem Autounfall 1976 ums Leben gekommen.

Papadopoulos, Georgios

geb. 1919, Ellinochorion, Peloponnes; Offizier, Politiker. An der Spitze des Obristenputsches vom 21.4. 1967, der die Regierung Kanellopoulos stürzte, war er in der ersten Juntaregierung Minister beim Ministerpräsidenten. Nach dem mißglückten Gegenputsch des Königs (Dezember 1967) wurde er Ministerpräsident und Verteidigungsminister und versuchte durch eine Volksabstimmung über eine neue Verfassung (1968), die autoritäre Staatsgewalt zu stärken. Nach den Ereignissen vom Mai 1973 (Aufstand der Kriegsmarine) bewirkte er durch eine erneute Volksabstimmung die Abschaffung der Monarchie. Machte sich selbst zum Staatsoberhaupt. Setzte Zivilregierung Markezinis ein (1. 10. 1973). Im November 1973 wurde er vor allem wegen der Unruhen um den Studentenaufstand am Polytechnikum von Ioannidis gestürzt. Nach dem Zusammenbruch der Junta vor Gericht gestellt und zum Tode verurteilt. Danach zu lebenslänglicher Haft begnadigt.

Papagos, Alexandros

geb. 1883, Athen; Offizier, bedeutende militärische Persönlichkeit. Nahm an den Balkankriegen sowie am Ersten Weltkrieg und an der kleinasiatischen Expedition teil. Als königstreuer Offizier setzte er sich zusammen mit Admiral Oikonomou und Fliegergeneral Reppas an die Spitze eines mißglückten Militärputsches, um die Rückkehr des Königs aus dem Exil zu erzwingen. Nach der Kriegserklärung im Zweiten Weltkrieg (18. 10. 1940) übernahm er die Führung des Generalstabes, wurde von den Deutschen gefangengenommen und in verschiedenen KZ inhaftiert. Während des Bürgerkriegs (1946–1949) Oberbefehlshaber und Marschall, eine Auszeichnung, die zum ersten Mal in der griechischen Geschichte einem Offizier zuerkannt wurde. Er nahm seinen Abschied vom Militär und gründete die Partei „Ellinikos Synagermos", konnte jedoch bei den Wahlen 1951 keine absolute Mehrheit erlangen. Dies gelang ihm nach Änderung des Wahlgesetzes bei den Wahlen 1952, nach denen er eine Regierung bilden konnte, an deren Spitze er bis zu seinem Tode stand. Gestorben 1955.

Papakonstantinou, Konstantinos

geb. 1909, Kastania, Korinth; Studium der Rechtswissenschaften, Rechtsanwalt, Politiker. Abgeordneter von Korinth 1946, 1950 (LKD), 1952 (ES), 1956, 1958, 1961, 1963, 1964 (ERE), 1974, 1977 (ND). Staatssekretär für Verkehr 1954/55, Landwirtschaftsminister 1955/56, Justizminister 1956–58, 1961–64, Finanzminister 1958–61–67 Regierung Kanellopoulos. Seit 8. 12. 1977 stellvertretender Ministerpräsident.

Papaligouras, Panajotis

geb. 1917, Kerkyra; Studium der Rechts-, Politik- und Wirtschaftswissenschaften (Athen), Dr. der Soziologie und Dr. rer. pol. (Genf). Rechtsanwalt, Politiker. Abgeordneter von Korinth 1946 (EK), 1951, 1952 (ES), 1956 (ERE), 1958 (LK), 1961, 1963, 1964 (ERE), 1974, 1977 (ND). Staatssekretär für Versorgung 1945, Staatssekretär für Handel 1952/53, Handelsminister 1953/54, Koordinationsminister 1954/55, Handels- und Industrieminister 1956–58, Koordinationsminister 1961–63, Verteidigungsminister 1967, Koordinationsminister 1974, Außenminister 1977/78 bis Mai 1980.

Papandreou, Andreas

geb. 1919, Chios, Sohn von G. Papandreou; Studium der Rechts- und Wirtschaftswissenschaften (Athen, Harvard), Universitätsprofessor, Prof. der Universitäten Northwestern (1950/51), Minnesota (1951–55), Berkeley (1955–60), 1961 wiss. Direktor des Zentrums für Wirtschaftsforschung (einer Zweigstelle der Athener Akademie), als Wirtschaftsberater der Bank von Griechenland eingesetzt. Gründer und Präsident der PASOK, Politiker. Abgeordneter von Achaia 1964 (EK), von Athen 1974, 1977 (PASOK), Minister beim Ministerpräsidenten (1964), stellvertretender Koordinationsminister (1964). A. Papandreou hat in den letzten 15 Jahren das politsche Leben in Griechenland stark beeinflußt.

Papandreou, Georgios

geb. 1888, Kalentzi bei Patras; Studium der Rechts-, Politik- und Wirtschaftswissenschaften (Athen, Berlin). Eine der bedeutendsten politischen Persönlichkeiten im Griechenland der Jahre 1944–1968. Vertrauter von E. Venizelos. Nahm an fast allen Zwischenkriegswahlen als liberaler Kandidat erfolgreich teil (1923/26/28/32/33/36). Innenminister der Regierung Gonatas (1923), Wirtschaftsminister der Regierung Michalakopoulos (1925), Erziehungsminister der Regierung Venizelos (1930–32), gründete 1935 die Partei „Dimokratikon Komma" (später „Dimokratikon Sosialistikon Komma"). Wurde als Gegner der Diktatur Metaxas viele Jahre nach Kythera und Andros verbannt. Führendes Mitglied des Widerstandes während der Besatzungszeit, in den Mittelosten geflüchtet. April 1944 Min.-Präs. der griechischen Exilregierung, später mit Beteiligung aller Parteien Regierung der Nationalen Befreiung. Kehrte am 18.10.1944 an der Spitze der Regierung der Nationalen Einheit nach Griechenland zurück. Nachdem er am 31.12.1944 als Ministerpräsident zurückgetreten war, schloß er zusammen mit P. Kanellopoulos und S. Venizelos eine Parteienkoalition und wurde bei den Wahlen vom 31.3.1946 Abgeordneter von Achaia. Minister ohne Geschäftsbereich der Regierung Poulitsas (1946), Wirtschafts- und Innenminister der Regierung Maximos (1947), beteiligte sich an der Spitze seiner Partei an den Wahlen von 1950 (36 Sitze). Stellvertretender Ministerpräsident, Innenminister und Minister für öffentliche Ordnung der Regierung Plastiras (1950), stellvertretender Ministerpräsident, Koordinationsminister und Erziehungsminister der Regierung S. Venizelos (1950–51). Abgeordneter von Achaia 1952 (ES). Trat nach Auflösung seiner Partei dem KF bei, dessen Leitung er sich mit S. Venizelos teilte. Ab 1954 alleiniger Führer der Partei beteiligte er sich im Rahmen der Koalition der DE an den Wahlen 1956. Abgeordneter von Achaia 1956. Nach den erfolgreichen Wahlen von 1958 Gründung des „Dimokratikon Kentron" (DK), dem vorher die „Nea Politiki Kinisis" beigetreten war (unter I. Tsirimokos und A. Baltatzis). Aus dem DK entstand die EK, an deren Spitze Papandreou an den Wahlen 1961 teilnahm; er konnte jedoch keine parlamentarische Mehrheit erreichen. Durch seine Kritik an den Wahlresultaten, die er als Produkt von „Gewalt und Fälschung" bezeichnete, wurden u.a. die vorgezogenen Wahlen von 1963 möglich, die ihm eine einfache Mehrheit einbrachten. Bei den Wahlen vom 16.2.1964 errang er die absolute Mehrheit (53% der Stimmen, 174 Abgeordnete). Als Ministerpräsident und Erziehungsminister kam es mit König Konstantin II. über die Kontrolle der Streitkräfte zum offenen Bruch, der zu Papandreous Rücktritt führte (15.7.1965). Von der Obristendiktatur verfolgt, blieb er bis zu seinem Tode in Haft. Die Feierlichkeiten zu seinem Begräbnis wurden zu einer eindrucksvollen Demonstration gegen die Junta. Gestorben 1968.

Papapolitis, Savvas

geb. 1911, Makri, Kleinasien; Rechtsanwalt, Politiker. Abgeordneter von Piräus 1951, 1952 (EPEK), 1961, 1963, 1964 (EK), Handelsminister 1963. Gestorben 1973.

Papaspyrou, Dimitrios

geb. 1902, Levadia, Boötien; Studium der Rechtswissenschaften, Rechtsanwalt, Politiker. Abgeordneter von Attika (Voiotia) 1950, 1951 (EPEK), 1952, 1956 (EPEK–KF), 1961, 1963, 1964 (EK). Als einer der sogenannten Dissidenten des Zentrums trat Papaspyrou der ND bei. Wurde 1974 und 1977 als Abgeordneter der ND gewählt. Justizminister 1951/63/65, Minister beim Ministerpräsidenten 1964, Landwirtschaftsminister 1974 (Regierung der Nationalen Einheit), Parlamentspräsident 1965/66/77.

Paraskevopoulos, Ioannis

geb. 1900, Lavda, Olympia; Professor für Volkswirtschaft an der Wirtschafts- und Handelshochschule Athen sowie an der Pantioshochschule für Politische Wissenschaften. Minister verschiedener Sachwalterregierungen (1945/52/58). Ministerpräsident der Sachwalterregierung 1964, die die Wahl vorbereitete.

Partsalidis, Mitsos

geb. 1905, Trapezunt, Türkei; Tabakarbeiter, Politiker. Seit 1925 Mitglied der KKE, 1932 Mitglied des ZK der KKE. Abgeordneter von Kavala 1932 (KKE), 1933 Mitglied des ZK und PB. 1934 Bürgermeister von Kavala, Abgeordneter 1936 (KKE). 1944–47 Generalsekretär von EAM, 1949 Präsident der prov. „Demokratischen Regierung", der Partisanenregierung während des Bürgerkriegs. Nach der Spaltung der KKE 1968 trat er zur KP-Inland über.

Passalidis, Iannis

geb. 1889, Kaukasus; Studium der Medizin (Leningrad), Arzt, Politiker. Einer der Gründer der EDA und deren Präsident (1951). Abgeordneter von Saloniki 1951/52/56/58/61/63/64 (EDA). Von der Junta verfolgt und verhaftet. Gestorben 1968.

Pattakos, Stylianos

geb. 1912, Agia Paraskevi, Kreta; Kadettenschule, Offizier, Politiker. Als Panzergeneral war Pattakos einer der Hauptbeteiligten der Verschwörung, da die Panzer seiner Einheit zum Putsch gebraucht wurden. Nach dem Staatsstreich Innenminister bis 1971. Ab 14. 12. 1971 zusätzlich noch stellvertretender Ministerpräsident und 1972/73 Minister für öffentliche Ordnung. Nach dem Ende der Juntazeit wurde er vor Gericht gestellt, zum Tode verurteilt und später zu lebenslänglich Gefängnis begnadigt.

Paul I.

geb. 1901, Athen; Kriegsmarineschule, König der Griechen. Paul I. folgte seinem Vater, König Konstantin I. 1917 ins Exil. Kehrte nach dem Plebiszit 1935 nach Griechenland zurück und galt als Nachfolger seines Bruders, König Georg II. Er wurde 1947 nach dem Tode von Georg König der Griechen. Seine Auseinandersetzung mit dem damaligen Ministerpräsidenten K. Karamanlis im Jahre 1963 über die politische Zweckmäßigkeit einer offiziellen Reise des Königspaares nach London (Karamanlis mißbilligte die Reise wegen des gespannten Verhältnisses zu England infolge der Zypern-Frage) führte u.a. zum Rücktritt des Ministerpräsidenten. Dieses Ereignis war der Auftakt für eine Reihe schwerwiegender politischer Veränderungen im Lande. Obwohl Paul I. von verschiedenen Seiten eine zu starke Einmischung des königlichen Hofes in die Politik vorgeworfen wurde, so gibt man doch andererseits zu, daß dank seiner Bemühungen die Auseinandersetzungen im Rahmen des parlamentarischen Staates abliefen. Gestorben 1964.

Pezmasoglou, Ioannis

geb. 1918, Chios; Studium der Rechts-, Politik- und Wirtschaftswissenschaften (Athen, Cambridge), Dozent für Volkswirtschaft an der Universität Athen (1950–67/Prof. 1967), Vizegouverneur der Bank von Griechenland (1960–67), Leiter der griechischen Delegation bei den Verhandlungen zur Assoziierung Griechenlands an die EWG (1958–61). Abgeordneter von Athen 1974 (EK-ND), 1977 (EDIK). Finanzminister der Regierung der Nationalen Einheit 1974. 1978 Gründung der „Partei des demokratischen Sozialismus" (KODISO).

Pipinelis, Panagiotis

geb. 1899, Piräus; Studium der Rechts- und Politikwissenschaft (Zürich, Freiburg), Diplomat, Politiker. Als Diplomat und später bevollmächtigter Minister und Botschafter über 30 Jahre Repräsentant Griechenlands im Ausland. Überzeugter Vertreter der Monarchie und Vertrauensmann des Königs. Leitete zeitweilig dessen „Politisches Kabinett" (1945). Ständiger Staatssekretär im Außenministerium (1947–50). Außenminister der Regierung Theotokis (1950). Abgeordneter von Athen 1958 (ERE), Handelsminister der Regierung Karamanlis (1961–63). Nach Karamanlis' Rücktritt dessen Nachfolger als Ministerpräsident (17.6.–28.9. 1963). Wiedergewählt 1964 (ERE). Besaß großen Einfluß als königlicher Vertrauter bei den Auseinandersetzungen des Königs mit G. Papandreou. Während der Juntazeit wurde er von den Putschplänen Konstantins nicht unterrichtet; amtierte, vom König „verraten", als Außenminister der Junta von 1967 bis 1971, vielleicht in der Hoffnung, so die Monarchie noch retten zu können. Gestorben 1972.

Plastiras, Nikolaos

geb. 1883, Morfavouni, Karditsa; Offizier, Politiker. Nahm an den Balkankriegen, dem nordepirotischen Kampf, an Venizelos' Putsch von Saloniki, dem Ersten Weltkrieg und der kleinasiatischen Expedition teil. Mitglied des Gremiums, das König Konstantin I. zum Rücktritt zwang und die Verantwortung der wegen Hochverrats erfolgten Hinrichtung der Sechs (fünf Regierungsmitglieder und Ministerpräsident Gounaris sowie des Oberbefehlshabers der Streitkräfte) übernahm. Plastiras, ein enger Freund von Venizelos, putschte 1933 vergeblich, um eine royalistische Regierung zu verhindern. Nach langem Exil kehrte er 1945 nach Griechenland zurück. Ministerpräsident 1945, Unterzeichner des Varkisa-Abkommens. Gründete 1950 die Partei „Nationale Fortschrittliche Zentrumsunion" (EPEK). Nahm erfolgreich an den Wahlen von 1950 teil. Ministerpräsident von April bis August 1950. Nach den Wahlen vom 8.9. 1951 Koalitionsregierung mit S. Venizelos und G. Kartalis. Unter dieser Regierung trat Griechenland der NATO bei. Gestorben 1953.

Poulitsas, Panayotis

geb. 1881, Gerakion, Lakonien; Studium der Rechtswissenschaften (Athen, München, Berlin), Dr. jur. (Athen), Richter (u.a. Präsident des Symvoulion Epikateias / Obersten Verwaltungsgerichts 1943−51). Ministerpräsident der ersten aus den Nachkriegswahlen hervorgegangenen Regierung, bestehend aus ehemaligen Ministerpräsidenten und Parteichefs. Abgeordneter von Athen 1951 (ES). 1947 Mitglied und 1957 Präsident der Athener Akademie. Gestorben 1971.

Protopapas, Charalambos

geb. 1920, Athen; Rechtsanwalt, Politiker. Führendes Mitglied verschiedener sozialistischer Vereinigungen, Herausgeber sozialistischer Publikationen. Industrieminister 1974 der Regierung der Nationalen Einheit. Abgeordneter von Athen 1974 (EK-ND). Mitbegründer der „Symmachia". Erfolglose Teilnahme an den Wahlen 1977.

Rallis, Georgios

geb. 1918, Athen; Studium der Rechts- und Politikwissenschaften (Athen), Rechtsanwalt. Profilierte Persönlichkeit des konservativen Lagers. Gehört zum engeren Kreis der Karamanlis-Freunde. Abgeordneter von Athen 1950 (LK), 1951, 1952 (ES), 1956, 1961, 1963, 1964 (ERE), 1974, 1977 (ND). Minister beim Ministerpräsidenten 1954−56, Minister für Verkehr und öffentliche Arbeiten 1956−58, Innenminister 1961−63, Minister für öffentliche Ordnung 1967, Minister beim Ministerpräsidenten und Erziehungsminister 1977/78. Außenminister 1978/79, Ministerpräsident seit dem 10. 5. 1980.

Rentis, Konstantinos

geb. 1884, Korinth; Rechtsanwalt, Politiker. Außenminister 1922 und 1924, von der Metaxas-Diktatur verfolgt. Nach dem Zweiten Weltkrieg Minister verschiedener liberaler Regierungen. Justizminister 1945, Innenminister und Minister für öffentliche Ordnung 1946, Verteidigungsminister 1950, Außenminister 1951/52. Gestorben 1958.

Rodopoulos, Konstantinos

geb. 1896, Larissa; Studium der Rechts- und Politikwissenschaften (Athen, Paris, Wien), Politiker. Vor dem Zweiten Weltkrieg mehrfach Abgeordneter. Abgeordneter nach allen Wahlen der Nachkriegszeit (LK, ES, ERE). Minister für Nordgriechenland der Regierungen K. Tsaldaris (1946/47), Maximos (1947), Sofoulis (1947), dann Minister ohne Geschäftsbereich (1948/49), Gesundheitsminister der Regierung Sofoulis (1949) sowie der Regierung Diomidis (1949/50), Staatssekretär für die Presse der Regierung S. Venizelos (1950). Von 1953 bis 1963 Parlamentspräsident. Gestorben 1971.

Sarafis, Stefanos

geb. 1890, Trikkala; Offizier, Politiker. Von den Führern des venizelischen Putsches gegen die Regierung P. Tsaldaris (1935) verhaftet, degradiert, 1936 amnestiert, 1937 von der Metaxas-Diktatur nach Limnos verbannt. Als er 1943 mit Hilfe der Engländer in Thessalien eine Widerstandsgruppe zu organisieren versuchte, wurde er von den kommunistischen Partisanen der ELAS verhaftet, anschließend wieder freigelassen. Trat der von der KKE beherrschten Widerstandsorganisation EAM bei, wurde später Führungsmitglied der ELAS. Nahm an den Konferenzen von Libanon und Kaserta teil. Wurde nach der Auflösung der ELAS verhaftet und lebte fünf Jahre im Exil. Kehrte 1951 zurück, wurde Führungsmitglied der EAM bis 1957. Abgeordneter von Athen 1956. Kam bei einem Autounfall 1957 ums Leben.

Sofoulis, Themistokles

geb. 1860, Vathy, Samos; Archäologe, Politiker. Nachdem er sich lange Jahre der Archäologie gewidmet hatte, setzte Sofoulis sich an die Spitze der Autonomiebewegung der Insel Samos von der Türkei. Übernahm 1912–14 die Leitung der dort gebildeten prov. Regierung. Als enger Freund von E. Venizelos und dessen Nachfolger in der Führung der Partei wurde er zum ersten Mal 1924 Ministerpräsident. Unterzeichnete 1936 das von vielen Seiten umstrittene Abkommen Sofoulis-Skavainas, durch das sich Liberale und Kommunisten eine parlamentarische Zusammenarbeit erhofften. Dies u.a. war ein Anlaß zur Diktatur Metaxas'. Ministerpräsident 1945/46 und 1947–49. Gestorben 1949.

Stasinopoulos, Michail

geb. 1903, Kalamata; Studium der Rechtswissenschaften (Athen), Richter, Professor (Öffentliches Recht), Schriftsteller, Dichter. Vizepräsident (1963) und Präsident des Symvoulion Epikratias (Obersten Verwaltungsgerichts), Präsident der Republik 1974/75, Mitglied der Akademie, Ordinarius für Verwaltungsrecht der Pantios-Hochschule für politische Wissenschaften (seit 1951). Minister beim Ministerpräsidenten der Regierung Kiousopoulos (1952) und Georgakopoulos (1958). Nach dem Sturz der Junta und dem Rücktritt von Gizikis war er prov. Präsident der Republik (1974).

Stefanopoulos, Stefanos

geb. 1899, Pyrgos, Ileia; Studium der Rechts-, Politik- und Wirtschaftswissenschaften (Athen, Paris), Politiker. Mehrmals Abgeordneter von Ileia vor dem Krieg. Nach dem Krieg 1946, 1950 (LK), 1951, 1952 (ES), 1958 (LKK im Rahmen der ELK), 1961, 1963, 1964 (EK). Teilnahme an den Wahlen 1977 als Vorsitzender der EP. Verkehrsminister der Regierung Papandreou (1944), Finanz- und Koordinationsminister der Regierung Poulitsas (1946), Koordinationsminister der Regierung Tsaldaris (1946/47), Maximos (1947), Sofoulis (1947–49), Diomidis (1949/50), Theotokis (1950), S. Venizelos (1950), Außenminister der Regierung Papagos (1952–54), stellvertretender Ministerpräsident (1954/55) der Regierung Papagos, stellvertretender Ministerpräsident der Regierung G. Papandreou (1963), zudem Koordinationsminister (1964). Nach Papandreous Rücktritt Bildung einer Regierung, die 1966 aber schon abgelöst wurde.

Svolos, Alexandros

geb. 1892, Krušovo, Makedonien; Studium der Rechtswissenschaften (Athen), Dozent für allgemeine Staatslehre an der Universität Athen (1917), Ordinarius für Verfassungsrecht (1929); Politiker. Von der Metaxas-Diktatur von seinem Posten entfernt (1936–39). Während der Besatzungszeit wurde er von verschiedenen Widerstandsorganisationen an die Spitze der PEEA gestellt. Finanzminister der Regierung der Befreiung unter G. Papandreou (1944). Mitbegründer der ELD. Abgeordneter 1951 und 1956 (ELD). Gestorben 1956.

Theodorakis, Mikis

geb. 1925, Chios; Musikhochschule (Athen) 1950, Conservatoire de Paris 1954, Komponist, Politiker. Abgeordneter von Piräus 1964 (EDA). Von der Junta verfolgt und verhaftet. Beteiligte sich erfolglos an den Wahlen 1974 (EDA).

Theotokis, Spyros

geb. 1908, Kerkyra; Studium der Rechts- und Politikwissenschaften (Athen, Lausanne, Paris), Politiker, bekannt wegen seiner königstreuen Einstellung. Abgeordneter von Korfu 1934, 1935, 1936, 1945, 1951, 1952 (ES), 1956, 1958, 1961, 1963, 1964 (ERE), 1974 (ND). Nach dem Ergebnis der Volksabstimmung, die über die Rückkehr des Königs entscheiden sollte, verzichtete Theotokis auf sein Abgeordnetenmandat. Kandidat der EP im 2. Wahlbezirk Athen 1977. Minister für öffentliche Ordnung 1946, Außenminister 1955/56, Landwirtschaftsminister 1957, Finanzminister 1961/62.

Tsaldaris, Konstantinos

geb. 1885, Alexandria, Ägypten; Politiker. Mehrmals Abgeordneter in der Zeit zwischen den Kriegen und kurz nach der Befreiung. K. Tsaldaris, ein Neffe von Panagis Tsaldaris, errang an der Spitze der LK 1946 einen überragenden Wahlsieg. Ministerpräsident und Außenminister (1946/47), stellvertretender Ministerpräsident und Außenminister der Regierung Maximos (1947), mit den gleichen Funktionen in der Regierung Sofoulis (1947–49) sowie der Regierung Diomidis (1949/50). Stellvertretender Ministerpräsident und Minister ohne Geschäftsbereich der Regierung S. Venizelos (1950). Gestorben 1971.

Tsaldari, Lina

geb. 1887, Athen; Sozialarbeiterin, Politikerin, Witwe von Panagis Tsaldaris, der zwischen den Kriegen mehrfach Ministerpräsident war. Abgeordnete von Athen 1956, 1958 (ERE). Erste griechische Frau, die ein Ministeramt bekleidete: Minister für Soziales 1956–58.

Tsatsos, Konstantinos

geb. 1899, Athen; Studium der Rechts-, Politik- und Wirtschaftswissenschaften (Athen, Heidelberg), Dozent für Rechtsphilosophie in Athen (1930), Ordinarius für Rechtswissenschaften und Philosophie in Athen (1945), Mitglied der Akademie, Politiker. Abgeordneter von Athen 1946 (EEK), 1956, 1958, 1961, 1963, 1964 (ERE). Minister für Soziales (1945), Innenminister der Sachwalterregierung P. Voulgaris (1945), Minister für Presse und Information der Regierung P. Kanellopoulos (1945), Erziehungsminister der Regierung Sofoulis und Diomidis (1949/50), Staatssekretär für Koordination der Regierung S. Venizelos (1951), Minister beim Ministerpräsidenten der Regierung K. Karamanlis (1956–61), 1975 bis 1980 Staatspräsident.

Tsirimokos, Ilias

geb. 1907, Lamia; Studium der Rechts-, Politik- und Wirtschaftswissenschaften (Athen, Paris), Rechtsanwalt. Schon vor dem Kriege liberaler Abgeordneter. Führendes Mitglied des Widerstandes während der Besatzungszeit. Gründer der linksorientierten ELD (1941), Mitbegründer der PEEA (1943). Wirtschaftsminister der Regierung der Nationalen Einheit unter G. Papandreou (1944), Abgeordneter von Athen 1950 (SK-ELD), 1958 (EDA), 1961, 1963, 1964 (EK). Parlamentspräsident 1963, anschließend Innenminister und zählte er zu den sog. „Apostates" (Dissidenten) des Zentrums. Offener Bruch mit G. Papandreou. Nach dem 15. 7. 1965 mit der Regierungsbildung beauftragt. Blieb jedoch ohne Vertrauensvotum. Stellvertretender Ministerpräsident und Außenminister der Regierung Stefanopoulos (1965). Trat später zurück. Gestorben 1971.

Tsouderos, Emmanouïl

geb. 1882, Rethemno, Kreta; Studium der Rechts- und Wirtschaftswissenschaften (Athen, Paris, London), Wirtschaftspolitiker. Schon 1906–12 Abgeordneter des kretischen Staates. Verschiedene Funktionen in Wirtschaft und Politik zwischen den Kriegen (u.a. Gouverneur der Bank von Griechenland 1931–39). Abgeordneter von Piräus 1950 und Athen 1951 (EPEK). Stellvertretender Ministerpräsident der Regierung S. Venizelos (1951), Minister ohne Geschäftsbereich der Regierung Papagos (1952). Gestorben 1956.

Vafiadis, Markos

geb. 1906, Tosk, Schwarzes Meer; Tabakarbeiter, Partisanenführer. Nach der kleinasiatischen Katastrophe Übersiedlung nach Saloniki, dann nach Kavala. Früher Anhänger des Kommunismus. Übernahm verschiedene Posten in der KKE, u.a. 1946 die Führung der Partisanentruppen, der späteren „Demokratischen Armee Griechenlands". 1947 Präsident und Minister des Heeres der sog. „Gebirgsregierung", an deren Spitze er bis zur Schlacht am Grammos 1948 blieb. Als diese Schlacht für die Partisanen verlorenging, äußerte Vafiadis die Meinung, daß ohne systematische Hilfe vom Ausland, z. B. Kriegsmaterial und „Freiwillige", den Partisanen der Sieg versagt sei. Dies war der Hauptgrund, daß bei der 5. Plenarsitzung des ZK der KKE unter dem Vorsitz von N. Zachariadis der Ausschluß Vafiadis' von der Führung beschlossen wurde.

Venizelos, Sofoklis

geb. 1894, Chania, Kreta; Offizier, Politiker. Teilnahme am Ersten Weltkrieg und der kleinasiatischen Expedition. Abschied aus der Armee 1930 und Beginn der politischen Karriere. Mitglied des Ausschusses, der nach dem Tode seines Vaters, Elevt. Venizelos (gest. 1936) an die Spitze der Liberalen Partei gesetzt wurde. Während des Zweiten Weltkriegs Kriegsmarineminister der Exilregierung Tsouderos. Später als stellvertretender Ministerpräsident derselben Regierung maßgebend an der Niederschlagung der Revolte in den griechischen Streitkräften beteiligt. Gründete 1946 die „Partei der liberalen Venizelisten" (KVF), mit der er an den Wahlen erfolgreich teilnahm. Minister ohne Geschäftsbereich der Regierung Poulitsas, stellvertretender Ministerpräsident der Regierung Maximos (1946), Minister ohne Geschäftsbereich der Regierung Sofoulis, nach dessen Tod Führer der KF und stellvertretender Ministerpräsident der Regierung Diomidis (1949/50). Nach erfolgreicher Beteiligung an der Wahl 1950 im Bezirk Athen erneut mit der Bildung einer Regierung beauftragt (März 1950 – Oktober 1951). Ministerpräsident und Außenminister. Weiter stellvertretender Ministerpräsident und Außenminister der Regierung Plastiras (1951). Abgeordneter von Heraklion 1952 (KF). 1954 überließ er G. Papandreou die Führung der KF und zog sich vorläufig aus der Politik zurück. Gründete aber schon 1955 die Liberale demokratische Partei, mit der er bei den Wahlen 1955 45 Parlamentssitze errang. 1957 schloß sich die Partei der KF unter G. Papandreou an. 1958 übernahm Venizelos für die Wahlen die alleinige Führung der KF. Anschließend Aussöhnung mit Papandreou und Gründung der Zentrumsunion. Stellvertretender Ministerpräsident der Regierung Papandreou (1963). Trotz seiner unbestrittenen Fähigkeiten als Politiker trug Venizelos auch dazu bei, das liberale Zentrum durch riskante politische Aktivitäten in krisenhafte Situationen zu bringen. Gestorben 1964.

Vlachos, Georgios

geb. 1886, Athen; Publizist, Zeitungsverleger. Bekannt für seinen Kampfgeist und seine Gewandtheit, mit der er seine konservativen Ideale verteidigte. Machte die von ihm gegründete (1919) und seither als führend angesehene Morgenzeitung „I Kathimerini" zum offiziösen Sprachrohr mit konservativer Tendenz. Bedeutendster Publizist seiner Zeit. Sein in der „I Kathimerini" vom 8. 3. 1941 anstelle eines Leitartikels veröffentlichter „Offener Brief an Adolf Hitler" zählt zu den wichtigsten publizistischen Dokumenten der neueren griechischen Geschichte. Gestorben 1951.

Vlachou-Loundra, Eleni

geb. 1911, Athen; Publizistin, Zeitungsverlegerin. Tochter von G. Vlachos. Hat 1961 der „I Kathimerini" die für griechische Verhältnisse in Inhalt und Aufmachung bahnbrechende und erfolgreiche Mittagszeitung „I Messemvrini" hinzugefügt. In der Juntazeit zog sie es vor, ihre beiden Blätter einzustellen, statt sie zensiert erscheinen zu lassen. Von der Junta unter Hausarrest gestellt, konnte sie nach London fliehen, wo sie eine führende Rolle im Widerstand übernahm. Überregionale Abgeordnete von Athen 1974 (ND). Versuchte nach dem Sturz der Junta aus der „I Kathimerini" ein Sprachrohr der liberalen Rechten zu machen.

Voulgaris, Petros

geb. 1884, Hydra; Marineoffizier, Politiker. Minister der Exilregierung Tsouderos (1943). Bildete im Auftrag von Damaskinos eine der ersten griechischen Nachkriegsregierungen (April–Oktober 1945). Gestorben 1957.

Zachariadis, Nikos

geb. 1903, Ekklissies, Ostthrakien; Politiker. Generalsekretär des ZK der KKE von 1931 bis 1936. Wurde 1936 – zur Zeit der Metaxas-Diktatur – verhaftet. Während der Besatzungszeit KZ Dachau. Nach der Befreiung 1945 Rückkehr nach Griechenland. Wurde wieder Generalsekretär der Partei und hat das Schicksal der Partei wie auch der kommunistischen Bewegung überhaupt entscheidend mitbeeinflußt. 1956 vom Parteitag seines Amtes enthoben. Während des 7. Parteitags aus der Partei ausgeschlossen. Bis zum Tode in Moskau. Gestorben 1973.

Zervas, Napoleon

geb. 1891, Arta, Epirus; Kadettenschule, Politiker. Begann seine politische Laufbahn als junger Offizier. Wegen aufrührerischer Aktivitäten und Meuterei 1926 zu lebenslänglich Gefängnis verurteilt, später begnadigt. In der Besatzungszeit Gründer der Widerstandsorganisation EDES, die besonders im Epirus gegen die Achsenmächte aktiv war und zeitweise mit den kommunistischen Partisanen der ELAS zusammenarbeitete. Vom ELAS bedrängt, löste er 1945 seine Partisanentruppe auf. 1946 Gründer des Ethnikon Komma (Nationale Partei). Erfolgreiche Teilnahme an den Wahlen 1946 (25 Abgeordnete). Minister für öffentliche Ordnung der Regierung Maximos (1947), Minister für öffentliche Arbeiten 1950 (KF). Gestorben 1957.

Zigdis, Ioannis

geb. 1913, Lindos, Rhodos; Studium der Politik- und Wirtschaftswissenschaften (Athen, Lausanne, Genf, London School of Economics), Politiker. Präsident der EDIK. Abgeordneter von Dodekanes 1950 (KF), 1951, 1952 (EPEK), 1961, 1963, 1964 (EK). Minister ohne Geschäftsbereich, Industrieminister 1951/52 sowie 1963/64/65.

Zoitakis, Georgios

geb. 1910, Navpaktos; Kadettenschule, Offizier. Staatssekretär im Verteidigungsministerium (22.4. 1967). Einsetzung als Staatsoberhaupt nach dem erfolglosen königlichen Gegenputsch (13.12. 1967), 1972 wieder abgesetzt (Papadopoulos übernahm als Ministerpräsident zusätzlich das Amt des Staatsoberhauptes). Nach dem Ende der Juntazeit vor Gericht gestellt und zu lebenslänglich Gefängnis verurteilt.

Bibliographie

Matthias Esche, Hamburg, Günther S. Henrich, Hamburg
und John G. Zenelis, New York

Gliederung

I. Allgemeines

a) Bibliographien

American School of Classical Studies at Athens: Gennadius Library. Catalogue. Boston 1968.

Asdrachas, S. I. (Ἀσδραχᾶς, Σ. Ι.): Βιβλιογραφικός ὁδηγός [νεοελληνικῆς ἱστορίας] (Bibliographischer Führer [zur neugriechischen Geschichte]), in: Svoronos, N. G. (Σβορῶνος, Ν. Γ.): Ἐπισκόπηση τῆς νεοελληνικῆς ἱστορίας (Überschau über die neugriechische Geschichte). 2. Aufl. Athina 1976.

Bayerische Staatsbibliothek: Osteuropa Neuerwerbungen. München 1972 –

Bibliographie d'études balkaniques. Sofia 1966–

Bouboulidis, F. K. (Μπουμπουλίδης, Φ. Κ.): Βιβλιογραφία Νεοελληνικῆς Φιλολογίας (Bibliographie zur neugriechischen Philologie). Athinai 1966–

Centre de recherche néo-hellénique de la Fondation royale de la recherche scientifique: Cinq ans de bibliographie historique en Grèce (1965–1969) avec un supplément pour les années 1950–1964. 2. Aufl. Athènes 1970.

Centre de recherches néo-helléniques de la Fondation nationale de la recherche scientifique: Quatre ans de bibliographie historique en Grèce (1970–1973) avec un supplément pour les années 1965–1969. Athènes 1974.

Chasiotis, I. K. (Χασιώτης, I. K.): Θεσσαλική βιβλιογραφία. Πρώτη καταγραφή (Thessalische Bibliographie. Erste Niederschrift). Volos 1971.

Comité national hellénique de l'association internationale d'études du sud-est européen: Quinze ans de bibliographie historique en Grèce (1950–1964) avec une annexe pour 1965. Athènes 1966.

Delopoulos, K. (Ντελόπουλος, K.): „'Αφανεῖς" βιβλιογραφίες σέ ἀγγλόφωνες ἐκδόσεις γιά τήν 'Ελλάδα 1967–71. Βιβλιογραφικό σχεδίασμα („Versteckte" Bibliographien in englischen Veröffentlichungen über Griechenland 1967–71. Bibliographische Skizze). Athinai 1973. (Βιβλιογραφικές "Ερευνες 2).

Delopoulos, K. (Ντελόπουλος, K.): 'Ελληνικά βιβλία / Greek Books. Συμβολή στήν έλληνική βιβλιογραφία (Beitrag zur griechischen Bibliographie). Athina 1975–

Delopoulos, K. (Ντελόπουλος, K.): 'Ελληνική βιβλιοθηκονομική βιβλιογραφία / Greek Library Bibliography. Athinai 1974.

Deltion Ellinikis Vivliografias (Δελτίον 'Ελληνικῆς Βιβλιογραφίας) / Greek Bibliography / Bulletin de bibliographie hellénique. Athinai / Athens / Athènes 1960–

Deltion Vivliografias tis Ellinikis Glossis (Δελτίον Βιβλιογραφίας τῆς 'Ελληνικῆς Γλώσσης) / Bibliographical Bulletin of the Greek Language. Athinai / Athens 1973–

Dimaras, C. Th.; Koumarianou, C.; Droulia, L.: Modern Greek Culture: A Selected Bibliography. 4. Aufl. Athens 1974.

Dissertations' Bibliography [on Greece], in: Modern Greek Society: A Social Science Newsletter. 3. 1975.

Droulia, L. (Δρούλια, Λ.): Σχεδίασμα 'Ηπειρωτικῆς Βιβλιογραφίας (Grundriß einer epirotischen Bibliographie). Athinai 1964.

Elliniki Vivliografia ('Ελληνική Βιβλιογραφία). Athinai 1946–1950.

Ethniki Vivliothiki tis Ellados ('Εθνική Βιβλιοθήκη τῆς 'Ελλάδος [Griechische Nationalbibliothek]): 'Ελληνική Βιβλιογραφία (Griechische Bibliographie). En Athinais 1930–

Foreign Manpower Research Office. National Science Foundation: Bibliography of Social Science Periodicals and Monograph Series: Greece 1950–1961. Washington 1962.

Fousaras, G. I. (Φουσάρας, Γ. I.): Εὐβοϊκή βιβλιογραφία, 1473–1958 (Euböische Bibliographie 1473–1958). 3 Bde. Athina 1955–1958.

Fousaras, G. I. (Φουσάρας, Γ. I.): Βιβλιογραφία τῶν έλληνικῶν βιβλιογραφιῶν, 1791–1947 (Bibliographie der griechischen Bibliographien 1791–1947). Athina 1961.

Giannaris, G.: A Bibliography of Doctoral and Masters Dissertations on Greece, in: Modern Greek Studies Association Bulletin. 5. 1973.

Horecky, P. L. (Hrsg.): Southeastern Europe: A Guide to Basic Publications. London, Chicago 1969.

Institut français d'Athènes: Bulletin analytique de bibliographie hellénique. Athènes 1940–1972.

Karavias, N. D. (Καραβίας, N. Δ.): 'Αχαϊκή βιβλιογραφία (Achäische Bibliographie). Athina 1972.

Karavias, N. D. (Καραβίας, N. Δ.): Μεσσηνιακή βιβλιογραφία (Messenische Bibliographie). 2 Hefte. Athina 1969–1972.

Korizis, Ch. S. (Κορίζῆς, Χ. Σ.): 'Ελληνική βιβλιογραφία πολιτικῆς ἐπιστήμης: 'Επιτομαί (Griechische Bibliographie zur Politikwissenschaft: Zusammenfassungen). Athinai 1970.

Koundouros, R. (Hrsg.): On Greece and Cyprus: Theses Index in Britain (1949–1974). London 1977.

Library of Congress: A List of Books on Modern Greece. Washington 1924–

Mamoni, K. (Μαμώνη, K.): Θρακική βιβλιογραφία 1958–1966 (Thrakische Bibliographie 1958°1966), in: 'Αρχεῖον Θρακικοῦ Λαογραφικοῦ καί Γλωσσικοῦ Θησαυροῦ. 1967.

Mavris, N. G. (Μαυρῆς, N. Γ.): Δωδεκανησιακή Βιβλιογραφία (Dodekanes-Bibliographie). Athinai 1965.

Ministry of the Prime Minister's Office. General Directorate of Press, Research and Cultural Relations Division: Δελτίον 'Ελληνικῆς Βιβλιογραφίας / Greek Bibliography. Athinai / Athens 1960–

Spaches, E. V.: Beitrag zur kretischen Bibliographie (1554–1966). Athen 1966.

Swanson, D. C.: Modern Greek Studies in the West: A Critical Bibliography of Studies on Modern Greek Linguistics, Philology, and Folklore, in: Languages other than Greek. New York 1960.

Teich, G.: Bibliographie der Bibliographien Südosteuropas. Ein Beitrag zur Bibliographie über den Gesamtraum Südosteuropa sowie über Albanien, Griechenland und die Türkei, in: Zotschew, Th. (Hrsg.): Wirtschaftswissenschaftliche Südosteuropa-Forschung. Grundlagen und Erkenntnisse. Hermann Gross zum 60. Geburtstag. München 1963. (Südosteuropa-Schriften 4.)

Thavoris, A.; Kyriakidou-Nestoros, A. (Θαβώρης, Α.· Κυριακίδου-Νέστορος, Α.): Ἐκλογή ἑλληνικῆς γλωσσικῆς καί λαογραφικῆς βιβλιογραφίας τῶν ἐτῶν 1950–1965 / Choix de bibliographie linguistique et folklorique grecque des années 1950–1965. Thessaloniki 1966.

Valkaniki Vivliografia (Βαλκανική Βιβλιογραφία [Balkanische Bibliographie]). Thessaloniki 1973–

Vivliografiki Epitheorisi (Βιβλιογραφική Ἐπιθεώρηση) / Bibliographical Review. Athinai / Athens 1974–

Vlachos, E.: An Annotated Bibliography on Greek Migration. Athens 1966. (Research Monographs on Migration 1.)

Vlachos, E.: Modern Greek Society: Continuity and Change. An Annotated Classification of Selected Sources. Boulder 1969.

Zoras, G. Th.; Bouboulidis, F. K. (Ζώρας, Γ. Θ.· Μπουμπουλίδης, Φ. Κ.): Βιβλιογραφικόν Δελτίον Νεοελληνικῆς Φιλολογίας (Bibliographisches Bulletin zur neugriechischen Philologie). Athinai 1959–1967.

b) *Allgemeine Darstellungen und Nachschlagewerke*

Almanac Greece. Potential of Economy and Business Prospects. Athens 1964–

Angelomatis, Ch. E. (Ἀγγελομάτης, Χ. Ε.): Ἱστορία τῶν Ἑλλήνων 140 ἐτῶν, 1826–1966 (Geschichte der Griechen in 140 Jahren, 1826–1966). 3 Bde. Athinai 1967–1968.

Benekos, G. (Μπενέκος, Γ.): Νεοελληνικές μορφές 1750–1950 (Neugriechische Persönlichkeiten 1750–1950). 3 Bde. Athina 1961–1962.

Biographisches Lexikon zur Geschichte Südosteuropas. 3 Bde. München 1974–1979. (Wird fortgesetzt.)

Bossle, L.; Hornung, K.; Mergl, G.: Blick vom Olymp. Griechenland heute. Geschichte, Wirtschaft, Staat, Gesellschaft. Stuttgart 1973.

Cacouris, G. M.: Libraries in Greece, in: Encyclopedia of Library and Information Science. 10. New York 1973.

Campbell, J. K.; Sherrard, Ph.: Modern Greece. London 1968.

Chouliarakis, M. (Χουλιαράκης, Μ.): Γεωγραφική, διοικητική καί πληθυσμιακή ἐξέλιξις τῆς Ἑλλάδος 1821–1971, τόμος Γ: 1945–1971 (Geographische, administrative und Bevölkerungs-Entwicklung Griechenlands 1821–1971, Bd. 3: 1945–1971). Athinai 1976.

Clogg, R.: A Short History of Modern Greece. Cambridge 1979.

Constantelos, D. J.; Efthymiou, C. J. (Hrsg.): Greece: Today and Tomorrow. Essays on Issues and Problems. New York 1979.

Dafnis, G. (Δαφνῆς, Γ.): Συνοπτική ἱστορία τῆς συγχρόνου Ἑλλάδος (Kurze Geschichte des modernen Griechenland). Athinai 1970.

Elevtheroudaki Synchronos Enkyklopaideia (Ἐλευθερουδάκη Σύγχρονος Ἐγκυκλοπαιδεία [Moderne Enzyklopädie des Verlags Elevtheroudakis]). 12 Bde. 3. Aufl. Athinai 1965–1967.

Ellinikon Who's Who (Ἑλληνικόν Who's Who [Griechisches Who's Who]). 2. Aufl. Athinai 1965.

Forster, E. S.: A Short History of Modern Greece 1821–1956. 3. Aufl. London 1958.

Fteris, G. (Φτέρης, Γ.): Ἑλληνικές μορφές (Griechische Persönlichkeiten). Athina 1979.

Gaitanides, J.: Griechenland ohne Säulen. München 1955.

Grigoriadis, S. N. (Γρηγοριάδης, Σ. Ν.): Ἱστορία τῆς συγχρόνου Ἑλλάδος 1941–1967 (Geschichte des modernen Griechenland 1941–1967). 2. Bde. Athinai 1973.

Haefs, H.; Baratta, M.; Siegler, H.: Politische, militärische, wirtschaftliche Zusammenschlüsse und Pakte der Welt. 12. Aufl. Bonn, Wien, Zürich 1977.

Holden, D.: Greece without Columns: The Making of the Modern Greeks. London, Philadelphia, New York 1972.

Horecky, P. L.; Kraus, D. H. (Hrsg.): East Central and Southeast Europe. A Handbook of Library and Archival Resources in North America. Santa Barbara, Oxford 1976.

Kokkinis, S. (Κοκκίνης, Σ.): Βιβλιοθῆκες καί ἀρχεῖα στήν Ἑλλάδα (Bibliotheken und Archive in Griechenland). Athina 1969.

Kostelenos, D. P. (Κωστελένος, Δ. Π.), Hrsg.: Βιογραφική Ἐγκυκλοπαιδεία Ἑλλήνων Λογοτεχνῶν (Biographische Enzyklopädie griechischer Schriftsteller). 4 Bde. Athina 1976.

Koumoulides, J. T. A. (Hrsg.): Greece in Transition: Essays in the History of Modern Greece 1821–1974. London 1977.

Kousoulas, D. G.: Modern Greece: Profile of a Nation. New York 1974.

Ktenaveas, S. (Κτεναβέας, Σ.): Αἱ ἑλληνικαί κυβερνήσεις, αἱ ἐθνικαί συνελεύσεις καί τά δημοψηφίσματα ἀπό τοῦ 1821 μέχρι σήμερον (Die griechischen Regierungen, die Nationalversammlungen und die Volksabstimmungen von 1821 bis heute). Athinai 1947.

Library of Congress: List of References on Recent Greek Government and Politics. Washington 1923–

Megali Elliniki Enkyklopaideia (Μεγάλη Ἑλληνική Ἐγκυκλοπαιδεία [Große Griechische Enzyklopädie]). 24 Bde. 2. Aufl. Athinai 1956–1965. 4 Supplementbände. Athinai 1957–1963.

Neoteron Enkyklopaidikon Lexikon (Νεώτερον Ἐγκυκλοπαιδικόν Λεξικόν „Ἡλίου" [Neueres Enzyklopädisches Lexikon des Verlags „Ilios"]). 18 Bde. 2. Aufl. Athinai 1957–1962.

Oikonomiki kai Logistiki Enkyklopaideia (Οἰκονομική καί Λογιστική Ἐγκυκλοπαιδεία [Wirtschafts- und Buchhaltungs-Enzyklopädie]). Τ. Δ. Ἑλλάς (Bd. 4: Griechenland). Athinai 1958.

Psyroukis, N. (Ψυρούκης, Ν.): Ἱστορία τῆς Σύγχρονης Ἑλλάδας, 1940–1967 (Geschichte des modernen Griechenland 1940–1967). 2 Bde. Athina 1975.

Rosenthal-Kamarinea, I.; Kamarineas, P.: Griechenland. Nürnberg o. J. (Kultur der Nationen 15.)

Sauerwein, F.: Griechenland. Land, Volk, Wirtschaft in Stichwörtern. Kiel 1976.

Sivignon, M.: La Grèce sans monuments. Paris 1978.

Sophocles, S. M.: A History of Greece. Thessaloniki 1961.

Spelios, Th.: Pictorial History of Greece. New York 1967.

Svoronos, N.: Histoire de la Grèce moderne. 3. Aufl. Paris 1972.

Teich, G. (Hrsg.): Topographie der Osteuropa-, Südosteuropa- und DDR-Sammlungen. München, New York 1978.

Tsakonas, D.: Geist und Gesellschaft im neuen Griechenland. 2. Aufl. Bonn 1968.

Viografiko Lexiko Prosopikotiton (Βιογραφικό Λεξικό Προσωπικοτήτων) Who's Who 1979. Athina 1979.

Vivliothiki tis Voulis (Βιβλιοθήκη τῆς Βουλῆς): Αἱ ἑλληνικαί Κυβερνήσεις καί τά Προεδρεῖα τῆς Βουλῆς καί Γερουσίας 1926–1959 (Die griechischen Regierungen und die Präsidien von Parlament und Zweiter Kammer 1926–1959). Athinai 1959.

Vivliothiki tis Voulis (Βιβλιοθήκη τῆς Βουλῆς): Αἱ ἑλληνικαί Κυβερνήσεις καί τά Προεδρεῖα τῆς Βουλῆς 1958–1978 (Die griechischen Regierungen und die Parlamentspräsidien 1958–1978). Athinai 1979.

Vivliothiki tis Voulis (Βιβλιοθήκη τῆς Βουλῆς): Κατάλογος τῶν εἰσαχθέντων συγγραμμάτων καί περιοδικῶν (Katalog der Bücher- und Zeitschriftenanschaffungen). Athinai 1958–

Vournas, T. (Βουρνᾶς, T.): Ἱστορία τῆς σύγχρονης Ἑλλάδας (Geschichte des modernen Griechenland). 3. Athina 1980.

Vovolinis, S.; Vovolinis, K. (Βοβολίνης, Σ.· Βοβολίνης, Κ.), Hrsg.: Μέγα Ἑλληνικόν Βιογραφικόν Λεξικόν (Großes griechisches biographisches Lexikon). 4 Bde. Athinai 1958–1961.

Who's Who τῶν ἀποδήμων Ἑλλήνων / of Greeks Living Abroad. Athinai / Athens 1973.

Who's Who in Greece 1958–1959. Athens o. J. (um 1960).

Woodhouse, C. M.: The Story of Modern Greece. London 1968.

c) *Statistiken*

Chouliarakis, M. (Χουλιαράκης, M.): Στατιστική βιβλιογραφία περί Ἑλλάδος 1921–1971 (Statistische Bibliographie zu Griechenland 1921–1971). Athinai 1972.

Chouliarakis, M., u. a. (Χουλιαράκης, M. κ. ἄ.): Στατιστικαί μελέται 1821–1971 (Statistische Arbeiten 1821–1971). Athinai 1972.

Ethniki Statistiki Ypiresia (Ἐθνική Στατιστική Ὑπηρεσία): Ἑξαμηνιαῖον Στατιστικόν Δελτίον κατά γεωγραφικάς περιφερείας (Halbjährliches statistisches Bulletin nach geographischen Gebieten). Athinai 1972–

Ethniki Statistiki Ypiresia (Ἐθνική Στατιστική Ὑπηρεσία): Μηνιαῖον Στατιστικόν Δελτίον / Monthly Statistical Bulletin. Athinai / Athens 1956–

Ethniki Statistiki Ypiresia (Ἐθνική Στατιστική Ὑπηρεσία): Συνοπτική Στατιστική Ἐπετηρίς τῆς Ἑλλάδος / Concise Statistical Yearbook of Greece. Athinai / Athens 1962–

Ethniki Statistiki Ypiresia tis Ellados (Ἐθνική Στατιστική Ὑπηρεσία τῆς Ἑλλάδος): Στατιστική Ἐπετηρίς (engl. Nebentitel: National Statistical Service of Greece: Statistical Yearbook). Athinai (Athens) 1954–

Ethniki Statistiki Ypiresia tis Ellados ('Εθνική Στατιστική Ύπηρεσία τῆς Ἑλλάδος): Ἡ στατιστική στήν Ἑλλάδα (Die Statistik in Griechenland). Athinai 1961.

Ethniki Trapeza tis Ellados ('Εθνική Τράπεζα τῆς Ἑλλάδος): Greek Production and Exports in Figures. Athens 1959–

Statistisches Bundesamt Wiesbaden: Allgemeine Statistik des Auslandes. Länderkurzberichte: Griechenland. Stuttgart, Mainz 1967–

d) *Zeitschriften*

Anti ('Αντί). Athina 1974–

Balkan Studies. Thessaloniki 1960–

Byzantine and Modern Greek Studies. Oxford 1975–

Chroniko (Χρονικό [Chronik]). Athina 1970–

Deltion Oikonomikon Pliroforion (Δελτίον Οἰκονομικῶν Πληροφοριῶν [Bulletin für Wirtschaftsinformationen]). Athinai 1954–

Diavazo (Διαβάζω [Ich lese]). Athina 1976–

Dikaiosyni. Nomikon Periodikon (Δικαιοσύνη. Νομικόν Περιοδικόν [Justiz. Juristische Zeitschrift]). Athinai 1973–

Efimeris tis Kyverniseos ('Εφημερίς τῆς Κυβερνήσεως [Regierungsanzeiger]). Athinai 1833–

Efimeris ton syzitiseon tis Voulis ('Εφημερίς τῶν συζητήσεων τῆς Βουλῆς [Publikation (der stenographischen Protokolle) der Parlamentsdebatten]). Athinai 1862–

Ekistics. Reviews on the Problems and Science of Human Settlements. Athens 1955–

Ellinika ('Ελληνικά [Griechisches]). Athinai 1928–1939. Thessaloniki 1952–

Epitheorisis Ellinikis Oikonomias ('Επιθεώρησις Ἑλληνικῆς Οἰκονομίας) / Review of Greek Economy. Athinai / Athens 1950–

Epitheorisis oikonomikon kai politikon epistimon ('Επιθεώρησις οἰκονομικῶν καί πολιτικῶν ἐπιστημῶν [Revue für wirtschaftliche und politische Wissenschaften]). Athinai 1946–1967.

Epoches ('Εποχές [Zeiten]). Athina 1963–1967.

Europe sud-est: La revue d'Athènes. Athènes 1950–

Evthyni (Εὐθύνη [Verantwortung]). Athina 1972–

Greece Today: Monthly Review of Economic and Business Conditions. Athens 1958–1964. 1966–?

Greek Observer. A Monthly Magazine on Greek Affairs. London 1969–

Greek Report. London 1969–

Greek Review. London 1972–

Greek Review of Social Research / 'Επιθεώρησις Κοινωνικῶν 'Ερευνῶν. Athens / Athinai 1969–

Greek World. The Magazine for the Friends of Greece. New York 1976–

Hellenic Review. London 1968–

Hellenika. Ingolstadt 1964–1966. Bochum 1966–

Hellenism: Review on Greek Life and Culture. Chicago 1968–

L'Hellénisme contemporain. Athènes 1935–

Homonoia / 'Ομόνοια [Eintracht]. Yearbook of the Chair of Greek Philology of the University. Budapest 1979–

Ipirotiki Estia ('Ηπειρωτική 'Εστία [Epirotische „Hestia"]). Ioannina 1951–

Journal of the Hellenic Diaspora. New York 1974–

Kritika Chronika (Κρητικά Χρονικά [Kretische Chronik]). Irakleion 1947–

Makedonika (Μακεδονικά [Makedonisches]). Thessaloniki 1940–

Mantatoforos (Μαντατοφόρος [Bote]). Δελτίο Νεοελληνικῶν Σπουδῶν / Bulletin of Modern Greek Studies. Birmingham 1972–1978. Amsterdam 1979–

Mnimon (Μνήμων [Erinnerer]). Athina 1971–

Modern Greek Society: A Social Science Newsletter. New Hampton, Providence 1973–

National Bank of Greece / Banque Nationale de Grèce / 'Εθνική Τράπεζα τῆς Ἑλλάδος: Economic and Statistical Bulletin / Bulletin économique et statistique / Δελτίον Οἰκονομικόν καί Στατιστικόν. Athens / Athènes / Athinai 1975–

Nomikon Vima (Νομικόν Βῆμα [Juristische Tribüne]). Athinai 1953–

O Oikonomikos Tachydromos ('Ο Οἰκονομικός Ταχυδρόμος [Der Wirtschaftsbote]). Athinai 1926–

Peloponnisiaka (Πελοποννησιακά [Peloponnesisches]). Athinai 1956–

O Politis ('Ο Πολίτης [Der Staatsbürger]). Athina 1976–

Revue hellénique de droit international. Athènes 1948–

Scandinavian Studies in Modern Greek. Copenhagen, Gothenburg 1977–

Synchrona Themata (Σύγχρονα Θέματα [Zeitgenössische Themen]). Athina 1978–

O Vivliofilos ('Ο Βιβλιόφιλος [Der Bücherfreund]). Athinai 1947–

e) *Atlanten und Karten*

Dragonas, C.; Olympitis, N.: "Greece", in: World Atlas of Agriculture. 1. Novara 1969.

Ellas. Genikos chartis (Ἑλλάς. Γενικός χάρτης) / General Map of Greece. Athinai / Athens 1959.

Ethniki Statistiki Ypiresia tis Ellados (Ἐθνική Στατιστική Ὑπηρεσία τῆς Ἑλλάδος): "Ἄτλας τῆς Ἑλλάδος / Atlas of Greece / Atlas de Grèce. Athinai / Athens / Athènes 1965.

Ethniki Statistiki Ypiresia tis Ellados (Ἐθνική Στατιστική Ὑπηρεσία τῆς Ἑλλάδος): Βιομηχανικός ἄτλας τῆς Ἑλλάδος. ᾽Απογραφή 1963 / Industrial Atlas of Greece. Census of 1963 / Atlas industriel de la Grèce. Recensement de 1963. Athinai / Athens / Athènes 1966.

Ethniki Statistiki Ypiresia tis Ellados (Ἐθνική Στατιστική Ὑπηρεσία τῆς Ἑλλάδος): Ἐθνικός Στατιστικός Διοικητικός Χάρτης τῆς Ἑλλάδος 1:200 000 (Nationale statistische Verwaltungskarte von Griechenland 1:200 000), o. O. 1963–

Geniki Statistiki Ypiresia (Γενική Στατιστική Ὑπηρεσία): "Ἄτλας τῶν δήμων καί κοινοτήτων τῆς Ἑλλάδος / Atlas des municipalités et communes de la Grèce. Athinai / Athènes 1951.

Institute for Geology and Subsurface Research: Carte métallogénique de la Grèce. 1:1 000 000. Athènes 1965–1973.

Kayser, B.; Thompson, K., u. a.: Οἰκονομικός καί κοινωνικός ἄτλας τῆς Ἑλλάδος / Economic and Social Atlas of Greece / Atlas économique et social de la Grèce. Athinai / Athens / Athènes 1964.

Kolodny, E. Y.: La population des îles de la Grèce: Essai de géographie insulaire en Méditerranée orientale. 1. Aix-en-Provence 1974.

Perry, G. E.: The Modern Greek Collection in the Library of Congress, in: Greek Review of Social Research. 1973, 15–16.

II. Staat und Politik

a) *Verfassung und Verwaltung*

Ananiadis, A.: Die Verfassungsgrundlagen des Arbeitsrechtssystems nach dem griechischen Grundgesetz von 1975, in: Recht der Arbeit. 29. 1976.

Andreadis, S. (᾽Ανδρεάδης, Σ.): Διοικητικόν Δίκαιον (Verwaltungsrecht). 2. Aufl. Athinai 1968.

Athanassiades, N. A.: Notstandsverfassung und der Putsch in Griechenland, in: Blätter für deutsche und internationale Politik. 1967, 6.

Borchert, H.: Die kommunalen Vereinigungen Griechenlands, in: Städtetag: Zeitschrift für kommunale Praxis und Wissenschaft. 30. 1977.

Catsiapis, J.: La constitution de la Grèce de juin 1975, in: Revue du droit public et de la science politique. 91. 1975.

Choromidis, K. (Χορομίδης, Κ.): Ἡ ἀναγκαστική ἀπαλλοτρίωσις (Die Enteignung). Thessaloniki 1975.

Chouvardas, A. G. (Χουβαρδᾶς, Α. Γ.): Τό ᾽Ανώτατον Εἰδικόν Δικαστήριον (Der Oberste Sondergerichtshof), in: Νομικόν Βῆμα. 24. 1976.

Chryssostomidès, T.: La protection de l'environnement en Grèce, in: Revue juridique de l'environnement. 1978.

Dagtoglou, P. D. (Δαγτόγλου, Π. Δ.): Γενικό Διοικητικό Δίκαιο (Allgemeines Verwaltungsrecht). 1–2. Athina 1977–78.

Delikostopoulos, S. (Δεληκωστόπουλος, Σ.): Διοικητικόν Δίκαιον (Verwaltungsrecht). Athinai 1972.

Dervenagas, A. (Δερβέναγας, Α.): Τό Σύνταγμα τῆς Ἑλλάδος (Die Verfassung Griechenlands). Athinai 1976.

Ellinikon Institouton Diethnous kai Allodapou Dikaiou (Ἑλληνικόν ᾽Ινστιτοῦτον Διεθνοῦς καί ᾽Αλλοδαποῦ Δικαίου): Ἡ ἐπίδρασις τοῦ Συντάγματος τοῦ 1975 ἐπί τοῦ ἰδιωτικοῦ καί ἐπί τοῦ δημοσίου δικαίου (Der Einfluß der Verfassung von 1975 auf das private und öffentliche Recht). Athinai 1976.

Epitheorisis Dimosiou kai Dioikitikou Dikaiou (᾽Επιθεώρησις Δημοσίου καί Διοικητικοῦ Δικαίου [Revue für Öffentliches und Verwaltungsrecht]). Athinai 1957–

Epitheorisis Dioikitikis Nomologias (᾽Επιθεώρησις Διοικητικῆς Νομολογίας [Revue für Verwaltungsrechtsprechung]). Athinai 1964–

Ethniki Statistiki Ypiresia (Ἐθνική Στατιστική Ὑπηρεσία): Δελτίον Στατιστικῆς Δημοσίων Οἰκονομικῶν / Statistical Bulletin of Public Finance. Athinai / Athens 1959–1972.

Ethniki Statistiki Ypiresia ('Εθνική Στατιστική Ὑπηρεσία): Στατιστική Δημοσίων Οἰκονομικῶν (Statistik der öffentlichen Finanzen). Athinai 1973–

Fatouros, A. A.: International Law in the New Greek Constitution, in: American Journal of International Law. 70. 1976.

Georgopoulos, K. (Γεωργόπουλος, Κ.): Στοιχεῖα Συνταγματικοῦ Δικαίου (Grundriß des Staatsrechts). Bd. 1. Athinai 1968.

Institut für Staatslehre, Staats- und Verwaltungsrecht der Freien Universität [Berlin]: Verfassung Griechenlands. Textausgabe der Verfassung vom 15. November 1968 in deutscher Übersetzung, mit einem Vorwort, einer Synopse mit der Verfassung vom 1. Januar 1952 und einer Inhaltsübersicht. Berlin 1969.

Kambitsis, I. (Καμπίτσης, Ι.): Διοικητική Δικονομία (Verwaltungsprozeßordnung). Athinai 1962.

Kardagos, P. A.: Die Probleme des Versäumnisverfahrens. Eine rechtsvergleichende Untersuchung anläßlich des neuen griechischen Versäumnisverfahrens. Jur. Diss. Berlin (West) 1970.

Karelas, G. (Καρέλας, Γ.): Συνταγματική ἱστορία τῆς Ἑλλάδος (Verfassungsgeschichte Griechenlands). Athinai 1975.

Korsos, D. (Κόρσος, Δ.): Εἰσηγήσεις διοικητικοῦ δικονομικοῦ δικαίου (Institutionen des Verwaltungsprozeßrechts). Athinai 1976.

Kyriacopoulos, E.: Merkmale der Staatsform Griechenlands, in: Bracher, K. D.; u. a. (Hrsg.): Die moderne Demokratie und ihr Recht. Festschrift für Gerhard Leibholz zum 65. Geburtstag. 2. Tübingen 1966.

Kyriakopoulos, I. (Κυριακόπουλος, Η.): Ἑλληνικόν διοικητικόν δίκαιον (Griechisches Verwaltungsrecht). 4. Aufl., 3 Bde. Thessaloniki 1961–1962.

Kyriakopoulos, I. (Κυριακόπουλος, Η.): Ἑλληνικόν Συνταγματικόν Δίκαιον (Griechisches Staatsrecht). 4. Aufl. Thessaloniki, Athinai o. J.

Kyriakopoulos, I. (Κυριακόπουλος, Η.): Τά Συντάγματα τῆς Ἑλλάδος (Die Verfassungen Griechenlands). Athinai 1960.

Langrod, G.: Reorganization of Public Administration in Greece. Paris 1965.

Manesis, A. (Μάνεσης, Α.): Αἱ ἐγγυήσεις τηρήσεως τοῦ Συντάγματος (Die Garantien für Verfassungsbeachtung). Bd. 1. Thessaloniki 1956. 2. Thessaloniki 1965.

Manesis, A. (Μάνεσης, Α.): Ἑλληνικόν Συνταγματικόν Δίκαιον (Griechisches Staatsrecht). Thessaloniki 1967.

Manesis, A. (Μάνεσης, Α.): Συνταγματικό Δίκαιο – ἀτομικές ἐλευθερίες (Staatsrecht – Grundrechte). 1. Thessaloniki 1978.

Markesinis, B. S.: The Theory and Practice of Dissolution of Parliament: A Comparative Study with Special Reference to the United Kingdom and Greek Experience. Cambridge 1972.

Papachatzis, G. (Παπαχατζῆς, Γ.): Σύστημα τοῦ ἐν Ἑλλάδι ἰσχύοντος διοικητικοῦ δικαίου (System des in Griechenland geltenden Verwaltungsrechts). 5. Aufl. Athinai 1976.

Papadimitriou, G. (Παπαδημητρίου, Γ.): Ἡ διάλυση τῆς πρώτης μεταδικτατορικῆς Βουλῆς (Die erste Parlamentsauflösung nach der Diktatur). Athina 1978.

Papadimitriou, G. (Παπαδημητρίου, Γ.): Ἡ ἐλευθερία τῆς ἀποδημίας (Die Ausreisefreiheit). Athina 1976.

Papanikolaïdis, D. (Παπανικολαΐδης, Δ.): Διοικητικόν Δίκαιον (Verwaltungsrecht). 1. Εἰσαγωγή (Einführung). Thessaloniki 1972.

Papanikolaïdis, D. (Παπανικολαΐδης, Δ.): Εἰσαγωγή εἰς τό διοικητικόν δικονομικόν δίκαιον (Einführung in das Verwaltungsprozeßrecht). Thessaloniki 1977.

Papastathopoulos, C. D.: Civil Service Reforms in Greece 1950–1964, in: International Review of Administrative Sciences. 30. 1964.

Péchoux, P. Y.: Formation du réseau administratif et intégration du territoire dans la Grèce moderne, in: Bataillon, C.: État, pouvoir et espace dans le Tiers-Monde. Paris 1977.

Plessas, D. J.: The Decentralization Aspect of European Regional Policy and Development with Special Reference to Greece. Diss. University of Michigan 1969.

Plytas, G. A. (Πλυτᾶς, Γ. Α.): Τά οἰκονομικά τοῦ δήμου Ἀθηναίων. Προβλήματα τῆς τοπικῆς αὐτοδιοικήσεως (Die Finanzen der Großgemeinde Athen. Probleme der lokalen Selbstverwaltung). Athinai 1975.

Psaros, D. (Ψαρός, Δ.): Στοιχεῖα διοικητικοῦ οἰκονομικοῦ δικαίου κατά τά ἐν Ἑλλάδι ἰσχύοντα (Grundriß des griechischen Wirtschaftsverwaltungsrechts). Athinai 1960.

Raïkos, A. (Ράϊκος, Α.): Δικονομικόν Ἐκλογικόν Δίκαιον (Wahlprozeßrecht). 7. Aufl. Athinai 1977.

Raïkos, A. (Ράϊκος, Α.): Παραδόσεις Συνταγματικοῦ Δικαίου, κατά τό Σύνταγμα τοῦ

1975 (Vorlesungen über Staatsrecht, nach der Verfassung von 1975). 1. 5. Aufl. Athinai 1978.

Roucounas, E.: Le droit international dans la constitution de la Grèce du 9 juin 1975, in: Revue hellénique de droit international. 29. 1976.

Sassalos, A.: Le contrôle de la constitutionnalité de lois en Grèce. Jur. Diss. Paris 1970.

Schnur, R.: Zur Situation des Öffentlichen Dienstes in Griechenland, in: Zeitschrift für Beamtenrecht. 14. 1966.

Sgouritsas, Ch. (Σγουρίτσας, Χ.): Συνταγματικόν Δίκαιον (Staatsrecht). 2 Bde. Athinai 1959–66.

Spilotopoulos, E. P.: Le imprese del settore pubblico in Grecia, in: Economica pubblica. 6. 1976.

Stasinopoulos, M. (Στασινόπουλος, Μ.): Δίκαιον τῶν διοικητικῶν διαφορῶν (Verwaltungsprozeßrecht). 4. Aufl. Athinai 1964.

Stasinopoulos, M. (Στασινόπουλος, Μ.): Δίκαιον τῶν διοικητικῶν πράξεων (Recht der Verwaltungsakte). Athinai 1951.

Stasinopoulos, M. (Στασινόπουλος, Μ.): Ὑπαλληλικός Κῶδιξ (Beamtengesetzbuch). Athinai 1951.

Svolos, A. (Σβῶλος, Α): Ἡ συνταγματική ἱστορία τῆς Ἑλλάδος (Verfassungsgeschichte Griechenlands). Athinai 1972. (Hrsg. L. Axelos.)

Svolos, A. I.; Vlachos, G. K. (Σβῶλος, Α. Ι. Βλάχος, Γ. Κ.): Τό Σύνταγμα τῆς Ἑλλάδος (Die Verfassung Griechenlands). 1–2. Athinai 1954–55.

Tachos, A. (Τάχος, Α.): Διοικητικόν οἰκονομικόν δίκαιον (Wirtschaftsverwaltungsrecht). 2. Aufl. Thessaloniki 1976.

Theocharopoulos, L. (Θεοχαρόπουλος, Λ.): Δίκαιον κρατικοῦ προϋπολογισμοῦ (Staatshaushaltsrecht). 1. Thessaloniki 1976.

Tsatsos, Th. (Τσάτσος, Θ.): Ἡ αἴτησις ἀκυρώσεως ἐνώπιον τοῦ Συμβουλίου τῆς Ἐπικρατείας (Die Anfechtungsklage vor dem Staatsrat). 3. Aufl. Athinai 1971.

Vegleris, F. (Βεγλέρης, Φ.): Ἡ διοικητική ὀργάνωσις (Die Verwaltungsorganisation). Athinai 1963.

Verfassung Griechenlands. Beschlossen von dem 5. verfassungsändernden Parlament am 9. Juni 1975 und in Kraft getreten am 11. Juni 1975. Athen 1976.

Zilemenos, K. (Ζηλεμένος, Κ.): Μελέτες στό Σύνταγμα τῆς Ἑλλάδος (Aufsätze zur Verfassung Griechenlands). Bd. 1–2. Athina 1976–77.

Zilemenos, K. (Ζηλεμένος, Κ.): Ὁ Πρόεδρος τῆς Δημοκρατίας στό νέο Πολίτευμα (Der Präsident der Republik in der neuen Staatsform). Athina 1978.

b) Politisches System

Amnesty International: Torture in Greece. The First Torturers' Trial 1975. London 1977.

Bakogiannis, P. (Μπακογιάννης, Π.): Ἡ ἀνατομία τῆς ἑλληνικῆς πολιτικῆς (Die Anatomie der griechischen Politik). Athina 1977.

Bakojannis, P.: Militärherrschaft in Griechenland. Stuttgart, Berlin, Köln, Mainz 1972.

Brown, J.: The Military in Politics. A Case Study of Greece. Diss. Buffalo 1971.

Buck, K.-H.: Die Panhellenische Sozialistische Bewegung PASOK, in: Sozialdemokratische Parteien in Europa. Bonn 1979.

Carey, A. G.; Carey, J. P. C.: The Web of Modern Greek Politics. London, New York 1968.

Carmocolias, D. G.: Political Communication in Greece during the Last Two Years of Parliamentary Democracy 1965–1967. Athens 1974.

Chondrokoukis, D. (Χονδροκούκης, Δ.): Πραξικοπήματα καί ἐπαναστάσεις ἀπό τόν ᾿᾿Οθωνα μέχρι σήμερα (Staatsstreiche und Revolutionen von [König] Otto bis heute). Athina 1976.

Clogg, R.: Greece 1943–49, in: McCauley, M. (Hrsg.): Communist Power in Europe 1944–49. London 1977.

Clogg, R.: Griechenland: Das Ende des innenpolitischen Konsenses? Die Situation nach den Wahlen vom November 1977, in: Europa-Archiv. 33. 1978.

Clogg, R.; Yannopoulos, G. (Hrsg.): Greece under Military Rule. New York, London 1972.

Contiades, I.: Griechenland, in: Sternberger, D.; Vogel, B. (Hrsg.): Die Wahl der Parlamente und anderer Staatsorgane. Ein Handbuch. 1.: Europa. Halbbd. 1. Berlin (West) 1969.

Couloumbis, Th. A.: Post World-War II Greece: A Political Review, in: East European Quarterly. 7. 1973.

Coutris, A. N.: Government Policy-Making and Economic Development. A Case Study: Greece 1945–1953. Diss. Howard University 1975.

Dafnis, G. (Δαφνῆς, Γ.): Τά ἑλληνικά πολιτικά κόμματα 1821–1961 (Die griechischen politischen Parteien 1821–1961). Athinai 1961.

Dafnis, G. (Δαφνῆς, Γ.): Σοφοκλῆς Ἐλευθερίου Βενιζέλος, 1894–1964 (Sofoklis Elevtheriou Venizelos, 1894–1964). Athinai 1970.

Dagtoglou, P. D. (Δαγτόγλου, Π. Δ.): Ἡ κοινωνία μας καί ἡ πολιτική της (Unsere Gesellschaft und ihre Politik). Athina 1979.

Damianakos, S.: De la démocratie en Grèce: Les constantes d'une crise institutionnelle chronique, in: Temps modernes. 31. 1975.

Dimitropoulos, A. (Δημητρόπουλος, Α.): Ἡ δομή καί ἡ λειτουργία τῆς σύγχρονης δημοκρατίας (Struktur und Funktionieren der modernen Demokratie). Athina 1977.

Esche, M.: Die Kommunistische Partei Griechenlands 1941–1949. Ein Beitrag zur Politik der KKE vom Beginn der Resistance bis zum Ende des Bürgerkriegs. Phil. Diss. Hamburg 1980.

Eudes, D.: Les Kapetanios: La guerre civile grecque de 1943 à 1949. Paris 1970.

Filias, V. (Φίλιας, Β.): Προβλήματα κοινωνικοῦ μετασχηματισμοῦ (Probleme gesellschaftlicher Transformation). Athina 1974.

Fischer, W.; Rondholz, E.: Revolution und Konterrevolution in Griechenland 1936–1970, in: Das Argument. 12. 1970.

Gaitanides, J.: Griechenland – Heimkehr in die Demokratie, in: Aus Politik und Zeitgeschichte. Beilage zur Wochenzeitung „Das Parlament". 20, 73. 1975.

General Secretary for Press and Information: Post-War Elections in Greece. Athens 1977.

Genevoix, M.: La Grèce de Caramanlis ou: La démocratie difficile? Paris 1972.

Gregoriou, G. J.: Greece: Problems in Political Change and Democratic Development 1821–1967. Diss. New York 1969.

Grigoriadis, F. N. (Γρηγοριάδης, Φ. Ν.): Ἱστορία τοῦ ἐμφυλίου πολέμου 1945–49 (Geschichte des Bürgerkriegs 1945–49). 4 Bde. Athinai 1964.

Hering, G.: Griechenland vom Lausanner Frieden bis zum Ende der Obersten-Diktatur 1923–1974, in: Schieder, Th. (Hrsg.): Handbuch der europäischen Geschichte. 7. Stuttgart 1979.

Hornung, K.: Sozialismus und Kommunismus in Griechenland. Innenpolitisches Kräftefeld und außenpolitische Optionen, in: Oberndörfer, D. (Hrsg.): Sozialistische und Kommunistische Parteien in Westeuropa. 1: Südländer. Opladen 1978.

Karamanlis, K. (Καραμανλῆς, Κ.): Λόγοι καί δηλώσεις. Ἰούλιος 1974–Μάιος 1976 (Reden und Erklärungen Juli 1974–Mai 1976). Athinai o. J.

Karanikolas, G. (Καρανικόλας, Γ.): Νόθες ἐκλογές στήν Ἑλλάδα 1844–1961 (Verfälschte Wahlen in Griechenland 1844–1961). 2. Aufl. Athina 1973.

Karras, S. (Καρρᾶς, Σ.): Ἰδεολογία καί πολιτική στό ΚΚΕ ἐσωτερικοῦ (Ideologie und Politik in der KPG-Inland). Athina 1978.

Katsoulis, G. D. (Κατσούλης, Γ. Δ.): Ἱστορία τοῦ Κομμουνιστικοῦ Κόμματος Ἑλλάδας (Geschichte der Kommunistischen Partei Griechenlands). 6 Bde. Athina 1976–1978.

Katsoulis, I.: Griechenland, in: Raschke, J. (Hrsg.): Die politischen Parteien in Westeuropa. Reinbek bei Hamburg 1978.

Kitsikis, D.: Greek Communists and the Karamanlis Government, in: Problems of Communism. 26. 1977.

Kontogiorgis, G. D. (Κοντογιώργης, Γ. Δ.), Hrsg.: Κοινωνικές καί πολιτικές δυνάμεις στήν Ἑλλάδα (Gesellschaftliche und politische Kräfte in Griechenland). Athina 1977.

Kontopoulos, K. M.: The Making of an Authoritarian Regime: Greece 1944–1974. Diss. Harvard University 1976.

Korizis, Ch. (Κοριζῆς, Χ.): Τό αὐταρχικό καθεστώς 1967–1974, δομή, λειτουργία, διδάγματα (Das autoritäre Regime 1967–1974, Struktur, Funktionieren, Lehren). Athina 1975.

Koutsoukis, K. S.: Elites and Society in Modern Greece: Cabinet Circulation and Systematic Change (1946–1976). Diss. Binghamton, N. Y. 1976.

Legg, K. R.: Politics in Modern Greece. Stanford 1969.

Linardatos, S. (Λιναρδᾶτος, Σ.): Ἀπό τόν Ἐμφύλιο στή χούντα (Vom Bürgerkrieg zur Junta). 3 Bde. Athina 1977–1978.

Magliveras, D. C.: Le parlement hellénique. Étude comparative. Athènes 1973.

Manousakis, G. M.: Die Rolle der griechischen Armee in der griechischen Politik, in: Beiträge zur Konfliktforschung. 25. 1975.

Marlow, M.: Events. Greece 1967–1974. An Anthology. Athens 1975.

Mathiopoulos, B. P.: Sozialismus und soziale Frage in Griechenland. 2. Aufl. Bonn – Bad Godesberg 1974.

Mavridis, N.: From Coup d'état to Constitution: Elite Transformation in Greece 1967–1972. Diss. New York 1972.

Mavros, G. (Μαῦρος, Γ.): Ἐθνικοί κίνδυνοι, ἡ δημοκρατία σέ κρίση, ἐξωτερικές ἀπειλές (Gefahren für die Nation, die Demokratie in einer Krise, äußere Bedrohungen). Athina 1978.

Meynaud, J.: Rapport sur l'abolition de la démocratie en Grèce: 15 juillet 1965–21 avril 1967. Montréal 1967.

Meynaud, J.; Merlopoulos, P.; Notaras, G.: Les forces politiques en Grèce. Montréal 1965. (Etudes de science politique 10.)

Nikolinakos, M.: Widerstand und Opposition in Griechenland. Vom Militärputsch 1967 zur neuen Demokratie. Darmstadt 1974.

Nikolinakos, M.; Nikolaou, K. (Hrsg.): Die verhinderte Demokratie, Modell Griechenland. Frankfurt a. M. 1969.

O'Ballance, E.: The Greek Civil War 1944–1949. London, New York 1966.

Papandreou, A.: Griechische Tragödie. Von der Demokratie zur Militärdiktatur. Wien, München, Zürich 1971.

Pollis, A.: The Impact of Traditional Cultural Patterns on Greek Politics, in: Greek Review of Social Research. 1977.

Poulantzas, N.: The Crisis of the Dictatorships: Portugal, Greece, Spain. London 1976.

Psomas, A. I.: The Nation, the State and the International System: The Case of Modern Greece. Diss. Stanford 1974.

Psyroukis, N. (Ψυρούκης, Ν.): Ἱστορία τῆς σύγχρονης Ἑλλάδας 1940–1967 (Geschichte des modernen Griechenland 1940–1967). 2 Bde. Athina 1975.

Rallis, G. (Ράλλης, Γ.): Ἡ ἀλήθεια γιά τούς ῞Ελληνες πολιτικούς (Die Wahrheit über die griechischen Politiker). Athina 1971.

Richter, H.: Griechenland zwischen Revolution und Konterrevolution 1936–1946. Frankfurt a. M. 1973.

Richter, H.: Griechenlands Kommunisten, in: Timmermann, H. (Hrsg.): Die Kommunistischen Parteien Südeuropas. Baden-Baden 1979.

Rousseas, S. W., u. a.: The Death of a Democracy: Greece and the American Conscience. New York 1967.

Ruehl, L.: Macht ohne Politik und Perspektive. Griechenlands Militärdiktatur von 1967 bis 1974 hatte kein Regierungsprogramm, in: Das Parlament. 1977, 9.

Sartre, J.-P. (Hrsg.): Griechenland. Der Weg in den Faschismus. Frankfurt a. M. 1970.

Schlegel, D.: Die Antipoden in der griechischen Politik, in: Außenpolitik. 29. 1978.

Schütz, E.: Die politisch-soziologischen Gründe für den Verfall der parlamentarischen Demokratie in Griechenland. Köln 1968.

(Berichte des Bundesinstituts für ostwissenschaftliche und internationale Studien 32.)

Schwab, P.; Frangos, G. D. (Hrsg.): Greece under the Junta. New York 1970.

Skriver, A.: Soldaten gegen Demokraten. Militärdiktatur in Griechenland. Köln, Berlin 1968.

Stavrou, N. A.: Allied Politics and Military Intervention: The Political Role of the Greek Military. Athens 1977.

Svoronos, N. G. (Σβορῶνος, Ν. Γ.): Ἐπισκόπηση τῆς νεοελληνικῆς ἱστορίας (Übersicht über die neugriechische Geschichte). 2. Aufl. Athina 1976.

Sweet-Escott, B.: Greece: A Political and Economic Survey 1939–1953. London, New York 1954.

Theodoracopoulos, T.: The Greek Upheaval: Kings, Demagogues and Bayonets. London 1977, New Rochelle, N. Y. 1978.

Trombetas, Th.: The Greek Political System, in: Greek Review of Social Research. 1976.

Tsatsos, D. Th. (Τσάτσος, Δ. Θ.): Πολίτευμα καί πολιτική (Staatsform und Politik). Athina 1977.

Tsinonis, D. D.: The Greek Political Crisis of 1965–1967: The Disintegration of a Political System. Diss. New York 1970.

Tsoucalas, C.: The Greek Tragedy. Harmondsworth 1969.

Vatikiotis, P. J.: Greece: A Political Essay. Beverly Hills, London 1974.

Vegleris, F. (Βεγλέρης, Φ.): Κόμματα καί πολιτικές ἀποφάσεις στήν Ἑλλάδα (Parteien und politische Entscheidungen in Griechenland), in: Κοινωνικές καί πολιτικές δυνάμεις στήν Ἑλλάδα (Soziale und politische Kräfte in Griechenland). Athina 1977.

Xydis, S. G.: Coups and Countercoups in Greece 1967–1973, in: Political Science Quarterly. 89. 1974.

Young, K.: The Greek Passion: A Study in People and Politics. London 1969.

Zilemenos, C.: Le régime politique de la République Hellénique. Paris 1975.

Zotos, S.: Greece. The Struggle for Freedom. New York 1967.

c) *Privatrecht*

Argyriadis, A.: Reform of Family Law in Greece, in: Chloros, A. G. (Hrsg.): The Reform of Family Law in Europe. The Equality of the Spouses, Divorce, Illegitimate Children. Deventer 1978.

Argyriadis, A. ('Αργυριάδης, A.): Στοιχεῖα ἀσφαλιστικοῦ δικαίου (Grundzüge des Versicherungsrechts). 2. Aufl. Athinai 1979.

Asprogerakas-Grivas, C.: Das Urheberrecht in Griechenland. München 1969.

Baumgärtel, G.; Rammos, G. (Hrsg.): Das griechische Zivilprozeß-Gesetzbuch mit Einführungsgesetz in deutscher Sprache. Köln 1969.

Bourantas, C.: Das internationale und materielle Eheschließungsrecht Griechenlands. Jur. Diss. Heidelberg 1975.

Deloukas, N. A.: Grundzüge des griechischen Versicherungsaufsichtsrechts, in: Zeitschrift für die gesamte Versicherungswissenschaft. 1967, 1–2.

Deloukas, N. (Δελούκας, N.): Ναυτικόν Δίκαιον (Seerecht). Athinai 1979.

Deltion Avtokinitistikis Nomothesias kai Nomologias (Δελτίον Αὐτοκινητιστικῆς Νομοθεσίας καί Νομολογίας [Bulletin zur Automobilgesetzgebung und -rechtsprechung]). Athinai 1974–

Digenopoulos, V.: Errichtung von Kapitalanlagegesellschaften in Griechenland, in: Recht der internationalen Wirtschaft. 24. 1978.

Ebenroth, C.-Th.; Minoudis, M. G.: Die strukturelle Ausgestaltung des Auskunftsrechts im deutschen und griechischen Rechtskreis. Zugleich ein Beitrag zur Reform des griechischen Handelsgesetzbuches, in: Die Aktiengesellschaft. 1970, 12.

Epitheorisis tou Emborikou Dikaiou ('Επιθεώρησις τοῦ 'Εμπορικοῦ Δικαίου [Revue des Handelsrechts]). Athinai 1950–

Epitheorisis Navtiliakou Dikaiou ('Επιθεώρησις Ναυτιλιακοῦ Δικαίου [Revue für Seerecht]). Athinai 1973–

Epitheorisis Synkoinoniakou Dikaiou ('Επιθεώρησις Συγκοινωνιακοῦ Δικαίου [Revue für Verkehrsrecht]). Athinai 1974–

Fragistas, Ch. N.: Les projets de réforme du divorce en Grèce, in: Mélanges dédiés à Gabriel Marty. Toulouse 1978.

Georgiades, A.: Die Abänderung ausländischer Urteile im Inland, in: Caemmerer, E. v. (Hrsg.): Xenion. Festschrift für Zepos. 2. Athen, Freiburg 1973.

Georgiadis, A. (Γεωργιάδης, A.): 'Εγχειρίδιο 'Εμπράγματου Δικαίου A' (Lehrbuch des Sachenrechts). Bd. 1. Athina 1979.

Georgiades, A.; Dimakou, G.: Das Erbrecht Griechenlands, in: Ferid, M.; Firsching, K.: Internationales Erbrecht. 2. Aufl. München 1979.

Georgiadis, A.; Stathopoulos, M. (Γεωργιάδης, A.; Σταθόπουλος, M.): 'Αστικός Κῶδιξ, ἑρμηνεία κατ' ἄρθρον (Kommentar zum ZGB). 2 Bde. Athinai 1978–1979.

Das griechische Aktienrecht. Eingeleitet und übersetzt von K. Simitis. Frankfurt a. M. 1973. (Ausländische Aktiengesetze 15.)

Karakatsanis, A. (Καρακατσάνης, A.): 'Εργατικόν Δίκαιον (Arbeitsrecht). 2 Bde. Athinai 1976–1977.

Karakostas, I.: Allgemeine Geschäftsbedingungen in „internationalen" deutsch-griechischen Kauf- und Lieferverträgen. Jur. Diss. Regensburg 1973.

Keramevs, K. (Κεραμεύς, K.): 'Αστικόν Δικονομικόν Δίκαιον (Zivilprozeßrecht). 2 Bde. Thessaloniki 1973–1978.

Koumantos, G. (Κουμάντος, Γ.): Οἰκογενειακόν Δίκαιον (Familienrecht). 2 Bde. Athinai 1976–1977.

Koumantos, G. (Κουμάντος, Γ.): 'Η πνευματική ἰδιοκτησία (Das geistige Eigentum). 2. Aufl. Athinai 1979.

Papantoniou, N. (Παπαντωνίου, N.): Κληρονομικόν Δίκαιον (Erbrecht). 2. Aufl. Thessaloniki 1978.

Plagianakos, G.: Die Entstehung des Griechischen Zivilgesetzbuches. Hamburg 1963.

Skuludis, Z.: Die Vertragsfreiheit im Ehegüterrecht nach dem deutschen und dem griechischen Recht. Jur. Diss. Freiburg 1976.

Stefanopoulos, K.: Das Recht der Mitgift in Griechenland, in: Archiv für die civilistische Praxis. 157. 1958.

Stefanopoulos, K.: Die rechtliche Stellung der außerehelichen Kinder in Griechenland, in: Österreichische Juristen-Zeitung. 15. 1960.

Themelis, N.: Angleichung des griechischen Rechts an das Recht der EWG unter besonderer Berücksichtigung des Gesellschaftsrechts. Jur. Diss. Köln 1975.

Tsilas, P.: A Survey of the Greek Law of Inheritance. Washington 1979.

Vavouskos, K. (Βαβοῦσκος, K.): 'Εμπράγματον Δίκαιον (Sachenrecht). Thessaloniki 1979.

Zepos, P. J.: Das Eherecht Griechenlands, in: Das Eherecht der europäischen und außereuropäischen Staaten. 1: Die europäischen Staaten. Lieferung 6: Frankreich, Österreich, Griechenland. Köln, Berlin 1967.

Zepos, P. J.: Twenty Years of Civil Code. Achievements and Objectives, in: Revue hellénique de droit international. 20. 1967.

d) *Strafrecht*

Androulakis, N.: Griechenland. Literaturbericht, 1. Teil: Strafrecht, in: Zeitschrift für die gesamte Strafrechtswissenschaft. 83. 1971.

Androulakis, N. (᾿Ανδρουλάκης, Ν.): Ποινικόν Δίκαιον, γενικόν μέρος (Strafrecht, Allgemeiner Teil). 3 Hefte. Athinai, teilw. o. J., –1978.

Androulakis, N. (᾿Ανδρουλάκης, Ν.): Θεμελιώδεις ἔννοιαι τῆς ποινικῆς δίκης (Grundbegriffe des Strafprozesses). 3 Hefte. Athinai 1972–1979.

Benakis, A.: Täterschaft und Teilnahme nach deutschem und griechischem Strafrecht. Bonn 1960.

Bouropoulos, A. (Μπουρόπουλος, Α.): ῾Ερμηνεία τοῦ Ποινικοῦ Κώδικος (Kommentar zum Strafgesetzbuch). 3 Bde. Athinai 1959–1964.

Chorafas, N. (Χωραφᾶς, Ν.): Ποινικόν Δίκαιον, γενικόν μέρος (Strafrecht, Allgemeiner Teil). 9. Aufl. Athinai 1978.

Dedes, Ch. (Δέδες, Χ.): Ποινική Δικονομία (Strafprozeßrecht). 5. Aufl. Athinai 1978.

Dedes, G.: Die Gefährdung in den Delikten gegen die Rechtspflege nach griechischem und deutschem Recht, in: Gedächtnisschrift für Horst Schröder. München 1978.

Gafos, I. (Γάφος, Η.): Ποινική Δικονομία κατά τόν νέον Κώδικα (Strafprozeßrecht nach der neuen StPO). 3 Hefte. 6. Aufl. Athinai 1966–1967.

Gafos, I. (Γάφος, Η.): Ποινικόν Δίκαιον, γενικόν μέρος (Strafrecht, Allgemeiner Teil). 3 Hefte. Athinai 1973–1978.

Hadjiyannakis, C.: Les tendances contemporaines concernant la répression du délit d'adultère. Thessalonique 1969.

Katsantonis, A. (Κατσαντώνης, Α.): Ποινικόν Δίκαιον, γενικόν μέρος (Strafrecht, Allgemeiner Teil). 3 Bde. Athinai 1972–1978.

Mangakis, G.: Die Bedeutung des Unrechtbewußtseins in der strafrechtlichen Schuldlehre nach deutschem und griechischem Recht. Bonn 1954.

Mangakis, G.: Griechenland, in: Mezger, E.; Schönke, A.; Jescheck, H.-H. (Hrsg.): Das ausländische Strafrecht der Gegenwart. 3. Berlin (West) 1959.

Mankakis, G.-A. (Μαγκάκης, Γ.-Α.): Ποινικόν Δίκαιον, γενικόν μέρος (Strafrecht, Allgemeiner Teil). 1. Athinai 1979.

Manoledakis, I. (Μανωλεδάκης, Ι.): Γενική θεωρία τοῦ Ποινικοῦ Δικαίου (Allgemeine Strafrechtstheorie). 3 Bde. Athinai, Thessaloniki 1974–1979.

Paraskevopoulos, N. A. (Παρασκευόπουλος, Ν. Α.): Οἱ ἔννοιες τῶν ἠθῶν καί τῆς ἀσελγείας στά ἐγκλήματα κατά τῶν ἠθῶν (Die Begriffe „Sitten" und „Unzucht" in den Verbrechen gegen die Sittlichkeit). Thessaloniki 1979. (Dt. Zusammenfassung.)

Poinika Chronika (Ποινικά Χρονικά [Strafrechtschronik]). Athinai 1951–

Psarouda-Benaki, A. (Ψαρούδα-Μπενάκη, Α.): Τό ἔγκλημα τῆς ἐπικινδύνου σωματικῆς βλάβης (Das Verbrechen der gefährlichen Körperverletzung), in: Ποινικά Χρονικά. 26. 1976.

Vouyoucas, C.: Les problèmes actuels de l'extradition: Grèce, in: Revue internationale de droit pénal. 1968, 3–4.

Zisiadis, I. (Ζησιάδης, Ι.): Ποινική Δικονομία (Strafprozeßrecht). 2 Bde. 3. Aufl. Thessaloniki 1977.

e) *Außenpolitik*

Amen, M. M.: American Foreign Policy in Greece 1944–1949: Economic, Military and Institutional Aspects. Frankfurt a. M., Bern 1968. (Europäische Hochschulschriften 31: Politikwissenschaft 13.)

Anninos-Cavaliératos, P.: Grèce: la politique étrangère, in: Europe sud-est: la revue d'Athènes. 1973, 2.

Averoff-Tossizza, E.: By Fire and Axe: The Communist Party and the Civil War in Greece 1944–1949. New Rochelle, N. Y. 1978.

Beeley, B. W.: The Greek-Turkish Boundary: Conflict at the Interface, in: Institute of British Geographers Transactions. 1978, 3.

Bitsios, D. S.: Cyprus: The Vulnerable Republic. Thessaloniki 1975.

Campbell, J. C.: The Mediterranean Crisis, in: Foreign Affairs. 53. 1975.

Chatziargyris, K. (Χατζηαργύρης, Κ.): Γιά μιά ἑλληνική ἐξωτερική πολιτική (Für eine griechische Außenpolitik). Athina 1975.

Christidis, Ch. (Χρηστίδης, Χ.): Κυπριακό καί ῾Ελληνοτουρκικά (Zypernproblem und griechisch-türkische Differenzen). Athina 1967.

Clogg, R.: Griechenland und die Zypernkrise, in: Europa-Archiv. 29. 1974.

Coleman, H. D.: Greece and the Council of Europe: The International Legal Protection of Human Rights by the Political Process, in: Israel Yearbook on Human Rights. 2. 1972.

Constantopoulos, D.S.: The Paris Peace Conference of 1946 and the Greek-Bulgarian Relations. Thessaloniki 1956.

Constantopoulos, D.S.: Die türkische Invasion in Zypern und ihre völkerrechtlichen Aspekte, in: Jahrbuch für internationales Recht. 21. 1978.

Coufoudakis, V. (Hrsg.): Essays on the Cyprus Conflict. New York 1976.

Coufoudakis, V.: Greece and the United Nations, in: Greek Review of Social Research. 1975.

Coufoudakis, V.: U.S. Foreign Policy and the Cyprus Question: An Interpretation, in: Millennium: Journal of International Studies. 5. 1976–1977.

Coufoudakis–Petroussis, E.: International Organizations and Small State Conflicts: The Greek Experience. Phil. Diss. Ann Arbor 1972.

Couloumbis, Th. A.: Greek Political Reaction to American and NATO Influences. New Haven 1966.

Couloumbis, Th. A.; Hicks, S. M. (Hrsg.): Conference Proceedings. U.S. Foreign Policy toward Greece and Cyprus: A Clash of Principle and Pragmatism. Washington 1975.

Couloumbis, Th. A.; Petropoulos, J. A.; Psomiades, H. J.: Foreign Interference in Greek Politics. An Historical Perspective. New York 1976.

Craig, P. R.: The U.S. and the Greek Dictatorship: A Summary of Support, in: Journal of the Hellenic Diaspora. 3. 1976.

Crawshaw, N.: The Cyprus Revolt. An Account of the Struggle for Union with Greece. London 1978.

Crouzet, F.: Le conflit de Chypre 1946–1959. 2 Bde. Bruxelles 1973–1974.

Ehrlich, Th.: Cyprus 1958–1967: International Crises and the Role of Law. New York 1974.

Fleischer, H.: Griechenland 1941–1944. Kampf gegen Stahlhelm und Krone. Phil. Diss. Berlin 1978.

Foreign Relations of the United States. Diplomatic Papers. 1945, 8. 1946, 7. 1947, 5. 1948, 4. 1949, 6. Washington 1969–1977.

Franz, E.: Der Streit um die Rechte am Schelf im Ägäischen Meer zwischen Griechenland und der Türkei, in: Orient. 15. 1974.

Franz, E.: Der Zypernkonflikt. Chronologie, Pressedokumente, Bibliographie. Hamburg 1976.

Grenz, E.: Innere und äußere Faktoren in der Zypernkrise, in: Deutsche Außenpolitik. 20. 1975.

Handzik, H.: Die Rolle der Vereinigten Staaten bei der Beilegung von internationalen Krisen. Fünf Fallstudien, in: Vereinte Nationen. 22, 2. 1974.

Heinritz, G.: Der griechisch-türkische Konflikt in Zypern, in: Geographische Rundschau. 27, 3. 1975.

Howard, H.N.: Greece and its Balkan Neighbors 1948–1949. The United Nations Attempts at Conciliation, in: Balkan Studies. 7. 1966.

Howard, H.N.: United States Policy toward Greece in the United Nations 1946–1950, in: Balkan Studies. 8. 1967.

Iatrides, J.O.: Balkan Triangle: Birth and Decline of an Alliance Across Ideological Boundaries. The Hague 1968. (Studies in European History 12.).

Iatrides, J.O.: From Liberation to Civil War: The U.S. and Greece 1944–46, in: Southeastern Europe. 3. 1976.

International Court of Justice: Aegean Sea Continental Shelf Case, Greece v. Turkey: Jurisdiction of the Court. The Hague 1978. (Text auf Englisch und Französisch.)

Kadritzke, N.; Wagner, W.: Im Fadenkreuz der Nato. Ermittlungen am Beispiel Cypern. Berlin (West) 1976.

Kafiris, K. (Καφίρης, Κ.): Τό Κυπριακόν καί ή Συμφωνία Ζυρίχης-Λονδίνου (Das Zypernproblem und der Vertrag von Zürich und London). Athinai 1963.

Kalogeropoulos-Stratis, S.: La Grèce et les Nations Unies. New York 1957.

Kofos, E.: Nationalism and Communism in Macedonia. Thessaloniki 1964.

Kouloumbis, Th. (Κουλουμπῆς, Θ.): Προβλήματα ἑλληνοαμερικανικῶν σχέσεων. Πῶς ἀντιμετωπίζεται ἡ ἐξάρτηση (Probleme griechisch-amerikanischer Beziehungen. Wie der Abhängigkeit begegnet wird). Athina 1978.

Koutsoubakis, G. (Hrsg.): Répertoire des accords internationaux conclus par la Grèce (1822–1978). Athènes 1979.

Laveissère, J.: La politique extérieure de la Grèce des colonels: 21/3/1967–25/11/1973. 2 Bde. Diss. Bordeaux 1975.

Lincoln, F.: United States Aid to Greece: 1947–1962. Germantown 1975.

Markides, K. C.: The Rise and Fall of the Cyprus Republic. New Haven, London 1977.

Mavroides, L.: Griechenland auf der Suche nach einer neuen außenpolitischen Orientierung, in: Internationale Politik. 25, 588. 1974.

McNeill, W.H.: Greece: American Aid in Action 1947–1956: Report on the Greeks. New York 1957.

Michel, M.: Le rétablissement des relations entre Athènes et Tirana, in: Europe sud–est: la Revue d'Athènes. 1971,5.

Munkman, C.A.: American Aid to Greece. A Report on the First Ten Years. New York 1958.

Oikonomou-Gouras, P. (Οἰκονόμου-Γκούρας, Π.): Τό δόγμα Τρούμαν καί ἡ ἀγωνία τῆς Ἑλλάδος (Die Truman-Doktrin und Griechenlands Besorgnisse). Athinai 1957.

Palmer, S.E.; King, R.R.: Yugoslav Communism and Macedonian Question. Hamden 1971.

Papadakis, B.P.: Histoire diplomatique de la question Nord-Epirote (1912–1957). Athènes 1958.

Papalekas, J.C.: Unterbelichtete Aspekte des Zypern-Konfliktes. Herford 1976.

Patrick, R.A.: Political Geography and the Cyprus Conflict: 1963–1971. Waterloo 1976.

Pavić, R.: Griechenland und die USA und die NATO-Stützpunkte, in: Internationale Politik. 25,587. 1974.

Pederson, J.H.: Focal Point of Conflict: The United States and Greece 1943–1947. Diss. Ann Arbor 1974.

Penkov, R.: Accords conclus entre la République Populaire de Bulgarie et le Royaume de Grèce dans la période de 1944 à 1964. Sofia 1968.

Phylactopoulos, A.: Mediterranean Discord: Conflicting Greek–Turkish Claims on the Aegean Seabed, in: The International Lawyer. 8.1974.

Ploumidis, M. (Πλουμίδης, M.): Ἡ ἑλληνο-τουρκική κρίση. Ἑλλάς καί Τουρκία, ἕνα πρόβλημα συμβιώσεως (Die griechisch-türkische Krise. Griechenland und die Türkei, ein Problem, miteinander zu leben). Athina 1975.

Polyviou, P.G.: Cyprus – The Tragedy and the Challenge. Washington 1975.

Protopsaltis, E. (Πρωτοψάλτης, E.): Τό δωδε-κανησιακόν ζήτημα καί ἡἐξέλιξίς του μέχρι σήμερον (Die Dodekanes-Frage und ihre Entwicklung bis heute). Athinai 1978.

Psomas, A.I.: The Nation, the State and the International System: The Case of Modern Greece. Diss. Stanford 1974.

Psyroukis, N. (Ψυρούκης, N.): Ἡ διαμάχη στό Αἰγαῖο (Die Auseinandersetzung um die Ägäis). Athina 1977.

Royal Institute of International Affairs: Cyprus: The Background. London 1959.

Rozakis, Ch.L. (Ροζάκης, X.Λ.): Τρία χρόνια ἑλληνικῆς ἐξωτερικῆς πολιτικῆς 1974–1977. ῎Αρθρα καί μελέτες. (Drei Jahre griechische Außenpolitik 1974–1977. Aufsätze und Studien.) Athina 1978.

Ruehl, L.: Die Zypern-Krise von 1974 und der griechisch-türkische Interessenkonflikt, in: Europa-Archiv. 30.1975.

Schlegel, D.: Die Antipoden der griechischen Politik, in: Außenpolitik. 29.1978.

Scianò, F.: La Grecia, la NATO e le sfere d' influenza, in: Affari esteri. 7.1975.

Sigalos, L.: The Greek Claims of Northern Epirus. Chicago 1963. (Chicago Essays on World History and Politics 3.)

Steinbach, U.: Neuere Entwicklungen in den politischen Beziehungen zwischen der Sowjetunion und der Türkei, Griechenland und Zypern, in: Osteuropa. 23. 1973.

Steinbach, U.: Die Sowjetunion und die Zypern-krise, in: Osteuropa. 25. 1975.

Terlexis, P.: Greece's Policy and Attitude towards the Problem of Cyprus. Diss. New York 1968.

Theodoulou, C.A.: The United Nations from the Inside and a Note on the Position and Role of Greece and Cyprus. New York 1975.

Topp, H.-D.: Die albanisch-griechischen Beziehungen: Tiranas teilweise durchlässiger Isolationismus, in: Wissenschaftlicher Dienst Südosteuropas. 27. 1978.

United States Senate Committee on Judiciary: Crisis on Cyprus: 1975. One Year after the Invasion. Washington 1975.

Vanezis, P.N.: Cyprus: The Unfinished Agony. Levittown, London 1977.

Vatikiotis, P.J.: Greece and the Mediterranean Crisis, in: Survival. 18. 1976.

Weeramantry, L.G.: Beschwerden gegen Griechenland vor der Europäischen Menschen-rechts-Kommission, in: Zeitschrift der Internationalen Juristen-Kommission. 1969,4.

Windsor, Ph.: The NATO and the Cyprus Crisis. London 1964. (International Institute for Strategic Studies, Adelphi Papers 14.)

Woodhouse, C.M.: The Struggle for Greece 1941–1949. London 1976.

Xydis, S.G.: Cyprus: Conflict and Conciliation 1954–1958. Columbus 1967.

Xydis, S.G.: Cyprus: Reluctant Republic. The Hague 1974.

Xydis, S.G.: Greece and the Great Powers 1944–1947: Prelude to the "Truman Doctrine". Thessaloniki 1963.

Xydis, S. G.: The UN General Assembly as an Instrument of Greek Policy: Cyprus 1954–1958, in: Journal of Conflict Resolution. 12, 2. 1968.

f) *Landesverteidigung*

Aeroporika Nea ('Αεροπορικά Νέα [Luftwaffennachrichten]). Athinai 1947–?

Bonnart, F.: The Situation in Greece and Turkey, in: NATO's Fifteen Nations. 23. 1978–1979.

Boulalas, K.(Μπουλαλᾶς, Κ.): Ἡ Ἑλλάς καί οἱ σύγχρονοι πόλεμοι. Ἱστορική μελέτη τῶν πολεμικῶν καί πολιτικῶν γεγονότων τῆς ἐποχῆς μας [1909–1955] (Griechenland und die neueren Kriege. Historische Studie über die kriegerischen und politischen Geschehnisse unserer Zeit [1909–1955]). Athinai 1956.

Drossinos, G.: The Royal Hellenic Navy, in: U. S. Naval Institute Proceedings. 97. 1971.

Epitheorisis Oplon kai Somaton ('Επιθεώρησις ''Οπλων καί Σωμάτων [Revue der Streitkräfte und Sicherheitsorgane]). Athinai 1951–1956.

Geniki Stratiotiki Epitheorisis (Γενική Στρατιωτική 'Επιθεώρησις [Allgemeine Militärrevue]). Athinai 1957–1960.

Genikon Epiteleion Stratou (Γενικόν 'Επιτελεῖον Στρατοῦ): Ὁ ἑλληνικός στρατός κατά τόν ἀντισυμμοριακόν ἀγῶνα (1946–1949). Ἡ ἐκκαθάρισις τῆς Ρούμελης καί ἡ πρώτη μάχη τοῦ Γράμμου (Die griechische Armee während des Krieges gegen die Banden, 1946–1949. Die Säuberung von Zentralgriechenland und die erste Grammos-Schlacht). Athinai 1970.

Genikon Epiteleion Stratou (Γενικόν 'Επιτελεῖον Στρατοῦ): Ὁ ἑλληνικός στρατός κατά τόν ἀντισυμμοριακόν ἀγῶνα (1946–1949). Τό πρῶτον ἔτος τοῦ ἀντισυμμοριακοῦ ἀγῶνος, 1946 (Die griechische Armee während des Krieges gegen die Banden, 1946–1949. Das erste Jahr des Kampfes gegen die Banden, 1946). Athinai 1971.

Genikon Epiteleion Stratou (Γενικόν 'Επιτελεῖον Στρατοῦ): Αἱ μάχαι τοῦ Βίτσι καί τοῦ Γράμμου (Die Schlachten von Vitsi und Grammos). Athinai 1951.

Greek Combat Aviation: An Official History, in: Aerospace History. 21. 1974.

Johnston, M. jr. (Interviewter): Die Südfront der NATO – starke Zunahme sowjetischer Streitkräfte, in: US News & World Report. 2. Juni 1975.

Kourvetaris, G. A.: The Contemporary Army Officer Corps in Greece: An Inquiry into Its Professionalism and Interventionism. Diss. Northwestern University 1969.

Laimos, A. G. (Λαιμός, Α. Γ.): Τό ναυτικόν τοῦ Γένους τῶν Ἑλλήνων· Α': Ἡ ἱστορία του (Die Flotte der griechischen Nation; 1: Ihre Geschichte). Athinai 1968.

Larrabee, S.: Balkan Security. London 1977 (Adelphi Papers. 135.)

Manousakis, G.: Die Bedeutung des Mittelmeerraumes für die Sicherheit des Westens. Geopolitische und militärische Aspekte, in: Beiträge zur Konfliktforschung. 8. 1978.

Mansolas, E.; Kafetzopoulos, I. (Μανσόλας, Ε.· Καφετζόπουλος, Ι.): Ἱστορία τῆς ὀργανώσεως τοῦ ἑλληνικοῦ στρατοῦ 1821–1954 (Geschichte der Organisation des griechischen Heeres 1821–1954). Athinai 1954.

McCormic, Th.: The Aegean Sea Dispute, in: Military Review. 1976, 3.

Mennel, R.: Die wehrgeographische Bedeutung Griechenlands und der Türkei, in: Wehrkunde. 23. 1974.

Menoncourt, J.: Dangereuse rivalité gréco-turque en Méditerranée orientale, in: Défense nationale. 32. 1976.

Mouratides, A.: The Army and Modern Greek Society, in: New Review. 13. 1973.

Popov, V.: Grecija v strategičeskich planach Nato (Griechenland in den strategischen Plänen der Nato), in: Meždunarodnaja Žizn'. 17. 1970.

Presse- und Informationsamt der Bundesregierung: Stichworte zur Sicherheitspolitik, Nr. 1/1979 (Verteidigungsausgaben der NATO-Länder in den letzten Jahren). Bonn 1979.

Rodionov, B.; Jašin, S.: Vzryvoopasnyj rajon Sredizemnomorja (Das explosionsgefährdete Gebiet des Mittelmeeres), in: Morskoj Sbornik. 1977, 4.

Ruehl, L.: Europas Sicherheitsprobleme im Mittelmeerraum, in: Europa-Archiv. 33. 1978.

Schimansky-Geier, G.: Zur Bedeutung Griechenlands und der Türkei für die Südflanke der NATO, in: Militärgeschichte. 15. 1976.

Smettan, M.: Probleme und Politik der NATO im östlichen Mittelmeer, in: Deutsche Außenpolitik. 22. 1977.

Tsakalotos, Th. (Τσακαλῶτος, Θ.): 40 χρόνια στρατιώτης τῆς Ἑλλάδος (40 Jahre Soldat Griechenlands). 2 Bde. Athinai 1960.

Vegléris, Ph.: Grèce. La dictature grecque et sa conception de la défense nationale, in: Revue du droit public et de la science politique en France et à l' étranger. 86. 1970.

Zafeiropoulos, D. (Ζαφειρόπουλος, Δ.): Ὁ ἀντισυμμοριακός ἀγών 1945–1949 (Der Kampf gegen die Banden 1945–1949). Athinai 1956.

III. Wirtschaft

a) Geographische Grundlagen

Alexiou, A. (᾿Αλεξίου, Α.): Ἑλλάδα (Griechenland), in: Γεωγραφία τῶν Βαλκανίων (Geographie der Balkanländer). Athina 1978.

Bon, A.: Greece, in: Larousse Encyclopedia of Geography – Europe. New York 1961.

Bousquet, B.: La Grèce occidentale, interprétation géomorphologique de l' Epire, de l' Acarnanie et des Îles Ioniennes. Lille 1976.

Bryans, R.: Crete. London 1969.

Dafis, L. E.: Zur Vegetation und Flora von Griechenland. Ergebnisse der 15. Internationalen Pflanzengeographischen Exkursion (IPE) durch Griechenland 1971. 1: Einführung; allgemeine Vegetationskunde; Kreta und Ägäische Inseln. Zürich 1975.

Dicks, B.: Corfu. Newton Abbot 1977.

Foss, A.: The Ionian Islands: Zakynthos to Corfu. London 1969.

Gaitanides, J.; Worm, S. I.: Ägäisches Trio: Kreta, Rhodos, Zypern. München 1974.

Giannakopoulos, P. A.: The Seismic Activity in the Area of Greece between 1966 and 1969, in: Annali di geofisica. 25. 1972.

Gold, H. K.: Selected Annotated Bibliography of Climatic Maps for Greece. Washington 1961.

Griechenland, in: Westermanns Lexikon der Geographie. 2. Braunschweig 1969.

Hammond, N. G. I.: Epirus. London 1967.

Herrick, A. B.; u. a.: Area Handbook for Greece. Washington 1970.

Kayser, B.; u. a.: Géographie humaine de la Grèce: Éléments pour l' étude de l' urbanisation. Paris 1964.

Keefe, E. K.; u. a.: Area Handbook for Greece. 2. Aufl. Washington 1977.

Loy, W. D.: The Land of Nestor. A Physical Geography of the Southwest Peloponnese. Washington 1970. (Foreign Field Research Program Report 34.)

Mahéras, P.: Le climat de la mer Égée septentrionale. Diss. Nancy 1976.

Meteorologika (Μετεωρολογικά). Athinai 1954–

Philippson, A.: Die griechischen Landschaften: Eine Landeskunde. 4 Bde. Frankfurt a. M. 1950–59.

Philippson, A.: Das Klima Griechenlands. Bonn 1948.

Poulopoulos, S.: Bildung und Entwicklung der griechischen Kulturlandschaften, in: Münchner Studien zur Sozial- und Wirtschaftsgeographie. 7. 1973.

Sauerwein, F.: Landschaft, Siedlung und Wirtschaft Innermesseniens, Griechenland. Frankfurt a. M. 1968. (Frankfurter Wirtschafts- und Sozialgeographische Schriften 4.)

Sauerwein, F.: Die moderne Argolis. Probleme des Strukturwandels in einer griechischen Landschaft. Frankfurt a. M. 1971. (Frankfurter Wirtschafts- und Sozialgeographische Schriften 9.)

Sivignon, M.: La Thessalie. Analyse géographique d' une province grecque. Lyon 1975. (Mémoires et documents 17.)

Tseliou, P. (Τσέλιου, Π.): Ἑλλάς (Griechenland), in: Παγκόσμιος Γεωγραφία (Geographie der ganzen Welt). Athinai 1976.

United States Office of Geography: Greece. Official Standard Names Approved by the United States Board on Geographic Names. Washington 1955. (U. S. Board on Geographic Names. Gazetter 11.)

Vatter, A.: Kreta, in: Zeitschrift für Wirtschaftsgeographie. 16. 1972.

b) Das Wirtschaftssystem

Angelopoulos, A.: Problèmes et perspectives de l'économie hellénique, in: Revue de la société d'études et d'expansion. 75. 1976.

Apel, H.: Bulgarien und Griechenland. Ein Systemvergleich wirtschaftlicher und sozialer Nachkriegsentwicklung, in: Osteuropa. 26. 1976.

Argyros, A.: La demande de monnaie et le revenu: L'exemple grec. Diss. Paris 1974.

Baade, F.; Kartsaklis, G.: Methoden, Kosten und Erfolgsaussichten der Entwicklungshilfe;

dargestellt anhand einer Strukturanalyse des Landes Griechenland. Bonn, Kiel 1964.

Baltas, N.; Kanbur, M.G.: An Econometric Study of Capital Formation and Growth in Greek Economy, 1954–1972. Birmingham 1976.

Bank of Greece: Highlights of Monetary and Economic Developments in Greece 1963–1969. Athens 1970.

Bougioukos, G.: Griechenland vor dem Beitritt zur EG: Wirtschaftsstruktur. Landwirtschaft, Raumordnung, Städtebau, Wohnungswesen, Umweltschutz. Münster 1977. (Materialien zum Siedlungs- und Wohnungswesen und zur Raumplanung 16.)

Break, G.F.; Turvey, R.: Studies in Greek Taxation. Athens 1964. (Research Monograph Series 11.)

Candilis, W.O.: The Economy of Greece, 1944–1966: Efforts for Stability and Development. New York 1968.

Deltion Dioikiseos Epicheiriseon (Δελτίον Διοικήσεως 'Επιχειρήσεων) / Business Administration Bulletin. Athinai / Athens 1962–

Dimitriadis, N.: Der Einfluß der Kapitalstruktur auf das Wachstum der griechischen Unternehmen 1954–1964. Diss. Bonn 1970.

Epitheorisis Ellinikis Oikonomias ('Επιθεώρησις 'Ελληνικῆς Οἰκονομίας [Revue für griechische Wirtschaft]). Athinai 1950–?

Fakiolas, R. (Φακιολᾶς, Ρ.): Ὁ ἐργατικός συνδικαλισμός στήν Ἑλλάδα (Der Arbeitersyndikalismus in Griechenland). Athina 1978.

Georgakopoulos, T.A. (Γεωργακόπουλος, Τ. Α.): Ὁ φόρος ἐπί τῆς προστιθεμένης ἀξίας εἰς τήν Ἑλλάδα. οἰκονομικαί ἐπιδράσεις (Die Mehrwertsteuer in Griechenland; wirtschaftliche Auswirkungen). Athinai 1976. (Research Monograph Series 21.)

Gilbert, K.S.: Greece: A Study of an Intermediately Developed Economy with Emphasis on Its Reaction to Economic Policy and Trade Preferances. Diss. Louisiana State University 1972.

Glahe, W.; Heuer, J.; Papalekas, J.C.: Griechische Entwicklungsprobleme. Köln 1962.

Gotsis, Ch.: Das Kreditsystem als Instrument der Entwicklungspolitik in Griechenland. Diss. Marburg 1972.

Hoffman, G.W.: Regional Development Strategy in Southeast Europe: A Comparative Analysis of Albania, Bulgaria, Greece, Romania, and Yugoslavia. New York 1972.

Jecchinis, C.: Trade Unionism in Greece: A Study in Political Paternalism. Chicago 1967.

Kasakos, P.: Markt und Entwicklung. Zur ordnungspolitischen Problematik am Beispiel Griechenlands. Diss. Kiel 1970.

Kasimati, M. (Κασιμάτη, Μ.): Τά ἐργοστασιακά σωματεῖα, θεσμός πρωτοποριακός (Die Betriebsgewerkschaften, eine innovatorische Institution), in: Ὁ Πολίτης. 17. 1978.

Katsilieris, N.: Das ausländische Kapital und seine Bedeutung für die wirtschaftliche Entwicklung Griechenlands. Pol. Diss. Marburg 1972.

Lasos, V.: Die staatliche Entwicklungspolitik in Griechenland zwischen 1942 und 1972: Erfolge und Fehlentwicklungen; Ansatzpunkte zu einer kritischen Diagnose. Diss. Berlin (West) 1975.

Lianos, Th.P.: Capital-Labor Substitution in a Developing Country: The Case of Greece, in: European Economic Review. 6. 1975.

Loukakis, P.: Regionale Strukturprobleme in Griechenland unter Berücksichtigung des wachsenden Industrialisierungsprozesses. Diss. Aachen 1976.

Mavrias, K.G.: Le régime juridique des investissements étrangers en Grèce. Diss. Paris 1974.

Merryman, L.H.: Some Problems of Greek Shoreland Development. Athens 1965. (Lecture Series 17.)

Mourgelas, I.G. (Μουργέλας, Ι.Γ.): Συμμετοχή ἐργατῶν εἰς διοίκησιν ἐπιχειρήσεων (Mitbestimmung von Arbeitern in der Unternehmensverwaltung), in:'Επιθεώρησιςτοῦ'Εμπορικοῦ Δικαίου. 30. 1978.

Mouzelis, N.P.: Modern Greece: Facets of Underdevelopment. London, New York 1978.

Negreponti-Delivani, M. (Νεγρεπόντη-Δελιβάνη, Μ.): 'Ανάλυση τῆς ἑλληνικῆς οἰκονομίας (Analyse der griechischen Wirtschaft). Athina 1979.

Nikolinakos, M.: Materialien zur kapitalistischen Entwicklung in Griechenland, in: Das Argument. 12. 1970.

Oikonomika Nea (Οἰκονομικά Νέα [Wirtschaftsnachrichten]). Athinai 1946–

Oikonomiki Poreia (Οἰκονομική Πορεία): Μηνιαία ἐπιθεώρησις τῶν οἰκονομικῶν ἐξελίξεων (Monatliche Revue der wirtschaftlichen Entwicklungen). Athinai 1959–

Organization for Economic Co-operation and Development: Economic Survey: Greece. Paris 1971–1972, 1975, 1977–1979.

Organization for Economic Co-operation and Development: National Accounts of OECD Countries: Greece. Paris 1962–1973, 1976.

Ott, A.; Wenturis, N. (Hrsg.): Griechenland vor dem Beitritt in die Europäische Gemeinschaft. Frankfurt/M., Berlin 1980.

Papageorgiou, E.: An Economic Analysis of the Structure of the Greek Economy and Its Development Prospects. Diss. Iowa State University 1972.

Papandreou, A.G.: A Strategy for Greek Economic Development. Athens 1962. (Research Monograph Series 1.)

Paraskewopoulos, S.: Die Arbeitslosigkeit und Unterbeschäftigung als wirtschaftspolitisches Problem in einem Entwicklungsland, dargestellt am Beispiel Griechenlands. Diss. Marburg 1972.

Prodromidis, K.P.: Forecasting Aggregate Consumer Expenditure in Greece. A Long-Run Analysis. Athens 1973. (Lecture Series 26.)

Raftis, T.: Verschiebungen der Wirtschaftsstruktur im Wachstumsprozeß Griechenlands 1953–1968. Diss. Konstanz 1971.

Riedel, J.: Kritische Untersuchung über die regionale Wirtschaftsplanung in Griechenland. Diss. Darmstadt 1969.

Schinas, G.M.: Die Regelung der Kapitalanlagegesellschaften und der Kapitalanlagefonds in Griechenland. Wien 1977.

Seraphim, H.J. (Hrsg.): Griechenlands Entwicklungsprobleme: Studien an einem kontinentaleuropäischen Entwicklungsland. Köln-Braunsfeld 1962.

Tsekouras, J.: Wachstum und Strukturwandel in der griechischen Wirtschaft. Phil. Diss. Basel 1971.

Tsoris, N.D.: The Greek Economy: The Two Decades, 1950–1970. Athens 1975.

Varelas, R.D.: Aufgaben und Struktur griechischer Unternehmungsverbände. Eine betriebswirtschaftlich-organisatorische Untersuchung. Diss. Köln 1973.

Vazos, G. (Βάζος, Γ.): Ἐπιτεύξεις καί ἐπιδιώξεις τῆς συμμετοχῆς τῶν ἐργαζομένων στή διοίκηση τῶν ἐπιχειρήσεων (Errungenschaften und Ziele der Mitbestimmung der Arbeitnehmer in der Unternehmensverwaltung). Athina 1975.

Vernicos, N.: L'économie de la Grèce 1950–1970. Diss. Paris 1974.

Vouras, P.P.: The Changing Economy of Northern Greece since World War II. Thessaloniki 1962.

Wapenhans, W.: Griechenland. Untersuchungen über die Wirtschaft eines kontinentaleuropäischen Entwicklungslandes. Habil. Gießen 1960.

Wenturis, N.: Die soziopolitischen und ökonomischen Strukturen Griechenlands im Hinblick auf seine Integration in die E.G. Frankfurt a.M., Bern 1977.

Westebbe, R.M.: The Structural Problem of the Development of the Greek Economy: 1950–1966. Paper Delivered at the Modern Greek Studies Association Symposium. New York. 9.Nov. 1973.

Ziegler, G.: Griechenlands Wirtschaftsentwicklung, in: Mitteilungen der Südosteuropa-Gesellschaft. München. 14. 1975.

Zolotas, X.: The Energy Problem in Greece. Athens 1975. (Papers and Lectures 28.)

Zolotas, X.: Inflation and Monetary Target in Greece: An Address. Athens 1978. (Papers and Lectures 38.)

Zolotas, X.: International Monetary Issues and Development Policies. Selected Essays and Statements. Athens 1977.

c) Industrie, Gewerbe und Tourismus

Alexander, A.P.: Greek Industrialists. An Economic and Social Analysis. Athens 1964. (Research Monograph Series 12.)

Alexandrakis, N.E.: Tourism as a Leading Sector in Economic Development: A Case Study of Greece. Diss. University of Kentucky 1973.

Burgel, G.: La condition industrielle à Athènes. Étude socio-géographique. Première partie: Les hommes et leur vie. Deuxième partie: Mobilité géographique et mobilité sociale. 2 Bde. Athènes 1970–1972.

Chalyvourgiki (Χαλυβουργική) [Firma]: Ἡ βιομηχανία σιδήρου καί χάλυβος ἐν Ἑλλάδι (Die Eisen- und Stahlindustrie in Griechenland). Athinai 1969.

Coutsoumaris, G.: The Morphology of Greek Industry: A Study in Industrial Development. Athens 1963. (Research Monograph Series 6.)

Deltion tou Emborikou kai Viomichanikou Epimelitiriou Athinon (Δελτίον τοῦ Ἐμπορικοῦ καί Βιομηχανικοῦ Ἐπιμελητηρίου Ἀθηνῶν) / Bulletin de la Chambre de commerce et d'industrie d'Athènes. 2. Reihe. Athinai / Athènes 1948–

Deltion tou Emborikou kai Viomichanikou Epimelitiriou Thessalonikis (Δελτίον τοῦ Ἐμπορικοῦ καί Βιομηχανικοῦ Ἐπιμελητηρίου Θεσσαλονίκης [Bulletin der Industrie- und Handelskammer Saloniki]). 3. Reihe. Thessaloniki 1947–

Ellis, H.; u.a.: Industrial Capital in Greek Development. Athens 1964. (Research Monograph Series 8.)

Federation of Greek Industries / Σύνδεσμος Ἑλλήνων Βιομηχάνων: The State of Greek Industry. Athens 1961–

Federation of Greek Industries and National Investment Bank for Industrial Development: A Survey of the Greek Manufacturing Industry and Its Performance. Athens 1972.

Ganiatsos, T. G.: Foreign-owned Enterprizes in Greek Manufacturing. Diss. Berkeley 1971.

Germidis, D.; Negreponti-Delivanis, M.: Industrialization Employment and Income Distribution in Greece: A Case Study. Paris 1975.

Giannakouros, G.: The Economics of Greek Shipping: Growth, Problems and Alternatives. Diss. University of Iowa 1975.

Giannitsis, A.: Private Auslandskapitalien im Industrialisierungsprozeß Griechenlands, 1953–1970. Berlin (West) 1974.

The Greek Mineral Industry, in: Trade with Greece. 14. 1975.

Hellenews: Tourism in Greece / Τουρισμός στήν Ἑλλάδα. Athens / Athina 1969–

Hellenic Review and International Report on Economics, Trade, Shipping, Travel. Forest Hills, N. Y. 1959–?

Hummen, W.: Greek Industry in the European Community. Prospects and Problems. Berlin (West) 1977. (Schriften des Deutschen Instituts für Entwicklungspolitik 45.)

Kanellakis, V.: International Tourism: Its Significance and Potential as an Instrument for the Economic Development of Greece. Diss. Kansas State University 1975.

Kartakis, E. A.: Le développement industriel de la Grèce. Lausanne 1970.

Kassimati, K.: Industrial Movements in Greek Industry. Intragenerational Trends, in: Greek Review of Social Research. 1977.

Kintis, A. A.: The Demand for Labour in Greek Manufacturing: An Econometric Analysis. Athens 1973. (Research Monograph Series 20.)

Loukissas, P. J.: The Impact of Tourism on Regional Development: A Comparative Analysis of the Greek Islands. Diss. Cornell University 1977.

Mitsos, A.: The Rationale of Tariff Protection of Greek Industry. Diss. Pittsburg 1975.

Negreponti-Delivani, M. (Νεγρεπόντη-Δελιβάνη, Μ.): Βιοτέχναι καί βιοτεχνία τῆς Βορείου Ἑλλάδος (Gewerbe und Gewerbetreibende Nordgriechenlands). Athinai 1974.

Nicolaou, K.: Intersize Efficiency Differentials in Greek Manufacturing. Athens 1978. (Special Studies Series A.)

Petropoulos, E.: Le kiosque grec. Paris 1976.

Quarterly Review. National Bank of Greece. Athens 1960–1967.

Schinas, G.: Die Bankenaufsicht in Griechenland, in: Österreichisches Bank-Archiv. 25. 1977.

Service Statistique National de Grèce: Recensement des établissements industriels et commerciaux effectué le 27 septembre 1969. 2 Bde. Athènes 1971–1973.

Thomadakis, S. B.: Greek Institutions for Industrial Financing. Diss. Massachusetts Institute of Technology 1971.

Vasos, G.: Die Beziehungen zwischen Banken und Industrie in Griechenland. Diss. Freiburg 1968.

Zolotas, X.: Guidelines for Industrial Development in Greece: An Address. Athens 1976. (Papers and Lectures 31.)

Zolotas, X.: Speech: The Fifty Years of the Bank of Greece. Athens 1978.

d) Land- und Forstwirtschaft

Agrotiki Oikonomia (Ἀγροτική Οἰκονομία) / Economie rurale. Publication trimestrielle d'économie agricole et de politique agraire. 1955–1967.

Ananikas, L. I.: Potential Livestock Production Adjustments on Familiy Farms in Central Macedonia, Greece. Diss. Michigan State University 1975.

Andricopoulos, C.: Farmers' Social Insurance in Greece, in: International Social Security Review. 29. 1976.

Apergi, S. (Ἀπέργη, Σ.): Ἀναδιάρθρωση τῆς ἀγροτικῆς παραγωγῆς (Umstrukturierung der landwirtschaftlichen Produktion). Athina 1978. (Μελέτες γιά τήν ἀγροτική οἰκονομία 5.)

Athanasiou, L.: The Agricultural Subsidies Policy in Greece. Diss. Oxford 1971.

Avdelidis, P.: Regards sur l'économie agraire de la Grèce, in: Économies et sociétés. 8. 1974.

Avdelidis, P. S. (Ἀβδελίδης, Π. Σ.): Τό ἀγροτικό συνεταιριστικό κίνημα στήν Ἑλλάδα (Die ländliche Genossenschaftsbewegung in Griechenland). Athinai 1975.

Bettamio, G.: In vista dell' adesione della Grecia alla CEE: Caratteri dell' agricoltura greca, in: Rivista di politica agraria. 23, 3. 1976.

Boutonnet, J.P.: Évolution de l'élévage bovin et du marché de ses produits (lait, viande) dans le bassin méditerranéen, la Grèce. Montpellier 1978. (Notes et documents 25.)

Bundesstelle für Außenhandelsinformation: Griechenland. Landwirtschaft und Ernährungsindustrie. Köln 1977.

Burberg, P.-H.: Die Landwirtschaft in Griechenland – Struktur, Probleme, Agrarpolitik, in: Bougioukos, G., u.a.: Griechenland vor dem Beitritt zur EG. Münster 1977.

Deltion Agrotikis Trapezis (Δελτίον 'Αγροτικῆς Τραπέζης). 1949–

Deltion Georgikon Efarmogon kai Ekpaidevseos (Δελτίον Γεωργικῶν 'Εφαρμογῶν καί 'Εκπαιδεύσεως)/Bulletin of Agricultural Extension and Education. Athinai/Athens 1961–

Dragonas, C.; Olympitis, N.: "Greece", in: World Atlas of Agriculture. 1. Novara 1969.

Dufaure, J.J.: Contraintes naturelles et historiques dans la mise en valeur des plaines grecques, in: Cahiers géographiques de Rouen. 1976, 6.

Füldner, E.: Agrargeographische Untersuchungen in der Ebene von Thessalien. Frankfurt a.M. 1967.

Grispos, P. (Γρίσπος, Π.): Δασική ἱστορία τῆς Νεωτέρας Ἑλλάδος ἀπό τοῦ ΙΕ' αἰῶνος μέχρι τοῦ 1971 (Geschichte des Waldes im neueren Griechenland vom 15.Jahrhundert bis 1971). Athinai 1973.

International Bank for Reconstruction and Development: The Development of Agriculture in Greece. Report of a Mission Organized by the International Bank for Reconstruction and Development with the Cooperation of the Food and Agriculture Organization of the United Nations. Washington 1966.

Kamenidis, C.: Efficient Organization of the Livestock Meat Marketing System in Eastern Macedonia, Greece. Diss. Michigan State University 1974.

Kentron Programmatismou kai Oikonomikon Erevnon (Κέντρον Προγραμματισμοῦ καί Οἰκονομικῶν 'Ερευνῶν)/Center of Planning and Economic Research: Περιφερειακή γεωργική ἀνάπτυξις (Regionale Landwirtschaftsentwicklung). Athinai 1967.

Kienitz, F.K.: Existenzfragen des griechischen Bauerntums. Agrarverfassung, Kreditversorgung und Genossenschaftswesen. Entwicklungsfragen und Gegenwartsprobleme. Berlin (West) 1960.

Knödler, O.: Der Bewässerungsfeldbau in Mittelgriechenland und im Peloponnes. Stuttgart 1970. (Stuttgarter Geographische Studien 81.)

Kolodny, É.Y.: L'olivier dans la vie rurale des îles de la Grèce, in: Actes du colloque de géographie agraire, Madrid, 23–27 mars 1971. Les sociétés rurales méditerranéennes. Aix-en-Provence 1972.

Leventis, N.: The Agricultural Credit in Greece. Athens 1977.

Mylonakis, D. (Μυλωνάκης, Δ.), u.a.: Κείμενα γιά τήν ἑλληνική γεωργία, τήν ἔνταξη καί τήν Α.Τ.Ε. (Texte zur griechischen Landwirtschaft, zum EG-Beitritt und zur Griechischen Landwirtschaftsbank). Athina 1978. (Μελέτες γιά τήν ἀγροτική οἰκονομία 4.)

Myrick, D.C.; Witucki, L.A.: How Greece Developed Its Agriculture 1947–1967. Washington 1971.

National Statistical Service of Greece: Results of the Agriculture-Livestock Census of March 14, 1971. Athens 1978.

Nea Agrotiki Epitheorisis (Νέα 'Αγροτική 'Επιθεώρησις [Neue Agrarrevue]). Athinai 1947–

Organization for Economic Co-operation and Development: Agricultural Policy in Greece. Report, Discussed and Adopted by the OECD Working Party on Agricultural Policies, at a Meeting on 29.1.–2.2.1973. Paris 1973.

Panhellenic Confederation of Unions of Agricultural Cooperatives: Greek Agriculture. Athens 1978.

Panhellenic Confederation of Unions of Agricultural Cooperatives: The Greek Farmers' Cooperative Movement. Athens 1978.

Péchoux, P.-Y.: La réforme agraire en Grèce, in: Revue de géographie de Lyon. 50. 1975.

Pepelasis, M.A.: The Structure of Greek Agriculture and the Expected Impact upon Entering the Community, in: Institut d'Études Européennes: La Grèce et la Communauté – problèmes posés par l'adhésion. Bruxelles 1978.

Porter, H.G.; Evans, R.B.: Cotton in Greece. Washington 1971.

Rust, U.: Die Reaktion der fluvialen Morphodynamik auf anthropogene Entwaldung östlich Chalkis (Insel Euböa – Mittelgriechenland), in: Zeitschrift für Geomorphologie. 22. 1978.

Sakellis, M.: Greek Agriculture in the National Economic Context. Athens 1977.

Shaw, L.H.: Postwar Growth in Greek Agricultural Production; a Study in Sectoral Output Change. Athens 1969. (Special Studies Series 2.)

Sommer, U.: Die Fischwirtschaft in den Ländern Griechenland, Portugal und Spanien, in: Agrarwirtschaft. 27. 1978.

Tank, H.: Wandel und Entwicklungstendenzen der Agrarstruktur Kretas seit 1948, in: Die Erde. 108. 1977.

Thompson, K.: Farm Fragmentation in Greece: The Problem and Its Setting, with 11 Village Case Studies. Athens 1963. (Research Monograph Series 5.)

Tsoumis, G.: Die griechische Forstwirtschaft. Aktuelle Lage und Ausblick, in: Verband der europäischen Landwirtschaft. Athen 1978. (29. Generalversammlung.)

Vergopoulos, K.: Le capitalisme difformé et la nouvelle question agraire. L'exemple de la Grèce moderne. Paris 1977. (Economie et socialisme 33.)

Zografos, D. (Ζωγράφος, Δ.): Ἱστορία τῆς ἑλληνικῆς γεωργίας (Geschichte der griechischen Landwirtschaft). 3 Bde. 2. Aufl. Athina 1976.

e) *Außenwirtschaft*

Alexandratos, N.C.: A Study of the Foreign Exchange of Greece. Diss. University of Sussex 1970.

Bougioukos, G; u.a.: Griechenland vor dem Beitritt zur EG. Münster 1977.

Casfikis, G.: La marine merchande grecque dans le cadre de l'adhésion, in: Revue du Marché Commun. 1979, 223.

Chalatsis, N.: La candidature de la Grèce à la Communauté Economique Européenne (le cas de l'agriculture). Diss. Dijon 1977.

Delibanes, D.: Die Probleme der Zahlungsbilanz und die außenwirtschaftliche Integration Griechenlands. München 1961.

Drakatos, K.G. (Δρακᾶτος, Κ.Γ.): Ἑλληνικαί στατιστικαί ἐξωτερικοῦ ἐμπορίου καί ἰσοζυγίου πληρωμῶν (Griechische Statistiken über Außenhandel und Zahlungsbilanz). Athinai 1966. (Series of Special Economic Studies 14.)

Efthimiou, A.: Absatz von griechischem Frischobst und Frischgemüse in den Binnenmarkt und in die Bundesrepublik Deutschland. Diss. Gießen 1974.

Emmenegger, J.-L.: Grèce: un regard vers l'Europe, in: Le mois économique et financier. 1976, 2.

Europäische Gemeinschaft: Studie des Wirtschafts- und Sozialausschusses über „Die Beziehungen zwischen der Gemeinschaft und Griechenland". Brüssel 11. Juli 1978.

European Economic Community. Association entre la Communauté Economique Européenne et la Grèce: Rapport annuel d'activité du Conseil d'Association. Bruxelles nov. 1962/ oct. 1963 (1er rapport), nov. 1963 / déc. 1964 (2e rapport).

European Economic Community. Treaties 1962. Accord créant une association entre la Communauté Economique Européenne et la Grèce et documents annexes. Luxembourg 1962.

Gazzo, E.: Die echte Vorbedingung für die Erweiterung der Europäischen Gemeinschaften: eine „historische Entscheidung" wofür?, in: Europa-Archiv. 32. 1977.

Hitiris, Th.: Trade Effects of Economic Association with the Common Market: The Case of Greece. New York 1972.

Institut d'Études Européennes: La Grèce et la Communauté. Problèmes posés par l'adhésion. Bruxelles 1978.

Kaloudis, Th.; Charalambopoulos, G. (Καλούδης, Θ.· Χαραλαμπόπουλος, Γ.): Λεξικόν τῆς Ε.Ο.Κ.· ἕνας πρακτικός ὁδηγός τῶν Εὐρωπαϊκῶν Κοινοτήτων καί τῶν ἑλληνοκοινοτικῶν σχέσεων (Wörterbuch der EWG – ein praktischer Führer über die Europäischen Gemeinschaften und die Beziehungen zwischen Griechenland und der Gemeinschaft). Athina 1979.

Karatzas, G.A.: The Post War Development of the Greek Balance of Payments 1947–1964. Diss. New York 1970.

Kazakos, P.V. (Καζάκος, Π.Β.): Εὐρωπαϊκή Οἰκονομική Κοινότητα – παρουσίαση καί κριτική τῆς οἰκονομικῆς ὁλοκήρωσης στήν Δυτική Εὐρώπη (EWG – Präsentation und Kritik der wirtschaftlichen Integration in Westeuropa). Athina 1978.

Kersten, L.; Sommer, U.; Uhlmann, F.: Die zweite Erweiterung der EG. Probleme einer Erweiterung der Europäischen Gemeinschaften um Griechenland, Portugal und Spanien am Agrarmarkt. Braunschweig 1977.

Kontos, S.E.: Foreign Exchange, Constrained Growth and Commercial Policy: The Case of Greece. Diss. Carbondale 1973.

Kyriacopoulos, S.: Commerce extérieur et développement économique de la Grèce. Montreux 1969.

Morawitz, R.: Die wirtschaftlichen Probleme eines Beitritts Griechenlands zur Europäischen Gemeinschaft, in: Europa-Archiv. 32. 1977.

Moussis, N.: L'évolution économique de la Grèce depuis son association à la C.E.E., in: Revue du Marché Commun. 1975, 186.

National Statistical Service of Greece: Bulletin mensuel de statistique de commerce extérieur. Athens 1974–(Text griechisch und französisch.)

O'Connor, J.C.: Monetary Controls and Import Analyses: The Experience of Greece 1953–1969. Diss. George Washington University 1971.

Paraskevopoulos, G.N.: An Economic Analysis of the Foreign Trade of Greece. Diss. University of Pennsylvania 1971.

Patrinos, D.: Die Assoziierung Griechenlands mit der EWG. Ein Beitrag zur Analyse von Integrationseffekten einer Zollunion. Diss. Hamburg 1970.

Pesmazoglu, I.S.: Der bevorstehende Beitritt Griechenlands zur Europäischen Gemeinschaft, in: Europa-Archiv. 31. 1976.

Petit-Laurent, P.: Les fondements politiques des engagements de la communauté européenne en méditerranée. Paris 1976.

Ries, A.: Struktur der griechischen Agrarwirtschaft und die gemeinsame Agrarpolitik: Griechenland und die Gemeinschaft; Beitrittsprobleme, in: Berichte über Landwirtschaft. 56. 1978.

Roumeliotis, P.: La politique des prix d'importation et d'exportation des entreprises multinationales en Grèce, in: Tiers monde. Croissance. Développement. Progrès. 18. 1977.

Samaras, N. (Σαμαρᾶς, Ν.): Ἡ ἑλληνικὴ ναυτιλία καὶ ἡ Εὐρωπαϊκὴ Οἰκονομικὴ Κοινότης (Die griechische Schiffahrt und die Europäische Wirtschaftsgemeinschaft). Thessaloniki 1976.

Shlaim, A.; Yannopoulos, G.N. (Hrsg.): The EEC and the Mediterranean Countries. Cambridge 1976.

Trade with Greece. Quarterly Journal of the Athens Chamber of Commerce and Industry. Athens 1959–

Triantis, S.G.: Common Market and Economic Development – the E.E.C. and Greece. Athens 1965. (Research Monograph Series 14.)

Tsoukalis, L. (Hrsg.): Greece and the European Community. Westmead Farnborough, Hants. 1979.

Tzoannou, I. (Τζοάννου, Ι.): Ἑλληνικὴ ἐμπορικὴ ναυτιλία καὶ Εὐρωπαϊκὴ Οἰκονομικὴ Κοινότης (Griechische Handelsschiffahrt und Europäische Wirtschaftsgemeinschaft). Athinai 1977.

Vandoros, G.: Griechenland und Europa. Gesammelte Aufsätze zur griechischen und EWG-Wirtschaftspolitik. Regensburg 1970.

Vassilatos, W.-G.: Le dixième des neuf, in: Europe en formation: Revue mensuelle des questions européennes et internationales. 16, 6–7. 1975.

Yannopoulos, G.N.: Greece and the European Communities: The First Decade of a Troubled Association. Beverly Hills 1975.

Ypourgeion ton Oikonomikon (Ὑπουργεῖον τῶν Οἰκονομικῶν): Summary of External Trade Statistics of Greece. Athens 1955– (Zugleich auch auf griech. und frz.)

Ziegler, G.: Griechenland in der Europäischen Wirtschaftsgemeinschaft. München 1962. (Südosteuropa-Studien 4.)

Zolotas, X.: Greece in the European Community. Athens 1976. (Papers and Lectures 33.)

Zolotas, X.: Monetary Equilibrium and Economic Development with Special Reference to the Experience of Greece, 1950–1963. Princeton 1965.

Zolotas, X.: The Positive Contribution of Greece to the European Community. Athens 1978. (Papers and Lectures 40.)

Zolotas, X. (Ζολώτας, Ξ.): Ἡ συμβολὴ τῶν ἐξαγωγῶν στὴν οἰκονομικὴ ἀνάπτυξη (Der Beitrag der Ausfuhren zur wirtschaftlichen Entwicklung). Athinai 1976. (Papers and Lectures 34.)

f) Verkehrswege und Infrastruktur

Aravantinos, A.: Planning Objectives in Modern Greece, in: Town Planning Review. 41. 1970.

Baxevanis, J.: The Port of Thessaloniki. Thessaloniki 1963.

Chiotis, G.: Regional Development Policy in Greece, in: Tijdschrift voor economische en sociale geografie. 63. 1972.

Cholevas, I. (Χολέβας, Ι.): Ναυτιλία, ἑλληνικὴ ἐμπορικὴ ναυτιλία, ἐθνικὴ ναυτιλιακὴ πολιτικὴ (Schiffahrt, griechische Handelsschiffahrt, nationale Schiffahrtspolitik). Peiraievs 1969.

Coukis, B.: National Transportation Study. Domestic Transport Flows. Athens 1969.

Dimosia Epicheirisis Ilektrismou (Δημοσία Ἐπιχείρησις Ἠλεκτρισμοῦ [Öffentliche Elektrizitätsgesellschaft]): Πεπραγμένα 1976 (Geschäftsbericht 1976). Athinai 1977.

Doxiadis, C. A.: Ekistics Policy for the Reconstruction of Greece and a Twenty-Year Plan,
in: Ekistics. 44, 260. 1977.

Elliniki Etaireia Oikonomikon Epistimon
(Ἑλληνικὴ Ἑταιρεία Οἰκονομικῶν Ἐ-
πιστημῶν): Ἡ ἑλληνικὴ ναυτιλία (Die griechische Schiffahrt). Athinai 1973.

Ethniki Statistiki Ypiresia (Ἐθνικὴ Στατιστικὴ
Ὑπηρεσία): Δελτίον Στατιστικῆς Συγκοινω-
νιῶν καὶ Ἐπικοινωνιῶν (Statistisches Bulletin für Transport und Verkehr). Athinai
1969–

Grigoriadis, D.: Energiewirtschaft und Wirt-
schaftswachstum dargestellt am Beispiel Griechenlands. Thessaloniki 1968.

Hoffmann, G. W.: Thessaloniki: The Impact of
a Changing Hinterland, in: East European
Quarterly. 2. 1968.

Kayser, B.: Les problèmes de l'environnement
sur le littoral grec, in: Revue de géographie de
Lyon. 48. 1973.

Kyrkilitsis, A. (Κυρκιλίτσης, Α.): Προβλήματα
χρηματοδοτήσεως τῆς βιομηχανίας θαλασ-
σίων μεταφορῶν (Probleme der Finanzierung
des Seetransportwesens). Athinai 1976.

Macris, G.: Road Development in Greece, in:
Road International. 6. 1969.

Michaleas, A. (Μιχαλέας, Α.): Ἀπόψεις ἐπὶ
τῆς συγχρόνου ἐνεργειακῆς κρίσεως (Ansichten über die jetzige Energiekrise). Thessaloniki 1974.

Mournouris, A.: Le Pirée, critères pour une
meilleure localisation industrielle, in: Analyse
de l'espace. 1977, 2.

Newcombe, V. Z.: Regional and Town Planning
in Greece and Land Use Policy. Paris 1968.

Organismos Sidirodromon Ellados (Ὀργανισμός Σιδηροδρόμων Ἑλλάδος): Ἔκθεσις
ἐπὶ τοῦ ἰσολογισμοῦ καὶ τῶν πεπραγμένων
(Griech. Eisenbahnen: Bilanz- und Geschäftsbericht). Athinai 1971/72–

Organismos Tilepikoinonion Ellados (Ὀργανισμός Τηλεπικοινωνιῶν Ἑλλάδος):
Ἔκθεσις ἐπὶ τοῦ ἰσολογισμοῦ καὶ τῶν
πεπραγμένων (Griech. Fernmeldeamt: Bi-
lanz- und Geschäftsbericht). Athinai 1960–

Panagopulos, Th.: Die öffentlichen Unternehmungen in Griechenland und die Rechtsfol-
gen der Assoziation mit der EWG. Athen
1969.

Pantazopoulos, S. (Πανταζόπουλος, Σ.): Ὁ
προγραμματισμὸς εἰς τὰς δημοσίας ἐπιχειρή-
σεις (Die Planung in den öffentlichen Unternehmen). Athinai 1975.

Papadopoulos, S. A. (Hrsg.): The Greek Merchant Marine. Athens 1972.

Papageorgiou, G.: Comparison of Athens with
Six Other Metropolises of Similar Size and
Functions, in: Ekistics. 30, 163. 1969.

Rouault, G.: Les activités maritimes de la
Grèce. Etude de géographie économique.
Diss. Bordeaux 1972.

Sakellariou, A. (Σακελλαρίου, Α.): Ἡ ἑλληνικὴ
ἐμπορικὴ ναυτιλία (Die griechische Handelsschiffahrt). Athinai 1972.

Shipping. Athens 1969–

Skiotis, D.; Gagaoudaki, G.: Photochemical
Smog in Athens, in: Ekistics. 44, 260. 1977.

Spiliotopoulos, E.: Les entreprises du secteur
public en Grèce, in: Annales de l'Économie
publique, sociale et coopérative. 64. 1976.

Tsamourtzis, A. (Τσαμουρτζῆς, Α.): Οἱ σιδηρό-
δρομοι ὡς σύγχρονον μεταφορικὸν μέσον
(Die Eisenbahn als modernes Verkehrsmittel). Athinai 1962.

Ypourgeion ton Oikonomikon (Ὑπουργεῖον
τῶν Οἰκονομικῶν): Δελτίον Στατιστικῆς
Ἐμπορικῆς Ναυτιλίας / Bulletin of Shipping
Statistics. Athinai /Athens 1960–

Zolotas, X.: The Energy Problem in Greece.
Athens 1975. (Papers and Lectures 28.)

IV. Gesellschafts- und Sozialstruktur

a) Sozialstruktur

Allen, P. S.: Social and Economic Change in a
Depopulated Community in Southern
Greece. Ann Arbor 1976.

Boulay, J. du: Portrait of a Greek Mountain
Village. Oxford 1974.

Burgel, G.: La montagne insulaire grecque: La
fin d'un monde (l'exemple du village de Karya

à Leucade), in: Recherches géographiques à
Strasbourg. 1977, 3.

Campbell, J. K.: Honour, Family and Patron-
age: A Study of Institutions and Moral Values
in a Greek Mountain Community. Oxford
1964.

Dogas, E.: Abhängige Entwicklung in einer
Bauernkultur des Mittelmeergebietes, darge-

stellt am Beispiel des Dorfes Pera Melana in Griechenland. Diss. Bremen 1980.

Dubisch, J.: Changing Peasant Communities in Greece and Cyprus, in: Peasant Studies Newsletter. 5. 1976.

Dubisch, J.: The Domestic Power of Women in a Greek Island Village, in: Studies in European Society. 1. 1974.

Ethniki Statistiki Ypiresia (Ἐθνική Στατιστική Ὑπηρεσία): Δελτίον Στατιστικῆς Κοινωνικῆς Προνοίας καί Ὑγιεινῆς / Bulletin of Social Welfare and Health Statistics. Athinai / Athens 1960–

Ethniki Statistiki Ypiresia (Ἐθνική Στατιστική Ὑπηρεσία): Στατιστική τῆς Ἐργασίας / Statistique du travail. Athinai / Athènes 1970–

Friedl, E.: Vasilika: A Village in Modern Greece. New York 1962.

Gutenschwager, G. A.: Awareness, Culture and Change: A Study of Modernization in Greece. Diss. Chapel Hill 1969.

Hatzoglou, S. M. / Χατζόγλου, Σ. Μ.: Πίνακες οἰκονομικῶς ἐνεργοῦ ζωῆς τοῦ ἄρρενος πληθυσμοῦ ἐν Ἑλλάδι / Tables of Economically Active Life of the Male Population in Greece. Athinai / Athens 1972.

Jesson, D. M.: Domain and Definition: The Model of the Greek Littoral Village, in: Ekistics. 44, 265. 1977.

Joannidou, H.: Die Sprachfrage in Griechenland: Zu den soziokulturellen Ursachen der griechischen Diglossie und ihren Auswirkungen auf die moderne griechische Gesellschaft. Phil. Diss. Hamburg 1974.

Kabanas, P.: Zur Lage der abhängigen Arbeit in Griechenland. Diss. Frankfurt a. M. 1964.

Kamaras, I. D.: Urban-Rural Dualism in Greece: An Interpretation. Diss. University of Sussex 1971.

Karamanov, Z.: Analyse critique de l'habitat en Grèce, in: Espaces et sociétés. 1977, 22–23.

Lambiri, I.: Social Change in a Greek Country Town: The Impact of Factory Work on the Position of Women. Athens 1965. (Research Monograph Series 13.)

Lianos, Th.; Prodromidis, K.P.: Aspects of Income Distribution in Greece. Athens 1974.

McNall, S.G.: Value Systems that Inhibit Modernization: The Case of Greece, in: Studies in Comparative International Development. 9. 1974.

Meimaris, M.: Statistique de l'enseignement en Grèce: Étude des différents établissements d'enseignement supérieur suivant l'origine socio-professionnelle de leurs étudiants, in: Cahiers de l'analyse des données. 3. 1978.

Mousourou, L. (Μουσούρου, Λ.): Ἡ σύγχρονη Ἑλληνίδα [βασικά στοιχεῖα] (Die heutige Griechin – grundlegende Daten). Athina 1976.

Mouzelis, N.; Attalides, M.: Greece, in: Archer, M.S.; Giner, S. (Hrsg.): Contemporary Europe: Class, Status and Power. London 1971.

National Statistical Service: Household Survey Carried out in the Semi-Urban and Rural Areas of Greece during 1963–1964. Athens 1969.

Nicolaïdou, V. S.: La condition de la femme en Grèce (d'après une enquête faite dans la région athénienne). Diss. Paris 1974.

Papageorgiou, C.L.: Regional Employment in Greece. 2 Bde. Athens 1973.

Péchoux, P.-Y.: Formation d'un sous-prolétariat dans une économie en voie de développement, quelques remarques à propos d'exemples choisis en Grèce, in: Kiray, M.B. (Hrsg.): Stratification sociale et développement dans le bassin méditerranéen. Paris 1973.

Philippides, E.A.: Soziale Aufstiegsbahnen in Griechenland: Am Beispiel einer europäischen Felduntersuchung der sozialen Herkunft Athener Rechtsanwälte. Jur. Diss. Bonn 1976.

Potamianou, A.; Safilios-Rothschild, C.: Trends of Discipline in the Greek Family, in: Human Relations. 24. 1971.

Safilios-Rothschild, C.: The Options of Greek Men and Women, in: Sociological Focus. 5. 1972.

Sanders, I.T.: Rainbow in the Rock – The People of Rural Greece. Cambridge 1962.

Sandis, E.E.: Refugees and Economic Migrants in Greater Athens. A Social Survey. Athens 1974.

Spinellis, C.C.; Vassiliou, V.; Vassiliou, G.: Milieu Development and Male-Female Roles in Contemporary Greece, in: Seward, H.G.; Williamson, R.C. (Hrsg.): Sex Roles in a Changing World. New York 1970.

Tavuchis, N.: Family and Mobility Among Greek-Americans. Athens 1972.

Theophilou, M.: Aspects sociaux du problème démographique dans un village, de l'Epire du Nord-Est et en Grèce plus généralement, in: Balkan Studies. 19. 1978.

Thompson, K.: Health Services in Greece, in: Geographical Review. 62. 1972.

Tsantis, A.C.: The Internal and External Greek Labor Migration in the Postwar Years. Diss. Madison 1970.

Tsoucalas, C.: Dépendance et reproduction. Le rôle social des appareils scolaires en Grèce. Paris 1975.

Vermeulen, C. J.: Families in Urban Greece. Diss. Cornell University 1970.

Vernicos, N. K.: La superstructure idéologique de l'Hellénisme et ses implications socio-économiques, in: Ethnopsychologie. 28. 1973.

Voyatzis, B.: Das griechische Dorf, in: Ronneberger, F.; Teich, G. (Hrsg.): Von der Agrarzur Industriegesellschaft. Darmstadt 1968. (17. Beitrag.)

Wagstaff, J. M.: The Study of Greek Rural Settlements. A Review of the Literature, in: Erdkunde. 23. 1969.

Weintraub, D.; Shapira, M.: Rural Reconstruction in Greece: Differential Social Prerequisites and Achievements during the Development Process. Beverly Hills, London 1975. (Sage Studies in Comparative Modernization Series 2.)

Wood-Ritsatakis, A.: An Analysis of the Health and Welfare Services in Greece. Athens 1970.

Xirotiri-Koufidi, S.: Bewertung von Zufriedenheitsfaktoren durch griechische Arbeitnehmer, in: Zeitschrift für Arbeitswissenschaft. 3, 1. 1977.

b) *Bevölkerungsstruktur*

Andreadis, K. G. (Ἀνδρεάδης, Κ. Γ.): Ἡ μουσουλμανική μειονότης τῆς Δυτικῆς Θράκης (Die islamische Minderheit in West-Thrakien). Thessaloniki 1956.

Averof-Tositsas, E. (Ἀβέρωφ-Τοσίτσας, Ε.): Ἡ πολιτική πλευρά τοῦ κουτσοβλαχικοῦ ζητήματος (Die politische Seite der kutsovlachischen [= aromunischen] Frage). Athinai 1948.

Banco, I.: Studien zur Verteilung und Entwicklung der Bevölkerung von Griechenland. Bonn 1976. (Bonner geographische Abhandlungen 54.)

Baxevanis, J. J.: Economy and Population Movements in the Peloponnesos of Greece. Athens 1972.

Bennison, D. J.: Aspects of Urbanization in Greece since 1920. Diss. Durham 1970.

Bernard, W. R.; Ashton-Vouyoucalos, S.: Return Migration to Greece, in: Journal of the Steward Anthropological Society. 8. 1976.

Botsas, E. N.: Some Economic Aspects of Short-Run Greek Labor Emigration to Germany, in: Weltwirtschaftliches Archiv. 105. 1970. (Mit deutscher, französischer, spanischer und italienischer Zusammenfassung.)

Burgel, G.: Athènes. Etude de la croissance d'une capitale méditerranéenne. Lille, Paris 1975.

Cavvadias, G. B.: Pasteurs nomades méditerranéens: Les Saracatsans de Grèce. Paris 1965.

Cutsumbis, M. N.: A Bibliographic Guide on Greeks in the United States 1890–1968. Staten Island, N. Y. 1970.

Dimen, M.; Friedl, E. (Hrsg.): Regional Variation in Modern Greece and Cyprus: Toward a Perspective on the Ethnography of Greece. New York 1976. (Annals of the New York Academy of Sciences 268.)

Dimitras, E.: Development and Perspectives of the Population of Greece 1920–1985, in: Greek Review of Social Research. 1974.

Dimitras, E.: Enquêtes sociologiques sur les émigrants grecs: Première enquête: Avant le départ de Grèce. Deuxième enquête: Lors du séjour en Europe occidentale. 2 Bde. Athènes 1971.

Dimitras, E.; Vlachos, E. C.: Sociological Surveys on Greek Emigrants: Third Survey: Upon the Return to Greece. Athens 1971.

Dimitras, I., u. a. (Δημητράς, Ι., Κ. ἅ.): Exelixeis kai prooptikai tou plithysmou tis Ellados 1920–1985 (Ἐξελίξεις καί προοπτικαί τοῦ πληθυσμοῦ τῆς Ἑλλάδος 1920–1985 [Entwicklung und Perspektiven der Bevölkerung Griechenlands 1920–1985]). 1. Athinai 1973.

Hartl, H.: Nationalitätenprobleme im heutigen Südosteuropa. München 1973.

Heller, W.: Räumliche Bevölkerungsentwicklung in Griechenland und Rumänien, in: Erdkunde. 29. 1975.

Hotamanidis, S.: Sozialpädagogische Probleme griechischer Gastarbeiter in der Bundesrepublik Deutschland: Eine empirische Untersuchung an 200 Familien. Phil. Diss. Kiel 1975.

Kardamakis, M. K.: Zur sozialen Kommunikation der ausländischen Arbeitnehmer in Deutschland, untersucht am Beispiel der griechischen Gastarbeiter. Phil. Diss. München 1971.

Katsarakis, N.: Probleme kultureller und gesellschaftlicher Integration griechischer Arbeitnehmer in der BRD: Exemplarische Untersuchung im Bereich des Freizeitverhaltens. Phil. Diss. Aachen 1974.

Kayser, B.; Péchoux, P.-Y.; Sivignon, M.: Exode rural et attraction urbaine en Grèce. Matériaux pour une étude géographique des mouvements de population dans la Grèce contemporaine. Athènes 1971.

Kolodny, E. Y.: Neokaisaria (Piérie): Exemple d'émigration massive récente à partir d'un village de Macédoine occidentale vers l'Allemagne Fédérale. Aix-en-Provence 1979.

Kolodny, E. Y.: La population des îles de la Grèce. Essai de géographie insulaire en Méditerranée orientale. 3 Bde. Aix-en-Provence 1974.

Kostanick, H. L.: Significant Demographic Trends in Yugoslavia, Greece and Bulgaria, in: Hoffman, G. W. (Hrsg.): Eastern Europe: Essays in Geographical Problems. New York 1971.

Laografia (Λαογραφία [Volkskunde]). Athinai 1909–

Lianos, Th. P.: Flows of Greek Out-Migration and Return Migration, in: Migrations internationales. 13, 3. 1975.

Lienau, C.: Bevölkerungsabwanderung, demographische Struktur und Landwirtschaftsreform im West-Peloponnes: Räumliche Ordnung, Entwicklung und Zusammenhänge von Wirtschaft und Bevölkerung in einem mediterranen Abwanderungsgebiet. Gießen 1976. (Gießener geographische Schriften 37.)

Matzouranis, G. X. (Ματζουράνης, Γ. Ξ.): ῞Ελληνες ἐργάτες στή Γερμανία [γκάσταρμπάϊτερ] (Griechische Arbeiter in Deutschland [Gastarbeiter]). Athina 1974.

National Statistical Service of Greece: Main Results of the Recent Censuses and Manpower Surveys in Greece. Athens 1967. (Methodological Studies 7.)

National Statistical Service of Greece: Results of the Population and Housing Census of 19 March 1961: Sample Elaboration. 6 Bde. Athens 1962–1963.

Nehama, J.: Histoire des juifs de Salonique. 6–7. Thessalonique 1978.

Papadopoulos, N. G.: Zur Akkulturationsproblematik griechischer Industriearbeiter in Westdeutschland: Soziale Situation, Religiosität. Eine empirisch-psychologische Untersuchung. Phil. Diss. Bonn 1975.

Papazisis, D. (Παπαζήσης, Δ.): Βλάχοι [Κουτσόβλαχοι] (Aromunen [Kutsovlachen]). Athina 1976.

Péchoux, P.-Y.: Sur les Sarakatsanes de Grèce, in: Actes du congrès de géographie agraire, Madrid, 23–27 mars 1971. Les sociétés rurales méditerranéennes. Aix-en-Provence 1972.

Pejov, N.: Makedoncite i graganskata vojna vo Grcija (Die Mazedonier und der Bürgerkrieg in Griechenland). Skopje 1968.

La Population de la Grèce au recensement du 14 mars 1971 par départements, éparchies, dèmes, communes. Athènes 1972.

Price, Ch. A. (Hrsg.): Greeks in Australia. Canberra 1975. (Academy of the Social Sciences in Australia. Immigrants in Australia 5.)

Sapir, A.: L'émigration grecque vers la C. E. E., in: Cahiers économiques de Bruxelles. 1974.

Sivignon, M.: L'évolution démographique de la Grèce pendant la dernière décennie, 1961–71, in: Revue de géographie de Lyon. 47. 1972.

Tchami, N.: Die albanische Volksgruppe in Griechenland, in: Handbuch der europäischen Volksgruppen. Wien, Stuttgart 1970.

Trichopoulos, D.; Papaevangelou, G.: The Population of Greece: A Monograph for the World Population Year 1974. Athens 1974.

Tsakonas, A.: Le développement régional et le coût de la croissance urbaine en Grèce. Diss. Paris 1974.

Valaoras, V. G.: Urban – Rural Population Dynamics of Greece 1950–1995. Athens 1974.

Vlachos, E.: The Assimilation of Greeks in the United States. Athens 1968.

Zolotas, X.: International Labor Migration and Economic Development, with Special Reference to Greece. Athens 1966. (Papers and Lectures 21.)

c) *Massenmedien*

Aïdalis, V. (᾿Αϊδαλῆς, Β.): Αἱ παρεκτροπαί τοῦ ἑλληνικοῦ τύπου (Die Auswüchse in der griechischen Presse). Athinai 1966.

Almanak ellinikou kai xenou kinimatografou (᾿Αλμανάκ ἑλληνικοῦ καί ξένου κινηματογράφου) / Greek Motion Picture Almanac. Athinai / Athens 1969–

Antonopoulos, N. A. (᾿Αντωνόπουλος, Ν. Α.): ῾Η ἐλευθερία τοῦ τύπου ἐν ῾Ελλάδι (Die Pressefreiheit in Griechenland). Athinai 1965.

Bouropoulos, A. (Μπουρόπουλος, Α.): ῾Ερμηνεία τῶν περί τύπου νόμων 5060 καί 1092 (Kommentar zu den Pressegesetzen 5060 und 1092). Athinai 1952.

Chatzopoulos, D. (Χατζόπουλος, Δ.): Γενικά περί τύπου καί δημοσιογραφίας (Allgemeines über Presse und Journalismus). Argos 1977.

Dagtoglou, P. D. (Δαγτόγλου, Π. Δ.): Ραδιοτηλεόρασις καί Σύνταγμα (Rundfunk, Fernsehen und Verfassung). 2. Aufl. Athinai 1976.

Enosis Syntakton Imerision Efimeridon Athinon ("Ένωσις Συντακτών Ήμερησίων Ἐφημερίδων Ἀθηνῶν [Verband der Redakteure Athener Tageszeitungen]): Προβλήματα τύπου καί δημοσιογαφίας (Probleme von Presse und Journalismus). Athinai 1977.

Filias, V. I. (Φίλιας, Β. I.): Τό συνταγματικόν δικαίωμα τῆς ἐλευθεροτυπίας (Das Grundrecht der Pressefreiheit). Athinai 1966.

Film (Φίλμ). Athinai 1975–

Karykopoulos, P. (Καρυκόπουλος, Π.): Βιβλιογραφία ἑλληνικῆς τυπογραφίας 1820–1975 (Bibliographie zum griechischen Buchdruck 1820–1975). Athina 1976.

Lychnos, G. (Λύχνος, Γ.): Ὁ τύπος χθές, σήμερα, αὔριο (Die Presse gestern, heute, morgen). Athina 1972.

Mager, K. (Μάγερ, Κ.): Ἱστορία τοῦ ἑλληνικοῦ τύπου (Geschichte der griechischen Presse). 3 Bde. Athina 1957–1960.

McDonalds, R.: The Greek Press under the Colonels, in: Index to Censorship. 3. 1974.

Metaxas, A. (Μεταξᾶς, Α.): Ἡ ἐλευθεροτυπία στήν Ἑλλάδα (Die Pressefreiheit in Griechenland). Athina 1967.

Moschonas, D. (Μοσχονᾶς, Δ.): Σαράντα χρόνια στίς ἐφημερίδες (Vierzig Jahre Zeitungen). Athinai 1940.

Mylonas, G.: Die Entwicklung und Struktur der griechischen Tagespresse bis zum 21. April 1967. München 1971.

Peponis, A. I. (Πεπονῆς, Α. I.): Ἡ μεγάλη ἐπικοινωνία (Die große Kommunikation). Athinai 1974.

Soldatos, G. (Σολδᾶτος, Γ.): Ἱστορία τοῦ ἑλληνικοῦ κινηματογράφου (Geschichte des griechischen Kinos). Athina 1980.

Stathatos, N. (Σταθᾶτος, Ν.): Τό δίκαιον τοῦ ἑλληνικοῦ τύπου (Das griechische Presserecht). Athinai 1966.

Thomopoulos, S. (Θωμόπουλος, Σ.): Ἡ περί τύπου καί δημοσιογραφίας ἑλληνική βιβλιογραφία. Αὐτοτελεῖς ἐκδόσεις 1831–1967 (Die griechische Bibliographie zu Presse und Journalismus. Monographien 1831–1967). Athinai 1967.

Winters-Ohle, E.: Buchproduktion und Buchdistribution in Griechenland. Amsterdam 1979.

Ypourgeion Proedrias Kyverniseos (Ὑπουργεῖον Προεδρίας Κυβερνήσεως [Ministerium beim Ministerpräsidenten]): Ἐπετηρίς τοῦ Ἑλληνικοῦ Τύπου (Jahrbuch der griechischen Presse). Athinai 1978–

d) *Kirchen und Religionsgemeinschaften*

Andreadis, K. G. (Ἀνδρεάδης, Κ. Γ.): Ἡ μουσουλμανική μειονότης τῆς Δυτικῆς Θράκης (Die islamische Minderheit in West-Thrakien). Thessaloniki 1956.

Argenti, Ph.: The Religious Minorities of Chios: Jews and Roman Catholics. Cambridge 1970.

Bratsiotis, P.: Die orthodoxe Kirche in griechischer Sicht. 2. Auflage. Stuttgart 1970. (Die Kirchen der Welt 1.)

Christofilopoulos, A. (Χριστοφιλόπουλος, Α.): Ἑλληνικόν Ἐκκλησιαστικόν Δίκαιον (Griechisches Kirchenrecht). 2. Aufl. Athinai 1965.

Delendas, I. (Δελένδας, I.): Οἱ καθολικοί τῆς Σαντορίνης. Συμβολή στήν ἱστορία τῶν Κυκλάδων (Die Katholiken von Santorin/Thira. Beitrag zur Geschichte der Kykladen). Athina 1949.

Fernau, F.-W.: Zwischen Konstantinopel und Moskau. Orthodoxe Kirchenpolitik im Nahen Osten 1967–1975. Opladen 1976.

Giannaras, Ch. (Γιανναρᾶς, Χ.): Ὀρθοδοξία καί Δύση. Ἡ θεολογία στήν Ἑλλάδα σήμερα (Orthodoxie und Westen. Die Theologie in Griechenland heute). Athina 1972.

Greek Orthodox Handbook. New York 1958–

Greek Orthodox Theological Review. Brookline (Mass.) 1964–

Huber, P.: Athos. Leben, Glaube, Kunst. Zürich 1978.

Iera Synodos tis Ekklisias tis Ellados (Ἱερά Σύνοδος τῆς Ἐκκλησίας τῆς Ἑλλάδος [Heilige Synode der Kirche von Griechenland]): Καταστατικός Χάρτης τῆς Ἐκκλησίας τῆς Ἑλλάδος (Verfassung der Kirche von Griechenland). Athinai 1977.

Istavridis, K.: Der orthodoxe Beitrag zur Ökumenischen Bewegung, in: Ökumenische Rundschau. 1978, 3.

Istavridis, K. (Ἰσταυρίδης, Κ.): Ἡ ὀρθόδοξος ἑλληνική βιβλιογραφία ἐπί τῆς οἰκουμενικῆς κινήσεως (Die orthodoxe griechische Bibliographie zur Ökumenischen Bewegung), in: Θεολογία. 38. 1960, 4.

Kakoulidi, E. D. (Κακουλίδη, Ε. Δ.): Γιά τή μετάφραση τῆς Καινῆς Διαθήκης. Ἱστορία, κριτική, ἀπόψεις, βιβλιογραφία (Zur Übersetzung des Neuen Testaments [ins Neugriechische]. Geschichte, Kritik, Meinungen, Bibliographie). Thessaloniki 1970.

Kent, G. D.: The Political Influence of the Orthodox Church of Greece. Diss. Boulder 1971.

Klironomia (Κληρονομία [Erbe]). Thessaloniki 1969–

Konidaris, G. I. (Κονιδάρης, Γ. I.): Ἐκκλησιαστικὴ ἱστορία τῆς Ἑλλάδος (Kirchengeschichte Griechenlands). 2 Bde. Athinai 1960–1970.

Konidaris, J.: Die Orthodoxen Kirchen in Griechenland nach der neuen Grundgesetzgebung, in: Zeitschrift für Evangelisches Kirchenrecht. 23. 1978.

Larenzakis, G.: Ehe, Ehescheidung und Wiederverheiratung in der Orthodoxen Kirche, in: Theologisch-Praktische Quartalschrift. 125. 1977.

Maczewski, C.: Die Zoi-Bewegung Griechenlands. Göttingen 1970.

Mantzaridis, G. I. (Μαντζαρίδης, Γ. I.), Hrsg.: Θέματα κοινωνιολογίας τῆς Ὀρθοδοξίας (Themen aus der Soziologie der Orthodoxie). Thessaloniki 1975.

Metallinos, G. (Μεταλλινός, Γ.): Τὸ ζήτημα τῆς μεταφράσεως τῆς Ἁγίας Γραφῆς εἰς τὴν νεοελληνικήν (Der Streit um die Übersetzung der Heiligen Schrift ins Neugriechische). Athinai 1977.

Möckel, G.: Evangelisches kirchliches Leben in Griechenland, in: Die Evangelische Diaspora. 32. 1961.

Nissiotis, N.: Kirche und Gesellschaft in der griechisch-orthodoxen Theologie, in: Ökumenischer Kirchenrat: Die Kirche als Faktor einer kommenden Weltgemeinschaft. Stuttgart, Berlin 1966.

Panagiotou, Z. D.: Der Einfluß der Kirche auf das elementare Bildungswesen in Griechenland: Geschichte und Problematik. Diss. Heidelberg 1976.

Papageorgiou, P.: Das Verhältnis zwischen Staat und Kirche in Griechenland. Diss. Wien 1968.

Paraskevaïdis, Ch. (Παρασκευαΐδης, Χ.): Ὁ μοναχισμὸς εἰς τὴν νεωτέραν Ἑλλάδα (Das Mönchtum im neueren Griechenland). Athinai 1978.

Parlangèli, O.: Stato attuale delle comunità sefardite in Grecia, in: Byzantion 33. 1963.

Patelos, P.: The Orthodox Church in the Ecumenical Movement. Geneva 1978.

Rodopoulos, P.: Church and State in Greece According to the Constitution of the Greek Republic (1975), in: Leisching, P., u. a. (Hrsg.); Ex aequo et bono: Willibald M. Plöchl zum 70. Geburtstag. Innsbruck 1977. (Forschungen zur Rechts- und Kulturgeschichte 10.)

Savramis, D.: Aus der neugriechischen Theologie. Würzburg 1961. (Das östliche Christentum, Neue Folge 15.)

Savramis, D.: Ökumenische Probleme in der neugriechischen Theologie. Köln 1964.

Savramis, D.: Die religiösen Grundlagen der neugriechischen Gesellschaft, in: Nikolinakos, M.; Nikolaou, K. (Hrsg.): Die verhinderte Demokratie: Modell Griechenland. Frankfurt a. M. 1969.

Savramis, D.: Die soziale Stellung des Priesters in Griechenland. Leiden 1968.

Sophocles, S. M.: The Religion of Modern Greece. Thessaloniki 1961.

Theologia (Θεολογία [Theologie]). Athinai 1923–

Theophanopoulos, R. G.: A Study of Recent Greek Orthodox – Ecumenical Relations 1902–1968. Diss. Boston 1970.

Thriskevtiki kai Ithiki Enkylopaideia (Θρησκευτικὴ καὶ Ἠθικὴ Ἐγκυκλοπαιδεία [Religiöse und ethische Enzyklopädie]). 12 Bde. Athinai 1962–1968.

Tzortzatos, V. (Τζωρτζᾶτος, Β.): Ἡ καταστατικὴ νομοθεσία τῆς Ἐκκλησίας τῆς Ἑλλάδος ἀπὸ τῆς συστάσεως τοῦ Ἑλληνικοῦ Βασιλείου (Die Gesetzgebung zur Verfassung der Kirche von Griechenland seit der Gründung des griechischen Königreichs). Athinai 1967.

Tzortzatos, V. (Τζωρτζᾶτος, Β.): Οἱ βασικοὶ θεσμοὶ διοικήσεως τῆς Ὀρθοδόξου Ἐκκλησίας τῆς Ἑλλάδος, μετὰ ἱστορικῆς ἀνασκοπήσεως (Die grundlegenden Verwaltungsinstitutionen der Orthodoxen Kirche Griechenlands – mit historischem Rückblick). Athinai 1977.

Vavouskos, K. (Βαβοῦσκος, Κ.): Ἡ νομοκανονικὴ ὑπόστασις τῶν Μητροπόλεων τῶν Νέων Χωρῶν (Die kirchenrechtliche Stellung der Metropolien in den „Neuen Gebieten"). 2. Aufl. Thessaloniki 1973.

V. Bildungswesen und Kultur

a) Schulwesen und Volksbildung

Constantopoulos, D.: Grundsätze der Positivierung des Schulrechts der Volksgruppen, in: Völkerrechtliche Abhandlungen 3, 3. 1979.

Delikostopulu, M. J.: Das Problem „Autorität und Freiheit" im Hinblick auf die griechische Volksschule. Phil. Diss. München 1972.

Dendrinou-Antonakaki, K. (Δενδρινοῦ-᾽Αντωνακάκη, Κ.): Εἰσαγωγὴ εἰς τὸ ἑλληνικόν ἐκπαιδευτικόν σύστημα (Einführung in das griechische Bildungssystem). Athinai 1971.

Dendrinou-Antonakaki, K.: Greek Education: Reorganization of the Administrative Structure. New York 1955.

Derwissis, S. N.: Die Geschichte des griechischen Bildungswesens in der neueren Zeit mit besonderer Berücksichtigung der Einflüsse der deutschen Pädagogik. Frankfurt a. M., Bern 1976.

Dimaras, A. (Δημαράς, A.), Hrsg.: Νεοελληνική ἐκπαίδευση: Ἡ μεταρρύθμιση πού δέν ἔγινε (Neugriechische Erziehung: Die Reform, die nicht stattgefunden hat). 2 Bde. Athina 1973–74.

Drettakis, M. (Δρεττάκης, Μ.): Τρέχουσες δαπάνες τοῦ Δημοσίου γιά τήν ἐκπαίδευση 1962–1972 (Laufende Bildungsausgaben des Staates 1962–1972), in: Greek Review of Social Research. 1975.

Ethniki Statistiki Ypiresia (Ἐθνική Στατιστική Ὑπηρεσία): Στατιστική τῆς Ἐκπαιδεύσεως. Τ. Α΄: Στοιχειώδης Ἐκπαίδευσις (Bildungs- und Erziehungsstatistik. 1: Elementarschulwesen). Athinai 1958/59–

Ethniki Statistiki Ypiresia (Ἐθνική Στατιστική Ὑπηρεσία): Στατιστική τῆς Ἐκπαιδεύσεως. Τ. Β΄: Μέση Ἐκπαίδευσις / Statistique de l'enseignement. T. 2: Enseignement secondaire. Athinai / Athènes 1954/55, 1958/59–

Ethniki Statistiki Ypiresia (Ἐθνική Στατιστική Ὑπηρεσία): Στατιστική τῆς Ἐκπαιδεύσεως. Τ. Δ΄: Ἐπαγγελματική Ἐκπαίδευσις (Bildungs- und Erziehungsstatistik. 4: Berufsausbildung). Athinai 1957/58–

Gedeon, S. (Γεδεών, Σ.): Τά νέα ἐκπαιδευτικά μέτρα καί ἡ συμβολή τοῦ ἰατροῦ, τοῦ ψυχολόγου καί τοῦ κοινωνικοῦ λειτουργοῦ στήν ἐπιτυχία τους (Die neuen Bildungsmaßnahmen und der Beitrag des Arztes, des Psychologen und des Sozialarbeiters zu ihrem Erfolg), in: Ἰατρική. 3. 1977.

Georgopoulos, I. M.: Die höhere Schule in Griechenland, in: Die Österreichische Höhere Schule. 24. 1972.

Georgousis, P. N.: Post World War II Greek Elementary School Curriculum Development. Diss. Utah State University 1972.

Glezakos, A. B.: A Comparative Study of Social Work Education: Implications for Greece. Diss. University of Southern California 1973.

Hadjimanolis, E.: Schule und Entwicklung. Ein Beitrag zur Schulanalyse und -entwicklungsstrategie, dargestellt am Beispiel Griechenlands. Köln, Berlin 1972. (Sozialforschung und Sozialordnung 5.)

Iliou, M. (Ἠλιού, Μ.): Γεωγραφική κατανομή ἐκπαιδευτικῶν εὐκαιριῶν (Geographische Verteilung von Bildungschancen), in: Greek Review of Social Research. 1976.

Iliou, M.: Those Whom Reform Forgot, in: Comparative Education Review. 22. 1978.

Jannoulis, N.: Die griechische Landschule. Versuch einer Reform des griechischen Landschulwesens. Phil. Diss. Tübingen 1967.

Kapsalis, A.: Die griechische Vorschulerziehung im Zusammenhang mit der deutschen und der internationalen Vorschulbewegung. Diss. Tübingen 1974.

Karakatsanis, G.: Über den Voraussagewert von Aufnahmeprüfungen und Grundschullehrerurteilen in Griechenland. Phil. Diss. München 1973.

Katsigiannopoulos, K.: Das griechische Sonderschulwesen: Historischer Überblick, gegenwärtiger Zustand und Gegenüberstellung zum deutschen Sonderschulwesen. Phil. Diss. Bremen 1976.

Kazamias, A. M.: The Politics of Educational Reform in Greece: Law 309/1976, in: Comparative Education Review. 22. 1978.

Kelpanides, M.: Die Reform des griechischen Bildungswesens. Dargestellt an der Entwicklung im Sekundarbereich 1957–1977, in: Mitteilungen und Nachrichten des Deutschen Instituts für Internationale Pädagogische Forschung. 88/89. 1977.

Kypriotakis, A.: Die Leseinteressen der griechischen Jugendlichen. Diss. Köln 1976.

Kyriakidis, P. (Κυριακίδης, Π.): Ἡ σημερινή κοινωνική κατάστασις τοῦ διδασκάλου τῆς ἐπαρχίας (Der heutige soziale Status des Volksschullehrers in der Provinz). Ioannina 1976.

Lambiri-Dimaki, I. (Λαμπίρη-Δημάκη, I.): Πρός μίαν ἑλληνικήν κοινωνιολογίαν τῆς παιδείας (Schritte in Richtung auf eine griechische Erziehungssoziologie). 2 Bde. Athinai 1974.

Organization for Economic Co-operation and Development: Educational Development in OECD Mediterranean Countries. Trends and Perspectives. Paris 1974.

Organization for Economic Co-operation and Development: Formation, recrutement et utilisation des enseignants. Monographies nationales. Enseignements primaire et secondaire. Autriche, Grèce, Suède. Paris 1968.

Organization for Economic Co-operation and Development: Individual Demand in Education. Case Study: Greece. Paris 1976.

Papanoutsos, E.: Educational Demoticism, in: Comparative Educational Review. 22. 1978.

Papanoutsos, E. (Παπανοῦτσος, E.): Ἡ παιδεία τό μεγάλο μας πρόβλημα (Die Bildung, unser großes Problem). Athina 1976.

Pianos, K.Ch.: Einstellungen griechischer Volksschullehrer zu Kind und Unterricht. Diss. Tübingen 1977.

Polychronopoulos, P.: Politics and Pedagogy in Greece: A Critical and Creative Analysis and Evaluation of the Ideological and Knowledge Function of the Greek School System 1950–1975. Diss. Boston University 1976.

Rasis, E.P.: A Historical Analysis of the Organization and Development of Vocational / Technical Education in Greece. Diss. Urbana-Champaign 1974.

Recum, H.v., in Verbindung mit M.Kelpanides und M.Weiß: Internationale Tendenzen der Weiterbildung. Frankfurt a.M. 1979.

Rigas, A.A.: Die Entwicklung der Erwachsenenbildung in Griechenland im Verhältnis zu Skandinavien und dem deutschsprachigen Raum. Ein Beitrag zur vergleichenden Erziehungswissenschaft. Phil. Diss. Köln 1971.

Stavros, D.: Educational Aspirations and Expectations of Fourth Year Students in Ten Greater Athens Gymnasia: A Study of the Relationship of Socioeconomic Status and Several Intervening Variables to Projected Educational Attainments. Diss. Wayne State University 1972.

Stolz, K.: Das Schulsystem Griechenlands. Wien 1965. (Österreichische Schriften zur Entwicklungshilfe 5.)

Thoides, D.: Volksbildungsprobleme in Griechenland. Zum Entwicklungsstand der Grunderziehung und Erwachsenenbildung, in: Südosteuropa-Mitteilungen 15. 1974.

Thoidis, D.: Grunderziehung und Erwachsenenbildung in Griechenland. München 1965.

Trilianos, A.A.: An Analysis of Modern Greek Educational Thought 1925–1975. Diss. University of Connecticut 1977.

United Nations Educational, Scientific, and Cultural Organization: Education in Greece: Development, Equality, and Renovation. 2 Bde. Paris 1974.

United Nations Educational, Scientific, and Cultural Organization: Greece. Adult Education. Paris 1974.

Vassiliou, G.; Vassiliou, V.: On Aspect of Child Rearing in Greece, in: Anthony, E.J.; Koupernic, C. (Hrsg.): The Child and His Family. New York 1970.

Xochellis, P.: Das moderne griechische Elementarschulwesen. München 1960.

Ypourgeio Paideias (Ὑπουργεῖο Παιδείας): Γενικές Κατευθυντήριες Γραμμέ Ἐπιμορφώσεως (Allgemeine Richtlinien zur Weiterbildung), in: Κανονισμός Λαϊκῆς Ἐπιμορφώσεως (Statut für einfachere Weiterbildung). Athinai 1977.

Zolotas, X.: Economic Development and Technical Education. Athens 1960. (Papers and Lectures 4.)

b) Hochschulen und Wissenschaft

Balachamis, P.: Die griechische Volksschullehrerbildung. Unter besonderer Berücksichtigung des Einflusses der deutschen Pädagogik. Phil. Diss. München 1972.

Charis, P. (Χάρης, Π. [Hrsg.]): Ἡ δίκη τῶν τόνων (Der Prozeß um die Akzente). Athinai 1944.

Delmouzos, A. (Δελμοῦζος, A.): Τό πρόβλημα τῆς Φιλοσοφικῆς Σχολῆς (Das Problem der Philosophischen Fakultät). Athinai 1944.

Doukidou, L. (Δουκίδου, Λ.): Ἡ ἀναμόρφωση στήν Ἀνωτάτη Παιδεία (Die Reform im Hochschulwesen). Athina 1975.

Drettakis, M. (Δρεττάκης, M.): Οἱ σχολές κοινωνικῶν, οἰκονομικῶν καί πολιτικῶν ἐπιστημῶν στήν ἑλληνική ἀνώτατη παιδεία (Die Fakultäten für Sozial-, Wirtschafts- und politische Wissenschaften im Rahmen des griechischen Hochschulwesens). Athina 1977.

Fatouros, D.A. (Φατοῦρος, Δ.A.): Ἀλλαγή καί πραγματικότητα στό πανεπιστήμιο (Wandel und Wirklichkeit an der Universität). Athina 1975.

Frankos, Ch. (Φράγκος, X.): Ἑλληνικά καί εὐρωπαϊκά πανεπιστήμια (Griechische und westeuropäische Universitäten). Athina 1978.

Frankoudaki, A. (Φραγκουδάκη, A.): Ἐκπαιδευτική μεταρρύθμιση καί φιλελεύθεροι διανοούμενοι (Bildungsreform und liberale Intellektuelle). Athina 1977.

Karatzaferis, S. (Καρατζαφέρης, Σ.): Ἡ σφαγή τοῦ Πολυτεχνείου. Ἡ μεγάλη δίκη (Das Massaker in der Technischen Hochschule. Der große Prozeß). 2 Bde. Athinai 1975–1976.

Koumantos, G. (Κουμάντος, Γ.): Ἀνώτατη παιδεία: Διαπιστώσεις καί προοπτικές (Hochschulwesen: Feststellungen und Perspektiven). Athina 1970.

Kourvetaris, G.A.: "Brain Drain" and International Migration of Scientists: The Case of Greece, in: Greek Review of Social Research. 1973.

Kourvetaris, G. A.; Dobratz, B. A.: Present Status of Sociology in Greece, in: Mohan, R. P.; Martindale, D. (Hrsg.): Handbook of Contemporary Developments in World Sociology. Westport 1975.

Krimbas, K. (Κριμπᾶς, K.): 1977: Ἡ ἔρευνα στήν Ἑλλάδα (1977: Forschung in Griechenland), in: Ὁ Πολίτης. 15. Dez. 1977.

Margaritis, S. C.: Current Problems in Higher Education in Greece. Diss. University of Southern California 1963.

Omades ergasias (Ὁμάδες ἐργασίας [Autorengruppen]): Ὀργάνωση καί λειτουργία τῶν ἀνωτάτων ἐκπαιδευτικῶν ἱδρυμάτων (Organisation und Betrieb der Hochschulen). Athina 1975.

Organization for Economic Co-operation and Development: Grèce. Paris 1968. (Science et développement, rapports nationaux des équipes pilotes.)

Papageorgiou, P. P.: The Incidence of Taxation and the Availability of Free Higher Education in Greece. Diss. Boston University 1975.

Papapanos, K. (Παπαπάνος, K.): Χρονικό-Ἱστορία τῆς ἀνωτάτης μας ἐκπαιδεύσεως (Geschichte unseres Hochschulwesens in Chronikform). Athinai 1970.

Papazoglou, K. (Παπάζογλου, K.): Ἀνώτατη παιδεία: Φοιτητικό κίνημα (Hochschulwesen: Studentenbewegung). Athina 1973.

Papazoglou, M. (Παπάζογλου, M.): Φοιτητικό κίνημα καί δικτατορία (Studentenbewegung und Diktatur). Athina 1975.

Petropoulos, N.: The Conference for a Relevant Social Science (Post-Junta Developments in Greece), in: Journal of the Hellenic Diaspora. 2. 1975.

Polydorides, G.: Equality of Opportunity in the Greek Higher Education System: The Impact of Reform Policies, in: Comparative Education Review. 22. 1978.

Skarpalezos, A. (Σκαρπαλέζος, A.): Ἀπό τήν ἱστορίαν τοῦ Πανεπιστημίου Ἀθηνῶν (Aus der Geschichte der Universität Athen). Athinai 1964.

Tsoukalas, K. (Τσουκαλᾶς, K.): Ἡ Ἀνωτάτη Ἐκπαίδευση στήν Ἑλλάδα ὡς μηχανισμός κοινωνικῆς ἀναπαραγωγῆς (Das griechische Hochschulwesen als Mittel zur gesellschaftlichen Reproduktion), in: Δευκαλίων. 4. 1975.

c) *Neugriechische Literatur*

Vorbemerkung: Die Bibliographie zur neugriechischen Literatur stammt von Frau Prof. I. Rosenthal-Kamarinea selbst. Es wurde

auch ihre Transkription beibehalten (vgl. Vorwort, S. 11). Leider war es aus Gründen der räumlichen Ausgewogenheit nicht möglich, sämtliche von Frau Prof. Rosenthal-Kamarinea gewünschten Titel aufzunehmen, und einige wurden der Rubrik „Theater" zugesellt.

1. Gesamtdarstellungen, Nachschlagewerke, Zeitschriften

Diagonios (Διαγώνιος [Diagonale]). Thessaloniki 1965–

Dimaras, K. Th. (Δημαρᾶς, K. Θ.): Ἱστορία τῆς νεοελληνικῆς λογοτεχνίας (Geschichte der neugriechischen Literatur). 2 Bde. Athina 1948–1949. 6. Aufl. Athina 1975. (Engl.: A History of Modern Greek Literature. Albany 1972, London 1974.)

Eolika Grammata (Αἰολικά Γράμματα [Äolische Schriften]). Athina 1971–

O Eranistis (Ὁ Ἐρανιστής [Der Kollektor]). Athina 1963–

Exantas (Ἐξάντας [Sextant]). Thessaloniki 1972–

Folia Neohellenica. Zeitschrift für Neogräzistik. Amsterdam 1975–

Kalodikis, P. (Καλοδίκης, Π.): Ἡ νεοελληνική λογοτεχνία. Κοινωνικοπολιτικοί προβληματισμοί (Die neugriechische Literatur. Sozialpolitische Aspekte). 4 Bde. Athina 1978.

Kanellopulos, P.: Hyperion und der neugriechische Geist. 2. Aufl. Marburg 1959.

Kenurja Epochi (Καινούργια Ἐποχή [Neue Epoche]). Athina 1. Reihe 1956–1969. 2. Reihe 1976–

Kordatos, J. (Κορδάτος, Γ.): Ἱστορία τῆς νεοελληνικῆς λογοτεχνίας (Geschichte der neugriechischen Literatur). 2 Bde. Athina 1962–1963.

Kritika Phylla (Κριτικά Φύλλα [Kritische Blätter]). Athina 1971–

Lavagnini, B.: La letteratura neoellenica. Firenze, Milano 1969.

Meraklis, M. J. (Μερακλῆς, M. Γ.): Ἡ σύγχρονη ἑλληνική λογοτεχνία (Die moderne griechische Literatur). 2 Bde. Thessaloniki 1971–1972.

Mirambel, A.: La littérature grecque moderne. Paris 1953. 2. Aufl. Paris 1965.

Nea Estia (Νέα Ἑστία [Neue „Hestia"]). Athine 1927–

Nea Poria (Νέα Πορεία [Neuer Weg]). Thessaloniki 1956–

Pappas, N. (Παππᾶς, N.): Ἡ ἀληθινή ἱστορία τῆς νεοελληνικῆς λογοτεχνίας (Die wahre

Geschichte der neugriechischen Literatur). Athina 1973.

Parnassos (Παρνασσός [Parnaß]). Athine. 1. Reihe 1877–1894. 1896–1918. 1925–1939. 2. Reihe 1959–

Pentaras, A. (Πεντάρας, Α.): Ἱστορία τῆς Κυπριακῆς Γραμματείας (Geschichte der zyprischen Literatur). Lefkossia 1977.

Politis, L.: A History of Modern Greek Literature. Oxford 1973.

Politis, L. (Πολίτης, Λ.): Ἱστορία τῆς νεοελληνικῆς λογοτεχνίας. Συνοπτικό διάγραμμα (Geschichte der neugriechischen Literatur. Synoptischer Abriß). Thessaloniki 1968.

Rosenthal-Kamarinea, I.: Die neugriechische Literatur, in: Wilpert, G. v.; Ivask, I. (Hrsg.): Moderne Weltliteratur. Die Gegenwartsliteraturen Europas und Amerikas. Stuttgart 1972.

Tetramina (Τετράμηνα [Viermonatsschrift]). Amphissa 1974–

Thrakiotis, K. (Θρακιώτης, Κ.): Σύντομη ἱστορία τῆς νεοελληνικῆς λογοτεχνίας (Kurzgefaßte Geschichte der neugriechischen Literatur). Athina 1965.

Tomes (Τομές [Schnitte]). Athina. 1. Reihe Jan.-April 1975. 2. Reihe Juni 1976–

Vitti, M.: Storia della letteratura neogreca. Torino 1971. (Dt.: Einführung in die Geschichte der neugriechischen Literatur. München 1972.)

Vutieridis, E. P. (Βουτιερίδης, Η. Π.): Σύντομη ἱστορία τῆς νεοελληνικῆς λογοτεχνίας (Kurzgefaßte Geschichte der neugriechischen Literatur). 3. Aufl. Athina 1976.

2. Teildarstellungen
(mit Literaturkritik)

Baud-Bovy, S.: Poésie de la Grèce moderne. Lausanne 1946.

Charis, P. (Χάρης, Π.): ῞Ελληνες πεζογράφοι (Griechische Erzähler). 5 Bde. Athina 1953–1976.

Dikteos, A. (Δικταῖος, Α.): ᾽Αναζητητές προσώπου (Auf der Suche nach der eigenen Identität). Athina 1963.

Dukaris, D. (Δούκαρης, Δ.): ᾽Ανθρώπινη ἐκδοχή. Δοκίμια (Menschliche Auffassung. Essays). Athina 1979.

Frangopulos, Th. D. (Φραγκόπουλος, Θ. Δ.): Κριτική τῆς κριτικῆς. Δοκίμια (Kritik der Kritik. Essays). Athina 1978.

Karantonis, A. (Καραντώνης, Α.): Εἰσαγωγή στή νεώτερη ποίηση (Einführung in die neuere Dichtung). Athina 1958. 4. Aufl. Athina 1976.

Karantonis, A. (Καραντώνης, Α.): Νεοελληνική λογοτεχνία. Φυσιογνωμίες (Neugriechische Literatur. Dichterpersönlichkeiten). 2 Bde. Athina 1977.

Karantonis, A. (Καραντώνης, Α.): Ἡ ποίησή μας μετά τόν Σεφέρη (Unsere Dichtung nach Seferis). Athina 1976.

Karantonis, A. (Καραντώνης, Α.): Ποιητικά. Κριτικά κείμενα (Dichtung. Kritische Texte). Athina 1977.

Liatsos, D. (Λιάτσος, Δ.): Οἱ Ἑλληνίδες στά γράμματά μας (Die Griechinnen in unserer Literatur). Athina 1966.

Maronitis, D. N. (Μαρωνίτης, Δ. Ν.): Ποιητική καί πολιτική ἠθική. Πρώτη μεταπολεμική γενιά (Poetische und politische Ethik. Erste Nachkriegsgeneration). Athina 1976.

Panajotopulos, I. M. (Παναγιωτόπουλος, Ι. Μ.): Τά πρόσωπα καί τά κείμενα (Die Personen und die Texte). 6 Bde. Athina 1943–1955.

Protopapa-Bubulidu, J. (Πρωτοπαπᾶ-Μπουμπουλίδου, Γ.): Πεζογραφικά κείμενα τοῦ πολέμου καί τῆς Κατοχῆς (Prosatexte der Kriegs- und Besatzungszeit.). Ioannina 1974.

Sachinis, A. (Σαχίνης, Α.): Τό νεοελληνικό μυθιστόρημα (Der neugriechische Roman). Athina 1958. 4. Aufl. Athina 1975.

Sachinis, A. (Σαχίνης, Α.): Νέοι πεζογράφοι. Εἴκοσι χρόνια νεοελληνικῆς πεζογραφίας: 1945–1965 (Junge Erzähler. Zwanzig Jahre neugriechischer Prosa: 1945–1965). Athina 1965.

Sachinis, A. (Σαχίνης, Α.): Τό Nouveau Roman καί τό σύγχρονο μυθιστόρημα (Der Nouveau Roman und der moderne griechische Roman). Thessaloniki 1972.

Sachinis, A. (Σαχίνης, Α.): Ἡ πεζογραφία τῆς Κατοχῆς (Die Prosa der Besatzungszeit). Athina 1948.

Sachinis, A. (Σαχίνης, Α.): Πεζογράφοι τοῦ καιροῦ μας (Erzähler unserer Zeit). Athina 1967. 2. Aufl. Athina 1978.

Sachinis, A. (Σαχίνης, Α.): Ἡ σύγχρονη πεζογραφία μας (Unsere moderne Prosa). Athina 1951. 3. Aufl. Athina 1976.

Sherrard, Ph.: The Marble Threshing Floor. Studies in Modern Greek Poetry. London 1956.

Spandonidis, P. (Σπανδωνίδης, Π.): Τό θέμα τῆς κριτικῆς. Οἱ σύγχρονοι κριτικοί μας (Das Thema Literaturkritik. Unsere modernen Kritiker). Thessaloniki 1959.

Spyridaki, G.: La Grèce et la poésie moderne. Paris 1954.

Sterjopulos, K. (Στεργιόπουλος, Κ.): ᾿Από τόν συμβολισμό στή Νέα ποίηση (Vom Symbolismus zur Neuen Dichtung). Athina 1967.

Thrylos, A. (Θρῦλος, A.): Μορφές ἑλληνικῆς πεζογραφίας (Gestalten griechischer Prosa). Athina 1962.

Varikas, V. (Βαρίκας, B.): Συγγραφεῖς καί κείμενα (Schriftsteller und Texte). Tl. 1: 1961–1965. Athina 1975.

3. Anthologien, Textsammlungen

Alexiu, E.: Anthologie der Literatur der griechischen Widerstandsbewegung von 1941 bis 1944. [Auf griech.] Bd. 1: Prosa. Bd. 2: Poesie. Berlin (Ost) 1965–1971. (Berliner byzantinistische Arbeiten 32–33.) Vorabdruck von Bd. 2 unter dem Titel: ᾿Αλεξίου, E.: ᾿Ανθολογία ἑλληνικῆς ἀντιστασιακῆς λογοτεχνίας 1941–1944, τ. 2: Ποιητικά. Genève 1970.

Apostolatos, M. (᾿Αποστολᾶτος, M.): ᾿Ανθολογία νέων λογοτεχνῶν (Anthologie junger Schriftsteller). 1. Reihe. 2. Aufl. Athina 1970.

Apostolidis, R. I. (᾿Αποστολίδης, Ρ. Η.): ᾿Ανθολογία τῆς νεοελληνικῆς γραμματείας. Ἡ ποίηση (Anthologie der neugriechischen Literatur. Die Dichtung). 3 Bde. 10. Aufl. Athina 1970–1973.

Apostolidis, R. I. (᾿Αποστολίδης, Ρ. Η.): ᾿Ανθολογία τῆς νεοελληνικῆς γραμματείας. Τό διήγημα (Anthologie der neugriechischen Literatur. Die Erzählung). 3 Bde. 3. Aufl. Athina 1970–1974.

Avjeris, M.; u. a. (Αὐγέρης, M. κ. ἄ.): Ἡ ἑλληνική ποίηση ἀνθολδγημένη (Anthologie der griechischen Dichtung). 5 Bde. Athina 1958–1961.

Axioti, M.; Hadzis, D. (Hrsg.): Antigone lebt. Neugriechische Erzählungen. Berlin (Ost) 1960.

Coulmas, D.: Die Exekution des Mythos fand am frühen Morgen statt. Neue Texte aus Griechenland (Anthologie aus „18 Texte", Athen 1970, „Neue Texte" und „Neue Texte II", Athen 1971), Frankfurt a. M. 1973.

Dikteos, A.; Barlas, Ph. (Δικταῖος, A.· Μπαρλᾶς, Φ.): ᾿Ανθολογία συγχρόνου ἑλληνικῆς ποιήσεως 1930–1960 (Anthologie der modernen griechischen Dichtung 1930–1960). Athine 1961.

Ekdossis Kedros (᾿Εκδόσεις Κέδρος): Δεκαοχτώ κείμενα (Achtzehn Texte). Athina 1970.

Ekdossis Kedros (᾿Εκδόσεις Κέδρος): Νέα κείμενα (Neue Texte). Athina 1970. 2. Aufl. Athina 1971.

Friar, K.: Modern Greek Poetry from Cavafis to Elytis. New York 1973.

Gianos, M. P.: Introduction to Modern Greek Literature. An Anthology of Fiction, Drama and Poetry. New York 1969.

Jorgudis, D.; Jennatas, K. (Γιωργούδης, N. T. Γεννατᾶς, K.): ᾿Ανθολογία μεταπολεμικῶν ποιητῶν (Anthologie von Dichtern der Nachkriegszeit). Athina o. J. [1957].

Keeley, E.; Sherrard, Ph.: Four Greek Poets: C. P. Cavafy, G. Seferis, Od. Elytis, N. Gatsos. London 1966.

Levesque, R.: Domaine grec 1930–1946. Genève, Paris 1947.

Marangu-Ignatiu, Ph. (Μαραγκοῦ-᾿Ιγνατίου, Φ.): Ἑλληνικό διήγημα (Griechische Erzählung). Bd. 1: 1960–1970. Athina 1976.

Meraklis, M. J. (Μερακλῆς, M. Γ.): Ἡ ἑλληνική ἑλληνική ποίηση (Die griechische Dichtung). Athina 1977.

Mineemi, M. (Hrsg.): Das Mädchen mit dem Mond in der Hand. Neugriechische Erzählungen. Leipzig 1965.

Mirambel, A.: Anthologie de la prose néohellénique (1884–1948). 2. Aufl. Paris 1962.

Niarchos, Th.; Phostieris, A. (Νιάρχος, Θ.· Φωστιέρης, A.): Ποίηση '75 (Dichtung '75). Athina 1975.

Peranthis, M. (Περάνθης, M.): Ἑλληνική πεζογραφία 1453 ἕως σήμερα (Griechische Prosa 1453 bis heute). 5 Bde. Athina o. J. [1967–1969].

Peranthis, M. (Περάνθης, M.): Νέα ἀνθολογία ποιήσεως (Neue Anthologie der Dichtung). 3 Bde. Athina o. J. [1954].

Politis, L. (Πολίτης, Λ.): Ποιητική ἀνθολογία (Anthologie der Dichtung). 8 Bde. 2. Aufl. Athina 1975–1977.

Raftopoulos, L. (Ραφτόπουλος, Λ): Σελίδες ἀπ᾿ τή νεώτερη ποίηση 1960–1970 (Aus der neueren Dichtung 1960–1970). Athina 1971.

Rosenthal-Kamarinea, I.: Anthologie neugriechischer Erzähler. Berlin (Ost) 1961. (Berliner Byzantinistische Arbeiten 26.)

Rosenthal-Kamarinea, I.: Griechenland erzählt. 19 Erzählungen. Frankfurt a. M., Hamburg 1965.

Rosenthal-Kamarinea, I.: Neugriechische Erzähler. Olten, Freiburg 1958.

Trypanis, C. A.: Medieval and Modern Greek Poetry. An Anthology. Oxford 1951.

Valetas, J. (Βαλέτας, Γ.): Νέα ἀνθολογία τοῦ ἑλληνικοῦ διηγήματος 1850–1969 (Neue Anthologie der griechischen Erzählung 1850–1969). Athina o. J. [1969].

Valetas, K. (Βαλέτας, K.): ᾿Αντιφασιστικά 1967–1974 (Antifaschistische Dichtung 1967–1974). Athina 1974.

Vasiki Vivliothiki (Βασική Βιβλιοθήκη).
48 Bde. Athine 1952–1958.

Vitti, M.: Poesia greca del Novecento. 2. Aufl.
Parma 1966.

d) *Bildende Kunst, Musik, Theater*

1. Bildende Kunst

Andriopoulos, D. Z.: Issues and Problems in
Contemporary Greek Aesthetics. Diss.
Buffalo 1969.

Andronikos, M.; Chatzidakis, M.; Karagiorgis,
V.: The Greek Museums. Athens 1975.

Angloelliniki Epitheorisis (Άγγλοελληνική Ε-
πιθεώρησις [Englisch-Griechische Rund-
schau]). Athinai. 1. Reihe 1945–1952. 2.
Reihe 1953–1955.

Avantgarde Griechenland: Bilder und Objekte
von Caloutsis, Daniil, Logothetis. Ausstellung
8. Nov.–8. Dez. 1968 [Haus am Lützowplatz].
Berlin (West) 1968.

Cavarnos, C.: Orthodox Iconography. 4 Essays.
Belmont (Mass.) 1977.

Chatzifotis, I. M. (Χατζηφώτης, Ι. Μ.):
Φώτιος Κόντογλου – ἡ ζωή καί τό ἔργο
του (Fotios Kontoglou – sein Leben und
Werk). Athina 1978.

Christianopoulos, D. (Χριστιανόπουλος, Ντ.):
Ὁ ζωγράφος Γιῶργος Παραλῆς (Der Maler
Giorgos Paralis). Thessaloniki 1971. (Engl.
Zusammenfassung.)

Christianopoulos, D. (Χριστιανόπουλος, Ντ.):
Ὁ ζωγράφος Στέλιος Μαυρομάτης (Der
Maler Stelios Mavromatis). Thessaloniki
1971. (Text griech. und engl.)

Christou, Ch. A. (Χρήστου, Χ. Α.): Μορφές
καί δημιουργοί τῆς νεοελληνικῆς ζωγρα-
φικῆς (Persönlichkeiten, bes. Kunstschaf-
fende, aus der neugriechischen Malerei).
Thessaloniki 1977.

Oi Ellines zografoi (Οἱ Ἕλληνες ζωγράφοι
[Die griechischen Maler]). 4 Bde. Athina
1979.

Elytis, O. (Ἐλύτης, Ο.): Ὁ ζωγράφος Θεόφι-
λος (Der Maler Theofilos). Athina 1973.

Epitheorisi Technis (Ἐπιθεώρηση Τέχνης [Re-
vue für Kunst]). Athina 1954–1967.

Fika-Frankouli, O. (Φίκα-Φραγκούλη, Ο.):
Διακοσμητικά λαϊκά θέματα (Volkskunstor-
namente). 1. Athina 1974.

Frantziskakis, F. K. (Φραντζισκάκης, Φ. Κ.):
Ἕνας ζωγράφος, μία πολιτεία. Ὁ Σπύρος
Σώκαρης καί ἡ Πάτρα (Ein Maler, eine Stadt:
Spyros Sokaris und Patras). Athinai 1976.

Griechische Naive: Ausstellung 5. März–
16. April 1978 [Museum am Ostwall]. Dort-
mund 1978.

Hellenic Popular Art / Ἑλληνική Λαϊκή Τέχνη.
Athens / Athina 1972–

Kalligas, M. G. (Καλλιγᾶς, Μ. Γ.): Ἡ Ἐθνική
Πινακοθήκη (Die Nationalgalerie). Athina
1976.

Kontoglou, F. (Κόντογλου, Φ.): Ἔκφρασις τῆς
ὀρθοδόξου εἰκονογραφίας (Anleitung zur
orthodoxen Ikonenmalerei). 2 Bde. 2. Aufl.
Athinai 1979.

Koskino (Κόσκινο [Sieb]). (Kunstbeiheft der
Literaturzeitschrift „Diagonios"). Thessaloniki 1974–

Kourtikakis, A. (Κουρτικάκης, Α.): Λεύκωμα
Ἑλλήνων καλλιτεχνῶν 1800–1975 (Album
über griechische Künstler 1800–1975).
Athina 1975.

Lydakis, S. (Λυδάκης, Σ.): Ἔοργα. Ἀλέκος
Κοντόπουλος. Ὁ ἄνθρωπος καί τό ἔργο του
(„Pinxi". Alekos Kontopoulos, der Mensch
und sein Werk). Athina 1975.

Lydakis, S. (Λυδάκης, Σ.): Κούλα Μπεκιάρη.
Ζωγραφική, χαρακτική (Koula Bekiari. Malerei, Gravuren). Athina 1976.

Makris, K. A. (Μακρῆς, Κ. Α.): Ἡ λαϊκή τέχνη
τοῦ Πηλίου (Die Volkskunst im Pilio/Pelion-
Gebirge). Athina 1976.

Matsas, N. (Μάτσας, Ν.): Ἑλληνικός λαϊκός
πολιτισμός καί παράδοση (Griechische
volkstümliche Kultur und Tradition). 2 Bde.
Athina 1973–1975.

Xydis, A. (Ξύδης, Α.): Προτάσεις γιά τήν
ἱστορία τῆς νεοελληνικῆς τέχνης (Vorschläge
zur Geschichte der neugriechischen Kunst). 2
Bde. Athina 1976.

Zygos (Ζυγός [Waage]). Bi-Monthly Art Magazine. Athina 1955–

2. Musik

Alevisos, S.; Alevisos, T.: Folk Songs of Greece.
New York 1968.

Anogeianakis, F. (Ἀνωγειανάκης, Φ.): Ἑλληνικά λαϊκά μουσικά ὄργανα (Griechische
Volksmusikinstrumente). Athina 1976.

Anogeianakis, F. (Ἀνωγειανάκης, Φ.):
Κατάλογος ἔργων Μανώλη Καλομοίρη
1883–1962 (Katalog der Werke von Manolis
Kalom(o)iris 1883–1962). Athina 1964.

Anogeianakis, F. (Ἀνωγειανάκης, Φ.): Ἡ μουσική στήν νεώτερη Ἑλλάδα (Musik im neueren Griechenland), Supplement in: Νέφ, Κ.:
Ἱστορία τῆς Μουσικῆς (Nef, K.: Geschichte
der Musik [griech. Übers.]). Athina 1958.

Benz, E.; Floros, C.: Das Buch der Heiligen
Gesänge der Ostkirche. Hamburg 1962.

Blume, F. (Hrsg.): Die Musik in Geschichte und
Gegenwart. Allgemeine Enzyklopädie der

Musik. 14 Bde. 2 Ergänzungsbände. Kassel, Basel 1949–1979. (Beiträge über: Antoniou, Argyropoulos, Christou, Dounias, Evangelatos, Hadjidakis, Ioannidis, Kalomiris, Konstantinidis, Kounadis, Koundouroff, Lalas, Lavrangas, Levidis, Logothetis, Mamangakis, Y. A. Papaïoannou, Perpessas, Petridis, Poniridy, Riadis, Samaras, Sicilianos, Skalkottas, Sklavos, Varvoglis, Vassiliadis, Xyndas, Zoras.)

Butterworth, K.; Schneider, S. (Hrsg.): Rebetika. Songs from the Old Greek Underworld. New York 1975.

Chianis, S.: The Vocal and Instrumental Tsamiko of Roumeli and the Peloponnesus. Diss. Los Angeles 1967.

Deltio Kritikis Diskografias (Δελτίο Κριτικῆς Δισκογραφίας [Kritisches Schallplattenverzeichnis]). Athina 1971–

Fugett, J. E.: Greek Folk Music from the Island of Crete. Diss. University of Utah 1959.

Galatopulos, S.: Callas. Prima donna assoluta. London 1976.

Giannaris, G.: Mikis Theodorakis: Music and Social Change. New York 1972.

Holden, R.; Vouras, M.: Greek Folk Dances. Newark, N. J. 1965.

Holst, G.: Rembetika. Musik einer griechischen Subkultur. Lieder von Liebe, Haschisch und Überleben. Berlin (West) 1979.

Host, G.: The Theodorakis Myth and Modern Greek Music. Amsterdam 1980.

The Hymns of the Hirmologion. 3 Teile. Copenhagen 1952–1956. (Monumenta musicae byzantinae transcripta 6–8.)

Kakoulidis, G. A. (Κακουλίδης, Γ. Α.): Τό ἑλληνικό τραγούδι ἀνθολογημένο (Anthologie des griechischen Liedes). Athina 1971.

Kousouris, G. (Κουσούρης, Γ.): ῞Ελληνες ἀρχιτραγουδιστές τοῦ μελοδράματος (Griechische Opernsänger). Frankfurt a. M. 1978.

Leotsakos, G. S.: Greece, in: Vinton, J.: Dictionary of Contemporary Music. New York 1974.

Motsenigos, S. G. (Μοτσενῖγος, Σ. Γ.): Νεοελληνική Μουσική, συμβολή εἰς τήν ἱστορίαν της (Neugriechische Musik – ein Beitrag zu ihrer Geschichte). Athinai 1958.

Mousikos kai Dramatikos Syllogos / Odeion Athinon (Μουσικός καί Δραματικός Σύλλογος / Ὠδεῖον Ἀθηνῶν [Musikalisch-Dramatische Gesellschaft / Odeon Athen]): Ἑκατονταετηρίς 1871–1971 (Hundertjähriges Jubiläum 1871–1971). Athinai 1971. (Zusammenfassungen frz., engl., dt.)

Papaïoannou, G. G. (Παπαϊωάννου, Γ. Γ.): Ἡ εἰκοσαετηρίδα τοῦ Νίκου Σκαλκώτα (Der 20. Jahrestag von Nikos Skalkot(t)as' Tod), in: Ἀρχεῖον Εὐβοϊκῶν Μελετῶν. 15. 1969.

Petrides, T.; Petrides, E.: Folk Dances of the Greeks. New York 1961.

Petropoulos, I. (Πετρόπουλος, Η.): Ρεμπέτικα τραγούδια (Lieder des Typs „Rebetiko"). Athina 1968.

Pierrat, G.: Théodorakis: Le roman d'une musique populaire. Paris 1977.

Politis, A. (Πολίτης, Α.): Τό δημοτικό τραγούδι: Κλέφτικα (Das Volkslied: Kleftenlieder). Athina 1973.

Pym, H.: Songs of Greece. London 1968.

Schiffer, B.: Neue griechische Musik, in: Orbis Musicae. Studies in Musicology. 1. 1972.

Schneider, J. R.: The Cretan Musical Environment. Diss. Wesleyan University 1969.

Slonimsky, N.: New Music in Greece, in: The Musical Quarterly. 51. 1965.

Theodorakis, M. (Θεοδωράκης, Μ.): Γιά τήν ἑλληνική μουσική (Über die griechische Musik). Athina 1974.

Vounas, Ch. (Βουνᾶς, Χ.): Τά 130 χρόνια τῆς μουσικῆς στήν Κεφαλονιά 1836–1966 (130 Jahre Musik auf Cefalonia/Kephallenien, 1836–1966). Athina 1966.

3. Theater

Athanasopoulos, Ch. G. (Ἀθανασόπουλος, Χ. Γ.): Προβλήματα στίς ἐξελίξεις τοῦ σύγχρονου θεάτρου (Entwicklungsprobleme im zeitgenössischen Theater). Athinai 1976. (Engl. Zusammenfassung.)

Fotiadis, A. (Φωτιάδης, Α.): Καραγκιόζης ὁ πρόσφυγας (Karagöz, der Flüchtling). Athina 1977.

Ioannou, G. (Ἰωάννου, Γ.), Hrsg.: Ὁ Καραγκιόζης (Der [griechische] Karagöz). 3 Bde. 1–2: 2. Aufl. Athina 1974–1977. 3: Athina 1972.

Jensen, H.: Vulgärgriechische Schattenspieltexte. Berlin (Ost) 1954.

Lascaris, N.: Le théâtre néo-grec. Athènes 1930. (Griech.: Λάσκαρης, Ν.: Ἱστορία τοῦ νεοελληνικοῦ θεάτρου. 2 Bde. Athinai 1938–1939).

Melas, S. (Μελᾶς, Σ.): 50 χρόνια θεάτρου (50 Jahre Theater). Athina 1960.

Michailidis, G. (Μιχαηλίδης, Γ.): Νέοι ῞Ελληνες θεατρικοί συγγραφεῖς (Junge griechische Theaterschriftsteller). Athinai 1975.

Pontani, F. M.: Teatro neoellenico. Milano 1962.

Puchner, W.: Brauchtumserscheinungen im griechischen Jahreslauf und ihre Beziehungen zum Volkstheater. Theaterwissenschaftlich-volkskundliche Querschnittstudien zur südbalkanisch-mediterranen Volkskultur. Wien 1977.

Rust, E.: Karaghioz. Diss. New York 1961.

Sideris, G. (Σιδέρης, Γ.): Ἱστορία τοῦ νέου ἑλληνικοῦ θεάτρου (Geschichte des neugriechischen Theaters). Athina 1951.

Sidéris, J.: Le théâtre néo-grec. Athènes 1957.

Theatro (Θέατρο [Theater]). Athina 1957- (Jahrbuch).

Theatro (Θέατρο [Theater]). Athina 1962- (Zweimonatsschrift).

Theatro Technis (Θέατρο Τέχνης): Κάρολος Κούν – 25 χρόνια θέατρο (Karolos Koun – 25 Jahre Theater). Athina 1959.

Theatro Technis (Θέατρο Τέχνης) 1942–1972 (Das „Theater der Kunst" 1942–1972). Athina 1972.

Thrylos, A. (Θρῦλος, Α.): Τό ἑλληνικό θέατρο (Das griechische Theater). 4 Bde. (1927–1948). Athina 1977–1978.

Thrylos, A. (Θρῦλος, Α.): Μορφές καί θέματα τοῦ θεάτρου (Persönlichkeiten und Themen des Theaters). Athina 1961.

Valsa, M.: Le théâtre grec moderne de 1453 à 1900. Berlin (Ost) 1960.

Abkürzungsverzeichnis

EPEK	Ethniki Proodevtiki Enosis Kentrou (Nationale Fortschrittliche Zentrumsunion)
ERE	Ethniki Rizopastiki Enosis (Nationale Radikale Union)
ENA	Elliniki Navtiki Astynomia (Griechische Schiffahrtspolizei)
ERT	Elliniki Radiofonia Tileorassia (Griechischer Rundfunk und Fernsehen)
ESA	Elliniki Stratiotiki Astynomia (Griechische Militärpolizei)
ESAK	Ergatiko Syndikalistiko Antidiktatoriko Kinima (Antidiktatorische Gewerkschaftliche Arbeiterbewegung)
EXON	Christlich-Sozialistische Jugend Griechenlands
ES	Ellinikos Synagermos (Griechische Sammlungspartei)
FIDIK	Filelevtheron Dimokratikon Kentron (Liberaldemokratisches Zentrum)
FIR	Flight Information Region
GNP	Gross National Product
GSEE	Geniki Synonospondia Ergatoÿpallion Elladas (Allgemeine Konföderation der Griechischen Arbeiter)
IDC	Industrial Development Corporation
IDEA	Ieros Desmos Ellinon Axiomatikon (Heiliger Bund Griechischer Offiziere)
ILO	International Labour Organisation
IPE	Inomeni Parataxis Ethnikofrono (Vereinigtes Lager der Nationalgesinnten)
IOBE	Instituto Oikonomikon Biomechanikon Erevnon (Institut für Wirtschafts- und Industrieforschung)
ISCM	International Society for Contemporary Music
KAE	Komma Agroton Ergazomenon (Partei der Bauern und Werktätigen)
KATEE	Kentra Anoteras Technikis kai Epangenimakitis Ekpaidevseos (Higher Technical and Vocational Centres)
KEF	Komma Ethnikon Filelevtheron (Nationalliberale Partei)
KEPE	Kentron Programmatismou kai Erevnon (Zentrum für Planung und Wirtschaftsforschung)
KF	Komma Filelevtheron (Liberale Partei)
KKE	Kommounistiko Komma Ellados (Kommunistische Partei Griechenlands)
KKE-ES	Kommounistiko Komma Ellados – Esoteriko (Kommunistische Partei Griechenlands – Inland)
KOA	Kratiki Orchistra Athinon (Staatliches Orchester Athen)
KODISO	Komma Dimokratikou Sosialismou (Partei des Demokratischen Sozialismus)
KOTh	Kratiki Orchistra Thessalonikis (Staatliches Orchester Thessaloniki)
KP	Komma Proodevtikon (Fortschrittspartei)
KPdSU	Kommunistische Partei der Sowjetunion
KSZE	Konferenz für Sicherheit und Zusammenarbeit in Europa
KVF	Komma Venizelikon Filevtheron (Partei der Venizelistischen Liberalen)
LK	Laïkon Komma (Volkspartei)
MEA	Metopon Ethnikis Anagenniseos (Front für Nationale Wiedergeburt)
NAMFI	NATO – Missile Firing Installation
NATO	North Atlantic Treaty Organisation
ND	Nea Dimokratia (Neue Demokratie)
NK	Neon Komma (Neue Partei)
NNP	Net National Product
OAU	Organisation for African Unity
ODEPES	Organismos Diacheiriseos Eidikon Poron Ergatikon Somateion (Fonds zur Verwaltung spezieller Einnahmen der Gewerkschaften)
OECD	Organisation for Economical and Cultural Development
OEEC	Organisation for European Economic Cooperation
OIE	Organisation Internationale des Employeurs
OLME	Omospondia Leitourgon Mesis Ekpaidevseos (Vereinigung der Sekundarschullehrer)
ONNED	Organosis Neon Neas Dimokratias (Jugendorganisation der Neuen Demokratie)

PADE   Proodevtiki Agrotiki Dimokratiki Enosis
                (Fortschrittliche Agrarisch-Demokratische Union)
PAE   Parataxis Agroton kai Ergazomenon (Lager der Bauern und Werktätigen)
PAK   Panellinio Apelevtherotiko Kinima
                (Panhellenische Befreiungsbewegung)
PAME   Pandimokratiko Agrotiko Metopo Ellados
                (Pandemokratische Agrarfront Griechenlands)
PAP   Politiki Anexartitos Parataxis (Unabhängiges Politisches Lager)
PASEGES   Panellinios Synomospondia Enoseou Georgikou Synetairismou
                (Panhellenischer Zentralverband der Unionen landwirtschaftlicher Genossenschaften)
PASKE   Panellinio Agonistiko Syndikalistiko Kinima Ellados
                (Panhellenische Gewerkschaftliche Kampfbewegung)
PASOK   Panellinio Sosialistiko Kinima
                (Panhellenische Sozialistische Bewegung)
PEEA   Politiki Epitropi Ethnikis Apelevtheroseos
                (Politisches Komitee zur Nationalen Befreiung)
SACEUR   Supreme Allied Commander Europe
SEB   Syndesmos Ellinikou Biomichanion (Verband der Griechischen Industrie)
SEDO   Synomistiki Epitropi Dimosioypallilikon Organoseon
                (Koordinationsausschuß der Beamtenvereinigungen)
SK-ELD   Sosialistiko Komma – Enosis Laïkis Dimokratias
                (Sozialistische Partei – Union für Volksdemokratie)
SPAD[E]   Symmachia ton Proodevtikon kai Aristeron Dynameon [Elladas]
                (Allianz der fortschrittlichen und linken Kräfte [Griechenlands])
UNESCO   United Nations Educational Scientific and Cultural Organisation
UNFICYP   United Nations Force in Cyprus
UNO   United Nations Organisation
UNRRA   United Nations Relief and Rehabilitation Administration
UNSCOB   United Nations Special Commission on the Balkans
YENED   Ypiresia Enimeroseos Enoplon Dynameon
                (Unterrichtungsdienst der Streitkräfte)

Verzeichnis der Tabellen, Schaubilder und Karten

Verzeichnis der Autoren

Prof. Dr. Nikolaos Androulakis
Seminar für Strafrecht der Juristischen Fakultät, Universität Athen, Solonosstraße 57, Athen 143

Dipl.-Volksw. Harriet Austen
Seminar für Wirtschaft und Gesellschaft Südosteuropas, Universität München, Akademiestraße 1/III, 8000 München 13

Hermann Bünz
Abteilung für Moderne osteuropäische Geschichte des Historischen Seminars, Universität Hamburg, v.-Melle-Park 6/IX, 2000 Hamburg 13

Prof. Dr. Chrysanthos Christou
Seminar für Kunstgeschichte der Philosophischen Fakultät, Universität Saloniki, Saloniki

Prof. Dr. Prodromos Dagtoglou
Seminar für Öffentliches Recht der Juristischen Fakultät, Universität Athen, Hippokratesstraße 33, Athen 144

Prof. Dr. Dimitrios J. Delivanis
Wirtschaftswissenschaftliche Fakultät, Universität Saloniki, Saloniki

Dipl. pol. George Demetriou
Seminar für wissenschaftliche Politik an der Universität Freiburg, Werderring 18, 7800 Freiburg i. Br.

Journalistin Ursula Diepgen
Acheou 8, Athen 139

Prof. Dr. Alexis Dimaras
The Moraitis School Foundation for Literary and Cultural Studies, Vas. Konstantinou s Ag. Dimitrou, Psychikon-Athen

Dr. Matthias Esche
Abteilung für Moderne osteuropäische Geschichte des Historischen Seminars, Universität Hamburg, v.-Melle-Park 6/IX, 2000 Hamburg 13

Prof. Dr. Apostolos Georgiades
Seminar für Privatrecht der Juristischen Fakultät, Universität Athen, Hippokratesstraße 33, Athen 144

Kostas Georgousopoulos
To Vima, Christou-Lada 2, Athen 124

Prof. Dr. Klaus-Detlev Grothusen
Abteilung für Moderne osteuropäische Geschichte des Historischen Seminars, Universität Hamburg, v.-Melle-Park 6/IX, 2000 Hamburg 13

Dr. Günther S. Henrich
Arbeitsbereich Byzantinistik und Neugriechische Philologie des Instituts für Griechische und Lateinische Philologie, Universität Hamburg, v.-Melle-Park 6/VIII, 2000 Hamburg 13

Prof. Dr. Gunnar Hering
Seminar für Mittlere und Neuere Geschichte, Universität Göttingen, Nikolausberger Weg 9 c, 3400 Göttingen

Prof. Dr. Friedrich Heyer
Wissenschaftlich-Theologisches Seminar, Universität Heidelberg, Kisselgasse 1, 6900 Heidelberg

Dr. Joannis Karakostas
Seminar für Privatrecht der Juristischen Fakultät, Universität Athen, Hippokratesstraße 33, Athen 144

Prof. Dr. George A. B. Kartsaklis
Department of Economics, Dalhousie University, Halifax, N.S., B3H 3J5

Dr. Michael Kelpanides
Deutsches Institut für Internationale pädagogische Forschung, Schloßstraße 29, 6000 Frankfurt/Main 90

Oberst a. D. Werner Kowarik
Industriestraße 4, 2000 Wedel/Holstein

Reinhard Kunze
Abteilung für Moderne osteuropäische Geschichte des Historischen Seminars, Universität Hamburg, v.-Melle-Park 6/IX, 2000 Hamburg 13

George S. Leotsakos
Music critic, musicologist, historian of Modern Greek art music, 33, Saint Philothei-Str., Philothei-Halandri, Athen

Prof. Dr. Ian M. Matley
Department of Geography, Michigan State University, East Lansing, Michigan 48824

Dr. Georg Mergl
Pal. Parton Germanou 11, Chalandrion, Athen

Prof. Dr. Franz Ronneberger
Lehrstuhl für Politik und Kommunikationswissenschaften im Sozialwissenschaftlichen Institut, Universität Erlangen-Nürnberg, Findelgasse 7–9, 8500 Nürnberg

Prof. Dr. Isidora Rosenthal-Kamarinea
Seminar für Neugriechische und Byzantinische Philologie, Gebäude GB 2/143–145, Universität Bochum, 4630 Bochum

Jannis Valasidis
Kontakta, Thukididou 3, Athen T.T. 118

Werner Voigt
Arbeitsbereich Byzantinistik und Neugriechische Philologie des Instituts für Griechische und Lateinische Philologie, Universität Hamburg, v.-Melle-Park 6/VIII, 2000 Hamburg 13

Dr. Richard M. Westebbe
International Bank für Reconstruction and Development, 1818 H.-Street, N.W., Washington, D.C. 20433

John G. Zenelis
Columbia University Law Library, 435 W. 116th str., New York N.Y. 10027

Register

Für die wichtigsten Abkürzungen werden Querverweisungen gegeben. Bitte zusätzlich aber auch das Abkürzungsverzeichnis verwenden.

SÜDOSTEUROPA-HANDBUCH
Handbook on South Eastern Europe

Band I: Jugoslawien

Herausgegeben von Klaus-Detlev Grothusen in Verbindung mit dem Südosteuropa-Arbeitskreis der Deutschen Forschungsgemeinschaft. 1975. 566 Seiten mit 101 Tabellen und einer Übersichtskarte, Leinen
(ISBN 3-525-36200-5)

„Der erste Band .... informiert schnell und zuverlässig über alle Bereiche des politischen, ökonomischen und gesellschaftlichen Lebens eines Staates, dessen besondere Stellung zwischen Ost und West ebenso wie seine beachtenswerte innenpolitische Struktur zu dauernder Aufmerksamkeit zwingt.''   *Vorwärts*

„Von international anerkannten Fachleuten in abwechselnd deutscher und englischer Sprache und einwandfreier Objektivität erarbeitet und dargestellt, bietet das Handbuch eine einzigartige Fülle von historischen, politischen, wirtschaftlich-sozialen, kulturell-wissenschaftlichen, kirchen- und gesellschaftspolitischen sowie militärischen Fakten des komplizierten, modernen jugoslawischen Vielvölkerstaates.''   *Der Bund/Bern*

Band II: Rumänien

Herausgegeben von Klaus-Detlev Grothusen in Verbindung mit dem Südosteuropa-Arbeitskreis der Deutschen Forschungsgemeinschaft. 1977. 711 Seiten mit 82 Tabellen und einer Übersichtskarte, Leinen
(ISBN 3-525-36201-3)

„Zu rühmen sind die Anlage des Bandes, die Materialdichte der meisten Beiträge, die im dokumentarischen Anhang zusätzlich gebotenen Daten und die Benutzbarkeit des Ganzen dank eines vorzüglichen Registers.''
Andreas Hillgruber / Historische Zeitschrift

„Dem Herausgeber ist es gelungen, hervorragende Fachleute für die Zusammenarbeit zu gewinnen. ...Wenn die folgenden Bände des Handbuchs die gleiche Höhenlinie einhalten können, wird das große Unternehmen nach seinem Abschluß ein rühmlicher Ausweis der Südosteuropa-Forschung sein.''
Das Historisch-politische Buch

Geplant sind die Bände:
Türkei · Ungarn · Bulgarien · Albanien · Zypern.

Vandenhoeck & Ruprecht · Göttingen/Zürich

Die Türkei in Europa

Beiträge des Südosteuropa-Arbeitskreises der Deutschen Forschungsgemeinschaft zum IV. Internationalen Südosteuropa-Kongreß der Association Internationale d'Études du Sud-Est Européen, Ankara, 13.–18. 8. 1979. Herausgegeben von Klaus-Detlev Grothusen. 1979. 271 Seiten mit zahlreichen Abbildungen im Text und 16 Tafeln, Leinen (ISBN 3-525-27314-2)

INHALT:

Geographie: Herbert Louis, Die Stellung Anatoliens am Rande Europas

Byzantinistik: Armin Hohlweg, Der Kreuzzug des Jahres 1444 – Versuch einer christlichen Allianz zur Vertreibung der Türken aus Europa

Kunstgeschichte: Klaus Wessel, Osmanische Einflüsse in der nachbyzantinischen Buchmalerei / Marcell Restle, Türkische Elemente in der bayerischen Architektur des 18. und 19. Jahrhunderts

Geschichte: Klaus Kreiser, Über den »Kernraum« des Osmanischen Reichs / Hans-Georg Majer, Wie stellten sich die Osmanen zur Wohlfahrt ihrer Länder? / Klaus-Detlev Grothusen, Die Orientalische Frage als Problem der europäischen Geschichte – Gedanken zum 100. Jahrestag des Berliner Kongresses

Kirchengeschichte und Theologie: Ernst Christoph Suttner, Die Konfrontation der Ostkirchen mit westlicher Theologie unter osmanischer Herrschaft / Bertold Spuler, Betrachtungen zur Lage des Islams in der heutigen Türkei

Linguistik: Michael Fritsche, Türkisch-balkanische Parallelitäten und türkische Elemente in den Verwandtschaftsterminologien der Balkansprachen / Ingrid Mönch, Sozialpsychologische Implikationen im Fremdsprachenunterricht mit türkischen Arbeitnehmern / Norbert Reiter, Das Problem Komparativ

Literaturwissenschaft: Reinhard Lauer, Das Osmanische Reich als Weltmodell – Zur parabolischen Struktur von Ivo Andrićs Erzählung »Der verfluchte Hof«

Wirtschaftswissenschaft: Hermann Gross, Die deutsch-türkischen Wirtschaftsbeziehungen / Werner Gumpel, Die Türkei im wirtschaftlichen Entwicklungsprozeß Europas / Theodor D. Zotschew, Die Türkei und die Europäische Gemeinschaft

Politik und Kommunikationswissenschaft: Franz Ronneberger, Der Beitrag der Türkei zur politischen Modernisierung

Rechtswissenschaft: Franz Mayer, Die Türkei, ein Glied der europäischen Staaten- und Rechtsgemeinschaft Register

Ethnogenese und Staatsbildung in Südosteuropa

Beiträge des Südosteuropa-Arbeitskreises der Deutschen Forschungsgemeinschaft zum III. Internationalen Südosteuropa-Kongreß der Association Internationale d'Études du Sud-Est Européen, Bukarest, 4.–10. 9. 1974. Herausgegeben von Klaus-Detlev Grothusen. 1974. 321 Seiten und 8 Tafeln, Leinen (ISBN 3-525-27313-4)

Inhaltsübersicht: Byzantinistik und Kunstgeschichte / Turkologie / Geschichte / Balkanologie / Volkskunde / Wirtschaftswissenschaft / Politik- und Kommunikationswissenschaft / Rechtswissenschaft

Vandenhoeck & Ruprecht · Göttingen/Zürich